The Prentice-Hall
NEW WORLD ATLAS

The Prentice-Hall
NEW WORLD ATLAS

Prentice-Hall, Inc.,
Englewood Cliffs, New Jersey 07632

Library of Congress Cataloging in Publication Data

RAINTREE, GEORGE PHILIP, INC.
  The Prentice-Hall new world atlas.

  Includes index.
  1. Atlas.   I. Title.
ISBN 0-13-695867-2

10   9   8   7   6   5   4   3   2   1
ISBN 0-13-695867-2

Printed in Great Britain by George Philip Printers Ltd.

Edited by
B. M. Willett, B.A., Cartographic Editor, George Philip and Son Ltd.
Consultant Cartographer Harold Fullard, M.Sc.
Maps prepared by George Philip Cartographic Services Ltd under the
direction of A. G. Poynter, M.A., Director of Cartography.

This book is available at a special discount when ordered in bulk quantities.
Contact Prentice-Hall, Inc., General Publishing Division, Special Sales,
Englewood Cliffs, N.J. 07632.

Prentice-Hall International, Inc., *London*
Prentice-Hall of Australia Pty. Limited, *Sydney*
Prentice-Hall Canada Inc., *Toronto*
Prentice-Hall of India Private Limited, *New Delhi*
Prentice-Hall of Japan, Inc., *Tokyo*
Prentice-Hall of Southeast Asia Pte. Ltd., *Singapore*
Whitehall Books Limited, *Wellington, New Zealand*
Editora Prentice-Hall do Brasil Ltda., *Rio de Janeiro*

Acknowledgements
The illustrations in *The Universe, Earth and Man* have been provided by the
following: Air India, Australian Information Service, Brazilian Embassy,
London, British Aircraft Corporation, British Airways, British Leyland,
British Petroleum, British Rail, British Steel Corporation, British Tourist
Authority, Central Electricity Generating Board, D. Chanter, Danish
Embassy, London, Egypt Air, Fiat (England) Ltd., Finnish Tourist Bureau,
Freightliners Ltd., H. Fullard, M. H. Fullard, Gas Council Exploration Ltd.,
Commander H. R. Hatfield/Astro Books, H. Hawes, Israeli Govt. Tourist
Office, Japan Air Lines, Lufthansa, M.A.T. Transport Ltd., Meteorological
Office, London, Moroccan Tourist Office, N.A.S.A. (Space Frontiers),
National Coal Board, London, National Maritime Museum, London,
Offshore Co, Pan American World Airways, Royal Astronomical Society,
London, Shell International Petroleum Co. Ltd., Swan Hunter Group, Ltd.,
Swiss National Tourist Office, B. M. Willett, Woodmansterne Ltd.

Title-page illustration Savannah country in the Samburu Game Reserve,
Kenya (Bruce Coleman Ltd)

Preface

The **Prentice-Hall New World Atlas** has been designed to provide a compact and convenient reference book which is easy to handle and consult.

The maps in the atlas are arranged in continental sections; each is introduced by a physical and a political map of the whole continent and these are followed by regional maps at medium scales and larger-scale maps of the more densely-populated areas. The contents list to the atlas as a whole not only gives a complete list of maps but also includes an outline map of each of the continents showing the areas covered by the large-scale map pages. This will help the reader to find the page required very quickly. The location of a specific place can, of course, be found via the index, where place names are listed alphabetically and the map page number and geographical coordinates for each entry are given.

The name forms on the maps are those that are used locally, or that have been transcribed according to the accepted systems. In the case of China, the Pinyin system for romanization, which is being increasingly used in the west, has been accepted. Well-known and well-used forms (often English conventions) for foreign place names are cross-referenced to the local form in the index and are often given alongside the local form on the map.

Where there are rival claims to territory, international boundaries are drawn to indicate the *de facto* situation. This does not denote international recognition of these boundaries but shows the limits of administration on either side of the line. Boundaries crossing disputed areas in the eastern Mediterranean have been specifically identified.

The maps are preceded by a fascinating information-packed reference section covering the evolution of the present-day earth, its place in the universe, and the activities of man. This introductory material is fully illustrated with thematic maps, drawings, photographs and diagrams and will give you the background you need to fully understand today's world. Topics include how the earth and its landscapes were formed, mineral resources and their distribution, population growth and urbanization, trade and transport, industry and employment and the distribution of wealth.

Contents

Universe, Earth and Man

World Maps 1-128

The Abbey of Baume-les-Messieurs in the Jura, France (Bruce Coleman Ltd)

Europe

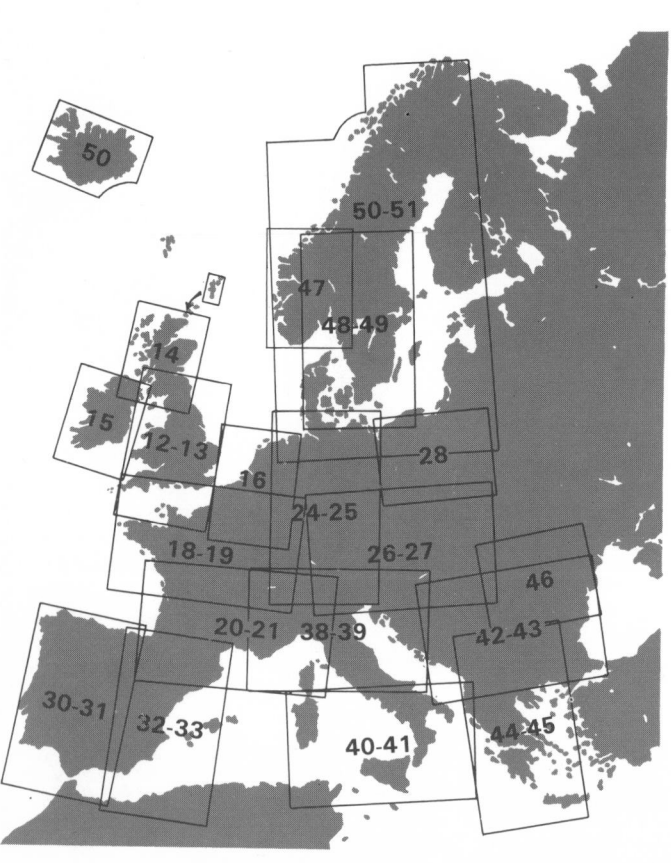

Asia

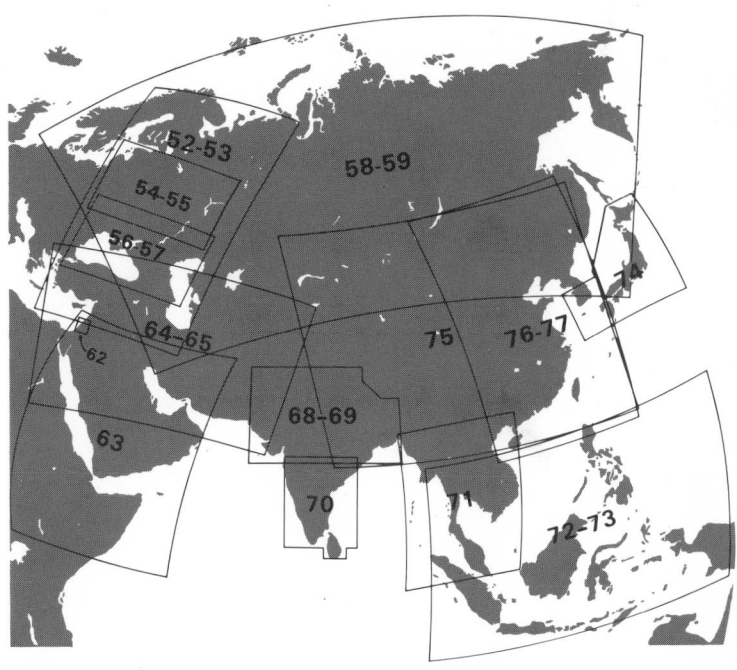

The monastery of Lamayuru Gonpa in Ladakh, Kashmir (Bruce Coleman Ltd)

Africa

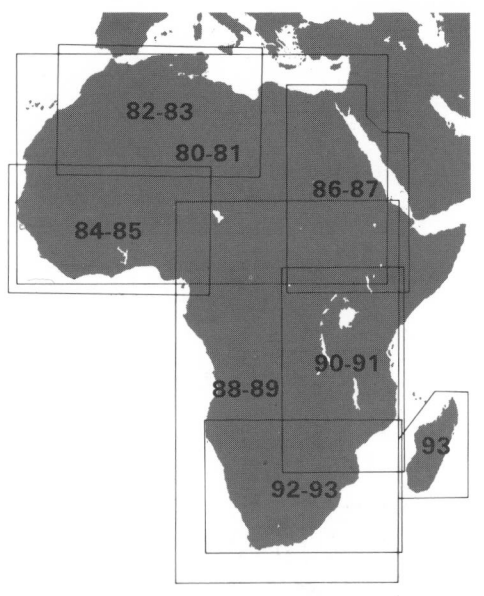

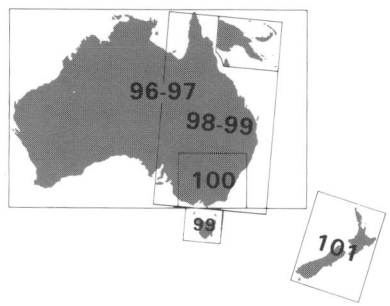

Australasia

Opposite below Ox-bow loop on the Luangwa River, Zambia
(Bruce Coleman Ltd)

Below The Twelve Apostles, Victoria, Australia (Bruce Coleman Ltd)

The Americas

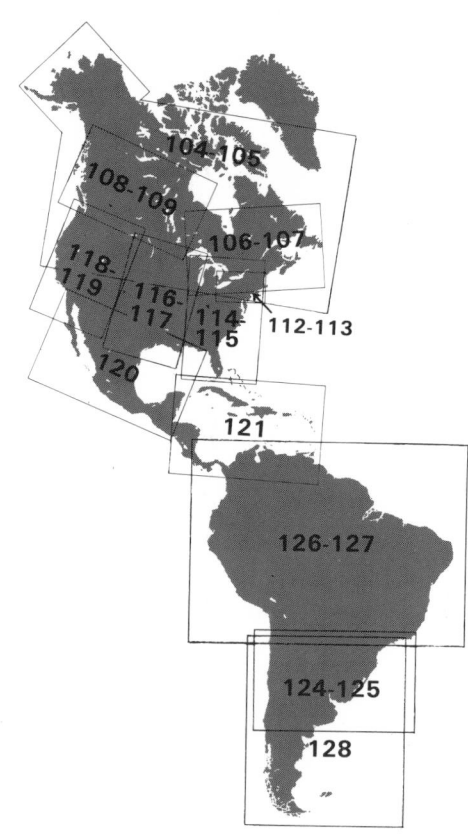

Mt Ausengate, Peru (Bruce Coleman Ltd)

Index

Chart of the Stars

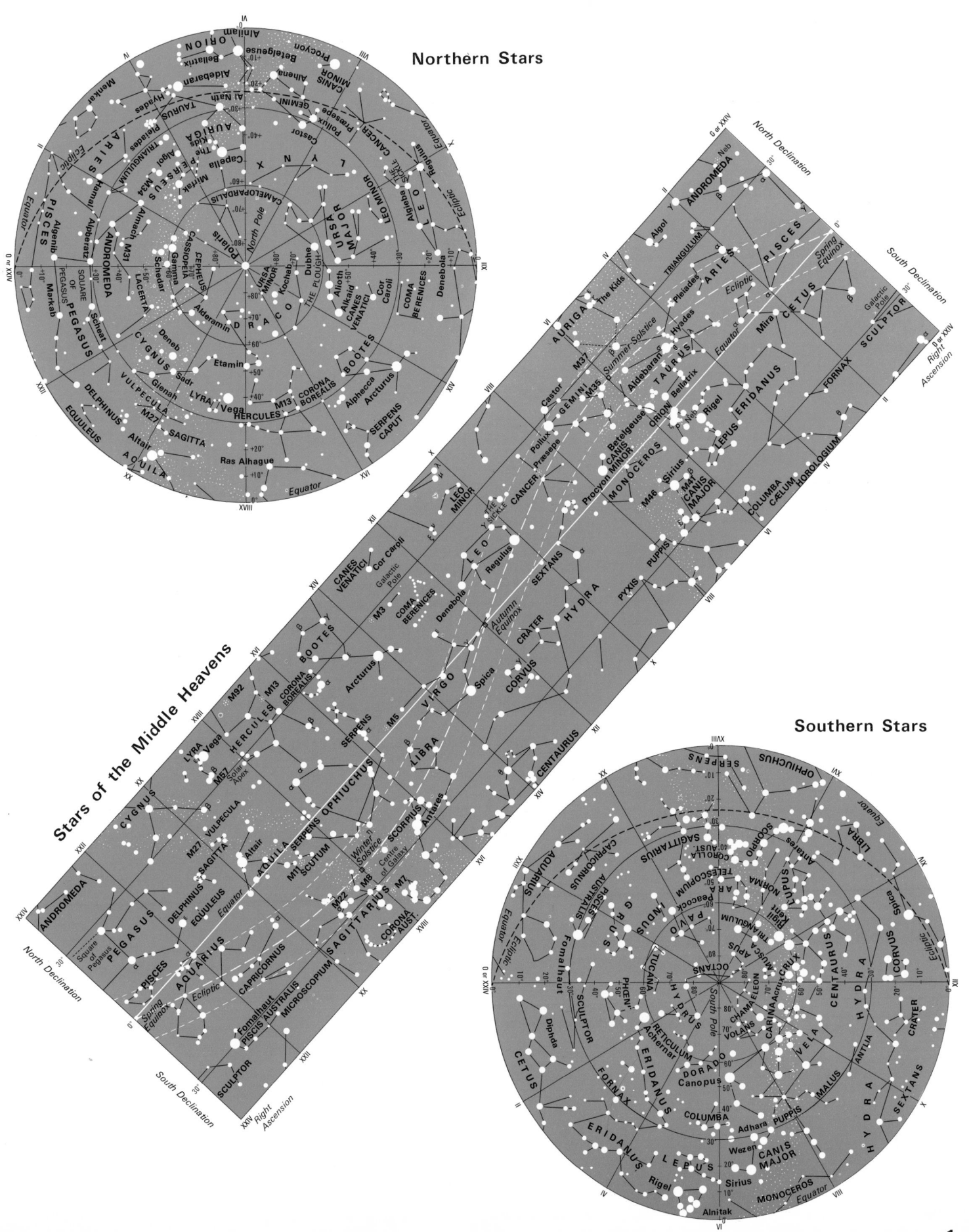

Northern Stars

Stars of the Middle Heavens

Southern Stars

1

The Solar System

The Solar System is a minute part of one of the innumerable galaxies that make up the universe. Our Galaxy is represented in the drawing to the right and The Solar System (S) lies near the plane of spiral-shaped galaxy, but 27 000 light-years from the centre. The System consists of the Sun at the centre with planets, moons, asteroids, comets, meteors, meteorites, dust and gases revolving around it. It is calculated to be at least 4 700 million years old.

The Solar System can be considered in two parts: the Inner Region planets- Mercury, Venus, Earth and Mars - all small and solid, the Outer Region planets - Jupiter, Saturn, Uranus and Neptune - all gigantic in size, and on the edge of the system the smaller Pluto.

Our galaxy

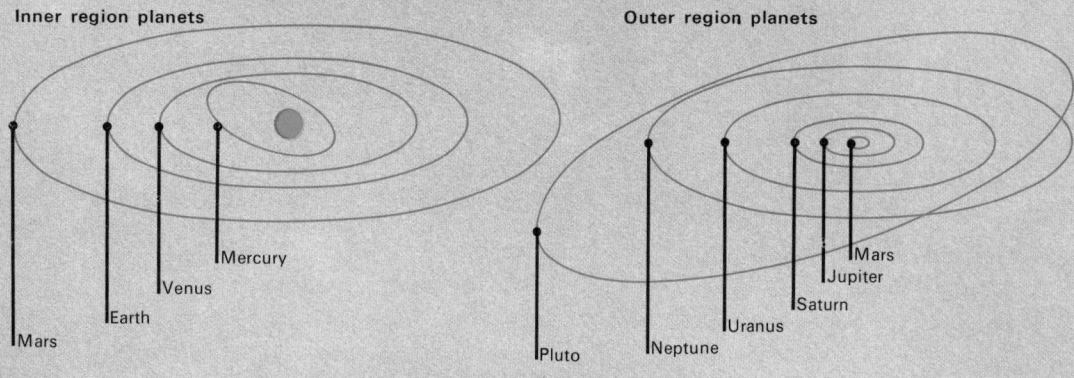

Inner region planets
Mars
Earth
Venus
Mercury

Outer region planets
Pluto
Neptune
Uranus
Saturn
Jupiter
Mars

The planets

All planets revolve round the Sun in the same direction, and mostly in the same plane. Their orbits are shown (left) - they are not perfectly circular paths.

The table below summarizes the dimensions and movements of the Sun and planets.

The Sun

The Sun has an interior with temperatures believed to be of several million °F brought about by continuous thermo-nuclear fusions of hydrogen into helium. This immense energy is transferred by radiation into surrounding layers of gas the outer surface of which is called the chromosphere. From this "surface" with a temperature of many thousands °F "flames" (solar prominences) leap out into the diffuse corona which can best be seen at times of total eclipse (see photo right). The bright surface of the Sun, the photosphere, is calculated to have a temperature of about 11 000 °F and when viewed through a telescope has a mottled appearance, the darker patches being called sunspots - the sites of large disturbances of the surface.

Total eclipse of the sun

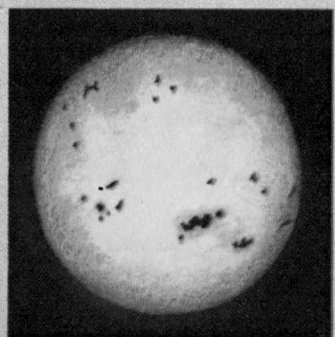

The sun's surface

	Equatorial diameter in mi.	Mass (earth=1)	Mean distance from sun in millions mi.	Mean radii of orbit (earth=1)	Orbital inclination	Mean sidereal period (days)	Mean period of rotation on axis (days)	Number of satellites
Sun	864 432	332 946	—	—	—	—	25·38	—
Mercury	3 029	0.05	35·9	0·38	7°	87·9	58·6	0
Venus	7 517	0.81	67·2	0·72	3°23'	224·7	243	0
Earth	7 921	1.00	92·9	1·00	—	365·2	0·99	1
Mars	4 219	0.10	141·5	1·52	1°50'	686·9	1·02	2
Jupiter	88 679	317.9	483·3	5·20	1°18'	4332·5	0·41	14 ?
Saturn	74 520	95.1	886·2	9·53	2°29'	10759·2	0·42	11
Uranus	32 292	14.5	1781·6	19.17	0°46'	30684·8	0·45	5
Neptune	30 056	17.2	2792	30.05	1°46'	60190·5	0·67	2
Pluto	1 863 ?	0.001	3663·9	39.43	17°1'	91628·6	6·38	1 ?

The Sun's diameter is 109 times greater than that of the Earth.

Distances from sun in millions mi.

35·9	Mercury
67·2	Venus
92·9	Earth
141·5	Mars
483·3	Jupiter
886	Saturn
1782	Uranus
2792	Neptune
3664	Pluto

Mercury is the nearest planet to the Sun. It is composed mostly of high density metals and probably has an atmosphere of heavy inert gases.

Venus is similar in size to the Earth, and probably in composition. It is, however, much hotter and has a dense atmosphere of carbon dioxide which obscures our view of its surface.

Earth is the largest of the inner planets. It has a dense iron-nickel core surrounded by layers of silicate rock. The surface is approximately $\frac{3}{8}$ land and $\frac{5}{8}$ water, and the lower atmosphere consists of a mixture of nitrogen, oxygen and other gases supplemented by water vapour. With this atmosphere and surface temperatures usually between $-60°F$ and $+100°F$ life is possible.

Mars, smaller than the Earth, has a noticeably red appearance. Photographs taken by the Mariner probes show clearly the cratered surface and polar ice caps, probably made from frozen carbon dioxide.

The Asteroids orbit the Sun mainly between Mars and Jupiter. They consist of thousands of bodies of varying sizes with diameters ranging from yards to hundreds of miles.

Jupiter is the largest planet of the Solar System. Photographs taken by Voyager I and II have revealed an equatorial ring system and shown the distinctive Great Red Spot and rotating cloud belts in great detail.

Saturn, the second largest planet consists of hydrogen, helium and other gases. The equatorial rings are composed of small ice particles.

Uranus is extremely remote but just visible to the naked eye and has a greenish appearance. A faint equatorial ring system was discovered in 1977. The planet's axis is tilted through 98° from its orbital plane, therefore it revolves in a retrograde manner.

Neptune, yet more remote than Uranus and larger. It is composed of gases and has a bluish green appearance when seen in a telescope. As with Uranus, little detail can be observed on its surface.

Pluto. No details are known of its composition or surface. The existence of this planet was firstly surmised in a computed hypothesis, which was tested by repeated searches by large telescopes until in 1930 the planet was found. Latest evidence seems to suggest that Pluto has one satellite, provisionally named Charon.

The Earth

Seasons, Equinoxes and Solstices

The Earth revolves around the Sun once a year and rotates daily on its axis, which is inclined at $66\frac{1}{2}°$ to the orbital plane and always points into space in the same direction. At midsummer (N.) the North Pole tilts towards the Sun, six months later it points away and half way between the axis is at right angles to the direction of the Sun (right).

Earth data

Maximum distance from the Sun (Aphelion) 94 396 356 mi.
Minimum distance from the Sun (Perihelion) 91 287 515 mi.
Obliquity of the ecliptic 23° 27′ 08″
Length of year - tropical (equinox to equinox) 365.24 days
Length of year - sidereal (fixed star to fixed star) 365.26 days
Length of day - mean solar day 24h 03m 56s
Length of day - mean sidereal day 23h 56m 04s

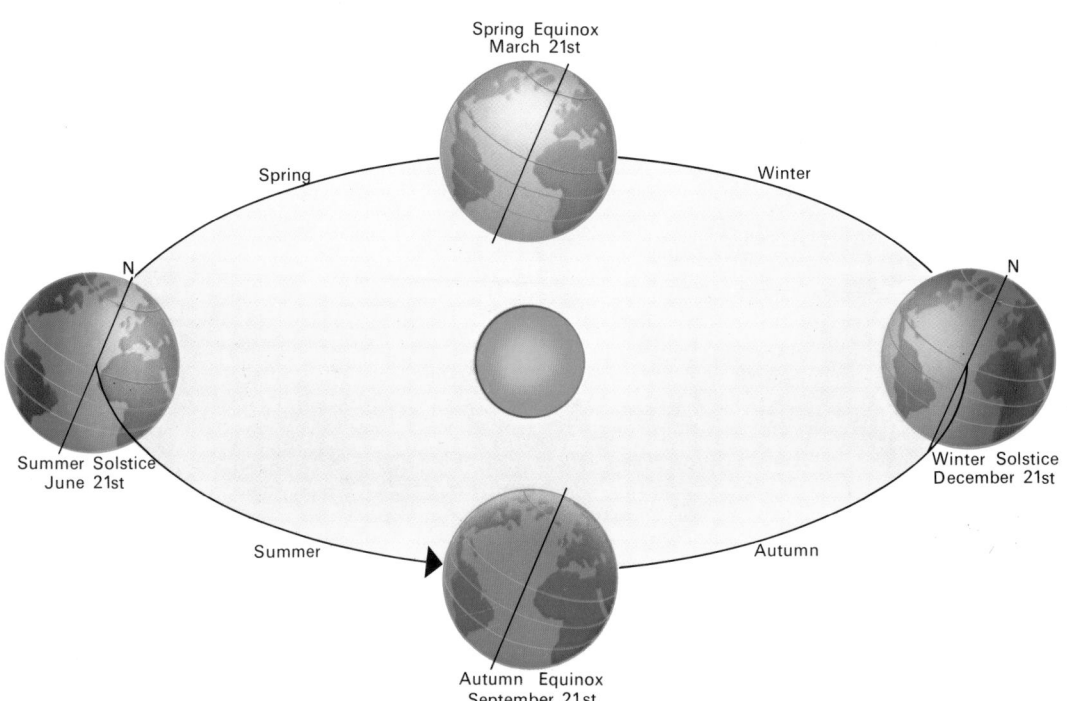

Length of day and night

At the summer solstice in the northern hemisphere, the Arctic has total daylight and the Antarctic total darkness. The opposite occurs at the winter solstice. At the equator, the length of day and night are almost equal all the year, at 30° the length of day varies from about 14 hours to 10 hours and at 50° from about 16 hours to 8 hours.

Apparent path of the Sun

The diagrams (right) illustrate the apparent path of the Sun at A the equator, B in mid latitudes say 45°N, C at the Arctic Circle $66\frac{1}{2}°$ and D at the North Pole where there is six months continuous daylight and six months continuous night

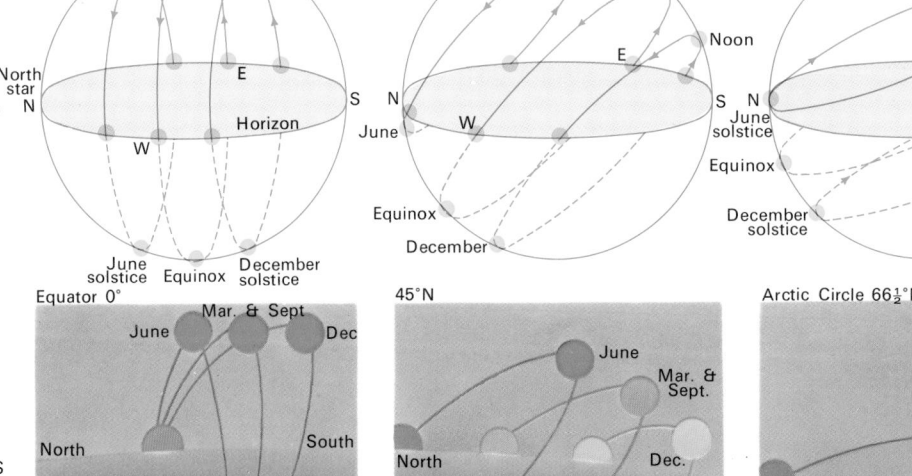

The Moon

The Moon rotates slowly making one complete turn on its axis in just over 27 days. This is the same as its period of revolution around the Earth and thus it always presents the same hemisphere ('face') to us. Surveys and photographs from space-craft have now added greatly to our knowledge of the Moon, and, for the first time, views of the hidden hemisphere.

New moon 2 3 4 5 6 7 8

Crescent moon(2) | Half moon, first quarter(3) | Gibbous moon (4) | Full moon (5) | The waning moon (6) | Half moon, last quarter(7) | The old moon (8)

Phases of the Moon
The interval between one full Moon and the next is approximately 29½ days - thus there is one new Moon and one full Moon every month. The diagrams and photographs (right) show how the apparent changes in shape of the Moon from new to full arise from its changing position in relation to the Earth and both to the fixed direction of the Sun's rays.

Moon data
Distance from Earth 221 330 mi.
to 252 551 mi.
Mean diameter 2 157 mi.
Mass approx. $\frac{1}{81}$ of that of Earth
Surface gravity $\frac{1}{6}$ of that of Earth
Atmosphere - none, hence no clouds,
no weather, no sound.
Diurnal range of temperature at
the Equator+400°F

Landings on the Moon
Left are shown the landing sites of the U.S. Apollo programme.
Apollo 11 Sea of Tranquility (1°N 23°E) 1969
Apollo 12 Ocean of Storms (3°S 24°W) 1969
Apollo 14 Fra Mauro (4°S 17°W) 1971
Apollo 15 Hadley Rill (25°N 4°E) 1971
Apollo 16 Descartes (9°S 15°E) 1972
Apollo 17 Sea of Serenity (20°N 31°E) 1972

Eclipses of Sun and Moon
When the Moon passes between Sun and Earth it causes a partial eclipse of the Sun (right 1) if the Earth passes through the Moon's outer shadow (P), or a total eclipse (right 2), if the inner cone shadow crosses the Earth's surface.

In a lunar eclipse, the Earth's shadow crosses the Moon and gives either total or partial eclipses.

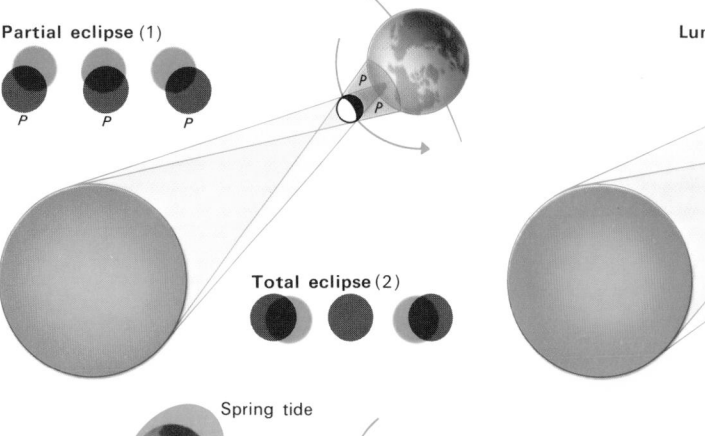

Partial eclipse (1)

P P P

P P

Total eclipse (2)

Lunar eclipse

Tides
Ocean water moves around the Earth under the gravitational pull of the Moon, and, less strongly, that of the Sun. When solar and lunar forces pull together - near new and full Moon - high spring tides result. When solar and lunar forces are not combined - near Moon's first and third quarters - low neap tides occur.

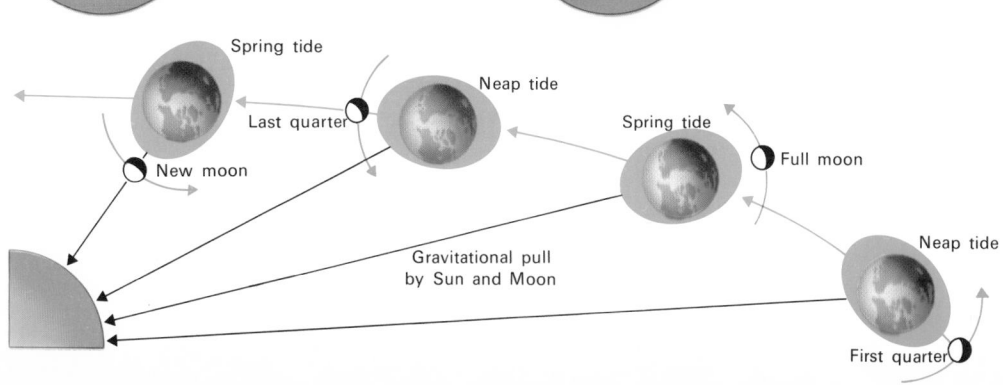

Spring tide
Neap tide
Last quarter
New moon
Spring tide
Full moon
Neap tide
Gravitational pull by Sun and Moon
First quarter

Time

Time measurement
The basic unit of time measurement is the day, one rotation of the earth on its axis. The subdivision of the day into hours and minutes is arbitrary and simply for our convenience. Our present calendar is based on the solar year of $365\frac{1}{4}$ days, the time taken for the earth to orbit the sun. A month was anciently based on the interval from new moon to new moon, approximately $29\frac{1}{2}$ days - and early calendars were entirely lunar.

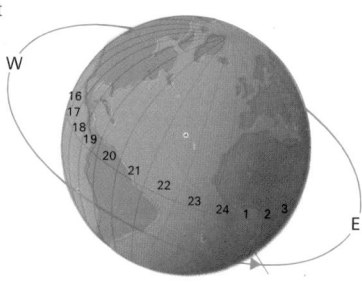
Rotation of the Earth

Greenwich Observatory

Prime Meridian

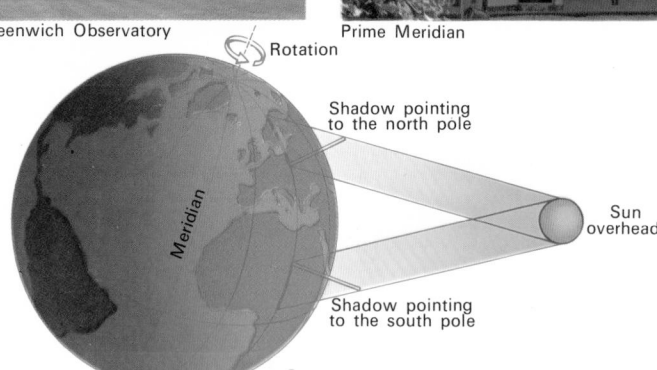

The International Date Line
When it is 12 noon at the Greenwich meridian, 180° east it is midnight of the same day while 180° west the day is only just beginning. To overcome this the International Date Line was established, approximately following the 180° meridian. Thus, for example, if one travelled eastwards from Japan (140° East) to Samoa (170° West) one would pass from Sunday night into Sunday morning.

Time zones
The world is divided into 24 time zones, each centred on meridians at 15° intervals which is the longitudinal distance the sun appears to travel every hour. The meridian running through Greenwich passes through the middle of the first zone. Successive zones to the east of Greenwich zone are ahead of Greenwich time by one hour for every 15° of longitude, while zones to the west are behind by one hour.

Night and day
As the earth rotates from west to east the sun appears to rise in the east and set in the west: when the sun is setting in Shanghai on the directly opposite side of the earth New York is just emerging into sunlight. Noon, when the sun is directly overhead, is coincident at all places on the same meridian with shadows pointing directly towards the poles.

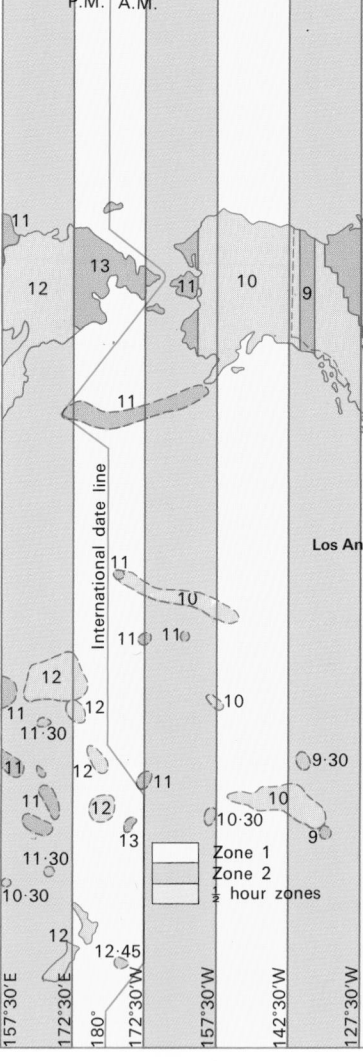

Solar time
The time taken for the earth to complete one rotation about its own axis is constant and defines a day but the speed of the earth along its orbit around the sun is inconstant. The length of day, or 'apparent solar day', as defined by the apparent successive transits of the sun is irregular because the earth must complete more than one rotation before the sun returns to the same meridian.

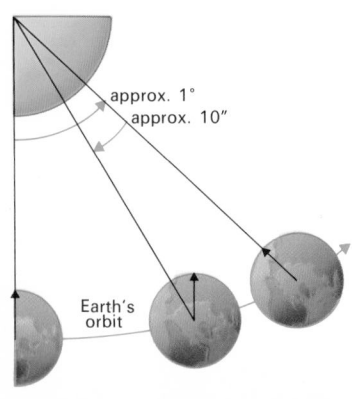

Sidereal time
The constant sidereal day is defined as the interval between two successive apparent transits of a star, or the first point of Aries, across the same meridian. If the sun is at the equinox and overhead at a meridian on one day, then the next day the sun will be to the east by approximately 1°; thus the sun will not cross the meridian until about 4 minutes after the sidereal noon.

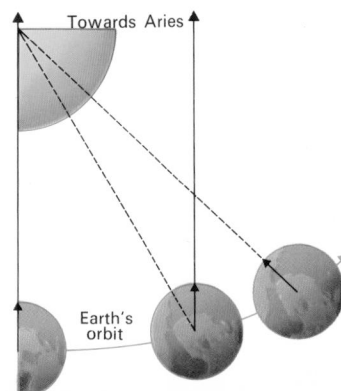

Astronomical clock, Delhi

Sundials
The earliest record of sundials dates back to 741 BC but they undoubtedly existed as early as 2000 BC although probably only as an upright stick or obelisk. A sundial marks the progress of the sun across the sky by casting the shadow of a central style or gnomon on the base. The base, generally made of stone, is delineated to represent the hours between sunrise and sunset.

Kendall's chronometer

Chronometers
With the increase of sea traffic in the 18th century and the need for accurate navigation clockmakers were faced with an intriguing problem. Harrison, an English carpenter, won a British award for designing a clock which was accurate at sea to one tenth of a second per day. He compensated for the effect of temperature changes by incorporating bi-metallic strips connected to thin wires and circular balance wheels.

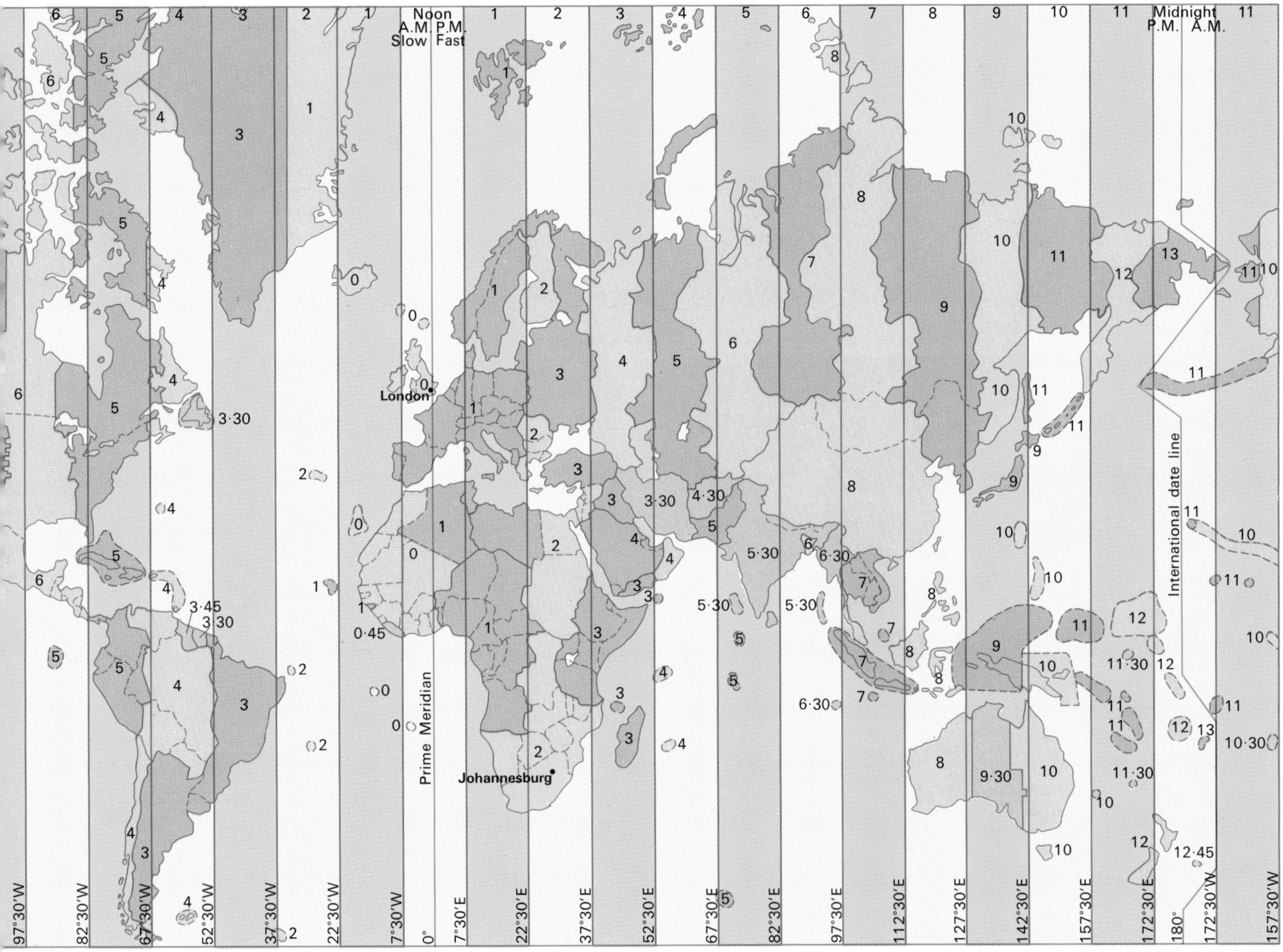

Top of map labels (hours):

6 5 4 3 2 1 Noon A.M P.M. Slow Fast 1 2 3 4 5 6 7 8 9 10 11 Midnight P.M. A.M. 11

(World time zone map with zone numbers, London and Johannesburg marked, Prime Meridian, International date line)

Bottom longitude labels:
97°30'W 82°30'W 67°30'W 52°30'W 37°30'W 22°30'W 7°30'W 0° 7°30'E 22°30'E 37°30'E 52°30'E 67°30'E 82°30'E 97°30'E 112°30'E 127°30'E 142°30'E 157°30'E 172°30'E 180° 172°30'W 157°30'W

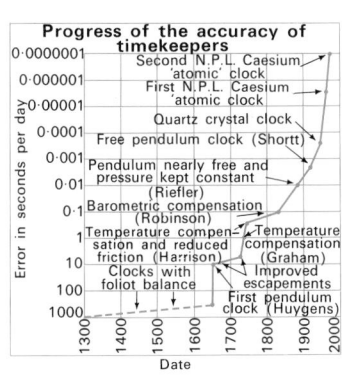

Progress of the accuracy of timekeepers

Error in seconds per day (vertical axis): 0·0000001, 0·000001, 0·00001, 0·0001, 0·001, 0·01, 0·1, 1, 10, 100, 1000

Date (horizontal axis): 1300, 1400, 1500, 1600, 1700, 1800, 1900, 2000

Labels:
- Second N.P.L. Caesium 'atomic' clock
- First N.P.L. Caesium 'atomic' clock
- Quartz crystal clock
- Free pendulum clock (Shortt)
- Pendulum nearly free and pressure kept constant (Riefler)
- Barometric compensation (Robinson)
- Temperature compensation and reduced friction (Harrison)
- Temperature compensation (Graham)
- Improved escapements
- Clocks with foliot balance
- First pendulum clock (Huygens)

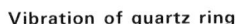
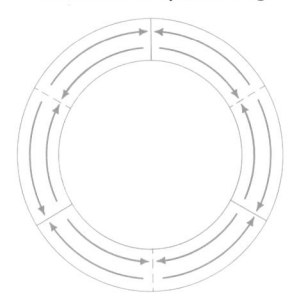

Vibration of quartz ring

Time difference when travelling by air

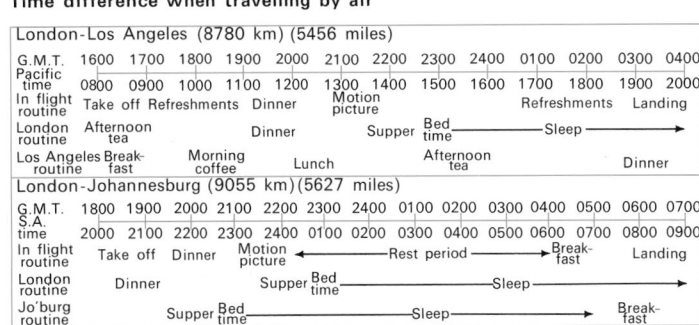

London–Los Angeles (8780 km) (5456 miles)

G.M.T.	1600	1700	1800	1900	2000	2100	2200	2300	2400	0100	0200	0300	0400
Pacific time	0800	0900	1000	1100	1200	1300	1400	1500	1600	1700	1800	1900	2000
In flight routine	Take off	Refreshments	Dinner				Motion picture					Refreshments	Landing
London routine	Afternoon tea			Dinner			Supper	Bed time		Sleep			
Los Angeles routine	Break-fast		Morning coffee		Lunch			Afternoon tea			Dinner		

London–Johannesburg (9055 km) (5627 miles)

G.M.T.	1800	1900	2000	2100	2200	2300	2400	0100	0200	0300	0400	0500	0600	0700
S.A. time	2000	2100	2200	2300	2400	0100	0200	0300	0400	0500	0600	0700	0800	0900
In flight routine	Take off	Dinner		Motion picture		Rest period					Break-fast		Landing	
London routine	Dinner				Supper	Bed time		Sleep						
Jo'burg routine			Supper	Bed time		Sleep					Break-fast			

Chronographs

The invention of the chronograph by Charles Wheatstone in 1842 made it possible to record intervals of time to an accuracy of one sixtieth of a second. The simplest form of chronograph is the stopwatch. This was developed to a revolving drum and stylus and later electrical signals. A recent development is the cathode ray tube capable of recording to less than one ten-thousanth of a second.

Quartz crystal clocks

The quartz crystal clock, designed originally in America in 1929, can measure small units of time and radio frequencies. The connection between quartz clocks and the natural vibrations of atoms and molecules mean that the unchanging frequencies emitted by atoms can be used to control the oscillator which controls the quartz clock. A more recent version of the atomic clock is accurate to one second in 300 years.

International date line

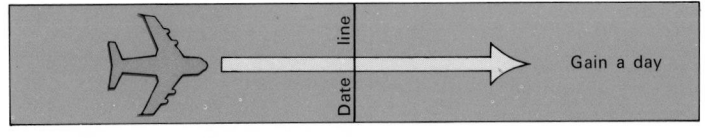

Gain a day

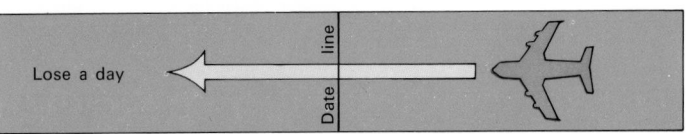

Lose a day

The Atmosphere and Clouds

Earth's thin coating *(right)*
The atmosphere is a blanket of protective gases around the earth providing insulation against otherwise extreme alternations in temperature. The gravitational pull increases the density nearer the earth's surface so that 5/6ths of the atmospheric mass is in the first 10 mi. It is a very thin layer in comparison with the earth's diameter of 7 921 mi., like the cellulose coating on a globe.

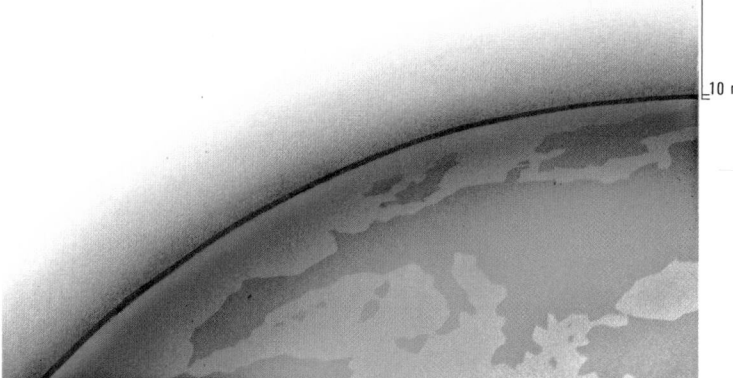

Exosphere*(1)*
The exosphere merges with the interplanetary medium and although there is no definite boundary with the ionosphere it starts at a height of about 400 miles. The rarified air mainly consists of a small amount of atomic oxygen up to 400 miles and equal proportions of hydrogen and helium with hydrogen predominating above 1500 mi.

Ionosphere*(2)*
Air particles of the ionosphere are electrically charged by the sun's radiation and congregate in four main layers, D, E, F1 and F2, which can reflect radio waves. Aurorae, caused by charged particles deflected by the earth's magnetic field towards the poles, occur between 40 and 60 miles above the earth. It is mainly in the lower ionosphere that meteors from outer space burn up as they meet increased air resistance.

Stratosphere*(3)*
A thin layer of ozone contained within the stratosphere absorbs ultra-violet light and in the process gives off heat. The temperature ranges from about −65°F at the tropopause to about −75°F in the upper part, known as the mesosphere, with a rise to about 35°F just above the ozone layer. This portion of the atmosphere is separated from the lower layer by the tropopause.

Troposphere*(4)*
The earth's weather conditions are limited to this layer which is relatively thin, extending upwards to about 5 miles at the poles and 10 miles at the equator. It contains about 85% of the total atmospheric mass and almost all the water vapour. Air temperature falls steadily with increased height at about 1°F for every 150 feet above sea level.

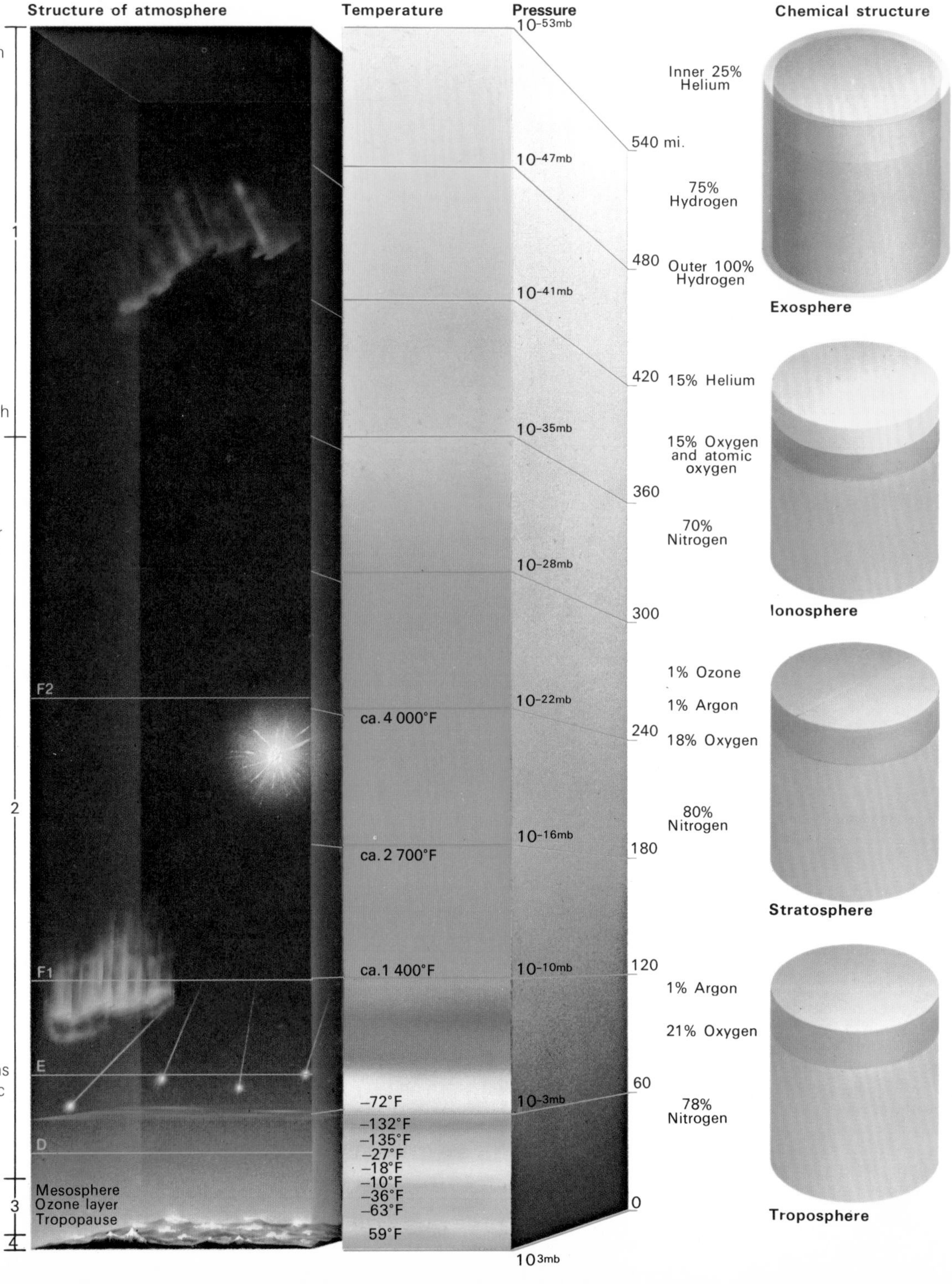

Structure of atmosphere

F2

F1

E

D

Mesosphere
Ozone layer
Tropopause

1

2

3
4

Temperature

ca. 4 000°F

ca. 2 700°F

ca. 1 400°F

−72°F
−132°F
−135°F
−27°F
−18°F
−10°F
−36°F
−63°F
59°F

Pressure

400 mi

10 mi

10^{-53}mb

10^{-47}mb   540 mi.

10^{-41}mb   480

10^{-35}mb   420

360

10^{-28}mb   300

10^{-22}mb   240

10^{-16}mb   180

10^{-10}mb   120

60

10^{-3}mb

0

10^{3}mb

Chemical structure

Exosphere
Inner 25% Helium

75% Hydrogen

Outer 100% Hydrogen

Ionosphere
15% Helium

15% Oxygen and atomic oxygen

70% Nitrogen

Stratosphere
1% Ozone
1% Argon
18% Oxygen

80% Nitrogen

Troposphere
1% Argon

21% Oxygen

78% Nitrogen

Pacific Ocean
Cloud patterns over the Pacific show the paths of prevailing winds.

Circulation of the air

30°N

Equator

30°S

Circulation of the air
Owing to high temperatures in equatorial regions the air near the ground is heated, expands and rises producing a low pressure belt. It cools, causing rain, spreads out then sinks again about latitudes 30° north and south forming high pressure belts.

High and low pressure belts are areas of comparative calm but between them, blowing from high to low pressure, are the prevailing winds. These are deflected to the right in the northern hemisphere and to the left in the southern hemisphere (Corolis effect). The circulations appear in three distinct belts with a seasonal movement north and south following the overhead sun.

Cloud types

Clouds form when damp air is cooled, usually by rising. This may happen in three ways: when a wind rises to cross hills or mountains; when a mass of air rises over, or is pushed up by another mass of denser air; when local heating of the ground causes convection currents.

Cirrus *(1)* are detached clouds composed of microscopic ice crystals which gleam white in the sun resembling hair or feathers. They are found at heights of 20 000 to 40 000 feet.

Cirrostratus *(2)* are a whitish veil of cloud made up of ice crystals through which the sun can be seen often producing a halo of bright light.

Cirrocumulus *(3)* is another high altitude cloud formed by turbulence between layers moving in different directions.

Altostratus *(4)* is a grey or bluish striated, fibrous or uniform sheet of cloud producing light drizzle.

Altocumulus *(5)* is a thicker and fluffier version of cirro cumulus, it is a white and grey patchy sheet of cloud.

Nimbostratus *(6)* is a dark grey layer of cloud obscuring the sun and causing almost continuous rain or snow.

Cumulus *(7)* are detached heaped up, dense low clouds. The sunlit parts are brilliant white while the base is relatively dark and flat.

Stratus *(8)* forms dull overcast skies associated with depressions and occurs at low altitudes up to 5 000 feet.

Cumulonimbus *(9)* are heavy and dense clouds associated with storms and rain. They have flat bases and a fluffy outline extending up to great altitudes.

High clouds

Middle clouds

Low clouds

Thousands of feet

1 Cirrus

2 Cirrostratus

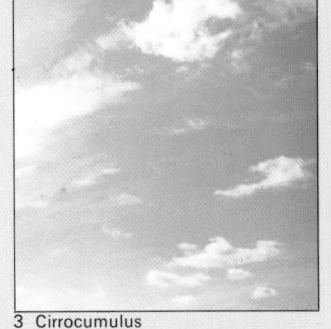

3 Cirrocumulus

4 Altostratus

5 Altocumulus

6 Nimbostratus

7 Cumulus

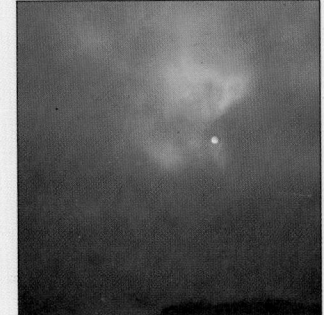

8 Stratus

9 Cumulonimbus

Climate and Weather

All weather occurs over the earth's surface in the lowest level of the atmosphere, the troposphere. Weather has been defined as the condition of the atmosphere at any place at a specific time with respect to the various elements: temperature, sunshine, pressure, winds, clouds, fog, precipitation. Climate, on the other hand, is the average of weather elements over previous months and years.

Climate graphs *right*
Each graph typifies the kind of climatic conditions one would experience in the region to which it is related by colour to the map. The scale refers to degrees Fahrenheit for temperature and inches for rainfall, shown by bars. The graphs show average observations based over long periods of time, the study of which also compares the prime factors for vegetation differences.

Development of a depression *below*
In an equilibrium front between cold and warm air masses (i) a wave disturbance develops as cold air undercuts the warm air (ii). This deflects the air flow and as the disturbance progresses a definite cyclonic circulation with warm and cold fronts is created (iii). The cold front moves more rapidly than the warm front eventually overtaking it, and occlusion occurs as the warm air is pinched out (iv).

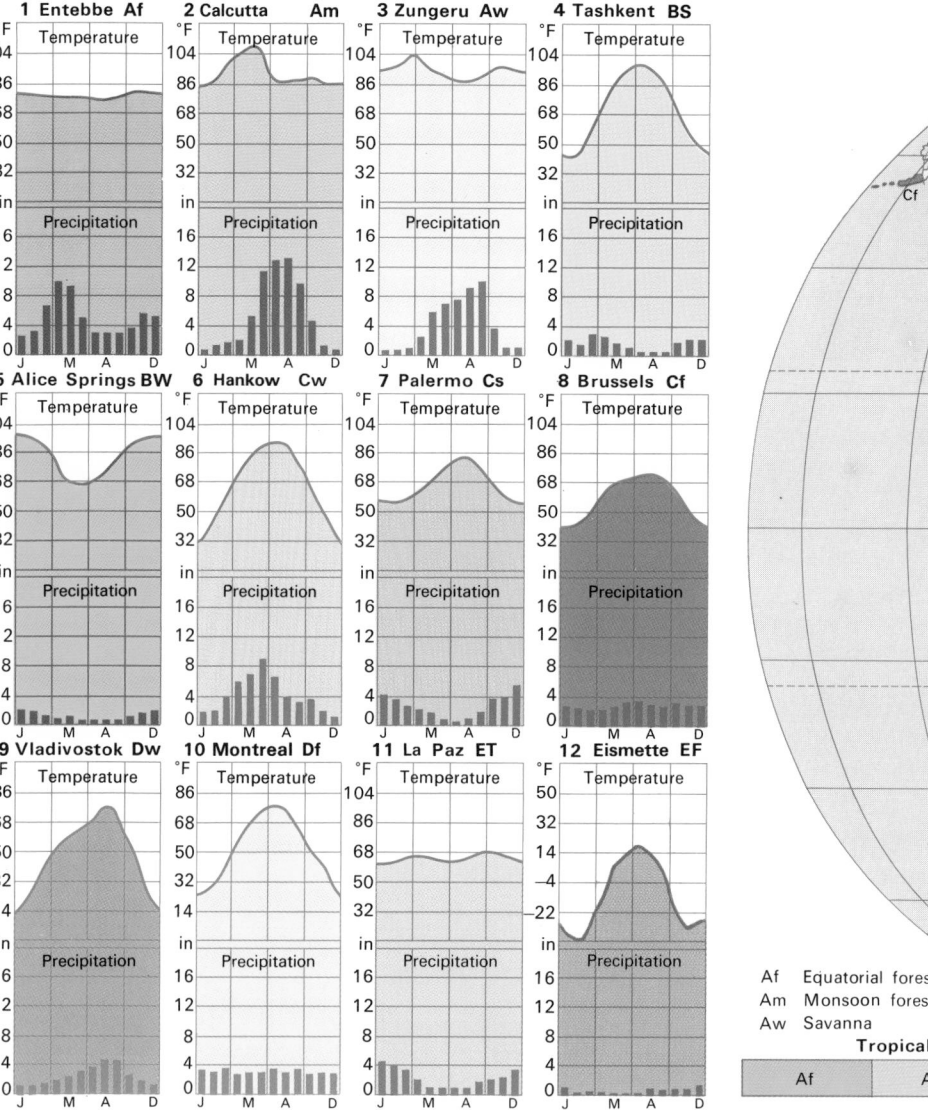

1 Entebbe Af 2 Calcutta Am 3 Zungeru Aw 4 Tashkent BS
5 Alice Springs BW 6 Hankow Cw 7 Palermo Cs 8 Brussels Cf
9 Vladivostok Dw 10 Montreal Df 11 La Paz ET 12 Eismette EF

Af Equatorial forest
Am Monsoon forest
Aw Savanna

Tropical climates

Af	Am	Aw

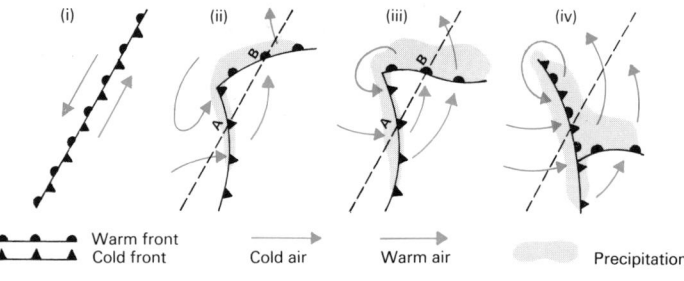

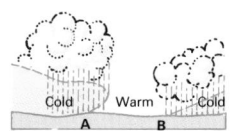

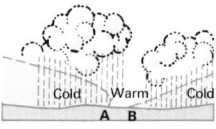

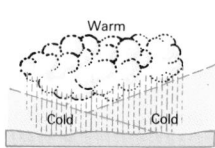

Warm front
Cold front
Cold air
Warm air
Precipitation

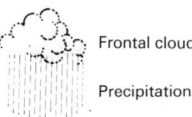

Frontal cloud
Precipitation

The upper diagrams show in plan view stages in the development of a depression.
The cross sections below correspond to stages (ii) to (iv).

Kinds of precipitation
Rain The condensation of water vapour on microscopic particles of dust, sulphur, soot or ice in the atmosphere forms water particles. These combine until they are heavy enough to fall as rain.

Hail Water particles, carried to a great height, freeze into ice particles which fall and become coated with fresh moisture. They are swept up again and refrozen. This may happen several times before falling as hail-stones.

Frost Hoar, the most common type of frost, is precipitated instead of dew when water vapour changes directly into ice crystals on the surface of ground objects which have cooled below freezing point.

Snow is the precipitation of ice in the form of flakes, or clusters, of basically hexagonal ice crystals. They are formed by the condensation of water vapour directly into ice.

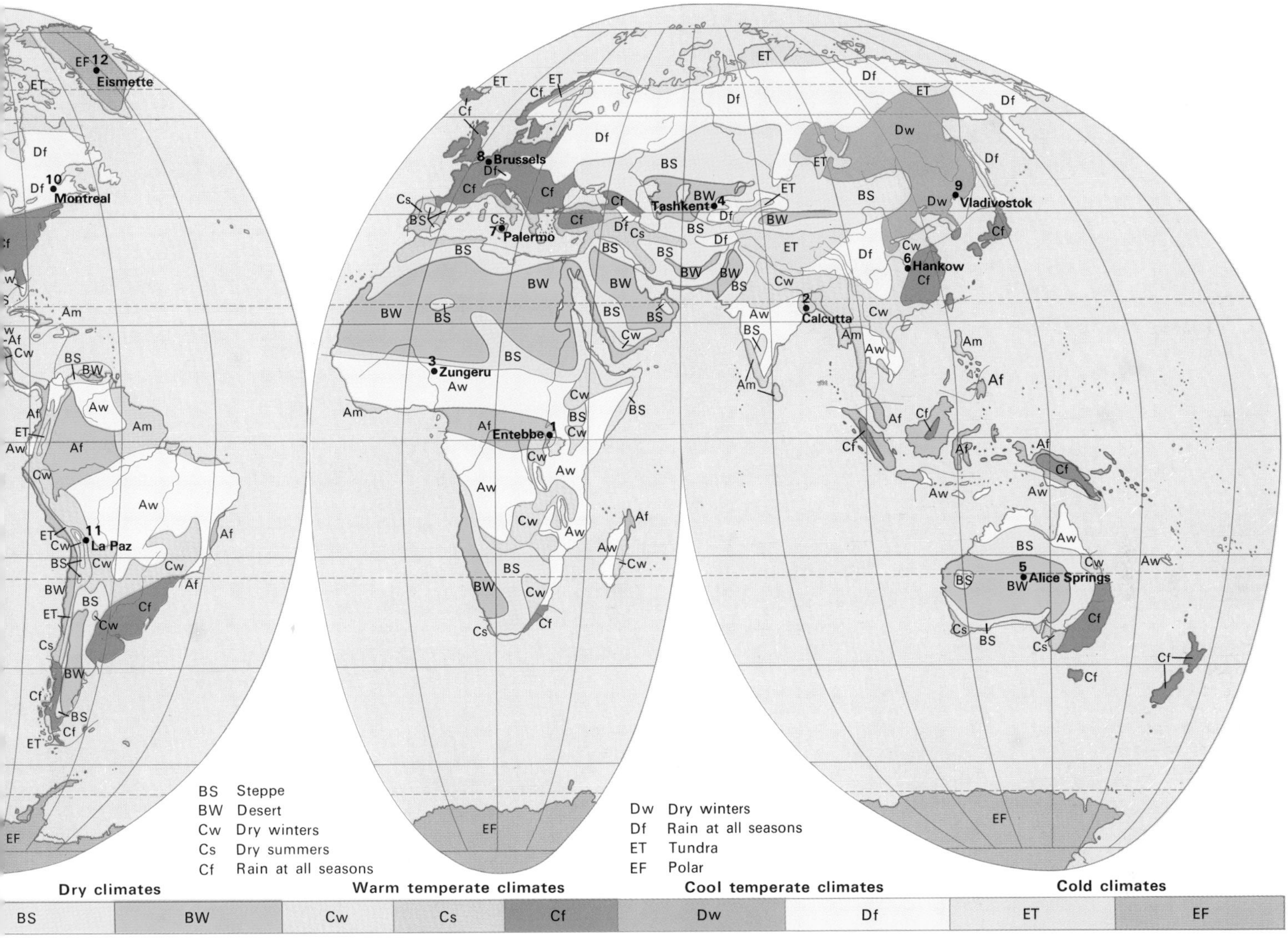

Map labels (climate regions): EF 12 Eismette, ET, Df, 10 Montreal, ET, Cf, w, Am, w, Af, Cw, BS, BW, Aw, Af, ET, Aw, Af, Am, Cw, Aw, 11 La Paz, ET, Cw, BS, Cw, Cw, Af, BW, ET, BS, Cf, Cw, Cs, BW, BS, Cf, ET

ET, Cf, ET, Df, 8 Brussels, Df, Cs, BS, Cf, Cs, 7 Palermo, Cf, BS, Df, Cf, BW, BW, BS, BW, BW, BS, 3 Zungeru, Aw, Am, 1 Entebbe, Cw, BS, Cw, Aw, Cw, Aw, BS, Cw, BW, Cs, Cf

Df, Df, ET, Dw, ET, BS, BW, Tashkent 4, Df, BW, Df, Dw, 9 Vladivostok, Df, Cw, Df, ET, Cw, Cf, 6 Hankow, Cf, Cw, Cw, BW, BS, 2 Calcutta, Am, Aw, Aw, Am, Am, Af, Cf, Af, Cf, Af, Cf, Aw, Aw, BS, Aw, Cw, BS, 5 Alice Springs, BW, Cs, BS, Cs, Cf, Cf, Cf, EF, EF

Legend

BS Steppe
BW Desert
Cw Dry winters
Cs Dry summers
Cf Rain at all seasons

Dw Dry winters
Df Rain at all seasons
ET Tundra
EF Polar

Dry climates | Warm temperate climates | Cool temperate climates | Cold climates

BS	BW	Cw	Cs	Cf	Dw	Df	ET	EF

Tropical storm tracks *below*
A tropical cyclone, or storm, is designated as having winds of gale force (40 mph) but less than hurricane force (75 mph) It is a homogenous air mass with upward spiralling air currents around a windless centre, or eye. An average of 65 tropical storms occur each year, over 50% of which reach hurricane force. They originate mainly during the summer over tropical oceans.

Extremes of climate & weather *right*
Tropical high temperatures and polar low temperatures combined with wind systems, altitude and unequal rainfall distribution result in the extremes of tropical rain forests, inland deserts and frozen polar wastes. Fluctuations in the limits of these extreme zones and extremes of weather result in occasional catastrophic heat-waves and drought, floods and storms, frost and snow.

Hurricane devastation

Hot desert

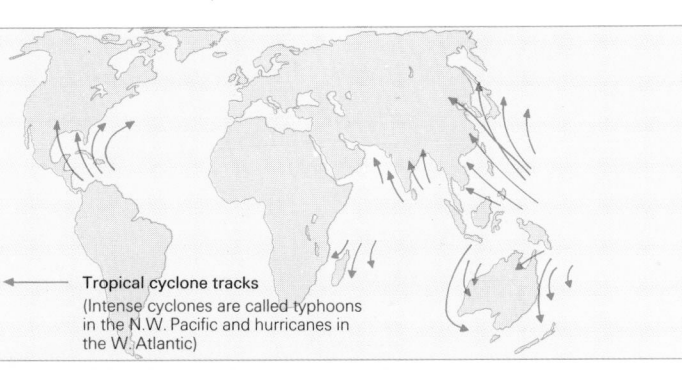
→ Tropical cyclone tracks
(Intense cyclones are called typhoons in the N.W. Pacific and hurricanes in the W. Atlantic)

Tornado

Arctic dwellings

The Earth from Space

Mount Etna, Sicily *left*
Etna is at the top of the photograph, the Plain of Catania in the centre and the Mediterranean to the right. This is an infra-red photograph; vegetation shows as red, water as blue/black and urban areas as grey. The recent lava flows, as yet with no vegetation, show up as blue/black unlike the cultivated slopes which are red and red/pink.

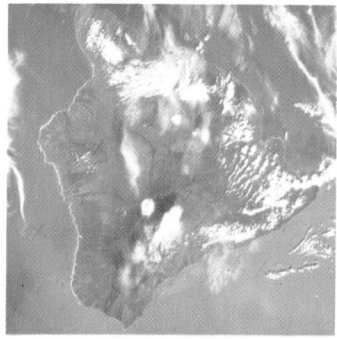

Hawaii, Pacific Ocean *above*
This is a photograph of Hawaii, the largest of the Hawaiian Islands in the Central Pacific. North is at the top of the photograph. The snowcapped craters of the volcanoes Mauna Kea (dormant) in the north centre and Mauna Loa (active) in the south centre of the photograph can be seen. The chief town, Hilo, is on the north east coast.

River Brahmaputra, India *left*
A view looking westwards down the Brahmaputra with the Himalayas on the right and the Khasi Hills of Assam to the left.

Szechwan, China *right*
The River Tachin in the mountainous region of Szechwan, Central China. The lightish blue area in the river valley in the north east of the photograph is a village and its related cultivation.

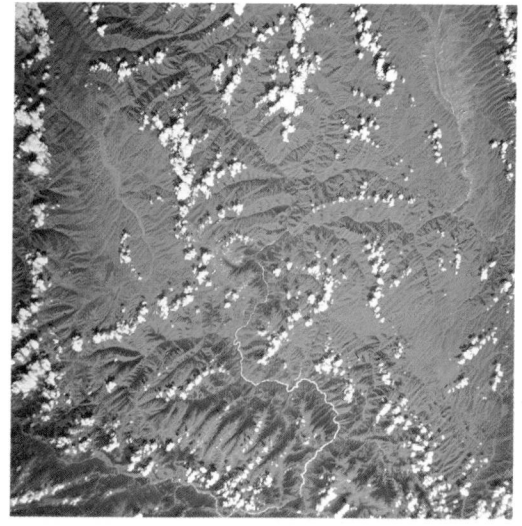

New York, U.S.A. *left*
This infra-red photograph shows the western end of Long Island and the entrance to the Hudson River. Vegetation appears as red, water as blue/black and the metropolitan areas of New York, through the cloud cover, as grey.

The Great Barrier Reef, Australia *right*
The Great Barrier Reef and the Queensland coast from Cape Melville to Cape Flattery. The smoke from a number of forest fires can be seen in the centre of the photograph.

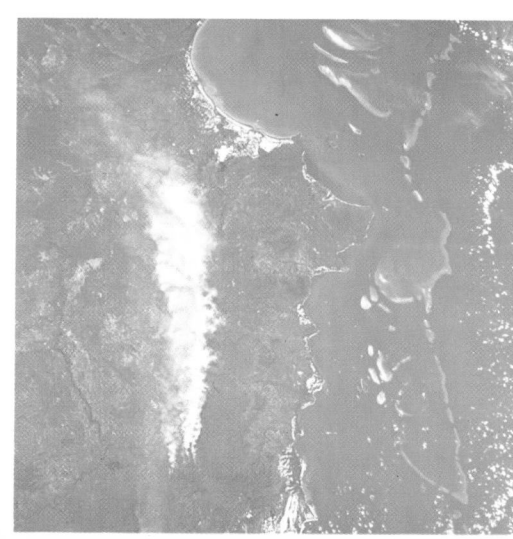

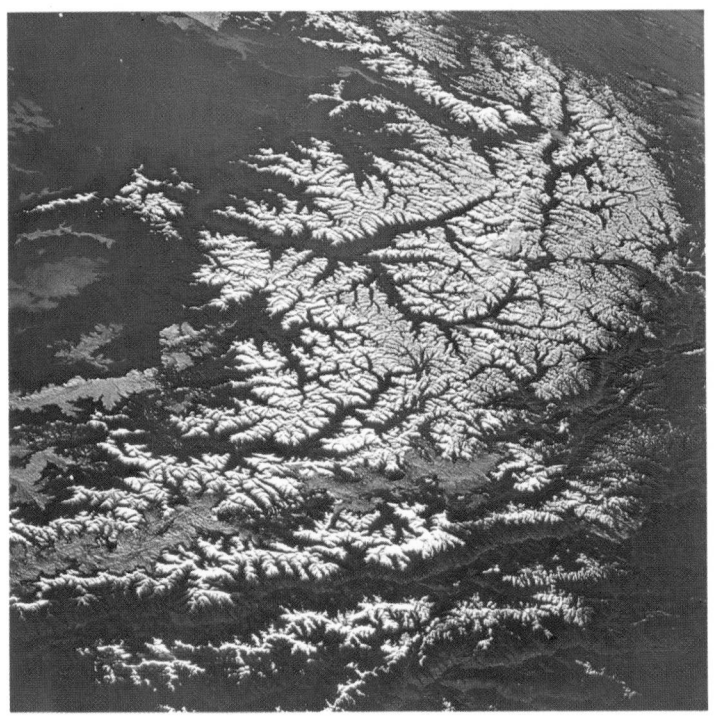

Eastern Himalayas, Asia
above left
A view from Apollo IX looking
north-westwards over the
snowcapped, sunlit mountain
peaks and the head waters of
the Mekong, Salween,
Irrawaddy and, in the distance,
with its distinctive loop, the
Brahmaputra.

Atacama Desert, Chile
above right
This view looking eastwards
from the Pacific over the
Mejillones peninsula with the
city of Antofagasta in the
southern bay of that peninsula.
Inland the desert and salt-pans
of Atacama, and beyond, the
Andes.

The Alps, Europe *right*
This vertical photograph shows
the snow-covered mountains
and glaciers of the Alps along
the Swiss-Italian-French
border. Mont Blanc and the
Matterhorn are shown and, in
the north, the Valley of the
Rhône is seen making its sharp
right-hand bend near Martigny.
In the south the head waters
of the Dora Baltea flow
towards the Po and, in the
north-west, the Lac d'Annecy
can be seen.

The Evolution of the Continents

The origin of the earth is still open to much conjecture although the most widely accepted theory is that it was formed from a solar cloud consisting mainly of hydrogen. Under gravitation the cloud condensed and shrank to form our planets orbiting around the sun. Gravitation forced the lighter elements to the surface of the earth where they cooled to form a crust while the inner material remained hot and molten. Earth's first rocks formed over 3500 million years ago but since then the surface has been constantly altered.

Until comparatively recently the view that the primary units of the earth had remained essentially fixed throughout geological time was regarded as common sense, although the concept of moving continents has been traced back to references in the Bible of a break up of the land after Noah's floods. The continental drift theory was first developed by Antonio Snider in 1858 but probably the most important single advocate was Alfred Wegener who, in 1915, published evidence from geology, climatology and biology. His conclusions are very similar to those reached by current research although he was wrong about the speed of break-up.

The measurement of fossil magnetism found in rocks has probably proved the most influential evidence. While originally these drift theories were openly mocked, now they are considered standard doctrine.

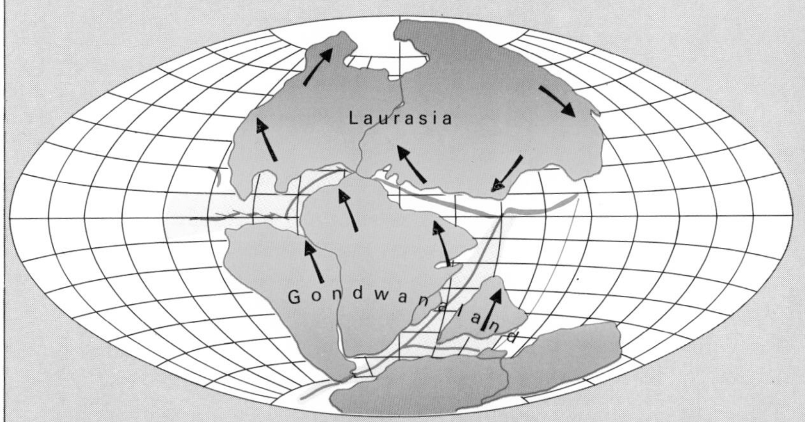

The jigsaw

As knowledge of the shape and structure of the earth's surface grew, several of the early geographers noticed the great similarity in shape of the coasts bordering the Atlantic. It was this remarkable similarity which led to the first detailed geological and structural comparisons. Even more accurate fits can be made by placing the edges of the continental shelves in juxtaposition.

180 million years ago.
The original Pangaea land mass had split into two major continental groups. The southern group, Gondwanaland, had itself started to break up, India and Antarctica-Australia becoming isolated. A rift had begun to appear between South America and Africa and, in the East, Africa was closing up the Tethys Sea.

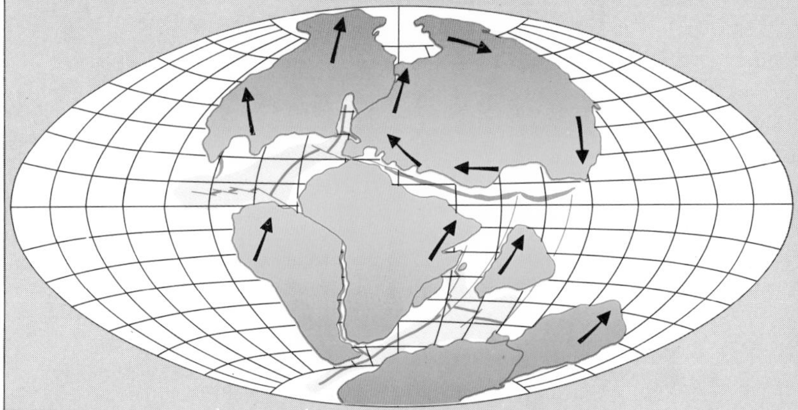

135 million years ago.
Both Gondwanaland and Laurasia continued to drift northwards but the widening of the splits in the North Atlantic and Indian Oceans persisted. The South Atlantic rift continued to lengthen and a further perpendicular rift appeared which will eventually separate Greenland from North America. India continues heading northward towards Asia.

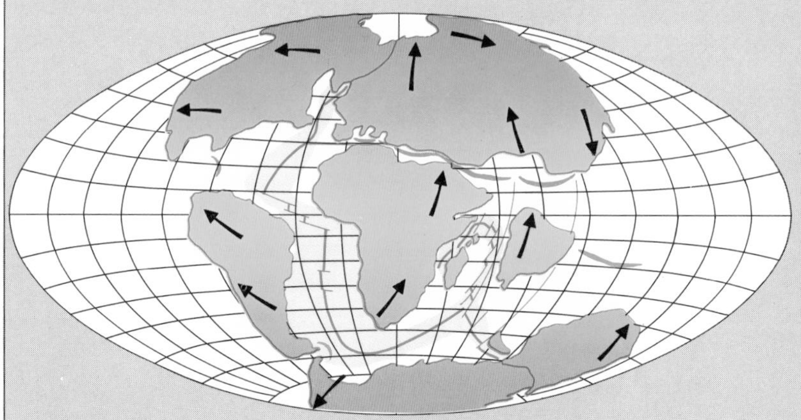

65 million years ago.
South America, completely separated from Africa, moved quickly north and westwards. Madagascar broke free from Africa but, as yet, there is no sign of the Red Sea Rift which will split Africa from the Arabian Peninsula. The Mediterranean sea is recognizable. In the south, Australia is still connected to Antarctica.

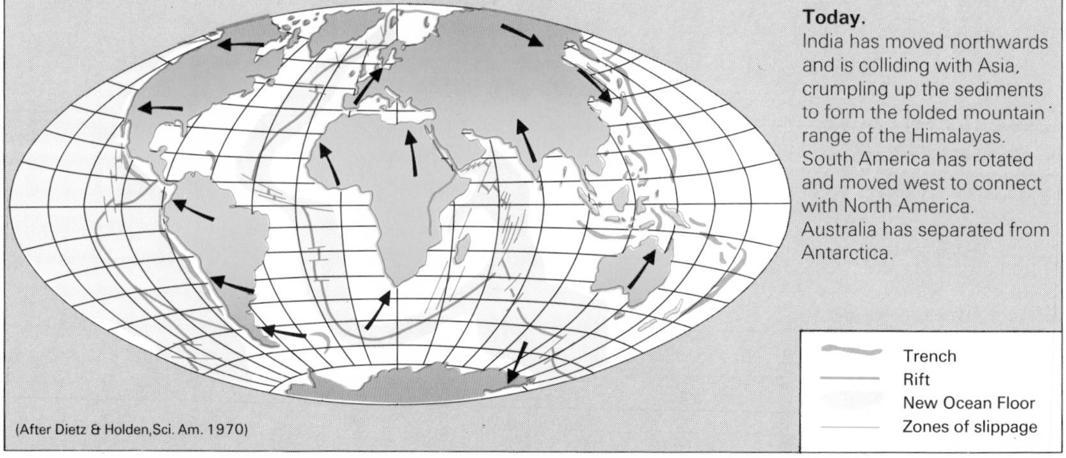

Today.
India has moved northwards and is colliding with Asia, crumpling up the sediments to form the folded mountain range of the Himalayas. South America has rotated and moved west to connect with North America. Australia has separated from Antarctica.

(After Dietz & Holden, Sci. Am. 1970)

〰️	Trench
	Rift
	New Ocean Floor
	Zones of slippage

Plate tectonics

The original debate about continental drift was only a prelude to a more radical idea; plate tectonics. The basic theory is that the earth's crust is made up of a series of rigid plates which float on a soft layer of the mantle and are moved about by convection currents in the earth's interior. These plates converge and diverge along margins marked by earthquakes, volcanoes and other seismic activity. Plates diverge from mid-ocean ridges where molten lava pushes upwards and forces the plates apart at a rate of up to 1 in. a year. Converging plates form either a trench, where the oceanic plate sinks below the lighter continental rock, or mountain ranges where two continents collide. This explains the paradox that while there have always been oceans none of the present oceans contain sediments more than 150 million years old.

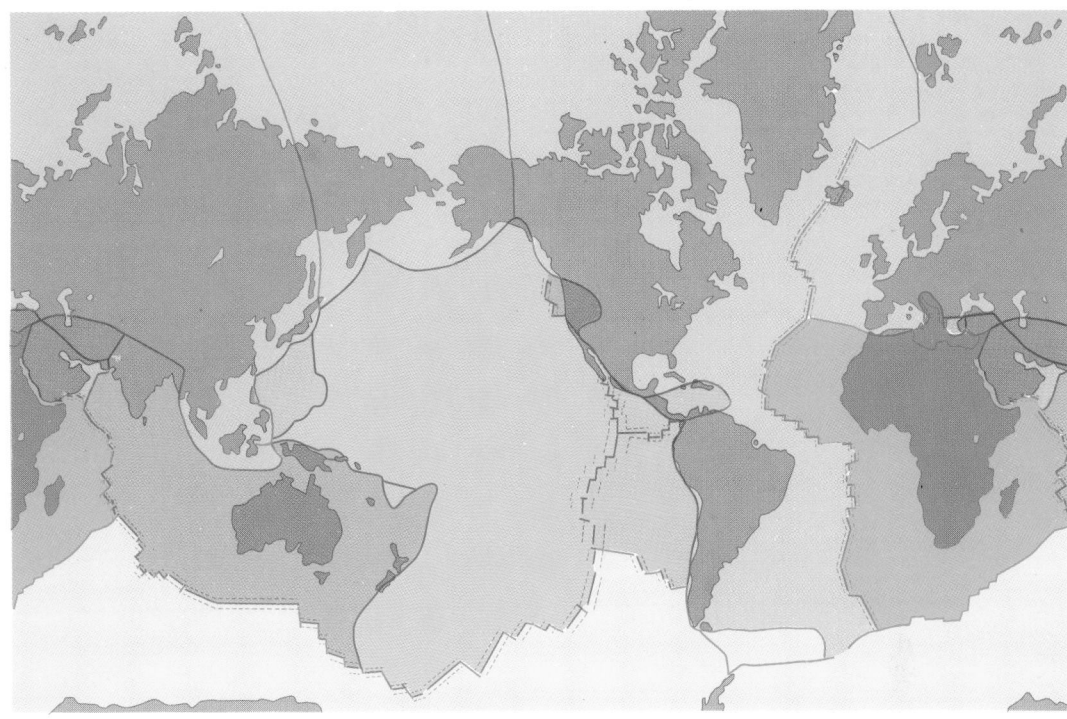

Trench boundary

The present explanation for the comparative youth of the ocean floors is that where an ocean and a continent meet the ocean plate dips under the less dense continental plate at an angle of approximately 45°. All previous crust is then ingested by downward convection currents. In the Japanese trench this occurs at a rate of about 5 in. a year.

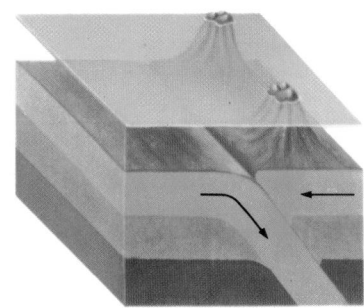

Transform fault

The recent identification of the transform, or transverse, fault proved to be one of the crucial preliminaries to the investigation of plate tectonics. They occur when two plates slip alongside each other without parting or approaching to any great extent. They complete the outline of the plates delineated by the ridges and trenches and demonstrate large scale movements of parts of the earth's surface

Ridge boundary

Ocean rises or crests are basically made up from basaltic lavas for although no gap can exist between plates, one plate can ease itself away from another. In that case hot, molten rock instantly rises from below to fill in the incipient rift and forms a ridge. These ridges trace a line almost exactly through the centre of the major oceans.

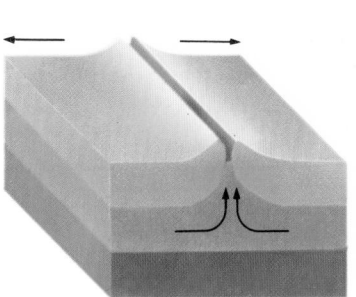

Destruction of ocean plates.

As the ocean plate sinks below the continental plate some of the sediment on its surface is scraped off and piled up on the landward side. This sediment is later incorporated in a folded mountain range which usually appears on the edge of the continent, such as the Andes. Similarly if two continents collide the sediments are squeezed up into new mountains.

Sea floor spreading

Reversals in the earth's magnetic field have occured throughout history. As new rock emerges at the ocean ridges it cools and is magnetised in the direction of the prevailing magnetic field. By mapping the magnetic patterns either side of the ridge a symmetrical stripey pattern of alternating fields can be observed (see inset area in diagram). As the dates of the last few reversals are known the rate of spreading can be calculated.

The Unstable Earth

The earth's surface is slowly but continually being rearranged. Some changes such as erosion and deposition are extremely slow but they upset the balance which causes other more abrupt changes often originating deep within the earth's interior. The constant movements vary in intensity, often with stresses building up to a climax such as a particularly violent volcanic eruption or earthquake.

The crust *(below and right)*
The outer layer or crust of the earth consists of a comparatively low density, brittle material varying from 3 mi. to 30 mi. deep beneath the continents. This consists predominately of silica and aluminium; hence it is called 'sial' Extending under the ocean floors and below the sial is a basaltic layer known as 'sima', consisting mainly of silica and magnesium.

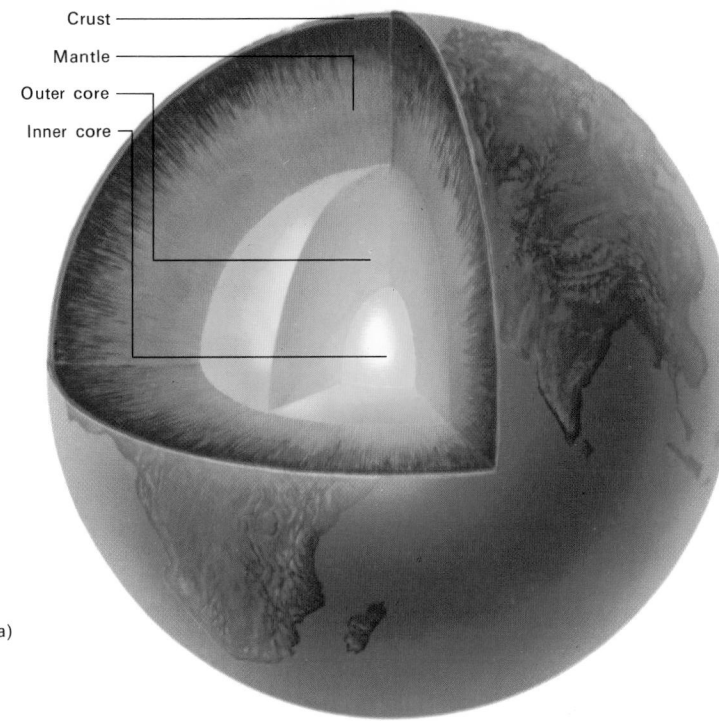

Crust
Mantle
Outer core
Inner core

Continental crust Ocean crust

Sediment
Granite rock (sial)
Basaltic layer (sima)
Mantle

Volcanoes *(right, below and far right)*
Volcanoes occur when hot liquefied rock beneath the crust reaches the surface as lava. An accumulation of ash and cinders around a vent forms a cone. Successive layers of thin lava flows form an acid lava volcano while thick lava flows form a basic lava volcano. A caldera forms when a particularly violent eruption blows off the top of an already existing cone.

The mantle *(above)*
Immediately below the crust, at the mohorovicic discontinuity line, there is a distinct change in density and chemical properties. This is the mantle - made up of iron and magnesium silicates - with temperatures reaching 3 000°F The rigid upper mantle extends down to a depth of about 600 mi. below which is the more viscous lower mantle which is about 1 200 mi. thick.

The core *(above)*
The outer core, approximately 1300 mi. thick, consists of molten iron and nickel at 3 500°F to 9 000°F possibly separated from the less dense mantle by an oxidised shell. About 3 000 mi. below the surface is the liquid transition zone, below which is the solid inner core, a sphere of 1 700 mi. diameter where rock is three times as dense as in the crust.

Shield volcano   Cinder cone   Hornit cone   Caldera

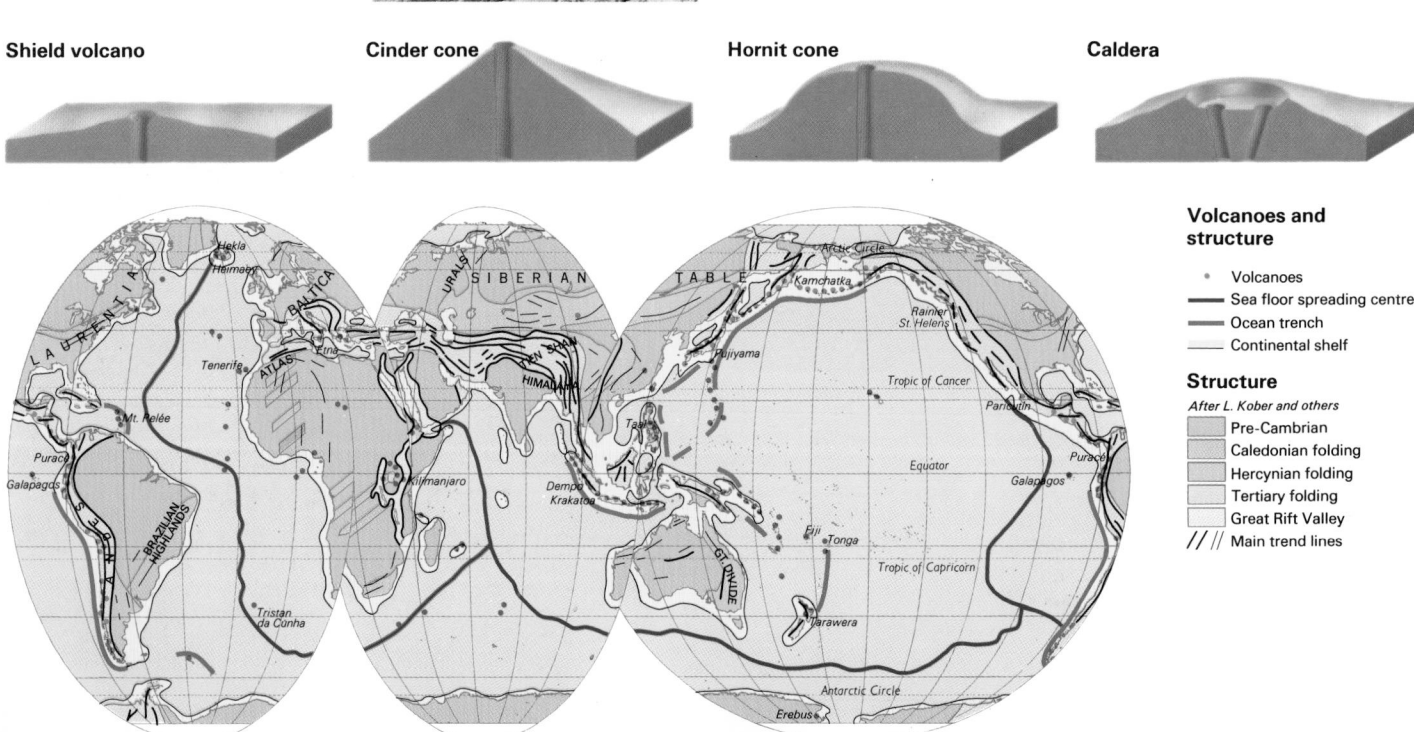

Volcanoes and structure

- Volcanoes
- Sea floor spreading centre
- Ocean trench
- Continental shelf

Structure
After L. Kober and others
- Pre-Cambrian
- Caledonian folding
- Hercynian folding
- Tertiary folding
- Great Rift Valley
- // /// Main trend lines

World distribution of earthquakes

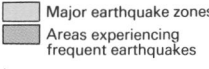

- Major earthquake zones
- Areas experiencing frequent earthquakes

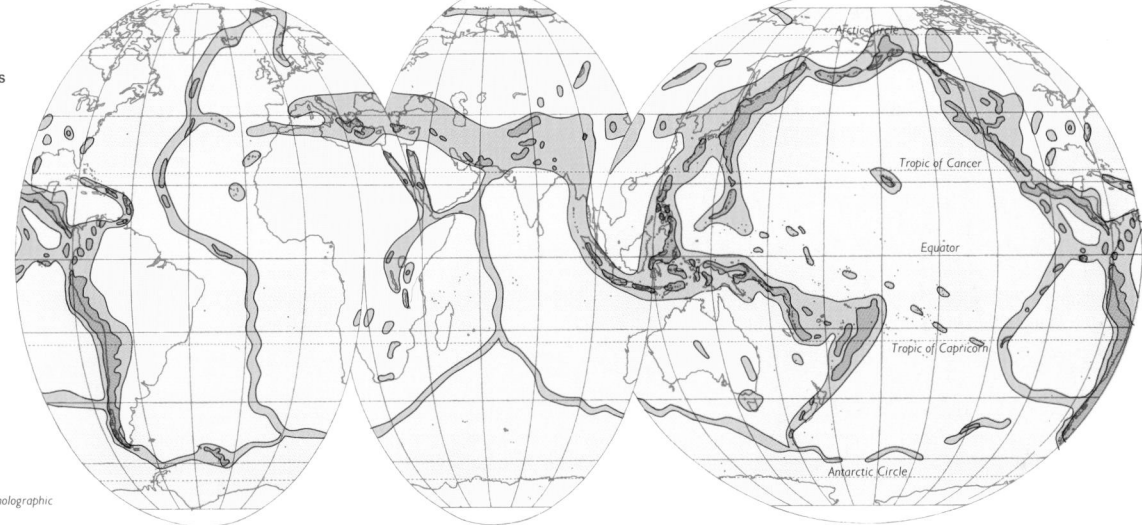

Projection: Interrupted Mollweide's Homolographic

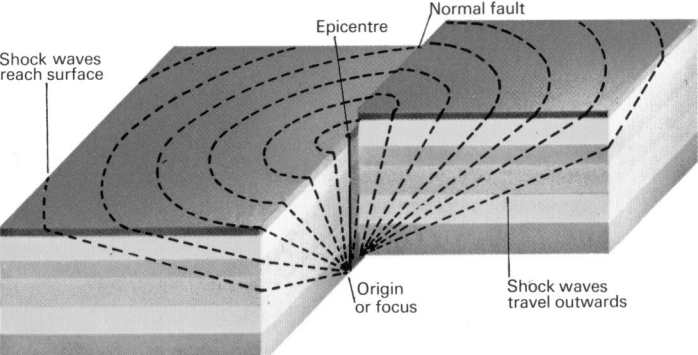

Shock waves reach surface · Epicentre · Normal fault · Origin or focus · Shock waves travel outwards

Earthquakes   (right and above)

Earthquakes are a series of rapid vibrations originating from the slipping or faulting of parts of the earth's crust when stresses within build up to breaking point. They usually happen at depths varying from 5 mi. to 18 mi. Severe earthquakes cause extensive damage when they take place in populated areas destroying structures and severing communications. Most loss of life occurs due to secondary causes i.e. falling masonry, fires or tsunami waves.

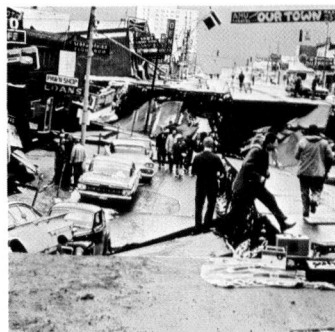

Alaskan earthquake, 1964

Tsunami waves   (left)

A sudden slump in the ocean bed during an earthquake forms a trough in the water surface subsequently followed by a crest and smaller waves. A more marked change of level in the sea bed can form a crest, the start of a Tsunami which travels up to 370 mph with waves up to 200 ft high. Seismographic detectors continuously record earthquake shocks and warn of the Tsunami which may follow it.

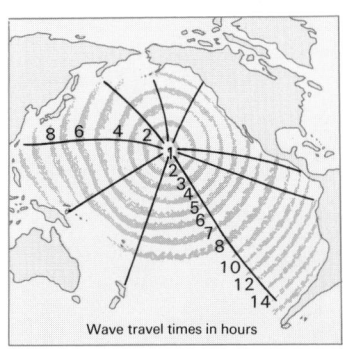

Wave travel times in hours

Seismic Waves   (right)

The shock waves sent out from the focus of an earthquake are of three main kinds each with distinct properties. Primary (P) waves are compressional waves which can be transmitted through both solids and liquids and therefore pass through the earth's liquid core. Secondary (S) waves are shear waves and can only pass through solids. They cannot pass through the core and are reflected at the core-mantle boundary taking a concave course back to the surface. The core also refracts the P waves causing them to alter course, and the net effect of this reflection and refraction is the production of a shadow zone at a certain distance from the epicentre, free from P and S waves. Due to their different properties P waves travel about 1,7 times faster than S waves. The third main kind of wave is a long (L) wave, a slow wave which travels along the earth's surface, its motion being either horizontal or vertical.

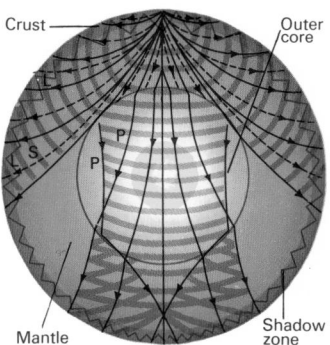

Crust · Outer core · Mantle · Shadow zone

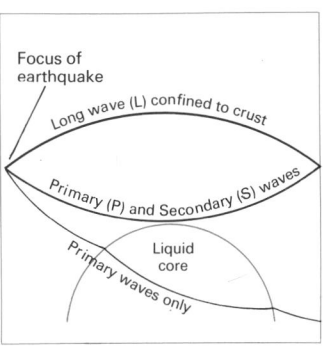

Focus of earthquake · Long wave (L) confined to crust · Primary (P) and Secondary (S) waves · Primary waves only · Liquid core

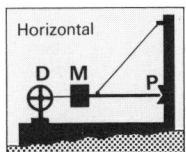

Horizontal

D · M · P

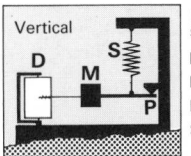

Vertical

D · M · S · P

Principles of seismographs (left)

M = Mass
D = Drum
P = Pivot
S = Spring

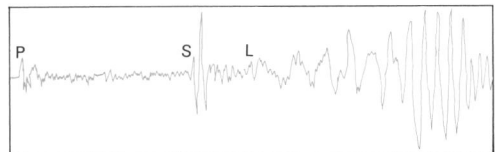

P · S · L

Seismographs

are delicate instruments capable of detecting and recording vibrations due to earthquakes thousands of kilometres away. P waves cause the first tremors. S the second, and L the main shock.

The Making of Landscape

The making of landscape

The major forces which shape our land would seem to act very slowly in comparison with man's average life span but in geological terms the erosion of rock is in fact very fast. Land goes through a cycle of transformation. It is broken up by earthquakes and other earth movements, temperature changes, water, wind and ice. Rock debris is then transported by water, wind and glaciers and deposited on lowlands and on the sea floor. Here it builds up and by the pressure of its own weight is converted into new rock strata. These in turn can be uplifted either gently as plains or plateaux or more irregularly to form mountains. In either case the new higher land is eroded and the cycle recommences.

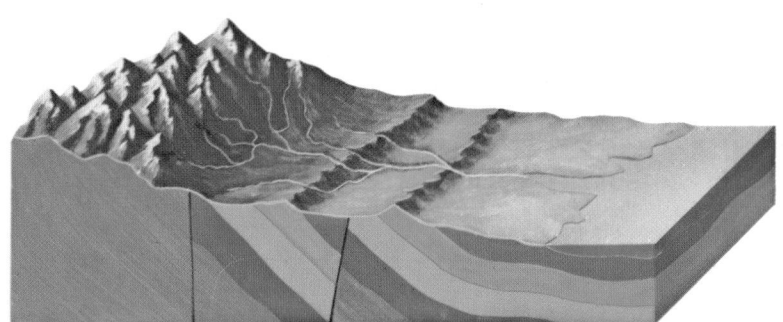

A Peneplain

Uplifted peneplain

Rivers

Rivers shape the land by three basic processes: erosion, transportation and deposition. A youthful river flows fast eroding downwards quickly to form a narrow valley (1) As it matures it deposits some debris and erodes laterally to widen the valley (2). In its last stage it meanders across a wide flat flood plain depositing fine particles of alluvium (3).

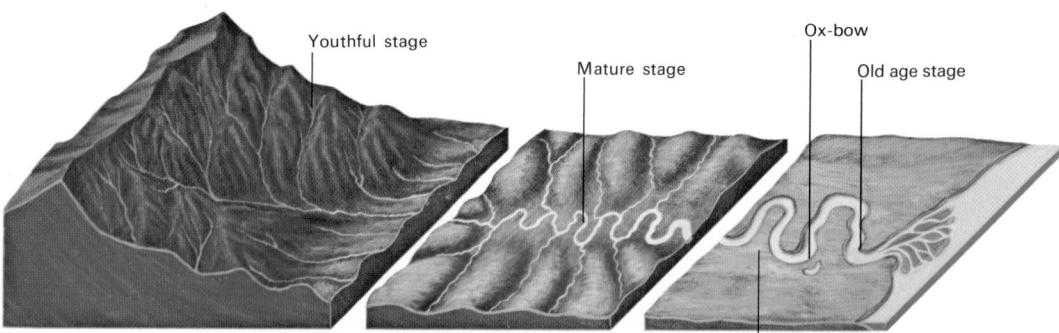

Youthful stage

Mature stage

Ox-bow

Old age stage

Meanders

Underground water

Water enters porous and permeable rocks from the surface moving downward until it reaches a layer of impermeable rock. Joints in underground rock, such as limestone, are eroded to form underground caves and caverns. When the roof of a cave collapses a gorge is formed. Surface entrances to joints are often widened to form vertical openings called swallow holes.

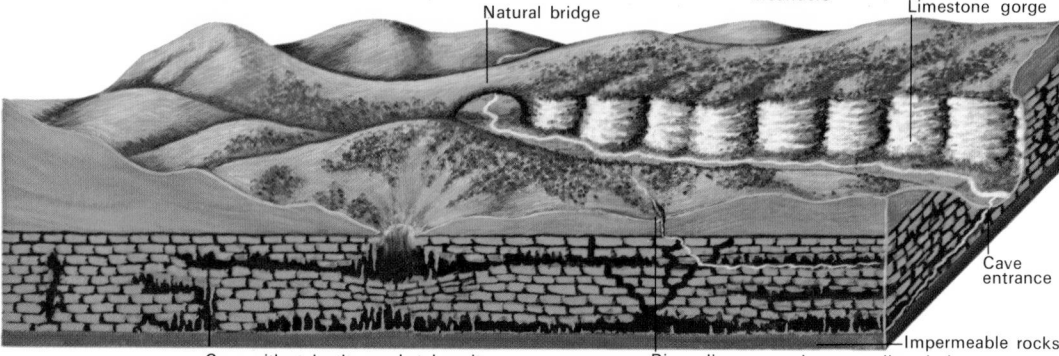

Natural bridge

Limestone gorge

Cave entrance

Cave with stalactites and stalagmites

River disappears down swallow hole

Impermeable rocks

Wind

Wind action is particularly powerful in arid and semi-arid regions where rock waste produced by weathering is used as an abrasive tool by the wind. The rate of erosion varies with the characteristics of the rock which can cause weird shapes and effects (right). Desert sand can also be accumulated by the wind to form barchan dunes (far right) which slowly travel forward, horns first.

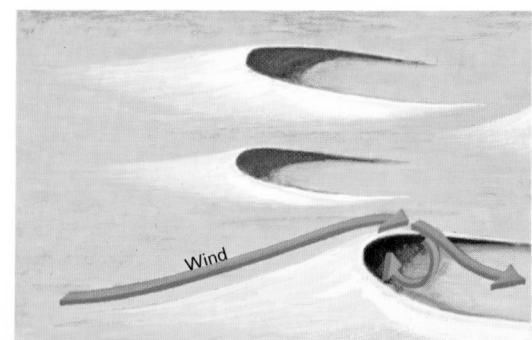

Wind

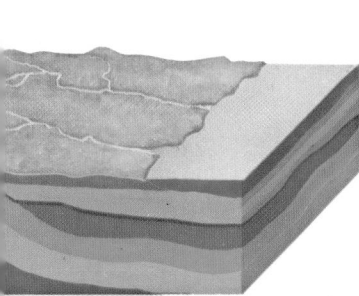

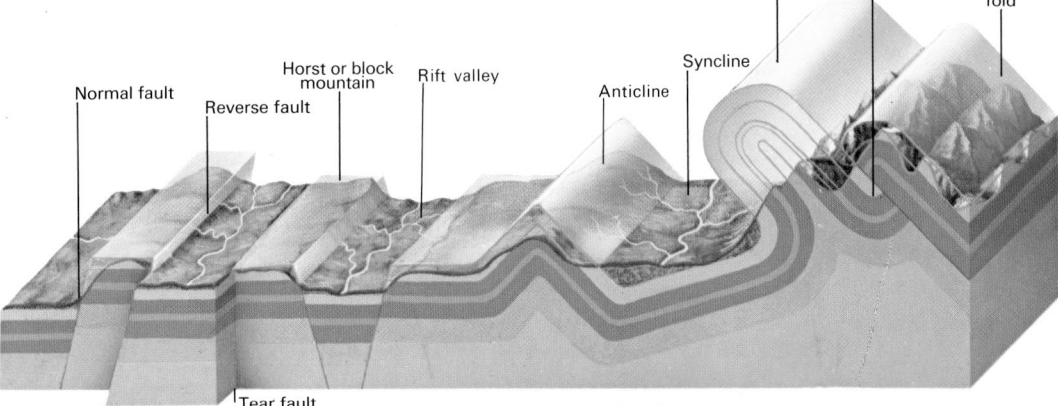

Overfold
anticline
Overfold
syncline
Overthrust
fold

Normal fault
Reverse fault
Horst or block
mountain
Rift valley
Anticline
Syncline

Tear fault

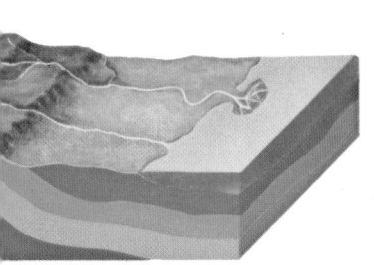

Folding and faulting

A vertical displacement in the earth's crust is called a fault or reverse fault; lateral displacement is a tear fault. An uplifted block is called a horst, the reverse of which is a rift valley. Compressed horizontal layers of sedimentary rock fold to form mountains. Those layers which bend up form an anticline, those bending down form a syncline : continued pressure forms an overfold.

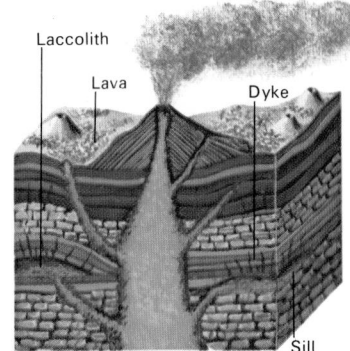

Laccolith
Lava
Dyke
Sill

Volcanic activity

When pressure on rocks below the earth's crust is released the normally semi-solid hot rock becomes liquid magma. The magma forces its way into cracks of the crust and may either reach the surface where it forms volcanoes or it may collect in the crust as sills dykes or lacoliths. When magma reaches the surface it cools to form lava.

Waves

Coasts are continually changing, some retreat under wave erosion while others advance with wave deposition. These actions combined form steep cliffs and wave cut platforms. Eroded debris is in turn deposited as a terrace. As the water becomes shallower the erosive power of the waves decreases and gradually the cliff disappears. Wave action can also create other features (far right).

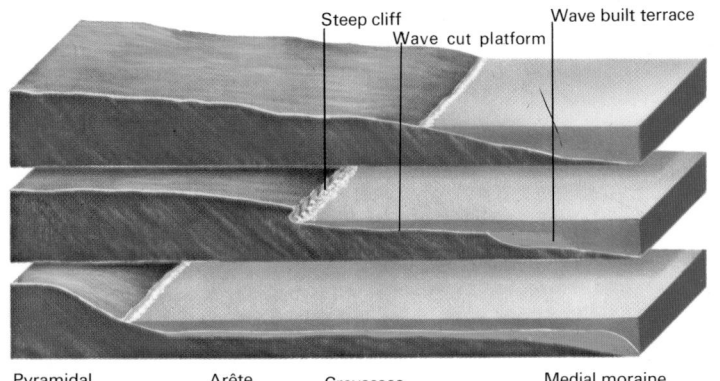

Steep cliff
Wave cut platform
Wave built terrace

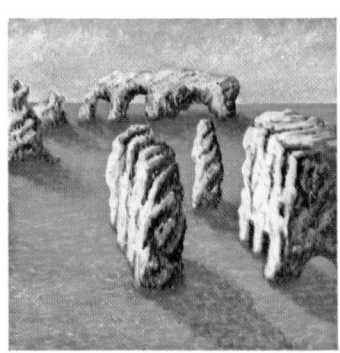

Ice

These diagrams (right) show how a glaciated valley may have formed. The glacier deepens, straightens and widens the river valley whose interlocking spurs become truncated or cut off. Intervalley divides are frost shattered to form sharp aretes and pyramidal peaks. Hanging valleys mark the entry of tributary rivers and eroded rocks form medial moraine. Terminal moraine is deposited as the glacier retreats.

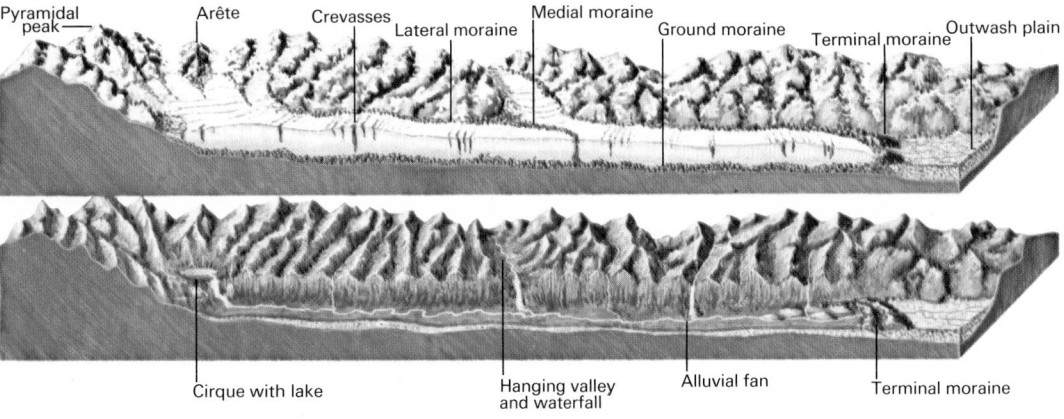

Pyramidal peak
Arête
Crevasses
Lateral moraine
Medial moraine
Ground moraine
Terminal moraine
Outwash plain

Cirque with lake
Hanging valley and waterfall
Alluvial fan
Terminal moraine

Subsidence and uplift

As the land surface is eroded it may eventually become a level plain - a peneplain, broken only by low hills, remnants of previous mountains. In turn this peneplain may be uplifted to form a plateau with steep edges. At the coast the uplifted wave platform becomes a coastal plain and in the rejuvenated rivers downward erosion once more predominates.

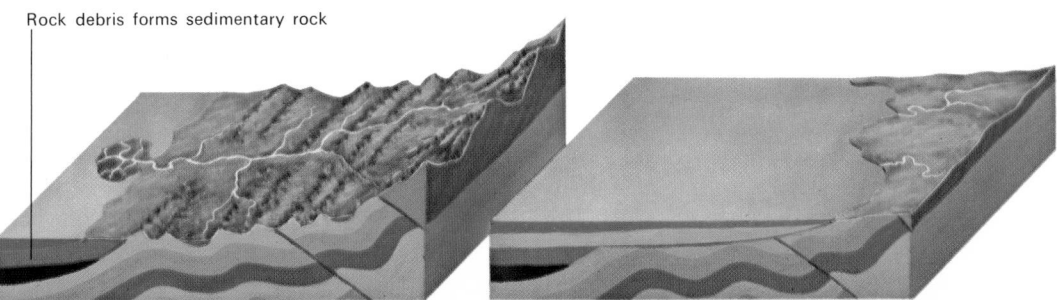

Rock debris forms sedimentary rock

The Earth: Physical Dimensions

Its surface
Highest point on the earth's surface: Mt. Everest, Tibet - Nepal boundary   29 029 ft
Lowest point on the earth's surface: The Dead Sea, Jordan   below sea level 1296 ft
Greatest ocean depth : Challenger Deep, Mariana Trench   36 161 ft
Average height of land   2 756 ft
Average depth of seas and oceans   12 493 ft

Dimensions
Superficial area	197 000 000 mi²
Land surface	57 000 000 mi²
Land surface as % of total area	29·2 %
Water surface	139 000 000 mi²
Water surface as % of total area	70·8 %
Equatorial circumference	24 888 mi.
Meridional circumference	24 845 mi.
Equatorial diameter	7 922 mi.
Polar diameter	7 895·2 mi.
Equatorial radius	3 960·9 mi.
Polar radius	3 947·6 mi.
Volume of the Earth	672 686 x 10⁶mi³
Mass of the Earth	5·9 x 10²¹ tonnes

The Figure of Earth
An imaginary sea-level surface is considered and called a geoid. By measuring at different places the angles from plumb lines to a fixed star there have been many determinations of the shape of parts of the geoid which is found to be an oblate spheriod with its axis along the axis of rotation of the earth. Observations from satellites have now given a new method of more accurate determinations of the figure of the earth and its local irregularities.

Land and Sea Hemispheres.
About 85% of the total land area is contained in the hemisphere centred on a point between Paris and Brussels.

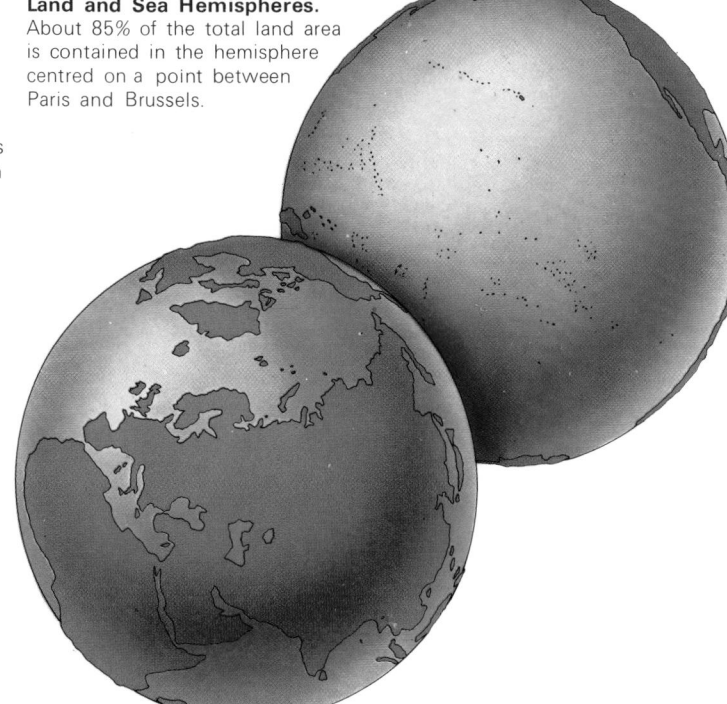

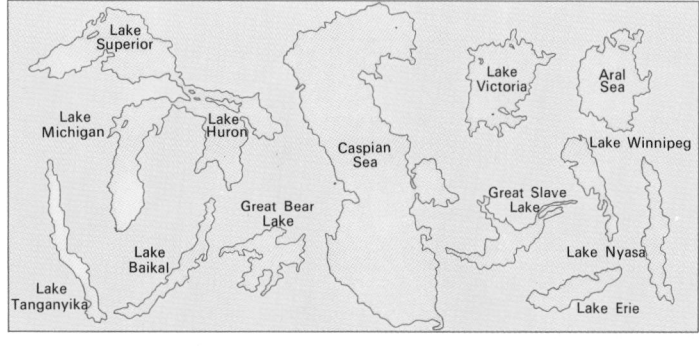

Oceans and Seas
Area in 1000 mi²

Pacific Ocean	63 985	North Sea	222
Atlantic Ocean	31 529	Black Sea	173
Indian Ocean	28 356	Red Sea	170
Arctic Ocean	5 541	Baltic Sea	163
Mediterranean Sea	1 145	Persian Gulf	92
Bering Sea	878	St. Lawrence, Gulf of	91
Caribbean Sea	750	English Channel & Irish Sea	69
Mexico, Gulf of	700	California, Gulf of	62
Okhotsk, Sea of	590		
East China Sea	482		
Hudson Bay	475		
Japan, Sea of	405		

Lakes and Inland Seas
Areas in 1000 mi²

Caspian Sea, Asia	163·8	Lake Ontario, N.America	7·5
Lake Superior, N.America	31·8	Lake Ladoga, Europe	7·1
Lake Victoria, Africa	26·8	Lake Balkhash, Asia	6·7
Aral Sea (Salt), Asia	24·6	Lake Maracaibo, S.America	6·3
Lake Huron, N.America	23·0	Lake Onega, Europe	3·8
Lake Michigan, N.America	22·4	Lake Eyre (Salt), Australia	3·7
Lake Tanganyika, Africa	12·7	Lake Turkana (Salt), Africa	3·5
Lake Baikal, Asia	12·2	Lake Titicaca, S.America	3·2
Great Bear Lake, N.America	12·0	Lake Nicaragua, C.America	3·1
Great Slave Lake, N.America	11·2	Lake Athabasca, N.America	3·0
Lake Nyasa, Africa	11·0	Reindeer Lake, N.America	2·4
Lake Erie, N.America	9·9	Issyk-Kul, Asia	2·4
Lake Winnipeg, N.America	9·4	Lake Torrens (Salt), Australia	2·3
Lake Chad, Africa	8·0	Koko Nor (Salt), Asia	2·3
		Lake Urmia, Asia	2·3
		Vänern, Europe	2·2

Longest rivers
	mi.
Nile, Africa	4 155
Amazon, S.America	3 900
Mississipi - Missouri, N.America	3 895
Yangtze, Asia	3 900
Zaïre, Africa	2 900
Amur, Asia	2 740
Hwang Ho (Yellow), Asia	2 700
Lena, Asia	2 645
Mekong, Asia	2 600
Niger, Africa	2 600
Mackenzie, N.America	2 510
Ob, Asia	2 485
Yenisei, Asia	2 360

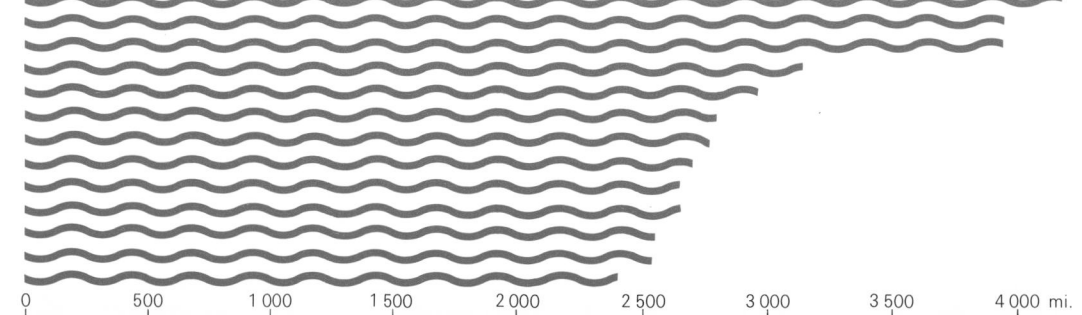

0   500   1 000   1 500   2 000   2 500   3 000   3 500   4 000 mi.

The Highest Mountains and the Greatest Depths.

Mount Everest defied the world's greatest mountaineers for 32 years and claimed the lives of many men. Not until 1920 was permission granted by the Dalai Lama to attempt the mountain, and the first successful ascent came in 1953. Since then the summit has been reached several times. The world's highest peaks have now been climbed but there are many as yet unexplored peaks in the Himalayas some of which may be over 25 000 ft

The greatest trenches are the Puerto Rico deep (30 184 ft). The Tonga (35 505 ft) and Mindanao (34 439 ft) trenches and the Mariana Trench (36 161 ft) in the Pacific. The trenches represent less than 2% of the total area of the sea-bed but are of great interest as lines of structural weakness in the Earth's crust and as areas of frequent earthquakes.

Metres to feet conversion table

The metric measurements shown in the mountain heights/ocean depths illustrations correspond to those used in the maps section.

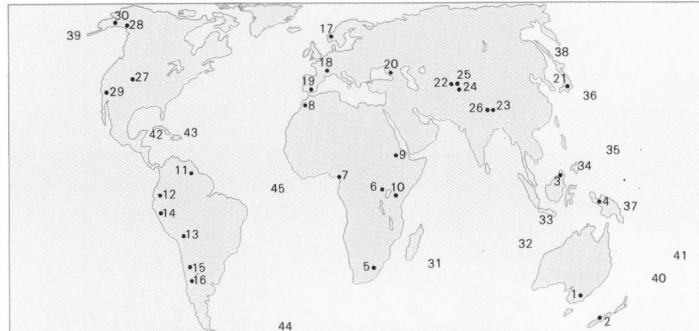

High mountains

Bathyscaphe

Waterfall

Dam

Mountain heights in metres See table below

1 Kosciusko 2 230 · 2 Mt. Cook (N.Z.) 3 764 · 3 Kinabalu 4 101 · 4 Jaya (Irian) 5 029 · 5 Mt. aux Sources 3 299 · 6 Ruwenzori 5 109 · 7 Cameroon peak 4 070 · 8 Dj. Toubkal 4 165 · 9 Ras Dashen 4 620 · 10 Kilimanjaro 5 895 · 11 Roraima 2 810 · 12 Chimborazo 6 267 · 13 Illimani 6 462 · 14 Huascaran 6 768 · 15 Ojos del Salado 6 863 · 16 Aconcagua 6 960 · 17 Galdhøpiggen 2 469 · 18 Mont Blanc 4 807 · 19 Mulhacen 3 478 · 20 Elbrus 5 633 · 21 Fujiyama 3 776 · 22 Communism peak 7 495 · 23 8 598 · 24 K2 8 611 · Kanchenjunga · 25 Muztagh 7 723 · 26 Everest 8 848 · 27 Mt. Elbert 4 399 · 28 Mt. Logan 6 050 · 29 Mt. Whitney 4 418 · 30 Mt. McKinley 6 194

E. India & Oceania | Africa | South America | Europe and Asia | North America

Ocean depths in metres See table below

Sea level · 31 Mauritius basin 6 400 · 32 W. Australian basin 6 459 · 33 Java trench 7 450 · 34 Mindanao trench 10 497 · 35 Mariana trench 11 022 · 36 Japan trench 10 554 · 37 Bougainville deep 9 140 · 38 Kuril trench 10 542 · 39 Aleutian trench 7 822 · 40 Kermadec trench 10 047 · 41 Tonga trench 10 822 · 42 Cayman trough 7 680 · 43 Puerto Rico trough 9 200 · 44 S. Sandwich trench 8 428 · 45 Romanche deep 7 758

Indian Ocean | Pacific Ocean | Atlantic Ocean

Notable Waterfalls heights in feet

Angel, Venezuela	3 215
Tugela, S. Africa	2 798
Mongefossen, Norway	2 539
Yosemite, California	2 421
Mardalsfossen, Norway	2 149
Cuquenan, Venezuela	2 001
Sutherland, N.Z.	1 899
Reichenbach, Switzerland	1 798
Wollomombi, Australia	1 699
Ribbon, California	1 611
Gavarnie, France	1 384
Tyssefallene, Norway	1 358
Krimml, Austria	1 214
King George VI, Guyana	1 200
Silver Strand, California	1 168
Geissbach, Switzerland	1 148
Staubbach, Switzerland	981
Trümmelbach, Switzerland	951
Chirombo, Zambia	879
Livingstone, Zaïre	849
King Edward VIII, Guyana	840
Gersoppa, India	830
Vettifossen Norway	820
Kalambo, Zambia	787
Kaieteur, Guyana	741
Maletsunyane, Lesotho	630
Terui, Italy	590
Kabarega, Uganda	400
Victoria, Zimbabwe-Zambia	351
Cauvery, India	318
Boyoma, Zaïre	200
Niagara, N.America	167
Schaffhausen, Switzerland	98

Notable Dams heights in feet

Africa
Cabora Bassa, Zambezi R.	551
Akosombo Main Dam Volta R.	462
Kariba, Zambezi R.	420
Aswan High Dam, Nile R.	360

Asia
Nurek, Vakhsh R., U.S.S.R.	1 040
Bhakra, Sutlej R., India	741
Kurobegawa, Kurobe R., Jap.	610
Charvak, Chirchik R., U.S.S.R.	551
Okutadami, Tadami R., Jap.	515
Bratsk, Angara R., U.S.S.R.	410

Oceania
Warragamba, N.S.W., Australia	449
Eucumbene, N.S.W., Australia	380

Europe
Grande Dixence, Switz.	931
Vajont, Vajont, R., Italy	856
Mauvoisin, Drance R., Switz.	777
Contra, Verzasca R., Switz.	754
Luzzone, Brenno R., Switz.	682
Tignes, Isère R., France	590
Amir Kabir, Karadj R., U.S.S.R.	590
Vidraru, Arges R., Rom.	541
Kremasta, Acheloos R., Greece	541

North America
Mica, Columbia R., Can.	794
Oroville, Feather R.,	771
Hoover, Colorado R.,	725
Glen Canyon, Colorado R.,	708
Daniel Johnson, Can.	702
New Bullards Bar, N. Yuba R.	636
Mossyrock, Cowlitz R.,	603
Shasta, Sacramento R.,	600
W.A.C. Bennett, Canada.	600
Don Pedro, Tuolumne R.,	584
Grand Coulee, Columbia R.,	551

Central and South America
Guri, Caroni R., Venezuela.	347

21

Distances

Kms	Berlin	Bombay	Buenos Aires	Cairo	Calcutta	Caracas	Chicago	Copenhagen	Darwin	Hong Kong	Honolulu	Johannesburg	Lagos	Lisbon
Berlin		3907	7400	1795	4370	5241	4402	222	8044	5440	7310	5511	3230	1436
Bombay	6288		9275	2706	1034	9024	8048	3990	4510	2683	8024	4334	4730	4982
Buenos Aires	11909	14925		7341	10268	3167	5599	7498	9130	11481	7558	5025	4919	5964
Cairo	2890	4355	11814		3541	6340	6127	1992	7216	5064	8838	3894	2432	2358
Calcutta	7033	1664	16524	5699		9609	7978	4395	3758	1653	7048	5256	5727	5639
Caracas	8435	14522	5096	10203	15464		2502	5215	11221	10166	6009	6847	4810	4044
Chicago	7084	12953	9011	3206	12839	4027		4250	9361	7783	4247	8689	5973	3992
Copenhagen	357	6422	12067	9860	7072	8392	6840		8017	5388	7088	5732	3436	1540
Darwin	12946	7257	14693	11612	6047	18059	15065	12903		2654	5369	6611	8837	9391
Hong Kong	8754	4317	18478	8150	2659	16360	12526	8671	4271		5543	6669	7360	6853
Honolulu	11764	12914	12164	14223	11343	9670	6836	11407	8640	8921		11934	10133	7821
Johannesburg	8870	6974	8088	6267	8459	11019	13984	9225	10639	10732	19206		2799	5089
Lagos	5198	7612	7916	3915	9216	7741	9612	5530	14222	11845	16308	4505		2360
Lisbon	2311	8018	9600	3794	9075	6501	6424	2478	15114	11028	12587	8191	3799	
London	928	7190	11131	3508	7961	7507	6356	952	13848	9623	11632	9071	5017	1588
Los Angeles	9311	14000	9852	12200	13120	5812	2804	9003	12695	11639	4117	16676	12414	9122
Mexico City	9732	15656	7389	12372	15280	3586	2726	9514	14631	14122	6085	14585	11071	8676
Moscow	1610	5031	13477	2902	5534	9938	8000	1561	11350	7144	11323	9161	6254	3906
Nairobi	6370	4532	10402	3536	6179	11544	12883	6706	10415	8776	17282	2927	3807	6461
New York	6385	12541	8526	9020	12747	3430	1145	6188	16047	12950	7980	12841	8477	5422
Paris	876	7010	11051	3210	7858	7625	6650	1026	13812	9630	11968	8732	4714	1454
Peking	7822	4757	19268	7544	3269	14399	10603	7202	6011	1963	8160	11710	11457	9668
Reykjavik	2385	8335	11437	5266	8687	6915	4757	2103	13892	9681	9787	10938	6718	2948
Rio de Janeiro	10025	13409	1953	9896	15073	4546	8547	10211	16011	17704	13342	7113	6035	7734
Rome	1180	6175	11151	2133	7219	8363	7739	1531	13265	9284	12916	7743	4039	1861
Singapore	9944	3914	15879	8267	2897	18359	15078	9969	3349	2599	10816	8660	11145	11886
Sydney	16096	10160	11800	14418	9138	15343	14875	16042	3150	7374	8168	11040	15519	18178
Tokyo	8924	6742	18362	9571	5141	14164	10137	8696	5431	2874	6202	13547	13480	11149
Toronto	6497	12488	9093	9233	12561	3873	700	6265	15498	12569	7465	13374	8948	5737
Wellington	18140	12370	9981	16524	11354	13122	13451	17961	5325	9427	7513	11761	16050	19575

Distance chart (Miles):

(off-page)	Mexico City	Moscow	Nairobi	New York	Paris	Peking	Reykjavik	Rio de Janeiro	Rome	Singapore	Sydney	Tokyo	Toronto	Wellington	
35	6047	1000	3958	3967	545	4860	1482	6230	734	6179	10002	5545	4037	11272	Berlin
00	9728	3126	2816	7793	4356	2956	5179	8332	3837	2432	6313	4189	7760	7686	Bombay
2	4591	8374	6463	5298	6867	11972	7106	1214	6929	9867	7332	11410	5650	6202	Buenos Aires
0	7687	1803	2197	5605	1994	4688	3272	6149	1325	5137	8959	5947	5737	10268	Cairo
2	9494	3438	3839	7921	4883	2031	5398	9366	4486	1800	5678	3195	7805	7055	Calcutta
2	2228	6175	7173	2131	4738	8947	4297	2825	5196	11407	9534	8801	2406	8154	Caracas
2	1694	4971	8005	711	4132	6588	2956	5311	4809	9369	9243	6299	435	8358	Chicago
4	5912	970	4167	3845	638	4475	1306	6345	951	6195	9968	5403	3892	11160	Copenhagen
8	9091	7053	6472	9971	8582	3735	8632	9948	8243	2081	1957	3375	9630	3309	Darwin
2	8775	4439	5453	8047	5984	1220	6015	11001	5769	1615	4582	1786	7810	5857	Hong Kong
8	3781	7036	10739	4958	7437	5070	6081	8290	8026	6721	5075	3854	4638	4669	Honolulu
2	9063	5692	1818	7979	5426	7276	6797	4420	4811	5381	6860	8418	8310	7308	Johannesburg
3	6879	3886	2366	5268	2929	7119	4175	3750	2510	6925	9643	8376	5560	9973	Lagos
8	5391	2427	4015	3369	903	6007	1832	4805	1157	7385	11295	6928	3565	12163	Lisbon
2	5552	1552	4237	3463	212	5057	1172	5778	889	6743	10558	5942	3545	11691	London
	1549	6070	9659	2446	5645	6251	4310	6310	6331	8776	7502	5475	2170	6719	Los Angeles
		6664	9207	2090	5717	7742	4635	4780	6365	10321	8058	7024	2018	6897	Mexico City
			3942	4666	1545	3600	2053	7184	1477	5237	9008	4651	4637	10283	Moscow
				7358	4029	5727	5395	5548	3350	4635	7552	6996	7570	8490	Nairobi
					3626	6828	2613	4832	4280	9531	9935	6741	356	8951	New York
93						5106	1384	5708	687	6671	10539	6038	3738	11798	Paris
69 10724							4897	10773	5049	2783	5561	1304	6557	6700	Peking
44 14818 6344								6135	2048	7155	10325	5469	2600	10725	Reykjavik
36 3364 7510 11842									5725	9763	8389	11551	5180	7367	Rio de Janeiro
85 9200 2486 6485 5836										6229	10143	6127	4399	11523	Rome
60 12460 5794 9216 10988 8217											3915	3306	9350	5298	Singapore
36 7460 3304 8683 4206 2228 7882												4861	9800	1383	Sydney
55 7693 11562 8928 7777 9187 17338 9874													6410	5762	Tokyo
88 10243 2376 5391 6888 1105 8126 3297 9214														8820	Toronto
23 16610 8428 7460 15339 10737 4478 11514 15712 10025															Wellington
73 12969 14497 12153 15989 16962 8949 16617 13501 16324 6300															
11 11304 7485 11260 10849 9718 2099 8802 18589 9861 5321 7823															
92 3247 7462 12183 574 6015 10552 4184 8336 7080 15047 15772 10316															
14 11100 16549 13664 14405 18987 10782 17260 11855 18545 8526 2226 9273 14194															

Miles

Water Resources and Vegetation

Water resources and vegetation

Fresh water is essential for life on earth and in some parts of the world it is a most precious commodity. On the other hand it is very easy for industrialised temperate states to take its existence for granted, and man's increasing demand may only be met finally by the desalination of earth's 775 million cubic miles of salt water. 70% of the earth's fresh water exists as ice.

The hydrological cycle

Water is continually being absorbed into the atmosphere as vapour from oceans, lakes, rivers and vegetation transpiration. On cooling the vapour either condenses or freezes and falls as rain, hail or snow. Most precipitation falls over the sea but one quarter falls over the land of which half evaporates again soon after falling while the rest flows back into the oceans.

Distribution of water

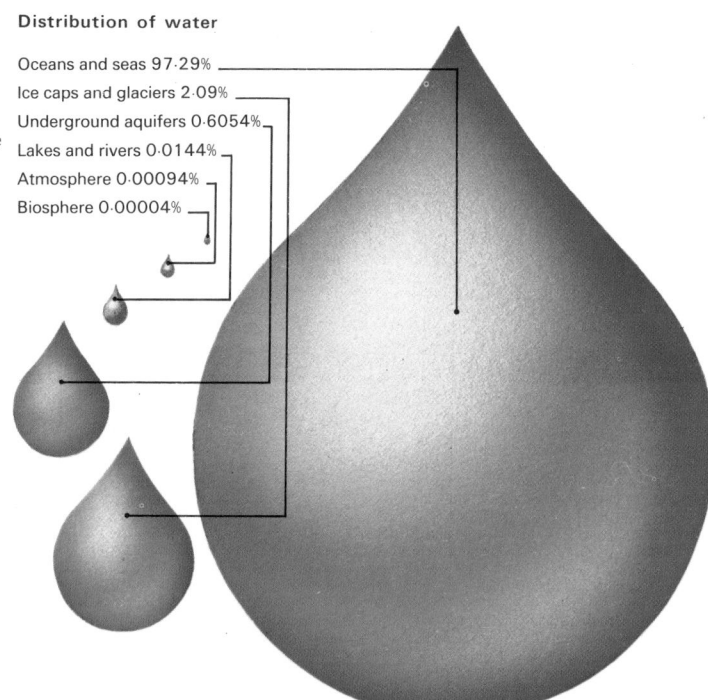

Oceans and seas 97·29%
Ice caps and glaciers 2·09%
Underground aquifers 0·6054%
Lakes and rivers 0·0144%
Atmosphere 0·00094%
Biosphere 0·00004%

Tundra

Mediterranean scrub

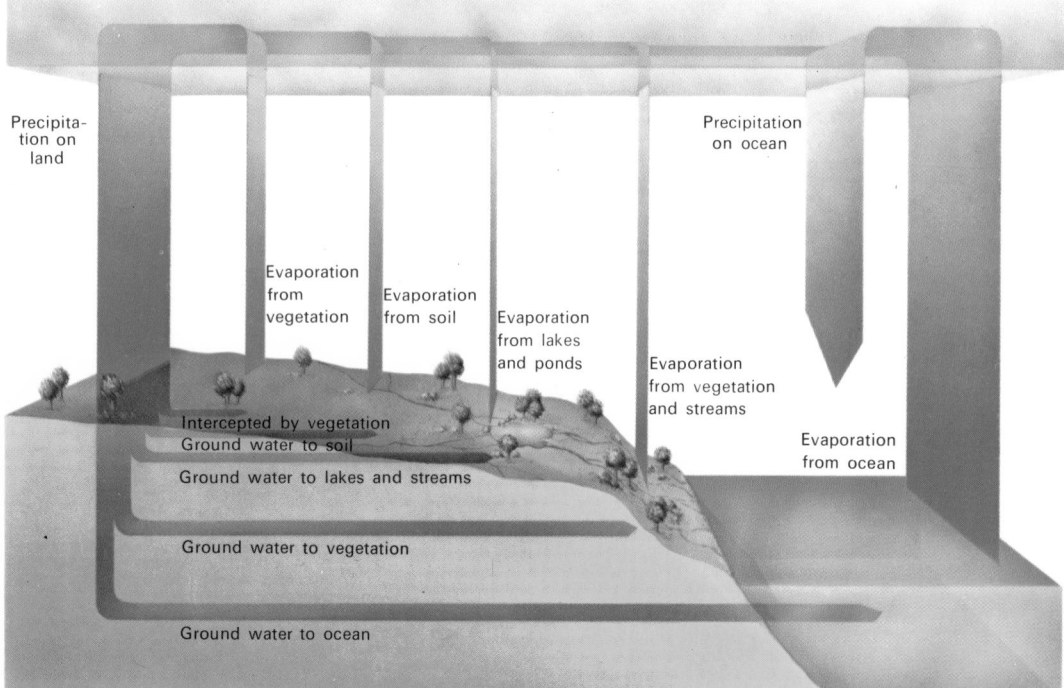

Precipitation on land

Precipitation on ocean

Evaporation from vegetation

Evaporation from soil

Evaporation from lakes and ponds

Evaporation from vegetation and streams

Evaporation from ocean

Intercepted by vegetation
Ground water to soil

Ground water to lakes and streams

Ground water to vegetation

Ground water to ocean

Domestic consumption of water

An area's level of industrialisation, climate and standard of living are all major influences in the consumption of water. On average Europe consumes 168 gallons per head each day of which 48 gallons is used domestically. In the U.S.A. domestic consumption is slightly higher at 71 gallons per day. The graph (right) represents domestic consumption in the U.K.

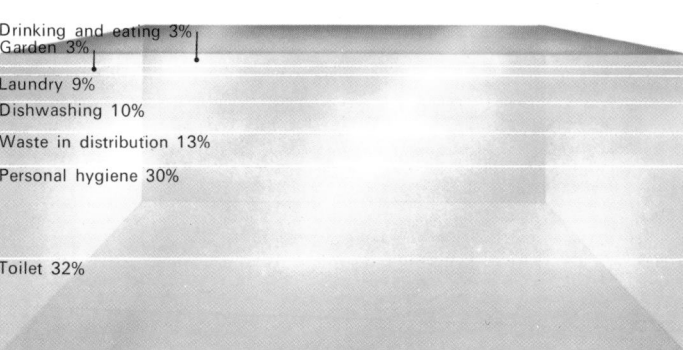

Drinking and eating 3%
Garden 3%
Laundry 9%
Dishwashing 10%
Waste in distribution 13%
Personal hygiene 30%
Toilet 32%

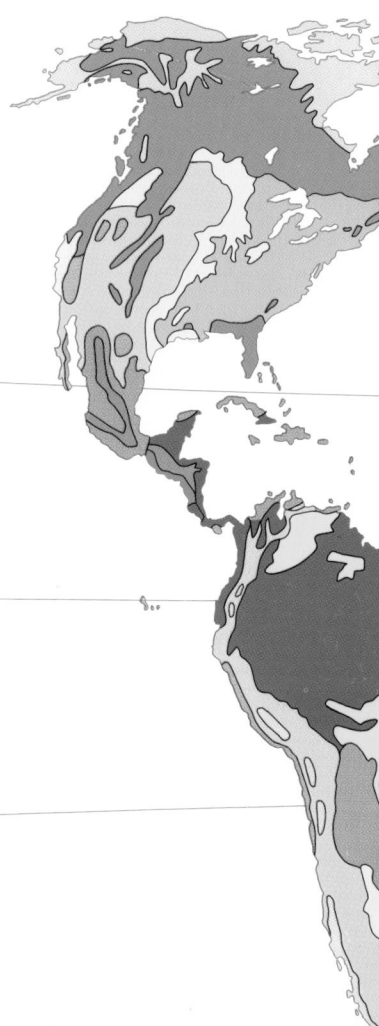

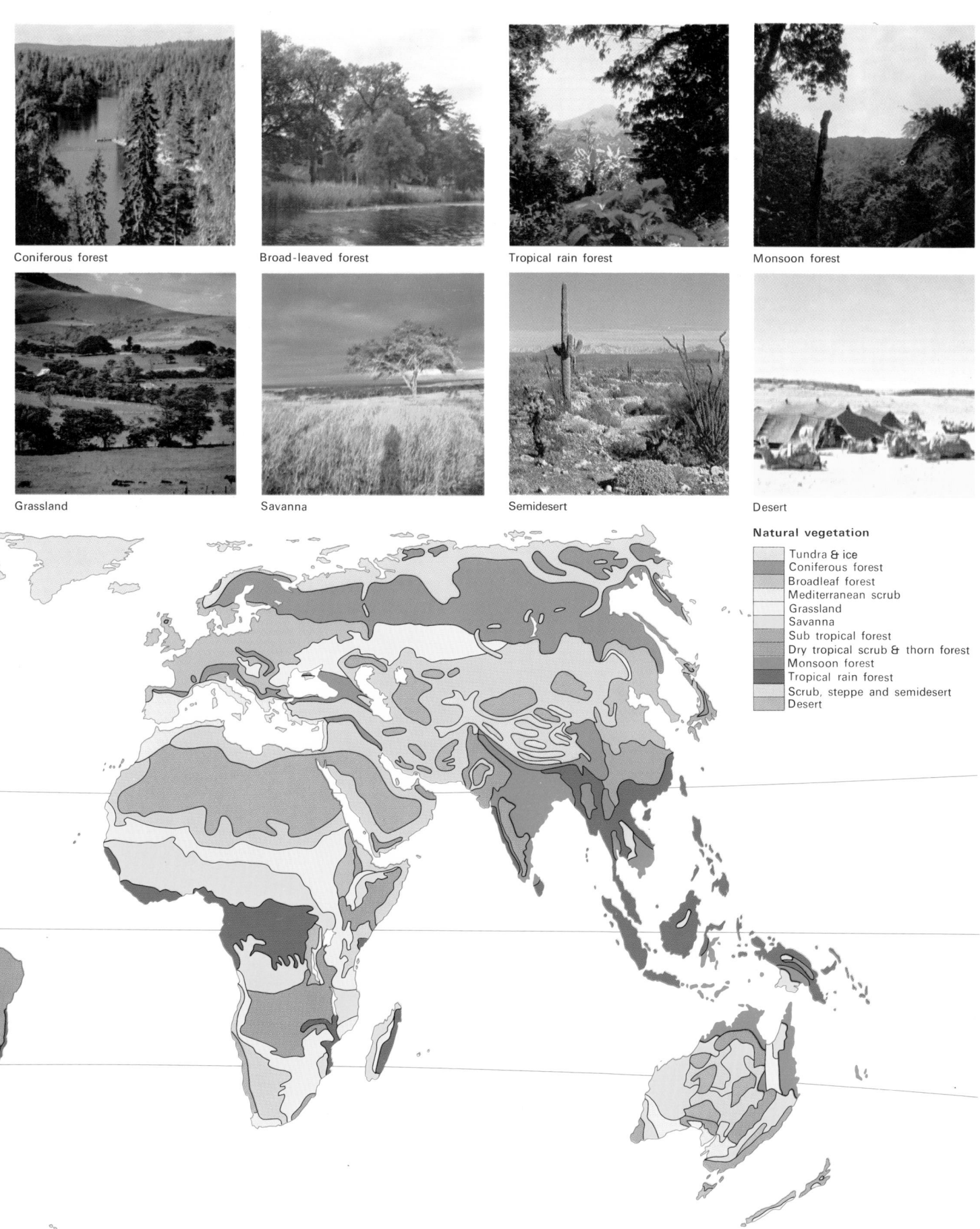

Coniferous forest

Broad-leaved forest

Tropical rain forest

Monsoon forest

Grassland

Savanna

Semidesert

Desert

Natural vegetation

Tundra & ice
Coniferous forest
Broadleaf forest
Mediterranean scrub
Grassland
Savanna
Sub tropical forest
Dry tropical scrub & thorn forest
Monsoon forest
Tropical rain forest
Scrub, steppe and semidesert
Desert

Population

Population distribution
(right and lower right)
People have always been unevenly distributed in the world. Europe has for centuries contained nearly 20% of the world's population but after the 16-19th century explorations and consequent migrations this proportion has rapidly reduced. In 1750 the Americas had 2% of the world's total: in 2000 AD they are expected to contain 16%.

The most densely populated regions are in India, China and Europe where the average density is between 60 and 120 per square mile although there are pockets of extremely high density elsewhere. In contrast Australia has only 0·9 people per square mile. The countries in the lower map have been redrawn to make their areas proportional to their populations.

U.S.A.
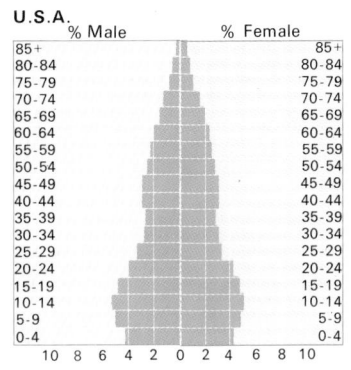

France
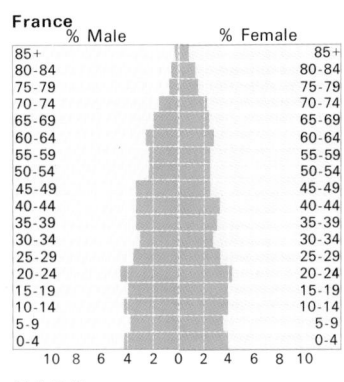

Brazil
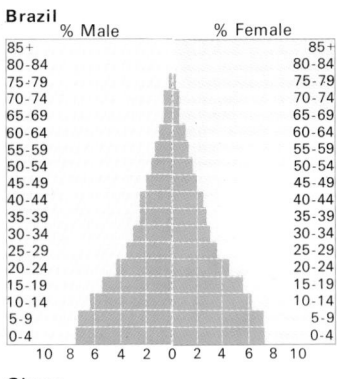

U.S.S.R.
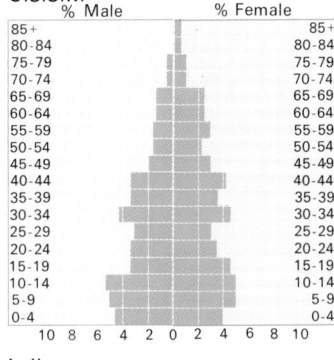

Ghana
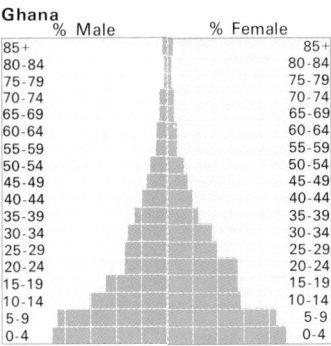

India
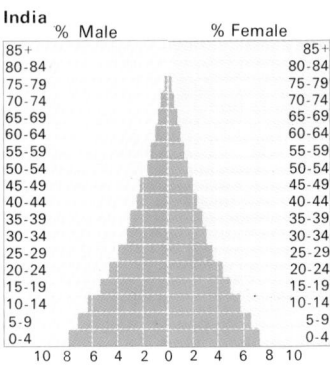

Age distribution
France shows many demographic features characteristic of European countries. Birth and death rates have declined with a moderate population growth - there are nearly as many old as young. In contrast, India and several other countries have few old and many young because of the high death rates and even higher birth rates. It is this excess that is responsible for the world's population explosion.

World population increase
Until comparatively recently there was little increase in the population of the world. About 6000 BC it is thought that there were about 200 million people and in the following 7000 years an increase of just over 100 million. In the 1800's there were about 1000 million; at present there are over 3500 million and by the year 2000 if present trends continue there would be at least 7000 million.

1650   1700   1750   1800

World population distribution

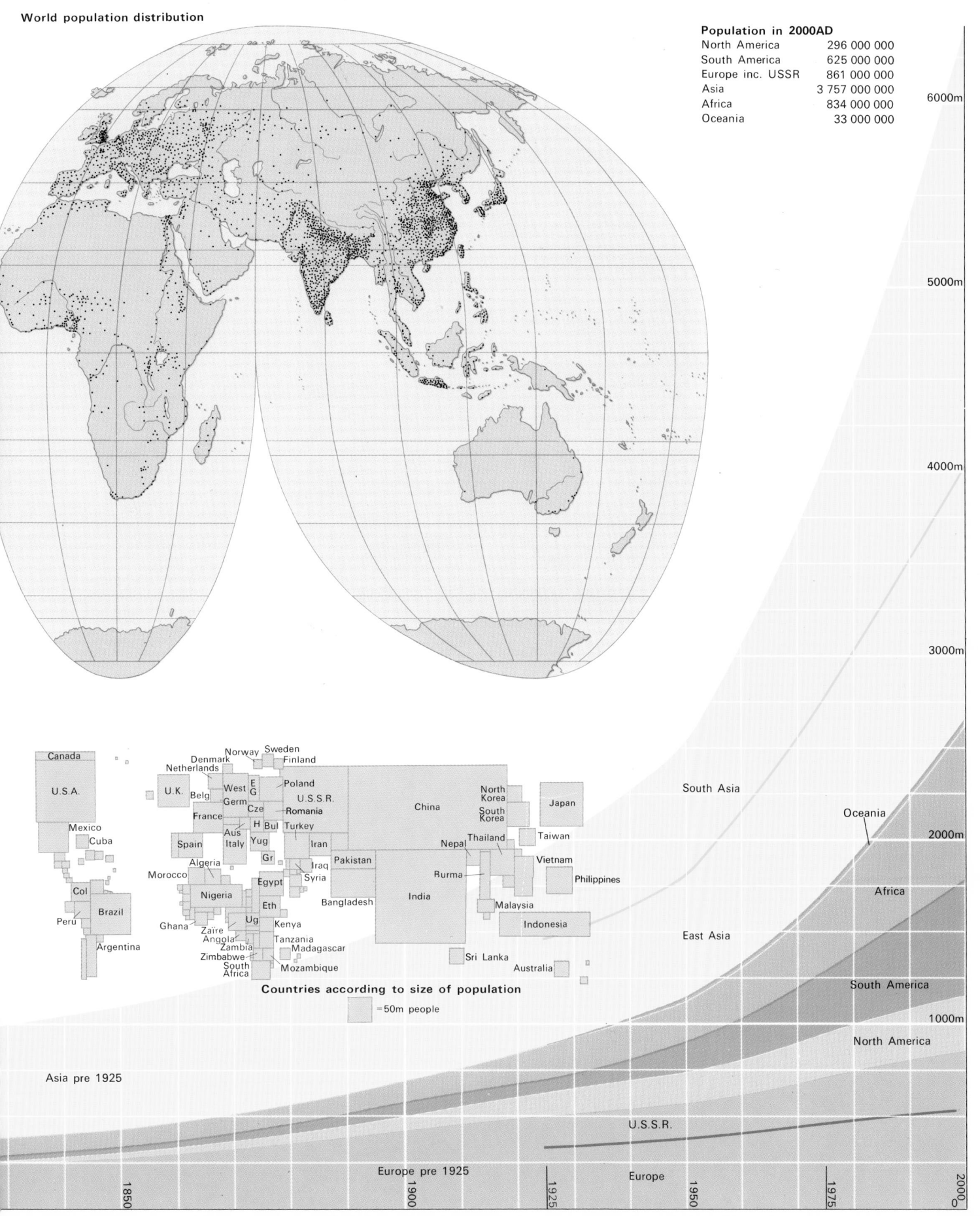

Countries according to size of population

☐ = 50m people

Language

Languages may be blamed partly for the division and lack of understanding between nations. While a common language binds countries together it in turn isolates them from other countries and groups. Thus beliefs, ideas and inventions remain exclusive to these groups and different cultures develop.

There are thousands of different languages and dialects spoken today. This can cause strife even within the one country, such as India, where different dialects are enough to break down the country into distinct groups.

As a result of colonization and the spread of internationally accepted languages, many countries have superimposed a completely unrelated language in order to combine isolated national groups and to facilitate international understanding, for example Spanish in South America, English in India.

Related languages
Certain languages showing marked similarities are thought to have developed from common parent languages for example Latin. After the retreat of the Roman Empire wherever Latin had been firmly established it remained as the new nation's language. With no unifying centre divergent development took place and Latin evolved into new languages.

Calligraphy
Writing was originally by a series of pictures, and these gradually developed in styles which were influenced by the tools generally used. Carved alphabets, such as that used by the Sumerians, tended to be angular, while those painted or written tended to be curved, as in Egyptian hieroglyphics development of which can be followed through the West Semitic, Greek and Latin alphabets to our own.

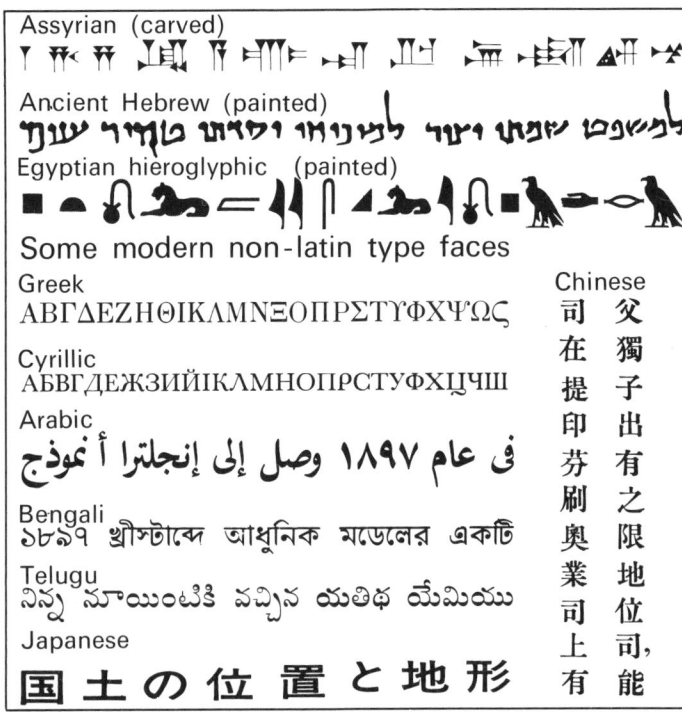

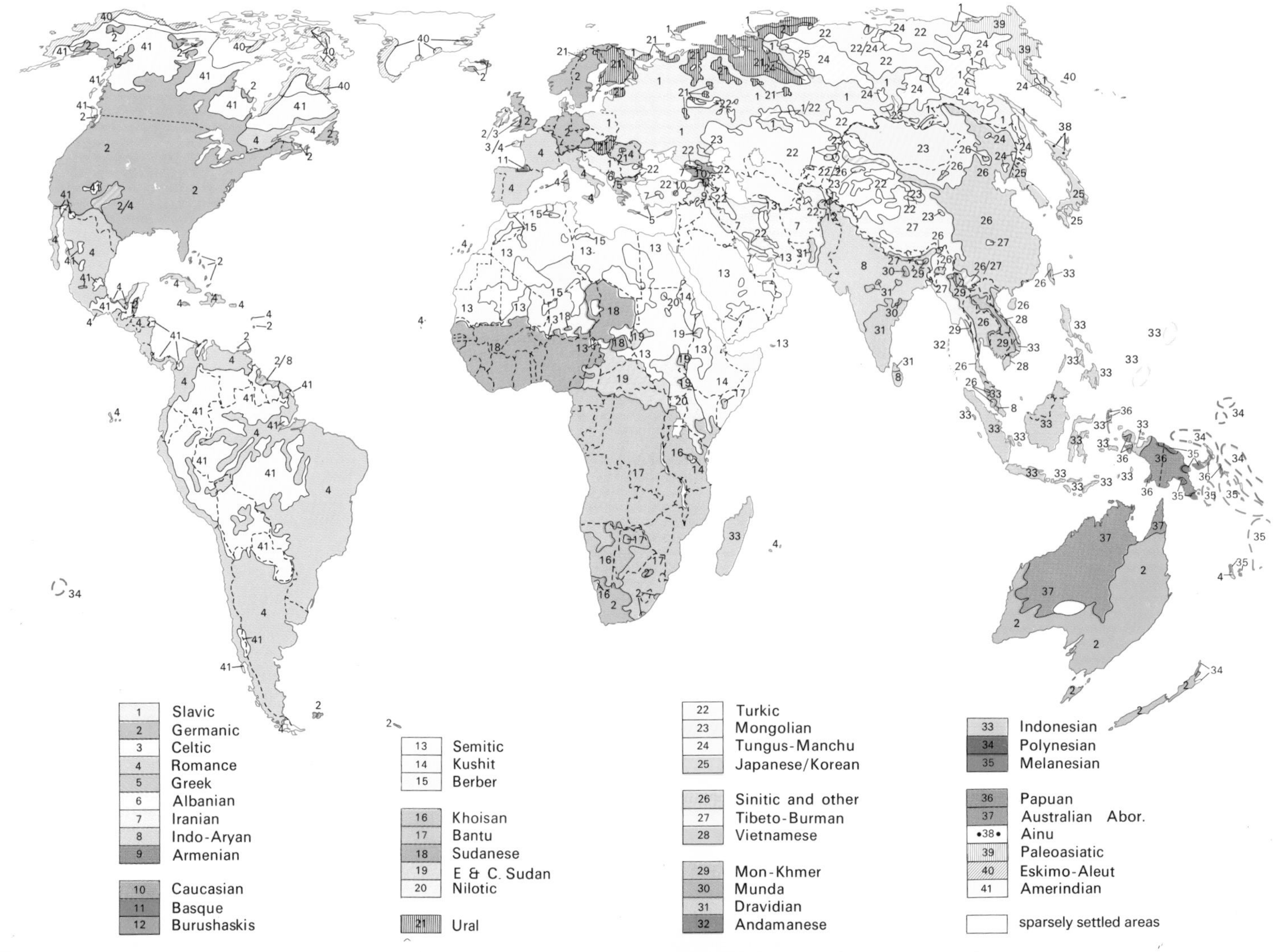

Assyrian (carved)

Ancient Hebrew (painted)

Egyptian hieroglyphic (painted)

Some modern non-latin type faces

Greek
ΑΒΓΔΕΖΗΘΙΚΛΜΝΞΟΠΡΣΤΥΦΧΨΩϚ

Cyrillic
АБВГДЕЖЗИЙІКЛМНОПРСТУФХЦЏЧШ

Arabic
فى عام ١٨٩٧ وصل إلى إنجلترا أ نموذج

Bengali
১৮৯৭ খ্রীস্টাব্দে আধুনিক মডেলের একটি

Telugu
నిన్న సాయింటికి వచ్చిన యతిథి యేమియు

Japanese
国土の位置と地形

Chinese
父獨子出有之限地位司,
司在提印芬刷奧業司上有能

Map legend

No.	Language
1	Slavic
2	Germanic
3	Celtic
4	Romance
5	Greek
6	Albanian
7	Iranian
8	Indo-Aryan
9	Armenian
10	Caucasian
11	Basque
12	Burushaskis
13	Semitic
14	Kushit
15	Berber
16	Khoisan
17	Bantu
18	Sudanese
19	E & C. Sudan
20	Nilotic
21	Ural
22	Turkic
23	Mongolian
24	Tungus-Manchu
25	Japanese/Korean
26	Sinitic and other
27	Tibeto-Burman
28	Vietnamese
29	Mon-Khmer
30	Munda
31	Dravidian
32	Andamanese
33	Indonesian
34	Polynesian
35	Melanesian
36	Papuan
37	Australian Abor.
•38•	Ainu
39	Paleoasiatic
40	Eskimo-Aleut
41	Amerindian
	sparsely settled areas

Religion

Throughout history man has had beliefs in supernatural powers based on the forces of nature which have developed into worship of a god and some cases gods.

Hinduism honours many gods and goddesses which are all manifestations of the one divine spirit, Brahma, and incorporates beliefs such as reincarnation, worship of cattle and the caste system.

Buddhism, an offshoot of Hinduism, was founded in north east India by Gautama Buddha (563-483 BC) who taught that spiritual and moral discipline were essential to achieve supreme peace.

Confucianism is a mixture of Buddhism and Confucius' teachings which were elaborated to provide a moral basis for the political structure of Imperial China and to cover the already existing forms of ancestor worship.

Judaism dates back to c. 13th century B.C. The Jews were expelled from the Holy Land in AD70 and only reinstated in Palestine in 1948.

Islam, founded in Mecca by Muhammad (570-632 AD) spread across Asia and Africa and in its retreat left isolated pockets of adherent communities.

Christianity was founded by Jesus of Nazareth in the 1st century AD The Papal authority, established in the 4th century, was rejected by Eastern churches in the 11th century. Later several other divisions developed eg. Roman Catholicism, Protestantism.

Christian monastery

Jewish holy place

Hindu temple

Mohammedan mosque

Buddhist temple

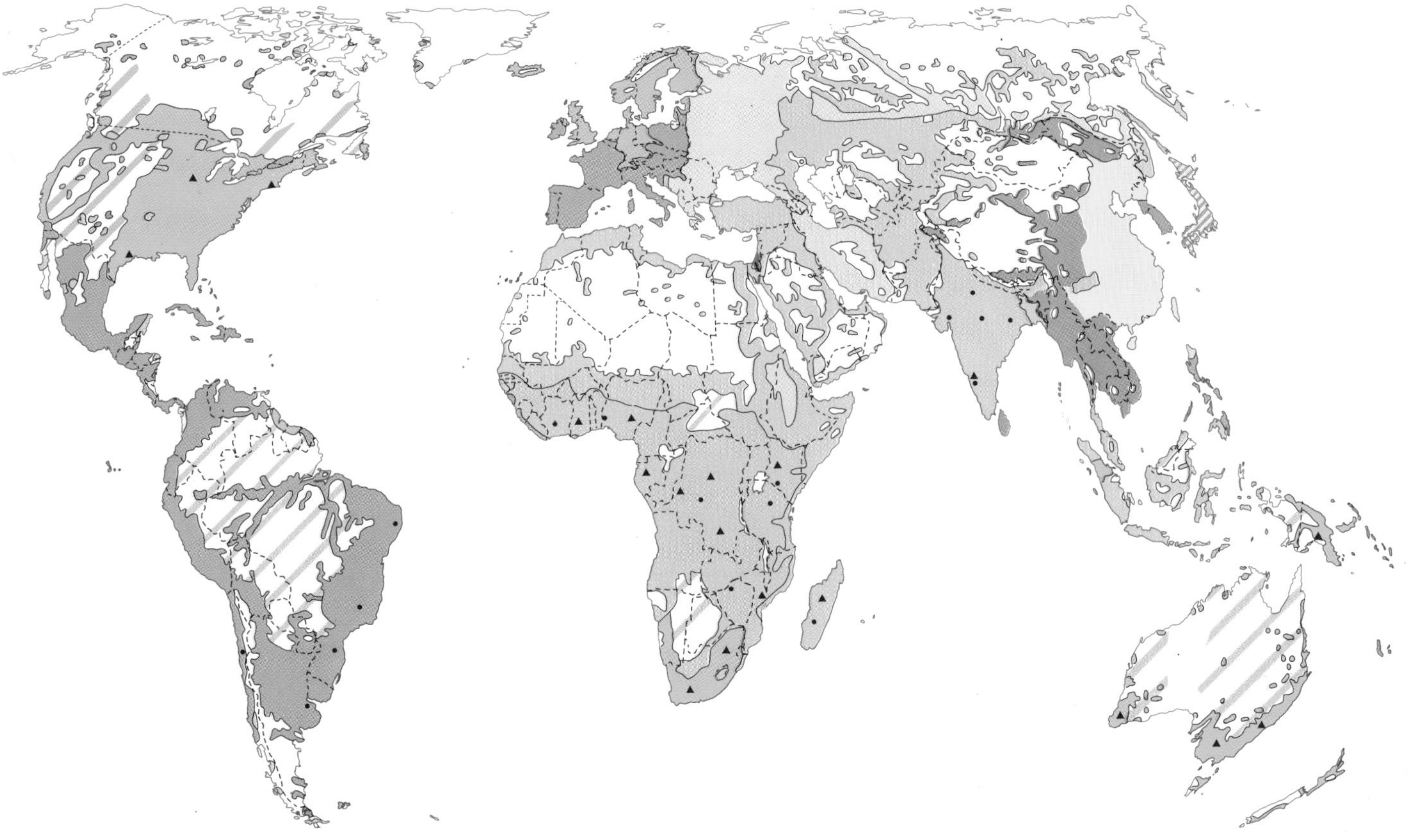

- Roman Catholicism
- Orthodox and other Eastern Churches
- Protestantism
- Sunni Islam
- Shiah Islam
- Buddhism
- Hinduism
- Confucianism
- Judaism
- Shintoism
- Primitive religions
- Uninhabited

The Growth of Cities

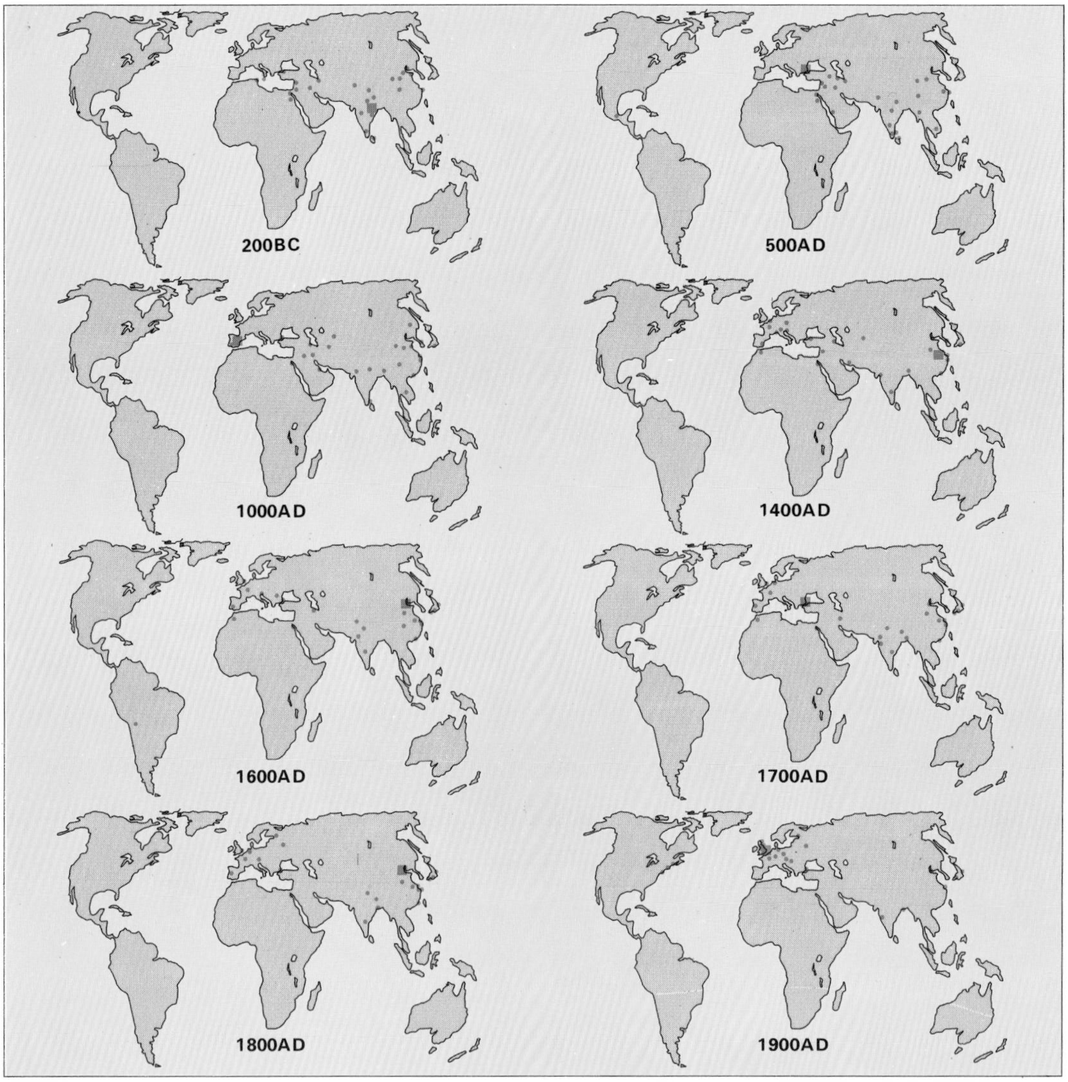

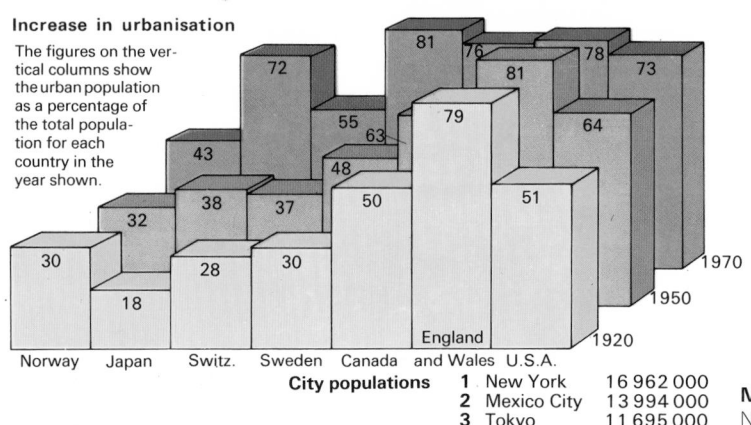

200BC

500AD

1000AD

1400AD

1600AD

1700AD

1800AD

1900AD

Cities through history
The evolution of the semi-perm
anent Neolithic settlements into a
city took from 5000 until 3500 BC.
Efficient communications and
exchange systems were developed
as population densities increased
as high as 15 000 to 30 000
per square mile in 2000BC
in Egypt and Babylonia,
compared with New York
City today at 6 000.

■ The largest city in
the world

· The twenty five
largest cities in
the world

Sao Paulo

Increase in urbanisation
The increase in urbanisation is
a result primarily of better
sanitation and health resulting in
the growth of population and
secondarily to the movement of
man off the land into industry and
service occupations in the cities.
Generally the most highly
developed industrial nations are the
most intensely urbanised although
exceptions such as Norway and
Switzerland show that rural
industrialisation can exist.

Increase in urbanisation
The figures on the ver-
tical columns show
the urban population
as a percentage of
the total popula-
tion for each
country in the
year shown.

1970
1950
1920

Norway: 30, 32, 18
Japan: 43, 38, 28
Switz.: 72, 55, 37, 30
Sweden: 81, 63, 48, 50
Canada: 76, 79
England and Wales: 81, 78
U.S.A.: 73, 64, 51

Metropolitan areas
A metropolitan area can be
defined as a central city linked
with surrounding communities
by continuous built-up areas
controlled by one municipal
government. With improved
communications the neighbouring
communities generally continue
to provide the city's work-force.
The graph (right) compares the
total populations of the world's
ten largest cities.

City populations

#	City	Population
1	New York	16 962 000
2	Mexico City	13 994 000
3	Tokyo	11 695 000
4	Los Angeles	10 605 000
5	Shanghai	10 000 000
6	Buenos Aires	9 749 000
7	Paris	8 548 000
8	Peking	8 000 000
9	Moscow	7 909 000
10	Chicago	7 662 000

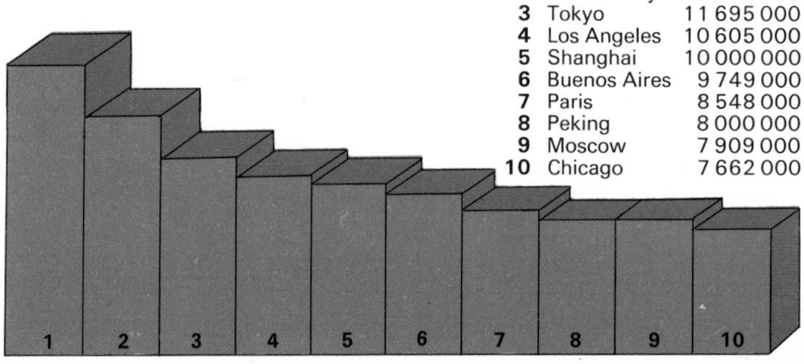

Major cities
Normally these are not only
major centres of population and
wealth but also of political power
and trade. They are the sites of
international airports and
characteristically are great ports
from which imported goods are
distributed using the roads and
railways which focus on the city.
Their staple trades and industries
are varied and flexible and depend
on design and fashion rather
than raw material production.

w York

Sydney

Moscow

Tokyo

Hong Kong

Bombay

London

Cairo

Rio de Janeiro

Rome

Cities over 5 000 000 inhabitants

2 000 000 - 5 000 000 inhabitants

1 000 000 - 2 000 000 inhabitants

250 000 - 1 000 000 inhabitants

31

Food Resources: Vegetable

Cocoa, tea, coffee

These tropical or sub-tropical crops are grown mainly for export to the economically advanced countries. Tea and coffee are the world's principal beverages. Cocoa is used more in the manufacture of chocolate.

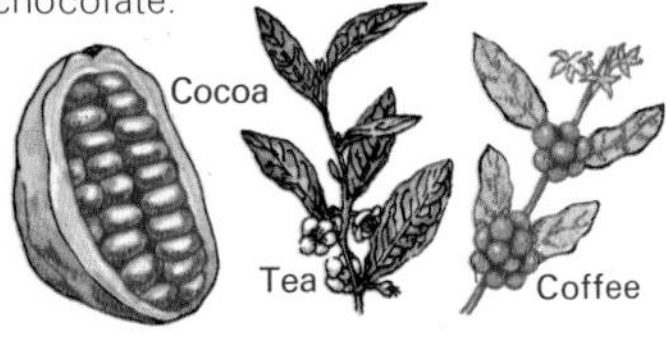

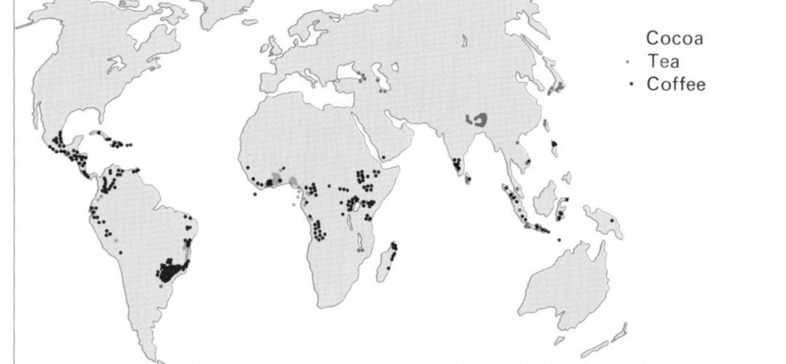

Cocoa
Tea
Coffee

Sugar beet, sugar cane

Cane Sugar - a tropical crop accounts for the bulk of the sugar entering into international trade. Beet Sugar, on the other hand, demands a temperate climate and is produced primarily for domestic consumption.

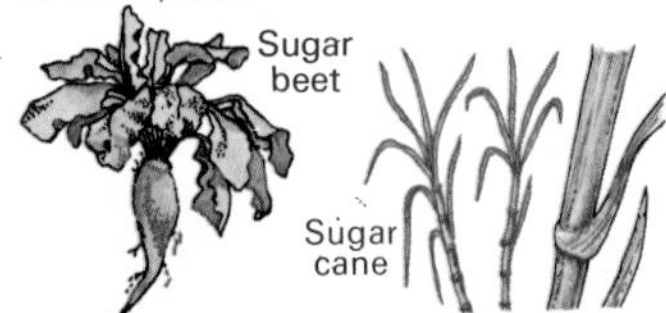

Sugar beet
Sugar cane

Fruit million tonnes

Italy	France	U.S.S.R.	Spain	Others	Grapes 61·7
U.S.A.	Brazil	Italy/Spain	Others		Citrus 49·9
Brazil	India	Philippines	Others		Bananas 39·3
China	Turkey	U.S.S.R.	Others		Melons 24·1
U.S.S.R.	U.S.A.	Others			Apples 31·9

Wine

	France	Italy	U.S.S.R.	Spain	Argentina	others	1972
							1975
							1978
							1981

0   12   24   36 million tonnes

Vegetable oilseeds and oils

Despite the increasing use of synthetic chemical products and animal and marine fats, vegetable oils extracted from these crops grow in quantity, value and importance. Food is the major use- in margarine and cooking fats.

Groundnut
Soya bean

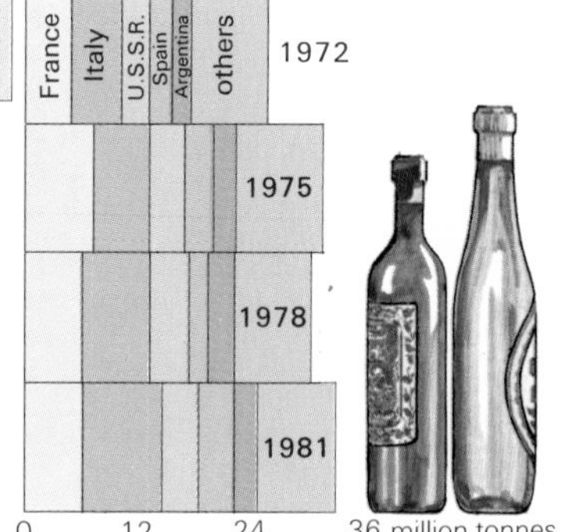

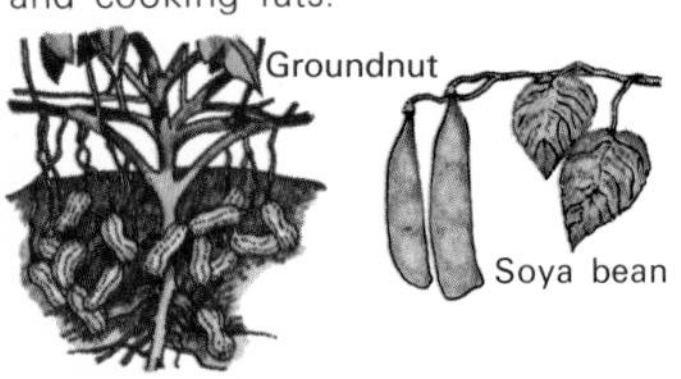

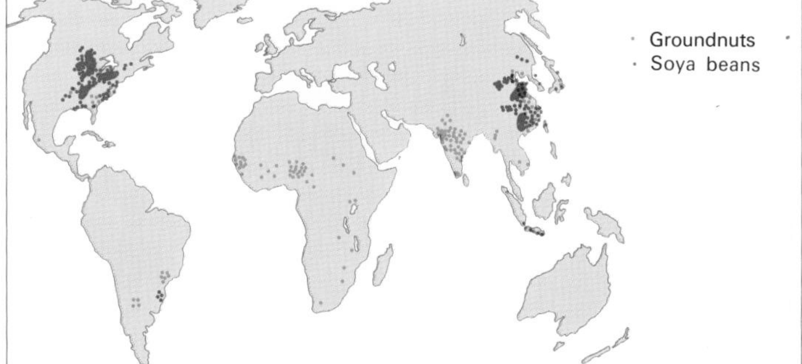

Groundnuts are also a valuable subsistence crop and the meal is used as animal feed. Soya-bean meal is a growing source of protein for humans and animals. The Mediterranean lands are the prime source of olive oil.

Rape (oil seed)
Sunflower

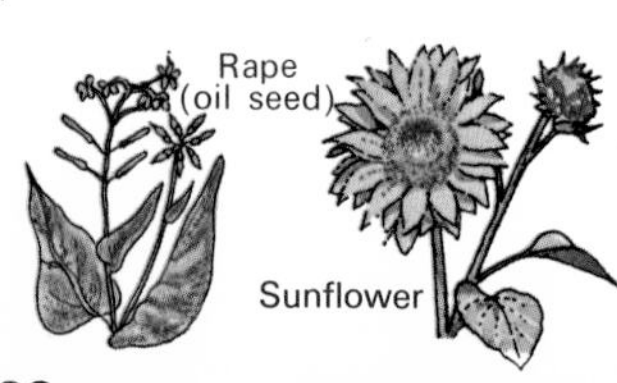

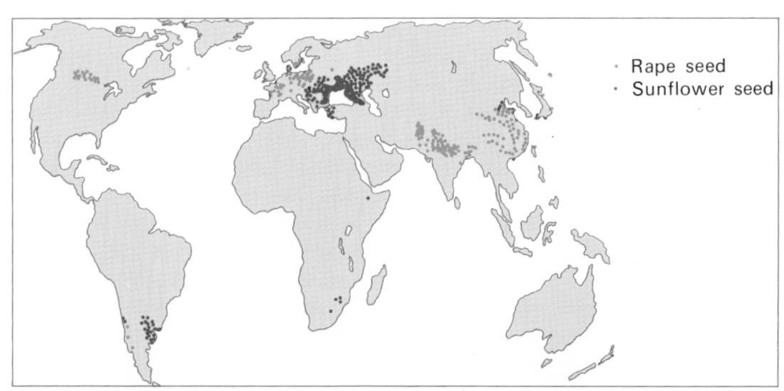

Cereals

Cereals include those members of the grain family with starchy edible seeds - wheat, maize, barley, oats, rye, rice, millets and sorghums.

Cereals and potatoes (not a cereal but starch-producing) are the principal source of food for our modern civilisations because of their high yield in bulk and food value per unit of land and labour required. They are also easy to store and transport, and provide food also for animals producing meat, fat, milk and eggs. Wheat is the principal bread grain of the temperate regions in which potatoes are the next most important food source. Rice is the principal cereal in the hotter, humid regions, especially in Asia. Oats, barley and maize are grown mainly for animal feed; millets and sorghums as main subsistence crops in Africa and India.

Fruit, wine

With the improvements in canning, drying and freezing, and in transport and marketing, the international trade and consumption of deciduous and soft fruits, citrus fruits and tropical fruits has greatly increased. Recent developments in the use of the peel will give added value to some of the fruit crops.

Over 80% of grapes are grown for wine and over a half in countries bordering the Mediterranean.

Groundnuts
Soya beans

Rape seed
Sunflower seed

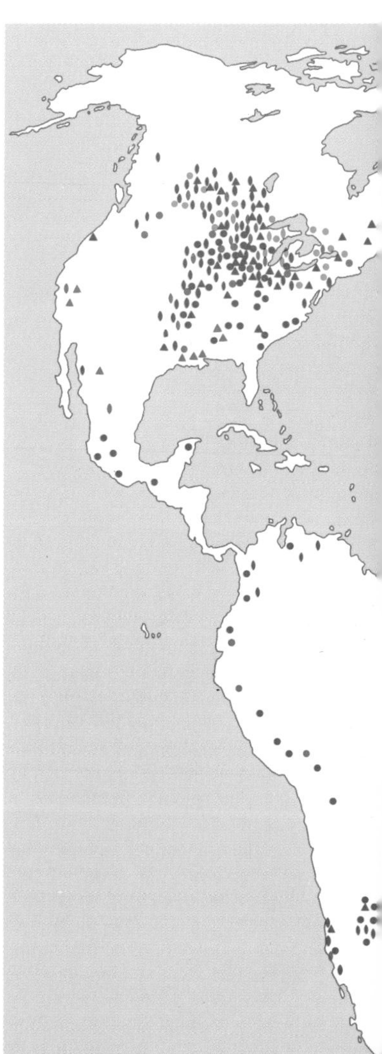

Maize (or Corn) 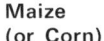 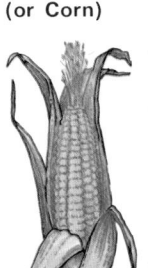 Needs plenty of sunshine, summer rain or irrigation and frost free for 6 months. Important as animal feed and for human food in Africa, Latin America and as a vegetable and breakfast cereal.

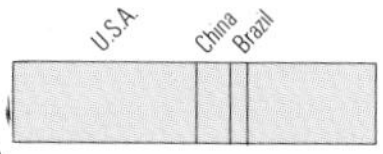

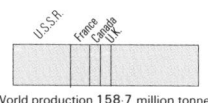
U.S.A. China Brazil
World production 451·2 million tonnes

Barley  Has the widest range of cultivation requiring only 8 weeks between seed time and harvest. Used mainly as animal-feed and by the malting industry.

U.S.S.R. France Canada U.K.
World production 158·7 million tonnes

Oats  Widely grown in temperate regions with the limit fixed by early autumn frosts. Mainly fed to cattle. The best quality oats are used for oatmeal, porridge and breakfast foods.

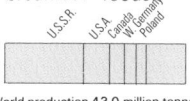
U.S.S.R. U.S.A. Canada W. Germany Poland
World production 43·0 million tonnes

Rice 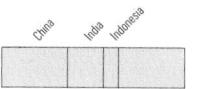 Needs plains or terraces which can be flooded and abundant water in the growing season. The staple food of half the human race. In the husk, it is known as paddy.

China India Indonesia
World production 403·2 million tonnes

Wheat  The most important grain crop in the temperate regions though it is also grown in a variety of climates e.g. in Monsoon lands as a winter crop.

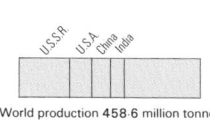
U.S.S.R. U.S.A. China India
World production 458·6 million tonnes

Rye 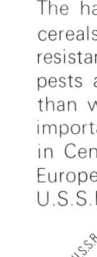 The hardiest of cereals and more resistant to cold, pests and disease than wheat. An important foodstuff in Central and E. Europe and the U.S.S.R.

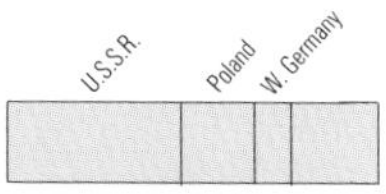

U.S.S.R. Poland W. Germany
World production 24·5 million tonnes

Millets  The name given to a number of related members of the grass family, of which sorghum is one of the most important. They provide nutritious grain.

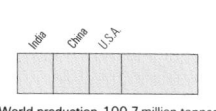
India China U.S.A.
World production 100·7 million tonnes

Potato 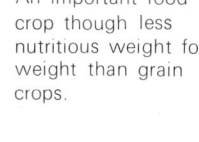  An important food crop though less nutritious weight for weight than grain crops.

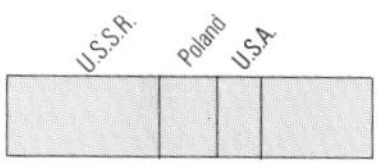

U.S.S.R. Poland U.S.A.
World production 227·3 million tonnes

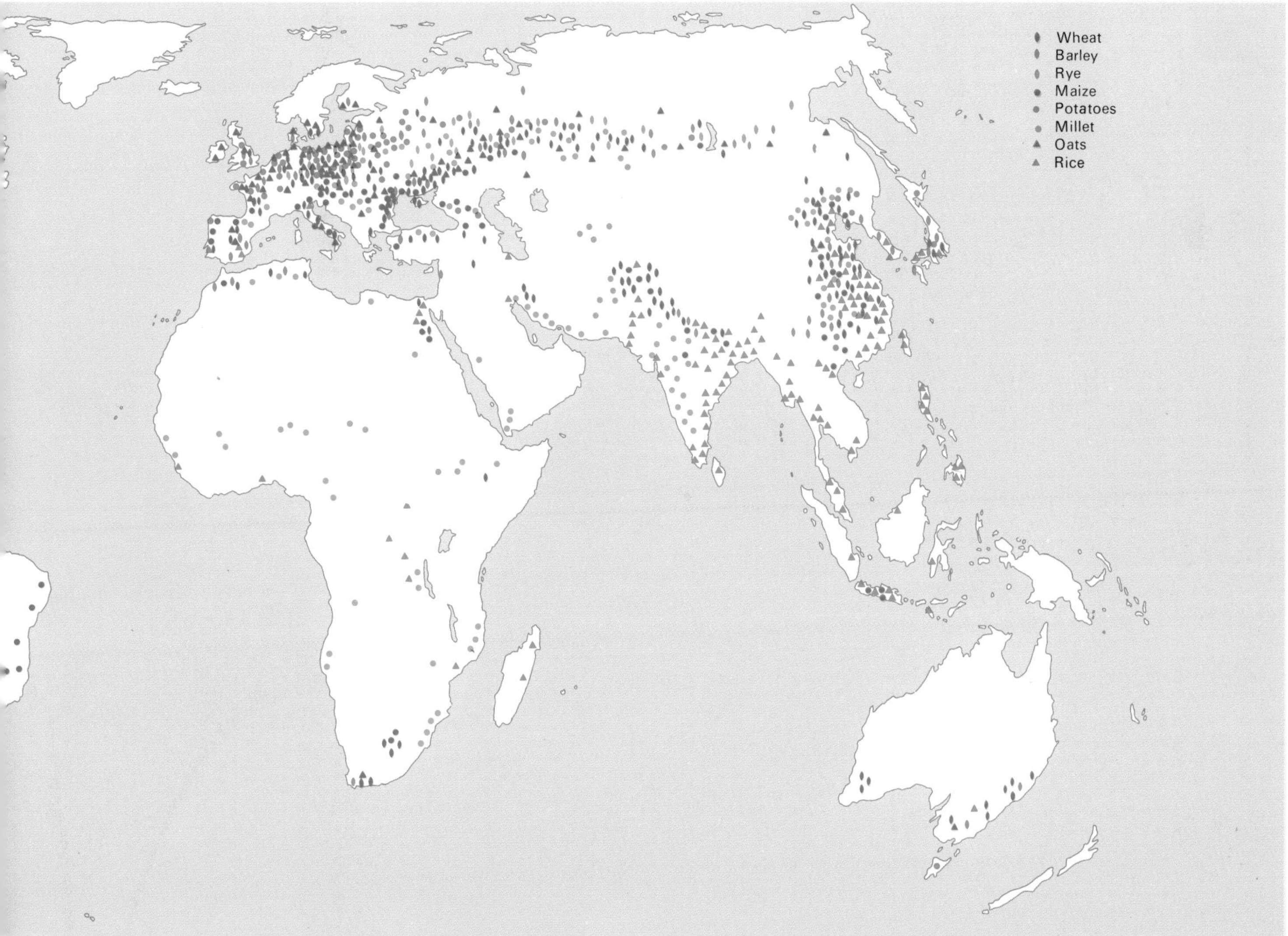

Legend:
- Wheat
- Barley
- Rye
- Maize
- Potatoes
- Millet
- Oats
- Rice

Food Resources: Animal

Food resources: Animal
Meat, milk and allied foods are prime protein-providers and are also sources of essential vitamins. Meat is mainly a product of continental and savannah grasslands and the cool west coasts, particularly in Europe. Milk and cheese, eggs and fish - though found in some quantity throughout the world - are primarily a product of the temperate zones.

Beef cattle Australia, New Zealand and Argentina provide the major part of international beef exports. Western U.S.A. and Europe have considerable production of beef for their local high demand.

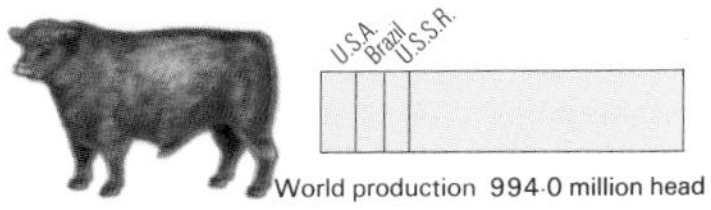

Dairy Cattle The need of herds for a rich diet and for nearby markets result in dairying being characteristic of densely-populated areas of the temperate zones - U.S.A., N.W. Europe, N. Zealand and S.E. Australia.

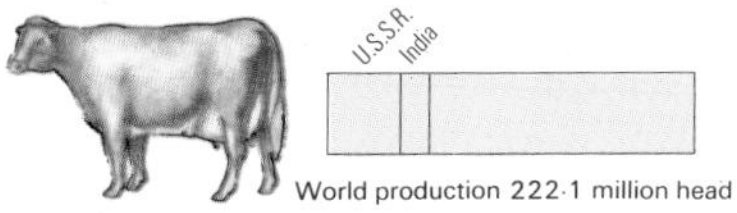

Cheese The principal producers are the U.S.A., W. Europe, U.S.S.R., and New Zealand and principal exporters Netherlands, New Zealand, Denmark and France.

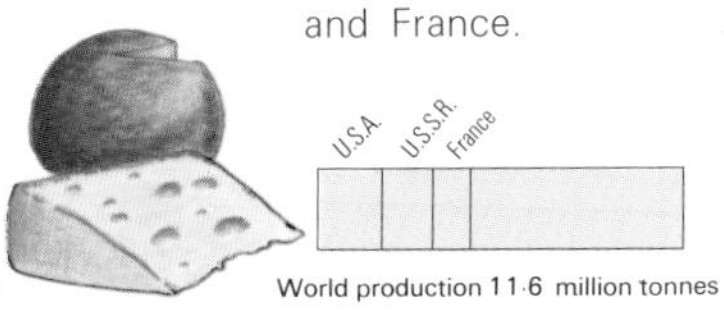

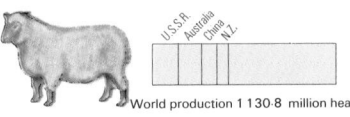
World production 994·0 million head

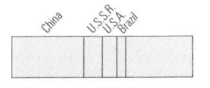
World production 222·1 million head

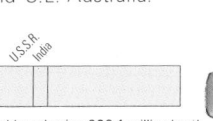
World production 11·6 million tonnes

Sheep Raised mostly for wool and meat, the skins and cheese from their milk are important products in some countries. The merino yields a fine wool and crossbreds are best for meat.

Pigs Can be reared in most climates from monsoon to cool temperate. They are abundant in China, the corn belt of the U.S.A. N.W. and C. Europe, Brazil and U.S.S.R.

Fish Commercial fishing requires large shoals of fish of one species within reach of markets. Freshwater fishing is also important. A rich source of protein, fish will become an increasingly valuable food source.

Butter (includes Ghee) The biggest producers are U.S.S.R., India, France and West Germany.

World production 1 130·8 million head

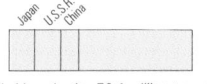
World production 779·3 million head

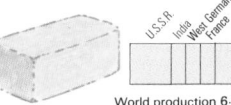
World production 72·4 million tonnes

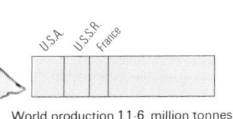
World production 6·87 million tonnes

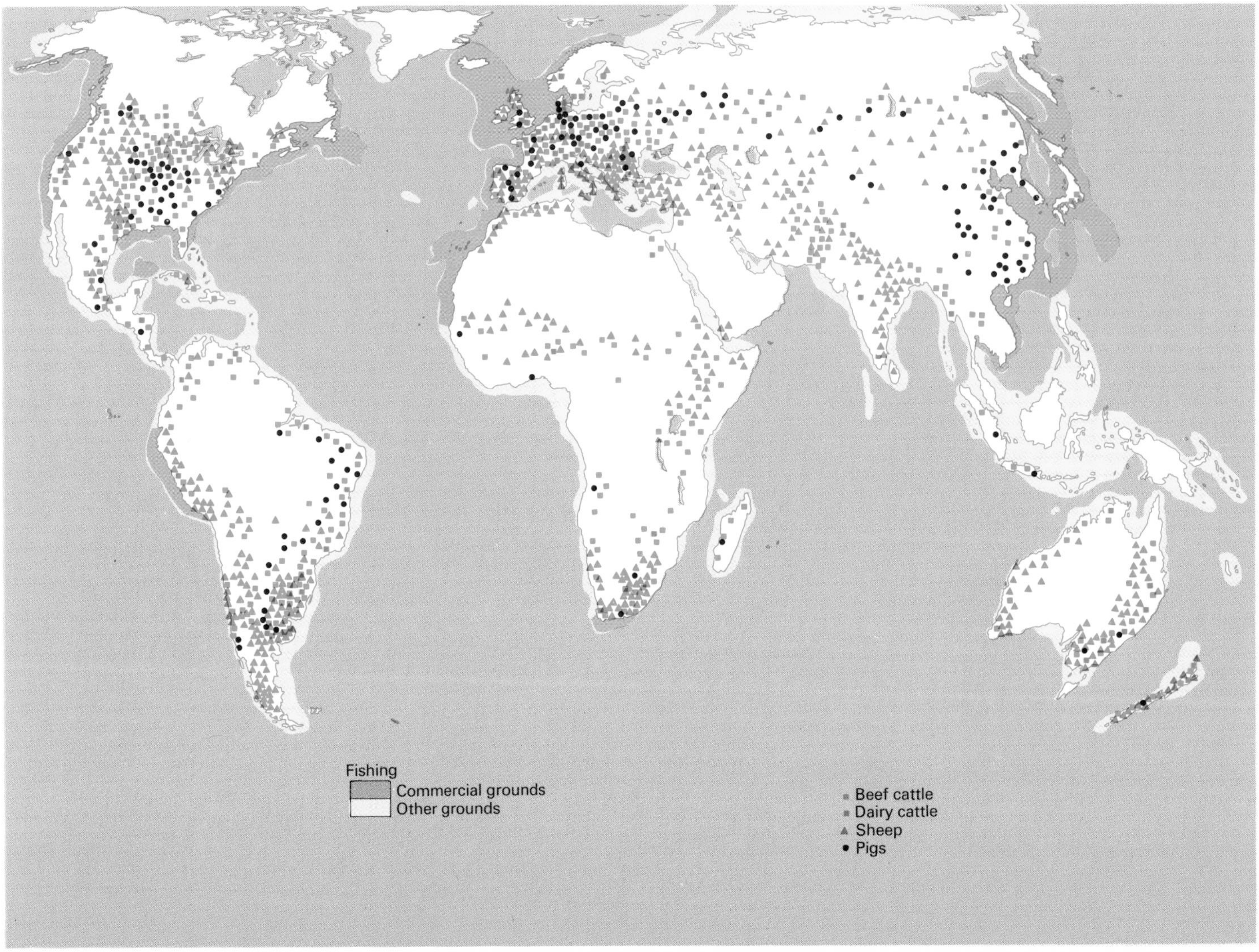

Fishing
- Commercial grounds
- Other grounds

- Beef cattle
- Dairy cattle
- Sheep
- Pigs

Nutrition

Foodstuffs fall, nutritionally, into three groups - providers of energy, protein and vitamins. Cereals and oil-seeds provide energy and second-class protein, milk, meat and allied foods provide protein and vitamins, fruit and vegetables provide vitamins, especially Vitamin C, and some energy. To avoid malnutrition, a minimum level of these three groups of foodstuffs is required: the maps and diagrams show how unfortunately widespread are low standards of nutrition and even malnutrition.

Comparison of daily diets

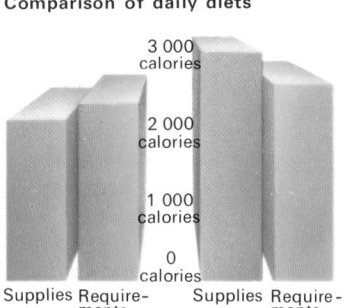

3 000 calories
2 000 calories
1 000 calories
0 calories

Supplies Requirements   Supplies Requirements

Far East, Near East, Africa & Latin America   Europe, Oceania & North America

Malnutrition

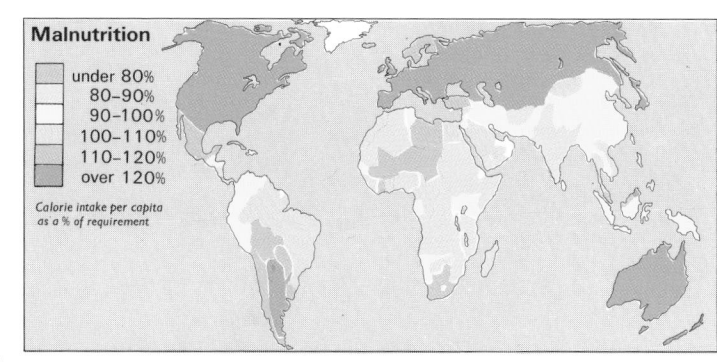

under 80%
80–90%
90–100%
100–110%
110–120%
over 120%

Calorie intake per capita as a % of requirement

Proportions of calories

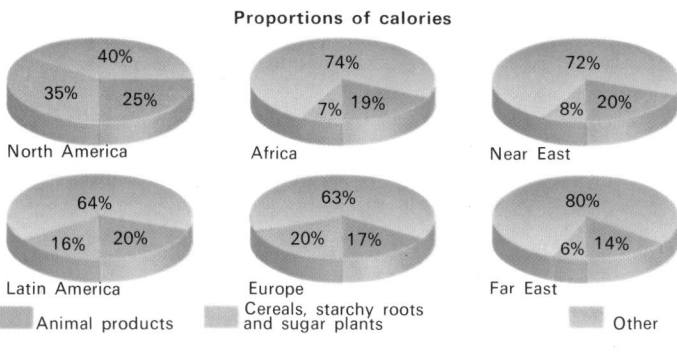

North America — 40%, 35%, 25%
Africa — 74%, 7%, 19%
Near East — 72%, 8%, 20%
Latin America — 64%, 16%, 20%
Europe — 63%, 20%, 17%
Far East — 80%, 6%, 14%

▪ Animal products
▪ Cereals, starchy roots and sugar plants
▪ Other

People and tractors engaged in agriculture

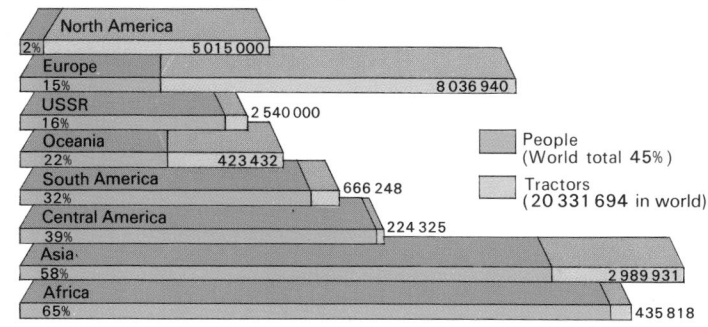

North America — 2% — 5 015 000
Europe — 15% — 8 036 940
USSR — 16% — 2 540 000
Oceania — 22% — 423 432
South America — 32% — 666 248
Central America — 39% — 224 325
Asia — 58% — 2 989 931
Africa — 65% — 435 818

▪ People (World total 45%)
▪ Tractors (20 331 694 in world)

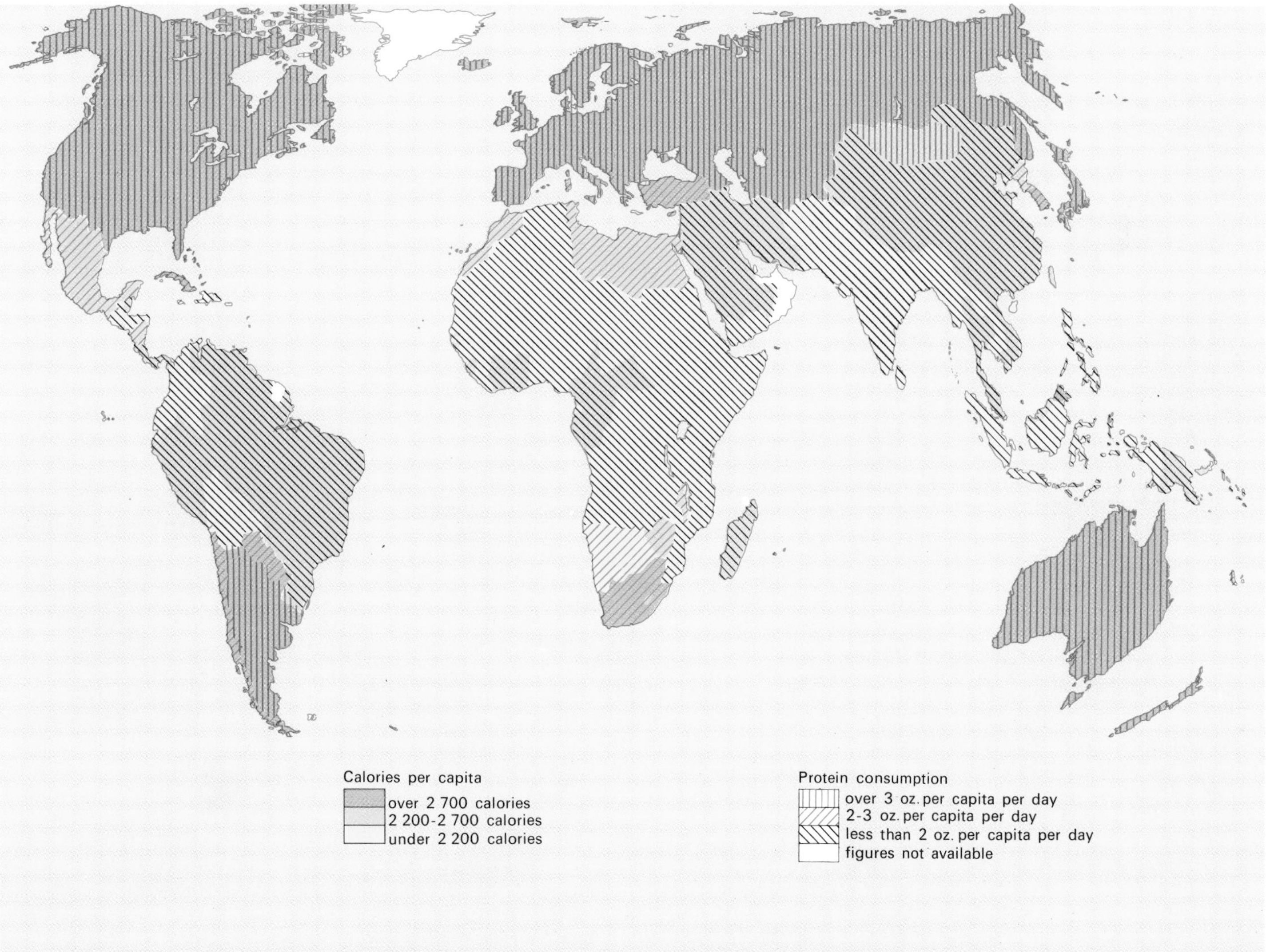

Calories per capita
- over 2 700 calories
- 2 200-2 700 calories
- under 2 200 calories

Protein consumption
- over 3 oz. per capita per day
- 2-3 oz. per capita per day
- less than 2 oz. per capita per day
- figures not available

35

Primitive man used iron for tools and vessels and its use extended gradually until iron, and later steel, became the backbone of the Modern World with the Industrial Revolution in the late 18th Century. At first, local ores were used, whereas today richer iron ores in huge deposits have been discovered and are mined on a large scale, often far away from the areas where they are used; for example, in Western Australia, Northern Sweden, Venezuela and Liberia. Iron smelting plants are today increasingly located at coastal sites, where the large ore carriers can easily discharge their cargo.

Steel is refined iron with the addition of other minerals, ferro-alloys, giving to the steel their own special properties; for example, resistance to corrosion (chromium, nickel, cobalt), hardness (tungsten, vanadium), elasticity (molybdenum), magnetic properties (cobalt), high tensile strength (manganese) and high ductility (molybdenum).

Production of Ferro-alloy metals

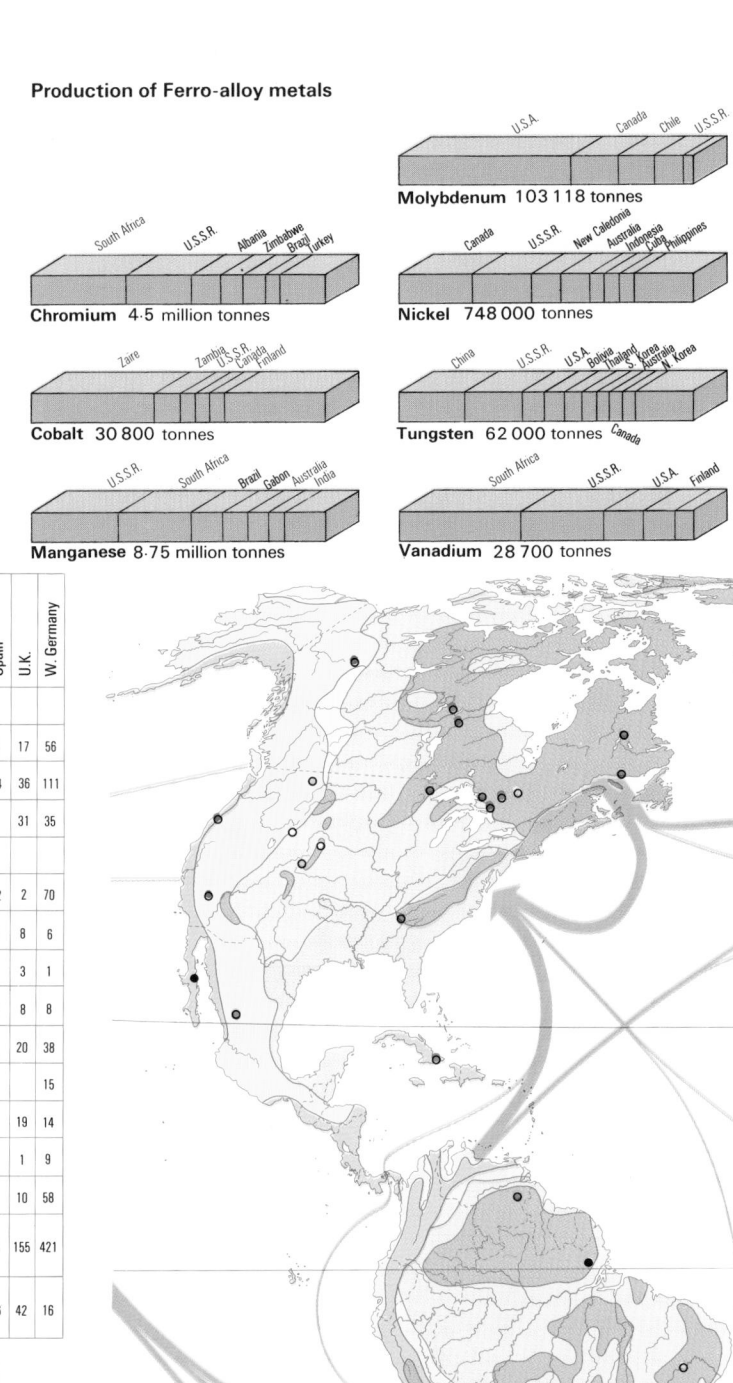

Molybdenum 103 118 tonnes — U.S.A., Canada, Chile, U.S.S.R.

Chromium 4.5 million tonnes — South Africa, U.S.S.R., Albania, Zimbabwe, Brazil, Turkey

Nickel 748 000 tonnes — Canada, U.S.S.R., New Caledonia, Australia, Indonesia, Cuba, Philippines

Cobalt 30 800 tonnes — Zaire, Zambia, U.S.S.R., Canada, Finland

Tungsten 62 000 tonnes — China, U.S.S.R., U.S.A., Bolivia, Thailand, S. Korea, Australia, N. Korea, Canada

Manganese 8.75 million tonnes — U.S.S.R., South Africa, Brazil, Gabon, Australia, India

Vanadium 28 700 tonnes — South Africa, U.S.S.R., U.S.A., Finland

Iron and Steel Industry of Western Europe

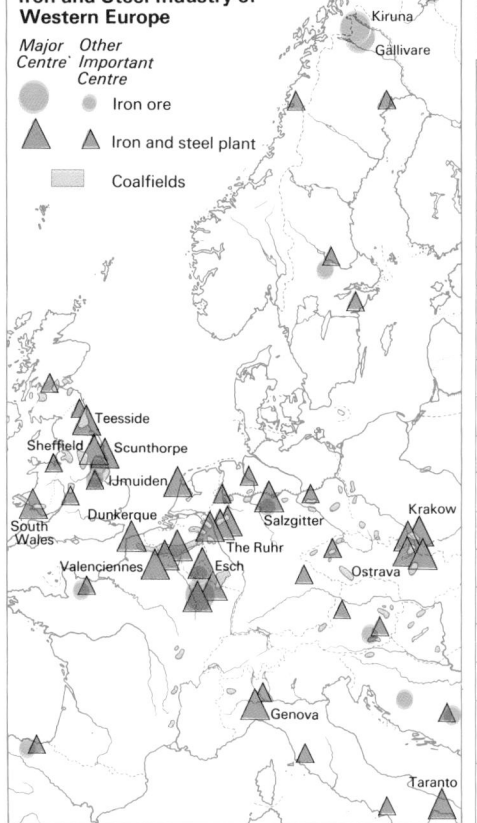

Major Centre / Other Important Centre
- Iron ore
- Iron and steel plant
- Coalfields

Kiruna, Gällivare, Teesside, Sheffield, Scunthorpe, IJmuiden, South Wales, Dunkerque, Salzgitter, Krakow, Valenciennes, Esch, The Ruhr, Ostrava, Genova, Taranto

Sources of Iron ore imported into Western Europe
hundred thousand tonnes

Imports from	Austria	Belgium-Lux	France	Italy	Netherlands	Spain	U.K.	W. Germany
Algeria		7		2				
Australia		10	22	15	5	8	17	56
Brazil	13	24	43	38	18	14	36	111
Canada	2	7	4	15	8		31	35
India				6				
Liberia	3	13	19	33	9	12	2	70
Mauritania		6	21	13		3	8	6
U.S.S.R.	4		7	1			3	1
Venezuela		1	4	17		9	8	8
Others (World)	4	14	14	17			20	38
France		93						15
Norway		8					19	14
Spain		1			25		1	9
Sweden		58	19		7		10	58
Total Imports	26	242	146	163	73	46	155	421
Home produced ore	28	9	335	4		86	42	16

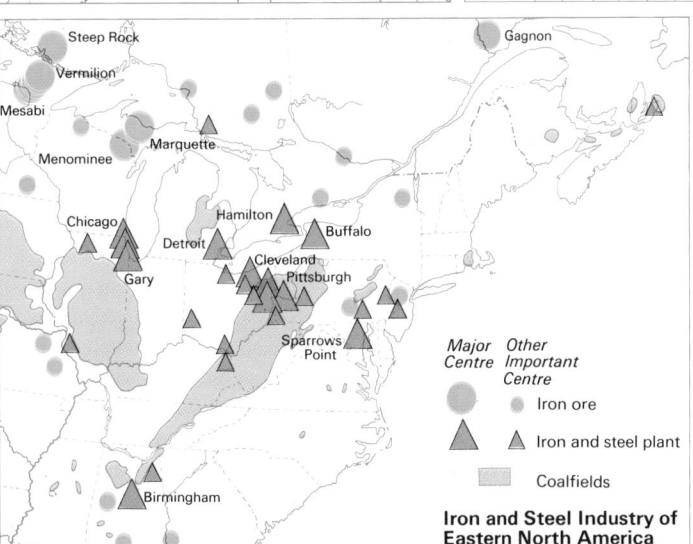

Steep Rock, Vermilion, Mesabi, Menominee, Marquette, Chicago, Detroit, Gary, Hamilton, Buffalo, Cleveland, Pittsburgh, Sparrows Point, Birmingham, Gagnon

Major Centre / Other Important Centre
- Iron ore
- Iron and steel plant
- Coalfields

Iron and Steel Industry of Eastern North America

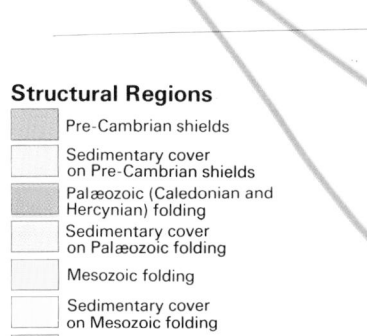

Structural Regions

- Pre-Cambrian shields
- Sedimentary cover on Pre-Cambrian shields
- Palæozoic (Caledonian and Hercynian) folding
- Sedimentary cover on Palæozoic folding
- Mesozoic folding
- Sedimentary cover on Mesozoic folding
- Cainozoic (Alpine) folding
- Sedimentary cover on Cainozoic folding

World production of Pig iron and Ferro-alloys
Total World production 531 million tonnes

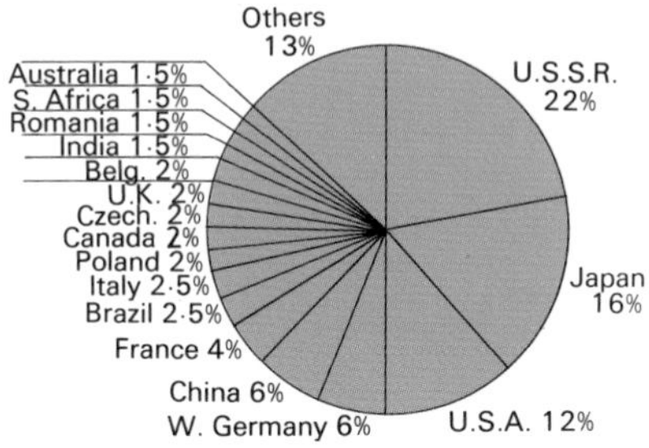

Others 13%
Australia 1·5%
S. Africa 1·5%
Romania 1·5%
India 1·5%
Belg. 2%
U.K. 2%
Czech. 2%
Canada 2%
Poland 2%
Italy 2·5%
Brazil 2·5%
France 4%
China 6%
W. Germany 6%
U.S.A. 12%
U.S.S.R. 22%
Japan 16%

Growth of World production of Pig iron and Ferro-alloys

million tonnes
600
500
400
300
200
100
0

1938 1946 1951 1961 1971 1976 1981

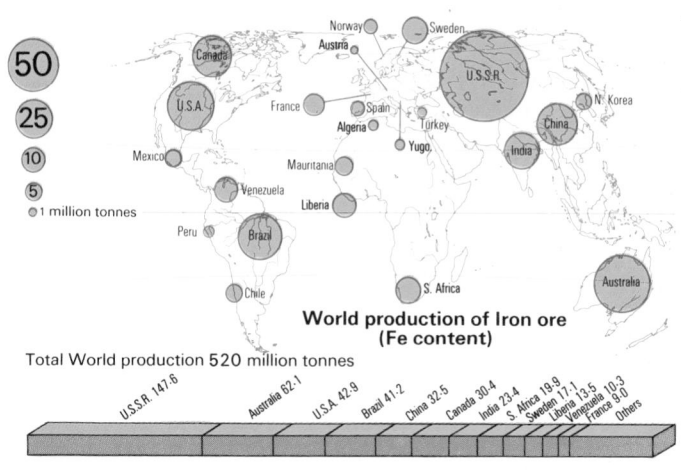

50
25
10
5
1 million tonnes

Norway Sweden Austria
Canada U.S.S.R.
U.S.A. France Spain Turkey N. Korea
Algeria Yugo. China
Mexico Mauritania India
Venezuela Liberia
Peru Brazil
Chile S. Africa Australia

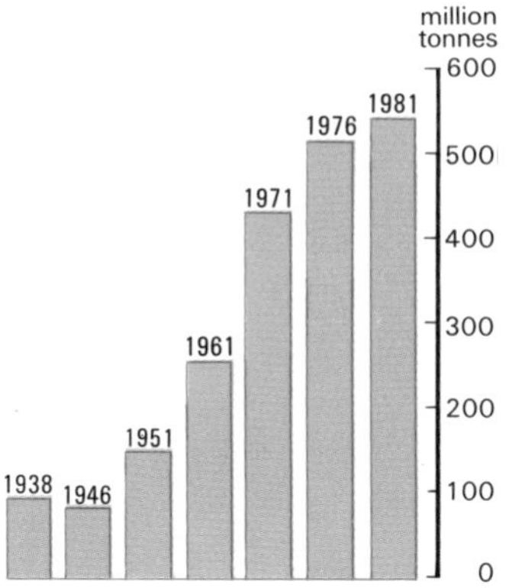

World production of Iron ore (Fe content)
Total World production 520 million tonnes

U.S.S.R. 147·6 | Australia 62·1 | U.S.A. 42·9 | Brazil 41·2 | China 32·5 | Canada 30·4 | India 23·4 | S. Africa 19·9 | Sweden 17·1 | Liberia 13·5 | Venezuela 10·3 | France 9·0 | Others

Principal Sources of Iron ore and ferro-alloys

- ⊙ Iron
- ⊙ Chrome
- ⊙ Cobalt
- ● Manganese
- ○ Molybdenum
- ◉ Nickel
- ⬤ Tungsten
- ○ Vanadium
- ➤ Iron ore trade flow

Mineral Resources II

Antimony – imparts hardness when alloyed to other metals, especially lead.
Uses: type metal, pigments to paints, glass and enamels, fireproofing of textiles

World production 64 635 tonnes

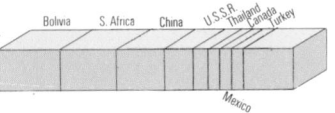

Lead – heavy, soft, malleable, acid resistant.
Uses: storage batteries, sheeting and piping, cable covering, ammunition, type metal, weights, additive to petrol.

World production 3·61 million tonnes

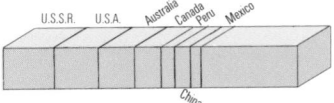

Tin – resistant to attacks by organic acids, malleable.
Uses: canning, foils, as an alloy to other metals (brass and bronze).

World production 235 200 tonnes

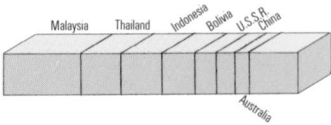

Aluminum – light, resists corrosion, good conductor.
Uses: aircraft, road and rail vehicles, domestic utensils, cables, makes highly tensile and light alloys.

World production 92·6 million tonnes (of Bauxite)

Gold – untarnishable and resistant to corrosion, highly ductile and malleable, good conductor. The pure metal is soft and it is alloyed to give it hardness.
Uses: bullion, coins, jewellery, gold-leaf, electronics.

World production 1 200 tonnes

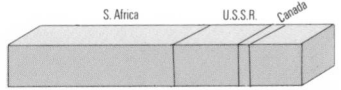

Copper – excellent conductor of electricity and heat, durable, resistant to corrosion, strong and ductile.
Uses: wire, tubing, brass (with zinc and tin), bronze (with tin), (compounds) – dyeing.

World production 7·8 million tonnes

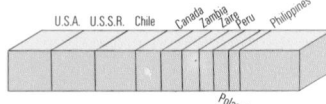

Mercury – the only liquid metal, excellent conductor of electricity
Uses: thermometers, electrical industry, gold and silver ore extraction, (compounds) – drugs, pigments, chemicals, dentistry.

World production 6 622 tonnes

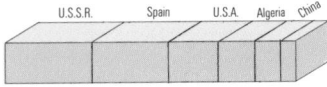

Zinc – hard metal, low corrosion factor.
Uses: brass (with copper and tin), galvanising, diecasting, medicines, paints and dyes.

World production 6·25 million tonnes

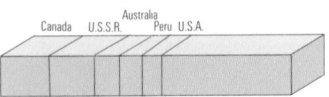

Diamonds – very hard and resistant to chemical attack, high lustre, very rare.
Uses: jewellery, cutting and abrading other materials.

World production 37·7 million carats

Silver – ductile and malleable, a soft metal and must be alloyed for use in coinage.
Uses: coins, jewellery, photography, electronics, medicines.

World production 10 422 tonnes

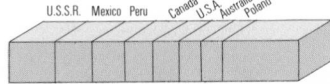

World consumption of non-ferrous metals

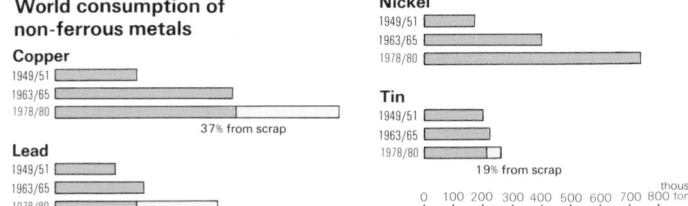

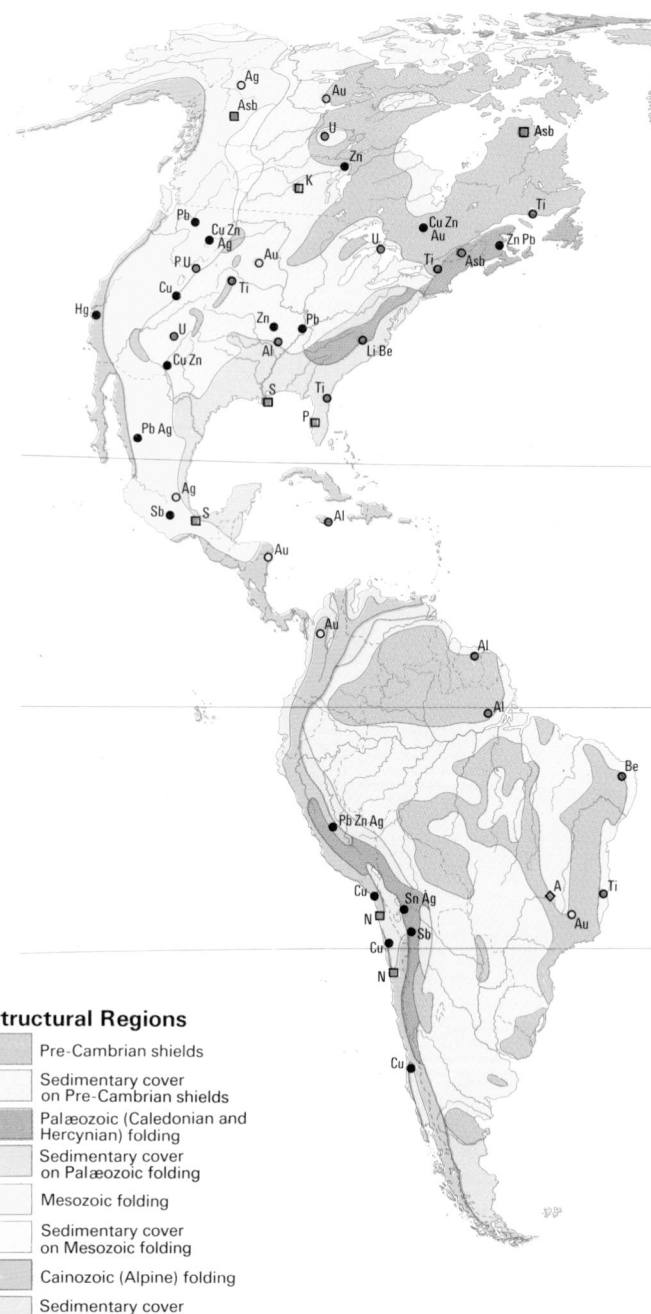

Structural Regions

- Pre-Cambrian shields
- Sedimentary cover on Pre-Cambrian shields
- Palæozoic (Caledonian and Hercynian) folding
- Sedimentary cover on Palæozoic folding
- Mesozoic folding
- Sedimentary cover on Mesozoic folding
- Cainozoic (Alpine) folding
- Sedimentary cover on Cainozoic folding

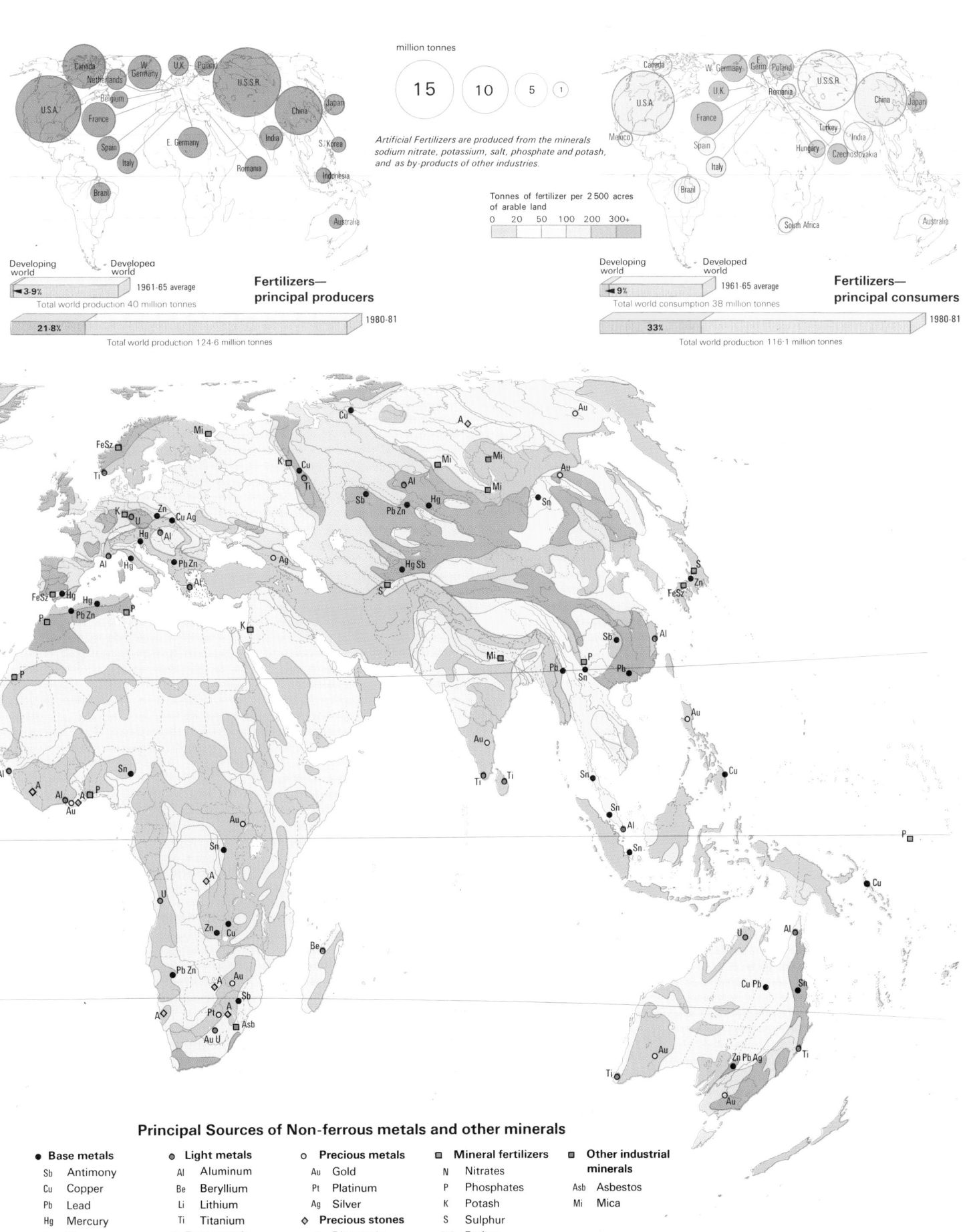

million tonnes

15　10　5　1

Artificial Fertilizers are produced from the minerals
sodium nitrate, potassium, salt, phosphate and potash,
and as by-products of other industries.

Tonnes of fertilizer per 2 500 acres
of arable land

0　20　50　100　200　300+

Developing
world | Developed
world
◄ 3·9% | 1961-65 average

Total world production 40 million tonnes

21·8% | 1980-81

Total world production 124·6 million tonnes

Fertilizers—
principal producers

Developing
world | Developed
world
◄ 9% | 1961-65 average

Total world consumption 38 million tonnes

33% | 1980-81

Total world production 116·1 million tonnes

Fertilizers—
principal consumers

Principal Sources of Non-ferrous metals and other minerals

● **Base metals**	● **Light metals**	○ **Precious metals**	■ **Mineral fertilizers**	■ **Other industrial**
Sb　Antimony	Al　Aluminum	Au　Gold	N　Nitrates	**minerals**
Cu　Copper	Be　Beryllium	Pt　Platinum	P　Phosphates	Asb　Asbestos
Pb　Lead	Li　Lithium	Ag　Silver	K　Potash	Mi　Mica
Hg　Mercury	Ti　Titanium	◇ **Precious stones**	S　Sulphur	
Sn　Tin	● **Rare metals**	A　Diamonds	FeSz　Pyrites	
Zn　Zinc	U　Uranium			

Fuel and Energy

Coal

Coal is the result of the accumulation of vegetation over millions of years. Later under pressure from overlying sediments, it is hardened through four stages: peat, lignite, bituminous coal, and finally anthracite. Once the most important source of power, coal's importance now lies in the production of electricity and as a raw material in the production of plastics, heavy chemicals and disinfectants.

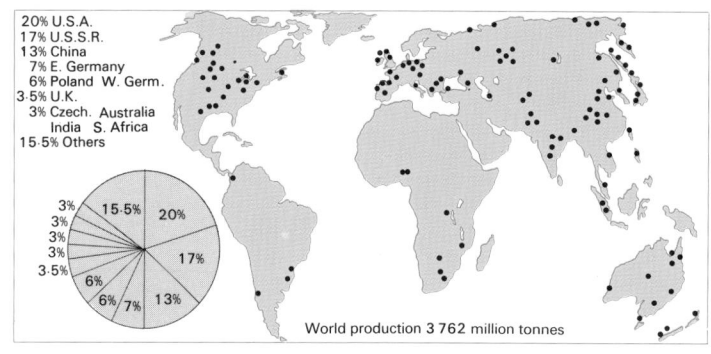

20% U.S.A.
17% U.S.S.R.
13% China
7% E. Germany
6% Poland W. Germ.
3·5% U.K.
3% Czech. Australia
India S. Africa
15·5% Others

World production 3 762 million tonnes

Coal mine

Oil

Oil is derived from the remains of marine animals and plants, probably as a result of pressure, heat and chemical action. It is a complex mixture of hydrocarbons which are refined to extract the various constituents. These include products such as gasolene, kerosene and heavy fuel oils. Oil is rapidly replacing coal because of easier handling and reduced pollution.

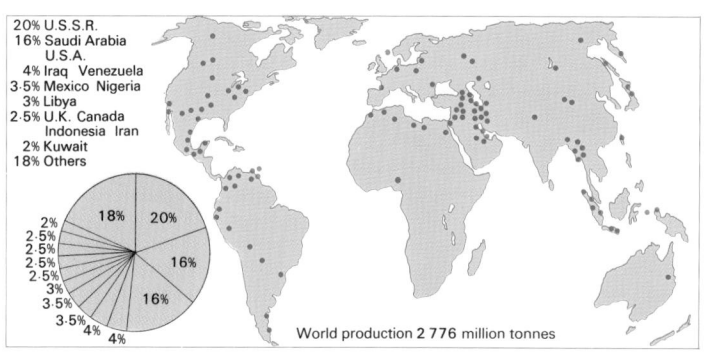

20% U.S.S.R.
16% Saudi Arabia
U.S.A.
4% Iraq Venezuela
3·5% Mexico Nigeria
3% Libya
2·5% U.K. Canada
Indonesia Iran
2% Kuwait
18% Others

World production 2 776 million tonnes

Oil derrick

Natural gas

Since the early 1960's natural gas (methane) has become one of the largest single sources of energy. By liquefaction its volume can be reduced to 1/600 of that of gas and hence is easily transported. It is often found directly above oil reserves and because it is both cheaper than coal gas and less polluting it has great potential.

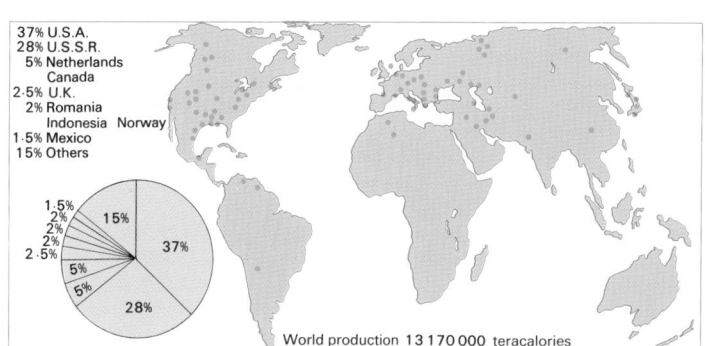

37% U.S.A.
28% U.S.S.R.
5% Netherlands
Canada
2·5% U.K.
2% Romania
Indonesia Norway
1·5% Mexico
15% Others

World production 13 170 000 teracalories

North sea gas rig

Water

Hydro-electric power stations use water to drive turbines which in turn generate electricity. The ideal site is one in which a consistently large volume of water falls a considerable height, hence sources of H.E.P. are found mainly in mountainous areas. Potential sources of hydro-electricity using waves or tides are yet to be exploited widely.

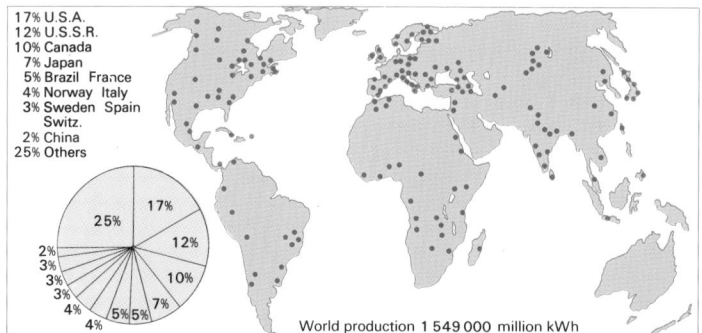

17% U.S.A.
12% U.S.S.R.
10% Canada
7% Japan
5% Brazil France
4% Norway Italy
3% Sweden Spain
Switz.
2% China
25% Others

World production 1 549 000 million kWh

Water power

Nuclear energy

The first source of nuclear power was developed in Britain in 1956. Energy is obtained from heat generated by the reaction from splitting atoms of certain elements, of which uranium and plutonium are the most important. Although the initial installation costs are very high the actual running costs are low because of the slow consumption of fuel.

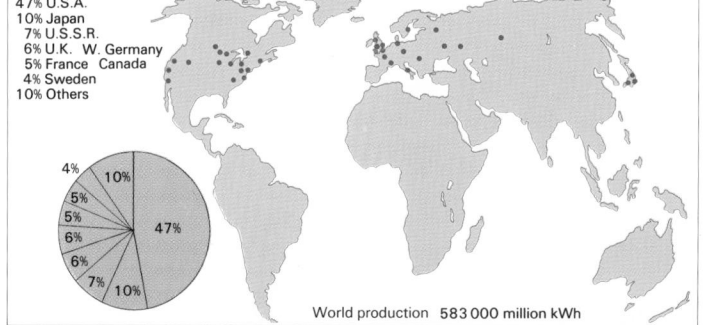

47% U.S.A.
10% Japan
7% U.S.S.R.
6% U.K. W. Germany
5% France Canada
4% Sweden
10% Others

World production 583 000 million kWh

Nuclear power station

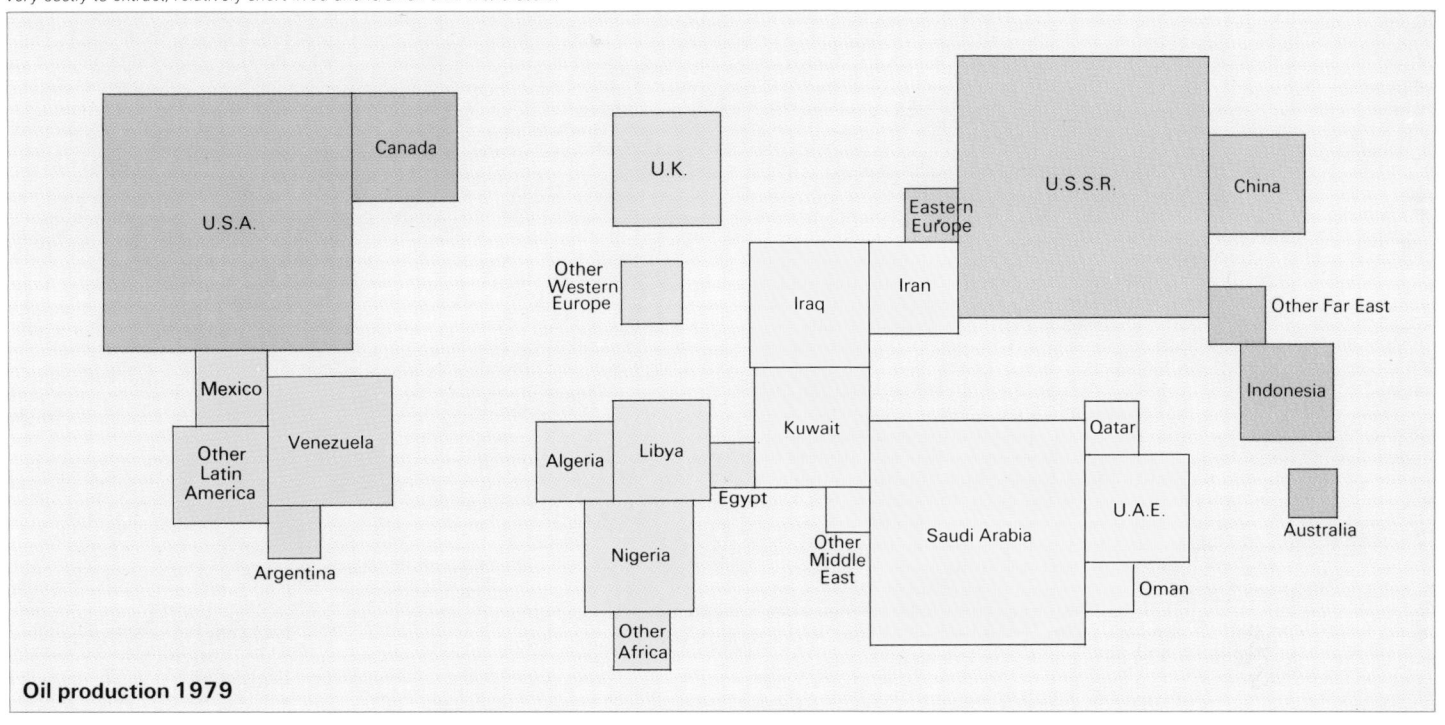

Oil production 1979

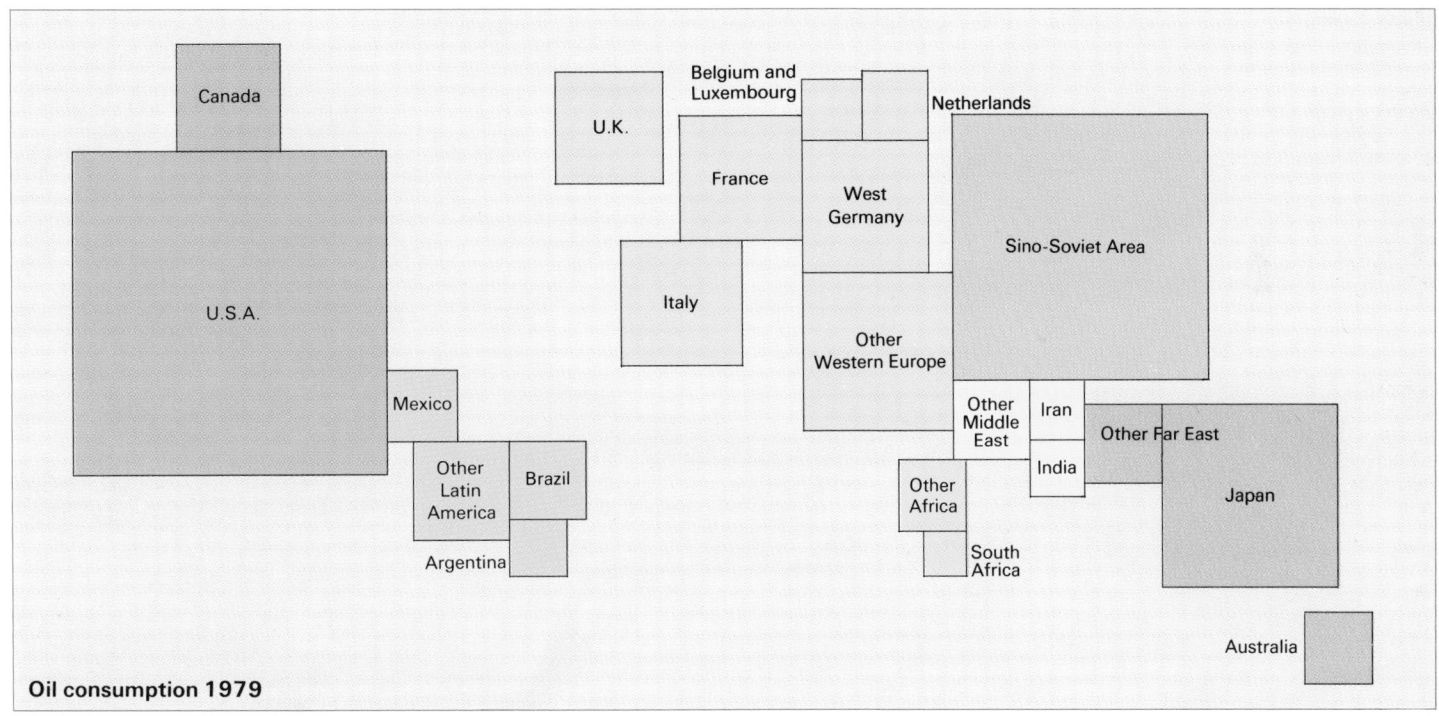

Oil consumption 1979

Oil's new super-powers *above* When countries are scaled according to their production and consumption of oil they take on new dimensions. At present, large supplies of oil are concentrated in a few countries of the Caribbean, the Middle East and North Africa, except for the vast indigenous supplies of the U.S.A. and U.S.S.R. The Middle East, with 58% of the world's reserves, produces 35% of the world's supply and yet consumes less than 3%. The U.S.A.,

despite its great production, has a deficiency of nearly 415 million tons a year, consuming 30% of the world's total. The U.S.S.R., with 11% of world reserves, produces 19% of world output and consumes 13%. Soviet production continues to grow annually although at a decreased rate since the mid-1970's. Japan, one of the largest oil importers, increased its consumption by 440% during the period 1963-73. Since then, total imports have decreased slightly.

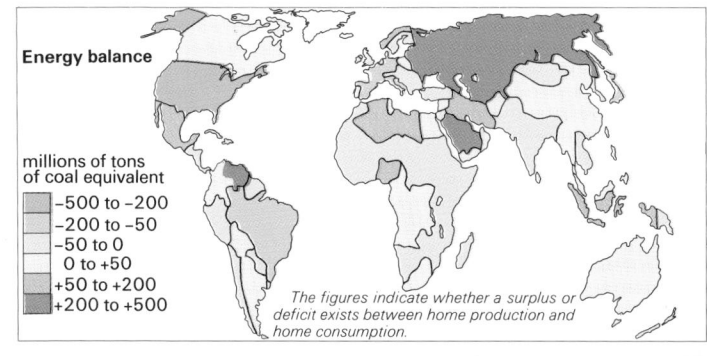

Energy balance

millions of tons of coal equivalent

-500 to -200
-200 to -50
-50 to 0
0 to +50
+50 to +200
+200 to +500

The figures indicate whether a surplus or deficit exists between home production and home consumption.

Occupations

Proportion employed in

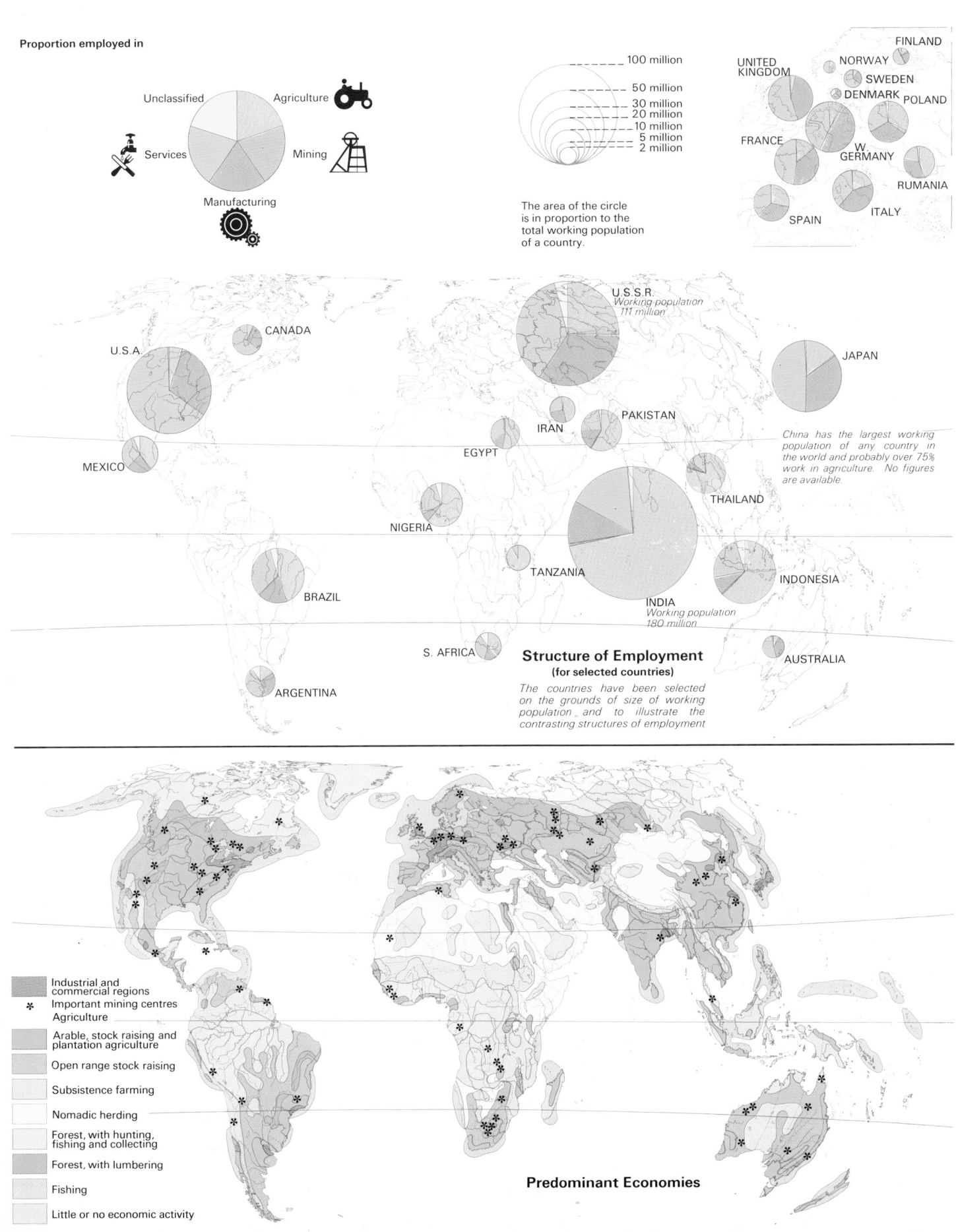

Unclassified   Agriculture

Services   Mining

Manufacturing

——————— 100 million
——————— 50 million
——————— 30 million
——————— 20 million
——————— 10 million
——————— 5 million
——————— 2 million

The area of the circle
is in proportion to the
total working population
of a country.

FINLAND

UNITED
KINGDOM   NORWAY

SWEDEN

DENMARK   POLAND

FRANCE

W.
GERMANY

RUMANIA

SPAIN   ITALY

U.S.S.R.
*Working population
111 million*

CANADA

U.S.A.

JAPAN

IRAN   PAKISTAN

EGYPT

*China has the largest working
population of any country in
the world and probably over 75%
work in agriculture. No figures
are available.*

MEXICO

THAILAND

NIGERIA

TANZANIA

INDONESIA

BRAZIL

INDIA
*Working population
180 million*

S. AFRICA

Structure of Employment
(for selected countries)

AUSTRALIA

*The countries have been selected
on the grounds of size of working
population and to illustrate the
contrasting structures of employment*

ARGENTINA

Industrial and
commercial regions

* Important mining centres
Agriculture

Arable, stock raising and
plantation agriculture

Open range stock raising

Subsistence farming

Nomadic herding

Forest, with hunting,
fishing and collecting

Forest, with lumbering

Fishing

Little or no economic activity

Predominant Economies

Industry

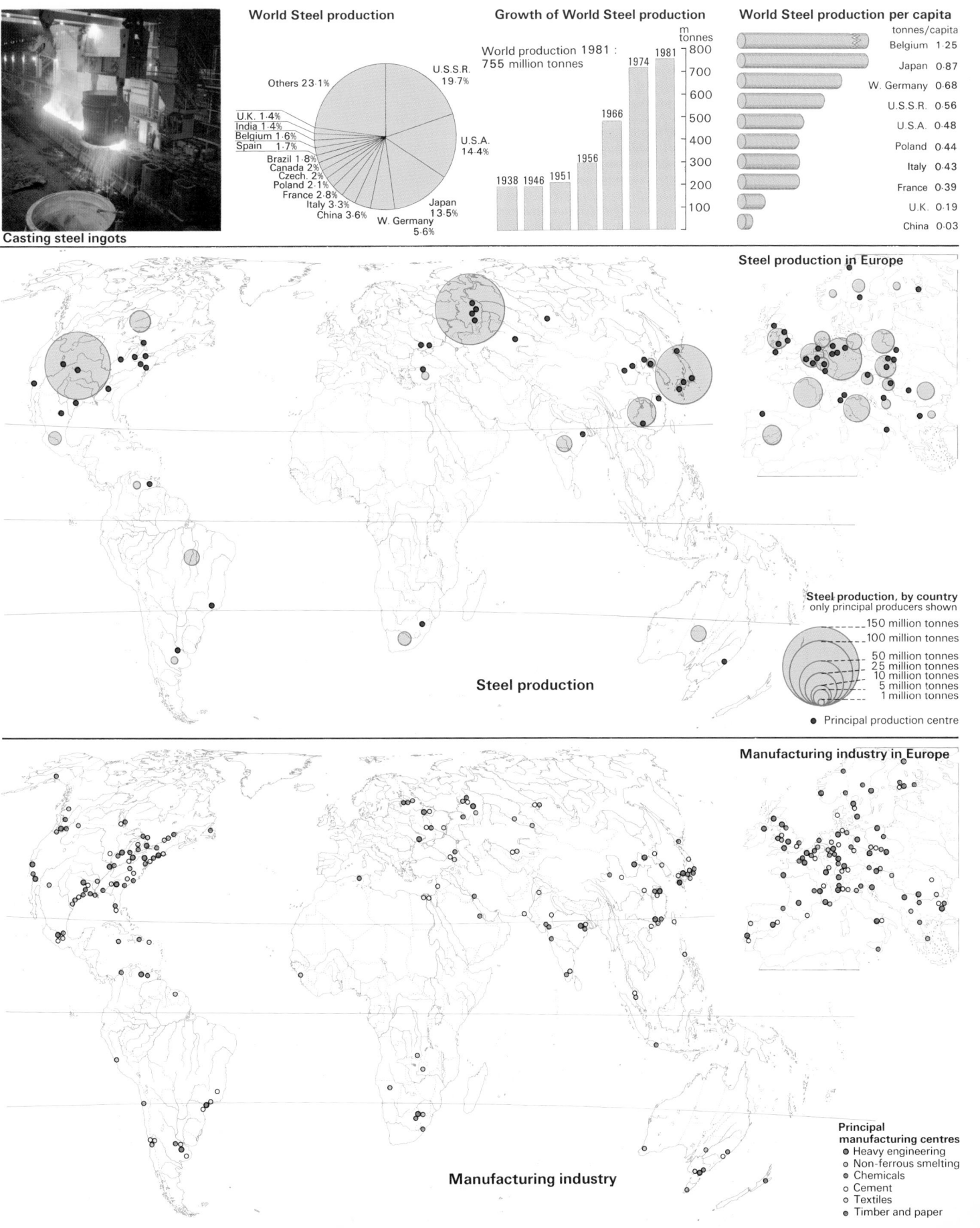

World Steel production

Others 23·1%
U.K. 1·4%
India 1·4%
Belgium 1·6%
Spain 1·7%
Brazil 1·8%
Canada 2%
Czech. 2%
Poland 2·1%
France 2·8%
Italy 3·3%
China 3·6%
W. Germany 5·6%
Japan 13·5%
U.S.A. 14·4%
U.S.S.R. 19·7%

Growth of World Steel production

World production 1981 : 755 million tonnes

m tonnes
800 700 600 500 400 300 200 100

1938 1946 1951 1956 1966 1974 1981

World Steel production per capita

tonnes/capita
Belgium 1·25
Japan 0·87
W. Germany 0·68
U.S.S.R. 0·56
U.S.A. 0·48
Poland 0·44
Italy 0·43
France 0·39
U.K. 0·19
China 0·03

Casting steel ingots

Steel production in Europe

Steel production

Steel production, by country
only principal producers shown

150 million tonnes
100 million tonnes
50 million tonnes
25 million tonnes
10 million tonnes
5 million tonnes
1 million tonnes

● Principal production centre

Manufacturing industry in Europe

Manufacturing industry

Principal manufacturing centres
● Heavy engineering
○ Non-ferrous smelting
● Chemicals
○ Cement
○ Textiles
● Timber and paper

43

Transport

Japan 9 140	
S. Korea 1 207	
W. Germany 665	
Spain 605	
Brazil 453	
Sweden 363	
Poland 350	
U.K. 342	
	Finland 311
	Denmark 306
	U.S.A. 298
	Yugoslavia 284

Shipbuilding
tonnage launched
in thousand gross
registered tons

Shipyards

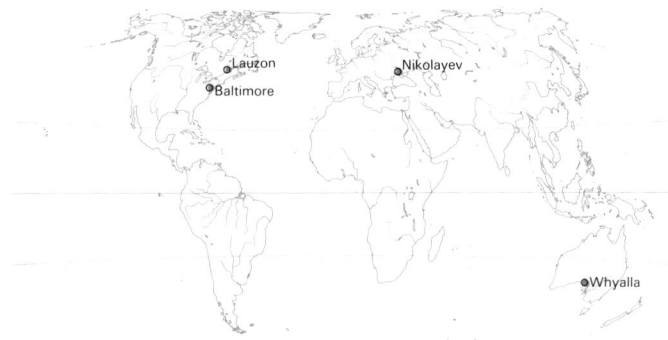

Lauzon
Baltimore
Nikolayev

Whyalla

● Principal shipbuilding centres

Europe

Leirvik
Oslofjord
Leningrad
Stavanger
Clydeside Newcastle København Göteborg
Belfast Malmö
Sunderland Kiel Gdańsk
Rotterdam Hamburg
Dunkerque Bremen

Japan

St. Nazaire
Rijeka
Génova La Spezia
Bilbao La Ciotat Split
El Ferrol

Aioi
Kure Tokyo
Kobe Yokohama
Hiroshima Inno-shima
Nagasaki

Cadiz

Locomotive works

Railway vehicles

Exports		Imports	
million U.S. $		million U.S. $	
Japan	496·9	Brazil	151·8
France	353·9	Mexico	95·3
W. Germany	329·3	U.S.A.	81·7
U.S.A.	306·0	S. Korea	69·6
U.K.	78·6	S. Africa	67·5
Italy	62·6	Egypt	53·0
Yugoslavia	57·5	W.Germany	52·7
Canada	48·5	Yugoslavia	52·2
S. Korea	41·7	Netherlands	48·1
Sweden	37·7	Sweden	44·4
Belg.-Lux.	27·8	U.K.	40·5
Switzerland	37·5	Belg.-Lux.	33·6
Spain	18·5	France	30·3
		Italy	30.0

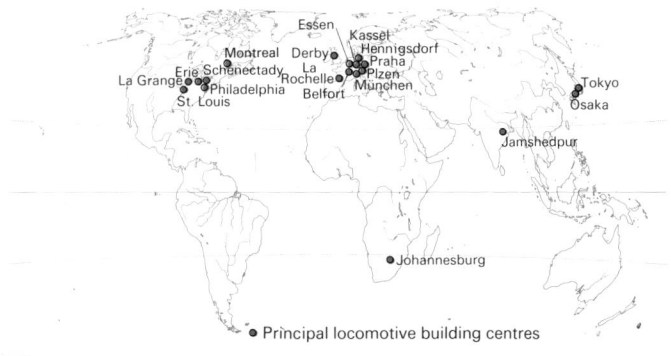

Essen
Kassel
Montreal Derby Hennigsdorf
Praha
Erie Schenectady La Plzeň
La Grange Rochelle München
Philadelphia Belfort Tokyo
St. Louis Osaka

Jamshedpur

Johannesburg

● Principal locomotive building centres

Aircraft Industry

In 1978 there were approximately
10 000 civil passenger airliners in
service. This diagram shows where they
were built.

U.S.A. 53%	U.S.S.R. 33%	U.K. 6% Netherlands 3% France 2%

Trade in Aircraft and Aircraft Engines

	Exports	*million U.S. $*		Imports	
	Aircraft.	Engines		Aircraft.	Engines
U.S.A.	5893	789	W. Germ.	1218	136
France	995	262	U.K.	651	543
W. Germ.	915	227	U.S.A.	604	132
U.K.	861	721	France	472	278
Canada	303		Canada	264	149
Neth.	288	836	Neth.	210	132
Italy	279	88	Japan	201	151

Concorde and Boeing 747

Manchester Linköping
Seattle Bristol London Moskva
St. Toronto East München
Louis Hartford Paris Torino
Wichita Marietta Toulouse
Los Angeles Fort Worth Nagoya

Melbourne

● Principal aircraft manufacturing centres

Motor vehicles

Production	Exports	Imports
thousand units	*million U.S. $*	
Japan 11 184	21 601	737
U.S.A. 7 927	15 034	25 008
W. Germany 3 902	24 539	8 000
France 3 426	11 824	5 820
U.S.S.R. 2 197	1 831	1 164
Italy 1 612	5 582	4 645
Canada 1 303	9 593	11 598
U.K. 1 184	6 329	8 182
Spain 989	1 771	695

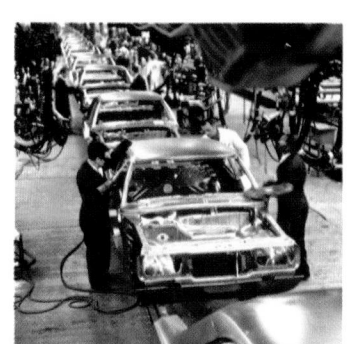

Car assembly line

Europe

Trollhättan
Göteborg Riga
Minsk
Liverpool Coventry Wolfsburg Warszawa
Luton Düsseldorf Praha
Valenciennes Stuttgart Lvov
Rennes Paris Graz
Milano Beograd
La Rochelle Lyon Torino Bucureşti
Barcelona Napoli
Madrid
Lisboa

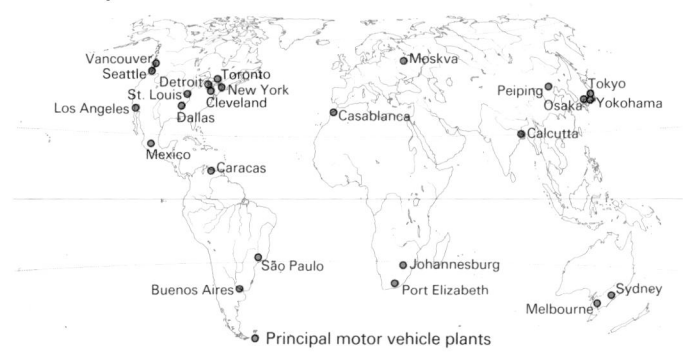

Vancouver
Seattle Moskva
Detroit Toronto
St. Louis New York
Los Angeles Cleveland
Dallas Peiping Tokyo
Casablanca Osaka Yokohama
Mexico Calcutta
Caracas

São Paulo Johannesburg
Buenos Aires Port Elizabeth
Melbourne Sydney

● Principal motor vehicle plants

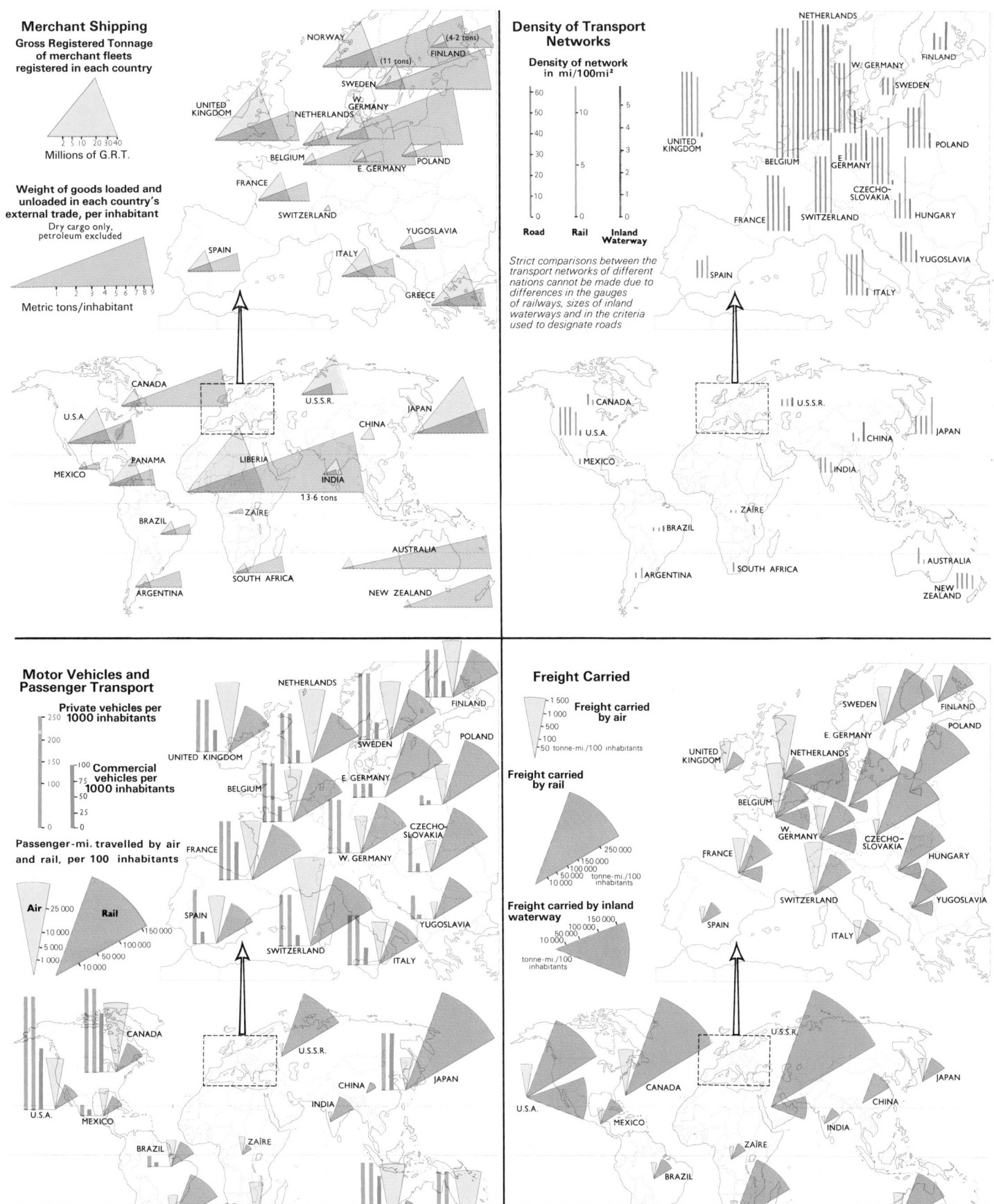

Merchant Shipping

Gross Registered Tonnage of merchant fleets registered in each country

2 5 10 20 30 40
Millions of G.R.T.

Weight of goods loaded and unloaded in each country's external trade, per inhabitant

Dry cargo only, petroleum excluded

1 2 3 4 5 6 7 8 9
Metric tons/inhabitant

(11 tons)
(4·2 tons)
13·6 tons

Density of Transport Networks

Density of network in mi/100mi²

Road	Rail	Inland Waterway
60		5
50	10	4
40		3
30	5	2
20		1
10		
0	0	0

Strict comparisons between the transport networks of different nations cannot be made due to differences in the gauges of railways, sizes of inland waterways and in the criteria used to designate roads

Motor Vehicles and Passenger Transport

Private vehicles per 1000 inhabitants

250
200
150
100
50
0

Commercial vehicles per 1000 inhabitants

100
75
50
25
0

Passenger-mi. travelled by air and rail, per 100 inhabitants

Air 25 000
10 000
5 000
1 000

Rail 150 000
100 000
50 000
10 000

Freight Carried

Freight carried by air

1 500
1 000
500
100
50 tonne-mi./100 inhabitants

Freight carried by rail

250 000
150 000
100 000
50 000 tonne-mi./100 inhabitants
10 000

Freight carried by inland waterway

150 000
100 000
50 000 tonne-mi./100 inhabitants
10 000

45

Trade

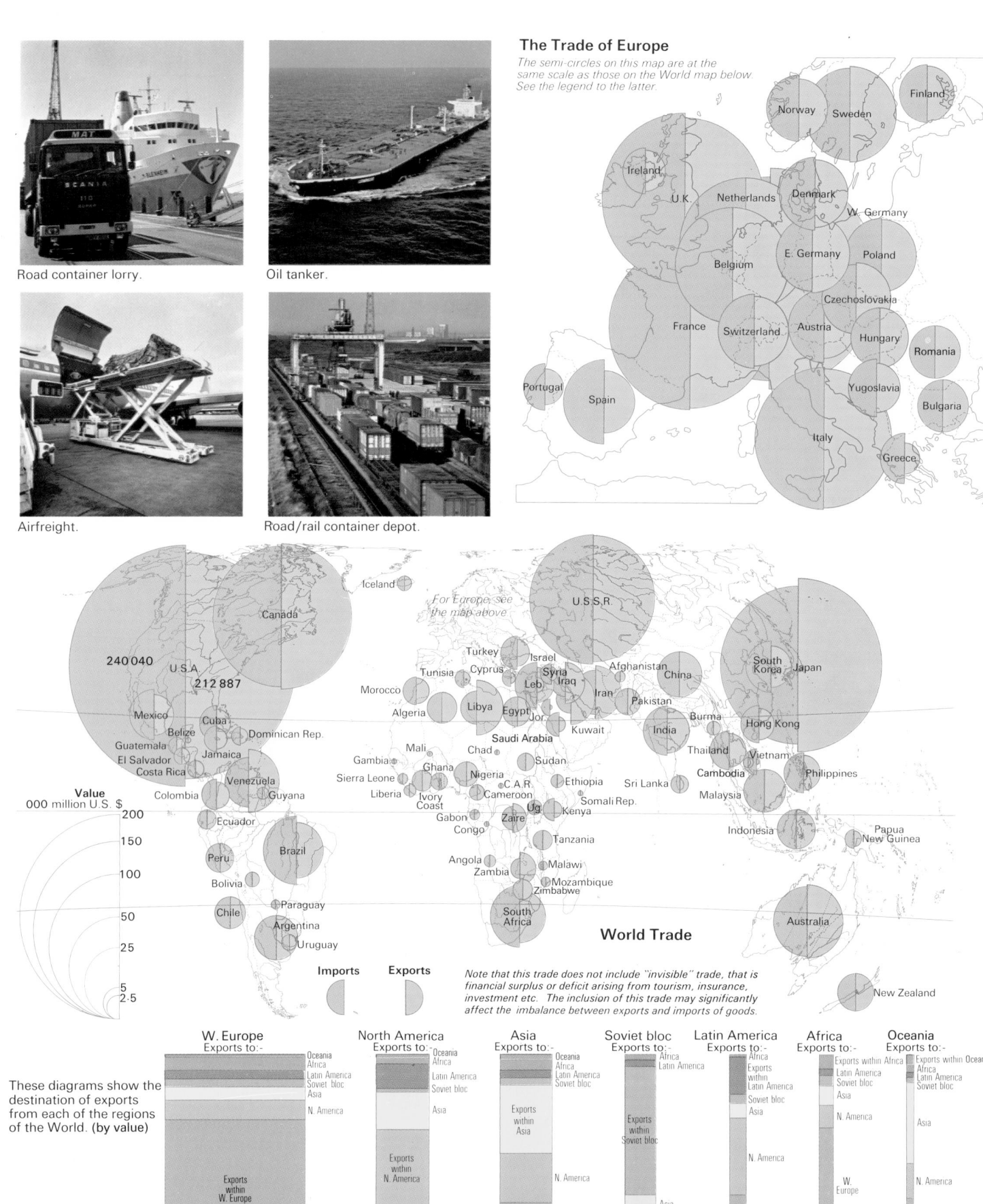

Road container lorry.

Oil tanker.

Airfreight.

Road/rail container depot.

The Trade of Europe
The semi-circles on this map are at the same scale as those on the World map below. See the legend to the latter.

Norway · Sweden · Finland · Ireland · U.K. · Netherlands · Denmark · W. Germany · Belgium · E. Germany · Poland · France · Switzerland · Austria · Czechoslovakia · Hungary · Romania · Portugal · Spain · Yugoslavia · Bulgaria · Italy · Greece

Iceland · Canada · *For Europe see the map above* · U.S.S.R.
240 040 · U.S.A. · 212 887 · Turkey · Israel · Afghanistan · China · South Korea · Japan
Tunisia · Cyprus · Syria · Iraq · Iran
Mexico · Cuba · Morocco · Leb. · Jor. · Pakistan · Burma · Hong Kong
Belize · Dominican Rep. · Algeria · Libya · Egypt · Kuwait · India · Thailand · Vietnam
Guatemala · Jamaica · Mali · Chad · Saudi Arabia · Cambodia · Philippines
El Salvador · Costa Rica · Gambia · Ghana · Sudan · Sri Lanka · Malaysia
Venezuela · Guyana · Sierra Leone · Nigeria · C.A.R. · Ethiopia
Colombia · Liberia · Ivory Coast · Cameroon · Somali Rep. · Indonesia · Papua New Guinea
Ecuador · Gabon · Zaire · Kenya · Ug.
Congo · Tanzania
Peru · Brazil · Angola · Malawi
Bolivia · Zambia · Mozambique
Chile · Paraguay · Zimbabwe · Australia
Argentina · South Africa
Uruguay

World Trade

Value
000 million U.S. $
200
150
100
50
25
5
2·5

Imports · Exports

Note that this trade does not include "invisible" trade, that is financial surplus or deficit arising from tourism, insurance, investment etc. The inclusion of this trade may significantly affect the imbalance between exports and imports of goods.

New Zealand

These diagrams show the destination of exports from each of the regions of the World. (by value)

The total exports are in million U.S. $

W. Europe	North America	Asia	Soviet bloc	Latin America	Africa	Oceania
Exports to:-	Exports to:-	Exports to:-	Exports to:-	Exports to:-	Exports to:-	Exports to:-

W. Europe — Oceania, Africa, Latin America, Soviet bloc, Asia, N. America, Exports within W. Europe

North America — Oceania, Africa, Latin America, Soviet bloc, Asia, Exports within N. America, W. Europe

Asia — Oceania, Africa, Latin America, Soviet bloc, Exports within Asia, N. America, W. Europe

Soviet bloc — Africa, Latin America, Exports within Soviet bloc, Asia, N. America, W. Europe

Latin America — Africa, Exports within Latin America, Soviet bloc, Asia, N. America, W. Europe

Africa — Exports within Africa, Soviet bloc, Asia, N. America, W. Europe

Oceania — Exports within Oceania, Africa, Latin America, Soviet bloc, Asia, N. America, W. Europe

| Total exports 809 474 | Total exports 275 992 | Total exports 481 578 | Total exports 231 565 | Total exports 188 137 | Total exports 107 724 | Total exports 28 747 |

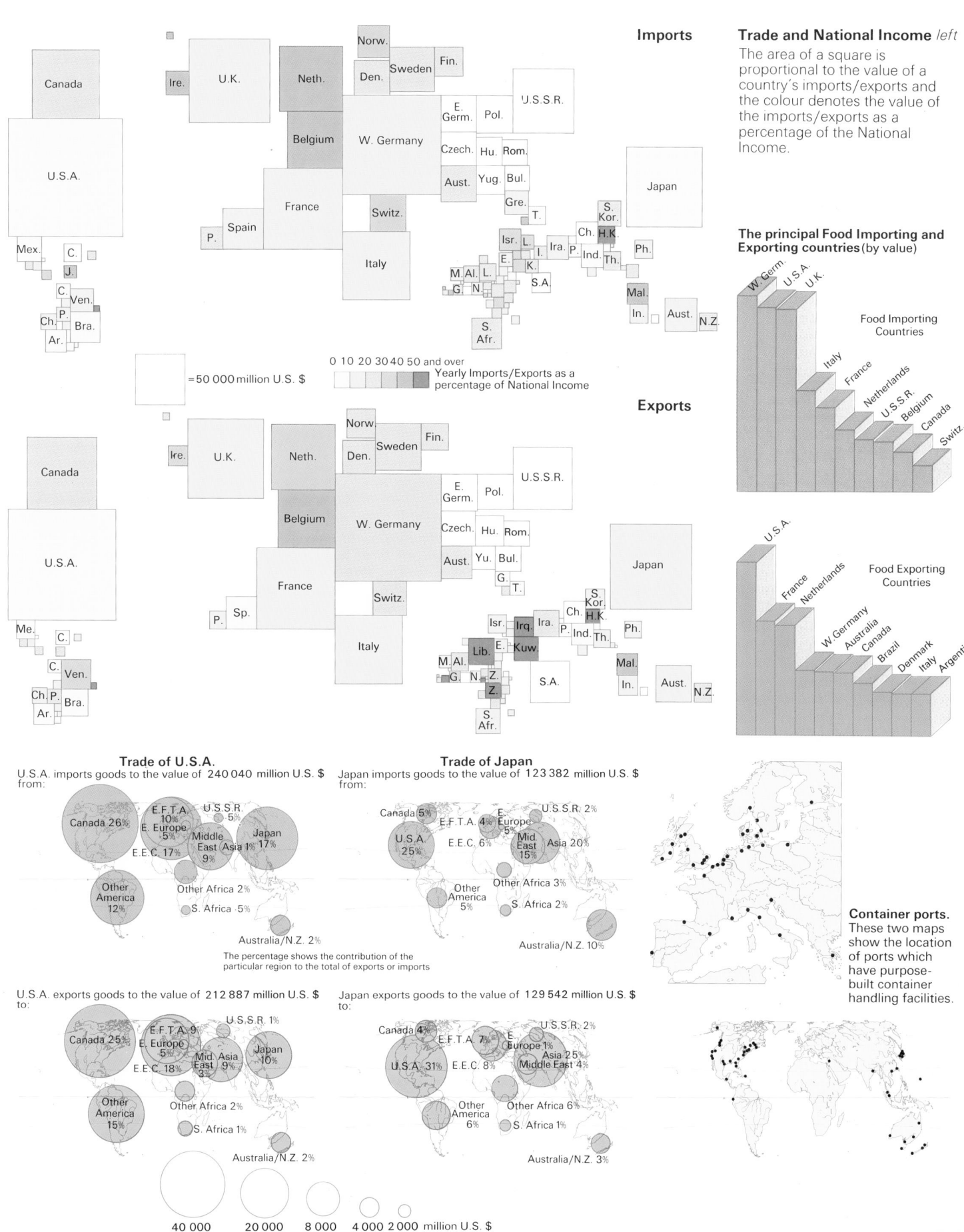

Imports

Trade and National Income *left*
The area of a square is proportional to the value of a country's imports/exports and the colour denotes the value of the imports/exports as a percentage of the National Income.

The principal Food Importing and Exporting countries (by value)

Food Importing Countries

Food Exporting Countries

0 10 20 30 40 50 and over
Yearly Imports/Exports as a percentage of National Income

= 50 000 million U.S. $

Exports

Trade of U.S.A.
U.S.A. imports goods to the value of 240 040 million U.S. $ from:

The percentage shows the contribution of the particular region to the total of exports or imports

U.S.A. exports goods to the value of 212 887 million U.S. $ to:

Trade of Japan
Japan imports goods to the value of 123 382 million U.S. $ from:

Japan exports goods to the value of 129 542 million U.S. $ to:

Container ports.
These two maps show the location of ports which have purpose-built container handling facilities.

40 000   20 000   8 000   4 000 2 000 million U.S. $

Wealth

The living standard of a few highly developed, urbanised, industrialised countries is a complete contrast to the conditions of the vast majority of economically undeveloped, agrarian states. It is this contrast which divides mankind into rich and poor, well fed and hungry. The developing world is still an overwhelmingly agricultural world: over 70% of all its people live off the land and yet the output from that land remains pitifully low. Many Africans, South Americans and Asians struggle with the soil but the bad years occur only too frequently and they seldom have anything left over to save. The need for foreign capital then arises.

National Income

The gap between developing and developed worlds is in fact widening eg. in 1938 the incomes for the United States and India were in the proportions of 1:15; now they are 1:53.

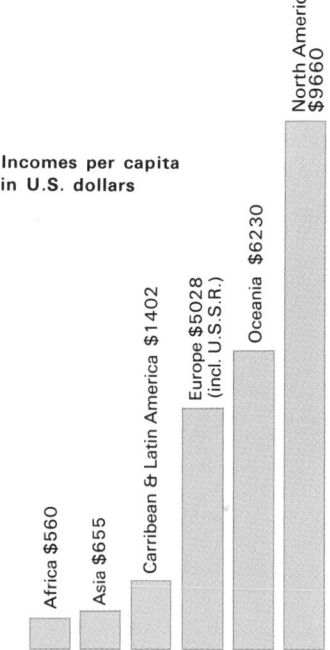

Incomes per capita in U.S. dollars

- Africa $560
- Asia $655
- Carribean & Latin America $1402
- Europe $5028 (incl. U.S.S.R.)
- Oceania $6230
- North America $9660

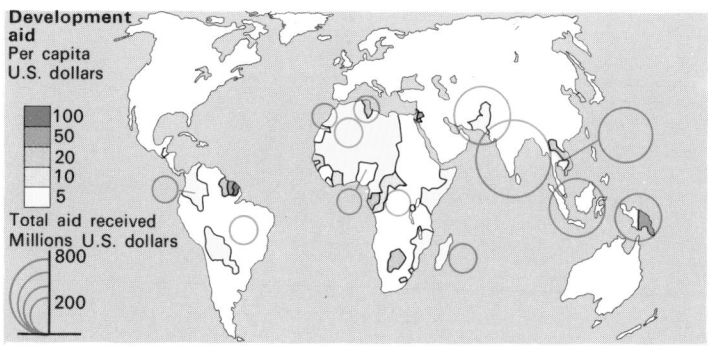

Development aid
Per capita
U.S. dollars

- 100
- 50
- 20
- 10
- 5

Total aid received
Millions U.S. dollars
- 800
- 200

Development aid

The provision of foreign aid, defined as assistance on concessional terms for promoting development, is today an accepted, though controversial aspect of the economic policies of most advanced countries towards less developed countries. Aid for development is based not merely on economic considerations but also on social, political and historical factors. The most important international committee set up after the war was that of the U.N.; practically all aid however has been given bi-laterally direct from an industrialised country to an under-developed country. Although aid increased during the 1950's the donated proportion of industrialised countries GNP has diminished from 0·5 to 0·4%. Less developed countries share of world trade also decreased and increased population invalidated any progress made:

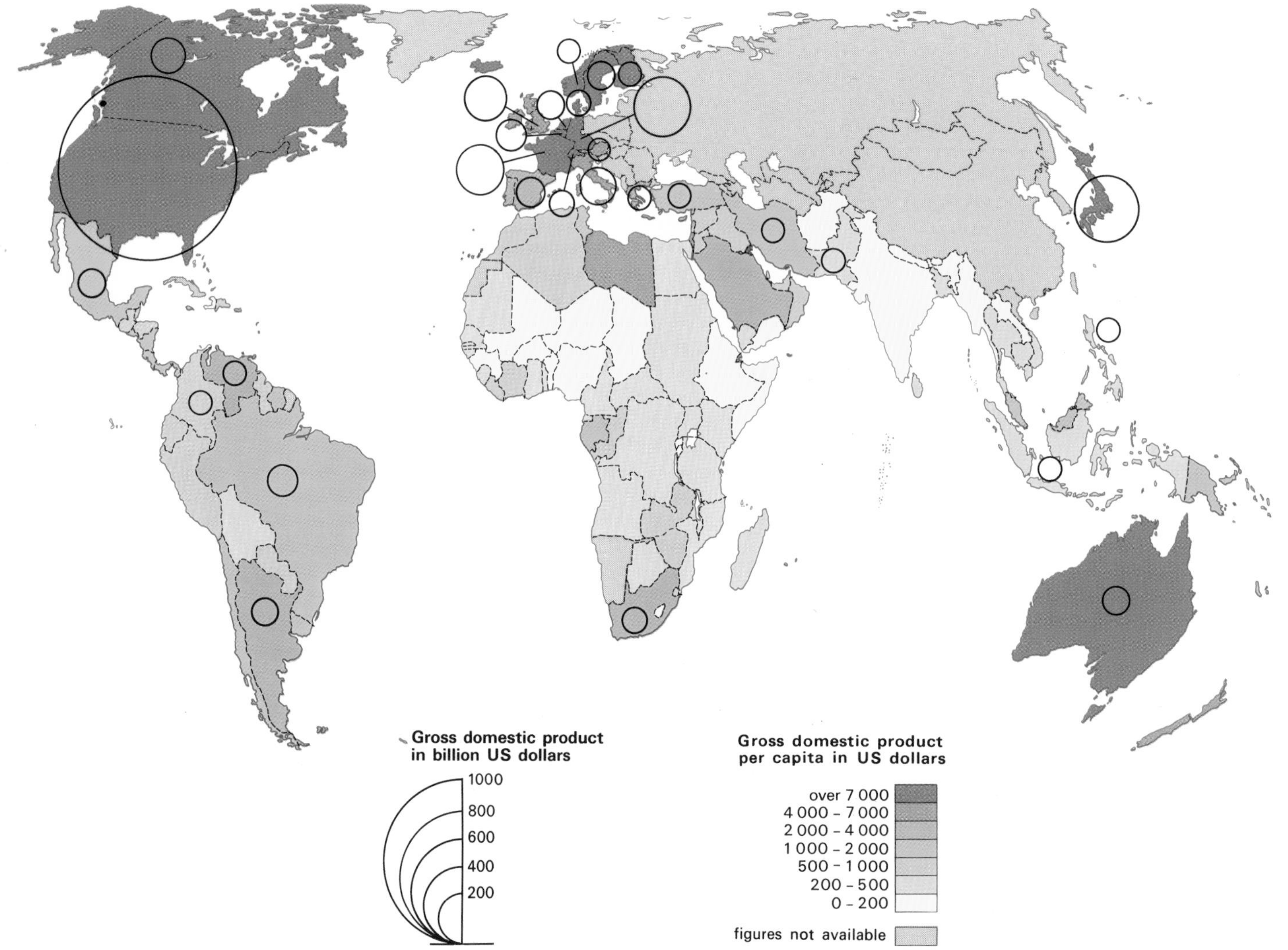

Gross domestic product in billion US dollars

- 1000
- 800
- 600
- 400
- 200

Gross domestic product per capita in US dollars

- over 7 000
- 4 000 – 7 000
- 2 000 – 4 000
- 1 000 – 2 000
- 500 – 1 000
- 200 – 500
- 0 – 200

figures not available

GENERAL REFERENCE

Abbreviations of measures used —— ft Feet; mm {Millimetres / Millimeters} : cm {Centimetres / Centimeters} m {Metres / Meters} Km {Kilometres / Kilometers} mb Millibars

- - - - 3386 **Principal Shipping Routes**
(Distances in Nautical Miles)

City and Town symbols in order of size

⬠ ⬡ ◾ ● ◉ ◎ ○ ○ ○

∴ Sites of Archæological or Historical Importance

—————— International Boundaries

– - – - – International Boundaries
(Undemarcated or Undefined)

·········· Internal Boundaries

~~~~~ Principal Roads

- - - - - Tracks, Seasonal and other Roads

⌐- - -⌐ Road Tunnels

~~~ Principal Railways

~~~ Other Railways

- · - · - Railways under construction

⌐- - -⌐ Railway Tunnels

·········· Principal Canals

—┬— Principal Oil Pipelines

✿ Principal Airports

~~~ Perennial Streams

········· Seasonal Streams

Seasonal Lakes, Salt Flats

Swamps, Marshes

⌣ Wells in Desert

Permanent Ice

⌒ Passes

▲ 8848 Height above sea-level
▼ 8050 Depth below sea-level   } in metres
1134 Height of lake-level

CONVERSION SCALE

ft	m
30 000	9000
	8000
24 000	7000
	6000
18 000	5000
	4000
12 000	3000
9000	2000
6000	1000
3000	500
Sea Level 0	0 Sea Level
	500
	1000
1000	2000
	3000
2000	4000
	5000
3000	6000
	7000
4000	8000
	9000
5000	10 000
	11 000
6000	12 000
7000	
fathoms	m

THE WORLD
Physical
1:150 000 000

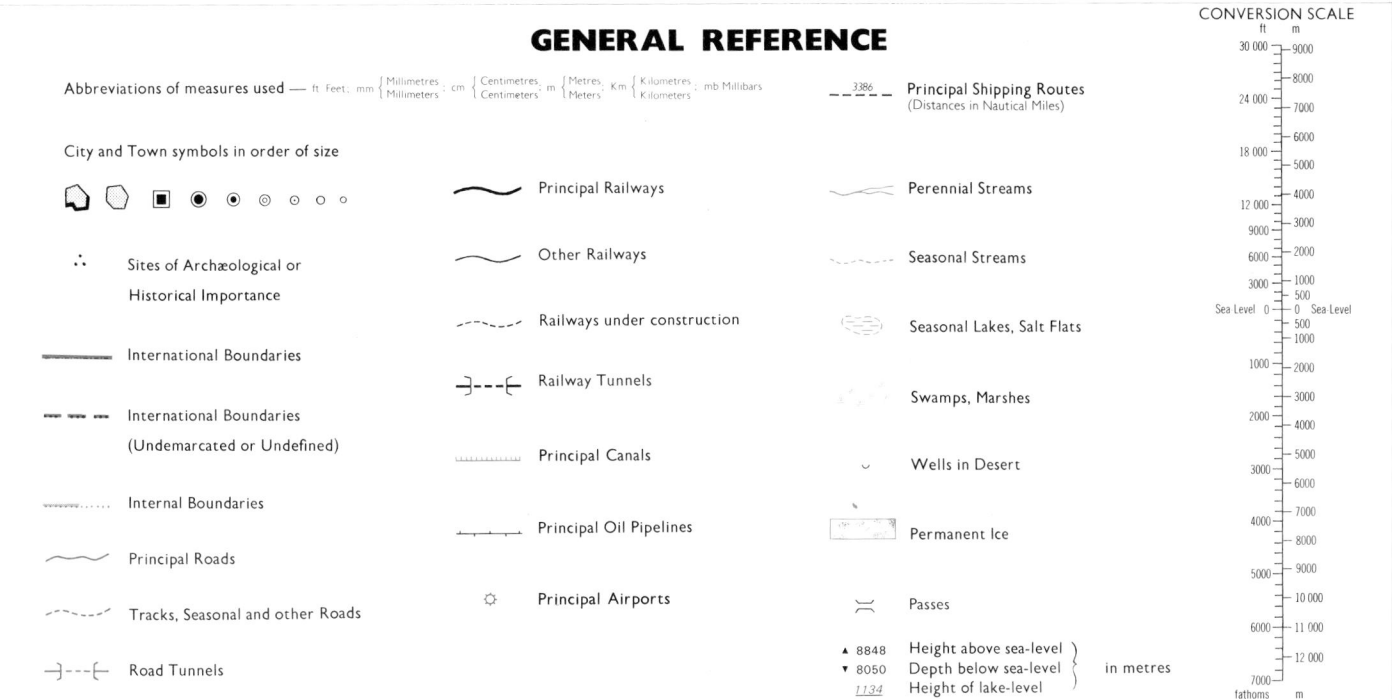

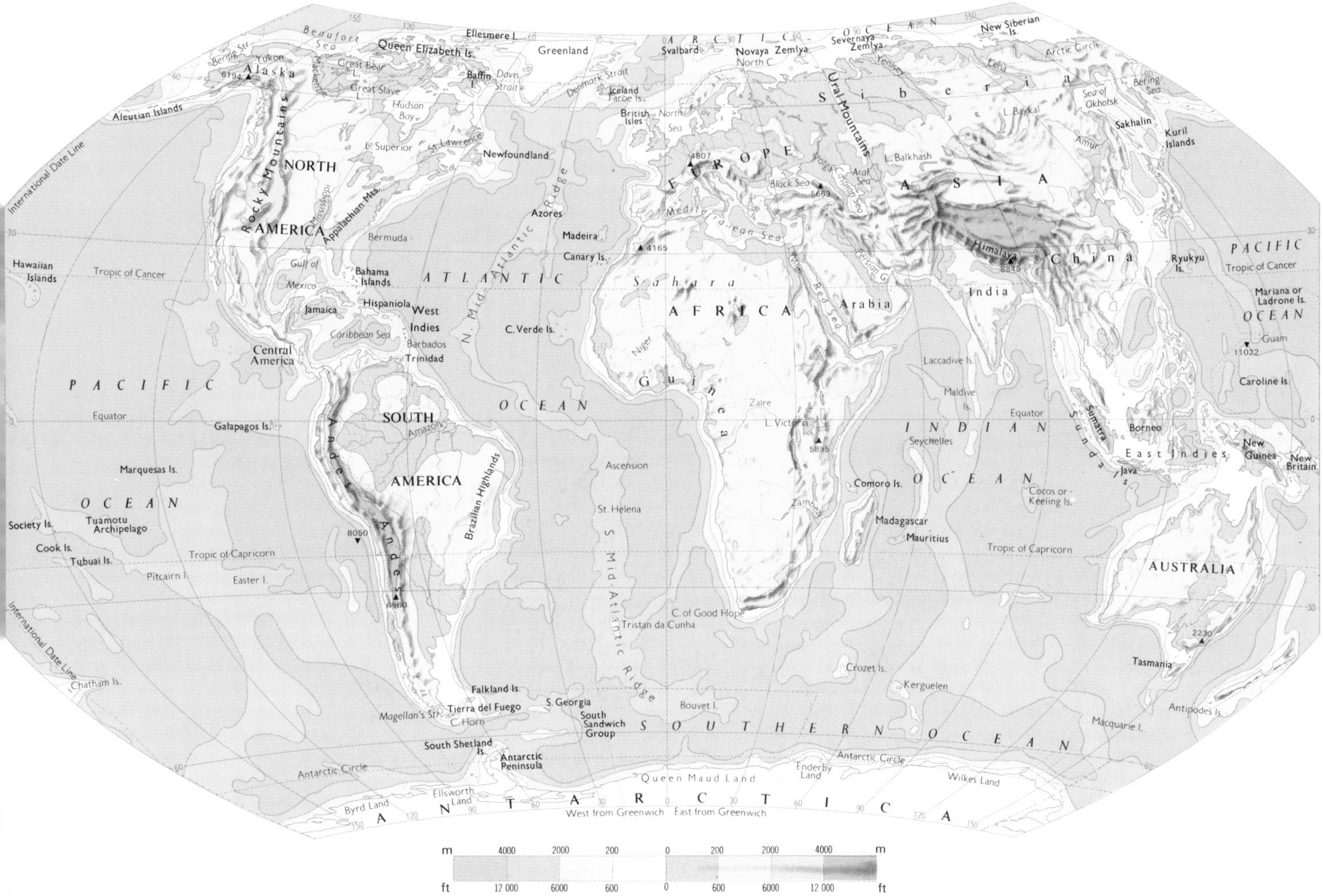

m	4000	2000	200	0	200	2000	4000	m
ft	12 000	6000	600	0	600	6000	12 000	ft

Projection: *Hammer Equal Area*

Projection: *Hammer Equal Area*

ARCTIC OCEAN
Zemlya Frantsa Iosifa
Novaya Zemlya
Severnaya Zemlya
Laptev Sea
New Siberian Is.
East Siberian Sea
Barents Sea
Kara Sea
Nord Kapp
Murmansk
Ust Port
Tiksi
Nizhne-Kolymsk
Arctic Circle
Anadyr
Verkhoyansk
Vilyuysk
Lena
Yenisey
Narvik
Arkhangelsk
Salekhard
Ob
UNION OF SOVIET SOCIALIST REPUBLICS
RUSSIAN SOVIET FEDERATIVE SOCIALIST REPUBLIC
Yakutsk
Okhotsk
Bering Sea
Sea of Okhotsk
Kamchatka
Petropavlovsk-Kamchatskiy
C.Lopatka
NORWAY
SWEDEN
FINLAND
Helsinki
Stockholm
Leningrad
Yaroslavl
Moskva
Perm
Sverdlovsk
Novosibirsk
Tomsk
Krasnoyarsk
L.Baykal
Ulan Ude
Sakhalin
Komsomolsk
Khabarovsk
Kuril Is.
Kazan
Ufa
Kuybyshev
Chelyabinsk
Omsk
Novokuznetsk
Barnaul
Irkutsk
Amur
POLAND
Warszawa
Minsk
Voronezh
Orenburg
Saratov
Ural
Irtysh
Ulaanbaatar
Berlin
Kiyev
Kharkov
Volga
Volgograd
Karaganda
KAZAKHSTAN
L.Balkhash
MONGOLIA
Harbin
Vladivostok
Sapporo
Hakodate
Praha
Wien
Lvov
UKRAINE
Odessa
Rostov
Astrakhan
Caspian Sea
Aral Sea
UZBEKISTAN
Changchun
Shenyang
N.KOREA
Sea of Japan
JAPAN
Budapest
ROMANIA
Bucuresti
Black Sea
Beograd
YUGOSLAVIA
BULGARIA
Sofiya
Grozny
Tbilisi
KIRGIZIA
Alma Ata
Tashkent
Samarkand
Beijing
Tianjin
Pyongyang
Roma
ITALY
Napoli
Sardinia
Istanbul
Ankara
Yerevan
Baku
TURKMENISTAN
Dushanbe
CHINA
Lüda
Qingdao
Jinan
Soul
S. KOREA
Kyoto
Tokyo
Yokohama
Kobe
Nagoya
Osaka
Pusan
Kitakyushu
Mediterranean Sea
Sicily
Athinai
MALTA
Crete
TURKEY
Izmir
Tabriz
Ashkhabad
Mashhad
AFGHANISTAN
Kabul
Rawalpindi
Srinagar
Lanzhou
Xi'an
Huang He
Tunis
TUNISIA
Tarabulus
Banghazi
CYPRUS
SYRIA
Halab
Bayrut
Dimashq
Tel Aviv-Yafo
Amman
Jerusalem
Baghdad
IRAQ
Tehran
IRAN (PERSIA)
Esfahan
Shiraz
Abadan
Lahore
XIZANG (TIBET)
Lhasa
Chengdu
Chongqing
Wuhan
Nanjing
Shanghai
East China Sea
El Iskandariya
El Qahira
Bur Said
KUWAIT
Persian Gulf
PAKISTAN
Indus
Delhi
NEPAL
Kathmandu
Agra
Kanpur
Lucknow
Ganga
Chang Jiang
Changsha
Fuzhou
Taibei
TAIWAN (FORMOSA)
Ryukyu Is.
PACIFIC OCEAN
Tropic of Cancer
LIBYA
EGYPT
Nile
Aswan
BAHRAIN
QATAR
Ar Riyad
U.A.E.
Karachi
Ahmadabad
INDIA
BANGLADESH
Dacca
Calcutta
BURMA
Kunming
Guangzhou
Hong Kong
Mandalay
Hanoi
Hainan
VIETNAM
Salah
SAUDI ARABIA
Makkah
Red Sea
OMAN
Arabian Sea
Bombay
Pune
Nagpur
Bay of Bengal
South China Sea
Northern Marianas (U.S.)
Wake I. (U.S.)
NIGER
CHAD
Omdurman
El Khartum
SUDAN
SOUTH YEMEN
YEMEN
Asmera
Aden
Gulf of Aden
Socotra (S.Yemen)
Hyderabad
Rangoon
Vientiane
THAILAND
Bangkok
Manila
PHILIPPINES
Guam (U.S.)
Marshall Is.
L.Chad
Ndjamena
Kano
Blue Nile
White Nile
DJIBOUTI
Addis Abeba
ETHIOPIA
SOMALI REP.
Lakshadweep Is.
Bangalore
Madras
Andaman Is. (India)
CAMBODIA
Phnom Penh
Phan Bho Ho Chi Minh
Cebu
Yap
Belau
TRUST TERRITORY OF THE PACIFIC ISLANDS (U.S.)
Truk
Caroline Is.
Ponape
NIGERIA
Ibadan
CAMEROON
CENTRAL AFRICAN REPUBLIC
Bangui
Douala
Yaounde
Nicobar Is. (India)
SRI LANKA (CEYLON)
Colombo
Dondra Hd.
MALDIVES
MALAYSIA
SABAH
BRUNEI
SARAWAK
Medan
Kuala Lumpur
PEN. MALAYSIA
Kuching
SINGAPORE
Libreville
GABON
CONGO
Zaire
(Congo)
Kisangani
ZAÏRE (CONGO)
UGANDA
Kampala
KENYA
L.Turkana
Victoria
RW.
BUR.
Nairobi
Muqdisho
Equator
Sunda Is.
Sumatera
Borneo
Maluku
KIRIBATI
NAURU
Brazzaville
Kinshasa
Kasai
Mombasa
Zanzibar
Dar es Salaam
L. Tanganyika
TANZANIA
SEYCHELLES
INDIAN OCEAN
Palembang
Banjarmasin
Sulawesi
INDONESIA
Ujung Pandang
Irian Jaya
PAPUA NEW GUINEA
New Ireland
Rabaul
New Britain
SOLOMON IS.
TUVALU
CABINDA
Kananga
Amirante Is.
Chagos Arch. (Br.)
Diego Garcia (Br.)
Jakarta
Bandung
Jawa
Surabaya
Timor
Arafura Sea
Timor Sea
Port Moresby
C.York
Louisiade Arch.
Luanda
ANGOLA
Lubumbashi
Aldabra
COMORO IS.
L. Malawi
MALAWI
ZAMBIA
Lusaka
Zomba
Benguela
Christmas I. (Australia)
Cocos (Keeling Is.) (Australia)
Darwin
Santa Cruz Is.
MADAGASCAR
Mozambique Chan.
MOZAMBIQUE
Harare
ZIMBABWE
Bulawayo
Antananarivo
Rodriguez
MAURITIUS
NORTHERN TERRITORY
Townsville
Cairns
VANUATU
Vanua Levu
FIJI
Viti Levu
Suva
NAMIBIA
Windhoek
BOTSWANA
Gaborone
Pretoria
Johannesburg
SWAZ.
Maputo
LES.
Durban
SOUTH AFRICA
Réunion (Fr.)
Tropic of Capricorn
North West C.
WESTERN AUSTRALIA
Alice Springs
QUEENSLAND
AUSTRALIA
Rockhampton
New Caledonia (Fr.)
SOUTH AUSTRALIA
Brisbane
Cape Town
C.of Good Hope
Port Elizabeth
Perth
Fremantle
Kalgoorlie
NEW SOUTH WALES
Darling
Norfolk I. (Australia)
Lord Howe I. (Australia)
C.Leeuwin
Great Australian Bight
Adelaide
Newcastle
Sydney
Canberra
North C.
Amsterdam (Fr.)
St.Paul (Fr.)
VICTORIA
Melbourne
Tasman Sea
Auckland
North I.
NEW ZEALAND
TASMANIA
Hobart
Wellington
C.Farewell
Christchurch
South I.
Pr.Edward Is. (South Africa)
Crozet Is. (Fr.)
Kerguelen (Fr.)
Stewart I.
Dunedin
Bounty Is.
Antipodes Is. (N.Z.)
Auckland I. (N.Z.)
McDonald I. (Australia)
Heard I. (Australia)
Campbell I. (N.Z.)
Macquarie I. (Australia)
SOUTHERN OCEAN
Antarctic Circle
Enderby Land
Wilkes Land
S.Magnetic Pole 1980
Balleny Is.
AUSTRALIAN DEPENDENCY
TERRE ADELIE
Ross Sea
East from Greenwich

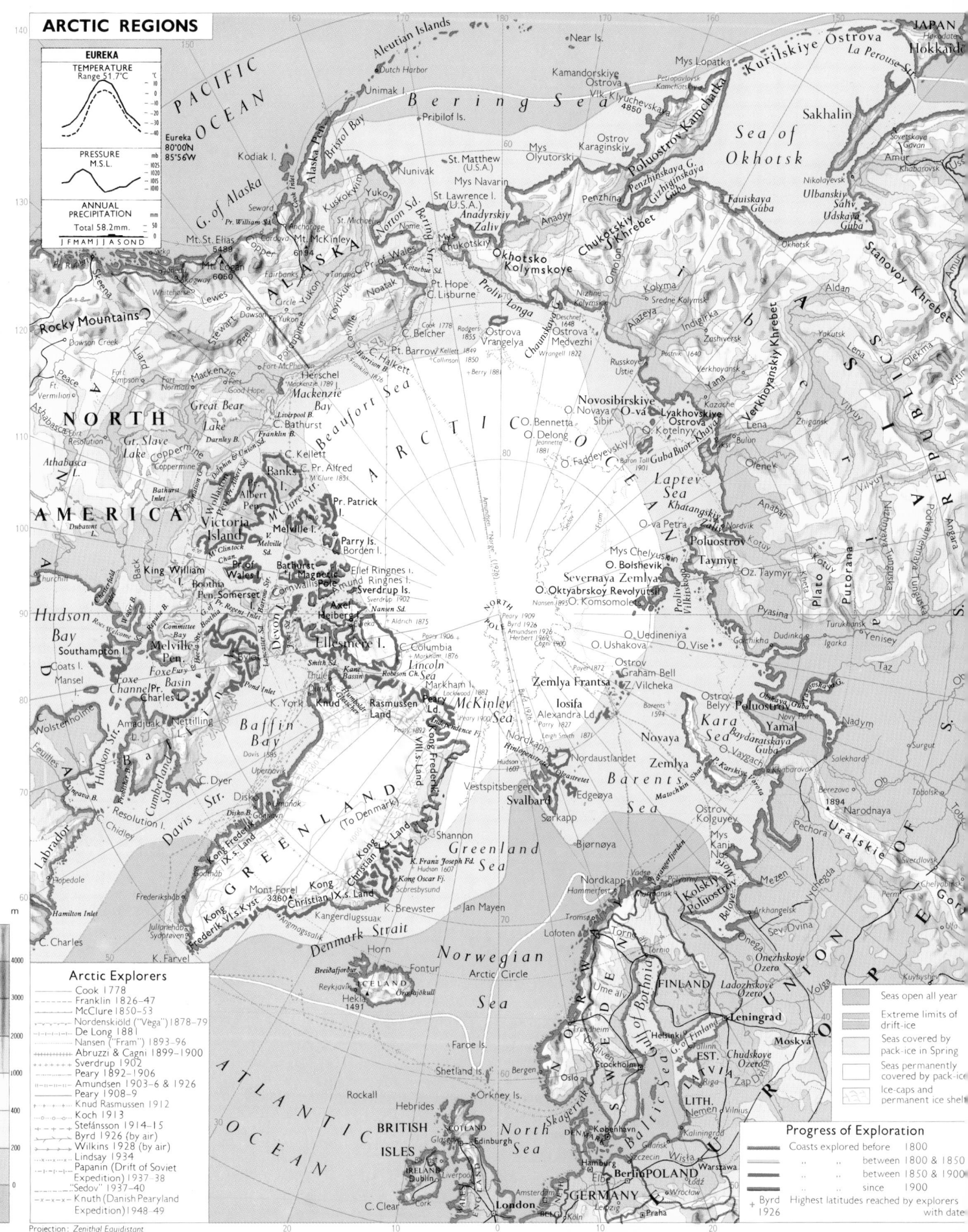

ARCTIC REGIONS

EUREKA

TEMPERATURE
Range 51.7°C

Eureka
80°00'N
85°56'W

PRESSURE
M.S.L.

ANNUAL
PRECIPITATION
Total 58.2mm.

J F M A M J J A S O N D

Arctic Explorers

————	Cook 1778
------	Franklin 1826–47
·-·-·-·	McClure 1850–53
··········	Nordenskiöld ("Vega") 1878–79
-··-··-	De Long 1881
——·——	Nansen ("Fram") 1893–96
+++++++	Abruzzi & Cagni 1899–1900
·········	Sverdrup 1902
————	Peary 1892–1906
————	Amundsen 1903–6 & 1926
————	Peary 1908–9
-·-·-·-	Knud Rasmussen 1912
·········	Koch 1913
-+-+-+-	Stefánsson 1914–15
————	Byrd 1926 (by air)
———	Wilkins 1928 (by air)
————	Lindsay 1934
·········	Papanin (Drift of Soviet Expedition) 1937–38
·········	"Sedov" 1937–40
-x-x-x-	Knuth (Danish Pearyland Expedition) 1948–49

Projection: Zenithal Equidistant

Progress of Exploration

————	Coasts explored before 1800
————	" " between 1800 & 1850
————	" " between 1850 & 1900
————	" " since 1900
+ Byrd 1926	Highest latitudes reached by explorers with date

Seas open all year

Extreme limits of drift-ice

Seas covered by pack-ice in Spring

Seas permanently covered by pack-ice

Ice-caps and permanent ice shelf

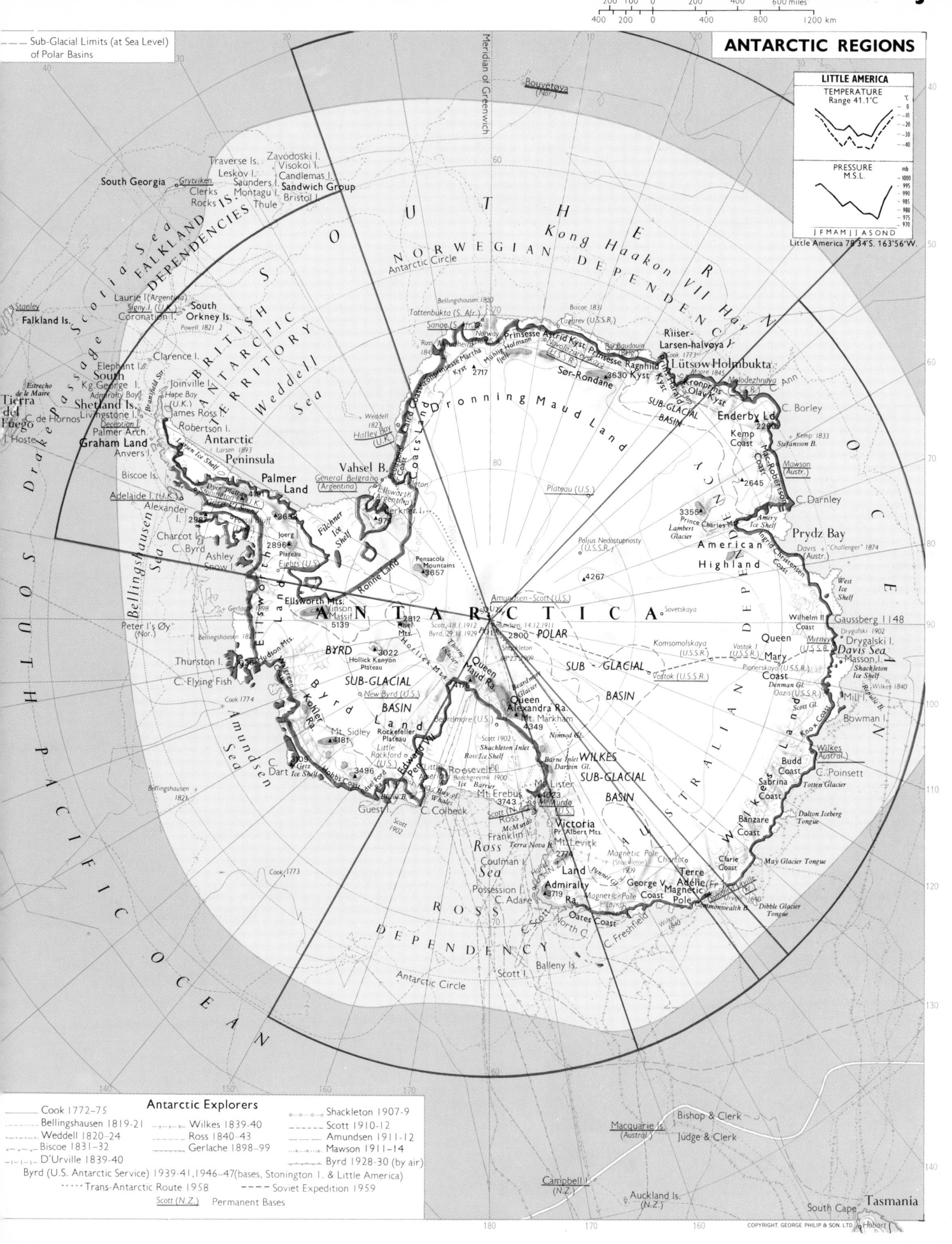

1:35 000 000
200 100 0 200 400 600 miles
400 200 0 400 800 1200 km
ANTARCTIC REGIONS
Sub-Glacial Limits (at Sea Level) of Polar Basins
LITTLE AMERICA
TEMPERATURE Range 41.1°C
PRESSURE M.S.L.
J F M A M J J A S O N D
Little America 78°34'S. 163°56'W.
Meridian of Greenwich
Bouvetøya (Nor.)
South Georgia
Grytviken
Traverse Is.
Zavodoski I.
Visokoi I.
Leskov I.
Candlemas I.
Saunders I.
Montagu I.
Bristol I.
Clerks Rocks
Thule
Sandwich Group
FALKLAND IS. DEPENDENCIES
Scotia Sea
Stanley
Falkland Is.
Laurie I.(Argentina)
Signy I. (U.K.)
Coronation I.
South Orkney Is.
Drake Passage
Tierra del Fuego
C. de Hornos
Estrecho de le Maire
I. Hoste
Elephant I.
Clarence I.
South Shetland Is.
Kg George I.
Admiralty Bay
Livingstone I.
Deception I.
Joinville I.
Hope Bay (U.K.)
James Ross I.
Robertson I.
Palmer Arch.
Graham Land
Anvers I.
Antarctic Peninsula
Larsen Ice Shelf
Biscoe Is.
Adelaide I. (U.K.)
Alexander I.
Charcot I.
C. Byrd
Ashley Snow I.
Palmer Land
BRITISH ANTARCTIC TERRITORY
Weddell Sea
Vahsel B.
General Belgrano (Argentina)
Halley Bay (U.K.)
Filchner Ice Shelf
Ellsworth (Argentina)
Ronne Land
Coats Land
Luitpold Coast
Caird Coast
Pensacola Mountains
3657
Bellingshausen Sea
Eights (U.S.)
Ellsworth Mts.
Vinson Massif 5139
Ellsworth Land
Peter I's Øy (Nor.)
Thurston I.
C. Flying Fish
Hudson Mts.
Amundsen Sea
C. Dart
Getz Ice Shelf
Hobbs Coast
Kohler Ra.
Mt. Sidley 4181
BYRD SUB-GLACIAL BASIN
Hollick Kenyon Plateau
New Byrd (U.S.)
Byrd Land
Rockefeller Plateau
Little Rockford (U.S.)
Edward VII Pen.
Little America
Roosevelt I.
Ross Ice Barrier
Bay of Whales
Guest I.
C. Colbeck
SOUTHERN OCEAN
SOUTH PACIFIC OCEAN
NORWEGIAN DEPENDENCY
Kong Haakon VII Hav
Antarctic Circle
Tottenbukta (S. Afr.)
Sanae (S. Afr.)
Norway
Prinsesse Astrid Kyst
Prinsesse Ragnhild Kyst
Roi Baudouin (Belg.)
Novolazarevskaya (U.S.S.R.)
Sør-Rondane
Riiser-Larsen-halvøya
Lützow Holmbukta
Kronprins Olav Kyst
Molodezhnaya (U.S.S.R.)
Dronning Maud Land
SUB-GLACIAL BASIN
Enderby Ld
C. Ann
C. Borley
Kemp Coast
Mac. Robertson Coast
Mawson (Austr.)
C. Darnley
Amery Ice Shelf
Prydz Bay
Davis (Austr.)
Prince Charles Mts.
Lambert Glacier
American Highland
Ingrid Christensen Coast
West Ice Shelf
Plateau (U.S.)
Poljus Nedostupnosty (U.S.S.R.)
Amundsen-Scott (U.S.)
ANTARCTICA
POLAR SUB-GLACIAL BASIN
Sovetskaya
Wilhelm II Coast
Gaussberg 1148
Drygalski I.
Davis Sea
Mirnyy (U.S.S.R.)
Komsomolskaya (U.S.S.R.)
Vostok 1 (U.S.S.R.)
Vostok (U.S.S.R.)
Pionerskaya (U.S.S.R.)
Queen Mary Coast
Masson I.
Shackleton Ice Shelf
Denman Gl.
Oazis (U.S.S.R.)
Mill I.
Bowman I.
Knox Coast
Wilkes (Austral.)
C. Poinsett
Budd Coast
Sabrina Coast
Totten Glacier
Banzare Coast
Dalton Iceberg Tongue
Clarie Coast
May Glacier Tongue
AUSTRALIAN DEPENDENCY
Wilkes Land
WILKES SUB-GLACIAL BASIN
Terre Adélie
Dumont d'Urville (Fr.)
Magnetic Pole
Dibble Glacier Tongue
Commonwealth B.
George V Coast
Horlick Mts.
Thiel Mts.
Queen Maud Ra.
Beardmore Glacier
Queen Alexandra Ra.
Mt. Markham 4349
Nimrod Gl.
Shackleton Inlet
Barne Inlet
Darwin Gl.
Mt. Lister
McMurdo (U.S.)
Scott (N.Z.)
Mt. Erebus 3743
Ross I.
Victoria Land
Franklin I.
Pr. Albert Mts.
Mt. Levick
Coulman I.
Ross Sea
Terra Nova B.
Possession I.
C. Adare
Admiralty Ra.
3719
Oates Coast
North C.
C. Scott
C. Freshfield
ROSS DEPENDENCY
Balleny Is.
Scott I.
Antarctic Circle
Antarctic Explorers
Cook 1772–75
Bellingshausen 1819–21
Weddell 1820–24
Biscoe 1831–32
D'Urville 1839–40
Wilkes 1839–40
Ross 1840–43
Gerlache 1898–99
Shackleton 1907–9
Scott 1910–12
Amundsen 1911–12
Mawson 1911–14
Byrd 1928–30 (by air)
Byrd (U.S. Antarctic Service) 1939–41, 1946–47 (bases, Stonington I. & Little America)
Trans-Antarctic Route 1958
Soviet Expedition 1959
Scott (N.Z.) Permanent Bases
Macquarie Is. (Austral.)
Bishop & Clerk
Judge & Clerk
Campbell I. (N.Z.)
Auckland Is. (N.Z.)
South Cape
Tasmania
Hobart
COPYRIGHT, GEORGE PHILIP & SON, LTD.

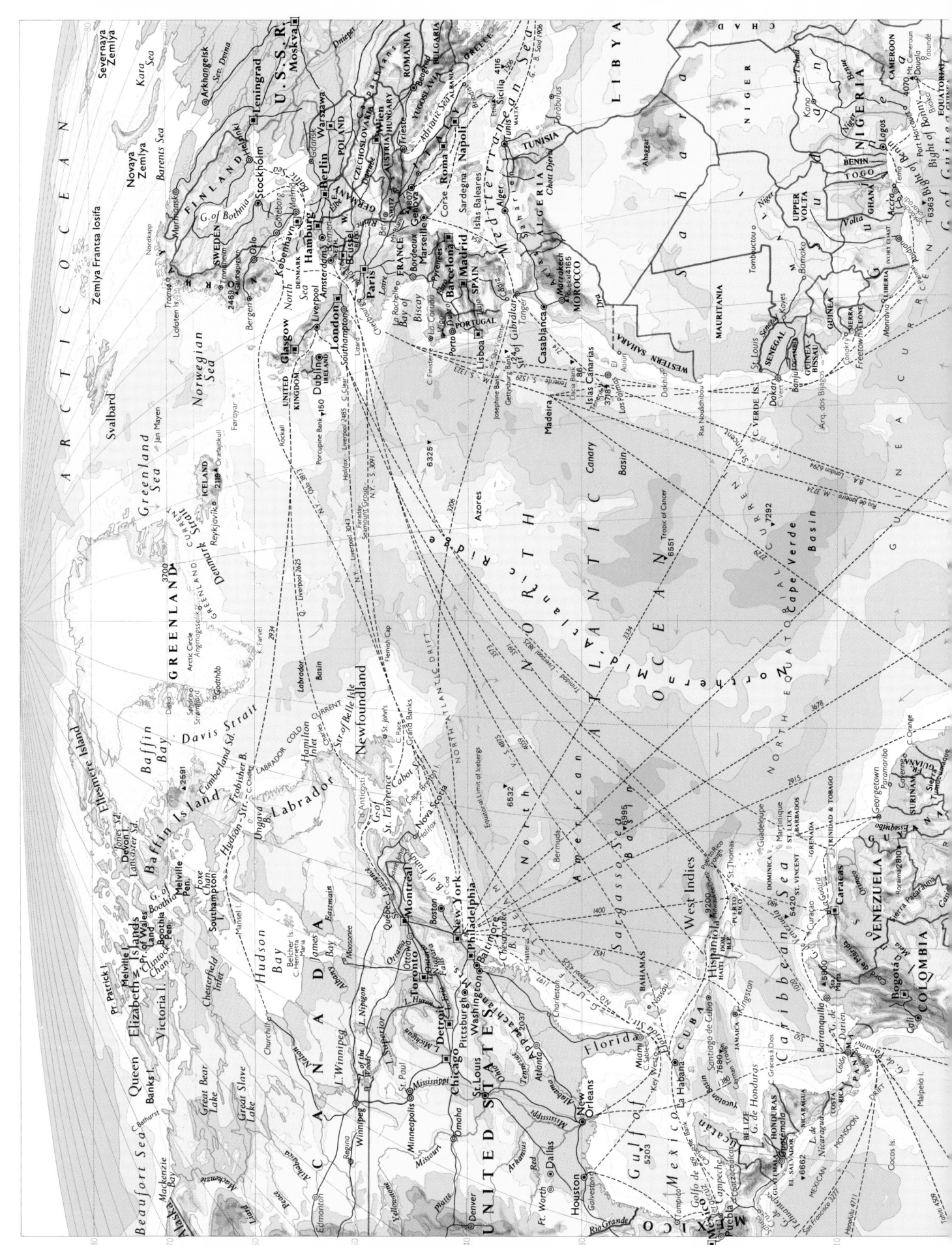
ARCTIC OCEAN
Greenland Sea
Norwegian Sea
Barents Sea
Kara Sea
GREENLAND
ICELAND
Baffin Bay
Davis Strait
Hudson Bay
CANADA
UNITED STATES
Newfoundland
Nova Scotia
NORTH ATLANTIC OCEAN
Sargasso Sea
West Indies
Caribbean Sea
Gulf of Mexico
MEXICO
CUBA
BAHAMAS
VENEZUELA
COLOMBIA
Bay of Biscay
North Sea
UNITED KINGDOM
IRELAND
FRANCE
SPAIN
PORTUGAL
MOROCCO
ALGERIA
TUNISIA
LIBYA
Sahara
MAURITANIA
SENEGAL
NIGER
NIGERIA
GHANA
U.S.S.R.
SWEDEN
FINLAND
POLAND
ROMANIA
Azores
Cape Verde Basin

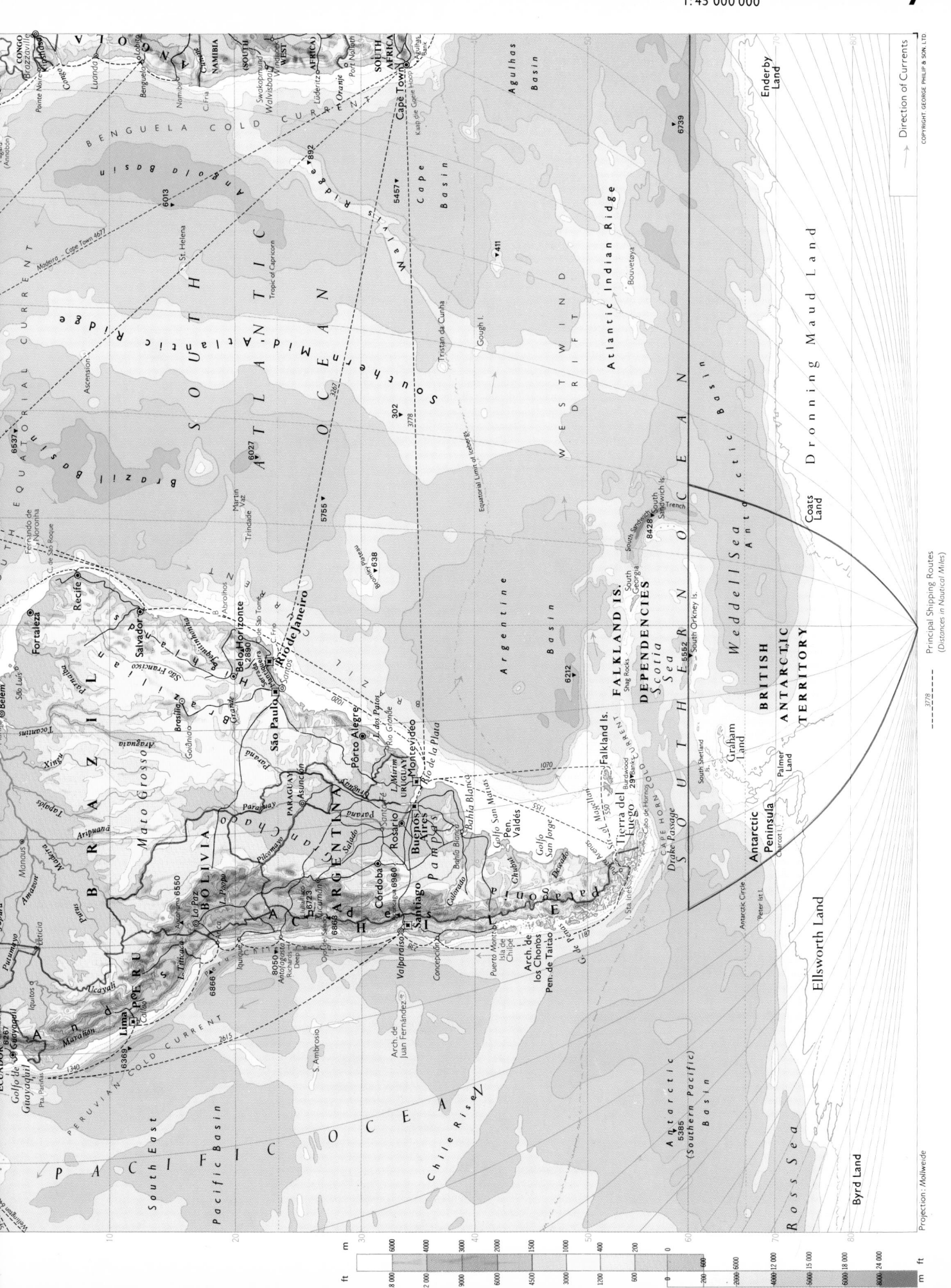
SOUTH ATLANTIC OCEAN
PACIFIC OCEAN
SOUTHERN OCEAN
BRAZIL
BOLIVIA
PERU
PARAGUAY
URUGUAY
ARGENTINA
ECUADOR
NAMIBIA
ANGOLA
CONGO
SOUTH AFRICA
FALKLAND IS.
DEPENDENCIES
BRITISH ANTARCTIC TERRITORY
Brazil Basin
Argentine Basin
Cape Basin
Angola Basin
Agulhas Basin
South East Pacific Basin
Mid-Atlantic Ridge
Walvis Ridge
Atlantic Indian Ridge
Chile Rise
Scotia Sea
Weddell Sea
Ross Sea
Drake Passage
WEST WIND DRIFT
BENGUELA COLD CURRENT
PERUVIAN COLD CURRENT
SOUTH EQUATORIAL CURRENT
BRAZIL CURRENT
Rio de Janeiro
São Paulo
Belo Horizonte
Salvador
Recife
Fortaleza
Brasília
Pôrto Alegre
Montevideo
Buenos Aires
Rosario
Córdoba
Santiago
Valparaíso
Concepción
Asunción
La Paz
Lima
Callao
Cape Town
Luanda
Tierra del Fuego
Falkland Is.
South Georgia
South Orkney Is.
South Shetland Is.
South Sandwich Is.
Tristan da Cunha
Gough I.
Bouvetøya
St. Helena
Ascension
Graham Land
Palmer Land
Antarctic Peninsula
Ellsworth Land
Byrd Land
Coats Land
Dronning Maud Land
Enderby Land
Antarctic Circle
Tropic of Capricorn
Direction of Currents
Principal Shipping Routes (Distances in Nautical Miles)
Projection: Mollweide
COPYRIGHT, GEORGE PHILIP & SON, LTD
m
ft

EUROPEAN ORGANIZATIONS
1 : 40 000 000

E.E.C. Members

E.F.T.A. Member

All E.F.T.A. and associated states have
Free Trade Agreements with the E.E.C.

States with Association
Agreement with E.E.C.

Associate Member of E.F.T.A.

States with Trading Agreement
with E.E.C.

Warsaw Pact Countries

The E.E.C. has Trading Agreements with
certain countries in the Mediterranean,
Pacific and Latin American areas.

Projection: Bonne.

1:17 500 000

100   0   100   200   300   400   500 miles
100 0 200   400   600   800 km

Nordkapp   Nordkinn

Lofoten

L. Inari

Lappland

Kanin
Peninsula

Tundra

Pechora

Ural
Mountains

Narodnaya
1894

West

Siberian

Plain

Kola
Peninsula

White
Sea

Mezen

Telpos Iz.
1617

Ob

Irtysh

Kebnekaise
2123

Scandinavia

Torne älv

Ume älv

Indalsälven

Gulf of Bothnia

Finland

L. Onega

Onega

N. Dvina

N. Dvina

Tobol

Øppiggen
2469

Lake
Ladoga

Svir

Kama

Ob

Gorkiy

Volga

Obshchi Syrt

Åland Is.   Helsinki

Oslo

Stockholm

Neva Leningrad

L.
Chudskoye

Valdai
Hills

Rybinsk
Res.

Volga

Ural

Vänern

Mälaren

Dvina

Central Russian Uplands

Oka

Moskva

Volga Heights

Kirgiz

Skaw

Vättern

Gotland

Kattegat

København

BALTIC SEA

European

Plain

Neman

Volga

Steppe

Berlin

Oder

Vistula

Pripet

Kiyev

Dnieper

Ukraine

Don

Tsimlyansk
Res.

Volga

Ust Urt
plateau

Warszawa

North

Pripet
Marshes

Karagiye Depression
-132

-28

Mts.
Prahad

Sudetes

Carpathians

Dniester

Bug

Odessa

Dnieper

Sea of
Azov

Kuban

Terek

Caspian

Kara
Bogaz

Bohemian Forest

Moravia
Hts.

Tatra
2655

Prut

Crimea

Strait of Kerch

Caucasus
5633

Elbrus

Sea

Inn

Wien

Budapest

Bakony Forest

Plain of
Hungary

Mureş

Danube

Mouths
of the
Danube

Transcaucasia

Kura

Baku

Drava

Tisza

Transylvanian Alps

Bucureşti

Black   Sea

2211

Pontine Mts.

Ararat
5165

Araks

Sava

Dinaric Alps

Dalmatia

Moravia

Wallachia

Danube

L. Van

L. Urmia

Elburz Mts.

Gran Sasso
2914

Beograd

Sofiya

Balkans

Kura

Tehran

Apennines

Adriatic

Sea

Balkan

Rhodope

Istanbul

Bosporus

Sea of
Marmara

Ankara

Kizil

Anatolia

Kurdistan

Str. of Otranto

Peninsula

Dardanelles

Pindus

L. Tuz

Erciyas
3770

Taurus Mts.

Mesopotamia

Tigris

Strait of Messina

Calabria

Ionian
Is.

Morea

Aegean Sea

Athinai

Halab

Euphrates

Baghdad

Etna 3263

Sicily

C. Spartivento

Ionian
Sea

5121
C. Matapan

Rhodes

Syrian

Persian
Gulf

leria

Malta

ANEAN

Crete

Cyprus

Bayrut

Levant

Desert

Tripoli

Gulf of Sidra

SEA

Nile Delta

Tel Aviv-
Yafo

Dead
Sea

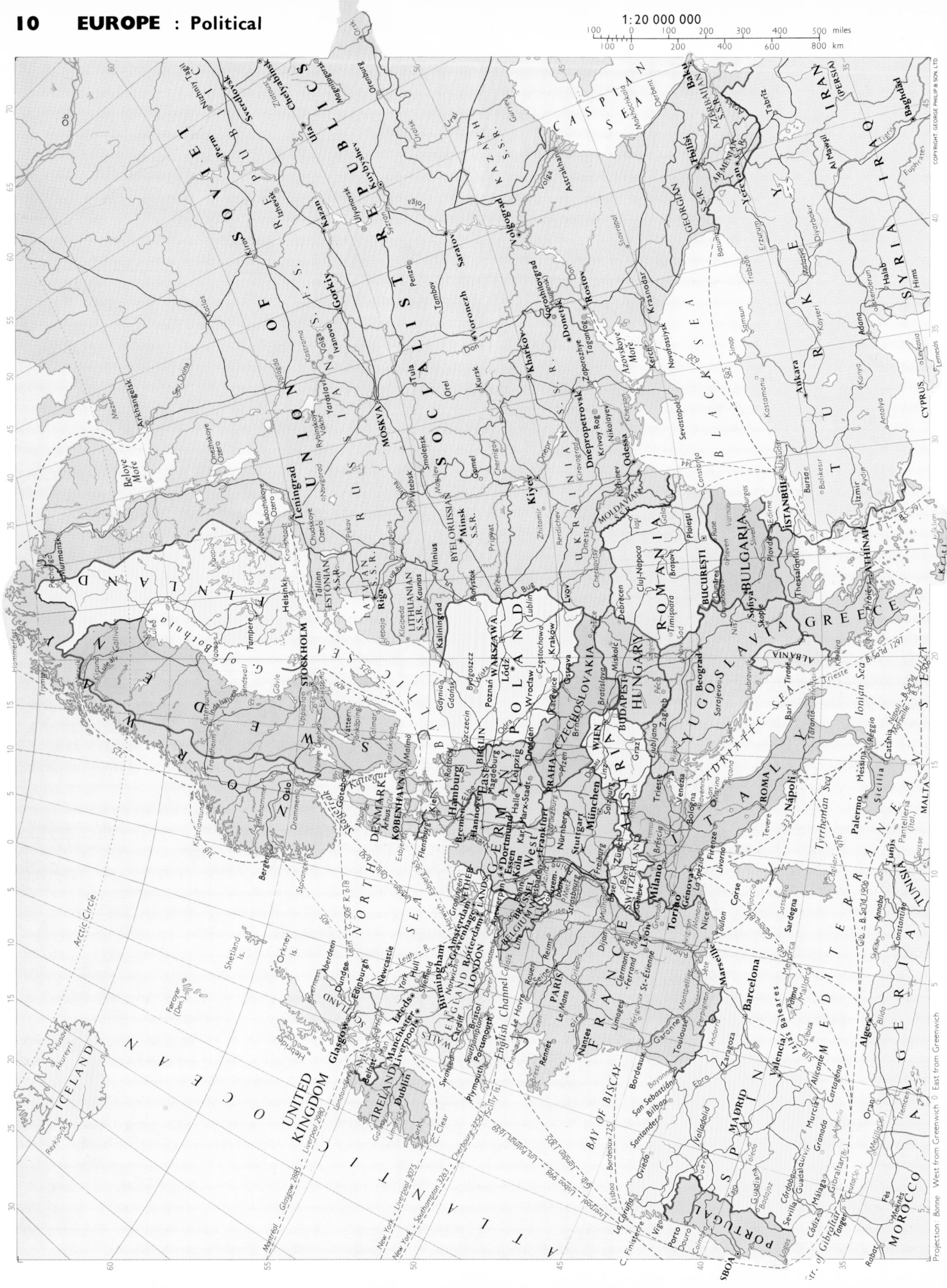

1 : 4 000 000

20   0   20   40   60 miles
20   0   20   40   60   80 km

The DISTRICTS of Northern Ireland have been numbered and can be identified by reference to this table.

1	Londonderry	14	Craigavon
2	Limavady	15	Armagh
3	Coleraine	16	Newry & Mourne
4	Ballymoney	17	Banbridge
5	Moyle	18	Down
6	Larne	19	Lisburn
7	Ballymena	20	Antrim
8	Magherafelt	21	Newtownabbey
9	Cookstown	22	Carrickfergus
10	Strabane	23	North Down
11	Omagh	24	Ards
12	Fermanagh	25	Castlereagh
13	Dungannon	26	Belfast

1 Merseyside
2 Greater Manchester
3 West Yorkshire
4 South Yorkshire
5 West Glamorgan
6 Mid Glamorgan
7 South Glamorgan

Orkney Is.

Shetland Is.

Projection : Conical with two standard parallels

West from Greenwich   East from Greenwich
COPYRIGHT. GEORGE PHILIP & SON. LTD.

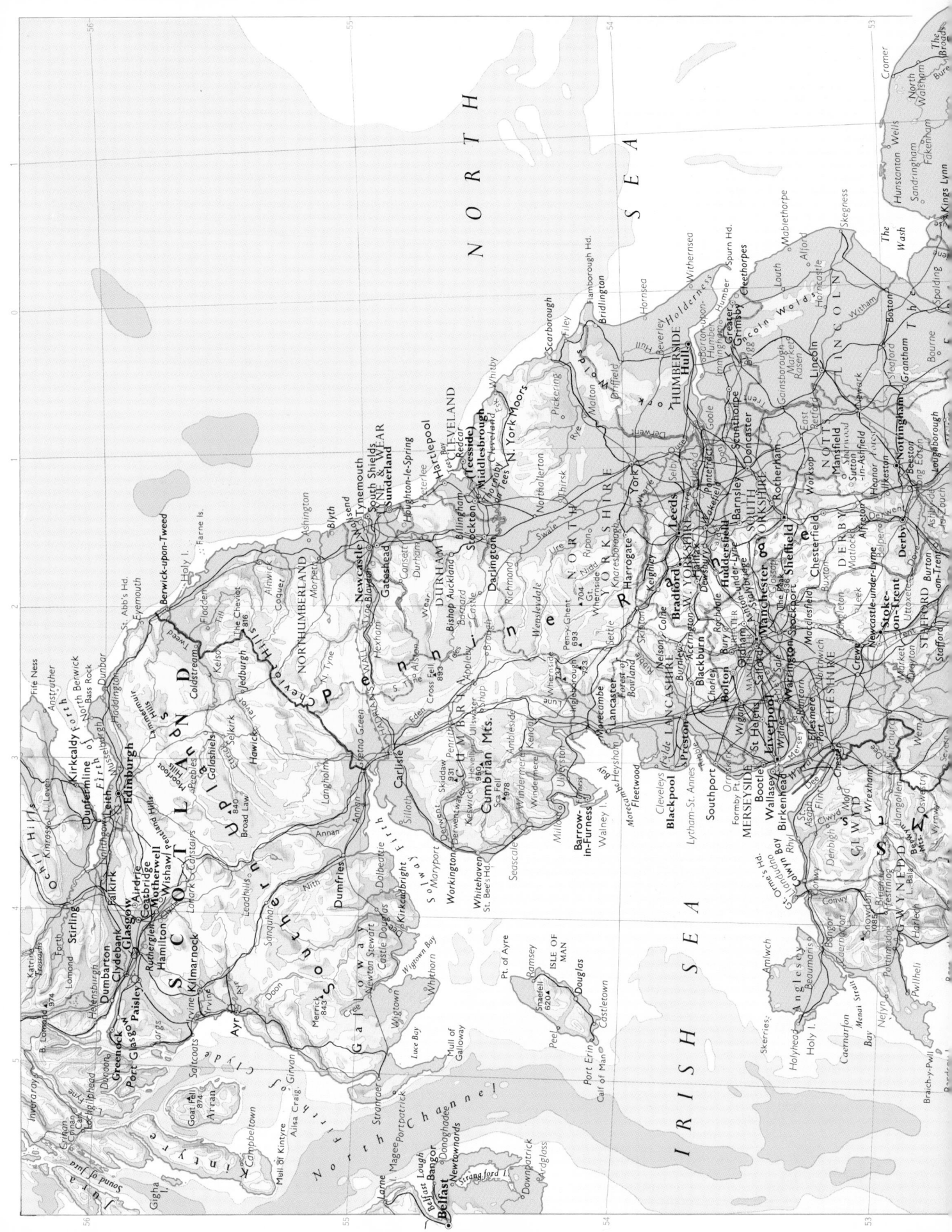
NORTH SEA
IRISH SEA
North Channel
Firth of Clyde
Solway Firth
SCOTLAND
Southern Uplands
Pennines
Cumbrian Mts.
NORTHUMBERLAND
DURHAM
CLEVELAND
TYNE & WEAR
NORTH YORKSHIRE
HUMBERSIDE
W. YORKSHIRE
SOUTH YORKSHIRE
LANCASHIRE
MERSEYSIDE
CHESHIRE
CUMBRIA
CLWYD
GWYNEDD
DERBY
NOTTS
LINCOLN
STAFFORD
ISLE OF MAN
Edinburgh
Glasgow
Berwick-upon-Tweed
Newcastle
Sunderland
Middlesbrough
Carlisle
York
Leeds
Bradford
Hull
Manchester
Liverpool
Sheffield
Nottingham
Derby
Lincoln
Blackpool
Preston
Belfast
Douglas
N. York Moors
The Wash
Anglesey

1:2 000 000

Projection: Conical with two standard parallels.

ENGLISH CHANNEL

F R A N C E

Rouen

Dieppe

Le Havre

Channel Islands

Jersey

Guernsey

SCILLY ISLES
On same Scale

Isles of Scilly

St. Mary's

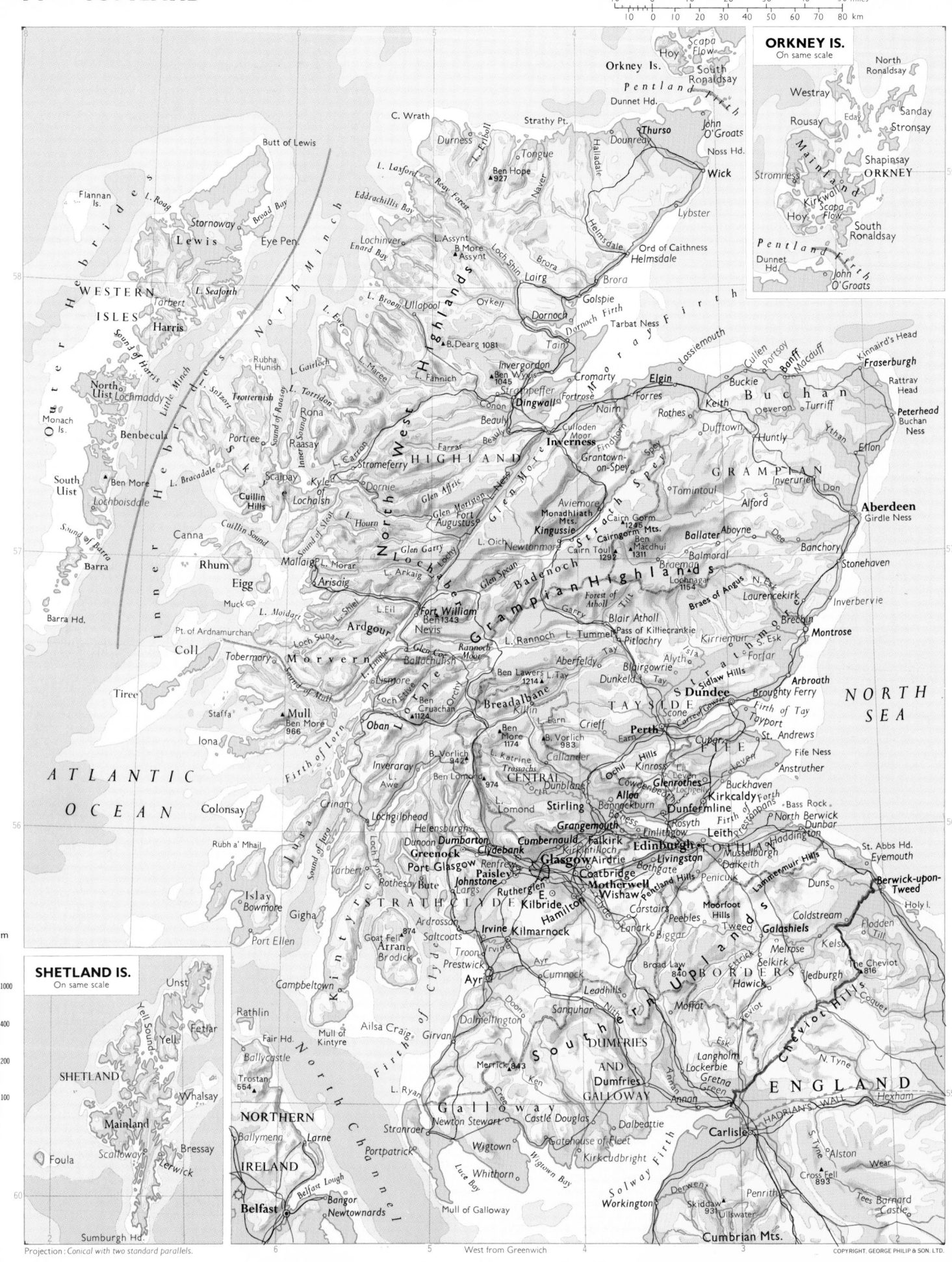

1:2 000 000

ORKNEY IS.
On same scale

SHETLAND IS.
On same scale

ATLANTIC OCEAN

NORTH SEA

ENGLAND

NORTHERN IRELAND

Projection: Conical with two standard parallels.

West from Greenwich

COPYRIGHT. GEORGE PHILIP & SON. LTD.

1 : 2 000 000

10   0   10   20   30   40   50 miles
10 0 10 20 30 40 50 60 70 80 km

Projection: Conical with two standard parallels.

West from Greenwich

COPYRIGHT. GEORGE PHILIP & SON. LTD.

Towns underlined in Northern Ireland give their
names to the Districts in which they stand

The remaining Districts are:—

1 Fermanagh   5 Castlereagh
2 Moyle   6 Ards
3 Newtownabbey   7 Down
4 North Down   8 Newry & Mourne

ft   m

3000 1000
1200 400
600   200
300
0   0
100   300
200   600

m   ft

1:2 500 000

10   0   10   20   30   40   50 miles
10 0 10 20 30 40 50 60 70 80 km

NORTH SEA

ENGLAND

NETHERLANDS

BELGIUM

FRANCE

GERMANY

LUXEMBOURG

SAARLAND

AMSTERDAM
's-GRAVENHAGE (The Hague)
ROTTERDAM
BRUSSEL (Bruxelles)
PARIS

Projection: Conical with two standard parallels

East from Greenwich

COPYRIGHT GEORGE PHILIP & SON LTD.

1:5 000 000

Scale
20 10 0 20 40 60 80 100 miles
40 20 0 40 80 120 160 km

FRENCH DEPARTMENTS

A.	01	Ain
Ai.	02	Aisne
Al.	03	Allier
A.H.P.	04	Alpes-de-Haute-Provence
H-Alpes	05	Hautes-Alpes
A.M.	06	Alpes-Maritimes
Ar.	07	Ardèche
Ard.	08	Ardennes
Ari.	09	Ariège
Aub.	10	Aube
Aud.	11	Aude
Av.	12	Aveyron
B.Rh.	13	Bouches-du-Rhône
C.	14	Calvados
Ca.	15	Cantal
Ch.	16	Charente
Ch.M.	17	Charente-Maritime
Cr.	18	Cher
Co.	19	Corrèze
	20	a) Corse: Haute-Corse b) Corse-du-Sud
C.O.	21	Côte-d'Or
C.N.	22	Côtes-du-Nord
Cr.	23	Creuse
D.	24	Dordogne
Do.	25	Doubs
Dr.	26	Drôme
E.	27	Eure
E.L.	28	Eure-et-Loir
F.	29	Finistère
G.	30	Gard
H.G.	31	Haute-Garonne
Ge.	32	Gers
Gi.	33	Gironde
H.	34	Hérault
I.V.	35	Ille-et-Vilaine
I.	36	Indre
I.L.	37	Indre-et-Loire
Is.	38	Isère
J.	39	Jura
La.	40	Landes
L.C.	41	Loir-et-Cher
Loi.	42	Loire
H.Loi.	43	Haute-Loire
L.A.	44	Loire-Atlantique
Loit.	45	Loiret
Lot	46	Lot
L.G.	47	Lot-et-Garonne
Lo.	48	Lozère
M.L.	49	Maine-et-Loire
Ma.	50	Manche
Mar.	51	Marne
H.M.	52	Haute-Marne
May.	53	Mayenne
M.M.	54	Meurthe-et-Moselle
Meu.	55	Meuse
Mo.	56	Morbihan
Mos.	57	Moselle
N.	58	Nièvre
No.	59	Nord
O.	60	Oise
Or.	61	Orne
P.C.	62	Pas-de-Calais
P.D.	63	Puy-de-Dôme
P.A.	64	Pyrénées-Atlantiques
H.P.	65	Hautes-Pyrénées
P.O.	66	Pyrénées-Orientales
B.R.	67	Bas-Rhin
H.R.	68	Haut-Rhin
Rh.	69	Rhône
H.S.	70	Haute-Saône
S.L.	71	Saône-et-Loire
Sa.	72	Sarthe
H.Sa.	73	Haute-Savoie
Sav.	74	Savoie
S.Me.	75	Paris
S.M.	76	Seine-Maritime
S.M.	77	Seine-et-Marne
Y.	78	Yvelines
D.S.	79	Deux-Sèvres
So.	80	Somme
T.	81	Tarn
T.G.	82	Tarn-et-Garonne
Va.	83	Var
Vc.	84	Vaucluse
Ve.	85	Vendée
Vi.	86	Vienne
H.V.	87	Haute-Vienne
Vo.	88	Vosges
Y.	89	Yonne
B.	90	Belfort
E.	91	Essonne
H.S.	92	Hauts-de-Seine
S.S-D.	93	Seine-St-Denis
V.M.	94	Val-de-Marne
V.O.	95	Val-d'Oise

CORSICA
On same scale

Corse
Calvi · C. Corse · Bastia
Haute-Corse
Mt. Cinto 2710 · Mte. Rotondo 2625
Corse
Ajaccio · Corse-du-Sud
Bonifacio

MEDITERRANEAN SEA

BAY OF BISCAY

ENGLISH CHANNEL

BELGIUM

GERMANY

SWITZERLAND

ITALY

SPAIN

Paris · Marseille · Bordeaux · Toulouse · Nantes · Lyon · Strasbourg

Projection: Conical with two standard parallels

East from Greenwich · West from Greenwich

ENGLAND
English Channel
Baie de la Seine
CHANNEL ISLANDS
Alderney
Guernsey
St. Peter Port
Herm
Sark
Jersey
St. Helier
Casquets
Roches Douvres
Barnouic
Les Minquiers
Golfe de St - Malo
Iles Chausey
Bideford
South Molton
Tiverton
Bude
Holsworthy
Okehampton
Exeter
Dartmoor
Yes Tor 261
Launceston
Princetown
Tavistock
Newton Abbot
Exmouth
Dawlish
Teignmouth
Sidmouth
Seaton
Lyme Regis
Lyme Bay
Trevose Hd.
Padstow
Newquay
Bodmin
Saltash
Looe
Fowey
Plymouth
Torquay
Paignton
Brixham
Dartmouth
Start Pt.
Kingsbridge
Redruth
Camborne
Truro
St. Austell
Dodman Pt.
St. Ives
Marazion
Penzance
Helston
Falmouth
Land's End
Lizard Pt.
Yeovil
Sherborne
Chard
Crewkerne
Blandford
Honiton
Dorchester
Weymouth
Wareham
Portland Bill
Southampton
Eastleigh
Romsey
Fareham
Lymington
Cowes
I. of Wight
Yarmouth
The Needles
Newport
Ryde
Sandown
Ventnor
Stour
Poole
Bournemouth
Swanage
Portsmouth
Chichester
Bognor Regis
Selsey Bill
Littlehampton
Worthing
Brighton
Midhurst
Haywards Heath
Lewes
Newhaven
South Downs
Hailsham
Eastbourne
Beachy Head
Bexhill
Hastings
Battle
Rother
Rye
Dungeness
Tenterden
Hythe
Folk
Avon
Test
Exe
Tamar
Dart
Str. of
Baie de la
Cayeux-sur
Ault-O
Le Tréport
Dieppe
Offranville
Envermeu
St.-Valery-en-Caux
St.-Pierre-en-Port
Fécamp
Yport
Étretat
Cap d'Antifer
Valmont
Doudeville
Yerville
Yvetot
Tôtes
Goderville
Bolbec
Lillebonne
Caudebec-en-C.
Barentin
Le Havre
Harfleur
Ste.-Adresse
Cap de la Hève
Seine
Tancarville
Quillebeuf
Le Petit Quevilly
Rouen
Sotteville-lès-R.
Trouville
Deauville
Honfleur
Villerville
Pont-Audemer
Pont-l'Évêque
Elbeuf
Caudebec
Louviers
Brionne
Thiberville
Bernay
Beaumont-le-Roger
Broglie
Conches
Évreux
Damville
Breteuil
Verneuil
Rugles
Laigle
Cap de la Hague
Auderville
Burhou
St. Anne
Nez de Jobourg
Querqueville
Cherbourg
Octeville
Pointe de Barfleur
Barfleur
St.-Pierre-Église
Valognes
Montebourg
St.-Vaast-la-Hougue
Iles St.-Marcouf
Ste.-Mère-Église
Dielette
Bricquebec
St.-Sauveur-le-Vicomte
Barneville
Carteret
La Haye-du-Puits
Lessay
Périers
Carentan
Isigny
Port-en-Bessin
Bayeux
Arromanches
Courseulles
Villers-sur-Mer
Riva Bella
Ouistreham
Caen
Dives-sur-Mer
Lisieux
Mézidon
Livarot
Orbec
Vimoutiers
Camembert
St.-Pierre-sur-Dives
Falaise
Thury-Harcourt
Coutances
Agon
St.-Lô
Torigni
Villers-Bocage
Bréhal
Granville
Pte. du Roc
Gavray
Percy
Villedieu
Vire
St.-Sever-Calvados
Sourdeval
Collines de Normandie
Condé-sur-Noireau
Flers
Avranches
Mortain
Pontaubault
St.-Hilaire
Barenton
Domfront
Argentan
Chambois
Écouché
La Ferté-Macé
Briouze
Bagnoles
Couterne
Carrouges
Sées
Mortagne-au-Perche
Gacé
314
Exmes
Nonant-le-Pin
Merlerault
417
Collines du Perche
Le Mêle-s.-Sarthe
Alençon
Pré-en-Pail
Rémalard
Bellême
Nogent-le-Rotrou
Mamers
Fresnay
Beaumont
Le Theil
Bonnétable
Ballon
La Ferté-Bernard
Vibraye
Connerré
Bouloire
St.-Calais
Le Mans
La Suze
Loué
Brûlon
Écommoy
Le Grand-Lucé
Savigny-sur-Braye
Vendôme
Montoire
La Chartre
Château-du-Loir
Le Lude
La Flèche
Sablé-s.-Sarthe
Neuvy-le-Roi
Neuillé-Pont-Pierre
Herbault
Blois
Château-Renault
Château-la-Vallière
Tours
Vouvray
Montrichard
Cher
St.-Aignan
Loches
Ligueil
La Haye-Descartes
Le Grand-Pressigny
Preuilly-s.-Claise
Claise
Châtellerault
Lencloître
Mirebeau
Naintré
Tournon-St.-Martin
Bonneuil-Matours
Poitiers
Chauvigny
St.-Savin
Le Blanc
Montmorillon
Lussac-les-Châteaux
Gençay
Vivonne
Lusignan
Couhé-Vérac
Charroux
Civray
L'Isle-Jourdain
Bellac
Ruffec
Confolens
Nontron
Angoulême
Rochechouart
Limoges
Aixe-s.-V.
Châlus
La Rochefoucauld
Chasseneuil-s.-B.
Mansle
St.-Claud
Aigre
Rouillac
Matha
Cognac
Jarnac
Châteauneuf-sur-Charente
Barbezieux
Pons
Saintes
St.-Savinien
St.-Jean-d'Angély
Aulnay
Loulay
Surgères
Rochefort
Tonnay-Charente
Brouage
Marennes
Le Château
La Tremblade
Pointe de la Coubre
Royan
Saujon
St.-Palais
Pointe de Grave
Ile d'Oléron
St.-Pierre
Pertuis d'Antioche
Châtelaillon-Plage
Ile de Ré
St.-Martin
Ars
La Rochelle
Aunis
Mauzé
Niort
Beauvoir-s.-N.
Chef-Boutonne
Melle
Sauzé-Vaussais
St.-Maixent-l'École
Breloux-la-Crèche
Lezay
Seuil du Poitou
Plaines et Vienne
Fontenay-le-Comte
Benet
Coulon
Marans
Courçon
Sèvre Niortaise
L'Aiguillon
La Tranche
Pertuis Breton
Luçon
Chaillé-les-Marais
Mareuil
Ste.-Hermine
Talmont
Les Sables-d'Olonne
Avrillé
La Mothe-Achard
La Chaize-le-Vicomte
La Roche-sur-Yon
Chantonnay
La Châtaigneraie
Vendée
Gâtine
Parthenay
Secondigny
Champdeniers
Mazières
Bressuire
Thouars
Airvault
Thénezay
Argenton-Château
Loudun
Richelieu
Chinon
L'Ile-Bouchard
Azay-le-Rideau
Langeais
Bourgueil
Saumur
Doué
Thouarcé
Montreuil-Bellay
Vihiers
Cholet
Chemillé
Mortagne-s.-Sèvre
Les Herbiers
Montaigu
Châtillon-sur-Sèvre
Pouzauges
St.-Fulgent
Les Essarts
289
Beauvoir
Challans
Aizenay
Belleville
Fromentine
St.-Jean-de-Monts
Port-Joinville
Ile d'Yeu
St.-Gilles-Croix-de-Vie
Ile de Noirmoutier
Noirmoutier
Baie de Bourgneuf
Bourgneuf-en-Retz
Machecoul
Lac de Grand-Lieu
St.-Philbert
Legé
Rocheservière
Clisson
Vallet
Vertou
Nantes
Orvault
Paimboeuf
Pornic
Préfailles
Pte. de St.-Gildas
St.-Père-en-Retz
St.-Brévin
St.-Nazaire
Savenay
Donges
La Baule-Escoublac
Le Croisic
Pointe du Croisic
Guérande
Herbignac
Pontchâteau
Blain
Nozay
Ancenis
Varades
Oudon
Champtoceaux
Montrevault
Beaupréau
Chalonnes-s.-Loire
Angers
Les Ponts-de-Cé
Longué
Baugé
Noyant
Durtal
Le Lion-d'Angers
Candé
Segré
Pouancé
Châteaubriant
La Chapelle-Glain
Derval
Guéméné-Penfao
Grand-Fougeray
Bain-de-Bretagne
Martigné-Ferchaud
Craon
Château-Gontier
Meslay-du-Maine
Cossé-le-Vivien
Laval
Vaiges
St.-Denis-d'Orques
Évron
Sillé-le-Guillaume
Villaines-la-Juhel
Javron
Lassay
Mayenne
Le Bourgneuf-la-Forêt
Ernée
Gorron
Fougères
St.-Aubin-du-Cormier
Liffré
Vitré
Châteaubourg
Châteaugiron
La Guerche-de-B.
Janzé
Retiers
Rennes
Hédé
Montfort-sur-Meu
Mordelles
Plélan-le-Grand
Maure-de-Bretagne
Guer
Ploërmel
Josselin
Malestroit
Messac
Pipriac
Redon
La Roche-Bernard
Muzillac
Questembert
Rochefort-en-Terre
Elven
Vannes
Sarzeau
Port-Navalo
Auray
Quiberon
Presqu'île de Quiberon
Belle-Ile
Le Palais
I. Houat
I. Hoëdic
Piriac-s.-Mer
Ile de Groix
Groix
Lorient
Port-Louis
Hennebont
Pluvigner
Locminé
Baud
Ploemeur
Le Pouldu
Quimperlé
Moëlan-s.-M.
Pont-Aven
Concarneau
Iles de Glénan
Bannalec
Rosporden
Scaër
Quimper
Bénodet
Pont l'Abbé
St.-Guénolé
Pointe de Penmarch
Penmarch
Guilvinec
Loctudy
Douarnenez
Audierne
Plouhinec
I. de Sein
Pte. du Raz
Mer d'Iroise
Locronan
Châteaulin
Crozon
Morgat
Camaret
Le Conquet
Pte. St.-Mathieu
Brest
Daoulas
Landerneau
Plougastel
Le Faou
Châteauneuf-du-Faou
Aulne
Briec
Monts d'Arrée
391
Montagne Noire
326
Carhaix-Plouguer
Rostrenen
Gourin
Guémené-sur-Scorff
Pontivy
Rohan
Mur-de-Bretagne
Loudéac
Merdrignac
Mauron
St.-Méen-le-Grand
Broons
340
Moncontour
Quintin
Corlay
Callac
Huelgoat
Belle-Isle-en-Terre
Guingamp
St.-Brieuc
Lamballe
Plancoët
Dinan
Combourg
Dol-de-B.
Pontorson
Antrain
St.-James
St.-Brice-en-Coglès
Le Mont-St.-Michel
Cancale
St.-Malo
Dinard
St.-Servan
Rance
St.-Cast
Pléneuf-Val-André
Erquy
Cap Fréhel
Cap d'Erquy
Étables-s.-M.
St.-Quay-Portrieux
Châtelaudren
Plouha
Pontrieux
Paimpol
I. de Bréhat
Tréguier
Lannion
Perros-Guirec
Trégastel
Plestin-les-Grèves
Plouaret
Bégard
Sillon de Talbert
Morlaix
St.-Thégonnec
Landivisiau
St.-Pol-de-Léon
Roscoff
Carantec
Plougasnou
Lesneven
Lannilis
Brignogan-Plage
Portsall
Ploudalmézeau
Lampaul
St.-Renan
Guipavas
Ile d'Ouessant
Pointe du Grouin
Ile d'Oléron
BRETAGNE
CÔTES-DU-NORD
FINISTÈRE
MORBIHAN
ILLE-ET-VILAINE
LOIRE-ATLANTIQUE
MAINE-ET-LOIRE
VENDÉE
DEUX-SÈVRES
VIENNE
CHARENTE-MARITIME
CHARENTE
HAUTE-VIENNE
INDRE-ET-LOIRE
MAYENNE
SARTHE
ORNE
CALVADOS
MANCHE
EURE
SEINE-MARITIME
NORMANDIE
MAINE
ANJOU
TOURAINE
POITOU
ANGOUMOIS
AUNIS
Pays de Caux
Bocage Normand
Bessin
Cotentin
Perche
Limousin
Plateau du Limousin
Loire
Vilaine
Oust
Sarthe
Mayenne
Loir
Vienne
Creuse
Indre
Sèvre Nantaise
Charente
Boutonne
Vendée
Lay
Layon
Thouet
Dives
Orne
Touques
Risle
Sélune
Couesnon
Blavet
Trieux
Gartempe
Tardoire
Vire
FRANCE
5
4
3
2
1
0
1
50
49
48
47
46
ft
m
12 000
4000
9000
3000
6000
2000
4500
1500
3000
1000
1200
400
600
200
0
0
200
600
2000
6000
m
ft
DÉPARTEMENTS IN THE PARIS AREA
1 Ville de Paris
2 Seine-St.-Denis
3 Val-de-Marne
4 Hauts-de-Seine
Projection: Conical with two standard parallels
West from Greenwich
East from Greenwich

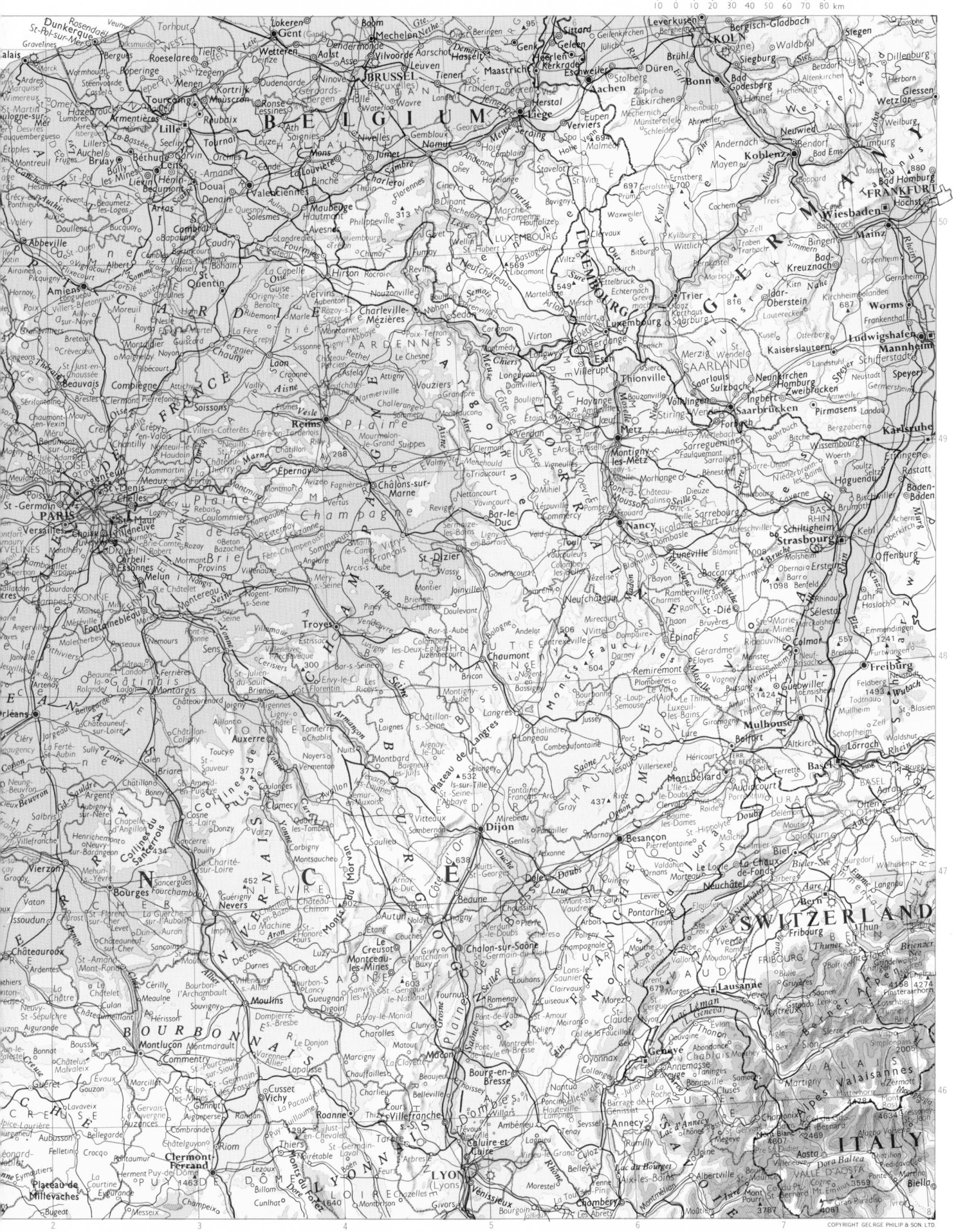

ATLANTIC
OCEAN
Golfe de
Gascogne
Golf
Ile de Noirmoutier
Ile d'Yeu
Ile de Ré
Ile d'Oléron
Pertuis Breton
Pertuis d'Antioche
AUNIS
SAINTONGE
ANGOUMOIS
LIMOUSIN
MARCHE
BERRY
BOURBONNAIS
NIVERNAIS
AUVERGNE
POITOU
GASCOGNE
GUYENNE
LANDES
NAVARRE
BÉARN
LANGUEDOC
ROUSSILLON
ANDORRA
SPAIN
FRANCE
Massif Central
Plateau de Millevaches
Causse Méjean
Mts de Lacaune
Sierra de la Peña
Sierra de Guara
Sierra del Cadí
Étang d'Hourtin et de Carcans
Étang de Lacanau
Bassin d'Arcachon
Étang de Cazaux
Etang de Biscarrosse
Étang de Leucate
Cholet
Bourges
Nevers
Châteauroux
Poitiers
Châtellerault
Niort
La Rochelle
Rochefort
Saintes
Cognac
Angoulême
Limoges
Clermont-Ferrand
Vichy
Moulins
Montluçon
Périgueux
Brive-la-Gaillarde
Tulle
Bordeaux
Libourne
Bergerac
Agen
Montauban
Toulouse
Albi
Castres
Rodez
Millau
Aurillac
Cahors
Tarbes
Pau
Bayonne
Biarritz
Béziers
Carcassonne
Narbonne
Perpignan
Pamplona
Huesca
Zaragoza
Lérida
Gerona
Figueras
Manresa
Projection: Conical with two standard parallels
West from Greenwich
East from Greenwich
ft
m
12,000
4000
9000
3000
6000
2000
4500
1500
3000
1000
1200
400
600
200
0
200
600
2000
6000

1:2 500 000

Handwritten annotations:
- Belt (boxed, with arrow pointing left)
- Maas, Waal (boxed, with arrow)
- Etsch/Adige (boxed, with arrow)

Seas and water bodies: NORTH SEA, BALTIC, ADRIATIC SEA, IJsselmeer, Golfo di Venezia, Golfo di Génova

Countries and regions: NETHERLANDS, BELGIUM, LUX., FRANCE, WEST GERMANY, EAST GERMANY, CZECHOS..., ÖSTERREICH (AUSTRIA), SWITZERLAND, ITALY, NIEDER..., OBER..., HRVA..., HERCE...

Selected cities: Flensburg, Kiel, Lübeck, Hamburg, Bremen, Bremerhaven, Rostock, Stralsund, Szczecin (Stettin), Berlin, Potsdam, Magdeburg, Hannover, Braunschweig, Leipzig, Dresden, Halle, Erfurt, Jena, Gera, Görlitz, Poznań, Gorzów Wielkopolski, Amsterdam, 's-Gravenhage (The Hague), Rotterdam, Utrecht, Nijmegen, Eindhoven, Antwerpen, Brussel (Bruxelles), Gent, Brugge, Oostende, Liège, Namur, Lille, Köln (Cologne), Düsseldorf, Dortmund, Essen, Duisburg, Bonn, Aachen, Wuppertal, Frankfurt, Wiesbaden, Mainz, Mannheim, Heidelberg, Karlsruhe, Stuttgart, Nürnberg, München (Munich), Augsburg, Regensburg, Passau, Luxembourg, Trier, Saarbrücken, Metz, Nancy, Strasbourg, Freiburg, Basel, Zürich, Bern, Genève, Luzern, St. Gallen, Innsbruck, Salzburg, Linz, Wien (Vienna), Graz, Klagenfurt, Ljubljana, Zagreb, Trieste, Rijeka, Udine, Venézia (Venice), Pádova (Padua), Verona, Vicenza, Bolzano, Trento, Milano, Torino, Genova, Bologna, Modena, Ferrara, Ravenna, Firenze (Florence), La Spézia, Nice, Monaco, Cannes, Marseille, Lyon, Grenoble, Dijon, Besançon, Reims, Praha (Prague), Plzeň (Pilsen), Brno, Karl-Marx-Stadt (Chemnitz), Zwickau, Plauen, Bayreuth, Würzburg, Kassel, Hildesheim, Osnabrück, Bielefeld, Münster, Groningen, Leeuwarden, Haarlem, Leiden, Breda, Tilburg, Maastricht

Projection: Projection: Conical with two standard parallels

East from Greenwich

Elevation scale (ft / m): 12 000 / 4000, 9000 / 3000, 6000 / 2000, 4500 / 1500, 3000 / 1000, 1200 / 400, 600 / 200, 0 / 0, 200 / 600 (below sea level)

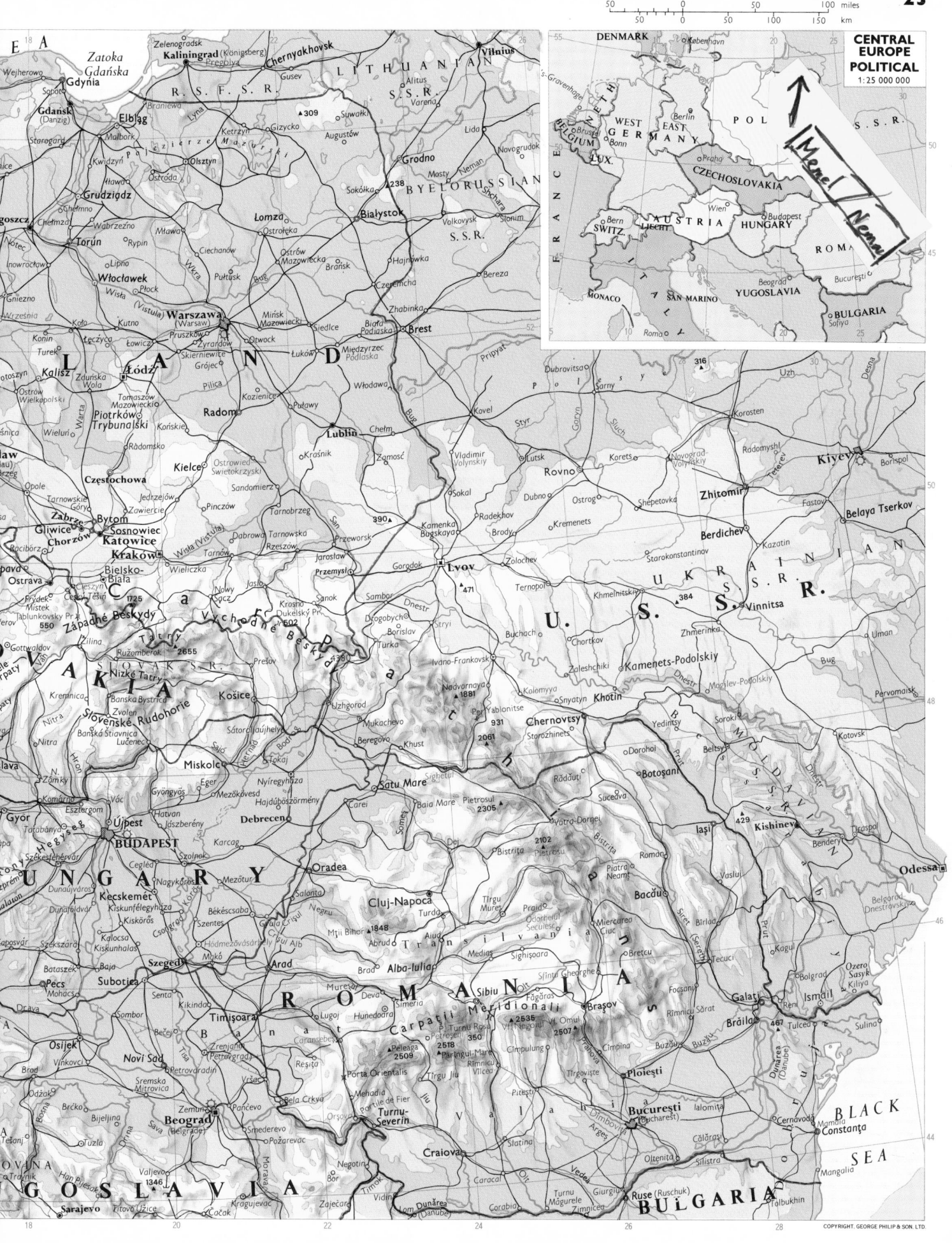

1:5 000 000

50   0   50   100 miles
50   0   50 100 150 km

Menel
Nemu

DENMARK
København
's-Gravenhage
WEST
GERMANY
Berlin
EAST
Brussel
BELGIUM
Bonn
LUX.
CZECHOSLOVAKIA
Praha
POL
S.S.R.
FRANCE
Bern
SWITZ.
LIECH.
AUSTRIA
Wien
HUNGARY
Budapest
ROM
ITALY
MONACO
SAN MARINO
Roma
YUGOSLAVIA
Beograd
București
BULGARIA
Sofiya

E   A
18
Zatoka
Gdańska
Zelenogradsk
Kaliningrad (Königsberg)
Pregolya
Chernyakhovsk
Gusev
Vilnius
LITHUANIAN
S.S.R.
Wejherowo
Gdynia
Sopoty
Gdańsk (Danzig)
Elbląg
Braniewo
Lyna
Gizycko
Suwałki
Augustów
Varena
Alitus
R.S.F.S.R.
309
Starogard
Malbork
Kwidzyn
Ostróda
Olsztyn
Ketrzyn
Pojezierze Mazurski
Lida
goszcz
Grudziądz
Iława
Mława
Ciechanów
Ostrołęka
Grodno
Mosty
Neman
BYELORUSSIAN
238
Chełmno
Wąbrzeźno
Rypin
Lipno
Lomza
Ostrów Mazowiecka
Sokółka
Shchara
Inowrocław
Włocławek
Płock
Wkra
Pułtusk
Brańsk
Białystok
Volkovysk
Slonim
S.S.R.
Gniezno
Września
Koło
Kutno
Warszawa (Warsaw)
Błonie
Mińsk Mazowiecki
Siedlce
Biała Podlaska
Bereza
Zhabinka
Konin
Łęczyca
Łowicz
Pruszków
Żyrardów
Skierniewice
Grójec
Otwock
Łuków
Międzyrzec Podlaski
Brest
Turek
Pilica
Kozienice
Puławy
Włodawa
Pripyat
L   A   N   D
Kalisz
Łódź
Radom
Lublin
Chełm
Bug
Kovel
Polesye
Sarny
Dubrovitsa
316
Uzh
Desna
Ostrów Wielkopolski
Piotrków Trybunalski
Tomaszów Mazowiecki
Końskie
Ostrowiec Świętokrzyski
Kraśnik
Zamość
Vladimir Volynskiy
Lutsk
Styr
Goryn
Korets
Novograd-Volynskiy
Radomyshl
Kiyev
Borispol
śnica
Wieluń
Radomsko
Kielce
Sandomierz
Sokal
Radekhov
Dubno
Ostrog
Shepetovka
Zhitomir
Fastov
aw
Opole
Częstochowa
Jędrzejów
Pińczów
Tarnobrzeg
390
Kamenka Bugskaya
Brody
Kremenets
Starokonstantinov
Berdichev
Kazatin
Belaya Tserkov
brzeg
Tarnowskie Góry
Zawiercie
Dąbrowa
Przeworsk
Rzeszów
Jarosław
Lvov
Zolochev
Ternopol
Khmelnitskiy
384
Vinnitsa
Raciborz
Zabrze
Bytom
Sosnowiec
Katowice
Wisła (Vistula)
Tarnów
Gorodok
471
U   K   R   A   I   N   I   A   N
Ostrava
Gliwice
Chorzów
Kraków
Wieliczka
Przemyśl
Sambor
Dnestr
U.   S.   S.   R.
Bug
opava
Frýdek
Mistek
Cieszyn
Bielsko-Biała
Nowy Sącz
Jasło
Krosno
Sanok
Drogobych
Borisław
Stryi
Buchach
Chortkov
Zhmerinka
Uman
Český Těšín
1725
Západné Beskydy
Vychodné Beskydy
502
Turka
Ivano-Frankovsk
Zaleshchiki
Kamenets-Podolskiy
Mogilev-Podolskiy
Pervomaysk
550
Jablunkovský Pr.
Tatry
2655
Nadvornaya
1881
Snyatyn
Kolomyya
Khotin
Dnestr
Bug
Kotovsk
Gottwaldov
Žilina
Ružomberok
Nizké Tatry
Prešov
Yablonitse
Per
931
Chernovtsy
Storozhinets
Yedintsy
Soroki
Zhilina
SLOVAK
S. S. R.
Košice
Uzhgorod
2061
Mukachevo
Beregovo
Khust
Bendery
429
Kishinev
Tiraspol
Kremnica
Banská Bystrica
Slovenské Rudohorie
Zvolen
Sátoraljaújhely
Tokaj
Bodrog
Sighetul
Rădăuţi
Dorohoi
Botoşani
Suceava
Iaşi
MOLDAVIA
lava
N. Zámky
Banská Štiavnica
Lučenec
Nitra
Hron
Miskolc
Eger
Nyíregyháza
Satu Mare
Baia Mare
Pietrosul
2305
Vatra-Dornei
Roman
Vaslui
Bîrlad
Prut
Odessa
Györ
Komárno
Esztergom
Vác
Gyöngyös
Hatvan
Mezőkövesd
Hajdúböszörmény
Carei
Someş
Dej
Bistriţa
2102
Pietrosu
Piatra Neamţ
Bacău
Tecuci
Belgorod-Dnestrovskiy
Tatabánya
Újpest
Jászberény
Karcag
Oradea
Cluj-Napoca
Turda
Tirgu Mureş
Prid
Odorheiul Secuiesc
Miercurea Ciuc
Sîret
Focşani
Reni
Kiliya
Ozero Sasyk
BUDAPEST
Cegléd
Szolnok
Szeged
Salonta
Gyula Criş
Negru
Mţii Bihor
1848
Abrud
Aiud
Sighişoara
Medias
Sibiu
Braşov
Tirgu
Brecu
Rîmnicu Sărat
Galaţi
Brăila
467
Tulcea
Ismail
Sulina
H   U   N   G   A   R   Y
Kecskemét
Kiskunfélegyháza
Kiskőrös
Hódmezővásárhely
Csongrád
Szentes
Békéscsaba
Makó
Arad
T r a n s i l v a n i a
Alba-Iulia
Brad
Mureş
Deva
Simeria
Hunedoara
Carpaţii Meridionali
2535
Negoiul
2507
Omul
Făgăraş
Cîmpulung
Tîrgovişte
Ploieşti
Buzău
Buzău
Dîmboviţa
Ialomiţa
Cernavodă
Mamaia
Constanţa
BLACK
Székesfehérvár
Székszárd
Pécs
Subotica
Kikinda
Timişoara
Lugoj
Caransebeş
Peleaga
2509
Paringul-Mare
2518
Porta Orientalis
Rîmnicu Vîlcea
Tirgu Jiu
Piteşti
Argeş
BUCUREŞTI (Bucharest)
Călăraşi
Silistra
Mangalia
SEA
Baja
Bátaszék
Novi Sad
Sremska Mitrovica
Zrenjanin (Petrovgrad)
Vršac
Bela Crkva
Mehadia
Porţile de Fier
Orşova
Turnu-Severin
V l a h i a
Slatina
Vedea
ova
Osijek
Brod
Odžak
Bijeljina
Beograd (Belgrade)
Zemun
Pančevo
Smederevo
Požarevac
Craiova
Olteniţa
GOSLAVIA
ovina
Han Pijesak
1346
Titovo Užice
Valjevo
Morava
Čačak
Kragujevac
Zaječar
Negotin
Timok
Vidin
Lom Dunărea (Danube)
Corabia
Turnu Măgurele
Giurgiu
Zimnicea
Ruse (Ruschuk)
Tolbukhin
B U L G A R I A
Sarajevo

COPYRIGHT. GEORGE PHILIP & SON, LTD.

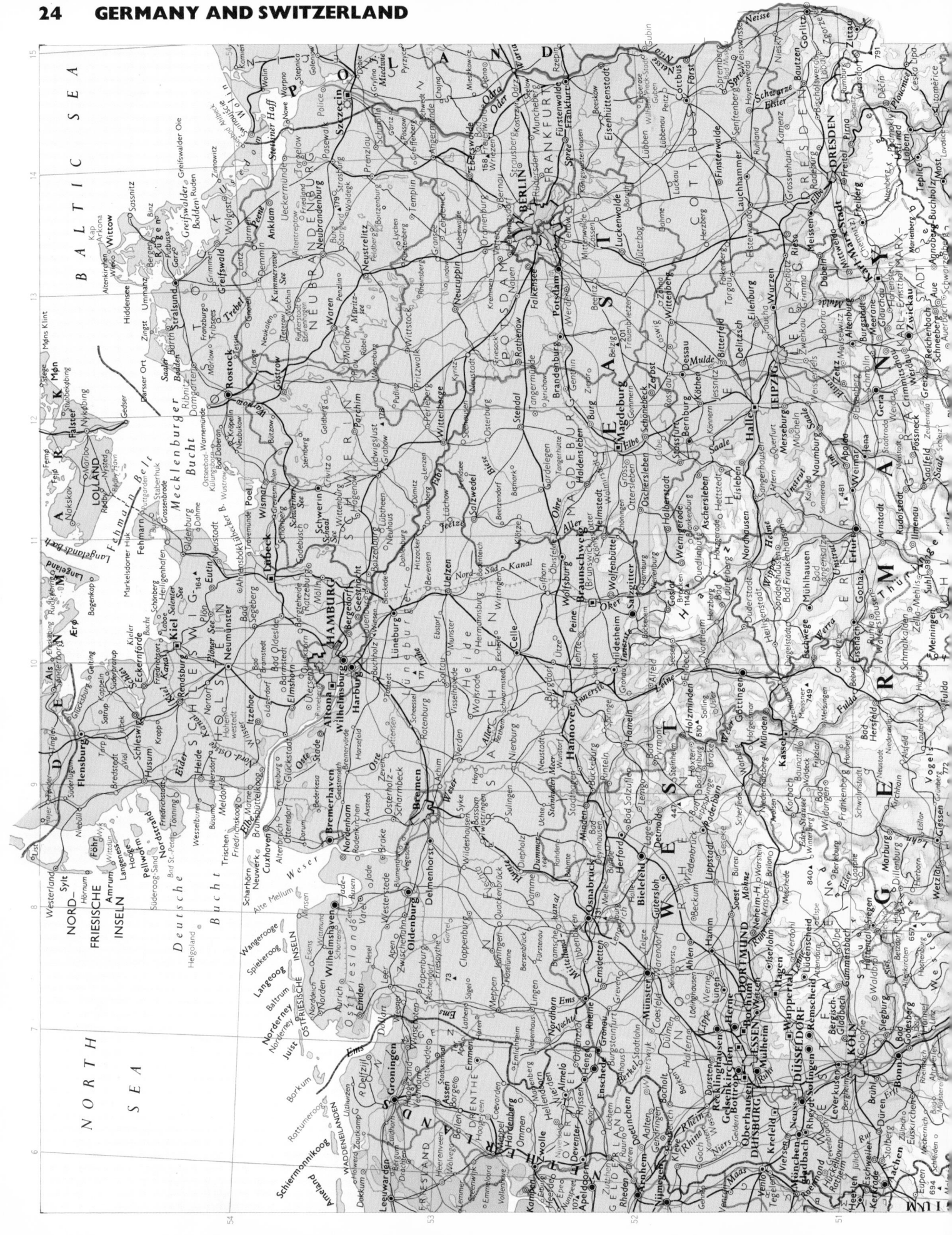

NORTH SEA
BALTIC SEA
DENMARK
POLAND
EAST GERMANY
WEST GERMANY
HOLLAND
NORD-FRIESISCHE INSELN
OSTFRIESISCHE INSELN
WADDENEILANDEN
Deutsche Bucht
Mecklenburger Bucht
Fehmarn Belt
LOLLAND
Falster
Møn
Rügen
Sylt
Föhr
Amrum
Helgoland
SCHLESWIG-HOLSTEIN
NIEDERSACHSEN
NORDRHEIN-WESTFALEN
HESSEN
LÜNEBURGER HEIDE
ROSTOCK
SCHWERIN
NEUBRANDENBURG
POTSDAM
FRANKFURT
MAGDEBURG
HALLE
LEIPZIG
DRESDEN
COTTBUS
ERFURT
GERA
KARL-MARX-STADT
BERLIN
HAMBURG
Bremen
Hannover
Kiel
Lübeck
Flensburg
Bremerhaven
Oldenburg
Osnabrück
Bielefeld
Münster
Dortmund
Essen
Düsseldorf
Köln
Bonn
Kassel
Göttingen
Braunschweig
Wolfsburg
Magdeburg
Szczecin
Stettiner Haff
Groningen
Zwolle
Arnhem
Elbe
Weser
Ems
Oder
Rhein
Saale
Mulde

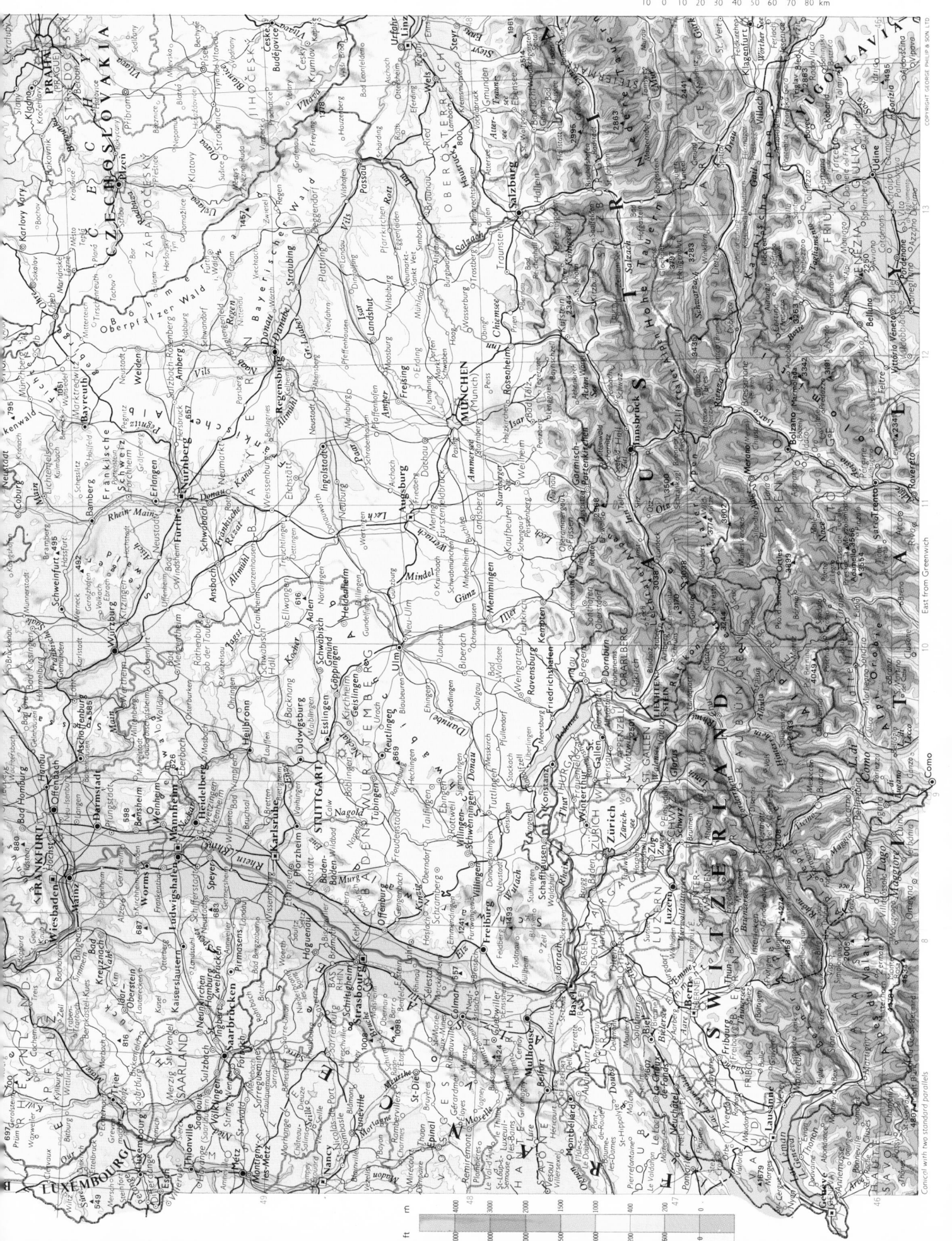

1:2 500 000

Projection: Conical with two standard parallels

1 : 2 500 000

East from Greenwich

COPYRIGHT GEORGE PHILIP & SON, LTD.

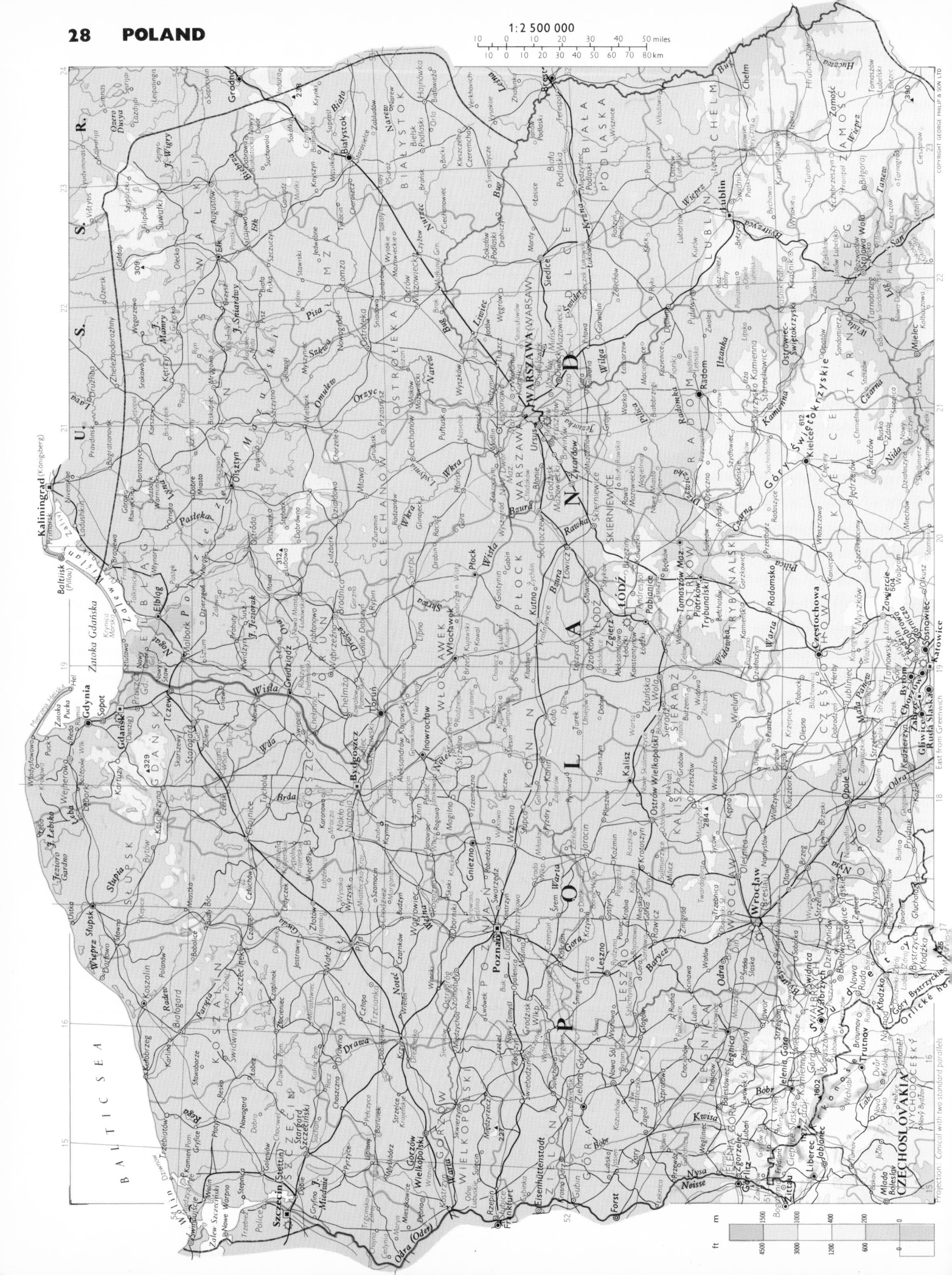
1:2 500 000
10 0 10 20 30 40 50 miles
10 0 10 20 30 40 50 60 70 80 km
BALTIC SEA
U. S. S. R.
POLAND
CZECHOSLOVAKIA
WARSZAWA (WARSAW)
Zatoka Gdańska
Kaliningrad (Königsberg)
Baltiisk (Pillau)
Gdańsk (Danzig)
Gdynia
Sopot
Szczecin (Stettin)
Poznań
Wrocław (Breslau)
Łódź
Katowice
Lublin
Białystok
Bydgoszcz
Toruń
Olsztyn
Elbląg
Częstochowa
Kielce
Radom
Opole
Legnica
Zielona Góra
Gorzów Wielkopolski
Koszalin
Słupsk
Płock
Włocławek
Piotrków Trybunalski
Sieradz
Kalisz
Konin
Leszno
Jelenia Góra
Wałbrzych
Siedlce
Ostrołęka
Ciechanów
Łomża
Suwałki
Chełm
Zamość
Biała Podlaska
Tarnobrzeg
Skierniewice
Wisła
Odra (Oder)
Warta
Bug
Narew
Noteć
Frankfurt
Eisenhüttenstadt
Forst
Görlitz
Zittau
Brest
Grodno
Projection: Conical with two standard parallels
East from Greenwich
COPYRIGHT GEORGE PHILIP & SON LTD
ft m
4500 1500
3000 1000
1200 400
600 200
0 0

1:5 000 000

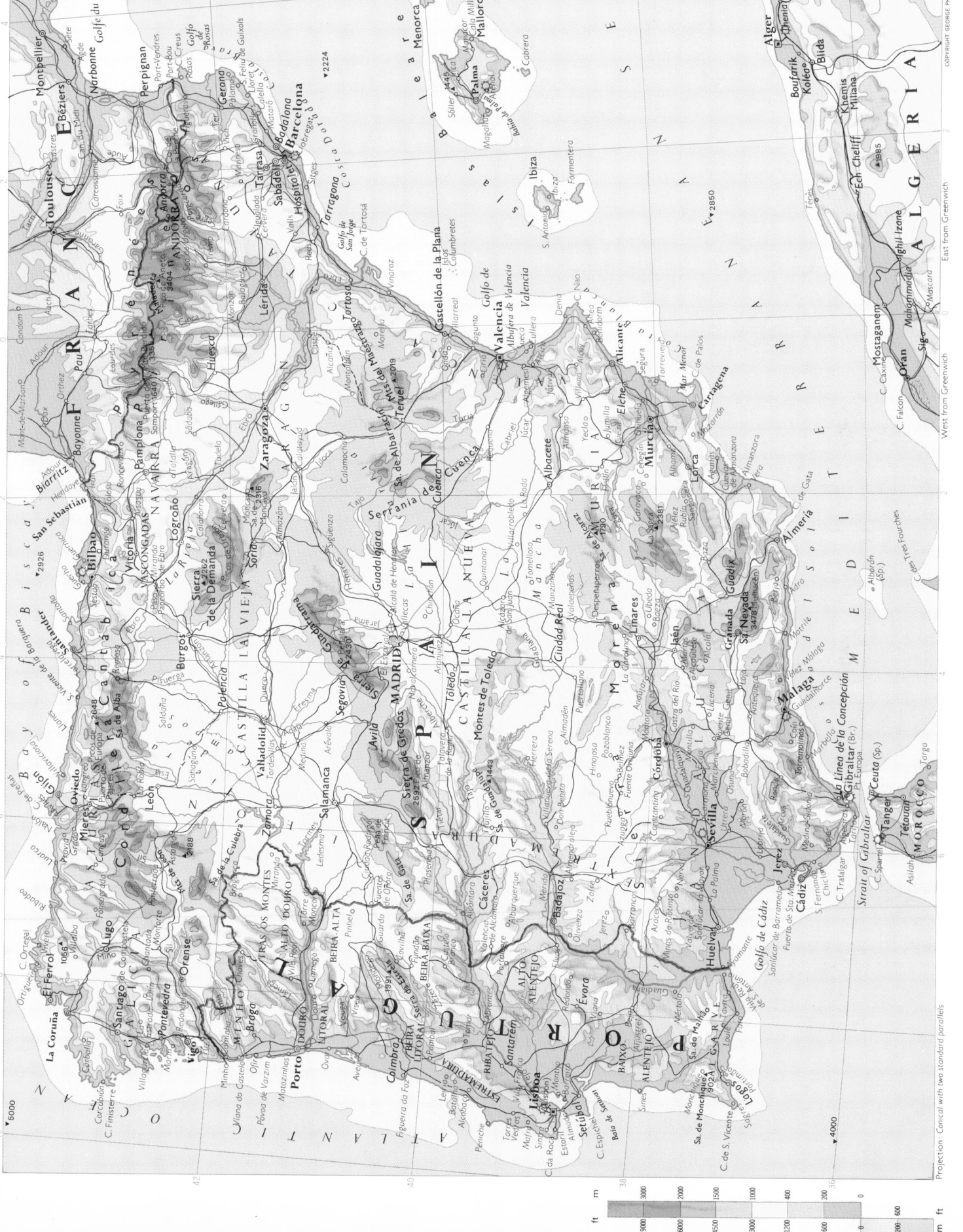

Projection: Conical with two standard parallels

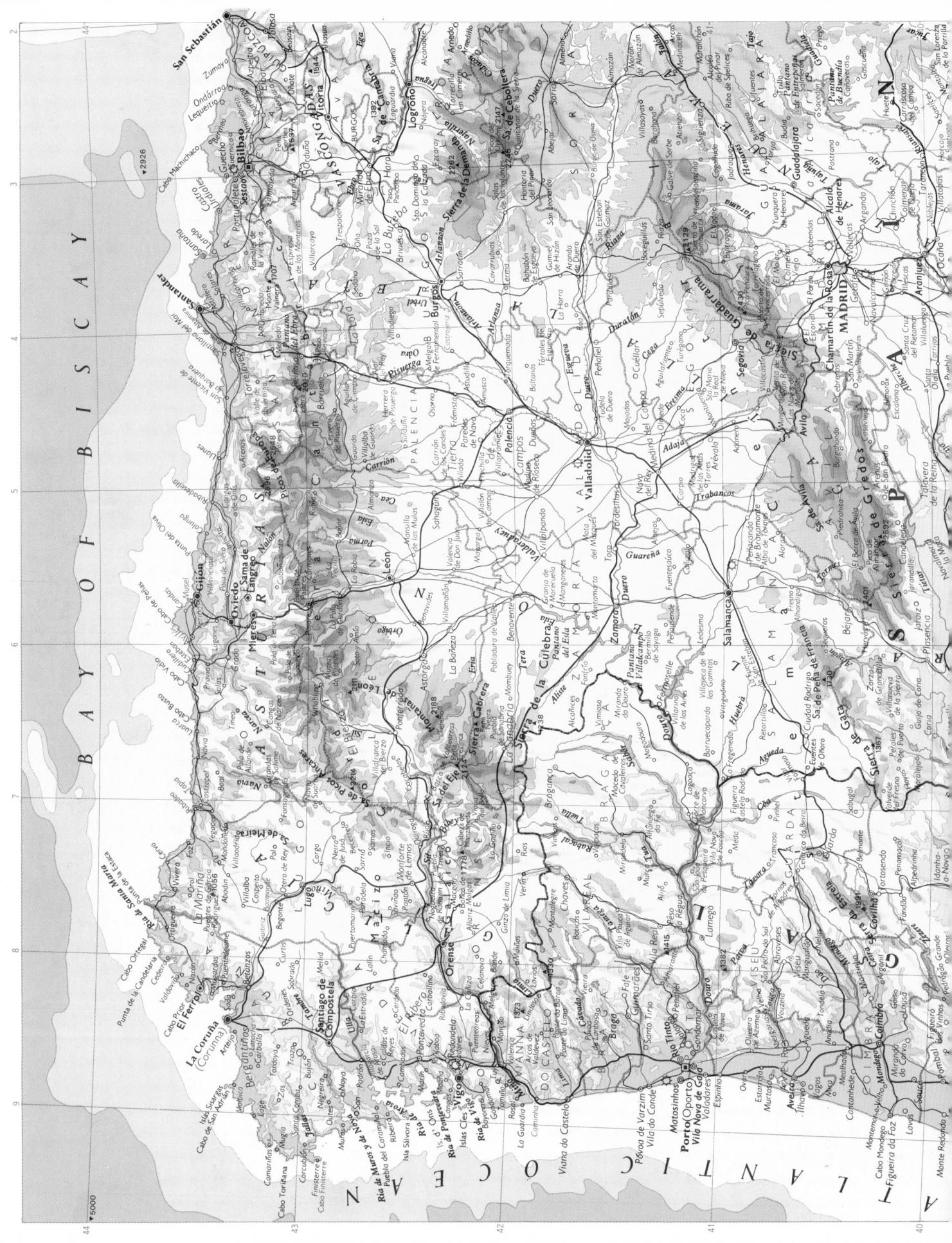
BAY OF BISCAY
ATLANTIC OCEAN
MADRID
San Sebastián
Bilbao
Santander
Gijón
Oviedo
La Coruña
(Corunna)
El Ferrol
Santiago de Compostela
Lugo
Orense
Vigo
León
Burgos
Logroño
Vitoria
Valladolid
Palencia
Zamora
Salamanca
Segovia
Avila
Guadalajara
Alcalá de Henares
Aranjuez
Soria
Porto (Oporto)
Vila Nova de Gaia
Coimbra
Aveiro
Braga
Bragança
Chaves
Guarda
Viseu
Ciudad Rodrigo
Plasencia
Sierra de Gredos
Sierra de Guadarrama
Picos de Europa
Cabo Finisterre
Cabo Ortegal
Duero
Douro
Miño
Ebro
Tajo

1 : 2 500 000

10   0   10   20   30   40   50 miles
10   0   10   20   30   40   50   60   70   80 km

COPYRIGHT: GEORGE PHILIP & SON. LTD.

MEDITERRANEAN

SEA

MOROCCO

Projection : Conical with two standard parallels

West from Greenwich

ft   m
9000   3000
6000   2000
4500   1500
3000   1000
1200   400
600   200
0   0
       200 - 600
       2000 - 6000
m   ft

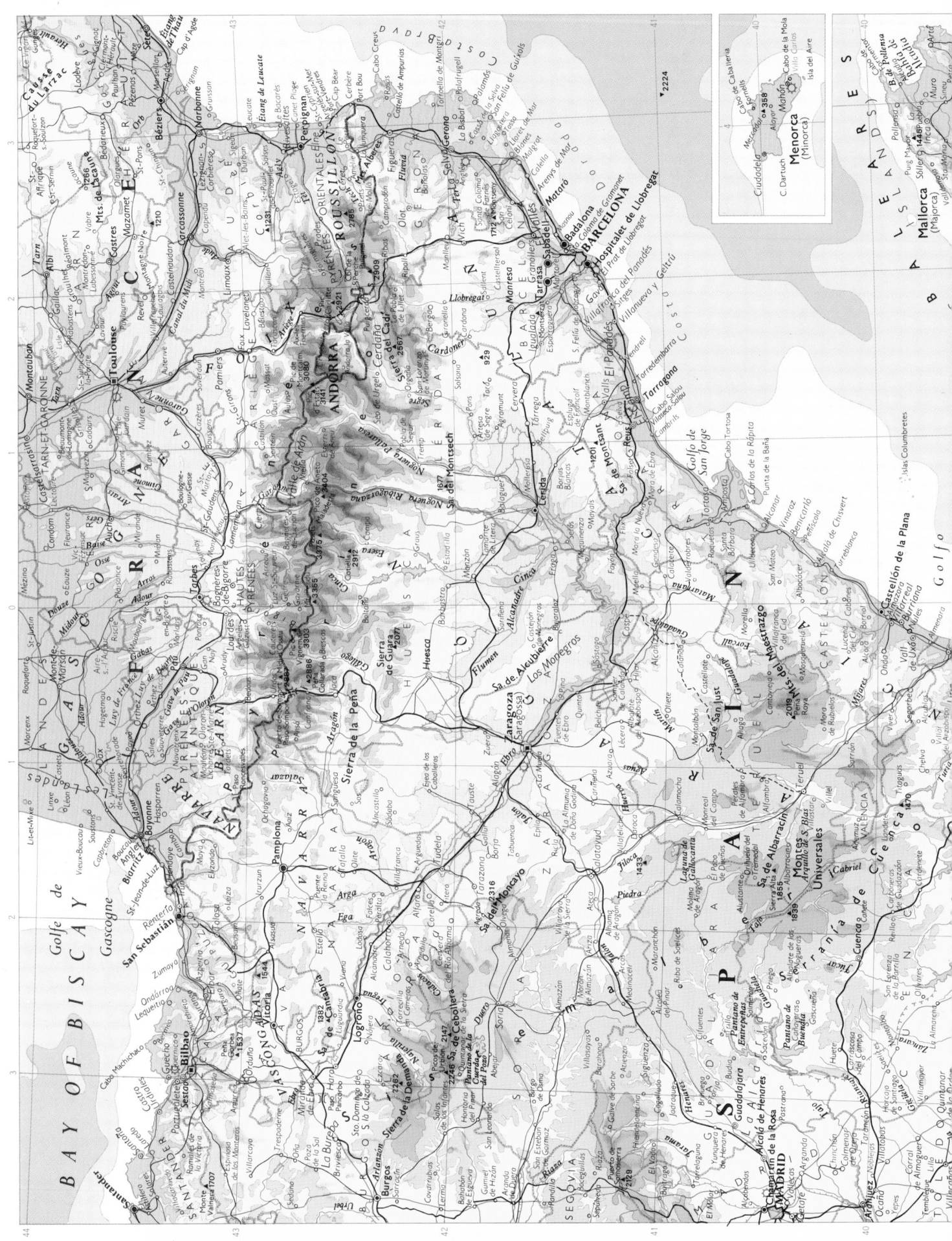
BAY OF BISCAY
Golfe de Gascogne
Golfo de San Jorge
ANDORRA
PYRÉNÉES ORIENTALES
ROUSSILLON
HAUTES PYRÉNÉES
PYRÉNÉES ATLANTIQUES
NAVARRE
BÉARN
TARN-ET-GARONNE
VASCONGADAS
NAVARRA
HUESCA
LÉRIDA
GERONA
BARCELONA
TARRAGONA
TERUEL
CASTELLÓN
VALENCIA
GUADALAJARA
CUENCA
SORIA
SEGOVIA
BURGOS
SANTANDER
TOLEDO
MADRID
Menorca (Minorca)
Mallorca (Majorca)
Toulouse
Montauban
Perpignan
Narbonne
Béziers
Carcassonne
Castres
Albi
Tarbes
Pau
Bayonne
Biarritz
San Sebastián
Bilbao
Vitoria
Pamplona
Logroño
Zaragoza (Saragossa)
Lérida
Manresa
Tarrasa
Sabadell
Badalona
Mataró
Hospitalet de Llobregat
Reus
Tarragona
Tortosa
Castellón de la Plana
Calatayud
Teruel
Alcalá de Henares
Guadalajara
Aranjuez
Ebro
Sierra de Guara
Sierra de la Peña
Sa. de Alcubierre
Los Monegros
Sa. del Moncayo
Sa. de Cebollera
Sierra de la Demanda
Sa. de Albarracín
Montes Universales
Mts. del Maestrazgo
Sa. del Montsech
Sa. de Montsant
Sa. de Cantabria
Mts. de Lacaune
Canal du Midi
Mahón
Ciudadela
Cabo de Caballería
Isla del Aire

1 : 2 500 000

10 0 10 20 30 40 50 miles
10 0 10 20 30 40 50 60 70 80 km

MEDITERRANEAN SEA

A L G E R I A

ALGER (Algiers) Boufarik El Arba
Koléa Blida Belrouaghia
Medéa Ksar el Boukhari
Cherchell Miliana Khemis Miliana Guelt es Stel
Gouraya Zemmora Ksar Chellala
Ténès 1985 Hamadia
Ech Cheliff Chabounia
C. Kramis Tissemsilt
Aïn Tédelès Tiaret
C. Caxine Ighil Izane Nebtef Sidi Boubekeur
Mostaganem Mascara
Arzew Mohammadia
Mostaganem Sig
ORAN Sidi-Bel-Abbès
C. Falcon Misserghin
Aïn Témouchent
Teni Saf
Ghazaouet Nedroma Berkane
C. del Agua MOROCCO
Melilla (Sp.) Selouane Nador

East from Greenwich
West from Greenwich
Alborán (Sp.)
C. Tres Forcas

BALEARIC ISLANDS

Cabo de Salines Cabrera Isla Conejera
Isla de Tagomago
San Miguel San Juan Bautista Punta Grosa
Ibiza (Iviza) Ibiza
San Antonio San José FORMENTERA
Isla Cunillera Isla del Vedra I. Espardell 192
San Francisco Punta de Cala Codolar
Cabo Berbería I. Espalmador

Valencia
Albufera de Valencia Sueca Cullera
Alcira Tabernes de Valldigna
Algemesí Gandía Grao de Gandía
Játiva Oliva
Ontiniente Denia Javea Cabo de San Antonio
1558 Sa. de Aitana Cabo de la Nao
Alcoy Punta Ifach
Villena Benidorm
ALICANTE Islote de Benidorm
Petrel Santa Pola
Elda Isla de Tabarca
Elche Cabo de Santa Pola
Novelda Guardamar del Segura
Aspe Torrevieja
Orihuela Mar Menor
MURCIA Cartagena
Cabo de Palos
Golfo de Mazarrón
Puerto Mazarrón Cabo Tiñoso
Mazarrón Cabo Cope
Lorca Águilas
Sa. de Almenara
Cabo Cope

Granada Sierra Nevada 3478 3392
Guadix Sa. de Gádor Almería
Sa. de los Filabres Golfo de Almería
Punta del Sabinal
Motril Adra Punta de Rio
Cabo de Gata

m 3000 2000 1500 1000 400 200 0
ft 9000 6000 4500 3000 1200 600 0 200 600
2000 6000 m

Projection: Conical with two standard parallels

LONDON
s-Gravenhage
Amsterdam
Rotterdam NETH.
W. E. BERLIN
Hannover
Potsdam Magdeburg
GERMANY
BELGIUM
Brussel Köln
Dresde
Leipzig
Karl-Marx
(Chemnitz)
Frankfurt
Praha
Plzeň
PARIS
Nürnberg
Regensburg
München
Salzburg
FRANCE
SWITZERLAND
Bay of Biscay
Bern
Milano
Venezia
PORTUGAL
SPAIN
Corse
Corsica
Sardegna
(Sardinia)
Tyrrhenian Sea
ROMA
Napoli
MADRID
Barcelona
Islas Baleares
Palma
Menorca (Minorca)
Mallorca (Majorca)
MEDITER
Sicilia
Palermo
MALTA
MOROCCO
ALGERIA
TUNISIA
Tarābulus

1:10 000 000

50 0 50 100 150 200 miles

50 0 100 200 300 km

– – – – Division between Greeks and Turks in Cyprus; Turks to the north.

SWITZERLAND
Lyon
Genève
Brenner
Merano
Bolzano
TRENTINO ALTO ADIGE
Trento
Klagenfurt
Maribor
Villach
Udine
FRIULI VENEZIA GIULIA
Ljubljana
Zagreb
Trieste
Rijeka
Grenoble
DAUPHINÉ
Torino (Turin)
PIEMONTE
Milano (Milan)
LOMBARDIA
Como
Bergamo
Bréscia
Novara
Pavia
Verona
Vicenza
Pádova (Padua)
Treviso
Venézia (Venice)
Golfo di Venézia
Cremona
Piacenza
Alessándria
Mántova (Mantua)
Parma
Réggio
Módena
Bologna
Ferrara
Ravenna
EMILIA ROMAGNA
Génova (Genoa)
Golfo di Génova
Savona
Riv. di Ponente
Riv. di Levante
La Spézia
Avignon
PROVENCE
Marseille
Toulon
Aix
Nice
MONACO
Cannes
Iles d'Hyères
LIGURIAN SEA
Carrara
Lucca
Pisa
Livorno (Leghorn)
Firenze (Florence)
Prato
Pistóia
TOSCANA
Siena
Arezzo
Rímini
Pésaro
SAN MARINO
Ancona
ADRIATIC SEA
Perúgia
UMBRIA
Terni
Ascoli Piceno
Pescara
L'Aquila
ABRUZZI
Elba
Capraia
Corse (Corsica) (Fr.)
C. Corse
Bastia
Ajaccio
Mt. Cinto 2710
Bonifacio
Bouches de Bonifacio
ROMA (Rome)
Campagna
Tívoli
Ánzio
MOLISE
Campobasso
Fóggia
Barletta
Bari
Tàranto
Napoli (Naples)
Salerno
Vesuvio
CAMPANIA
BASILICATA
Potenza
Sassari
Nùoro
SARDEGNA (SARDINIA)
Cágliari
Golfo di Cágliari
C. Spartivento
C. Carbonara
Golfo di Oristano
TYRRHENIAN SEA
Cosenza
Catanzaro
CALABRIA
Réggio
Messina
Str. di Messina
Palermo
Trápani
Isole Égadi
Isole Eólie o Lípari
Strómboli
Ústica (It.)
Caltanissetta
Catánia
Etna 3340
SICILIA
Siracusa (Syracuse)
Ragusa
Agrigento
C. Passero
Pantelleria (Ital.)
AFRICA
C. Bon
Lampedusa (Ital.)
Gozo
Comino
Valletta
MALTA
MEDIT
MALTA 1:1 000 000
Gozo (Ghawdex)
Comino (Kemmuna)
Victoria (Rabat)
St. Pauls Bay
Mosta
Sliema
Valletta
Mdina
Rabat
Luqa
Marsaxlokk
Zurrieq
Birzebbuga
S.E. EUROPE POLITICAL 1:25 000 000
FRANCE
SWITZ.
LIECHT.
AUSTRIA
HUNGARY
ROMANIA
U.S.S.R.
YUGOSLAVIA
ITALY
SAN MARINO
ADRIATIC SEA
ALBANIA
BULGARIA
GREECE
TURKEY
AEGEAN SEA
Corse (Fr.)
Sicilia
MALTA
MEDITERRANEAN SEA
Kríti
Roma
Napoli
Venezia
Trieste
Beograd
Bucureşti
Sofija
Tirana
Thessaloniki
Athinai
Bern
Wien
Budapest
ft m
Projection: Conical with two standard parallels

1:5 000 000

50 0 50 100 miles
50 0 50 100 150 km
R O M A N I A
U. S. S. R.
G O S L A V I A
B U L G A R I A
TURKEY
T U R K E Y
A L B A N I A
G R E E C E
B L A C K
S E A
Marmara denizi
I O N I A N
S E A
R R A N E A N
S E A
T r a n s i l v a n i a
C a r p a t i i   M e r i d i o n a l i
Carpathians
B a n a t
V a l a h i a
D o b r u j a
S t a r a   P l a n i n a
R h o d o p i   P l a n i n a
M A K E D O N I J A
M A K E D H O N I A
S E R B I A
CRNA GORA
THRÁKI
THESSALIA
STEREA ELLAS
PELOPÓNNISOS
I P I R O S
P i n d o s   O r o s
A n a d o l u
K I K L Á D H E S
D H O D H E K Á N I S O S
K R I T I
A E G E A N   S E A
I Ó N I O I   N I S O I
Str. of Otranto
Szeged
Arad
Timişoara
Novi Sad
Osijek
Subotica
Pécs
Beograd
(Belgrade)
Sarajevo
Alba-Iulia
Sibiu
Braşov
Galaţi
Brăila
Ismail
Ploieşti
Bucureşti
(Bucharest)
Constanţa
Craiova
Turnu-Severin
Ruse (Ruschuk)
Pleven
Varna
Burgas
Sofiya
(Sofia)
Plovdiv
Niš
Skopje
Titograd
(Podgorica)
Tirana
Edirne
İstanbul
Üsküdar
Bursa
İzmir
(Smyrna)
Thessaloníki
Bitola
(Monastir)
Lárisa
Vólos
Pátrai
Athínai
(Athens)
Piraievs
(Piræus)
Brindisi
Lecce
Kérkira
(Corfu)
Levkás
(Sta. Maura)
Kefallinía
Zákinthos
Límnos
Lésvos
Khíos
Sámos
Náxos
Kós
Ródhos
Kárpathos
Kíthira
Iráklion
Thásos
Samothráki
Évvoia
Vorioi Sporádhes
Ándros
Tínos
Mesiniakós Kólpos
Lakonikós Kólpos
Argolikós Kólpos
Saronikós Kólpos
Korinthiakós Kólpos
Patraikós Kólpos
Thermaikós Kólpos
Kiparissiakós Kólpos
Edremit Körfezi
Saros Körfezi
Kerme Körfezi
Çanakkale Boğazı
Ístranca Dağları
Karadeniz Boğazı
Ólimbos
2917
(Olympus)
Musala
2925
Ákra Taínaron
Ákra Maléa
Ákra Líthinon
East from Greenwich
18
20
22
24
26
28
46
44
42
40
38
36

SWITZERLAND
FRANCE
LIGURIAN SEA
Golfo di Génova
CORSE
(CORSICA)
MILANO
(Milan)
TORINO
(Turin)
GENOVA
(Genoa)
Lyon
(Lyons)
Genève
(GENEVA)
Bern
(BERNE)
Lausanne
Grenoble
MARSEILLE
(Marseilles)
Toulon
Nice
MONACO
Cannes
Bastia
Ajaccio
Livorno
(Leghorn)
La Spézia
Parma
Piacenza
Cremona
Bérgamo
Brescia
Pavia
Novara
Alessándria
Asti
Cúneo
Savona
Impéria
San Remo
Aix-en-Provence
Avignon
Arles
Valence
Chambéry
Annecy
Luzern
Lugano
Como
Lago Maggiore
Lago di Garda
Alpi Orobie
Valtellina
Golfo di Génova
ILES D'HYERES
Arcipelago Toscano
Elba
Capraia
Gorgona
Montecristo
Pianosa
Côte d'Azur
Rhône
Po
Projection: Conical with two standard parallels
East from Greenwich
m ft

1:2 500 000

10   0   10   20   30   40   50 miles

10 0 10 20 30 40 50 60 70 80 km

CORSE

CORSICA

CORSE-DU-SUD

Iles Sanguinaires
G. d'Ajaccio
C.di Muro
G. de Valinco
Sartène
Zonza
2136
Favone
Solenzara
Iles Cerbicales
Porto-Vecchio
I. de Cavallo
Bonifacio

ROMA (Rome)
Vatican City
Tivoli
Fregene
Subiaco
Conca del Fúcino
Tirso (Tiber)
Palestrina
Lido di Óstia (Lido di Roma)
Frascati
Albano
Aprília
Cisterna di Latina
Velletri
Cori
Latina
Ánzio
Nettuno
Anagni
Alatri
Véroli
Sora
Isola del L
Arpino
Monte S. Gióv
Frosinone
Ceccano
Ferentino
Sezze
Priverno
Sónnino
Pontéco
Lirí

Bouches de Bonifacio
Santa Teresa Gallura
La Maddalena
Maddalena
Caprera
Pta. Cervo
Arzachena
Costa Smeralda
Golfo Aranci
Olbia
G. di Olbia
Tavolara

Terracina
Gaeta
Minturno
Garigliano
Fórmia
Golfo di Gaeta
Mondragone
Carin
Volturn
Casa
Giugli

Asinara
Punta dello Scorno
Golfo dell' Asinara
Coghinas
Áglius
Tempio Pausania
M. Limbara 1362
Porto Tórres
Sorso
Sennori
Ósilo
Ozieri
L. del Coghinas
Posada
Oschiri
C. Comino
Pattada
Buddusò
Siniscola
Tanaunella

Palmarola
Ponza 283
Ísole Ponziane
Zannone
Ventotene
Ísch
788

Fertília
C. dell'Argentiera
Sássari
Ittiri
Villanova Monteleone
Alghero
Bonorva 1259
Bitti
Orune
Óliena
Nuoro
Dorgali
C. Comino

TYRRHENIAN

SEA

Temo
Bosa
Macomer
L.del Tirso
Fónni
Monti del Gennargentu 1834
Baunei
Golfo di Orosei
C. di Monte Santu
3719

SARDEGNA
Ghilarza
Tirso
Sórgono
SARDEGNA
Arbatax
Golfo di Oristano
Oristano
Cábras
Arborea
M. Arci 812
Terralba
Láconi
Mándas
Árzana
Lanusei
Jerzu

Gúspini
Arbus
S. Gávino Monreale
Gonnosfanádiga
Sanluri
Serramanna
Nurri
Senorbì
SARDINIA
Flumendosa
Villaputzu
Muravera

C. Pécora
Fluminimaggiore
1236
M. Línas
Villacidro
Dolianova
Síníni 1069
S. Vito
C. Ferrato
Serpentara
3589

Iglésias
Portoscuso
Carloforte
San Pietro
Sant'Antíoco
Sant' Antíoco
Gonnesa
Carbónia 1116
Santadi
Porto Botte
Pula
Teulada
Siliqua
Assémini
Sestu
Quartu Sant'Elena
Cagliari
Golfo di Cágliari
C. Carbonara

G. di Pálma
C. Spartivento

Ustica

Iles de la Galite

C. San Vito
Castellammare del Golfo
Terrasini
Favarotta
C. Gallo
PALERMO
Bagheria
Carini
Montelepre
Mistretta
Términi Im

Levanzo
Trápani
Érice 1110
Ísole Égadi
Maréttimo
Favignana
Alcamo
Partinico
Misilmeri

Marsala
Paceco
Salemi
Calatafimi
Gibellina
Camporeale
Corleone
Giuseppe
Lercara
Marineo
Belsio
Leo Ma
1613

Mazara del Vallo
Castelvetrano
Partanna
Santa Margherita
Menfi
Bisacquino
Samuca di Sicilia
Búrgio
Ribera
Bivona
Palazzo
SICI

Campobello di Mazara
Belice
Sciacca
Caltabellotta
Platani
Cattólica Eráclea
Raffadali
Racalmuto
Mussomeli
Castelterm
San Catal
Calta

Sicilian Channel
Porto Empédocle
Agrigento
Favara
Siculiana
Cattólica Eráclea
Palma di Montechiaro
Campobello di Licata
Canic
Lico

C. Blanc
Cani
Bizerte (Binzert)
C. Serrat
Menzel-Bourguiba
Mateur
Plane
Zembra

Pantelleria
Pantelleria (It.) 836

El Kala
Tabarka
ALGERIA
Téboursouk
Béja
Bou Salem
Medjerda
TUNIS
Halq el Oued
Golfe de Tunis
C. Bon
Kelibia
Menzel-Temime
Soliman
Nabeul
Hammamet
Zaghouan

MEDITE
1319

TUNISIA

East from Greenwich

ft   m
9000 3000
6000 2000
4500 1500
3000 1000
1200 400
600   200
0   0
200   600
2000 6000
4000 12 000
m   ft

HUNGARY
YUGOSLAVIA
ALBANIA
ADRIATIC SEA
Beograd (Belgrade)
Sarajevo
Skopje
Tirana
Timişoara
Projection: Conical with two standard parallels
East from Greenwich

1 : 2 500 000

10 0 10 20 30 40 50 miles
10 0 10 20 30 40 50 60 70 80 km

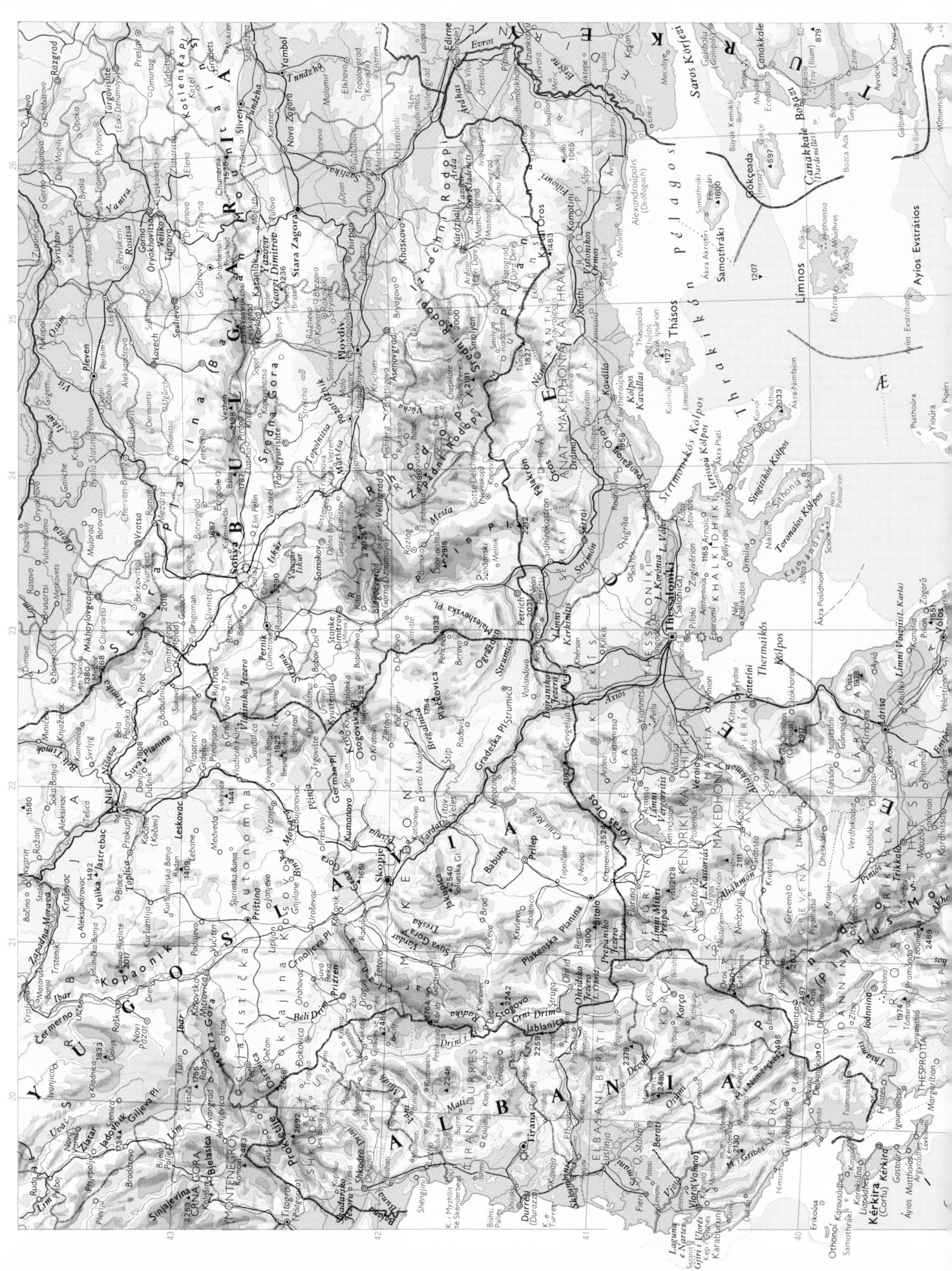
Sofiya
Plovdiv
Stara Zagora
Pleven
Skopje
Tirana
Thessaloníki
Kaválla
Xánthi
Thásos
Samothráki
Límnos
Kérkira (Corfu)
Ioánnina
Lárisa
Vólos
Sredna Gora
Thermaïkós Kólpos
Saros Körfezi

1 : 2 500 000

10   0   10   20   30   40   50 miles
10 0 10 20 30 40 50 60 70 80 km

SEA OF CRETE
(Sea of Candia)

ARKHIPÉLAGOS

KIKLÁDHES (CYCLADES)

Khíos (Chios)
Psará
Skópelos
Skíros
Ándros
Tínos
Míkonos
Náxos
Íos
Páros
Síros
Kéa
Kíthnos
Sérifos
Sífnos
Mílos
Thíra
Amorgós
Astipálaia
Ikaría
Sámos

ATHÍNAI
ATHENS
Piraeus (Piraiévs)
Saronikós Kólpos
Korinthiakós Kólpos
Notós Evvoïkós Kólpos
Khalkís (Chalcis)
Lamía
Thívai (Thebes)

PELOPÓNNISOS KAI DHITIKÍ IPIROS
AKHAÍA
ARKADHÍA
LAKONÍA
MESSINÍA
Taíyetos Óros
Párnon Óros
Pátrai
Pírgos
Trípolis
Spárti
Kalamáta
Argolikós Kólpos
Messiniakós Kólpos
Lakonikós Kólpos
Kiparissiakós Kólpos
Patraikós Kólpos

Kíthira (Cerigo)
Ákra Maléa
Ákra Taínaron

Levkás (Santa Maura)
Kefallinía (Cephalonia)
Itháki (Ithaca)
Zákinthos (Zante)

IONIAN ISLANDS

Kárpathos
Stenón Karpáthos
Kásos
Stenón Kásos

Ródhos (Rhodes)
Kos
Léros
Pátmos
Kálimnos
DHODEKANISOS (DODECANESE)
MUGELA

Iráklion (Candia)
CRETE
Khersónisos
Kólpos Khanión
Akrotíri Soúdhas
Kólpos Mesaráis

Kermé Körfezi
Mandalya Körfezi
Kusadasi Körfezi
TURKEY

Continuation Eastwards on same scale

COPYRIGHT GEORGE PHILIP & SON LTD

East from Greenwich

Projection: Conical with two standard parallels

m   ft
3000 9000
2000 6000
1500 4500
1000 3000
400   1200
200   600
0   0
ft   m

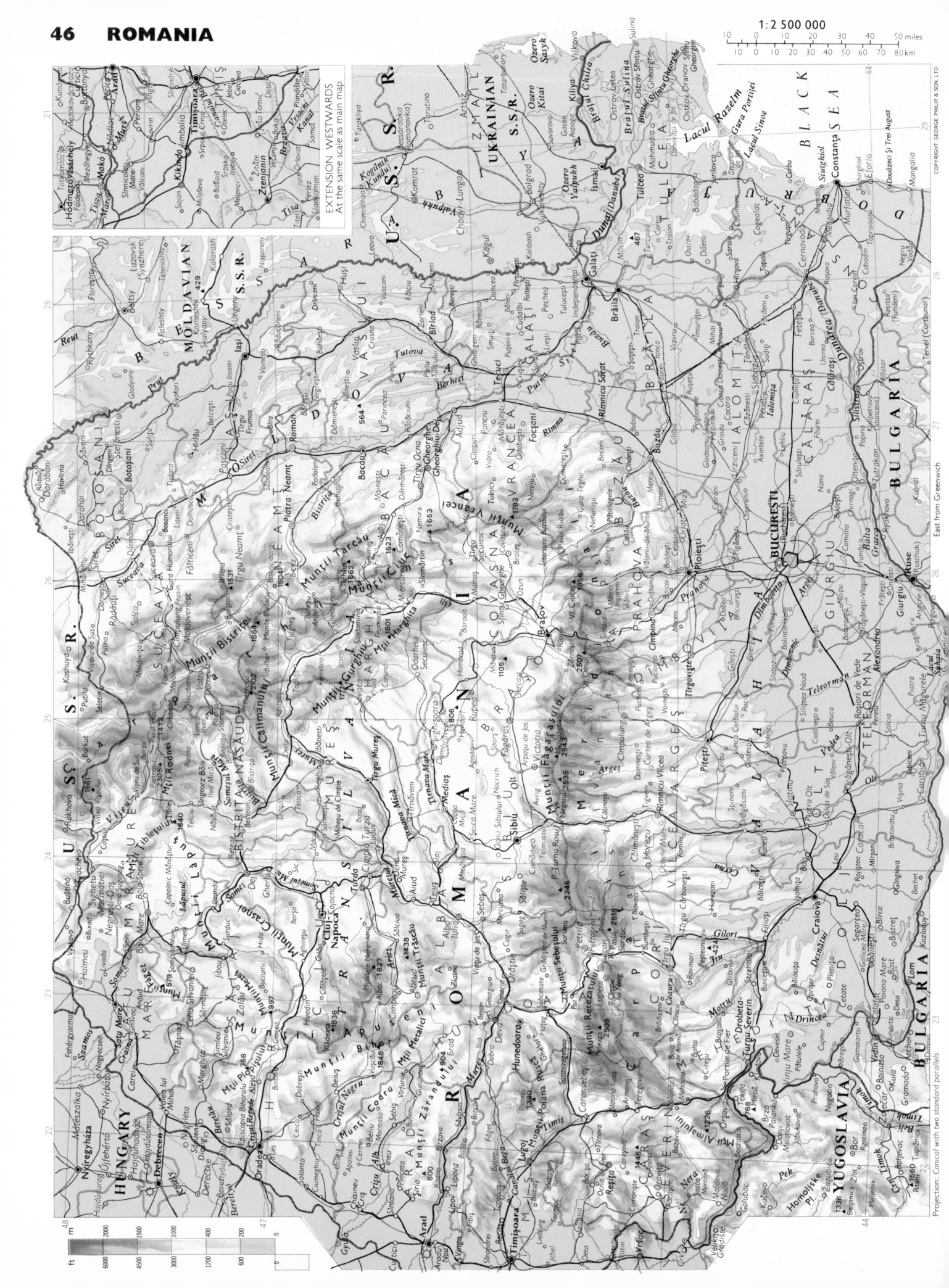
1:2 500 000
50 miles
80 km
EXTENSION WESTWARDS
At the same scale as main map
ROMANIA
HUNGARY
YUGOSLAVIA
BULGARIA
U. S. S. R.
UKRAINIAN S.S.R.
MOLDAVIAN S.S.R.
BLACK SEA
BUCUREŞTI
Constanţa
Galaţi
Brăila
Iaşi
Cluj-Napoca
Timişoara
Braşov
Craiova
Ploieşti
Arad
Oradea
Sibiu
Bacău
Tulcea
Debrecen
Ruse
Dunărea (Danube)
East from Greenwich
Projection: Conical with two standard parallels
COPYRIGHT GEORGE PHILIP & SON, LTD.

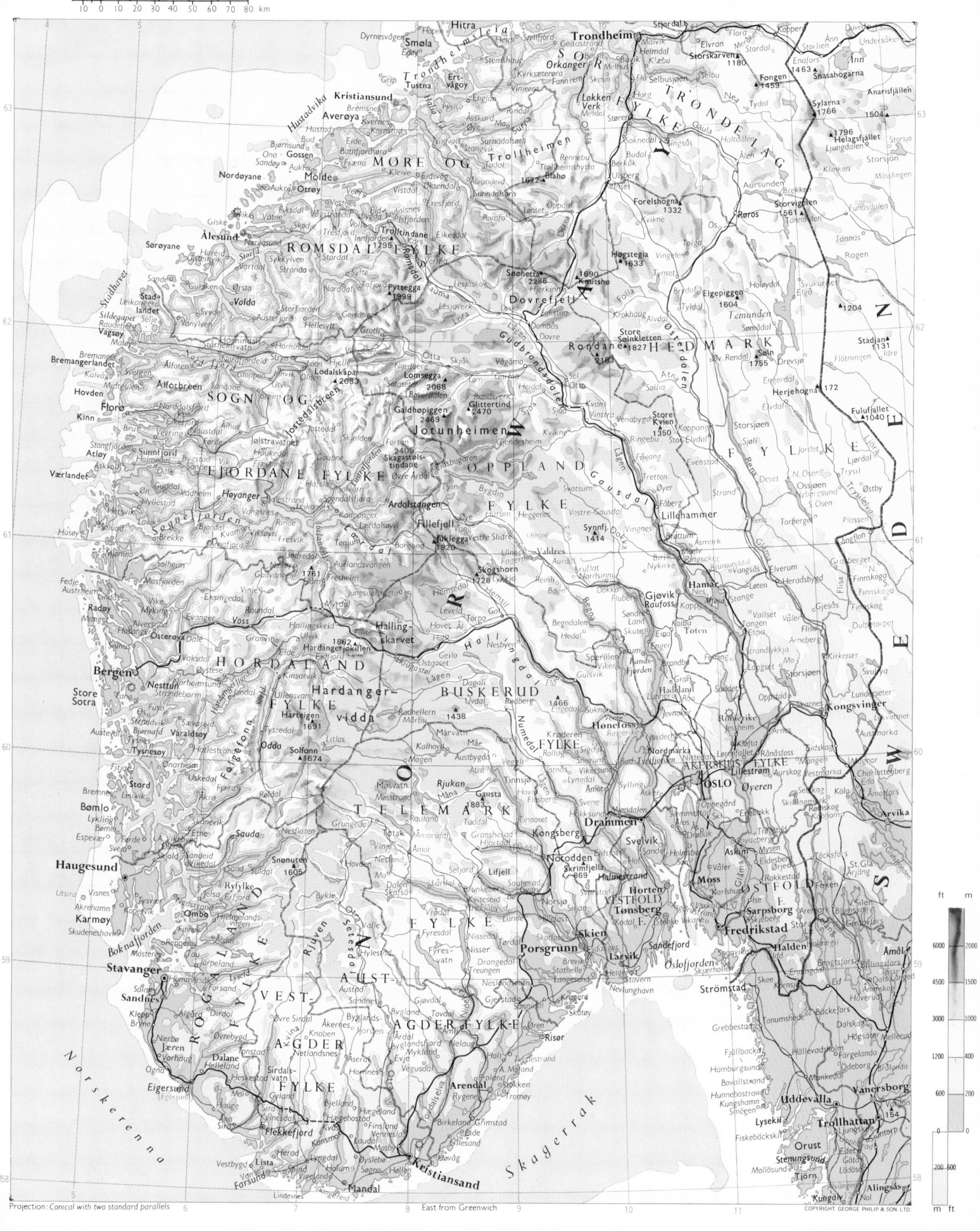

1:2 500 000

Projection: Conical with two standard parallels

East from Greenwich

COPYRIGHT. GEORGE PHILIP & SON, LTD.

Gulf of Bothnia
STOCKHOLMS LÄN
Stockholm
Uppsala
UPPSALA LÄN
Norrtälje
Gävle
Sandviken
Falun
Borlänge
Ludvika
GÄVLEBORGS LÄN
KOPPARBERGS LÄN
VÄSTMANLANDS LÄN
Västerås
SÖDERMANLANDS LÄN
Eskilstuna
Örebro
ÖREBRO LÄN
VÄRMLANDS LÄN
Karlstad
Arvika
Säffle
Hudiksvall
Söderhamn
Bollnäs
Ljusdal
Sundsvall
Härnösand
Kramfors
Örnsköldsvik
VÄSTERNORRLANDS LÄN
JÄMTLANDS LÄN
Östersund
Sveg
Mora
Siljan
Trondheim
SØR TRØNDELAG FYLKE
MØRE OG ROMSDAL FYLKE
HEDMARK FYLKE
OPPLAND FYLKE
BUSKERUD FYLKE
TELEMARK FYLKE
VESTFOLD
ØSTFOLD F.
AKERSHUS FYLKE
OSLO
Lillehammer
Hamar
Gjøvik
Drammen
Kongsberg
Skien
Porsgrunn
Larvik
Tønsberg
Horten
Moss
Fredrikstad
Sarpsborg
Halden
Hønefoss
Røros
Jotunheimen
Rondane
Dovrefjell
Trollheimen
Kristiansund
Halling skarvet
Lærdal
Transtrands-fjällen
Gudbrandsdalen

1 : 2 500 000

miles
10   0   10   20   30   40   50

km
10   0   10   20   30   40   50   60   70   80

COPYRIGHT GEORGE PHILIP & SON LTD.

B A L T I C   S E A

P O L A N D

GERMANY

S W E D E N

Gotland
Visby

Öland

Kalmar
Nybro
Oskarshamn
Västervik

KALMAR LÄN

JÖNKÖPINGS LÄN

KRONOBERGS LÄN

BLEKINGE LÄN
Karlskrona
Ronneby
Karlshamn

KRISTIANSTADS L.

Kristianstad
Hässleholm
Hörby

MALMÖHUS
Malmö
Lund
Landskrona
Helsingborg
Eslöv
Trelleborg
Ystad
Simrishamn

Bornholm
Rønne
Hasle
Neksø
Gudhjem

HALLANDS
Halmstad
Falkenberg
Varberg
Laholm

Göteborg
Borås
Alingsås
Mölndal
Trollhättan
Vänersborg
Lidköping
Mariestad

GÖTEBORGS OCH BOHUS
Uddevalla
Orust
Tjörn

SKARABORGS LÄN

ÖSTERGÖTLANDS LÄN
Linköping
Norrköping
Motala
Mjölby

SÖDERMANLANDS
Nyköping
Oxelösund

Anholt
Læsø

Skagen
Frederikshavn
Hjørring
Ålborg
Brønderslev

NØRREJYLLANDS AMT
NORDJYLLANDS

Thisted
Mors
Nykøbing
Skive
Viborg
Randers
Grenå
Djursland
Århus
Silkeborg
Horsens
Herning
Ringkøbing
Skanderborg
Vejle
Fredericia
Kolding
Middelfart
Odense
Svendborg
Fåborg
Nyborg
Esbjerg
Varde
Ribe
Haderslev
Åbenrå
Sønderborg
Tønder

D E N M A R K

JYLLAND
VEJLE AMT
RIBE AMT
VIBORG AMT
SØNDERJYLLANDS AMT
HADERSLEV
FYN
ODENSE AMT
SVENDBORG AMT

SJÆLLAND
KØBENHAVN
Roskilde
Holbæk
Kalundborg
Slagelse
Sorø
Ringsted
Næstved
Vordingborg
Nykøbing

FREDERIKSBORG
Frederiksværk
Frederikssund
Hillerød
Helsingør
Hundested

STORSTRØMS
FALSTER
LOLLAND
Maribo
Nakskov
Rødby
Nysted
Gedser

Flensburg
Schleswig
Rendsburg
Husum
Kiel
Eckernförde

Rügen
Stralsund
Hiddensee
Zingst
Rostock
Fehmarn

Slupsk
Ustka

Kattegat

Kielen Bucht

Femer Bælt

Projection: Conical with two standard parallels

m   6000 4500 3000 1200 600 200 0
ft

Holmsland Klit

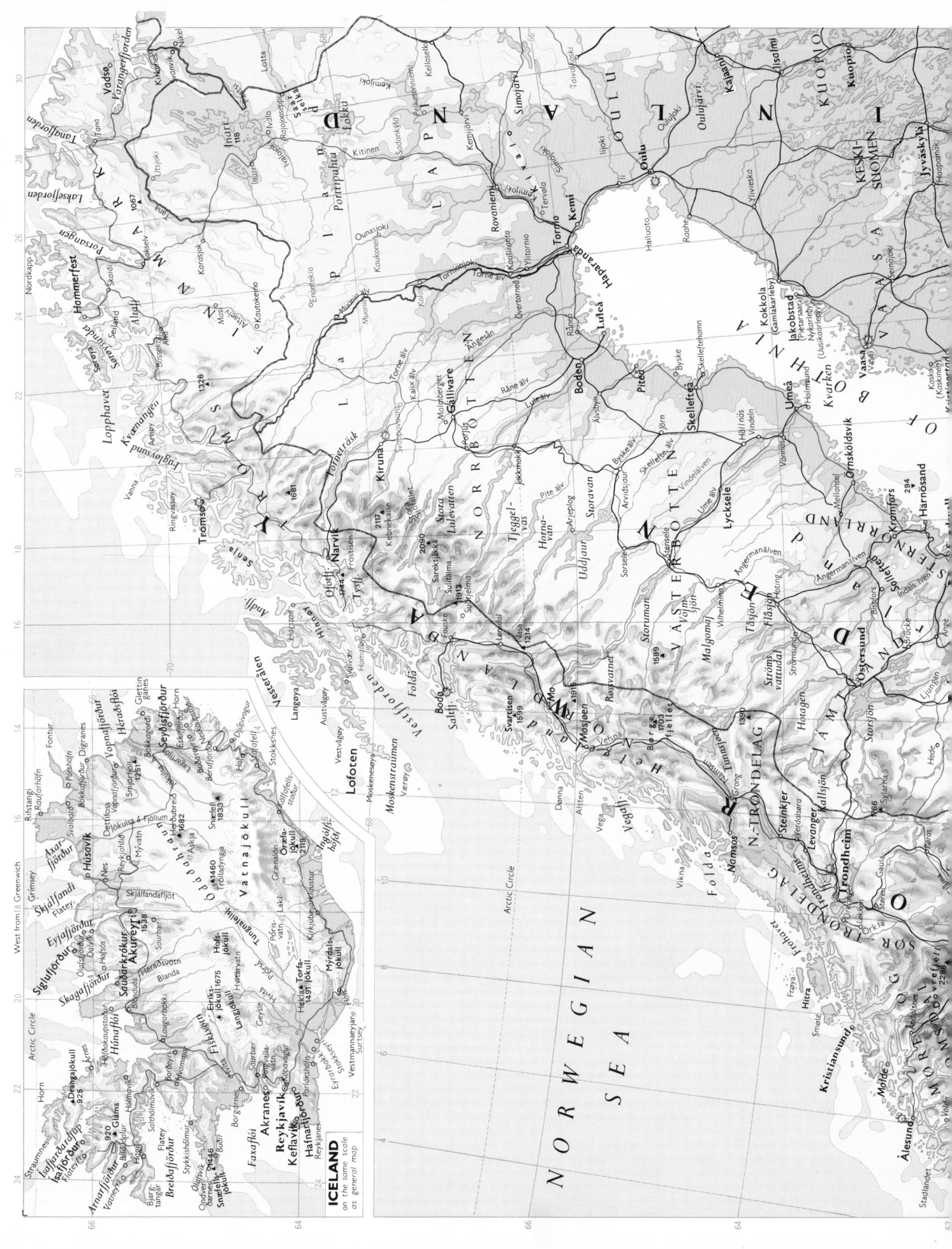
ICELAND
on the same scale as general map
West from 18 Greenwich
Arctic Circle
Reykjavík
Keflavík
Akranes
Hafnarfjörður
Akureyri
Húsavík
Sauðárkrókur
Ísafjörður
Seyðisfjörður
Vatnajökull
Hofsjökull
Faxaflói
Breiðafjörður
Húnaflói
NORWEGIAN SEA
Arctic Circle
Lofoten
Vesterålen
Vestfjorden
Hammerfest
Vadsø
Tromsø
Narvik
Kiruna
Gällivare
Bodø
Mo
Mosjøen
Namsos
Steinkjer
Levanger
Trondheim
Kristiansund
Molde
Ålesund
Östersund
Lycksele
Umeå
Skellefteå
Piteå
Luleå
Boden
Haparanda
Tornio
Kemi
Rovaniemi
Oulu
Kajaani
Kuopio
Jyväskylä
Kokkola
Jakobstad
Vaasa
Örnsköldsvik
Härnösand
Kramfors
N.-TRØNDELAG
VÄSTERBOTTEN
NORRBOTTEN
FINNMARK
TROMS
OF BOTHNIA
KESKI-SUOMEN
KUOPIO
OULU
VAASA
LAPPI

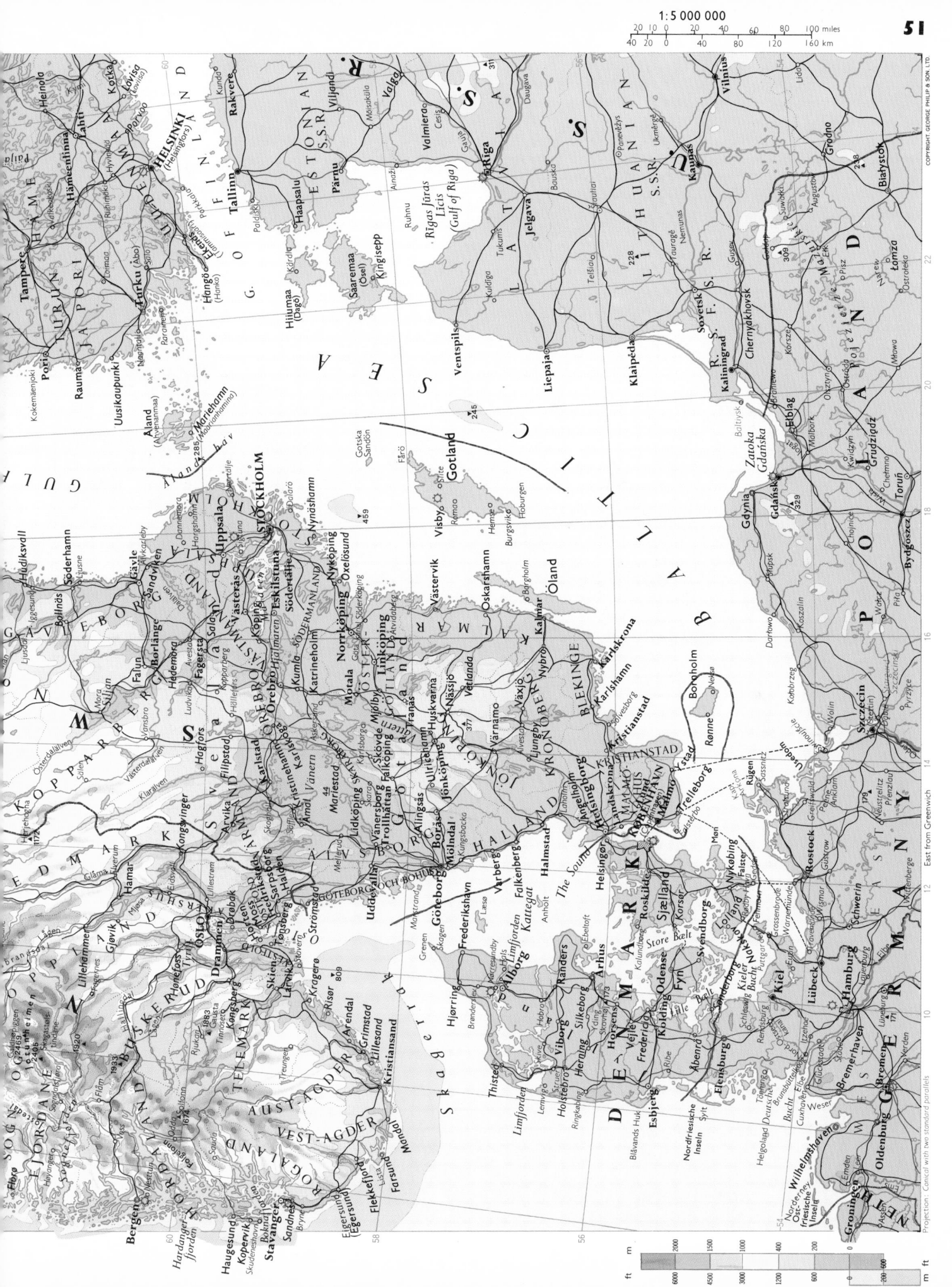

SWEDEN
NORWAY
DENMARK
GERMANY
POLAND
LATVIA
LITHUANIAN S.S.R.
ESTONIAN S.S.R.
R. S. F. S. R.
U. S. S. R.
GULF OF FINLAND
BALTIC SEA
Skagerrak
Kattegat
The Sound
STOCKHOLM
OSLO
KØBENHAVN (Copenhagen)
HELSINKI (Helsingfors)
Tallinn
Riga
Rīgas Jūras Līcis (Gulf of Riga)
Vilnius
Kaunas
Kaliningrad
Gdańsk
Zatoka Gdańska
Szczecin (Stettin)
Hamburg
Bremen
Kiel
Lübeck
Rostock
Malmö
Göteborg
Bergen
Stavanger
Kristiansand
Gotland
Öland
Bornholm
Åland (Ahvenanmaa)
Mariehamn (Maarianhamina)
Turku (Åbo)
Tampere
Saaremaa (Ösel)
Hiiumaa (Dagö)
m ft
6000 2000
4500 1500
3000 1000
1200 400
600 200
0 0
200 600
Projection: Conical with two standard parallels
East from Greenwich
COPYRIGHT, GEORGE PHILIP & SON, LTD.
1:5 000 000
20 10 0 20 40 60 80 100 miles
40 20 0 40 80 120 160 km

Timanskiy Kryazh
Bolshezemelskaya Tundra
Malozemelskaya Tundra
Kolguyev
P-ov. Kanin
Cheshskaya Guba
Pechorskaya Guba
Arctic Circle
Kolskiy Poluostrov
Kandalakshskiy Zaliv
Beloye More (White Sea)
Onezhskaya Guba
Dvinskaya Guba
Ostrov Morzhovets
P-ov. Rybachiy
Murmansk
Arkhangelsk (Archangel)
Syktyvkar
Kirov
Perm
SVERDLOVSK
Ufa
Izhevsk
Kazan
GORKIY
Yaroslavl
Kostroma
Ivanovo
Vladimir
Kalinin
MOSKVA (Moscow)
Ryazan
Tula
Kaluga
Bryansk
Orel
Penza
Ulyanovsk
KUYBYSHEV
Orenburg
Magnitogorsk
Zlatoust
Nizhniy Tagil
Vologda
Cherepovets
Rybinsk
Petrozavodsk
LENINGRAD
Novgorod
Pskov
Smolensk
Vitebsk
Mogilev
Minsk
Gomel
Vilnius
Kaunas
Riga
Tallinn
Helsinki
Tampere
Turku
Stockholm
WARSZAWA (Warsaw)
Kaliningrad (Königsberg)
Severnyye Uvaly
Uralskiye Gory
KARELIAN A.S.S.R.
UDMURT A.S.S.R.
MARI A.S.S.R.
CHUVASH A.S.S.R.
TATAR A.S.S.R.
BASHKIR A.S.S.R.
MORDOVIAN A.S.S.R.
ESTONIAN S.S.R.
LATVIAN S.S.R.
LITHUANIAN S.S.R.
BYELORUSSIAN S.S.R. (WHITE RUSSIA)
RUSSIAN SOVIET FEDERATIVE SOCIALIST REPUBLIC
FINLAND
SWEDEN
NORWAY
LAPPLAND
POLAND
Gulf of Bothnia
G. of Finland
Polesye (Pripet Marshes)

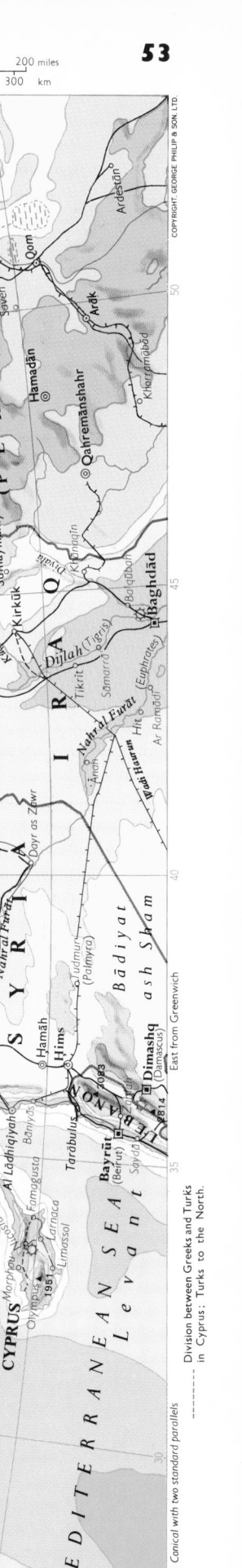

G. of Finland
BALTIC SEA
Rizhskiy Zaliv
(Gulf of Riga)
LENINGRAD
Tallinn
Riga
Vilnius
Minsk
Kaliningrad
Kaunas
Daugavpils
Smolensk
Vitebsk
Mogilev
Gomel
Bryansk
Chernigov
KIYEV
(Kiev)
Zhitomir
Lvov
Lublin
WARSZAWA
(Warsaw)
Białystok
Grodno
Brest
Pskov
Novgorod
ESTONIAN S.S.R.
LATVIAN S.S.R.
LITHUANIAN S.S.R.
BYELORUSSIAN S.S.R.
(WHITE RUSSIA)
RUSSIAN SOVIET
POLAND
R.S.F.S.R.
Valdayskaya Vozvyshennost
Polesye
(Pripet Marshes)
Carpathians
CZECHOSLOVAKIA
ft m
3000 1000
1200 400
600 200
0 0
200 600
m ft
Projection: Conical with two standard parallels
East from Greenwich

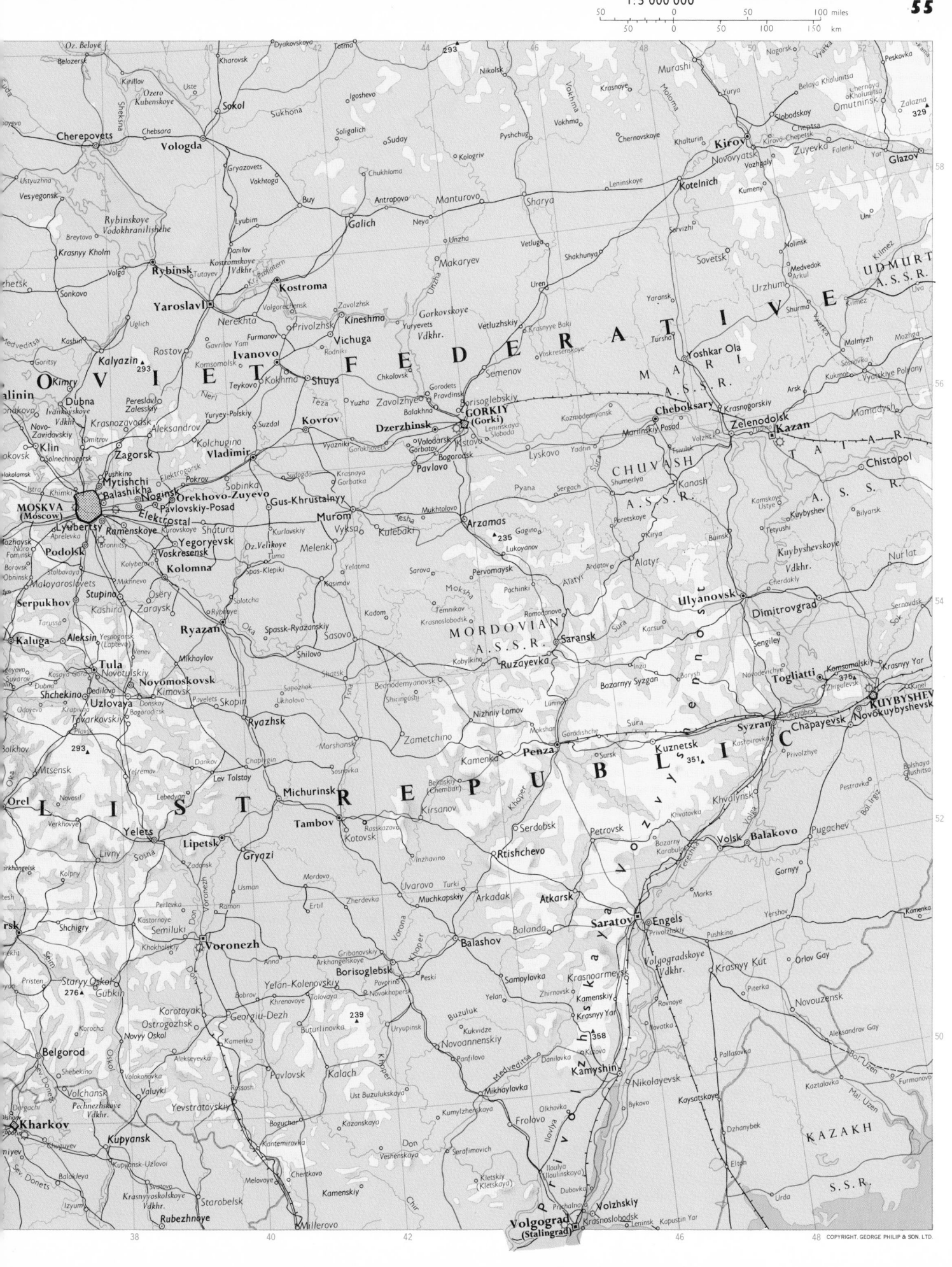

1:5 000 000

50   0   50   100 miles
50   0   50   100   150 km

Oz. Beloye
Belozersk
Kirillov
Uste
Ozero
Kubenskoye
Shcksna
Dyakovskaya
Kharovsk
Totma
Nikolsk
Murashi
Belaya Kholunitsa
Nagorsk
Peskovka
Omutninsk
Zalazna
329

Cherepovets
Vologda
Sokol
Sukhona
Igoshevo
Pyshchug
Vokhma
Chernovskoye
Kirov
Slobodskoy
Kholumtsa
Glazov
58

Ustyuzhna
Chebsara
Suday
Soligalich
Kologriv
Vokhma
Leninskoye
Kotelnich
Kumeny
Novovyatsk
Zuyevka
Falenki

Vesyegonsk
Gryazovets
Vokhtoga
Antropovo
Manturovo
Sharya
Kumeny
Uni

Rybinskoye
Vodokhranilishche
Buy
Neya
Unzha
Vetluga
Shakhunya
Sovetsk
Medvedok
Arkul
Urzhum
Kilmez
Uva

Breytovo
Danilov
Galich
Makaryev
Uren
Yaransk
Tursha
Shurma
Kilmez
Mozhga

Krasny Kholm
Volga
Kostromskoye
Vdkhr.
Volgorechensk
Zavolzhsk
Gorkovskoye
Vdkhr.
Vetluzhskiy
Krasnyye Baki
Voskresenskoye
Yoshkar Ola
Arsk
Kukmor
Vyatskiye Polyany
56

Rybinsk
Tutayev
Kostroma
Nerekhta
Kineshma
Yuryevets
Voskresenskoye
MARI
A.S.S.R.
Sovetsk
Malmyzh

Yaroslavl
Gavrilov Yam
Furmanov
Vichuga
Rodniki
Gorodets
Pravdinsk
Semenov
Kozmodemyansk
Cheboksary
Krasnogorskiy
Zelenodolsk
Kazan

Kalyazin
293
Rostov
Komsomolsk
Ivanovo
Teykovo
Shuya
Kokhma
Chkalovsk
Balakhna
GORKIY
(Gorki)
Leninskaya
Sloboda
Lyskovo
Yadrin
CHUVASH
A.S.S.R.
Kanash
TATAR
A.S.S.R.
Chistopol

Kimry
Uglich
Nerl
Suzdal
Kovrov
Vyazniki
Gorokhovets
Volodarsk
Gorbatov
Dzerzhinsk
Kstovo
Bogorodsk
Shumerlya
Kamskoye
Ustye
Bilyarsk

Dubna
Pereslavl
Zalesskiy
Krasnozavodsk
Aleksandrov
Kolchugino
Vladimir
Pavlovo
Pyana
Sergach
Kuybyshev
Nurlat

Klin
Zagorsk
Yuryev-Polskiy
Pokrov
Sobinka
Krasnaya
Gorbatka
Sudogda
Murom
Vyksa
Kulebaki
Arzamas
235
Gagino
Alatyr
Tetyushi
Kuybyshevskoye
Vdkhr.
Nurlat

Solnechnogorsk
Dmitrov
Pushkino
Mytishchi
Balashikha
Noginsk
Orekhovo-Zuyevo
Pavlovskiy-Posad
Gus-Khrustalnyy
Kurlovskiy
Melenki
Yelatma
Kadom
Lukoyanov
Ardatov
Alatyr
Cherdakly
Sernovodsk

MOSKVA
(Moscow)
Lyubertsy
Elektrostal
Shatura
Oz. Velikoye
Tuma
Kasimov
Sarova
Pervomaysk
Pochinki
Romodanovo
Ulyanovsk
Dimitrovgrad
54

Apřelevka
Ramenskoye
Kurovskoye
Yegoryevsk
Spas-Klepiki
Solotcha
Yelatma
Moksha
Temnikov
Krasnoslobodsk
MORDOVIAN
A.S.S.R.
Saransk
Sura
Karsun
Inza
Novodevichye
Togliatti
375
Krasnyy Yar

Podolsk
Voskresensk
Kolomna
Rybnoye
Zaraysk
Ryazan
Spassk-Ryazanskiy
Sasovo
Kobylkino
Ruzayevka
Bazarnyy Syzgan
Barysh
Zhigulevsk
Oktyabrsk
KUYBYSHEV
Kinel

Maloyaroslavets
Serpukhov
Kashira
Mikhaylov
Shilovo
Shatsk
Bednodemyanovsk
Shiringushi
Luninо
Sengiley
Syzran
Chapayevsk
Novokuybyshevsk

Kaluga
Aleksin
Yesnogorsk
(Laptevo)
Venev
Novomoskovsk
Pronsk
Sapozhok
Nizhniy Lomov
Mokshan
Gorodishche
Kuznetsk
351
Kashpirovka
Privolzhye
Bolshaya
Glushitsa

Tula
Novotulskiy
Kimovsk
Pavelets
Skopin
Ryazhsk
Likholovo
Zametchino
Kamenka
Penza
Sursk
Khvatynsk
Volsk
Balakovo
Pugachev
Bol. Irgiz

Shchekino
Dedilovo
Uzlovaya
Bogoroditsk
Dankov
Chaplygin
Marshansk
Tsna
Bednodemyanovsk
Beднodem.
(Chembar)
Khoper
Serdobsk
Bazarny
Karabulak
Pestravka

Tovarkovskiy
Plavsk
293
Yefremov
Lebedyan
Lev Tolstoy
Sosnovka
Uvarovo
Kirsanov
Khvatynsk
Krasnoarmeysk
Yershov

Odoyev
Krapivna
Mtsensk
Novosil
Yelets
Michurinsk
Rasskazovo
Turki
Arkadak
Atkarsk
Saratov
Engels
Pugachev

Orel
Verkhovye
Livny
Lipetsk
Gryazi
Tambov
Kotovsk
Inzhavino
Rtishchevo
Petrovsk
Balashov
Pushkino
Novouzensk
52

Shchigry
Semiluki
Zadonsk
Mordovo
Usman
Zherdevka
Ertil
Muchkapskiy
Balanda
Volgogradskoye
Vdkhr.
Krasnyy Kut
Orlov Gay

Kolpny
Perlevka
Don
Ramon
Anna
Uvarovo
Vorona
Balashov
Samoylovka
Krasnoarmeysk
Kamenskiy
Rovnoye
Novouzensk

Staryy Oskol
276
Gubkin
Korotoyak
Ostrogozhsk
Georgiu-Dezh
Bobrov
Khrenovoye
Talovaya
239
Buturlinovka
Uryupinsk
Novoannenskiy
Panfilovo
Yelan
Zhirnovsk
Kukvidze
358
Pallasovka
Aleksandrov Gay

Belgorod
Shebekino
Novy Oskol
Alekseyevka
Kamenka
Pavlovsk
Kalach
Ust Buzulukskaya
Medveditsa
Danilovka
Kamyshin
Kaztalovka
Mal. Uzen
Furmanovo
50

Volchansk
Pechenezhskoye
Vdkhr.
Valuyki
Volokonovka
Rossosh
Mikhaylovka
Nikolayevsk
Bykovo
Novouzensk

Kharkov
Kupyansk
Yevstratovskiy
Boguchar
Kazanskaya
Kalach
Frolovo
Olkhovka
Kaysatskoye
Dzhanybek
KAZAKH

Kupyansk-Uzlovoi
Balakleya
Svatovo
Starobelsk
Veshenskaya
Don
Serafimovich
Ilovlya
(Ilovlinskaya)
Prichalnyy
Volzhskiy
Urda
S.S.R.

Rubezhnoye
Millerovo
Chir
Kletskiy
(Kletskaya)
Volgograd
(Stalingrad)
Krasnoslobodsk
Leninsk
Kapustin Yar

COPYRIGHT. GEORGE PHILIP & SON. LTD.

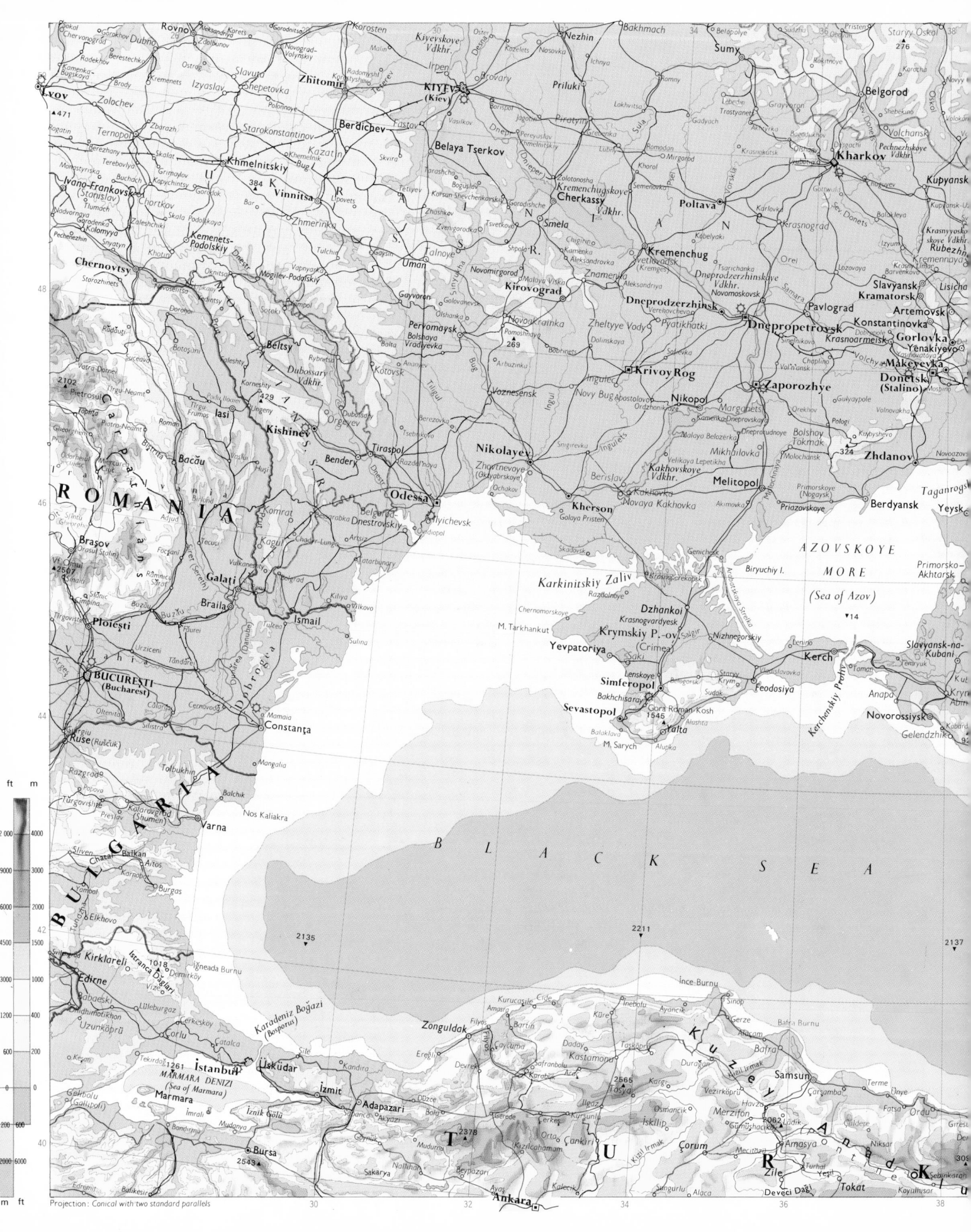
Rovno
Lvov
Zhitomir
KIYEV (Kiev)
Nezhin
Bakhmach
Sumy
Starry Oskol
Belgorod
Kharkov
Berdichev
Belaya Tserkov
Khmelnitskiy
Vinnitsa
Ternopol
Ivano-Frankovsk (Stanislav)
Kolomyya
Chernovtsy
Kemenets-Podolskiy
Uman
Cherkassy
Kremenchugskoye Vdkhr.
Poltava
Kremenchug
Kirovograd
Dneprodzerzhinsk
Dnepropetrovsk
Pavlograd
Slavyansk
Kramatorsk
Artemovsk
Konstantinovka
Gorlovka
Yenakiyevo
Makeyevka
Donetsk (Stalino)
Krivoy Rog
Zaporozhye
Nikopol
Melitopol
Zhdanov
Berdyansk
Taganrog
Yeysk
Kupyansk
Pervomaysk
Voznesensk
Nikolayev
Kherson
Novaya Kakhovka
Kakhovskoye Vdkhr.
Beltsy
Kishinev
Tiraspol
Bendery
Odessa
Ilyichevsk
Belgorod-Dnestrovskiy
Izmail
Iasi
Bacău
Galaţi
Braila
Ploieşti
BUCUREŞTI (Bucharest)
Constanţa
Braşov
Ruse (Ruščuk)
Varna
Burgas
Tolbukhin
ROMANIA
BULGARIA
MOLDAVIAN S.S.R.
UKRAINIAN S.S.R.
Karkinitskiy Zaliv
Dzhankoi
Krymskiy P.-ov. (Crimea)
Yevpatoriya
Simferopol
Sevastopol
Yalta
Gora Roman-Kosh 1545
Feodosiya
Kerch
Kerchenskiy Proliv
AZOVSKOYE MORE (Sea of Azov)
Slavyansk-na-Kubani
Primorsko-Akhtarsk
Anapa
Novorossiysk
Gelendzhik
BLACK SEA
2135
2211
2137
Kirklareli
Edirne
İstanbul
Üsküdar
Karadeniz Boğazi (Bosporus)
MARMARA DENIZI (Sea of Marmara)
İzmit
Adapazari
Bursa
Zonguldak
Kastamonu
Samsun
Sinop
İnce-Burnu
Kuzey Anadolu Dağlari
Çankiri
Çorum
Amasya
Tokat
Ankara
TURKEY
Projection: Conical with two standard parallels

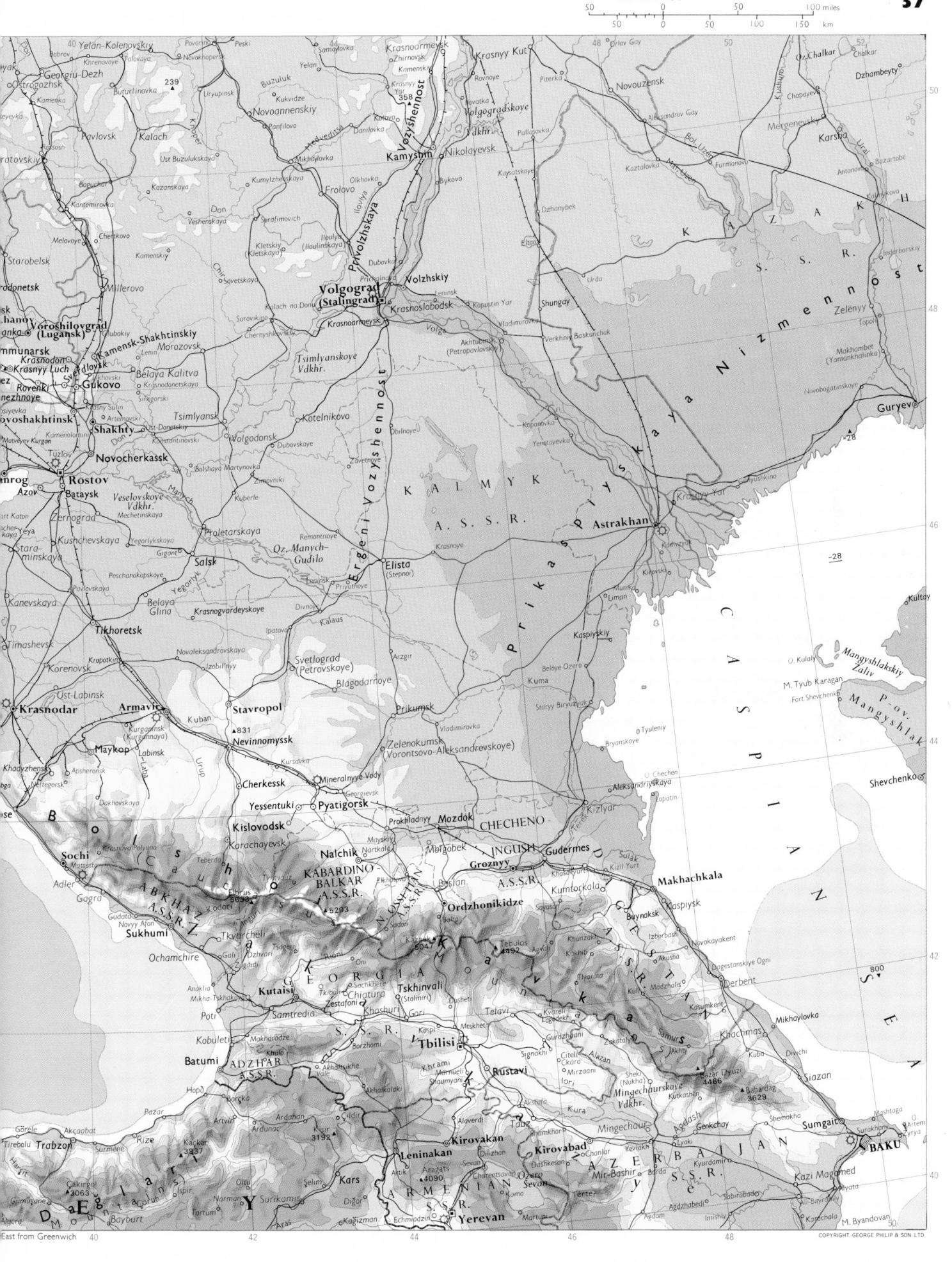

1:5 000 000

50   0   50   100 miles

50   0   50   100   150 km

East from Greenwich

COPYRIGHT. GEORGE PHILIP & SON LTD

R.S.F.S.R.
1. Daghestan A.S.S.R.
2. Kabardino–Balkar A.S.S.R.
3. Mari A.S.S.R.
4. Mordovian A.S.S.R.
5. North Ossetian A.S.S.R.
6. Tatar A.S.S.R.
7. Udmurt A.S.S.R.
8. Chuvash A.S.S.R.
9. Checheno–Ingush A.S.S.R.
AZERBAIJAN
10. Nakhichevan A.S.S.R.
GEORGIA
11. Abkhaz A.S.S.R.
12. Adzhar A.S.S.R.

Projection: Conical Orthomorphic with two standard parallels   East from Greenwich

1:20 000 000
100 0 100 200 300 400 500 miles
100 0 200 400 600 800 km
Mys Dezhneva (East C.)
Chukotskoye More
Ostrov Vrangelya
East Siberian Sea
Ostrova Delong
Ostrov Henrietta
Ostrov Jeannette
Ostrov Zhokhova
Ostrov Bennett
Novosibirskiye Ostrova
Ostrov Faddeyevskiy
Ostrov Novaya Sibir
Ostrov Kotelnyy
Ostrov Belkovskiy
Ostrov Malyy Lyakhovskiy
Ostrov Bolshoy Lyakhovskiy
Lyakhovskiye Ostrova
Proliv Dmitriya Lapteva
Ostrov Stolbovoy
Laptev Sea
OCEAN
Ostrov Shmidt
Mys Arkticheskiy
Ostrov Komsomolets
Ostrov Pioner
Ostrov Oktyabrskoy Revolyutsii
Ostrov Bolshevik
Severnaya Zemlya
Proliv Vilkitskogo
Poluostrov Taymyr
Gory Byrranga
Oz. Taymyr
Ostrov Bolshoy Begichev
Nordvik
Tiksi
Khatanga
Kheta
Volochanka
Pyasina
Anabar
Olenek
Bulun
Verkhoyansk
Verkhoyanskiy Khrebet
Khrebet Cherskogo
Srednekolymsk
Kolyma
Indigirka
Chukotskiy Khrebet
Anadyr
Anadyrskiy Zaliv
St. Lawrence I. (U.S.A.)
Koryakskiy Khrebet
Bering Sea
Komandorskiye Ostrova
Okhotsko Kolymskoye
Gizhiga
Penzhinskaya Guba
Gizhiginskaya Guba
Zaliv Shelikhova
Magadan
Poluostrov Kamchatka
Sredinnyy Khrebet
Petropavlovsk-Kamchatskiy
Ust-Kamchatsk
Sea of Okhotsk
Okhotsk
Ayan
Ostrov Bolshoy Shantar
Sakhalinskiy Zaliv
Okha
Sakhalin
Nikolayevsk-na-Amure
Yuzhno-Sakhalinsk
Sovetskaya Gavan
Kurilskiye Ostrova
Hokkaido
Sapporo
Hakodate
Honshu
Nii-gata
Kanazawa
To-yama
Sea of Japan
JAPAN
Khabarovsk
Komsomolsk
Birobidzhan
Khrebet Sikhote Alin
Vladivostok
Nakhodka
Ussuriysk
Blagoveshchensk
Amur
Stanovoy Khrebet
Khrebet Dzhugdzur
Yakutsk
Vilyuysk
Olekminsk
Lena
Aldan
Vilyuy
Arctic Circle
YAKUTSK A.S.S.R.
Mirnyy
Kirensk
Bratsk
Nizhneudinsk
Krasnoyarsk
Kansk
Angarsk
Irkutsk
Ulan Ude
Chita
BURYAT A.S.S.R.
Yablonovyy Khrebet
Vostochnyy Sayan
Hövsgöl Nuur
Uvs Nuur
Hyargas Nuur
Hangayn Nuruu
Hentiyn Nuruu
Ulaanbaatar (Ulan Bator)
MONGOLIA
Edrengiyn Nuruu
GOBI
Saynshand
Choybalsan
Hulun Nur
Da Hinggan Ling
Qiqihar
Harbin
Jiamusi
Changchun
Jilin
Siping
Fushun
Shenyang
Anshan
Dandong
Chongjin
Wŏnsan
NORTH KOREA
P'yongyang
SOUTH KOREA
Sŏul (Seoul)
Inch'ŏn
Taejŏn
Pusan
Lüda
Yingkou
Beijing
Zhangjiakou
Baotou
Manzhouli
Boundaries of U.S.S.R.
Boundaries of S.S.R.
Boundaries of A.S.S.R.
COPYRIGHT, GEORGE PHILIP & SON, LTD.

1:50 000 000

250   0   250   500   750   1000 miles
250   0   500   1000   1500 km

PACIFIC OCEAN

ARCTIC OCEAN

INDIAN OCEAN

Bering Sea
Sea of Okhotsk
Sea of Japan
Yellow Sea
East China Sea
South China Sea
Java Sea
Celebes Sea
Banda Sea
Arafura Sea
Bay of Bengal
Arabian Sea
Red Sea
Persian Gulf
Caspian Sea
Black Sea
Mediterranean Sea
Baltic Sea
North Sea
Barents Sea
Kara Sea
Laptev Sea

Kamchatka Peninsula
Aleutian Is.
Kuril Is.
Hokkaido
Honshu
Shikoku
Kyushu
Ryukyu Is.
Korea
Taiwan
Hainan
Philippine Is.
Luzon
Mindanao
Palawan
Borneo
Celebes
Sumatra
Java
Bali
Timor
Moluccas
Halmahera
Ceram
New Guinea
Australia

Verkhoyansk Range
Stanovoy Ra.
Yablonovy Ra.
Sikhote Alin Ra.
Great Khingan Mts.
Altai
Tien Shan
Kunlun Shan
Plateau of Tibet
Himalaya
Karakoram Ra.
Hindu Kush
Pamirs
Plateau of Iran
Elburz Mts.
Caucasus
Ural Mountains
Sayan Mts.
Central Siberian Plateau
West Siberian Plain
Plateau of Mongolia
Koko Nor
Takla Makan
Tarim Basin
Turfan Basin
Lop Nor
Mt. Everest 8848
Eastern Ghats
Western Ghats
Deccan
Ceylon
Andaman Is.
Nicobar Is.
Malay Peninsula
Great Plain of China
Manchurian Plain
Sinkiang
Thar Desert
Sulaiman Range
Baluchistan
Arabia
Rub al Khali
Somali Peninsula
Socotra
Mesopotamia
Syrian Desert
Libyan Desert
Anatolia
Taurus Mts.
Cyprus
Scandinavia
Finland
Central Russian Uplands
North European Plain
Greenland
Iceland
British Isles

Lena, Yenisei, Ob, Irtysh, Amur, Hwang Ho, Yangtze, Si-kiang, Mekong, Salween, Irrawaddy, Chao Phraya, Ganges, Brahmaputra, Indus, Tigris, Euphrates, Nile, Volga, Don, Dnepr, Danube, Rhine, Oder, Vistula, Elbe

Arctic Circle
Tropic of Cancer
Equator

Projection: Bonne
COPYRIGHT. GEORGE PHILIP & SON, LTD.

1:50 000 000

250 0 250 500 750 1000 miles
250 0 500 1000 1500 km

COPYRIGHT GEORGE PHILIP & SON LTD

ARCTIC OCEAN

PACIFIC OCEAN

INDIAN OCEAN

U. S. S. R.

CHINESE REPUBLIC

MONGOLIA

INNER MONGOLIA

XINJIANG UYGUR

XIZANG (TIBET')

INDIA

PAKISTAN

AFGHANISTAN

IRAN (PERSIA)

SAUDI ARABIA

TURKEY

SYRIA

IRAQ

OMAN

UNITED ARAB EMIRATES

QATAR

BAHRAIN

KUWAIT

YEMEN

SOUTH YEMEN

NEPAL

BHUTAN

BANGLADESH

BURMA

THAILAND (SIAM)

LAOS

VIETNAM

KAMPUCHEA

MALAYSIA

SINGAPORE

INDONESIA

PHILIPPINES

BRUNEI

SRI LANKA (CEYLON)

JAPAN

KOREA

SOUTH KOREA

MANCHURIA

KASHMIR

EUROPE

AFRICA

AUSTRALIA

EGYPT

LIBYA

SUDAN

ETHIOPIA

SOMALI REP

KENYA

TANZANIA

UGANDA

ZAIRE

ZAMBIA

MALAWI

RWANDA

BURUNDI

DJIBOUTI

ICELAND

UNITED KINGDOM

ISRAEL

LEBANON

JORDAN

CYPRUS

Tropic of Cancer

Equator

Arctic Circle

East from Greenwich

Projection: Bonne

Cities and places: Tokyo, Osaka, Kyoto, Kitakyushu, Nagasaki, Nagoya, Sapporo, Hakodate, Pusan, Seoul, P'yongyang, Vladivostok, Khabarovsk, Nikolayevsk, Petropavlovsk, Magadan, Yakutsk, Irkutsk, Chita, Ulaanbaatar (Ulan Bator), Harbin, Changchun, Shenyang, Beijing, Tianjin, Qingdao, Lüda, Nanjing, Shanghai, Wuhan, Xi'an, Lanzhou, Chengdu, Chongqing, Kunming, Guangzhou, Hong Kong, Macau, Fuzhou, Changsha, Ürümqi, Yining, Kashi, Shache, Lhasa, Hanoi, Hue, Ho Chi Minh, Phnom Penh, Bangkok, Rangoon, Mandalay, Myitkyina, Calcutta, Dacca, Delhi, Agra, Kanpur, Lucknow, Varanasi, Allahabad, Hyderabad, Madras, Pondichery, Bombay, Ahmadabad, Colombo, Karachi, Lahore, Peshawar, Quetta, Qandahar, Kabul, Herat, Mashhad, Tehran, Esfahan, Shiraz, Tabriz, Baghdad, Al Basrah, Baku, Yerevan, Tbilisi, Erzurum, Ankara, Istanbul, Izmir, Bursa, Halab, Dimashq, Bayrut, Jerusalem, Al Iskandariya, El Qahira, Mokka (Mecca), Al Madinah, Masqat, Singapore, Kuala Lumpur, Kuching, Jakarta, Manila, Davao, Zamboanga, Palembang, Medan, George Town, Tashkent, Samarkand, Bukhara, Ashkhabad, Alma Ata, Semipalatinsk, Novosibirsk, Omsk, Tomsk, Krasnoyarsk, Kemerovo, Barnaul, Chelyabinsk, Sverdlovsk, Magnitogorsk, Orenburg, Ufa, Kazan, Moskva, Gor'kiy, Leningrad, Murmansk, Arkhangelsk, Astrakhan, Rostov, Odessa, Warszawa, Berlin, Wien, Beograd, Thessaloniki, Athínai, Roma, Paris, London, Addis Abeba, Nairobi, Mombasa, Dar es Salaam, Mogadisho

Seas and waters: Bering Sea, Sea of Okhotsk, Sea of Japan, Yellow Sea, East China Sea, South China Sea, Philippine Sea, Celebes Sea, Sulu Sea, Banda Sea, Java Sea, Bay of Bengal, Arabian Sea, Persian Gulf, G. of Oman, G. of Aden, Red Sea, Caspian Sea, Aral Sea, Black Sea, Mediterranean Sea, Baltic Sea, North Sea, Barents Sea, Kara Sea, Laptev Sea, Yenisey, Ob, Lena, Amur, Huang He, Chang Jiang, Irrawaddy, Ganges, Indus, Euphrates, Tigris, Nile, Volga, Danube, Rhine

1:1 000 000

1949–1974 Armistice lines between Israel and the Arab States.

MEDITERRANEAN SEA

LEBANON

SYRIA

JORDAN

EGYPT

Sūr (Tyre)

Qiryat Shemona

BIRKET RAM

Al Qunayṭirah

Nahariyya

'Akko (Acre)

HAZOR

Zefat

Rosh Pinna

Ha galil (Galilee)

KEFAR NAHUM (CAPERNAUM)

Yam Kinneret (Sea of Galilee) -209

Qiryat Yam

Qiryat Bialik

HEFA (Haifa)

Qiryat Ata

Tirat Karmel

Nazerat (Nazareth)

'ATLIT

Terverya

Daliyat el Karmel

'Afula

TEL MEGIDDO

'Emeq Yizre'el

CAESAREA

Or 'Aqiva

Hadera

Janin

Shomron (Samaria)

Netanya

Tulkarm

SAMARIA

Nābulus SHECHEM JACOB'S WELL

TEL ARSHAF

Herzliyya

Ramat HaSharon

Under

TEL AVIV- YAFO (Jaffa)

Bene Beraq

Petah Tiqwa

SHILO

Ramat Gan

Or Yehuda

Bat Yam

Holon

Israeli

Rishon le Ziyyon

Nes Ziyyona

Lod (Lydda)

Occupation

Ramla

Rehovot

SHILO

Ashdod

TEL GEZER

Ariha (Jericho)

'AMMAN

Ram Allah

Al Birah

JERUSALEM (Yerushalayim, Al Quds)

Ashqelon

Qiryat Gat

Bayt Lahm (Bethlehem)

BIRAK SULAYMAN (SOLOMON'S POOLS)

QUMRAN

BET GUVRIN

TEL LAKHISH

Al Khalil (Hebron)

Gaza

Khan Yunis

Gaza Strip

Ha negev

MESADA

Be'er Sheva'

Petra

DEAD SEA (BAHR EL MIYET)

Continuation Southwards 1:2 500 000

Gaza (Ghazzah)

Al Khalil (Hebron)

Khan Yunis

Be'er Sheva'

ISRAEL

Dimona

HORVOT SHIVTA

Ha negev

Mizpe Ramon

JORDAN

EGYPT

PETRA

Elat

Al 'Aqabah

Projection: Conical with two standard parallels

East from Greenwich

COPYRIGHT. GEORGE PHILIP & SON. LTD.

1:15 000 000

100   0   100   200   300   400 miles
100   0   100   200   300   400   500   600 km

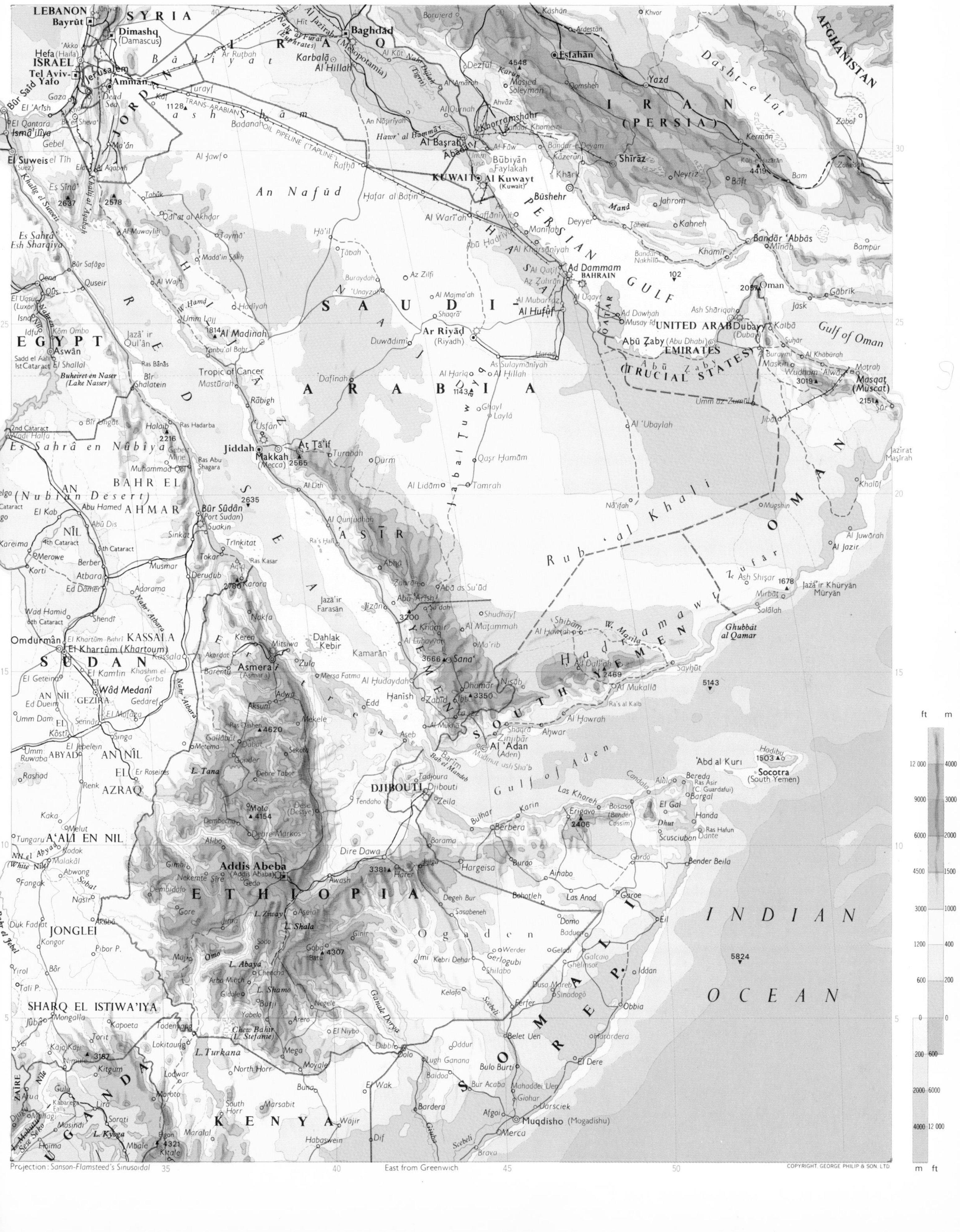

LEBANON
Bayrūt
Dimashq (Damascus)
SYRIA
Hefa (Haifa)
Tel Aviv-Yafo
ISRAEL
Jerusalem
Amman
Būr Saīd
Gaza
El 'Arīsh
Ismā'īlīya
El Qantara
El Suweis (Suez)
El Tīh
Es Sahrā Esh Sharqīya

IRAQ
Baghdad
Hīt
Al Jazīrah
Ar Ruṭbah
Karbalā'
Al Hillah
Al Kūt
An Najaf
An Nāṣirīyah
Al Qurnah
Al Baṣrah
Abādān
KUWAIT
Al Kuwayt (Kuwait)
Būbiyān
Faylakah

IRAN (PERSIA)
Eṣfahān
Dezfūl
Yazd
Shīrāz
Kermān
Bam
AFGHANISTAN
Zābol

PERSIAN GULF
BAHRAIN
Ad Dammam
QATAR
Ad Dawhah
UNITED ARAB EMIRATES
Abū Ẓaby (Abu Dhabi)
Dubayy (Dubai)
TRUCIAL STATES
Bandar 'Abbās
Gulf of Oman
Masqaṭ (Muscat)
OMAN

SAUDI ARABIA
Ar Riyāḍ (Riyadh)
Al Madīnah
Jiddah
Makkah (Mecca)
Aṭ Ṭā'if
An Nafūd
Rub' al Khali

EGYPT
Aswān
Buheiret en Naser (Lake Nasser)
Tropic of Cancer

ES Sahrā en Nūbīya
BAHR EL AHMAR
Būr Sūdān (Port Sudan)
SUDAN
El Khartūm (Khartoum)
Omdurmân
KASSALA

YEMEN
Ṣan'ā'
Al Ḥudaydah
SOUTH YEMEN
Al 'Adan (Aden)
HADRAMAWT
Socotra (South Yemen)

ERITREA
Asmera (Asmara)
Aksum
L. Tana
ETHIOPIA
Addis Abeba (Addis Ababa)
Harer
Dire Dawa

DJIBOUTI
Djibouti
Gulf of Aden
SOMALI REP.
Hargeisa
Muqdisho (Mogadishu)
Ogaden

KENYA
L. Turkana
UGANDA
ZAIRE

INDIAN OCEAN

Projection: Sanson-Flamsteed's Sinusoidal
East from Greenwich
COPYRIGHT GEORGE PHILIP & SON LTD

ft   m
12 000   4000
9000   3000
6000   2000
4500   1500
3000   1000
1200   600
600   200
0   0
200   600
2000   6000
4000   12 000
m   ft

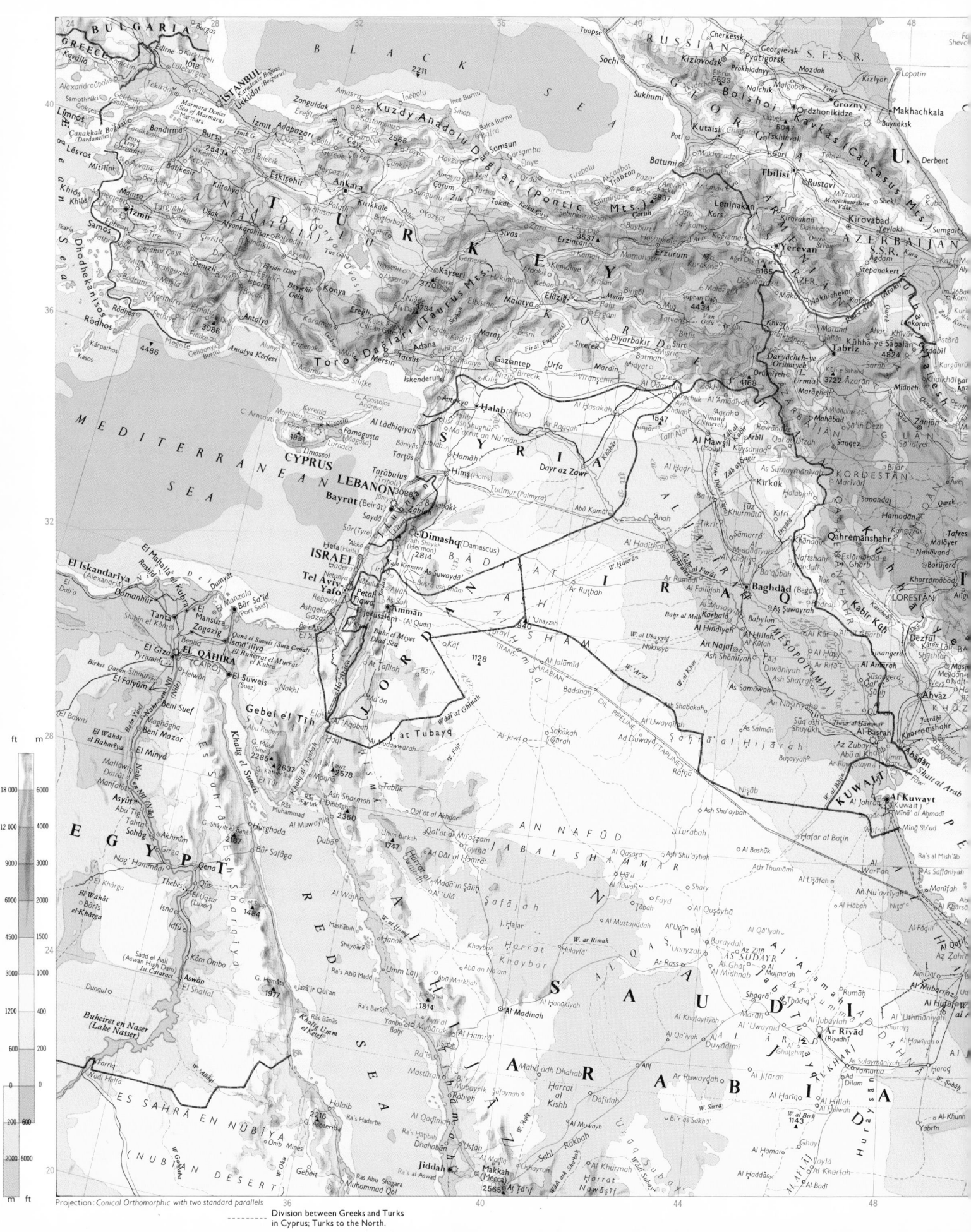

Projection: Conical Orthomorphic with two standard parallels

--------- Division between Greeks and Turks
in Cyprus; Turks to the North.

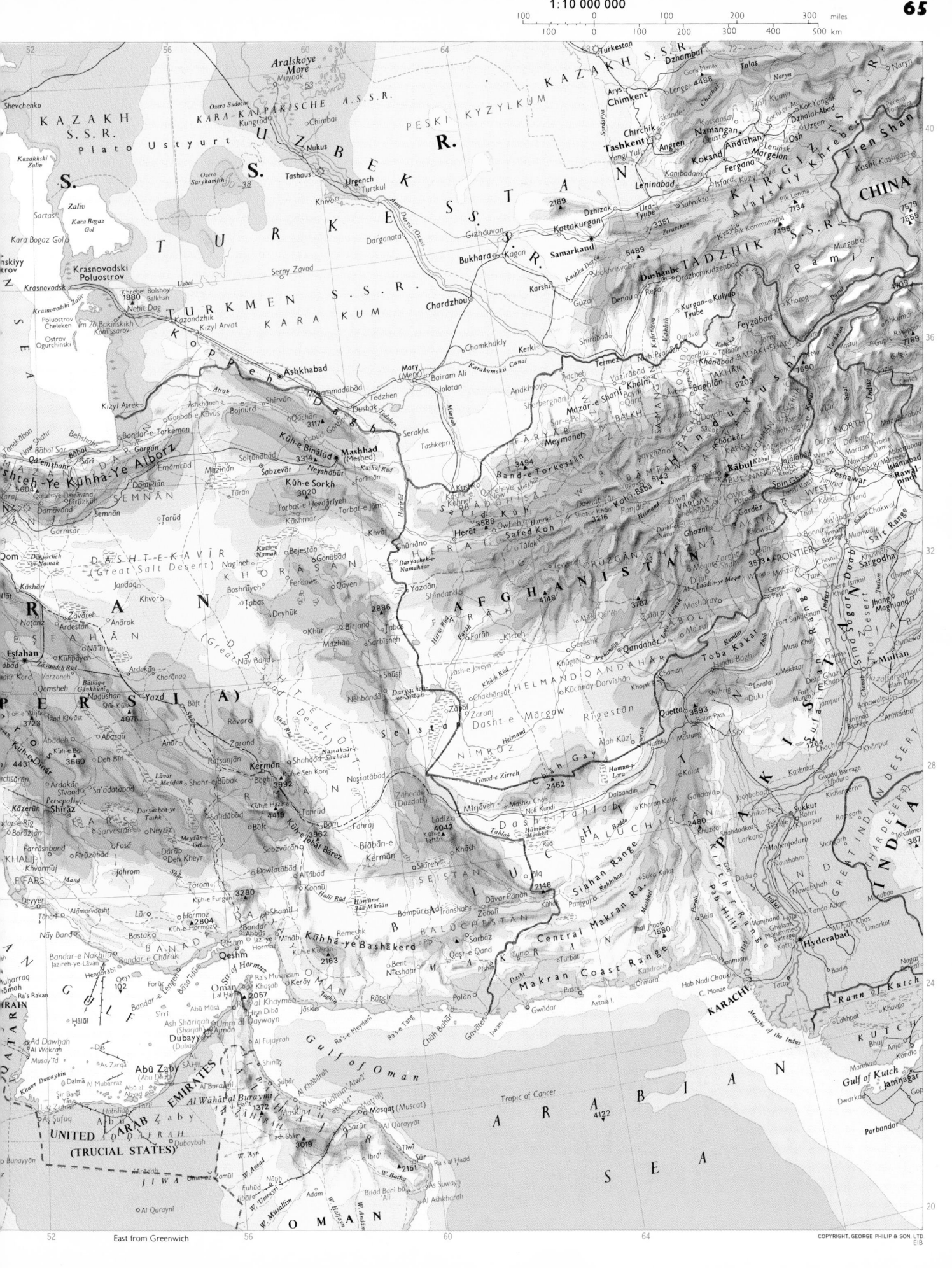

1:10 000 000

100 ... 0 ... 100 ... 200 ... 300 miles
100 ... 0 ... 100 ... 200 ... 300 ... 400 ... 500 km

East from Greenwich

U.S.S.R.

ARABIAN SEA

AFGHANISTAN

Herāt · Kābul · Kandahār · Ghaznī · Quetta · Peshāwar · Rāwalpindi · Islāmābād · Srīnagar · JAMMU AND KASHMIR

Karakoram Range · Hindu Kush · Karakoram Pass

PAKISTAN · Lahore · Amritsar · Faisalābād · Multān · Ludhiāna · Chandigarh · Ambala · Dehra Dun · Simla · HIMACHAL PRADESH · PUNJAB · HARYANA · DELHI · Meerut · Moradābād

Karāchi · Hyderābād · Sukkur · Bikaner · RAJASTHAN · Jodhpur · Ajmer · Jaipur · Āgra · Gwalior · Jhānsi · INDIA · BIHAR

Thar (Great Indian Desert) · Rann of Kutch · GUJARAT · Ahmadābād · Vadodara (Baroda) · Rājkot · Jāmnagar · Surat · MADHYA PRADESH · Indore · Ujjain · Bhopal · Nāgpur

Bombay · MAHĀRĀSHTRA · Pune (Poona) · Sholāpur · ANDHRA PRADESH · Hyderābād · Gulbarga · Bijāpur

Tropic of Cancer

Mouths of the Indus

Continuation Southwards on same scale

GOA · Dhārwād · Bellary · KARNATAKA · Mangalore · Bangalore · Mysore · Kolar Gold Fields · Vellore · Madras · Pondicherry · Cuddalore · TAMIL NADU · Coimbatore · Salem · Tiruchchirappalli · Thanjāvur · Madurai · KERALA · Calicut (Kozhikode) · Ernakulam · Alleppey · Quilon · Trivandrum · Nāgercoil · Cape Comorin

Palk Strait · Palk Bay · Adam's Bridge · Gulf of Mannar · Jaffna · SRI LANKA (CEYLON) · Colombo · Kandy · Trincomalee · Galle · Dondra Head

ft m 18 000 6000 · 12 000 4000 · 9000 3000 · 6000 2000 · 4500 1500 · 3000 1000 · 1200 400 · 600 200 · 0 0 · 200 600 · m ft

Projection: Conical with two standard parallels

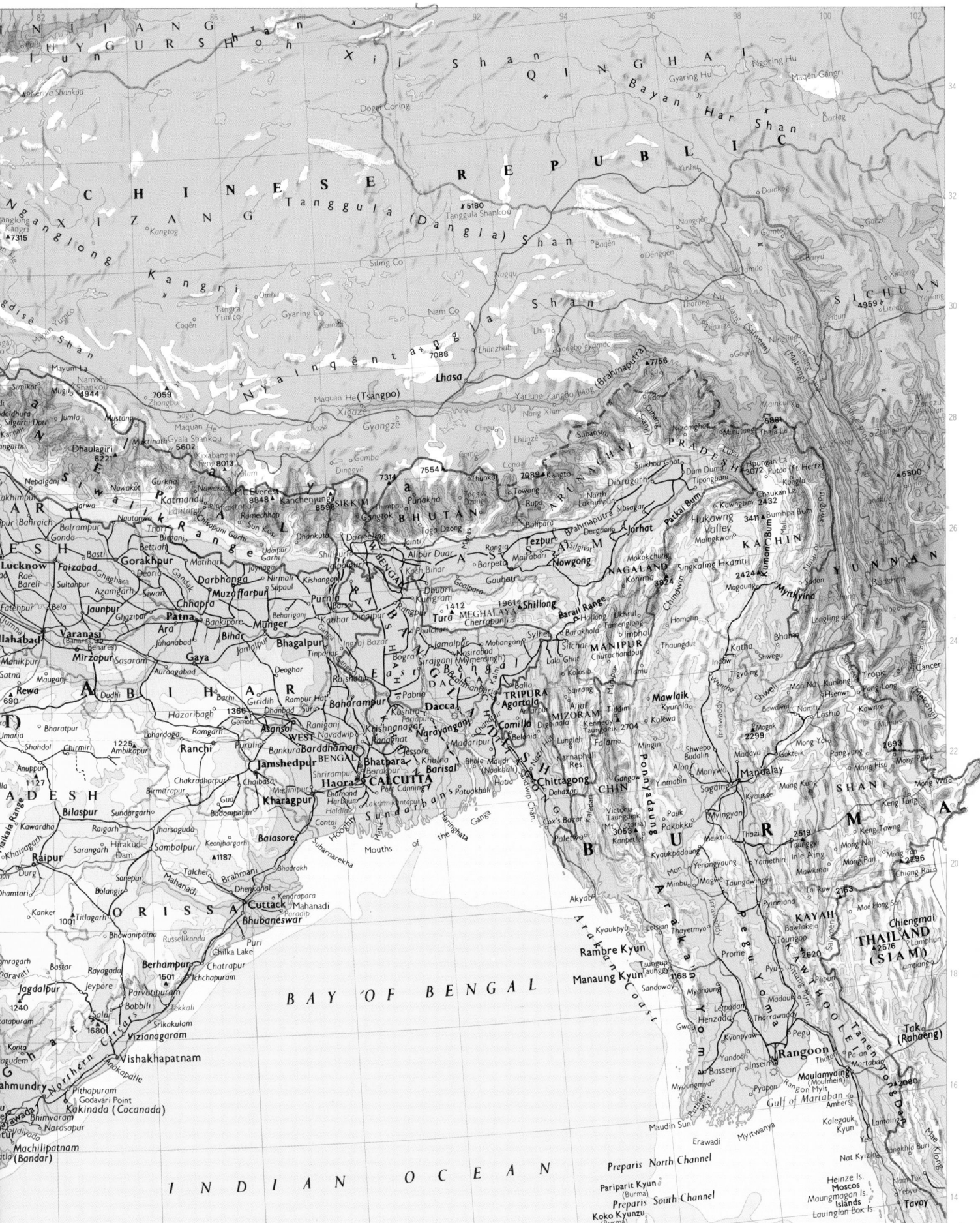

1:10 000 000

50   0   50   100   150   200 miles
50   0   50 100 150 200 250 300 km

X I N J I A N G

U Y G U R S H hxan

Tien Shan

Arkagytagh Shankou

Xil Shan

Q I N G H A I

Bayan Har Shan

Gyaring Hu   Ngoring Hu

Maqên Gangri

34

C H I N E S E   R E P U B L I C

5180

X I Z A N G   Tanggula   (Dangla) Shan

Tanggula Shankou

Kangtog

7315

Ngang long Kangri

Siling Co

SICHUAN

4959

30

K a n g r i

Tangra Yumco

Gyaring Co

Nam Co

N Y a i n q ê n t a n g l a   Shan

Lhasa

7088

7756

7059   4944

Maquan He (Tsangpo)

Xigazê   Gyangzê

Yarlung Zangbo Jiang (Brahmaputra)

5881

28

Dhaulagiri 8221

Muktinath Gyala Shankou 5602   8013

Everest 8848

Kanchenjunga 8598

SIKKIM   Gangtok

BHUTAN

7554

7089

ARUNACHAL PRADESH

3072   5500

26

N E P A L

Katmandu

Darjeeling

Jorhat

Hukowng Valley   3411

KACHIN

Myitkyina

YUNNAN

Gorakhpur   Darbhanga

Gauhati

NAGALAND

Kohima 3924

2432

2424

Lucknow

Patna   Munger

MEGHALAYA

Shillong

Barail Range

MANIPUR

Imphal

BIHAR

Bhagalpur

Gaya

EAST BENGAL

Dacca

TRIPURA

Agartala

MIZORAM

Mawlaik

2704

2299

Mandalay

1693

22

WEST BENGAL

Jamshedpur

Barddhaman

Haora

CALCUTTA

Barisal

Chittagong

CHIN

B U R M A

2519

2576   THAILAND

Ranchi

Kharagpur

Sundarbans

Mouths of the Ganga

Akyab

3053

2620

2163

2296

20

ORISSA   Balasore

1187

Cuttack

Bhubaneswar   Puri

Chilka Lake

Rambre Kyun

Manaung Kyun   1168

KAYAH   Chiengmai

(SIAM)

18

Berhampur   1501

Vishakhapatnam

B A Y   O F   B E N G A L

Rangoon

Maulamyaing (Moulmein)

Gulf of Martaban

16

Kakinada (Cocanada)

Machilipatnam (Bandar)

Preparis North Channel

Pariparit Kyun (Burma)

Preparis South Channel

Koko Kyunzu (Burma)

I N D I A N   O C E A N

Heinze Is   Moscos   Maungmagan Is.   Islands

Tavoy

14

82   East from Greenwich   84   86   88   90   92   94   96

COPYRIGHT GEORGE PHILIP & SON LTD

AFGHANISTAN
PAKISTAN
N.W. FRONTIER
JAMMU AND KASHMIR
HIMACHAL PRADESH
PUNJAB
HARYANA
RAJASTHAN
GREAT INDIAN DESERT
THAL DESERT
SIND
GUJARAT
MADHYA PRADESH
INDIA
ARABIAN SEA
Gulf of Kutch
Gulf of Cambay
Rann of Kutch
Little Rann
Mouths of the Indus
Tropic of Cancer
Salt Range
Sulaiman Range
Kirthar Range
Toba Kakar
Satpura Range
Vindhya Range
Ajanta Range
Satmala Hills
Gir Hills
Mahadeo Hills
Gawilgarh Hills
Indus
Chenab
Jhelum
Ravi
Sutlej
Beas
Luni
Banas
Chambal
Narmada
Tapti
Yamuna
Ganga
Rajasthan Canal
Quetta
Multan
Lahore
Faisalabad
Sargodha
Bahawalpur
Sukkur
Hyderabad
KARACHI
Amritsar
Jullundur
Ludhiana
Chandigarh
Ambala
Patiala
DELHI
Meerut
Agra
Jaipur
Ajmer
Jodhpur
Bikaner
Udaipur
Kota
Gwalior
Jhansi
Bhopal
Indore
Ujjain
Ahmadabad
Vadodara (Baroda)
Surat
Rajkot
Jamnagar
Bhavnagar
Porbandar
Nasik
Aurangabad
Burhanpur
Akola
Amravati
Nagpur
DAMAN
DADRA & NAGAR HAVELI
Dehra Dun
Saharanpur
Aligarh
Mathura
Projection: Conical with two standard parallels
ft m
18 000 6000
12 000 4000
9000 3000
6000 2000
4500 1500
3000 1000
1200 400
600 200
0 0
200 600
2000 6000
m ft

69

1:6 000 000

50   0   50   100   150 miles
50   0   50   100   150   250 km

CHINESE REPUBLIC

CHINESE REPUBLIC
TIBET

AFGHANISTAN
KASHMIR
PAKISTAN
NEPAL
BANGLA-DESH
BURMA
INDIA
Tropic of Cancer
SRI LANKA

S. ASIA: IRRIGATION
1:40 000 000
Irrigated Areas

BAY OF BENGAL

Mouths of the Ganga

The Sandheads

East from Greenwich

COPYRIGHT GEORGE PHILIP & SON LTD

1:6 000 000

50   0   50   100   150   miles
50   0   50   100   150   200   250 km

MAHARASHTRA

MADHYA PRADESH

ORISSA

BOMBAY

Pune (Poona)

HYDERABAD

Secunderabad

KARNATAKA

GOA

Mangalore

BANGALORE

Mysore

MADRAS

ANDHRA PRADESH

TAMIL NADU

KERALA

Calicut (Kozhikode)

Coimbatore

Cochin

Trivandrum

Madurai

C. Comorin

BAY OF BENGAL

ARABIAN SEA

Gulf of Mannar (Manaar)

Coromandel Coast

Pondicherry

Tiruchchirappalli (Trichinopoly)

Thanjavur (Tanjore)

Vijayawada (Bezawada)

Rajahmundry

Vishakhapatnam

SRI LANKA (CEYLON)

SRI LANKA
On same scale

Palk Strait

Palk Bay

Jaffna

Point Pedro

Trincomalee

Colombo

Kandy

Galle

Negombo

Anuradhapura

Adam's Peak 2243

ft   m
6000 2000
4500 1500
3000 1000
1200   400
600   200
0   0
200   600
2000   6000
4000   12 000
m   ft

Projection: Conical with two standard parallels

East from Greenwich

COPYRIGHT. GEORGE PHILIP & SON, LTD

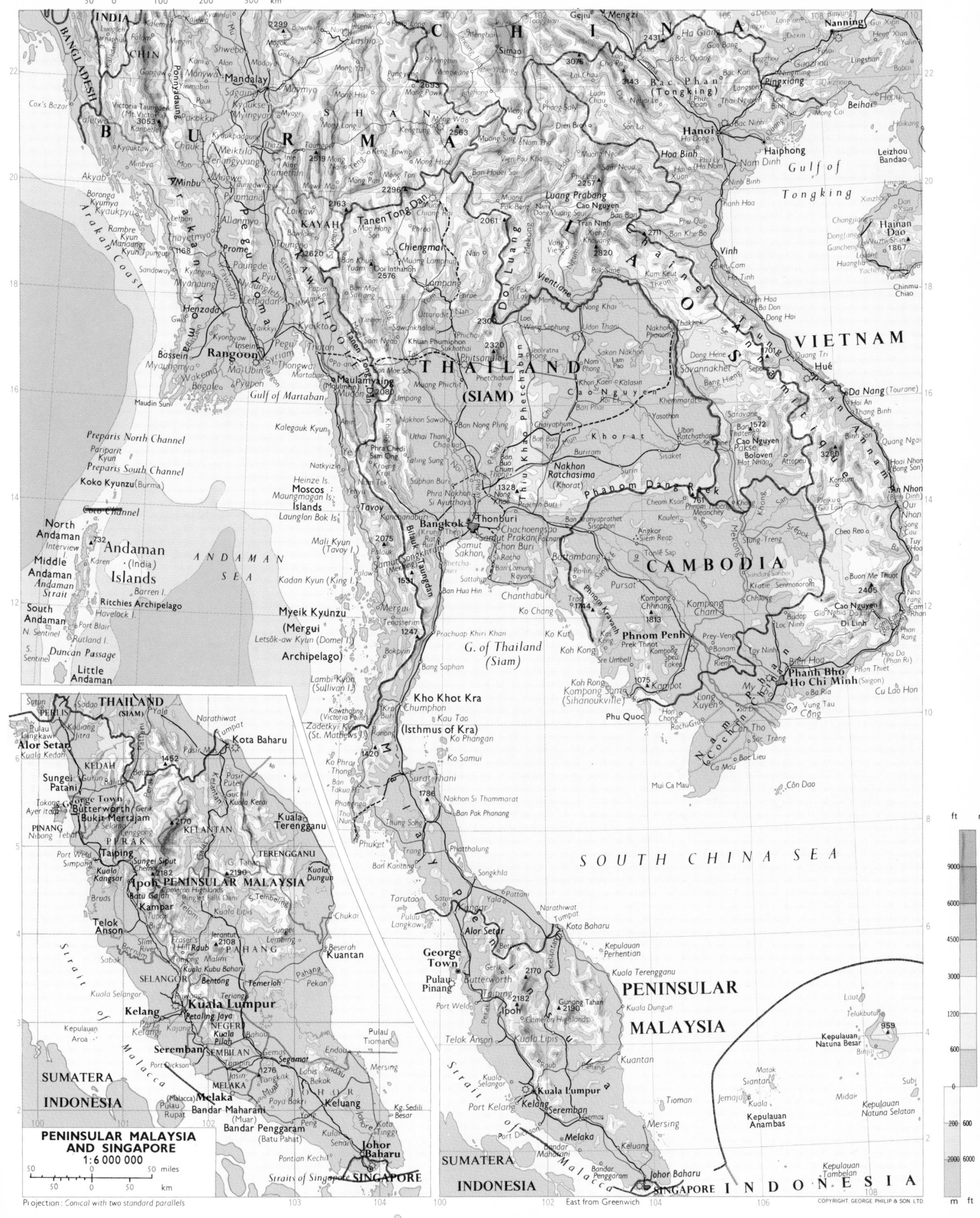

1:10 000 000

INDIA

BANGLADESH

CHINA

CHIN

BURMA

Mandalay

KAYAH

Chiengmai

THAILAND
(SIAM)

LAOS

Hanoi

Haiphong

Gulf of
Tongking

Hainan
Dao

VIETNAM

Da Nang (Tourane)

Hué

Rangoon

Gulf of Martuban

ANDAMAN
SEA

North
Andaman

Middle
Andaman

Andaman
Islands
(India)

South
Andaman

Little
Andaman

Moscos
Maungmagan Is.
Islands

Tavoy

Myeik Kyunzu
(Mergui)

Bangkok
Thonburi

CAMBODIA

Phnom Penh

G. of Thailand
(Siam)

Phanh Bho
Ho Chi Minh
(Saigon)

Kho Khot Kra
Chumphon
(Isthmus of Kra)

SOUTH CHINA SEA

Phuket

PENINSULAR
MALAYSIA

Kuala Lumpur

SUMATERA

INDONESIA

Singapore

East from Greenwich

Kepulauan
Natuna Besar

**PENINSULAR MALAYSIA
AND SINGAPORE**
1:6 000 000

THAILAND
(SIAM)

Kota Baharu

PENINSULAR MALAYSIA

Alor Setar

George Town
Butterworth

PINANG

Ipoh

Kuala
Terengganu

Kuala Lumpur
Kelang

Seremban

Melaka

SUMATERA

INDONESIA

Johor
Baharu

SINGAPORE

Projection: Conical with two standard parallels

COPYRIGHT GEORGE PHILIP & SON LTD.

ANDAMAN SEA
THAILAND (SIAM)
BURMA
LAOS
CAMBODIA
VIET-NAM
Gulf of Thailand (Siam)
SOUTH CHINA SEA
MALAYSIA
PENINSULAR MALAYSIA
SINGAPORE
INDONESIA
SUMATERA
KALIMANTAN
BORNEO
SARAWAK
SABAH
BRUNEI
Greater Sunda Islands
JAVA SEA
JAWA (JAVA)
INDIAN OCEAN
Java Trench
Strait of Malacca
Selat Karimata
Rangoon
G. of Martaban
Moulmein
Bangkok
Phra Nakhon Si Ayutthaya
Nakhon Ratchasima (Khorat)
Phnom Dangrek
Battambang
Phnom Penh
Kompong Som
Phu Quoc
PHANH BHO HO CHI MINH (Saigon)
Bien Hoa
Vung Tau
Phan Rang
Nha Trang
Da Nang (Tourane)
Hue
Quang Tri
Dong Hoi
Hsisha
Chuntao
Palawan
Spratly I.
Amboyna I.
Islands (Philippines)
Balabac Strait
Kota Kinabalu (Jesselton)
Kota Belud
Kudat
Bandar Seri Begawan
Miri
Bintulu
Sibu
Kuching
Pontianak
Singkawang
Ketapang
Banjarmasin
Balikpapan
Samarinda
Muaratewe
Kualakapuas
Kepulauan Natuna Besar
Kepulauan Anambas
George Town
Pinang
Ipoh
Kuala Lumpur
Port Kelang
Seremban
Melaka
Johor Baharu
Kuala Terengganu
Kota Baharu
Songkhla (Singora)
Phuket
Medan
Belawan
Sibolga
Padang
Bukittinggi
Pakanbaru
Jambi
Palembang
Bengkulu
Tanjungkarang
Telukbetung
Bangka
Pangkalpinang
Pulau Belitung (Billiton)
Simeulue
Nias
Siberut
Kepulauan Mentawai
Enggano
JAKARTA
Bogor
Bandung
Cirebon
Semarang
Yogyakarta
Surakarta
Madiun
Surabaya
Malang
Madura
BALI
Lombok
NUSA TENGGARA
Projection: Mercator
East from Greenwich
ft
m

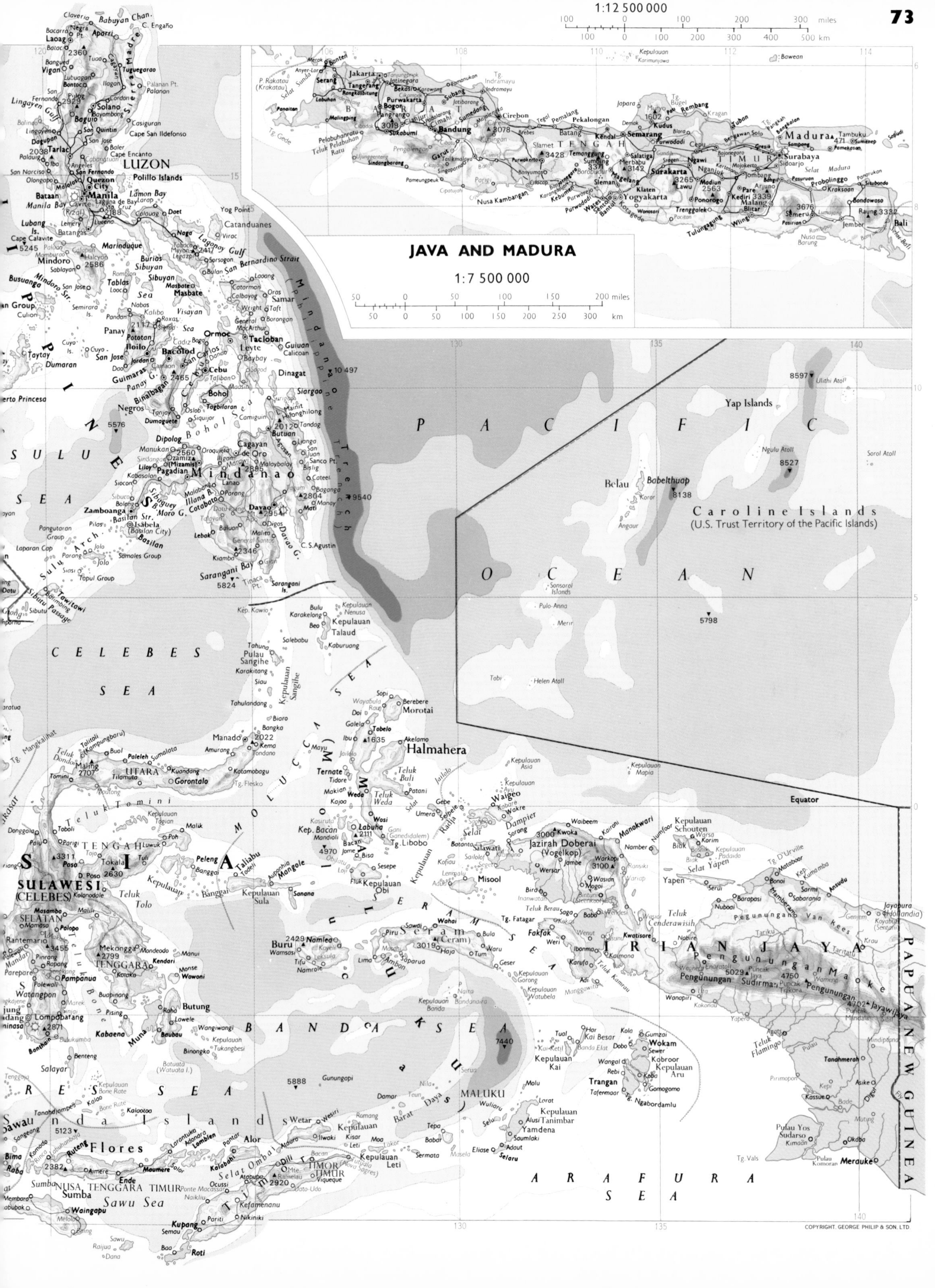
1:12 500 000
100 0 100 200 300 miles
100 0 100 200 300 400 500 km
JAVA AND MADURA
1:7 500 000
50 0 50 100 150 200 miles
50 0 50 100 150 200 250 300 km
Jakarta
Serang
Tangerang
Bekasi
Bogor
Purwakarta
Subang
Bandung
Sukabumi
Cirebon
Tegal
Pekalongan
Kendal
Semarang
Kudus
Japara
Rembang
Tuban
Madura
Sumenep
Surabaya
Gresik
Sidoarjo
Mojokerto
Jombang
Kediri
Blitar
Malang
Pasuruan
Probolinggo
Situbondo
Bondowoso
Jember
Raung 3332
Bali
Surakarta
Yogyakarta
Magelang
Klaten
Ngawi
Madiun
Ponorogo
Cepu
Blora
Garut
Tasikmalaya
Nusa Kambangan
Slamet
3428
3078
3019
3142
3371
3265
Lawu
2563
3339
3676
Semeru
Bawean
Kepulauan Karimunjawa
Selat Madura
T E N G A H
T I M U R
Cilacap
Purwokerto
Bumiayu
Brebes
Batang
Pemalang
Tg. Indramayu
Indramayu
Pelabuhanratu
Teluk Pelabuhan Ratu
Merak
Banten
Anyer-Lor
P. Rakatau (Krakatau)
Selat Sunda
Nusa Barung
LUZON
Claveria
Babuyan Chan.
C. Engaño
Aparri
Laoag
Vigan
Tuguegarao
Ilagan
Bontoc
Baguio
San Fernando
Lingayen Gulf
Dagupan
Tarlac
Cabanatuan
Baler
Cape Encanto
Polillo Islands
Angeles
Quezon City
Manila
Bataan
Manila Bay
Cavite
Lamon Bay
Lucena
Batangas
Lubang Is.
Cape Calavite
Mindoro
Marinduque
Naga
Legazpi
Catanduanes
Virac
Sorsogon
San Bernardino Strait
Sibuyan Sea
Masbate
Samar
Tacloban
Leyte
Ormoc
Catbalogan
Visayan Sea
Panay
Iloilo
Roxas
Bacolod
Negros
Cebu
Bohol
Dumaguete
Bohol Sea
Dinagat
Siargao
Butuan
Surigao
Mindanao
Cagayan de Oro
Dipolog
Pagadian
Zamboanga
Isabela (Basilan City)
Basilan
Davao
Davao G.
Moro G.
Cotabato
Sarangani Bay
C. S. Agustin
Jolo
Sulu Arch.
Tawitawi
Sibutu Passage
SULU SEA
Taytay
Dumaran
Cuyo Is.
Philippine Trench
10 497
9540
5576
5824
2954
2346
CELEBES SEA
Kepulauan Talaud
Kepulauan Nenusa
Kaburuang
Salebabu
Pulau Sangihe
Tahuna
Kepulauan Sangihe
Siau
Tahulandang
Biaro
Bangka
Manado
2022
Kema
Tondano
Amurang
Kotamobagu
Gorontalo
Tg. Flesko
Teluk Tomini
Kepulauan Togian
Tolitoli
Buol
Paleleh
Sumalata
UTARA
Dondo
Malino
2707
Tilamuta
Tomini
Donggala
Palu
Parigi
Toboli
Poso
Tojo
TENGAH
Luwuk
Peleng
Banggai
Kepulauan Banggai
Tokala 2630
3311
SULAWESI (CELEBES)
Kolonodale
Malili
Masamba
SELATAN
Palopo
Rantemario 3455
Teluk Tolo
Teluk Bone
Mekongga 2799
TENGGARA
Kendari
Kolaka
Pinrang
Parepare
Watangpone
Pampanua
Wowoni
Butung
Raha
Baubau
Muna
Kabaena
Lompobatang 2871
Bonthain
Bulukumba
Salayar
Benteng
Kepulauan Bone Rate
Kalaotoa
Kepulauan Tukangbesi
Wangiwangi
Binongko
Batuata (Watuata I.)
Gunungapi
5888
BANDA SEA
FLORES SEA
Sumbawa
Bima
Raba
5123
Sangeang
Flores
Ruteng
2382
Ende
Maumere
Larantuka
Adonara
Lomblen
Pantar
Alor
Kalabahi
Ombai
Dili
TIMOR
Atauro
Wetar
Ilwaki
Kisar
Leti
Moa
Kepulauan Leti
Lakor
Baucau
Viqueque
Ramelau 2920
Atapupu
Ocussi
Kefamenanu
Kupang
Roti
Semau
Sawu
Raijua
Dana
Sawu Sea
Sumba
Waingapu
NUSA TENGGARA TIMUR
Sunda Islands
Timor Sea
Damar
Teun
Nila
Serua
Romang
Selat Wetar
Barat Daya
MALUKU
Wuliaru
Selu
Kepulauan Tanimbar
Yamdena
Saumlaki
Alusi
Adaut
Larat
Selaru
Molu
Sermata
Babar
Tepa
Eliase
Morotai
Berebere
Sopi
Wayabula
Rau
Doi
Galela
Tobelo
Ibu
1635
Akelamo
Halmahera
Mayu
Ternate
Tidore
Makian
Kajoa
Weda
Teluk Weda
Teluk Buli
Buli
Patani
Gebe
Kasiruta
Kep. Bacan
Mandioli
Bacan
Labuha
2111
Tg. Libobo
Gani
Jome
Bisa
4970
Obilatu
Kepulauan Obi
Sanana
Kepulauan Sula
Taliabu
Mangole
MOLUCCA SEA
Buru
Namlea
2429
Namrole
Seram
3019
Wahai
Bula
Ambon
Saparua
Haruku
Geser
Kepulauan Gorong
Kepulauan Watubela
Kepulauan Banda
Banda
Misool
Salawati
Sorong
Waigeo
Batanta
Kofiau
Dampier
Selat Sele
Umera
Jazirah Doberai (Vogelkop)
3000 Kwoka
Manokwari
Numfoor
Wersar
3100
Teluk Bintuni
Bintuni
Bira
Teluk Berau
Babo
Fakfak
Tg. Fatagar
Kaimana
Teluk Kamrau
Wenut
Karufa
Adi
Kepulauan Schouten
Biak
Wosi
Wasior
Yapen
Serui
Selat Yapen
Teluk Cenderawasih
Nabire
IRIAN JAYA
Tg. D'Urville
Sarmi
Jayapura (Hollandia)
Pegunungan Van Rees
Pegunungan Sudirman
Puncak Jaya 5029
4750
Puncak Trikora
Pegunungan Jayawijaya
4702
Enarotali
Wamena
Wanapiri
Kokonau
Agats
Teluk Flamingo
Tanahmerah
Asike
Digul
Kepi
Kassue
Bade
Muting
Okaba
Merauke
Pulau Yos Sudarso
Kimaän
Pulau Komoran
Tg. Vals
Kai Besar
Kai Kecil
Tual
Kepulauan Kai
Dobo
Wokam
Kobroor
Kepulauan Aru
Trangan
Tg. Ngabordamlu
7440
PAPUA NEW GUINEA
ARAFURA SEA
PACIFIC OCEAN
Equator
Belau
Babelthuap
Koror
Angaur
8138
Yap Islands
Ulithi Atoll
8597
Ngulu Atoll
8527
Sorol Atoll
Caroline Islands
(U.S. Trust Territory of the Pacific Islands)
Sonsorol Islands
Pulo Anna
Merir
5798
Tobi
Helen Atoll
Kepulauan Asia
Kepulauan Mapia
Palawan
PHILIPPINES
Puerto Princesa

SEA OF JAPAN

PACIFIC OCEAN

SEA OF JAPAN

CHŪGOKU
SHIKOKU
KINKI
KYŪSHŪ
TŌHOKU
HOKKAIDO
KANTO
CHŪBU

1:5 000 000

25 0 25 50 75 100 miles
25 0 50 100 150 km
Projection: Conical with two standard parallels
East from Greenwich

SOUTH KOREA

1:10 000 000

100 50 0 50 100 150 200 miles
100 0 100 200 300 km
Projection: Bonne
East from Greenwich

Nansei-Shoto

Continuation Southwards on same scale

ft	m
9000	3000
6000	2000
4500	1500
3000	1200
	600
	400
	200
0	0
200	600
2000	6000
4000	12 000
6000	18 000
8000	24 000
m	ft

REFERENCE TO PREFECTURES

HOKKAIDO DISTRICT		KINKI DISTRICT	
1	Hokkaidō	24	Hyogo
		25	Kyōto
TŌHOKU DISTRICT		26	Shiga
2	Aomori	27	Ōsaka
3	Akita	28	Nara
4	Iwate	29	Mie
5	Yamagata	30	Wakayama
6	Miyagi		
7	Fukushima	**CHŪGOKU DISTRICT**	
		31	Tottori
CHŪBU DISTRICT		32	Okayama
8	Niigata	33	Shimane
9	Ishikawa	34	Hiroshima
10	Toyama	35	Yamaguchi
11	Fukui		
12	Gifu	**SHIKOKU DISTRICT**	
13	Nagano	36	Kagawa
14	Yamanashi	37	Tokushima
15	Aichi	38	Ehime
16	Shizuoka	39	Kōchi
KANTO DISTRICT		**KYŪSHŪ DISTRICT**	
17	Gumma	40	Fukuoka
18	Tochigi	41	Saga
19	Saitama	42	Nagasaki
20	Ibaraki	43	Kumamoto
21	Tōkyō	44	Ōita
22	Chiba	45	Miyazaki
23	Kanagawa	46	Kagoshima

COPYRIGHT. GEORGE PHILIP & SON. LTD

1:20 000 000

100 0 100 200 300 400 miles
100 0 100 200 300 400 500 600 km
UNION OF SOVIET SOCIALIST REPUBLICS
U. S. S. R.
KAZAKH S.S.R.
KIRGIZ S.S.R.
MONGOLIA
CHINA
XIZANG (TIBET)
NEPAL
BHUTAN
ASSAM
BANGLADESH
INDIA
BURMA
LAOS
VIETNAM
THAILAND (SIAM)
NORTH KOREA
SOUTH KOREA
JAPAN
TAIWAN (FORMOSA)
PHILIPPINES
YELLOW SEA
EAST CHINA SEA
SOUTH CHINA SEA
BAY OF BENGAL
Tarim Pendi
Junggar Pendi
Kunlun Shan
Qilian Shan
Altun Shan
Mu Us Shamo
BEIJING
TIANJIN
SHANGHAI
WUHAN
CHONGQING
CHENGDU
GUANGZHOU
NANJING
XI'AN
HARBIN
SHENYANG
QINGDAO
TAIYUAN
BAOTOU
LÜDA
CALCUTTA
Hong Kong
Ulaanbaatar
Irkutsk
Vladivostok
Tropic of Cancer
ft m
Projection: Bonne
East from Greenwich
COPYRIGHT GEORGE PHILIP & SON LTD

U. S. S. R.
MONGOLIA
NORTH KOREA
SOUTH KOREA
SEA OF JAPAN
YELLOW
HEILONGJIANG
JILIN
LIAONING
NEI MONGGOL ZIZHIQU
NINGXIA HUIZU ZIZHIQU
Korea Bay
Bo Hai (Gulf of Chihli)
HARBIN
Qiqihar
Changchun
SHENYANG
Fushun
Anshan
LÜDA
BEIJING
TIANJIN
Tangshan
Shijiazhuang
TAIYUAN
Baotou
Hohhot
Datong
Jinan
Yinchuan
Lanzhou
Pyŏngyang
SŎUL (Seoul)
Vladivostok
Khabarovsk
Irkutsk
Ulan-Ude
Chita
Ulaanbaatar (Ulan Bator)
Hailar
Jilin
Jiamusi
Xiao Hinggan Ling
THE GREAT WALL
Mu Us Shamo

1:10 000 000

P   A   C   I   F   I   C   O   C   E   A   N

E   A   S   T   C   H   I   N   A   S   E   A

S   O   U   T   H   C   H   I   N   A   S   E   A

JAPAN

KITAKYŪSHŪ
Fukuoka
Kurume
Omuta
Sasebo
Nagasaki
Amakusa
Minamata
Makurazaki
Kagoshima

Cheju Do
(Quelpart)

SHANGHAI

TAIWAN
(FORMOSA)

TAIBEI
Jilong

PHILIPPINES

Luzon

VIETNAM

HANOI
Haiphong

HONG KONG

Macau

GUANGZHOU (Canton)

CHINA

Tropic of Cancer

East from Greenwich

Projection: Lambert's Equivalent Azimuthal

JIANGSU
ANHUI
HENAN
HUBEI
HUNAN
JIANGXI
ZHEJIANG
FUJIAN
GUANGDONG
GUANGXI-ZHUANGZU ZIZHIQU
GUIZHOU
SICHUAN
CHONGQING
SHAANXI

Xi'an
Wuhan
Nanjing
Changsha
Nanchang
Fuzhou
Xiamen
Shantou
Guilin
Nanning
Kaifeng
Zhengzhou
Luoyang
Gaoxiong
Tainan

Hainan

m / ft

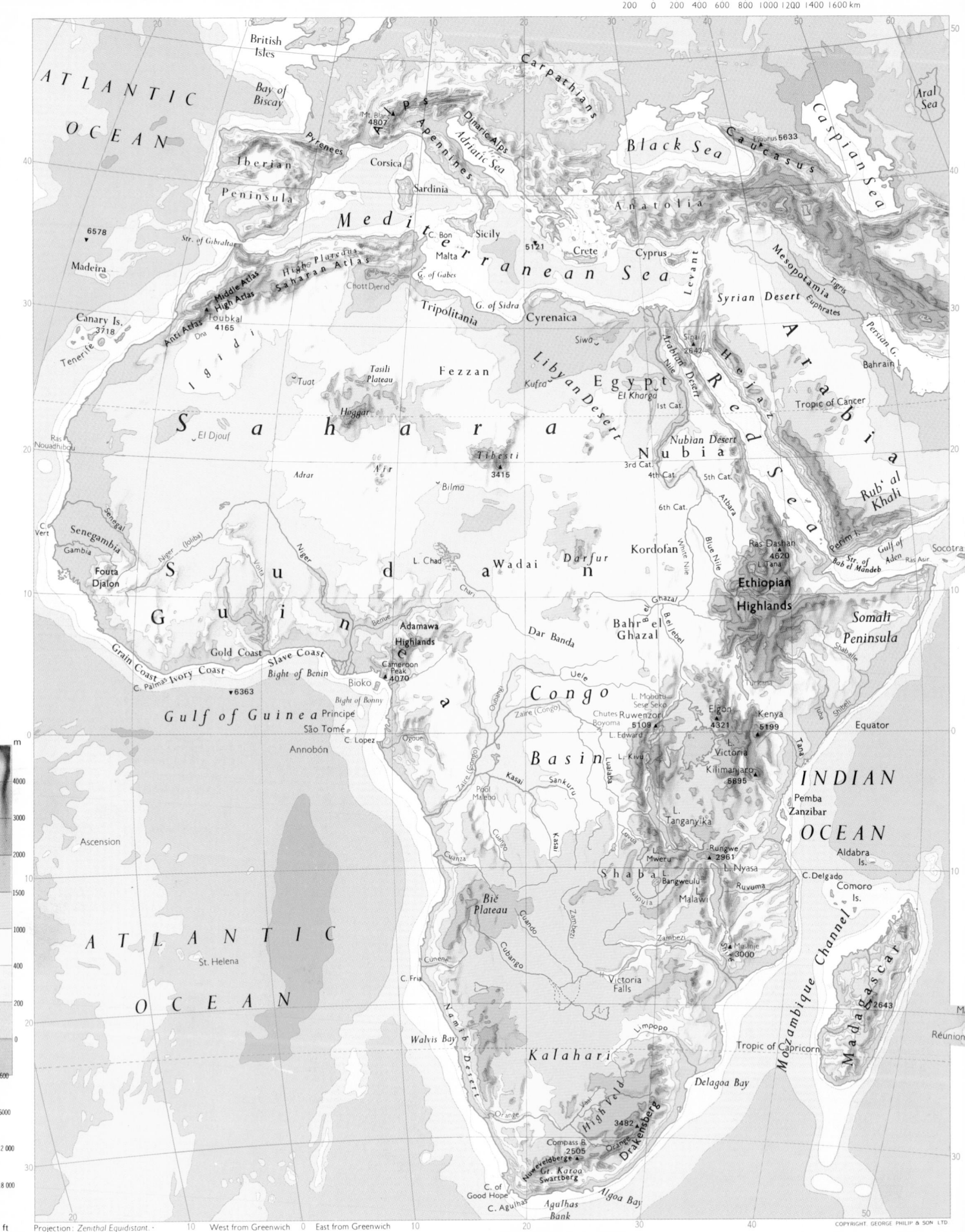

1:40 000 000

Projection: Zenithal Equidistant.

West from Greenwich   East from Greenwich

COPYRIGHT GEORGE PHILIP & SON LTD

1:40 000 000

200 0 200 400 600 800 1000 miles
200 0 200 400 600 800 1000 1200 1400 1600 km

ATLANTIC OCEAN

UNITED KINGDOM — London
NETH. — GERMANY — POLAND — Warszawa
BELG. — Praha — CZECHOSLOVAKIA — Kiyev — Volgograd
Paris — FRANCE — Wien — AUSTRIA — HUNGARY — ROMANIA — Odessa — U. S. S. R.
SWITZ. — Bay of Biscay — ITALY — YUGOSLAVIA — Black Sea — Aral Sea
Corse — Adriatic Sea — BULGARIA — Istanbul — Caspian Sea
Madrid — SPAIN — Roma — GREECE — Ankara — TURKEY — Baku
Lisboa — PORTUGAL — Sardegna — Athínai — Kriti — CYPRUS — SYRIA — Al Mawşil — Tehrān
Madeira (Port.) — Tanger — Tétouan — Alger — Annaba — Tunis — Sicilia — MALTA — Halab — Dimashq — Baghdād — Eşfahān
Casablanca — Rabat — Fès — Oran — Constantine — TUNISIA — Tarābulus — EL QÂHIRA — El Iskandarîya — Tel Aviv-Yafo — Jerusalem — IRAN — Al Başrah
MOROCCO — Marrakech — ALGERIA — Banghāzi — El 'Arîsh — ISRAEL — JORDAN — KUWAIT — Persian Gulf
Islas Canarias — El Aaiún — LIBYA — Sahrā' — EGYPT — Asyūt — SAUDI- — BAHRAIN — QATAR
Tenerife — WESTERN SAHARA — In Salah — Ghat — Marzūq — Al Jawf — Aswān — Tropic of Cancer — ARABIA — Al Madīnah
Ras Nouadhibou — Sahara — Wadi Halfa — Makkah — Asīr
MAURITANIA — Nouakchott — Tombouctou — NIGER — CHAD — SUDAN — Dongola — Atbara — Omdurmân — El Khartûm — Asmera — Mitsiwa — YEMEN — SOUTH YEMEN
St. Louis — Dakar — SENEGAL — Kayes — MALI — Agadez — Gaô — El Fâsher — El Obeid — L. Tana — Djibouti — DJIBOUTI — Berbera — Socotra (South Yemen) — Ras Asir
GAMBIA — GUINEA BISSAU — GUINEA — Bamako — UPPER VOLTA — Ouagadougou — Niamey — Sokoto — Kano — Nguru — Maiduguri — Ndjamena (Ft.-Lamy) — Bousso — Abéché — Addis Abeba — ETHIOPIA — Harer — Hargeisa
SIERRA LEONE — Conakry — Freetown — Kankan — Bauchi — NIGERIA — Kaduna — Malakâl — SOMALI REP.
Monrovia — LIBERIA — IVORY COAST — Bouaké — Kumasi — GHANA — TOGO — BENIN — Ibadan — Benue — Wâw — Mongalla — L. Turkana
Abidjan — Sekondi-Takoradi — Tamale — Lomé — Porto Novo — Lagos — Enugu — CAMEROON — CENTRAL AFRICAN REPUBLIC — Bangui — Bel Jebel — Muqdisho
Gulf of Guinea — Bight of Benin — Port Harcourt — Rey Malabo — Douala — Yaoundé — Ubangui — L. Mobutu Sese Seko — KENYA — Nairobi — Chisimáio
Bioko — EQUATORIAL GUINEA — São Tomé — Príncipe — Libreville — GABON — CONGO — Zaïre (Congo) — Kisangani — Kampala — UGANDA — L. Victoria — Kisumu — INDIAN OCEAN
Annobón — C. Lopez — Brazzaville — ZAÏRE — Mbandaka — Uatala — L. Edward — RWANDA — Mwanza — Mombasa
Pointe-Noire — Kinshasa — Kasai — Ilebo — RWANDA — BURUNDI — Bujumbura — Kigoma — Tabora — TANZANIA — Pemba — Zanzibar
Cabinda — Boma — Kananga — Mbuji-Mayi — Kalemie — Dodoma — Dar-es-Salaam
Luanda — Cuanza — Shaba — Bukama — L. Tanganyika — L. Mweru
ANGOLA — Benguela — Lobito — Huambo — Likasi — Lubumbashi — Kitwe — L. Malawi — Aldabra Is.
Namibe — Cuando — ZAMBIA — Lusaka — Lilongwe — COMOROS — Antsiranana
St. Helena (Br.) — Ascension (Br.) — Cunene — Cubango — Zambezi — Kafue — MALAWI — Blantyre — MOZAMBIQUE — Mahajanga
ATLANTIC OCEAN — Livingstone — Harare — ZIMBABWE — Chinde — Quelimane — Mozambique Channel — MADAGASCAR — Antananarivo
NAMIBIA (SOUTH WEST AFRICA) — Windhoek — BOTSWANA — Bulawayo — Beira — Fianarantsoa — MAURITIUS — Réunion (Fr.)
Swakopmund — Walvis-baai — Kalahari — Gaborone — TRANSVAAL — Pretoria — Maputo (Lourenço Marques) — Toliara
Lüderitz — Johannesburg — SWAZ. — INDIAN OCEAN
Oranje — Kimberley — O.V. — Bloemfontein — NATAL — Durban
SOUTH AFRICA — CAPE PROVINCE — LES.
Cape Town — Kaap die Goeie Hoop (Cape of Good Hope) — East London
Port Elizabeth

LES. Lesotho
O. V. Oranje-Vrystaat
SWAZ. Swaziland

Projection: Zenithal Equidistant.   West from Greenwich   East from Greenwich   COPYRIGHT. GEORGE PHILIP & SON. LTD.

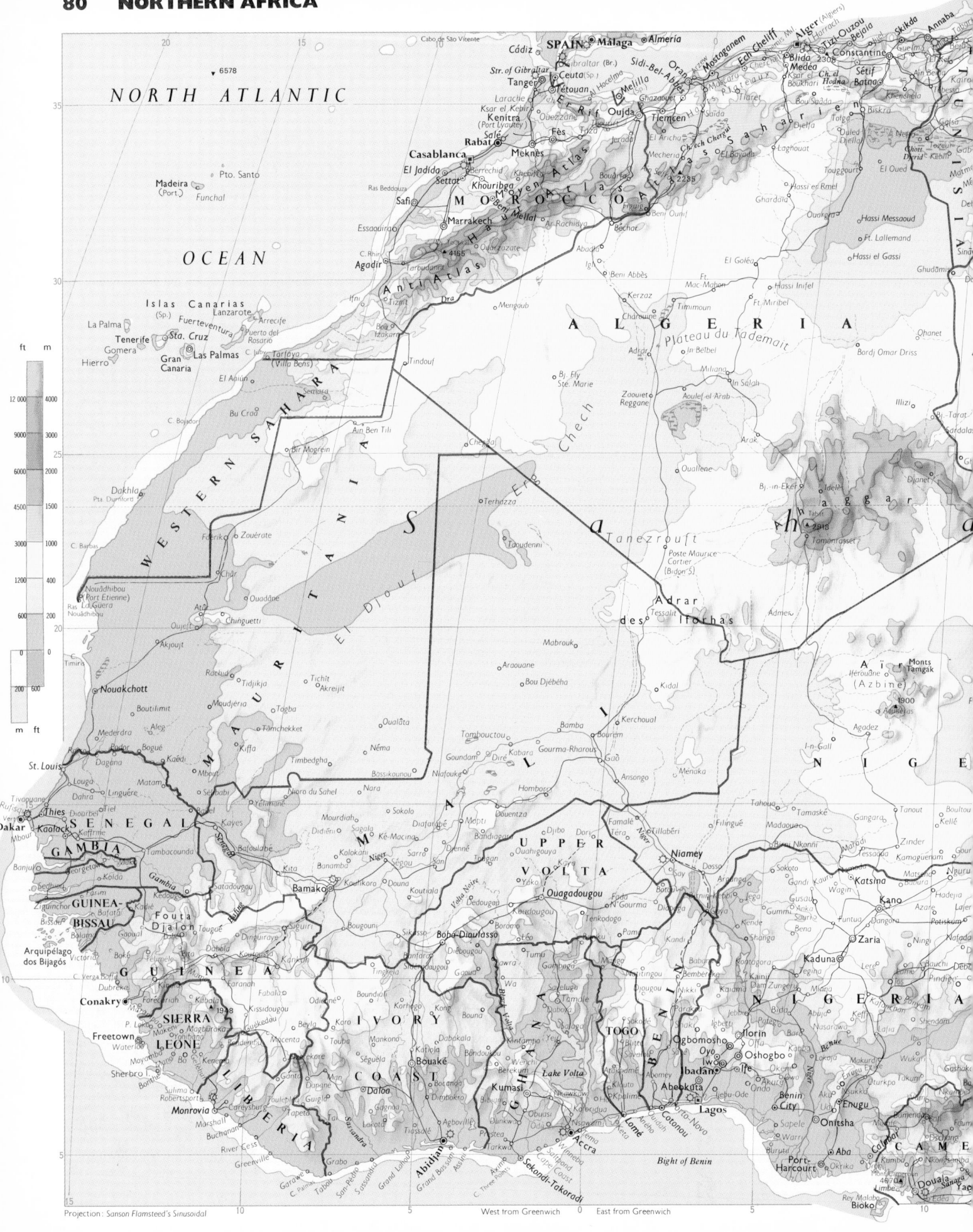
NORTH ATLANTIC
OCEAN
SPAIN
Málaga
Almería
Cádiz
Str. of Gibraltar
Gibraltar (Br.)
Ceuta (Sp.)
Tanger
Tétouan
Melilla
Larache
Ksar el Kebir
Kenitra
(Port Lyautey)
Salé
Rabat
Casablanca
El Jadida
Settat
Khouribga
Meknès
Fès
Oujda
Safi
Marrakech
Essaouira
Agadir
MOROCCO
Beni Mellal
Ar-Rachidia
Moyen Atlas
Haut Atlas
Anti Atlas
Er Rif
Ras Beddouza
C. Rhir
Oran
Mostaganem
Ech Cheliff
Alger (Algiers)
Blida
Medea
Tizi-Ouzou
Bejaia
Skikda
Annaba
Constantine
Sétif
Batna
Biskra
Sidi-Bel-Abbès
Tlemcen
Tiaret
Saïda
Djelfa
Laghouat
Touggourt
El Oued
Ghardaïa
Ouargla
Hassi Messaoud
Ft. Lallemand
Hassi el Gassi
El Goléa
Béchar
Beni Ounif
Figuig
Abadla
Beni Abbès
Kerzaz
Timimoun
Adrar
Plateau du Tademaït
In Belbel
In Salah
Aoulef el Arab
Zaouiet Reggane
Bj. Fly Ste. Marie
Tindouf
ALGERIA
Ghudamis
Illizi
Bordj Omar Driss
Ohanet
Hassi Inifel
Ft. Mac-Mahon
Ft. Miribel
Arak
Ouallene
Bj.-in-Eker
Ideles
Ahaggar
Tamanrasset
2918
Djanet
Tanezrouft
Poste Maurice Cortier (Bidon 5)
Adrar des Iforhas
Tessalit
Admer
Madeira (Port.)
Funchal
Pto. Santo
6578
Islas Canarias (Sp.)
Lanzarote
Fuerteventura
Arrecife
Puerto del Rosario
La Palma
Tenerife
Sta. Cruz
Gomera
Hierro
Gran Canaria
Las Palmas
C. Juby
Tarfaya (Villa Bens)
El Aaiún
Semara
Bu Craa
C. Bojador
WESTERN SAHARA
Dakhla
Pta. Durnford
C. Barbas
Bir Mogrein
Aïn Ben Tili
Chegga
Fdérik
Zouérate
Char
Nouâdhibou (Port Etienne)
La Güera
Ras Nouâdhibou
Atar
Ouadâne
Chinguetti
Akjoujt
Nouakchott
Tidjikja
Tichît
Akreijit
Moudjéria
Boutilimit
Aleg
Tamchekket
Kiffa
Tagba
Oualâta
Néma
Timbedgha
Mederdra
Rosso
Bogué
Kaédi
MAURITANIA
Terhazza
Taoudenni
El Djouf
Erg Chech
Sahara
Mabrouk
Araouane
Bou Djébéha
Kidal
Kerchoual
Bamba
Bourem
Tombouctou
Gourma-Rharous
Gao
Ansongo
Ménaka
Goundam
Diré
Niafounké
Hombori
Bassikounou
Nara
Nioro du Sahel
MALI
Mopti
Douentza
Djenné
Ségou
Bamako
Koutiala
Sikasso
Kita
Kayes
Bougouni
Aïr
Monts Tamgak
Iférouâne
(Azbine)
1900
Agadez
In-Gall
NIGER
Tahoua
Tamaské
Tanout
Zinder
Maradi
Birni Nkonni
Niamey
Dosso
Filingué
Tillabéri
Madaoua
Gangara
Kellé
Magaria
Kamaguenam
St. Louis
Dagana
Louga
Linguère
Matam
Dahra
Tivaouane
Rufisque
Thiès
Dakar
C. Vert
Kaolack
Kaffrine
Mbour
SENEGAL
GAMBIA
Banjul
Georgetown
Tambacounda
Bakel
Ziguinchor
Kolda
GUINEA-BISSAU
Bissau
Bafatá
Arquipélago dos Bijagós
Fouta Djalon
GUINEA
Conakry
Kindia
Dabola
Kouroussa
Kankan
Siguiri
Faranah
Kissidougou
Guékédou
Macenta
Nzérékoré
SIERRA LEONE
Freetown
Makeni
Waterloo
Bo
Kenema
Sherbro I.
Bonthe
LIBERIA
Monrovia
Robertsport
Buchanan
River Cess
Greenville
Harper
C. Palmas
1948
UPPER VOLTA
Ouagadougou
Bobo-Dioulasso
Dori
Djibo
Ouahigouya
Yako
Koudougou
Tenkodogo
Fada N'Gourma
Diapaga
Gaoua
Banfora
Dédougou
Volta Noire
IVORY COAST
Korhogo
Odienné
Boundiali
Séguéla
Bouaké
Daloa
Man
Gagnoa
Dimbokro
Agboville
Abidjan
Grand Bassam
Sassandra
Tabou
San-Pédro
Divo
Bondoukou
GHANA
Tamale
Bolgatanga
Kintampo
Wenchi
Sunyani
Kumasi
Lake Volta
Koforidua
Accra
Tema
Cape Coast
Sekondi-Takoradi
Axim
C. Three Points
Winneba
TOGO
Sokodé
Atakpamé
Lomé
BENIN
Kandi
Parakou
Djougou
Natitingou
Abomey
Porto-Novo
Cotonou
Ouidah
Bight of Benin
NIGERIA
Sokoto
Gusau
Katsina
Kano
Zaria
Kaduna
Jos
Bida
Ilorin
Ogbomosho
Oyo
Oshogbo
Iwo
Ife
Ibadan
Abeokuta
Lagos
Ijebu-Ode
Ondo
Benin City
Sapele
Warri
Onitsha
Enugu
Aba
Port-Harcourt
Calabar
Makurdi
Lokoja
Kafanchan
Niger
Benue
Biu
Kainji Dam
Zungeru
Minna
CAMEROON
Douala
Buea
Kumba
Biafra
Bioko
Projection: Sanson Flamsteed's Sinusoidal
West from Greenwich
East from Greenwich
ft
m
12 000
4000
9000
3000
6000
2000
4500
1500
3000
1000
1200
400
600
200
0
0
200
600
m
ft

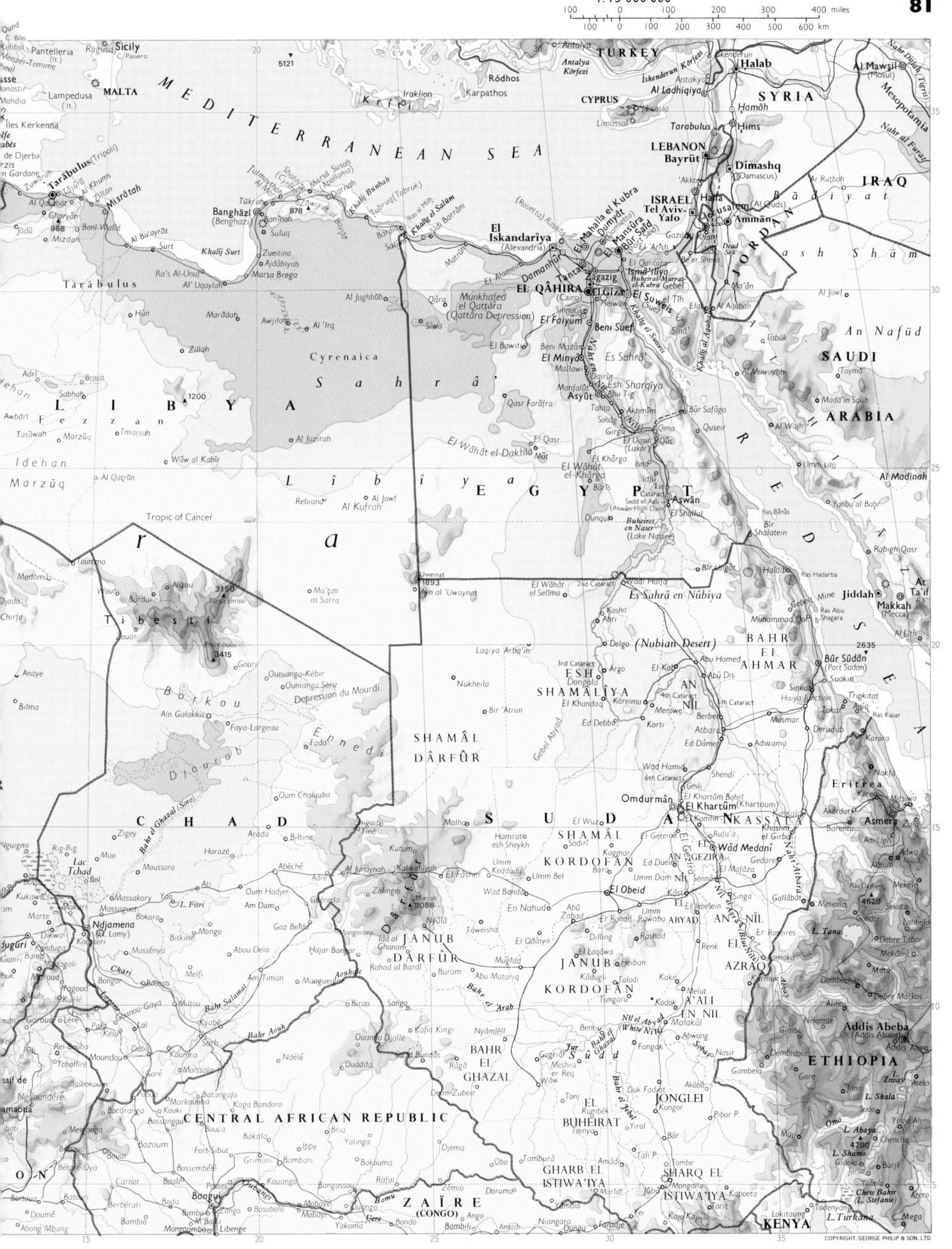
1:15 000 000
100 0 100 200 300 400 miles
100 0 100 200 300 400 500 600 km
MEDITERRANEAN SEA
Sicily
MALTA
Pantelleria (It.)
Lampedusa (It.)
Îles Kerkenna
TURKEY
Antalya
Antalya Körfezi
Ródhos
Karpathos
Iraklion
Kríti
CYPRUS
Nicosia
Limassol
İskenderun Körfezi
Halab
Antakya
Al Lādhiqīyah
SYRIA
Hamāh
Hims
Tarabulus
LEBANON
Bayrūt
Dimashq (Damascus)
Al Mawsil (Mosul)
Mesopotamia
Nahr Dijlah (Tigris)
Nahr al Furat
IRAQ
Ar Rutbah
ISRAEL
Haifa
Tel Aviv-Yafo
Jerusalem (Al Quds)
'Ammān
JORDAN
Bādiyat ash Shām
Dead Sea
Ma'ān
Al 'Aqabah
Tarābulus (Tripoli)
Misrātah
Al Khums
Zuwārah
Gharyān
Banī Walīd
Mizdah
Banghāzī (Benghazi)
Tūkrah
Tulmaythah
Shahhāt (Cyrene)
Marsá Susah (Apollonia)
Darnah
Khalīj Bunbah
Tubruq (Tobruk)
Khalīg el Salûm
Sîdi Barrâni
Salûm
Bardīyah
Suluq
Al Bu'ayrāt
Surt
Khalīj Surt
Zueitina
Ajdābiyah
Marsa Brega
Ra's Al-Unuf
Al' Uqaylah
Tarābulus
El Iskandarîya (Alexandria)
Damanhûr
El Mahalla el Kubra
Dumyât (Damietta)
El Mansûra
Bûr Saîd (Port Said)
Tanta
Zagazig
Ismâ'ilîya
El Qantara
El Alamein
Matrûh
EL QÂHIRA (Cairo)
El Gîza
Helwân
El Suweis (Suez)
Buheirat-Murrat-el-Kubra
Gebel el Tîh
Sînâ'
Khalîg el Suweis
Khalīj al 'Aqabah
Al Jaghbūb
Qâra
Munkhafed el Qattâra (Qattâra Depression)
Sîwa
El Faiyûm
Beni Suef
El Bawiti
Beni Mazâr
El Minyâ
Mallawi
Es Sahrâ' Esh Sharqîya
Manfalût
Dairût
Asyût
Abu Tig
Tahta
Sohâg
Akhmîm
Girga
Qena
Qûs
El Uqsur (Luxor)
Bûr Safâga
Quseir
El Qasr
Mût
El Wâhât el-Dakhla
El Khârga
El Wâhât el-Khârga
Bârîs
Isna
Idfu
1st Cataract
Aswân
Sadd el Aali (Aswân High Dam)
El Shallal
Dunqul
Buheiret en Naser (Lake Nasser)
Ras Banâs
Bîr Shalatein
Qasr Farâfra
Marādah
Awjilah
Al 'Irq
Hūn
Zillah
Cyrenaica
Sahrâ' Lîbîya
LIBYA
EGYPT
Sabhah
Adrī
Brach
Awbārī
Fezzan
Tasāwah
Marzūq
Tmassah
Idehan Marzūq
Wāw al Kabīr
Al Jazīrah
Al Qatrūn
Rebiana
Al Jawf
Al Kufrah
Tropic of Cancer
Tibesti
Toummo
Madama
Aozou
3150
Tarso Emissi
Bardaï
Wour
Zouar
Emi Koussi
3415
Gouro
Ounianga-Kébir
Ounianga Sérir
Dépression du Mourdi
Borkou
Ennedi
Fada
Ain Galakka
Faya-Largeau
Djourab
Bilma
Anaye
Uweinat
1893
'Ayn al 'Uwaynat
Ma'tan as Sarra
Laqiya Arba'in
Nukheila
Bir 'Atrun
El Wâhât el Selîma
2nd Cataract
Wadi Halfa
Es Sahrâ en Nûbîya
Kosha
Abri
Delgo
(Nubian Desert)
3rd Cataract
Argo
Dongola
ESH SHAMÂLÎYA
El Khandaq
Kareima
4th Cataract
Merowe
Korti
Ed Debba
Abu Hamed
Abû Dis
El Kab
AN NÎL
5th Cataract
Berber
Atbara
Ed Dâmer
Adarama
Wad Hamid
6th Cataract
Shendi
Geili
Omdurmân
El Khartûm Bahrî
El Khartûm (Khartoum)
El Kamlin
KASSALA
Kassala
Khashm el Girba
Nahr 'Atbara
Rufa'a
Wâd Medanî
GEZIRA
Gedaref
El Mafâza
Sennar
Kôsti
Singa
El Jebelein
AN NÎL EL AZRAQ
Er Roseires
Renk
Kurmuk
Gebel Abyad
SHAMÂL DÂRFÛR
Malha
El Fasher
Kutum
Kabkabîyah
Al Junaynah
Geneina
Zalingei
Jebel Marrah
3088
Dârfûr
Nyâla
JANUB DÂRFÛR
Id al Ghanam
Rahad al Bardî
Buram
Mugladd
Abu Matariq
Bahr el 'Arab
SHAMÂL KORDOFÂN
El Wuz
Sodiri
Hamrat esh Sheykh
Umm Keddada
Umm Bel
Bara
Kagmar
El Obeid
Wad Banda
En Nahud
Abû Zabad
Er Rahad
Umm Ruwaba
Dilling
Rashad
Taweisha
El Odaiya
JANUB KORDOFÂN
El Lagâwa
Heiban
Kâdugli
Talodi
Tungaru
Kaka
Kodok
Melut
A'ALI EN NIL
Nil el Abyad (White Nile)
Malakâl
Bentiu
Abwong
Sobat
Nasir
Fangak
Bahr el Ghazal
Jur
Gogrial
Meshra er Req
Wâw
SUDAN
BAHR EL GHAZAL
Nyâmlêll
Kafia Kingi
Ouanda Djallé
Sam Ouandja
Râga
Ouadda
Ndélé
Dem Zubeir
Tonj
Rumbek
EL BUHEIRAT
Yirol
Bahr el Jebel
Duk Fadiat
Kongor
Akôbo
JONGLEI
Pibor P.
Bôr
Tali P.
Tombe
Tambura
Amadi
GHARB EL ISTIWA'IYA
SHARQ EL ISTIWA'IYA
Maridi
Mongalla
Jûba
Kapoeta
Torit
Yei
Yambio
Dorumo
Obo
Zémio
Kajo Kaji
Faradje
Dungu
Niangara
Amadi
Lokitaung
Todenyang
L. Turkana
KENYA
Mega
Eritrea
Keren
Mitsiwa
Asmera
Akordat
Barentu
Agordat
Adigrat
Adwa
Aksum
Mekele
Ras Dashen
4620
Sekota
Gondar
L. Tana
Debre Tabor
Lalibela
Mekele
Gallâbât
Metema
Dembecha
Debre Markos
Mota
Alibo
Nekemte
Gimbi
Addis Abeba
Dembidolo
Gambela
Gore
ETHIOPIA
Jima
L. Ziway
Asela
Sodo
L. Shala
Yirga Alem
Omo
Maji
L. Abaya
4200
Chencha
L. Shamo
Gidole
Jarso
Burji
Yabelo
Chew Bahir (L. Stefanie)
Arero
Halaib
Ras Hadarba
Bîr Ungât
Gebeit Mine
Muhammad Qôl
Ras Abu Shagara
Bûr Sûdân (Port Sudan)
2635
Suakin
Sinkat
Haiya Junction
Tokar
Trinkitat
Agig
Ras Kasar
Musmar
Derudub
Karora
Nakfa
BAHR EL AHMAR
RED SEA
SAUDI ARABIA
Tabūk
Taymā'
An Nafūd
Al Muwaylih
Madā'in Salih
Al Wajh
Umm Lajj
Al Madīnah
Yanbu'al Bahr
Rābigh
Qasr
Jiddah
Makkah (Mecca)
At Ta'if
Al Lith
Al Jawf
CHAD
Oum Chalouba
Arada
Biltine
Guéréda
Tiné
Zigey
Bahr el Ghazal (Soro)
Rig-Rig
Mao
Lac Tchad
Bol
Moussoro
Harazé
Abéché
Adré
Ati
Oum Hadjer
Am Dam
Goz Beïda
L. Fitri
Yao
Massakory
Massaguet
Bokoro
Ndjamena (Ft. Lamy)
Kousseri
Mongo
Bitkine
Massénya
Abou-Deia
Hajar Bangar
Mongororo
Chari
Bongor
Bousso
Melfi
Am Timan
Mangueigne
Aoukalé
Birao
Bahr Salamat
Miltou
Gounou-Gaya
Kyabé
Laï
Kélo
Pala
Léré
Fianga
Moundou
Doba
Sarh
Koumra
Moïssala
Bahr Aouk
Goré
Baïbokoum
Batangafo
Markounda
Kaga Bandoro
Bocaranga
Bossangoa
Kouki
Bouca
CENTRAL AFRICAN REPUBLIC
Bakala
Ippy
Bria
Yalinga
Djema
Bozoum
Meiganga
Fort-Sibut
Bouar
Bossembélé
Grimari
Bambari
Bakouma
Rafaï
Bangassou
Kouango
Carnot
Boali
Bangui
Ubangi
Mobaye
Ouango
Bomu
Berbérati
Boda
Bimbo
Zongo
M'Baïki
Bosobolo
Mobayi
Bambio
Mongoumba
Libenge
Uere
Bondo
ZAÏRE (CONGO)
Bambili
Ango
Amadi
Yakoma
Doumé
Abong Mbang
Bertoua
Batouri
Bétaré-Oya
Ngaoundéré
Moundou
Kukawa
Marte
Dikwa
Maroua
Mokolo
Garoua
Guider
Bama
Kaélé
Mubi
Lagdo
Nguigmi
15
20
25
30
35
5
10
15
20
25
30
35

PORTUGAL
SPAIN
Huelva
SEVILLE
Cartagena
C. de Palos
Huercal Overa
C. St. Vincent
Lagos
Portimão
Faro
Tavira
C. Santa Maria
Sanlucar de Barrameda
Cádiz
Gettysburg Bank
Antequera
Granada
Almeria
Motril
MÁLAGA
C. de Gata
Algeciras
C. Trafalgar
Gibraltar (Br.)
Strait of Gibraltar
C. Spartel
Tanger
Ceuta (Sp.)
Tétouan
Asilah
Larache
Ksar el Kebir
Souk el Arba du Rharb
Ouezzane
Kenitra (Port Lyautey)
Sidi Slimane
Salé
RABAT
MEKNES
FES
Mohammedia (Fedala)
CASABLANCA
Azemmour
El Jadida (Mazagan)
Berrechid
Settat
Oued Zem
Khouribga
Fkih ben Salah
Khenifra
Safi
Youssoufia
Beni Mellal
Kasba Tadla
Benguerir
MARRAKECH
Essaouira (Mogador)
C. Sim
C. Tafelney
Tamanar
Agadir
Taroudannt
Tiznit
Ifni
Goulimine
Cap Draa
Tan Tan
Akka
Tata
Zagora
Ouarzazate
Dj. Toubkal
4165
4071
3737
3340
Midelt
Azrou
Ifrane
Sefrou
Taza
Taounate
Al Hoceima
Melilla (Sp.)
Nador
Berkane
Oujda
Taourirt
Guercif
Debdou
Jerada
Figuig
Bouarfa
Ar Rachidya
Erfoud
Rissani
Alnif
Boudenib
Tinerhir
MOROCCO
ATLANTIC OCEAN
4642
Ras Beddouza
ALGER (Alger)
Ténès
Cherchell
Miliana
Khemis Miliana
Mostaganem
ORAN (Ouahran)
Arzew
Aïn Temouchent
Beni Saf
Sidi-Bel-Abbès
Tlemcen
Maghnia
Nedroma
Mascara
Tiaret
Frenda
Saïda
Tissemsilt
Chott ech Chergui
El Bayadh
Mecheria
Aïn Sefra
El Abiodh Sidi-Cheikh
Aflou
Laghouat
Ghardaïa
Djebel Amour
Atlas Saharien
Béchar
Kenadsa
Abadla
Beni Ounif
Beni Abbès
Kerzaz
Timimoun
Adrar
Reggane
Zaouiet Reggane
In Salah
Aoulef el Arab
El Goléa
Grand Erg Occidental
Erg er Raoui
Kahal de Tabelbala
Tabelbala
Plateau du Tademaït
Tidikelt
Tanezrouft
Erg Chech
ALGERIA
Tindouf
Hamada Tounassine
Haut Plateau du Dra
Djebel Ouarkziz
Kem-Kem
Djebel Sarhro
Anti Atlas
Haut Atlas
Moyen Atlas
Hamada du Dra
Erg Iguidi
Ouahila
El Eglab
Mcherrah
Aftout
Chenachane
Bir el Abbes
WESTERN SAHARA
Smara
Tifariti
Bir Moghrein (Ft. Trinquet)
Sebkhet Iguetti
El Hank
El Mreiti
Aguelt el Melah
Bir Amrane
Mejaouda
Maqteïr
El Ghallaouiya
El Mrâyer
Ouarane
Ijafene
El Mzereb
Taoudenni
Hamada Safia
Hamada el Haricha
El Guettara
Bir Ounane
El Ksaib Ounane
Dhar Khenachiche
Erg in Sâkane
Tin Daksen
Tessalit
MAURITANIA
MALI
Bordj Flye Ste. Marie
Poste Weygand
Ahenet
Tirhehoumine
Poste Maurice Cortier (Bidon 5)
Erg Ilet
Tassili Tin-Rerhoh
Bouressa (Ft. Pierre Bordes)
ft
m
12 000
9000
6000
4500
3000
1200
600
0
200
2000
4000
1000
1500
400
Projection: Lambert's Equivalent Azimuthal
West from Greenwich
East from Greenwich

1:8 000 000

50   0   50   100   150   200 miles

50   0   50 100 150 200 250 300 km

MEDITERRANEAN SEA

SICILY

Marsala
Etna 3340
CATANIA
Agrigento
Caltanissetta   Siracusa
Ragusa
C. Spartivento

C. Passero

Linosa I.
VALLETTA
MALTA
Lampione I.
Lampedusa

Dj Menaïel
Dellys
Tizi-Ouzou
Bejaia
Skikda
Annaba
Bizerte (Binzert)
Menzel
Bourguiba
Ijijel
Collo
El Kala
Béja
Moteur
Halq el Oued
TUNIS
Nabeul
Hammamet
G. de Hammamet
Kelibia
Menzel-Temime
C. Bon
Pantelleria (Italian)

CONSTANTINE
Guelma
Souk Ahras
El Kef
Maktar
Kairouan
SOUSSE
Monastir
Moknine
El Mahdia

Batna
Khenchela
Tébessa
Sbeïtla
Sfax
Iles Kerkenna

Biskra
Négrine
Gafsa
Maharès
Kneïss Is.

Chott Melrhir
Nefta
Tozeur Chott Djerid
Chott el Fedjadj
Gabès
G. de Gabès
Djerba
Djerba I.
Zarzis

El Oued
Douz
Matmata
Médenine
Bahiret el Bibane

Touggourt
Zarzaïtine
Ben Gardane
Zuwārah
Tarābulus (Tripoli)
Al Khums
Leptis Magna (Labdah)
Misrātah
Banghāzī (Benghazi)

Ouargla
Hassi Messaoud
Dehibat
Nālūt
Jādū
716
Jabal Nafūsah
Tarhūnah
Zlītan
Tāwurghā'
Khalīj Surt (Gulf of Sidra)

Ghudāmis
GHARYĀN
Al Qaryah ash Sharqīyah
AL KHUMS
MISRĀTAH
Ajdābiyah
Marsa Brega

Al Hammādah al Hamrā'
Jabal as Sawdā' 840
SABHAH
Al Haruj al Aswad
Zillah

Bordj Omar Driss
In Amenas
Edjeleh
Brāch Wādī ash Shāti'
Sabhah (Sebha)
1200

Irhrharene
Ghāt
1428
Al Barkāt
Marzūq
LIBYA
Awbārī
Tmassah
Ṭarbū

Tassili-n-Ajjer
Djanet
Idehan Marzūq
Madrūsah
Al Quṭrūn
583
FEZZAN

Tropic of Cancer

NIGER
Toummo
El Oumi
Manguéni
Madama
Tibesti
CHAD

COPYRIGHT. GEORGE PHILIP & SON. LTD.

MAURITANIA
SENEGAL
GAMBIA
GUINEA-BISSAU
GUINEA
SIERRA LEONE
LIBERIA
IVORY COAST
Nouakchott
DAKAR
St. Louis
Banjul
Bissau
Conakry
Freetown
Monrovia
Bamako
Abidjan
Kaolack
Thies
Ziguinchor
Kayes
Ségou
Mopti
Bouaké
Tombouctou (Timbuktu)
Bobo-Dioulasso
Grain Coast
Ivory Coast
Projection: Lambert's Equivalent Azimuthal
West from Greer

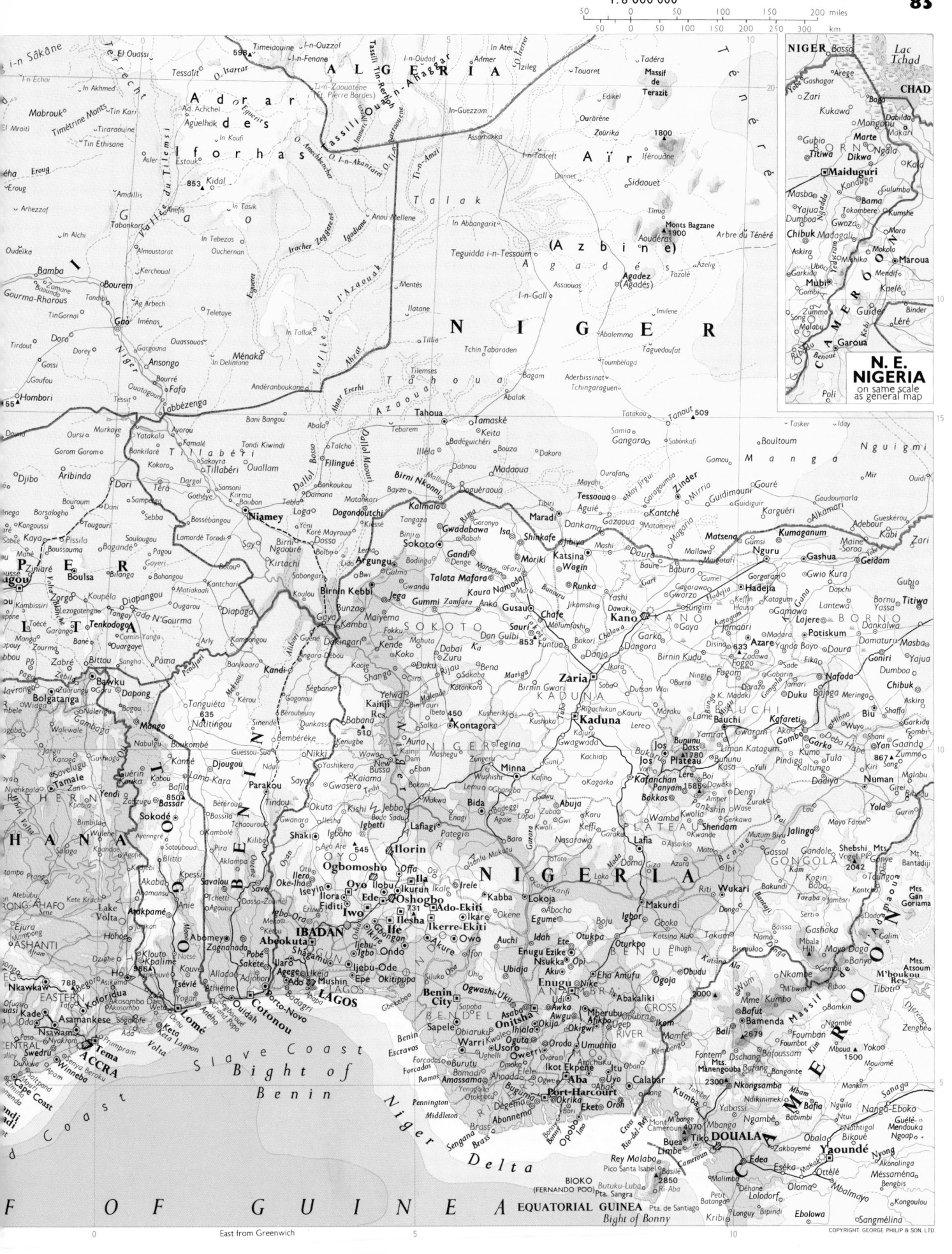
1:8 000 000
50 0 50 100 150 200 miles
50 0 50 100 150 200 250 300 km
ALGERIA
Adrar des Iforhas
Tassili Ouan-Ahaggar
Ténéré
Aïr (Azbine)
Agadès
Massif de Terazit
Monts Bagzane
Arbre du Ténéré
Talak
Agadez (Agadés)
NIGER
Tahoua
Azaouak
Vallée du Tilemsi
Kidal
Bourem
Gao
Gourma-Rharous
Ansongo
Tillabéri
Niamey
Dallol Bosso
Dallol Maouri
Birni Nkonni
Maradi
Zinder
Tessaoua
Manga
Nguigmi
Gouré
Kano
Katsina
Sokoto
Gusau
Zaria
Kaduna
Kano
Jos
Jos Plateau
Bauchi
Hadejia
Nguru
Potiskum
Azare
Gombe
Yola
Numan
Jalingo
Gongola
Benue
Makurdi
Minna
Abuja
Lafia
Lokoja
Bida
Ilorin
Ogbomosho
Oyo
Oshogbo
Ibadan
Abeokuta
Ilesha
Ife
Ado-Ekiti
Akure
Ondo
Ijebu-Ode
LAGOS
Porto-Novo
Cotonou
Ouidah
Lomé
ACCRA
Tema
Cape Coast
Winneba
Kumasi
ASHANTI
Tamale
Yendi
Bolgatanga
Sokodé
Kara
Parakou
Djougou
Natitingou
Kandi
BENIN
TOGO
GHANA
NIGERIA
Benin City
Sapele
Warri
Onitsha
Enugu
Awka
Owerri
Umuahia
Aba
Port-Harcourt
Calabar
Abakaliki
Ogoja
Niger Delta
Slave Coast
Bight of Benin
Bight of Bonny
OF GUINEA
BIOKO (FERNANDO POO)
Rey Malabo
EQUATORIAL GUINEA
Mt. Cameroun 4070
Buea
Limbe
Tiko
Kumba
DOUALA
Edea
Yaoundé
Nkongsamba
Bafoussam
Bamenda
Foumban
Ngaoundéré
CAMEROON
Shebshi Mts.
Mts. Gan Goriama
Mts. Atsoum
Mandara
Sanaga
Kainji Res.
Kontagora
Birnin Kebbi
Argungu
Jega
Lake Volta
N. E. NIGERIA on same scale as general map
NIGER
CHAD
Lac Tchad
Maiduguri
Bama
Dikwa
Mubi
Maroua
Garoua
BORNO
East from Greenwich
0
5
10

THE NILE DELTA
1:4 000 000
MEDITERRANEAN SEA
East from Greenwich
Dumyât (Damietta)
Bûr Sa'îd (Port Said)
El Iskandarîya (Alexandria)
Rashîd (Rosetta)
Damanhûr
Tanta
El Mansûra
Zagazig
Ismâ'ilîya
El Suweis (Suez)
El Qâhira (Cairo)
Heliopolis
El Gîza
Imbâbah
Helwân
El Faiyûm
Beni Suef
Birket Qârûn
Wadi el Natrûn
Es Sahrâ esh Sharqîya
MEDITERRANEAN SEA
EGYPT
SAUDI ARABIA
JORDAN
ISRAEL
Tel Aviv-Yafo
Jerusalem (Al Quds)
'Ammân
Gaza
Es Sînâ
Khalîg el Suweis
El Minyâ
Asyût
Sohâg
Qena
El Uqsur (Luxor)
Aswân
Kôm Ombo
Buheiret en Naser (Lake Nasser)
Sadd el Aali (Aswan High Dam)
Wadi Halfa
Second Cataract
Third Cataract
Fourth Cataract
Fifth Cataract
Atbara
Berber
Bûr Sûdân (Port Sudan)
Jiddah
Makkah (Mecca)
Al Madînah (Medina)
Yanbu'al Bahr
Tropic of Cancer
Es Sahrâ' El Gharbîya (Western Desert)
El Wâhât el-Khârga
El Wâhât el-Dakhla
El Wâhât el-Farâfra
El Wâhât al Bahrîya
Siwa
Munkhafed el Qattâra (Qattâra Depression)
Matrûh
Hadabat el Gilf el Kebîr
Es Sahrâ en Nûbîya (Nubian Desert)
Bahr el Ahmar
Gebel Abyad
Esh Shamâlîya

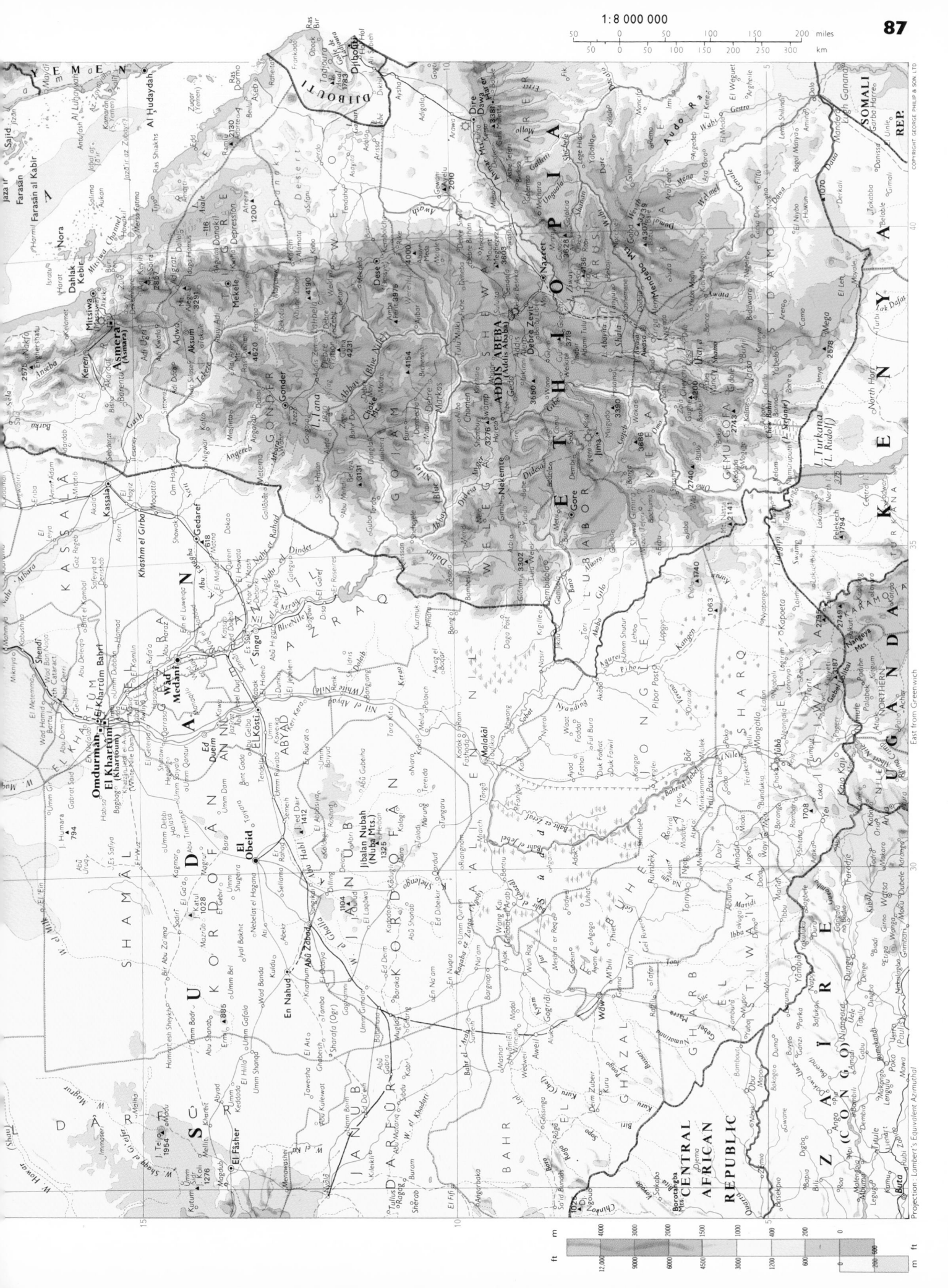
SUDAN
ETHIOPIA
KENYA
UGANDA
ZAÏRE (CONGO)
CENTRAL AFRICAN REPUBLIC
SOMALI REP.
DJIBOUTI
YEMEN
KASSALÂ
SHAMÂL
KORDOFÂN
JANUB DARFÛR
JANUB KORDOFÂN
BAHR EL GHAZAL
GHARB EL ISTIWÂ'IYA
SHARQ EL ISTIWÂ'IYA
JONGLEI
TIGRE
GONDER
GOJAM
WELO
SHEWA
WELEGA
ILUBABOR
KEFA
ARUSI
HARERGE
SIDAMO
GEMU GOFA
Omdurmân
El Khartûm (Khartoum)
El Khartûm Bahri
Shendî
Kassala
Khashm el Girba
Wad Medanî
Gedaref
Singa
El Kôstî
Ed Dueim
El Obeid
En Nahud
El Fâsher
Malakâl
Wâw
Jûbâ
Asmera (Asmara)
Mitsiwa (Massawa)
Keren
Aksum
Adwa
Mekele
Gonder
L. Tana
Dese
ADDIS ABEBA (Addis Ababa)
Debre Zevit
Nazret
Nekemte
Gore
Jima
Dire Dawa
Harer
Djibouti
Mega
L. Turkana (L. Rudolf)
Danakil Depression
Jibalan Nubah (Nuba Mts.)
Al Hudaydah
Dahlak Kebir
Farasân al Kabir
1:8 000 000
miles
km
Projection: Lambert's Equivalent Azimuthal
East from Greenwich
COPYRIGHT GEORGE PHILIP & SON LTD

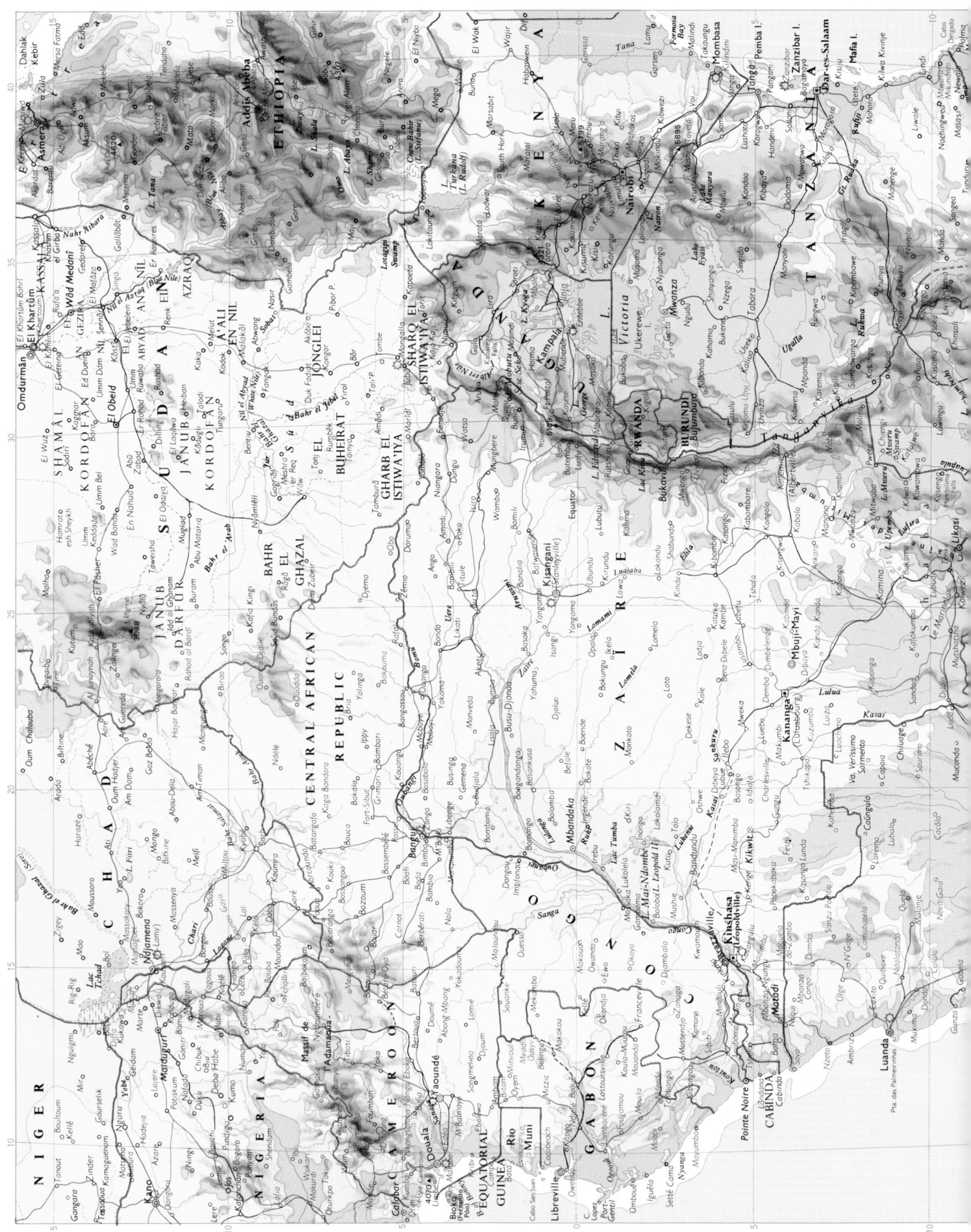

NIGER
CHAD
NIGERIA
CAMEROON
CENTRAL AFRICAN REPUBLIC
EQUATORIAL GUINEA
Rio Muni
GABON
CONGO
ZAÏRE
CABINDA
SUDAN
ETHIOPIA
UGANDA
KENYA
TANZANIA
RWANDA
BURUNDI
Omdurmân
El Khartûm
Wad Medanî
KASSALA
Asmera
Addis Abeba
L. Tana
L. Turkana (L. Rudolf)
L. Victoria
Kampala
Nairobi
Mombasa
Zanzibar I.
Dar-es-Salaam
Pemba I.
Mafia I.
Bujumbura
Kigali
Kisangani (Stanleyville)
Mbandaka
Kinshasa (Léopoldville)
Brazzaville
Kananga (Luluabourg)
Mbuji-Mayi
Luanda
Pointe Noire
Libreville
Douala
Yaoundé
Ndjamena (Fort Lamy)
Lac Tchad
Kano
Maiduguri
Bangui
El Obeid
Juba
Lac Kivu
Massif de l'Adamaoua
Bioko (Fernando Póo)

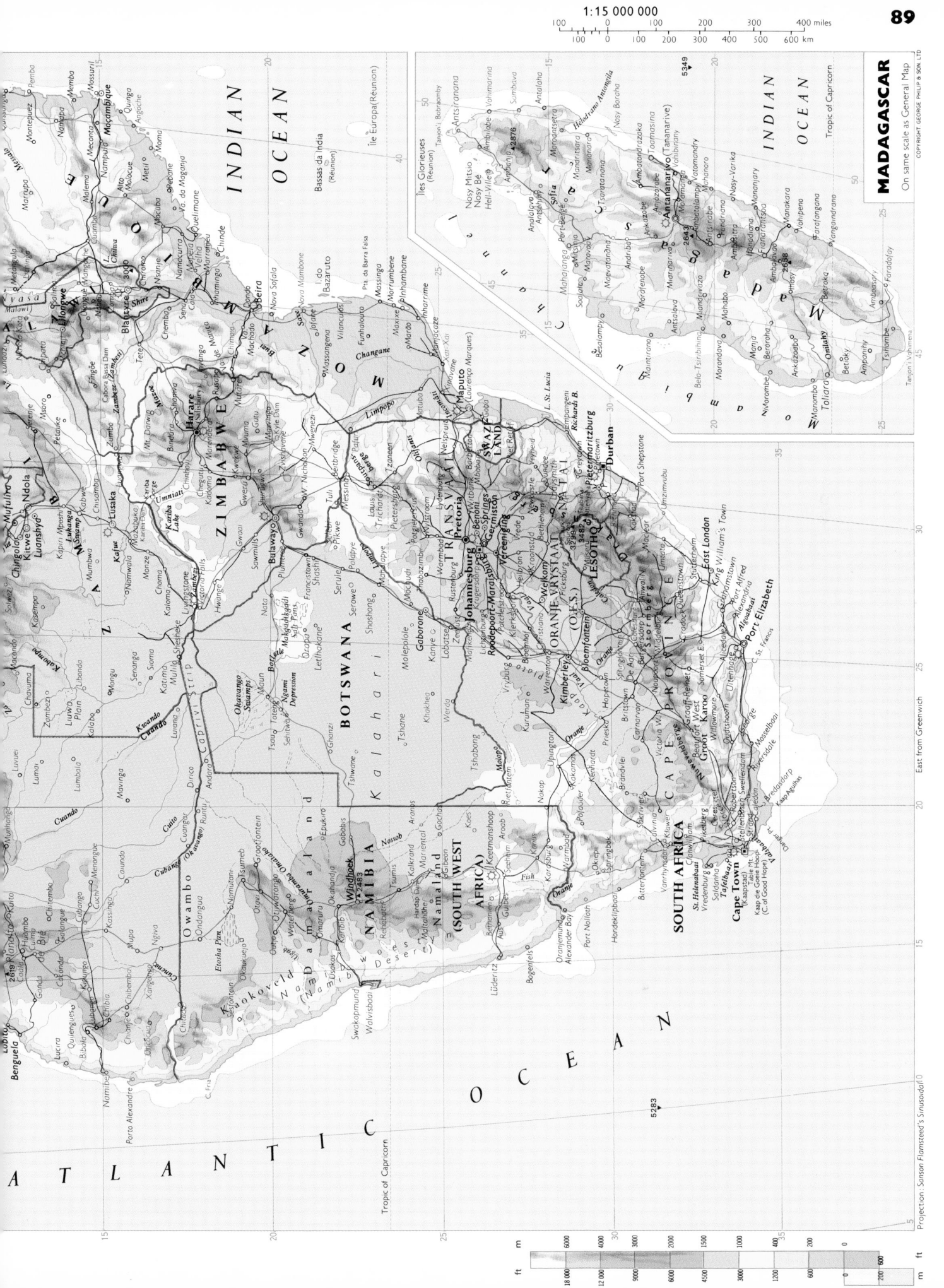

1:15 000 000

100   0   100   200   300   400 miles
100   0   100   200   300   400   500   600 km

MADAGASCAR
On same scale as General Map
COPYRIGHT GEORGE PHILIP & SON LTD

INDIAN   OCEAN

INDIAN   OCEAN

ATLANTIC   OCEAN

MOÇAMBIQUE

ZIMBABWE

ZAMBIA

MALAWI

BOTSWANA

NAMIBIA
(SOUTH WEST AFRICA)

SOUTH AFRICA

TRANSVAAL

ORANJE-VRYSTAAT (O.F.S.)

NATAL

LESOTHO

SWAZI-LAND

CAPE PROVINCE

Kalahari

Namib Desert

Caprivi Strip

Tropic of Capricorn

East from Greenwich

Projection: Sanson Flamsteed's Sinusoidal

m   6000   4000   3000   2000   1500   1000   400   200   0   m
ft   18 000   12 000   9000   6000   4500   3000   1200   600   0   ft

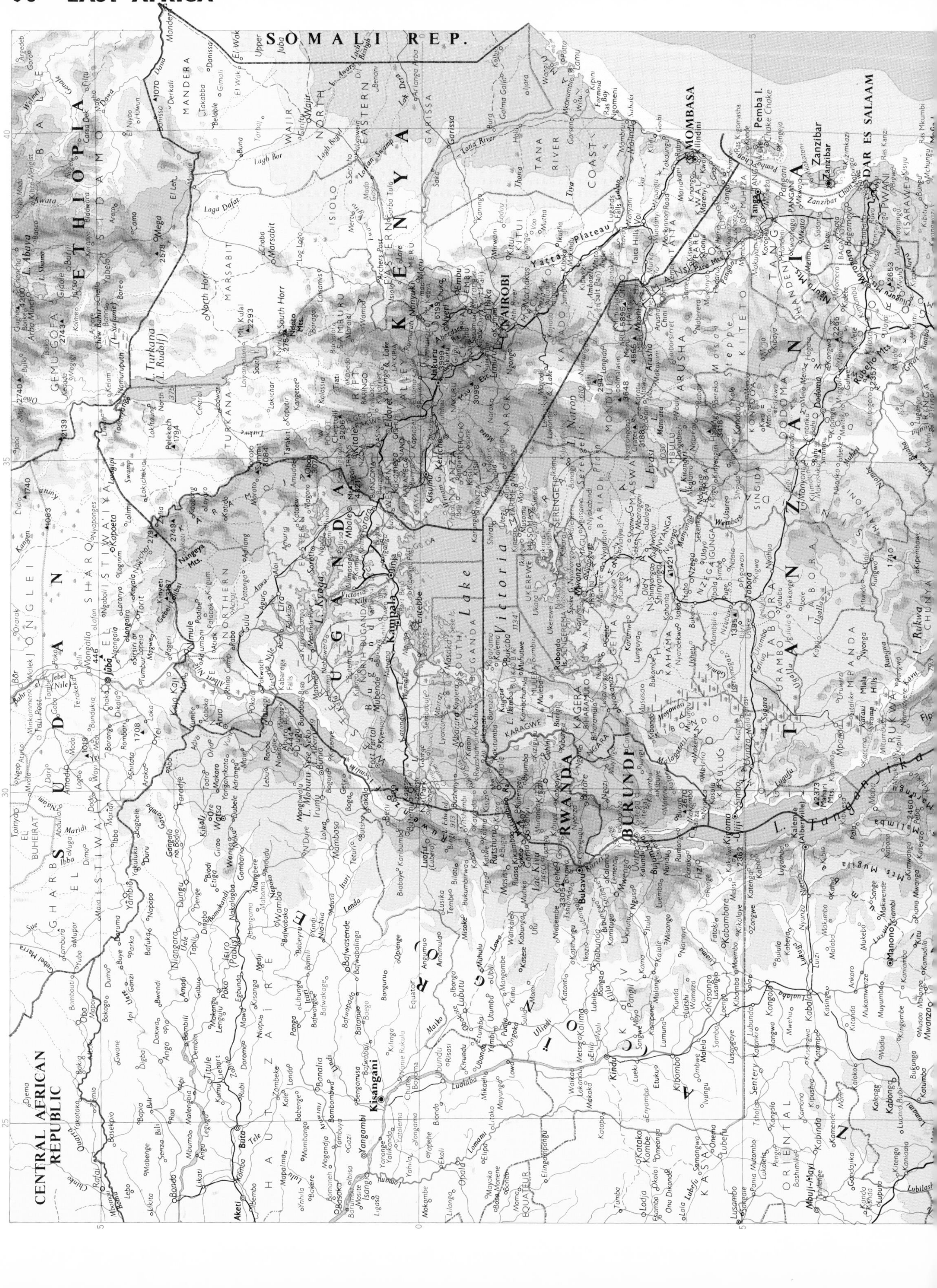

SOMALI REP.

ETHIOPIA

SUDAN

KENYA

UGANDA

TANZANIA

RWANDA

BURUNDI

ZAIRE

CENTRAL AFRICAN REPUBLIC

NAIROBI

MOMBASA

DAR ES SALAAM

Zanzibar

Pemba I.

L. Turkana (L. Rudolf)

Lake Victoria

L. Tanganyika

Kisangani

Kampala

Entebbe

Dodoma

Equator

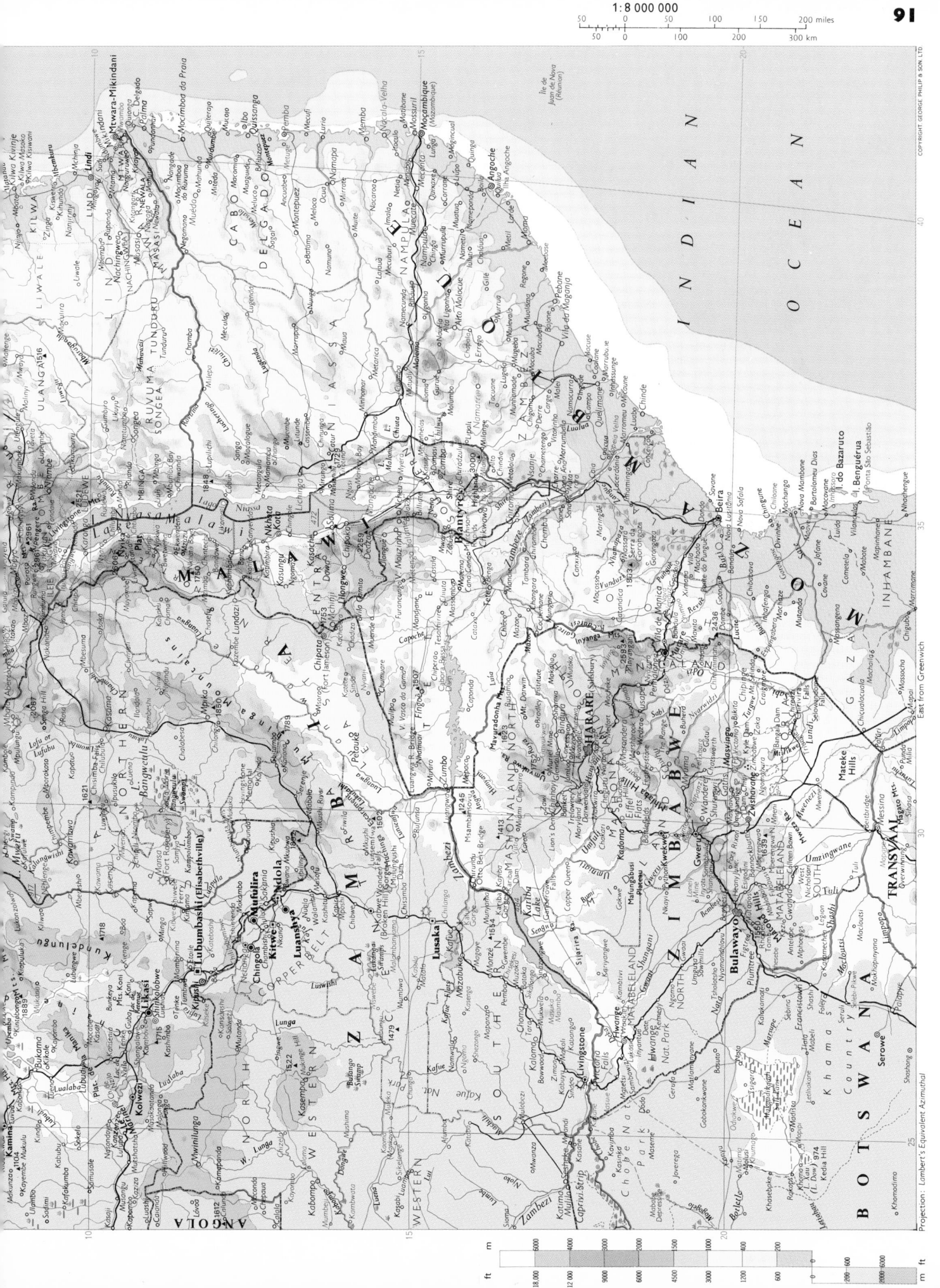

1:8 000 000

50   100   150   200 miles
50   0   100   200   300 km

COPYRIGHT GEORGE PHILIP & SON LTD

Projection: Lambert's Equivalent Azimuthal

East from Greenwich

INDIAN OCEAN

BOTSWANA

ZIMBABWE

ZAMBIA

MALAWI

MOÇAMBIQUE

ANGOLA

TRANSVAL

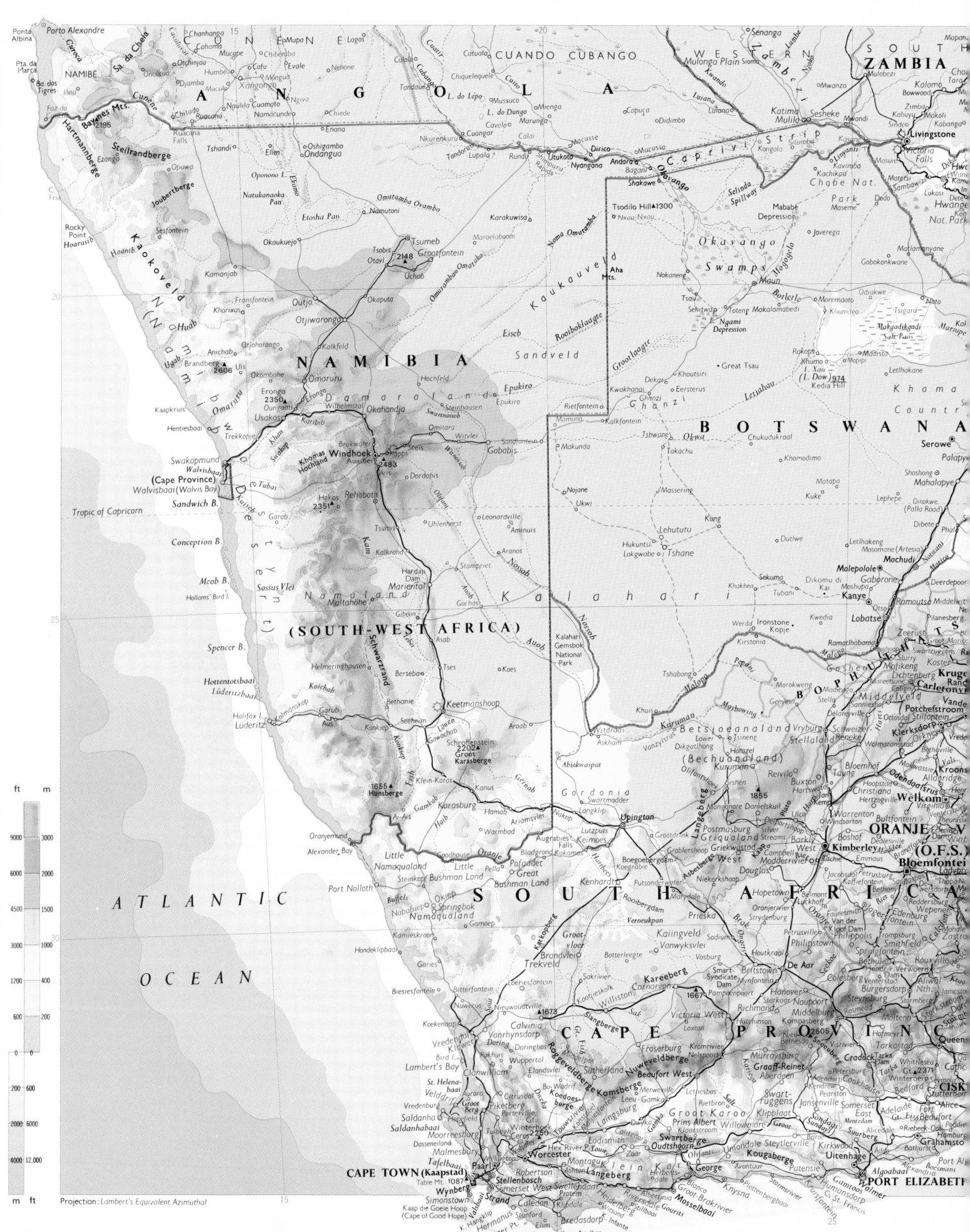

ATLANTIC

OCEAN

NAMIBIA

(SOUTH-WEST AFRICA)

ANGOLA

CUANDO CUBANGO

ZAMBIA

SOUTH

BOTSWANA

SOUTH AFRICA

CAPE PROVINCE

CAPE TOWN (Kaapstad)

PORT ELIZABETH

Tropic of Capricorn

Projection: Lambert's Equivalent Azimuthal

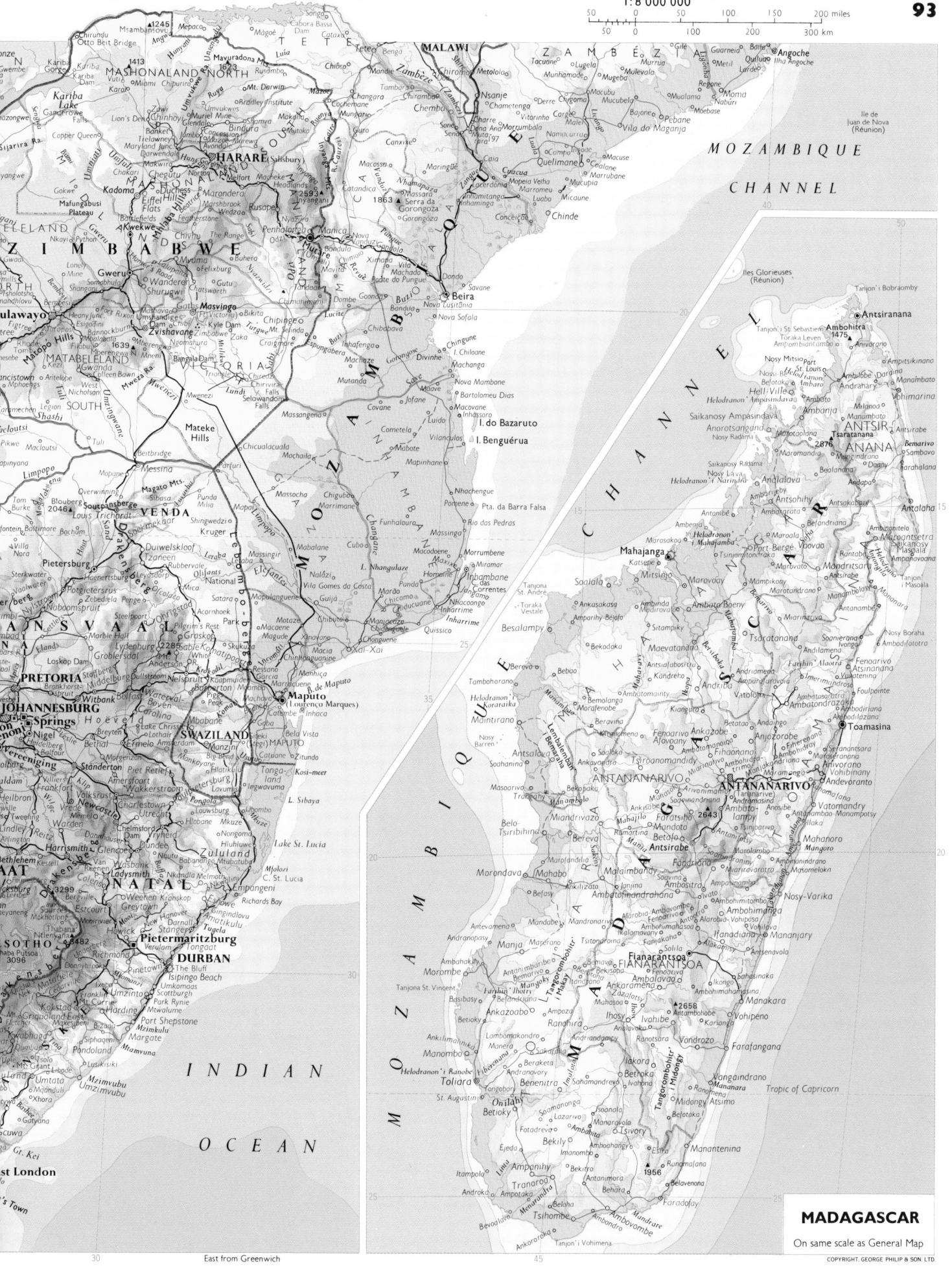

1 : 8 000 000

50   0   50   100   150   200 miles
50   0   100   200   300 km

MOZAMBIQUE

CHANNEL

INDIAN

OCEAN

ZIMBABWE

MATABELELAND

VENDA

TRANSVAAL

PRETORIA

JOHANNESBURG

SWAZILAND

NATAL

DURBAN

Pietermaritzburg

MALAWI

Beira

Maputo
(Lourenço Marques)

Antsiranana

Mahajanga

ANTANANARIVO

Antsirabe

Toamasina

FIANARANTSOA

Toliara

Tropic of Capricorn

East from Greenwich

MADAGASCAR

On same scale as General Map

Projection: *Mollweide's Homolographic* East from Greenwich

5615 Principal Shipping Routes (*Distances in Nautical Miles*)

COPYRIGHT. GEORGE PHILIP & SON. LTD.

ALASKA
Gulf of Alaska
Prince of Wales I.
Queen Charlotte Is.
Juneau
Sitka
Prince Rupert
Kitimat
Dawson Creek
L. Athabaska
Churchill
Lynn Lake
Hudson Bay
Belcher Is.
C A N A D A
Edmonton
Prince Albert
Saskatoon
L. Winnipeg
James Bay
Schefferville
Hamilton Inlet
GREENLAND
C. Farewell
Labrador
Strait of Belle Isle
N O R T H A M E R I C A
N O R T H
Rocky Mountains
Calgary
Medicine Hat
Regina
Winnipeg
Vancouver
Vancouver I.
Victoria
Seattle
Tacoma
Portland
Spokane
Helena
Butte
Boise
Snake
Bismarck
Missouri
Duluth
L. Superior
Sault Ste. Marie
Montréal
Québec
St. Lawrence
Anticosti
G. of St. Lawrence
Newfoundland
Fredericton
Pr. Edward I.
C. Breton I.
C. Race
Saint John
Sable I.
Ottawa
L. Huron
Toronto
L. Ontario
St. Paul
Minneapolis
Milwaukee
L. Michigan
CHICAGO
Detroit
L. Erie
Buffalo
Boston
C. Sable
NEW YORK
Pittsburgh
Philadelphia
Baltimore
Washington
Richmond
Norfolk
C. Hatteras
C. Blanco
C. Mendocino
Mendocino Seascarp
Sacramento
Oakland
San Francisco
Cheyenne
Salt Lake City
Colorado
Denver
Des Moines
Kansas
St. Louis
Indianapolis
Cincinnati
UNITED STATES
Appalachian Mts.
ATLANTIC
Oklahoma
Little Rock
Memphis
Mississippi
Atlanta
Savannah
Jacksonville
Santa Fe
Los Angeles
San Diego
Dallas
El Paso
Ciudad Juárez
Austin
Houston
Galveston
San Antonio
New Orleans
Mobile
Tampa
Miami
Murray Seascarp
Guadalupe
Pto. Eugenia
CALIFORNIAN CURRENT
Sierra Madre
M E X I C O
Gulf of California
Torreón
Monterrey
Gulf of Mexico
Florida Strait
BAHAMAS
OCEAN
Bermuda (U.K.)
New York - Southampton 3091
New York - Recife 3678
Panamá - Liverpool 4530
N.Y. - C. 1972
Hawaiian Is. (U.S.A.)
Oahu
Honolulu
Hawaii
Tropic of Cancer
C. S. Lucas
Tampico
San Luis Potosí
La Habana
Yucatan Channel
CUBA
Mérida
West Indies
Hispaniola
HAITI
DOM. REP.
JAMAICA
Kingston
Santo Domingo
PUERTO RICO
St. Thomas (U.S.)
Virgin Is.
Leeward Is.
Clarion Fracture Zone
Revilla Gigedo Is. (Mexico)
Aguascalientes
Guadalajara
México
Puebla
Veracruz
Acapulco
BELIZE
HONDURAS
Caribbean Sea
Guadeloupe (Fr.)
Martinique (Fr.)
BARBADOS
Windward Is.
TRINIDAD & TOBAGO
GUATEMALA
Guatemala
Tegucigalpa
Salvador
NICARAGUA
Managua
EL SALVADOR
CENTRAL AMERICA
San José
COSTA RICA
Barranquilla
Curaçao (Ne.)
Maracaibo
Caracas
Orinoco
VENEZUELA
Colón
Panamá
PANAMA
Canal
S.E. MONSOON DRIFT
Clipperton Fracture Zone
Clipperton I. (Fr.)
P A C I F I C
CURRENT
Palmyra Is. (U.S.)
Christmas Island Ridge
Teraina
Tabuaeran
Kirimati
Cocos I.
Medellín
Bogotá
Cali
COLOMBIA
O C E A N
Jarvis I. (U.S.)
Equator
C. S. Francisco
Quito
ECUADOR
Chimborazo 6267
Galápagos (Ecuador)
Guayaquil
Cuenca
Iquitos
Manaus
Amazon
Malden I.
Starbuck I.
Tahiti - Panamá 4570
C. Pariñas
Chiclayo
Trujillo
BRAZIL
SOUTH AMERICA
Lobos I.
Marquesas Is.
Tongareva
Penrhyn Is.
Caroline I.
Vostok I.
Flint I.
Manihiki
Suwarrow Is.
East Pacific Ridge
PERU
Lima
Callao
PERUVIAN CURRENT
Andes
Leeward Is.
Society Is.
Tuamotu Archipelago
Cook Islands (N.Z.)
Windward Is.
Tahiti
FRENCH POLYNESIA
Manuae
Austral Seamount Chain
Tuamotu Ridge
Auckland - Panamá 6510
Southeast Pacific Basin
Cuzco
L. Titicaca
Arequipa
Illampu & Ancohuma 6550
La Paz
BOLIVIA
Arica
Iquique
Chile
Antofagasta
Trench
Rarotonga
Tubuai Is. (Austral Is.)
Rapa Iti
Pitcairn I. (U.K.)
Ducie I.
Tropic of Capricorn
Sala-y-Gomez (Chile)
Easter Is. (Chile)
San Félix (Chile)
San Ambrosio (Chile)
PARAGUAY
Salta
Asunción
Tucumán
Corrientes
Paraná
Pto. Alegre
Córdoba
Santa Fe
Paysandú
Rosario
URUGUAY
Montevideo
Aconcagua 6960
Valparaíso
Santiago
Buenos Aires
La Plata
Río de la Plata
Arch. de Juan Fernández (Chile)
Alejandro Selkirk
Robinson Crusoe
Concepción
ARGENTINA
Mar del Plata
Neuquén
Chile Rise
Pacific-Antarctic Ridge
SOUTH ATLANTIC OCEAN
Patagonia
P.A. - Valparaíso 1414
Buenos Aires - Montevideo 1355 1295
Chonos Arch.
Pacific-Antarctic Basin
WEST WIND DRIFT
CAPE HORN CURRENT
G. of Penas
P. Deseado
Argentine Basin 6212
Wellington I.
Sta. Cruz
P.A. - Punta Arenas
Falkland Is. (U.K.)
Stanley
Punta Arenas
Str. of Magellan
Tierra del Fuego
C. Horn
South Georgia
Basin
West from Greenwich

Projection: Bonne

ft m

6000   2000

4500   1500

3000   1000

1200   400

600   200

0   0

200   600

2000   6000

4000   12 000

6000   18 000

m ft

East from Greenwich

Boundaries of the artesian basins

1:12 000 000

100   0   100   200   miles
100   0   100   200   300   400 km

AUSTRALASIA
POLITICAL
1:80 000 000

200   0   200   400   600   800   miles
400   0   400   800   1200   1600 km

Gulf of
Carpentaria

QUEENSLAND

Great Barrier Reef

CORAL SEA ISLANDS

PACIFIC OCEAN

Cape York Peninsula

Coral Sea Basin

NEW SOUTH WALES

Brisbane

Great Dividing Range

VICTORIA

MELBOURNE

TASMANIA
on same scale

COPYRIGHT. GEORGE PHILIP & SON LTD
EIB

Tasman Sea

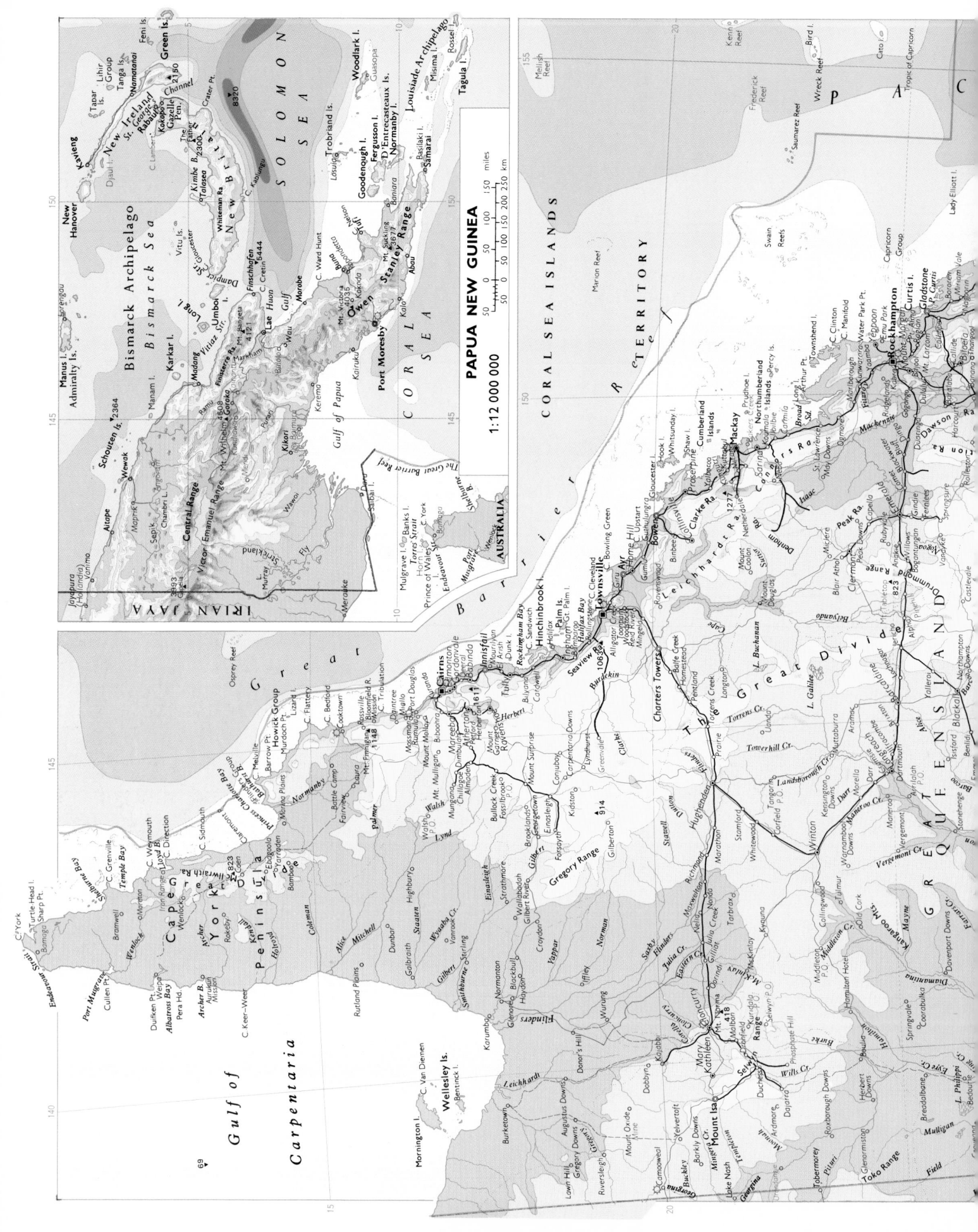
PAPUA NEW GUINEA
1:12 000 000
miles
km
Bismarck Archipelago
Bismarck Sea
SOLOMON SEA
CORAL SEA
Gulf of Papua
IRIAN JAYA
New Ireland
New Britain
Owen Stanley Range
Port Moresby
Louisiade Archipelago
The Great Barrier Reef
AUSTRALIA
CORAL SEA ISLANDS TERRITORY
Great Barrier Reef
Gulf of Carpentaria
Cape York Peninsula
The Great Divide
GREAT QUEENSLAND
Cairns
Townsville
Mackay
Rockhampton
Mount Isa
Tropic of Capricorn

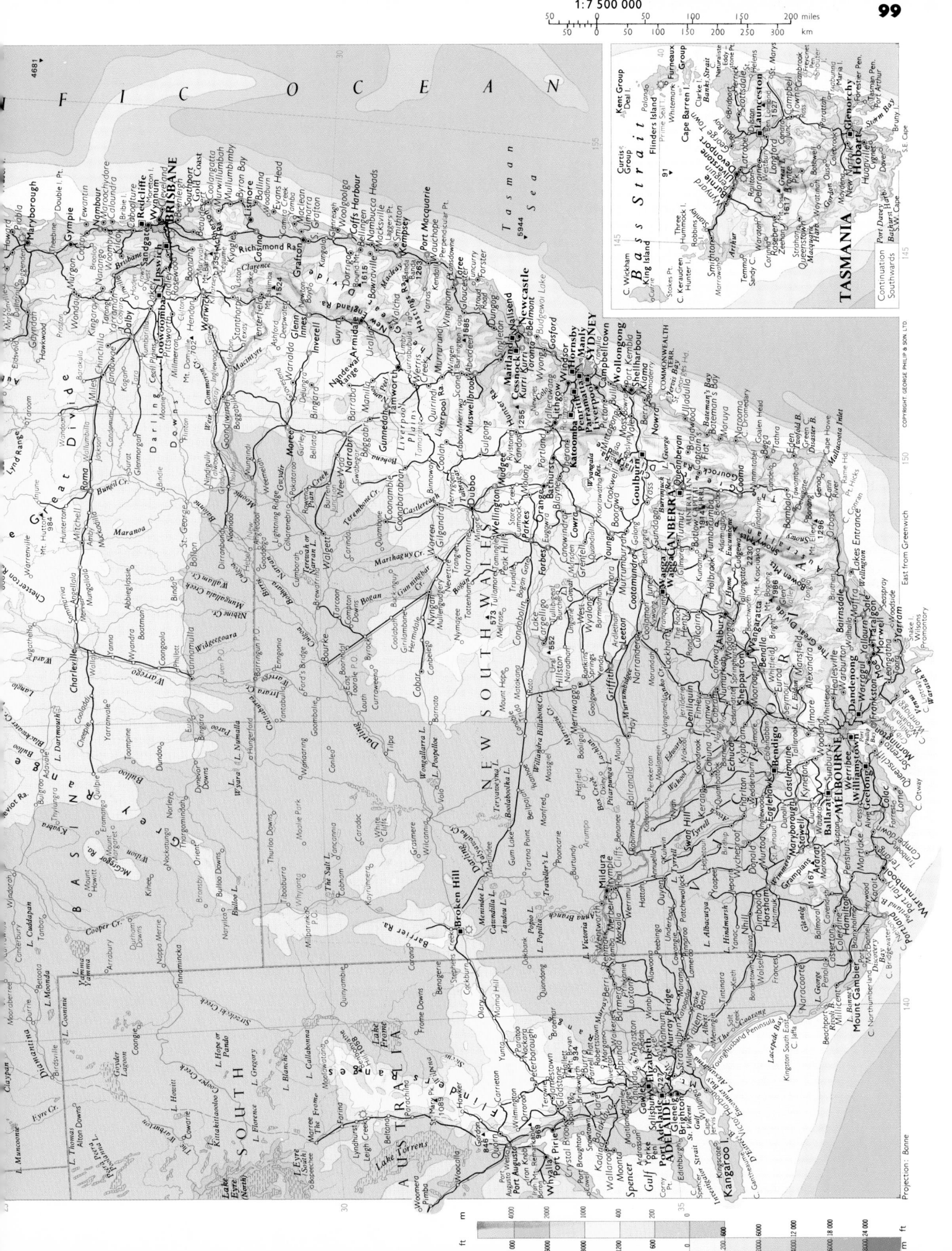

1 : 7 500 000

50   0   50   100   150   200 miles
50   0   50   100   150   200   250   300 km

P A C I F I C   O C E A N

Tasman Sea

BRISBANE
Maryborough
Gympie
Redcliffe
Ipswich
Toowoomba
Gold Coast
Coffs Harbour
Grafton
Lismore

Kent Group
Deal I.
Flinders Island
Furneaux Group
Cape Barren I.
Banks Strait
Launceston
Burnie
Devonport

B a s s   S t r a i t

King Island

TASMANIA
Hobart
Queenstown
Zeehan
Strahan

Continuation
Southwards

NEW SOUTH WALES

Newcastle
Maitland
Cessnock
SYDNEY
Wollongong
Katoomba
Lithgow
Bathurst
Orange
Dubbo
CANBERRA
Wagga Wagga
Albury
Cooma

QUEENSLAND

Great Dividing Range

Great   Dividing

Charleville
Roma
Mitchell
Dalby
Warwick

Darling Downs

Broken Hill

SOUTH AUSTRALIA

Lake Eyre

Lake Torrens

Lake Frome

Lake Gairdner

Flinders Ra.

Spencer Gulf
Gulf St. Vincent
Yorke Pen.
ADELAIDE
Port Pirie
Port Augusta
Whyalla
Kangaroo I.

VICTORIA
MELBOURNE
Geelong
Ballarat
Bendigo
Mildura
Shepparton
Wangaratta
Wilsons Promontory

Murray R.
Darling R.

Bonne

Projection: Bonne

COPYRIGHT GEORGE PHILIP & SON LTD.

m   ft
4000   12 000
2000   6000
1000   3000
400   1200
200   600
0   0
200   600
2000   6000
4000   12 000
6000   18 000
8000   24 000
ft   m

East from Greenwich

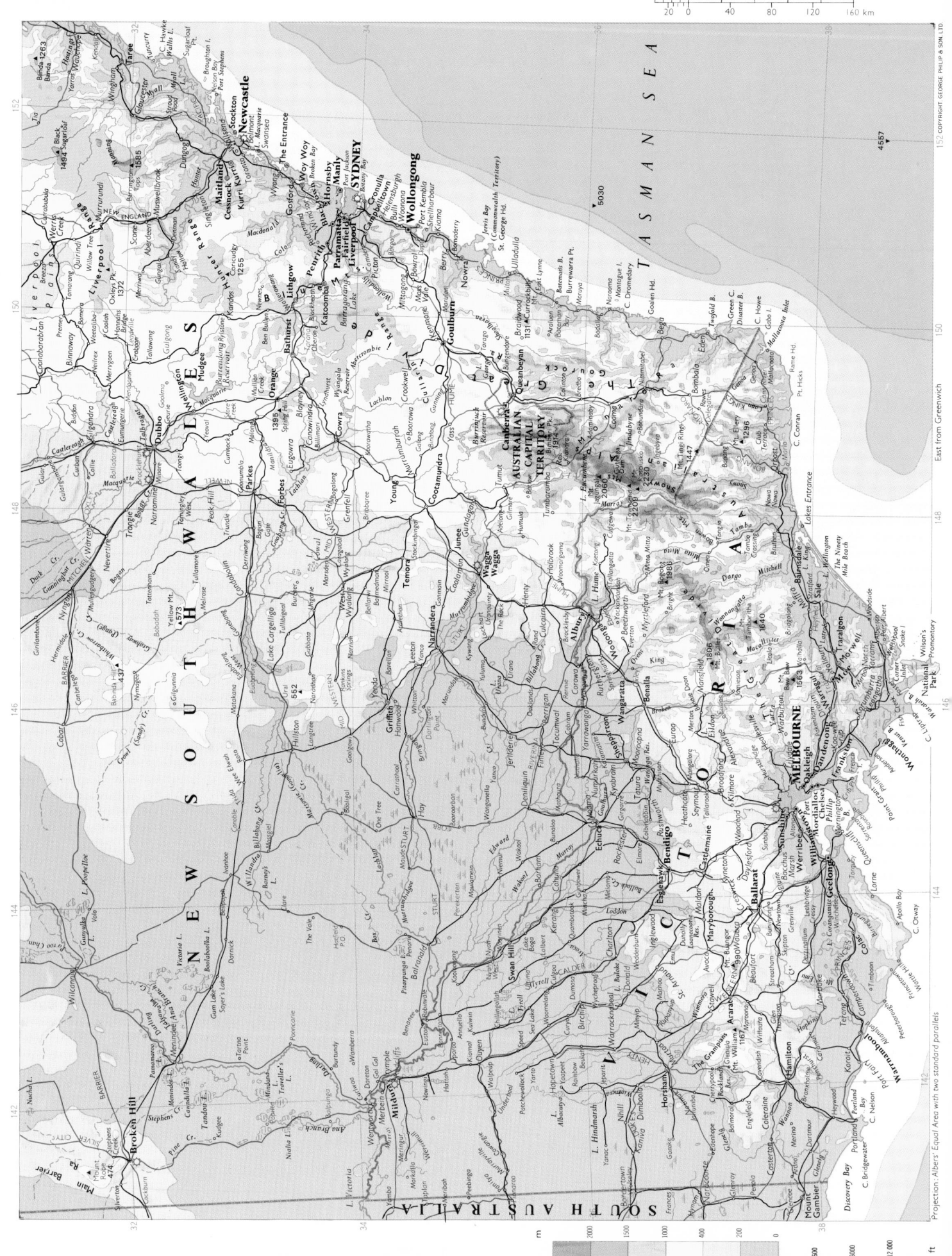
1:4 500 000
miles
km
NEW SOUTH WALES
VICTORIA
SOUTH AUSTRALIA
AUSTRALIAN CAPITAL TERRITORY
TASMAN SEA
SYDNEY
MELBOURNE
Canberra
Newcastle
Wollongong
Geelong
Ballarat
Bendigo
Broken Hill
Mildura
Wagga Wagga
Albury
Dubbo
Orange
Bathurst
Goulburn
Warrnambool
Mount Gambier
East from Greenwich
Projection: Albers' Equal Area with two standard parallels
© COPYRIGHT GEORGE PHILIP & SON, LTD.

1:6 000 000

20 0 20 40 60 80 100 miles
20 0 40 80 120 160 km

NEW ZEALAND & DEPENDENCIES
1:60 000 000

200 0 200 400 600 800 miles
200 0 200 400 600 800 1200 km

New Zealand Territory
Self-governing Territory

SAMOA ISLANDS
1:12 000 000

WESTERN SAMOA
American Samoa

FIJI AND TONGA ISLANDS
1:12 000 000

50 0 50 100 150 miles
50 0 50 100 150 200 250 km

NORTH ISLAND

SOUTH ISLAND

PACIFIC OCEAN

TASMAN SEA

SOUTHERN OCEAN

Projection: Conical with two standard parallels

COPYRIGHT. GEORGE PHILIP & SON LTD.

Asia
Bering Sea
Aleutian Islands
7391
Bering Strait
St. Lawrence I.
Nunivak I.
Wrangel I.
ARCTIC OCEAN
3800
Beaufort Sea
C. Barrow
Brooks Range
Alaska
Yukon
Mt. McKinley 6194
Alaska Range
Alaska Pen.
Kodiak I.
Gulf of Alaska
Mt. St. Elias 5489
Mt. Logan 6050
Porcupine
Mackenzie Mts.
Mackenzie
Great Bear L.
Great Slave L.
Alexander Archipelago
Queen Charlotte Islands
Queen Charlotte Sound
Vancouver I.
Vancouver
Juan de Fuca Strait
C. Flattery
Coast Mountains
Rocky Mountains
Mt. Robson 3954
Yellowhead Pass
Kicking Horse Pass
Crowsnest Pass
Selkirk Mts.
Edmonton
Calgary
Great Plains
Athabasca L.
Reindeer L.
Churchill
Nelson
N. Saskatchewan
S. Saskatchewan
Lake Winnipeg
Regina
Winnipeg
Axel Heiberg Land
Sverdrup Is.
Ellesmere I.
Kane Basin
Thule
Parry Is.
Queen Elizabeth Islands
Melville I.
Banks I.
M'Clure Strait
Melville Sound
Devon I.
Lancaster Sound
Bylot I.
Prince of Wales I.
Victoria I.
Gulf of Boothia
Boothia Pen.
Melville Pen.
Foxe Basin
Foxe Channel
Southampton I.
Baffin Bay
Baffin Island
2591
Cumberland Sound
Frobisher Bay
Resolution I.
Hudson Strait
Davis Strait
Disko I.
Godthåb
Julianehåb
C. Farewell
Greenland
Greenland Sea
Shannon I.
Peterman's Peak 2940
Gunnbjørns Fjeld 3700
Mt. Forel 3360
Denmark Strait
Iceland
2119
Chesterfield Inlet
Back
Ungava Peninsula
Hudson Bay
Belcher Is.
James Bay
Eastmain
Labrador
1676
Hamilton Inlet
C. Charles
Belle Isle Strait
Newfoundland
St. John's
C. Race
Anticosti
Gulf of St. Lawrence
C. Breton
Laurentian Plateau
Quebec
Montreal
Ottawa
Saint John
Nova Scotia
Halifax
Sable I.
Bay of Fundy
Mt. Washington 1917
L. Champlain
L. Superior
L. Huron
L. Michigan
L. Ontario
L. Erie
Toronto
Hamilton
Niagara Falls
Detroit
Chicago
Minneapolis
Mississippi
Missouri
St. Louis
Kansas City
Ozark Plateau
Arkansas
Memphis
Ohio
Cumberland Plateau
Tennessee
Allegheny Mts.
Appalachian Mts.
Blue Ridge 2037
Atlanta
Hudson
New York
Nantucket I.
Philadelphia
Washington
Chesapeake Bay
C. Hatteras
Bermuda
ATLANTIC OCEAN
6399
Seattle
Mt. Rainier 4392
Portland
Columbia
Cascade Range
C. Blanco
C. Mendocino
Mt. Shasta 4317
Coast Range
Sacramento
San Francisco
Sierra Nevada
Mt. Whitney 4418
Death Valley
Los Angeles
Snake
Great Salt Lake
Great Basin
Wasatch Mountains
Grand Canyon
Colorado Plateau
Colorado
Gila
Mt. Elbert 4399
Denver
N. Platte
S. Platte
Blanca Pk. 4364
Llano Estacado
Red
Dallas
PACIFIC
Mendocino Seascarp
Murray Seascarp
Tropic of Cancer
Arctic Circle

1:30 000 000

100 0 100 200 300 400 500 600 700 miles
100 0 200 400 600 800 1000 km

Bahama Islands

Tropic of Cancer

Hispaniola
Milwaukee 9200
Puerto Rico

Venezuelan Basin
G. of Venezuela
Orinoco

Antilles Sea

Port-au-Prince
Jamaica

Greater Antilles

Caribbean Sea

Colombian Basin

Sra Nevada de
Sta Marta 5800
Maracaibo

Cordillera Oriental
Magdalena
Cordillera Central
Cordillera Occidental

Putumayo
Napo
Ucayali

Juruá
Purus

Bolivian Plateau
La Paz 6650
Titicaca L.
Sajama 6520

Cuba
La Habana
Florida Strait
Florida

Gulf of Mexico

Yucatán Basin
Yucatán Strait

Cayman Trough 7680

Gt Cayman

Gulf of Honduras
C. Gracias a Dios
L. Nicaragua
7837

Gulf of Darién
G. of Darién
Panama Canal
G. of Panama

C. de San Francisco

A n d e s

Quito
Cotopaxi 5897
Chimborazo 6267

Guayaquil
G. de Guayaquil
Pta Pariñas
Pta Aguja
Lobos I.

Chinchia Is.
Lima

Peru Trench

Chile

C. Sable

Mississippi Delta

Houston

Rio Grande del Norte

Monterrey
Eastern Sierra Madre
México
Puebla
Popocatépetl 5452
Orizaba 5700
Badu

Mexican Plateau

Western Sierra Madre

Guadalajara
Colima
C. Corrientes

Yucatán Peninsula
C. Catoche

Gulf of Campeche

Isthmus of Tehuantepec
Coatzacoalcos
G. of Tehuantepec

Guatemala
Tajumulco 6662

Galápagos

Gulf of California

California

C. San Lucas

Revilla Gigedo Is.

Clarion Fracture Zone

P A C I F I C   O C E A N

Tropic of Capricorn

POLITICAL
1:70 000 000

Projection: Bonne

ARCTIC OCEAN

GREENLAND
(Denmark)

Denmark Str.
Davis Strait

Ellesmere I.
Baffin Bay
Baffin Island
Hudson Strait
Lancaster Sd

Banks I.
Victoria I.
Melville I.
Parry Is.
Prince of Wales I.

Queen Elizabeth Is.

C. Barrow
Beaufort Sea
ALASKA
(U.S.)
Yukon
Anchorage

Arctic Circle

Gt Bear L.
Gt Slave L.
Mackenzie
Athabasca L.
Churchill

Hudson Bay

Lake Winnipeg
Nelson
Regina
Medicine Hat
Edmonton
Calgary
Lethbridge

C A N A D A

Winnipeg
Fraser
Saskatoon

Vancouver
Victoria
Seattle
Spokane
Portland
Snake
Gt Salt Lake
Salt Lake City

Oakland
San Francisco
Los Angeles
Baja California

Minneapolis
St Paul
Milwaukee
Chicago
Omaha
Denver
Platte
Kansas City
St Louis
Missouri

Detroit
Toronto
Buffalo
Pittsburgh
Cincinnati
Washington

UNITED STATES

Memphis
Atlanta
Dallas
Red
Houston
Galveston
El Paso
New Orleans
Mississippi

Ottawa
Montreal
Québec
Trois Rivières
Boston
New York
Philadelphia
Baltimore

Liverpool 2956
Nova Scotia
St John's
Newfoundland
Labrador

Tropic of Cancer

Bermuda (Br.)

A T L A N T I C   O C E A N

Florida
Miami
Nassau
BAHAMAS
CUBA
La Habana
Yucatán Strait
Caribbean Sea
JAMAICA
Kingston

HAITI
DOMINICAN REP.
PUERTO RICO (U.S.)

Gulf of Mexico

M E X I C O
Guadalajara
México
Veracruz
Acapulco
Mérida
Monterrey

CENTRAL AMERICA
BELIZE
GUATEMALA
EL SALVADOR
HONDURAS
NICARAGUA
COSTA RICA
PANAMA

Panama

COLOMBIA
VENEZUELA
Caracas
Maracaibo
TRINIDAD
SOUTH AMERICA

Revilla Gigedo (Mex.)

Bering Str.
Bering Sea
Aleutian Is. (U.S.)

Honolulu 2098
Hawaii 4205
Yokohama 4730

Valparaíso 5136

West from 90° Greenwich

m
4000
3000
2000
1500
1000
400
200
0

ft
12 000
9000
6000
4500
3000
1200
600
0

ft
0
600
2000
6000
12 000
18 000
24 000

m
0
200
600
2000
4000
6000
8000

ALASKA
1:30 000 000
100 0 100 200 300 miles
100 0 200 400 km

Projection: Bonne

1:15 000 000

GREENLAND
ATLANTIC OCEAN
Baffin Bay
Davis Strait
Hudson Strait
Hudson Bay
BAFFIN I.
QUEBEC
NEWFOUNDLAND
COAST OF LABRADOR
Gulf of St. Lawrence
NEW BRUNSWICK
NOVA SCOTIA
PR. EDWARD I.
Ungava Peninsula
Ungava Bay
Foxe Basin
Foxe Channel
James Bay
MONTREAL
Québec
Ottawa
TORONTO
Boston
NEW YORK
Buffalo
Cleveland
DETROIT
CHICAGO
Milwaukee
Halifax
St. John's
West from Greenwich
COPYRIGHT, GEORGE PHILIP & SON, LTD.

N.W TERRITORIES

MANITOBA

ONTARIO

QUEBEC

HUDSON BAY

JAMES BAY

Belcher Islands

North Belcher Is.

Baker's Dozen Is.

L. Minto

Akimiski I.

LAKE SUPERIOR

LAKE HURON

LAKE ONTARIO

LAKE ERIE

Georgian Bay

WISCONSIN

INDIANA OHIO PENNSYLVANIA

NEW YORK

MICHIGAN

CHICAGO

MILWAUKEE

MADISON

DETROIT

TORONTO

HAMILTON

BUFFALO

CLEVELAND

OTTAWA

MONTREAL

Thunder Bay

Duluth

Sault Ste. Marie

Sudbury

North Bay

Timmins

Kapuskasing

Hearst

Kirkland Lake

Rouyn

Val-d'Or

Grand Rapids

Green Bay

Windsor

London

Kingston

Trois-Rivières

Adirondack Mountains

ft m / m ft

4500 1500
3000 1000
1200 400
600 200
0 0
200 600
2000 6000
4000 12 000

Lambert's Equivalent Azimuthal

50   0   50   100   150   200 miles
50 0 50 100 150 200 250 300 km

COAST OF

NEWFOUNDLAND

LABRADOR

QUEBEC

NEWFOUNDLAND

GULF OF
ST. LAWRENCE

Cabot Strait

SAINT-PIERRE
ET MIQUELON
(Fr.)

NEW
BRUNSWICK

PRINCE EDWARD
ISLAND

MAINE

NOVA SCOTIA

BOSTON

ATLANTIC

OCEAN

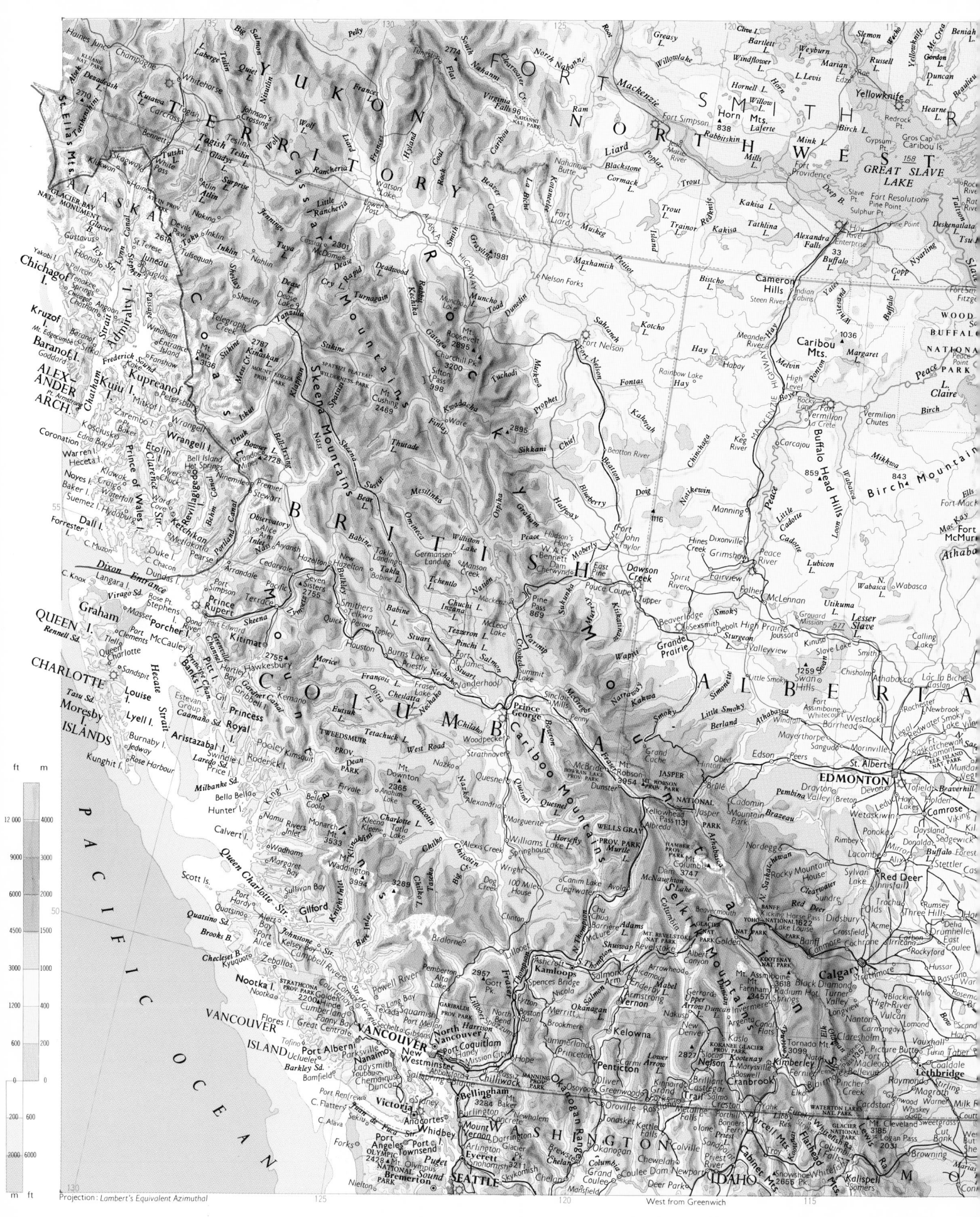
YUKON TERRITORY
NORTHWEST TERRITORIES
FORT SMITH
BRITISH COLUMBIA
ALBERTA
WASHINGTON
IDAHO
ALASKA
PACIFIC OCEAN
QUEEN CHARLOTTE ISLANDS
VANCOUVER ISLAND
GREAT SLAVE LAKE
Rocky Mountains
Coast Mountains
Cassiar Mountains
Skeena Mountains
Cariboo Mountains
Selkirk Mountains
Omineca Mountains
Birch Mountains
Caribou Mts.
Horn Mts.
Buffalo Head Hills
Whitehorse
Yellowknife
Juneau
Prince Rupert
Prince George
Fort Nelson
Dawson Creek
Grande Prairie
EDMONTON
Calgary
Red Deer
Lethbridge
Kamloops
Vernon
Kelowna
Penticton
Nelson
VANCOUVER
Victoria
Nanaimo
Port Alberni
SEATTLE
Bellingham
Everett
Bremerton
Kitimat
Fort St. John
Peace River
Hay River
Fort Simpson
Fort Providence
Fort Resolution
Mackenzie
Liard
Peace
Athabasca
Fraser
Skeena
Stikine
Dixon Entrance
Hecate Strait
Queen Charlotte Str.
Juan de Fuca Str.
Strait of Georgia
JASPER NATIONAL PARK
BANFF NATIONAL PARK
TWEEDSMUIR PROV. PARK
WELLS GRAY PROV. PARK
WOOD BUFFALO NATIONAL PARK
Mt. Robson 3954
Mt. Waddington 3994
Mt. Columbia 3747
Mt. Assiniboine 3618
Mt. Ratz 3136
Mt. Baker 3284
Mt. Olympus 2428
ft
m
12 000
4000
9000
3000
6000
2000
4500
1500
3000
1000
1200
400
600
200
0
0
200
600
2000
6000
m
ft
Projection: Lambert's Equivalent Azimuthal
West from Greenwich
135
130
125
120
115
55
50

1:7 000 000

50 0 50 100 150 200 miles
50 0 50 100 150 200 250 300 km
KEEWATIN REGION
TERRITORIES
HUDSON BAY
MANITOBA
SASKATCHEWAN
ONTARIO
MINNESOTA
NORTH DAKOTA
MONTANA
Lake Athabasca
Wollaston L.
Reindeer L.
Southern Indian L.
Nueltin L.
Dubawnt L.
Yathkyed L.
Kasba L.
Selwyn L.
Scott L.
Cree L.
Lac la Ronge
LAKE WINNIPEG
Lake Winnipegosis
Lake Manitoba
Cedar Lake
Lake of the Woods
Churchill
C. Churchill
Port Nelson
Eskimo Point
Whale Cove
Dawson Inlet
Uranium City
Flin Flon
Lynn Lake
The Pas
Thompson
Prince Albert
North Battleford
Saskatoon
Regina
Moose Jaw
Swift Current
Medicine Hat
Yorkton
Dauphin
Brandon
Portage la Prairie
WINNIPEG
St. Boniface
Transcona
Selkirk
Kenora
Fort Frances
International Falls
Weyburn
Estevan
Minot
Devils Lake
Grand Forks
Bemidji
Duluth
Havre
Williston
Norway House
Island L.
Gods L.
Red Lake
Nelson
Saskatchewan
Assiniboine

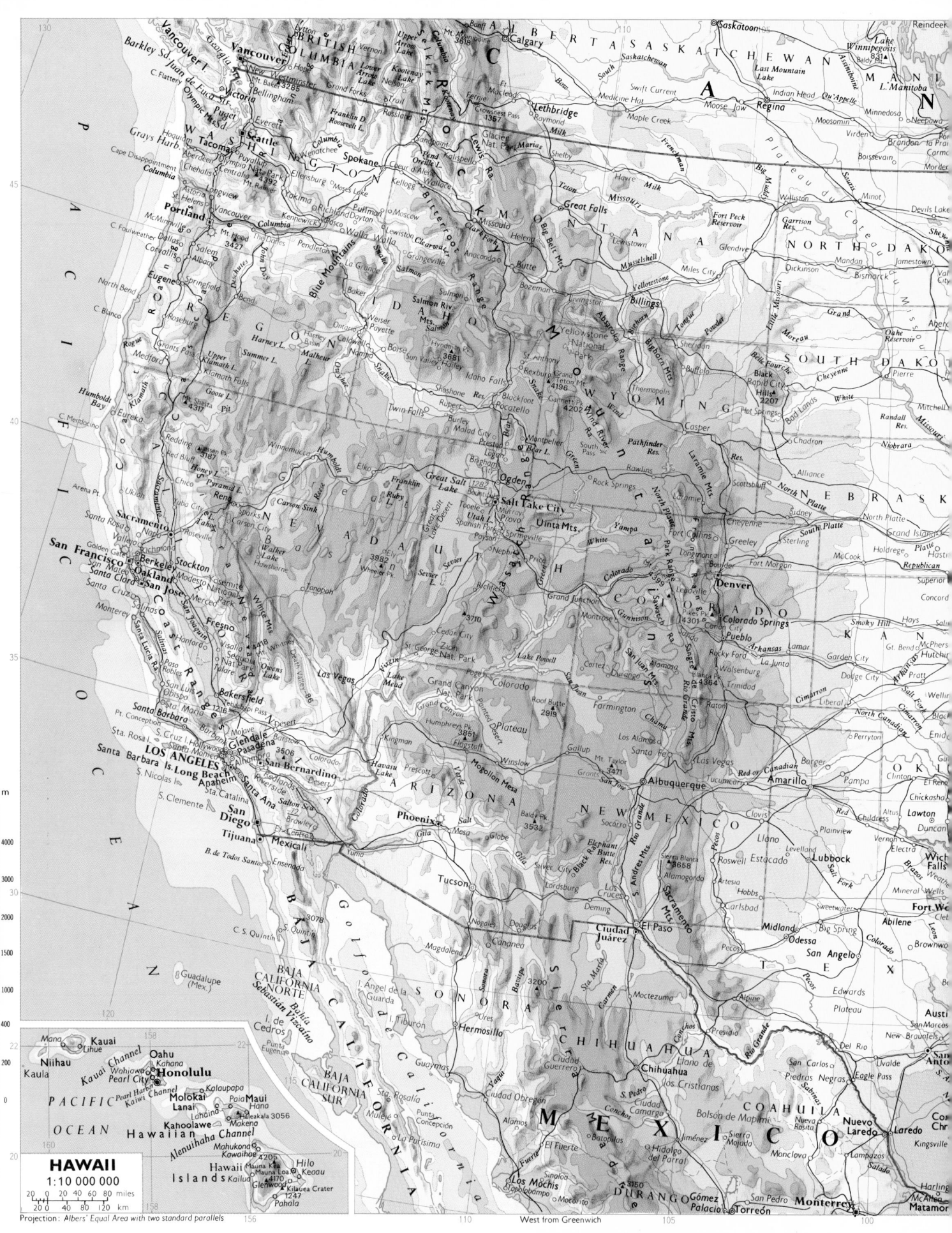

HAWAII
1:10 000 000

Projection: Albers' Equal Area with two standard parallels

West from Greenwich

50 0 50 100 150 200 250 300 miles
50 0 50 100 150 200 250 300 350 400 450 km

ATLANTIC OCEAN

GULF OF MEXICO

BAHAMAS

CANADA

MINNESOTA · WISCONSIN · IOWA · MISSOURI · ILLINOIS · INDIANA · OHIO · PENNSYLVANIA · MAINE · NEW YORK · NEW JERSEY · MARYLAND · DELAWARE · WEST VIRGINIA · KENTUCKY · TENNESSEE · NORTH CAROLINA · SOUTH CAROLINA · GEORGIA · ALABAMA · MISSISSIPPI · LOUISIANA · ARKANSAS · FLORIDA · OKLAHOMA

Lake Winnipeg · Lake Superior · Lake Michigan · Lake Huron · Lake Erie

Major cities: Winnipeg, Minneapolis, St. Paul, Duluth, Milwaukee, Chicago, Detroit, Toronto, MONTRÉAL, Ottawa, Québec, Buffalo, Cleveland, Pittsburgh, NEW YORK, PHILADELPHIA, Baltimore, Washington D.C., Boston, Cincinnati, Indianapolis, St. Louis, Kansas City, Memphis, Nashville, Atlanta, Birmingham, New Orleans, Houston, Dallas, Miami, Tampa, Jacksonville, Savannah, Charlotte, Raleigh, Richmond, Norfolk

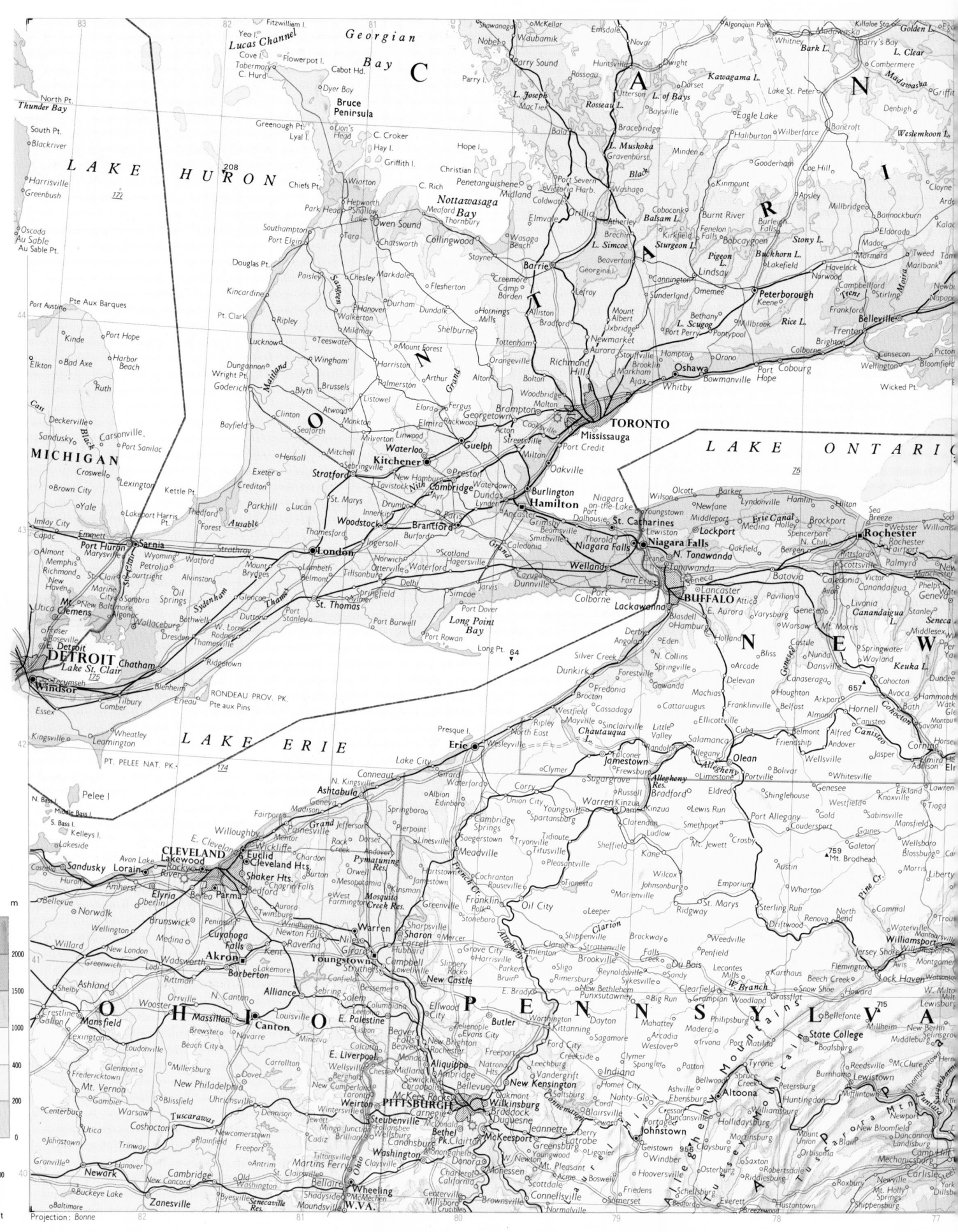

Georgian Bay
Lucas Channel
Bruce Peninsula
LAKE HURON
Nottawasaga Bay
C
A
N
A
D
A
O
N
T
A
R
I
O
LAKE ONTARIO
LAKE ERIE
MICHIGAN
O H I O
P E N N S Y L V A N I A
N E W
TORONTO
Mississauga
Hamilton
Burlington
Oakville
St. Catharines
Niagara Falls
Welland
BUFFALO
Lackawanna
Rochester
Kitchener
Waterloo
Guelph
Cambridge
Brantford
London
Stratford
Woodstock
St. Thomas
Sarnia
Port Huron
DETROIT
Windsor
Chatham
Lake St. Clair
Barrie
Orillia
Peterborough
Oshawa
Belleville
Owen Sound
Collingwood
L. Simcoe
L. Muskoka
Erie
Jamestown
Olean
Bradford
Dunkirk
Ashtabula
CLEVELAND
Lakewood
Euclid
Cleveland Hts.
Shaker Hts.
Parma
Lorain
Elyria
Sandusky
Akron
Cuyahoga Falls
Barberton
Canton
Massillon
Mansfield
Youngstown
Warren
Sharon
New Castle
Butler
PITTSBURGH
McKeesport
Wilkinsburg
Weirton
Steubenville
Wheeling
W.VA.
Washington
Altoona
Johnstown
State College
Indiana
Oil City
Williamsport
Zanesville
Newark
Long Point Bay
Allegheny Res.
Allegheny Mountains
Projection: Bonne
ft
m
6000
4500
3000
1200
600
0
200
2000
1500
1000
400
200
0
600

1:2 500 000

10   0   10   20   30   40   50   60 miles
10 0 10 20 30 40 50 60 70 80 90 km

ATLANTIC OCEAN

West from Greenwich

TENNESSEE
NORTH CAROLINA
SOUTH CAROLINA
GEORGIA
ALABAMA
MISSISSIPPI
FLORIDA
MAINE
NEW HAMPSHIRE
CANADA
Nashville
Knoxville
Chattanooga
Clarksville
Kingsport
Johnson City
Raleigh
Durham
Greensboro
Winston-Salem
Charlotte
Asheville
Wilmington
Fayetteville
Rocky Mount
Columbia
Charleston
Greenville
Spartanburg
Florence
ATLANTA
Augusta
Savannah
Macon
Columbus
Albany
Valdosta
Waycross
Brunswick
Birmingham
Montgomery
Mobile
Tuscaloosa
Huntsville
Gadsden
Dothan
Jackson
Meridian
Hattiesburg
Biloxi
Jacksonville
St. Augustine
Daytona Beach
Orlando
Tampa
St. Petersburg
Clearwater
Tallahassee
Pensacola
Panama Cy.
Gainesville
Ocala
Lakeland
Ft. Myers
West Palm Beach
Ft. Lauderdale
Hollywood
MIAMI
EVERGLADES NAT. PARK
L. Okeechobee
Bangor
Portland
Augusta
Lewiston
Portsmouth
Newburyport
Presque Isle
Houlton
Millinocket
Old Town
Waterville
Rockland
Biddeford
Haverhill
Dover
Continuation Eastwards On same scale
Pamlico Sound
C. Hatteras
C. Lookout
C. Fear
C. Canaveral
ATLANTIC OCEAN
GULF OF MEXICO
BAHAMAS
Grand Bahama I.
Great Abaco I.
Florida Str.
Projection: Alber's Equal Area with two standard parallels
West from Greenwich
1:6 000 000
50 0 50 100 miles
50 0 50 100 150 km
m ft
6000 4500 3000 1200 600 0
2000 1500 1000 400 200 0
200 600 2000 4000
600 6000 12 000

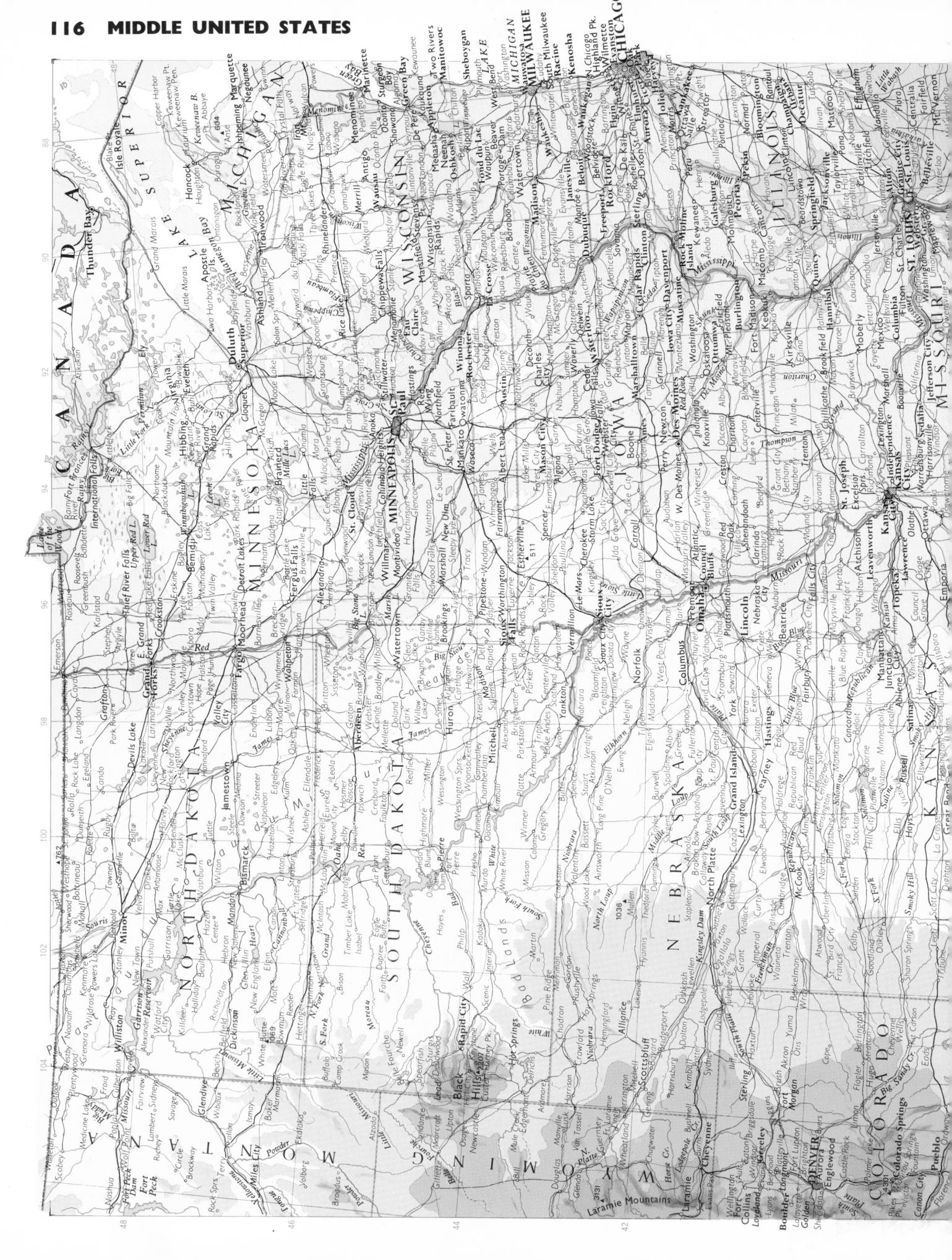
CANADA
LAKE SUPERIOR
LAKE MICHIGAN
MICHIGAN
NORTH DAKOTA
SOUTH DAKOTA
MINNESOTA
WISCONSIN
IOWA
ILLINOIS
NEBRASKA
KANSAS
MISSOURI
MONTANA
WYOMING
COLORADO
Thunder Bay
Duluth
Superior
Minneapolis
St. Paul
Milwaukee
Chicago
Madison
Des Moines
Omaha
Lincoln
Kansas City
St. Louis
Denver
Cheyenne
Bismarck
Fargo
Sioux Falls
Rapid City
Black Hills
Bad Lands
Laramie Mountains
Mississippi
Missouri

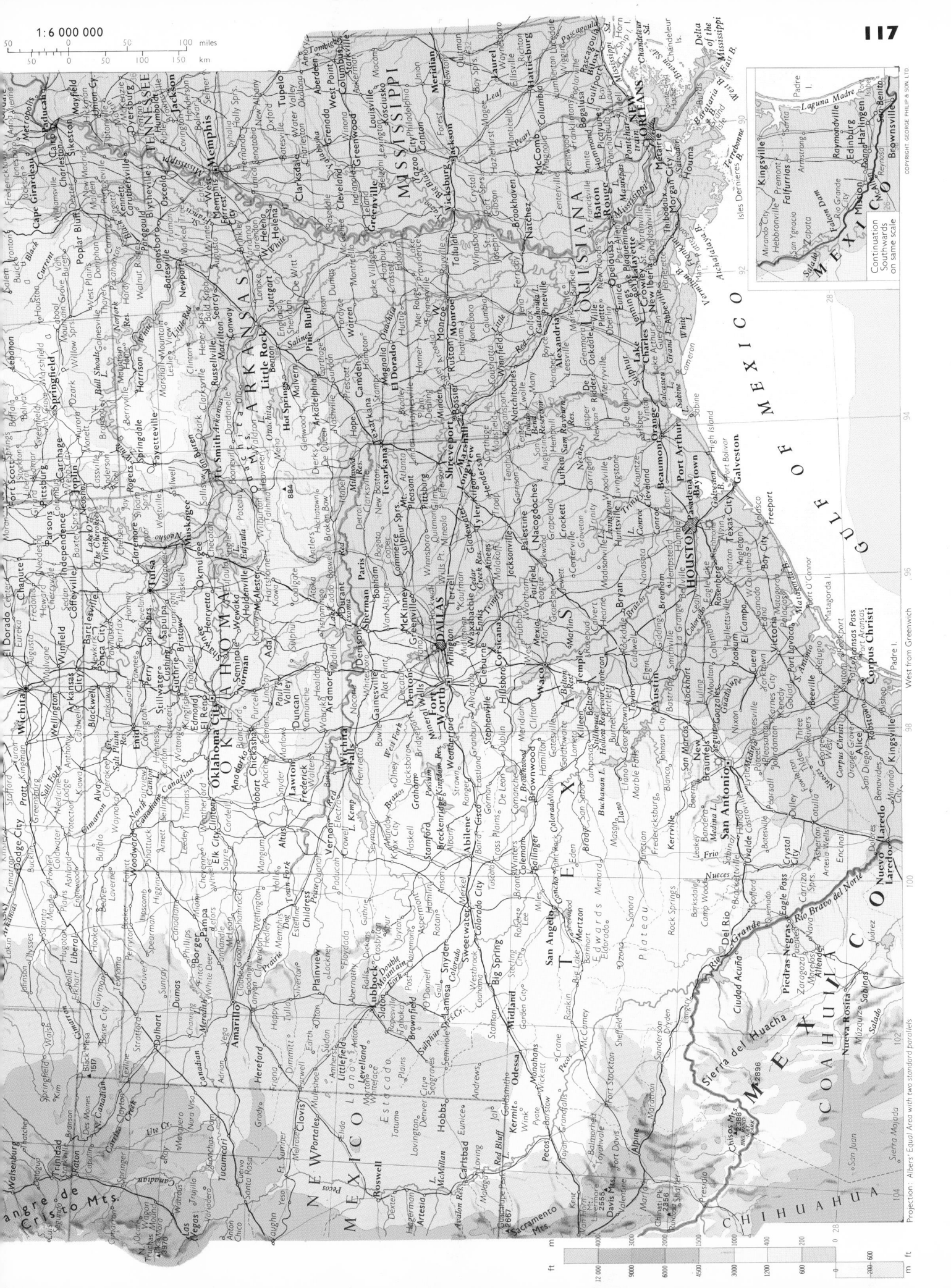
1:6 000 000
miles
km
GULF OF MEXICO
TEXAS
OKLAHOMA
ARKANSAS
LOUISIANA
MISSISSIPPI
TENNESSEE
NEW MEXICO
MEXICO
COAHUILA
CHIHUAHUA
DALLAS
HOUSTON
NEW ORLEANS
Memphis
San Antonio
Fort Worth
Oklahoma City
Austin
Shreveport
Little Rock
Jackson
Continuation Southwards on same scale
West from Greenwich
Projection: Albers' Equal Area with two standard parallels
COPYRIGHT GEORGE PHILIP & SON, LTD

1:6 000 000

50   0   50   100 miles
50   0   50   100   150 km

SASKATCHEWAN

ALBERTA

BRITISH COLUMBIA

MONTANA

WYOMING

IDAHO

WASHINGTON

OREGON

NEVADA

UTAH

CALIFORNIA

VANCOUVER

SEATTLE

PORTLAND

Bighorn Mountains

Medicine Bow Range

Yellowstone Lake

Absaroka Range

Wind River Range

Uinta Mountains

GREAT SALT LAKE

Salt Lake City

Ogden

Provo

Great Salt Lake Desert

Lewis Range

Bitterroot Range

Clearwater Mountains

Salmon River Mountains

Sapphire Mts.

Cabinet Mountains

Crazy Mts.

Little Belt Mts.

Big Belt Mts.

Lemhi Range

Helena

Butte

Bozeman

Billings

Great Falls

Missoula

Kalispell

Spokane

Lewiston

Walla Walla

Pendleton

Blue Mountains

Wallowa Mts.

Boise

Nampa

Caldwell

Twin Falls

Pocatello

Idaho Falls

Snake River

Columbia River

Yakima

Tacoma

Olympia

Everett

Bellingham

Olympic Mts.

Mt. Rainier

Mt. St. Helens

Mt. Hood

Salem

Eugene

Corvallis

Bend

Klamath Falls

Crater Lake

Harney Basin

Warner Mts.

Steens Mt.

Shoshone Mountains

Humboldt River

Ruby Mts.

Elko

Winnemucca

Reno

Carson City

Lake Tahoe

Coast Range

Redding

Sacramento

Medicine Hat

Lethbridge

Casper

Sheridan

Rock Springs

Medford

Coos Bay

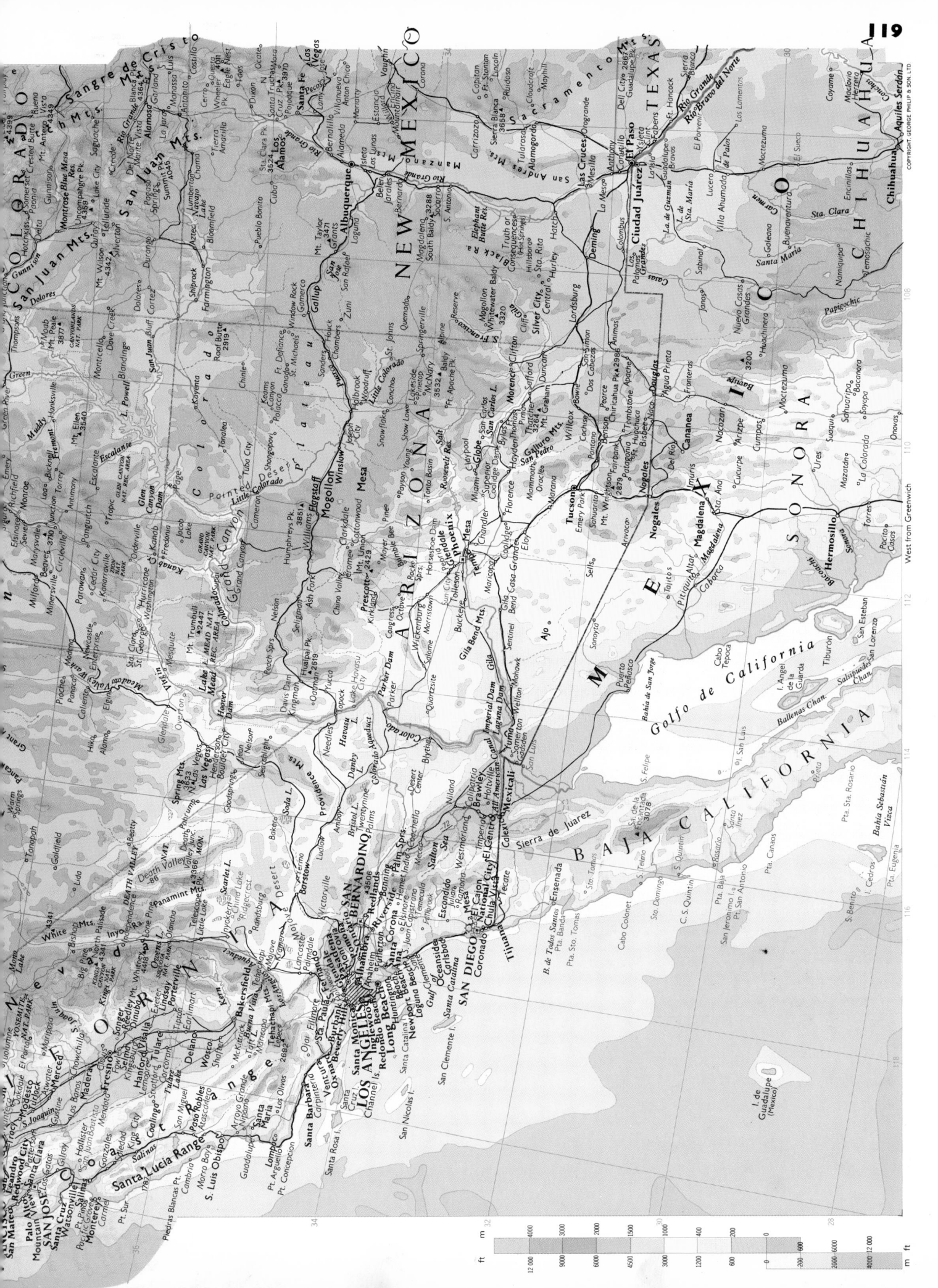
COLORADO
NEW MEXICO
ARIZONA
TEXAS
MEXICO
SONORA
CHIHUAHUA
BAJA CALIFORNIA
Golfo de California
Colorado Plateau
Grand Canyon
Sangre de Cristo Mts.
San Juan Mts.
Sacramento Mts.
Santa Lucia Range
Sierra de Juarez
Mojave Desert
LOS ANGELES
SAN DIEGO
SAN BERNARDINO
Phoenix
Tucson
Albuquerque
Santa Fe
El Paso
Ciudad Juárez
Chihuahua
Hermosillo
Tijuana
Mexicali
Las Vegas
Salton Sea
West from Greenwich
ft
m
m
ft

1:12 000 000

REFERENCE TO NUMBERS

1 Distrito Federal
2 Aguascalientes
3 Guanajuato
4 Hidalgo
5 México
6 Morelos
7 Querétaro
8 Tlaxcala

PANAMA CANAL
1:1 000 000

Projection: Bi-polar oblique Conical Orthomorphic

COPYRIGHT GEORGE PHILIP & SON LTD

West from Greenwich

1:12 000 000

WINDWARD ISLANDS
1:8 000 000

TRINIDAD & TOBAGO
1:8 000 000

JAMAICA
1:8 000 000

LEEWARD ISLANDS
1:8 000 000

BERMUDA
1:1 000 000

ATLANTIC OCEAN

CARIBBEAN SEA

GREATER ANTILLES

LESSER ANTILLES

BAHAMAS

CUBA

JAMAICA

HAITI

DOMINICAN REP.

PUERTO RICO (U.S.A.)

HISPANIOLA

MEXICO

GULF OF MEXICO

HONDURAS

NICARAGUA

COSTA RICA

PANAMA

COLOMBIA

VENEZUELA

GUIANA

PACIFIC OCEAN

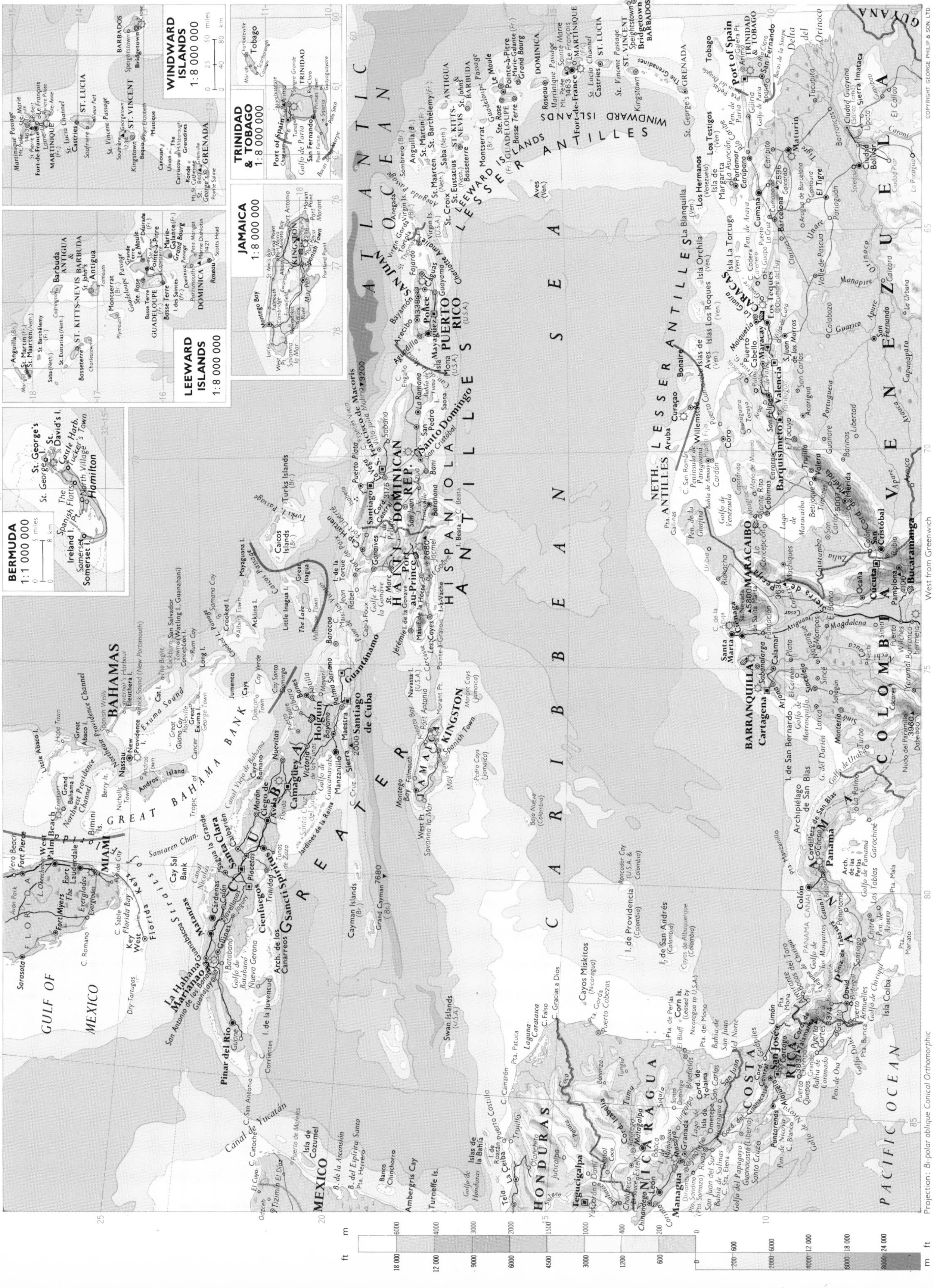

Projection: Bi-polar oblique Conical Orthomorphic

West from Greenwich

COPYRIGHT GEORGE PHILIP & SON LTD.

1:30 000 000

100   0   100 200 300 400 500 miles
100   0   200   400   600   800 km

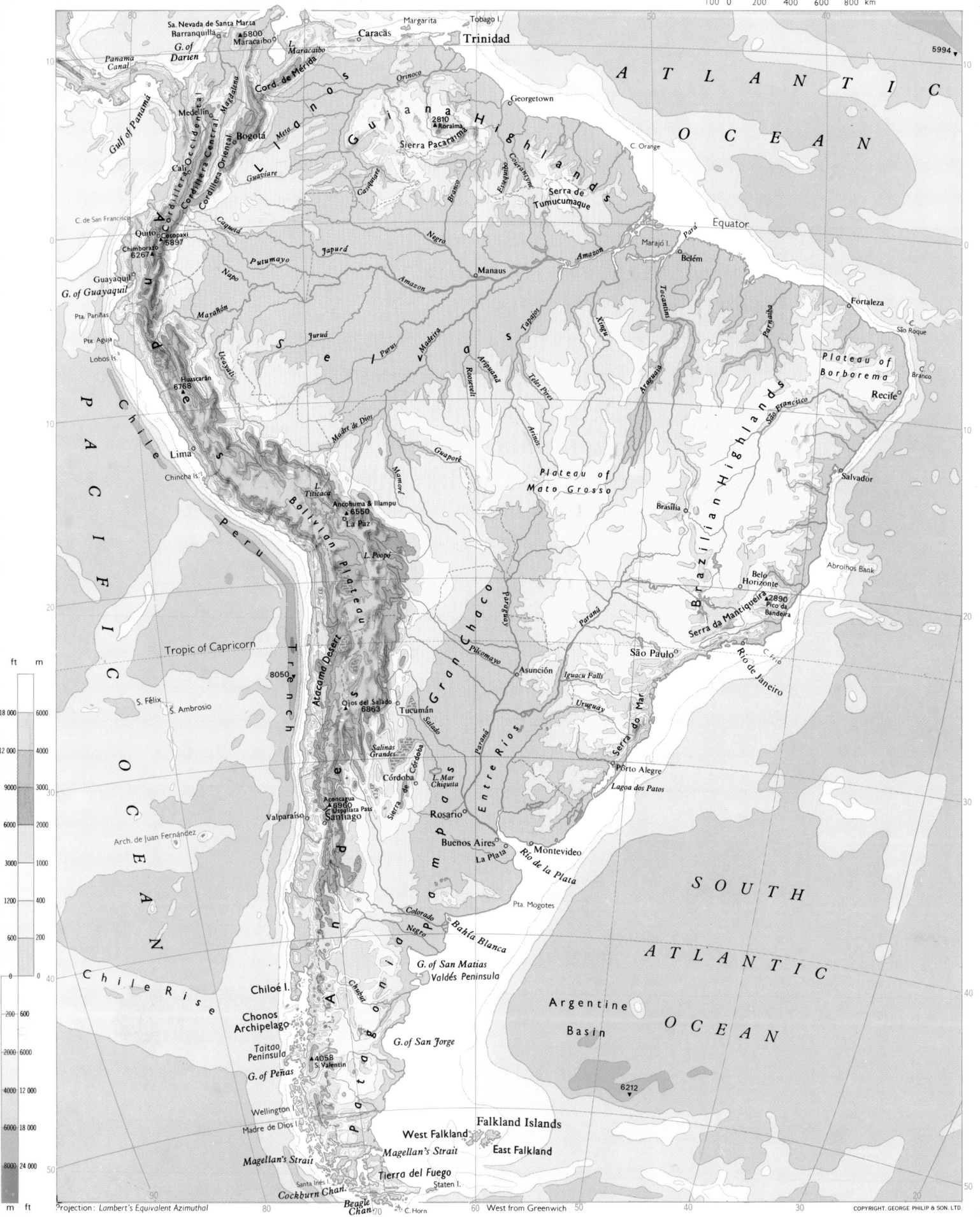

5994

ATLANTIC

OCEAN

Equator

Sa. Nevada de Santa Marta
Barranquilla
▲5800
Maracaibo
Panama Canal
G. of Darien
L. Maracaibo
Caracas
Margarita
Tobago I.
Trinidad
Cord. de Mérida
Medellín
Cordillera Occidental
Cordillera Central
Cordillera Oriental
Magdalena
Bogotá
Cali
Meta
Llanos
Orinoco
Georgetown
Guaviare
Guiana Highlands
Roraima ▲2810
Sierra Pacaraima
Casiquiare
Branco
Essequibo
Courantyne
C. Orange
Serra de Tumucumaque

C. de San Francisco
Quito
Cotopaxi ▲6897
Chimborazo ▲6267
Guayaquil
G. of Guayaquil
Pta. Pariñas
Pta. Aguja
Lobos Is.
Caquetá
Putumayo
Japurá
Napo
Marañón
Ucayali
Negro
Amazon
Manaus
Marajó I.
Pará
Belém
Fortaleza
São Roque
C.

Juruá
Purus
Madeira
Roosevelt
Aripuanã
Tapajos
Xingu
Teles Pires
Arinos
Araguaia
Tocantins
Parnaíba
Plateau of Borborema
Recife
C. Branco

Huascarán ▲6768
Selvas
Madre de Dios
Guaporé
Guapore
Mamoré
São Francisco
Plateau of Mato Grosso
Salvador

Lima
Chincha Is.
Peru
L. Titicaca
Ancohuma & Illampu ▲6550
La Paz
Bolivian Plateau
L. Poopó
Brazilian Highlands
Brasília
Belo Horizonte
Abrolhos Bank
Pico da Bandeira ▲2890
Serra da Mantiqueira

Tropic of Capricorn
Atacama Desert
8050
Ojos del Salado ▲6863
Tucumán
Salado
Gran Chaco
Pilcomayo
Bermejo
Paraná
Asunción
Iguaçu Falls
São Paulo
Rio de Janeiro
C. Frio
Serra do Mar

ft   m
18 000   6000
12 000   4000
9000   3000
6000   2000
3000   1000
1200   400
600   200
0   0
200   600
2000   6000
4000   12 000
6000   18 000
8000   24 000
m   ft

S. Félix
S. Ambrosio
Trench
Chile
Salinas Grandes
Córdoba
Sierra de Córdoba
L. Mar Chiquita
Aconcagua ▲6960
Espallata Pass
Valparaíso
Santiago
Rosario
Entre Ríos
Buenos Aires
La Plata
Montevideo
Uruguay
Río de la Plata
Pôrto Alegre
Lagoa dos Patos

Arch. de Juan Fernández

PACIFIC

OCEAN

Chile Rise

Pta. Mogotes

SOUTH

Colorado
Negro
Bahía Blanca
Pampas
Patagonia

ATLANTIC

Chiloé I.
Chonos Archipelago
Taitao Peninsula
G. of Peñas
S. Valentín ▲4058
Chubut
G. of San Matias
Valdés Peninsula
G. of San Jorge

Argentine
Basin
OCEAN
6212

Wellington I.
Madre de Dios I.
Magellan's Strait
Santa Inés I.
Cockburn Chan.
Beagle Chan.
C. Horn
Tierra del Fuego
Staten I.
West Falkland
East Falkland
Falkland Islands
Magellan's Strait

1:30 000 000

100   0   100   200   300   400   500 miles
100   0   200   400   600   800 km

NORTH ATLANTIC OCEAN

COSTA RICA
San José
Colón
PANAMA
Panamá
Golfo de Panamá
Honolulu 4683
S.E. 3277
David

Barranquilla
Cartagena
Ciénaga
Golfo de Darién
Cabimas
Barquisimeto
Maracaibo
Monteria
Valencia
Caracas
Cumaná
Maturín
Port of Spain
TRINIDAD AND TOBAGO
Trinidad
Isla de Margarita
Punto Fijo
Tobago
Mérida
Cúcuta
San Cristóbal
San Fernando
Ciudad Guayana
Ciudad Bolívar
Orinoco
Bucaramanga
Medellín
Manizales
Pereira
Ibagué
Bogotá
Buenaventura
Cali
Popayán
VENEZUELA
Pto. Ayacucho
Georgetown
New Amsterdam
GUYANA
Paramaribo
SURINAM
Essequibo
Corentijn
FRENCH GUIANA
Cayenne
C. Orange
C. de San Francisco
COLOMBIA
Pasto
Caquetá
Orinoco
Branco

ECUADOR
Quito
Riobamba
Cuenca
Guayaquil
G. de Guayaquil
Salina Cruz 2010
Pta. Aguja
Napo
Putumayo
Marañón
Iquitos
Benjamim Constant
Japurá
Tefé
Negro
Manaus
Amazonas
(Amazon)
Santarem
Macapá
Ilha de Marajó
Belém (Pará)
Equator
São Luís
Bacabal
Teresina
C. de São Roque
Fortaleza (Ceara)
Natal
João Pessoa (Paraíba)
Recife (Pernambuco)

Chiclayo
Trujillo
Pucallpa
Cruzeiro do Sul
Purus
Madeira
Manicaré
Aripuanã
Tapajós
Xingu
Tocantins
Araguaia
Parnaíba
Juazeiro do Norte
Maceió
Aracaju

PERU
Callao
Lima
Huancayo
Ayacucho
Cuzco
Islas de Chincha
Juliaca
Titicaca
La Paz
Arequipa
Mollendo
Tacna
Arica
Iquique
BOLIVIA
Cochabamba
Oruro
Sucre
Santa Cruz
Uyuni
Tarija
Cuevo
Madre de Dios
Guaporé
Mamoré
Guajará-Mirim
Pôrto Velho
Rio Branco
Rio Branco
Arinos
Cuiabá
Corumbá
B R A Z I L
Brasília
Goiânia
Jataí
Montes Claros
Gov. Valadares
Belo Horizonte
Uberaba
Ribeirão Prêto
Salvador (Bahia)
São Francisco
Vitória
Campos
Niterói
RIO DE JANEIRO
Santos
SÃO PAULO
Campinas
Juiz de Fora
Bauru
Londrina
Pres. Prudente
Campo Grande
Pedro Juan Caballero
PARAGUAY
Pilcomayo
Paraná
Asunción
Ponta Grossa
Curitiba
Paraguai
Tropic of Capricorn
Antofagasta
Salta
San Miguel de Tucumán
Santiago del Estero
Resistencia
Corrientes
Salado
Uruguaiana
Uruguay
Santa Maria
Pôrto Alegre
Florianópolis
Lagoa dos Patos
Pelotas
Isla San Félix (Chile)
Isla San Ambrosio (Chile)

ARGENTINA
Córdoba
Santa Fe
Paraná
Rosario
URUGUAY
Mendoza
Coquimbo
Arch de Juan Fernández (Chile)
Valparaíso
Santiago
San Rafael
Mercedes
BUENOS AIRES
La Plata
Río de la Plata
Montevideo
Talca
Concepción
Santa Rosa
Tandil
Mar del Plata
Bahía Blanca
Valdivia
Zapala
Colorado
Negro
Puerto Montt
San Carlos de Bariloche
Viedma
Isla de Chiloé
Península Valdés
Trelew
Chubut
Archipiélago de los Chonos
Golfo Comodoro Rivadavia San Jorge
G. de Penas
I. Wellington
Santa Cruz
FALKLAND ISLANDS
(U.K.)
West Falkland
Stanley
East Falkland
Río Gallegos
Estrecho de Magallanes
Strait of Magellan
Punta Arenas
Isla Grande de Tierra del Fuego
Cabo de Hornos (Cape Horn)

PACIFIC OCEAN

SOUTH ATLANTIC OCEAN

West from Greenwich

Projection: Lambert's Equivalent Azimuthal

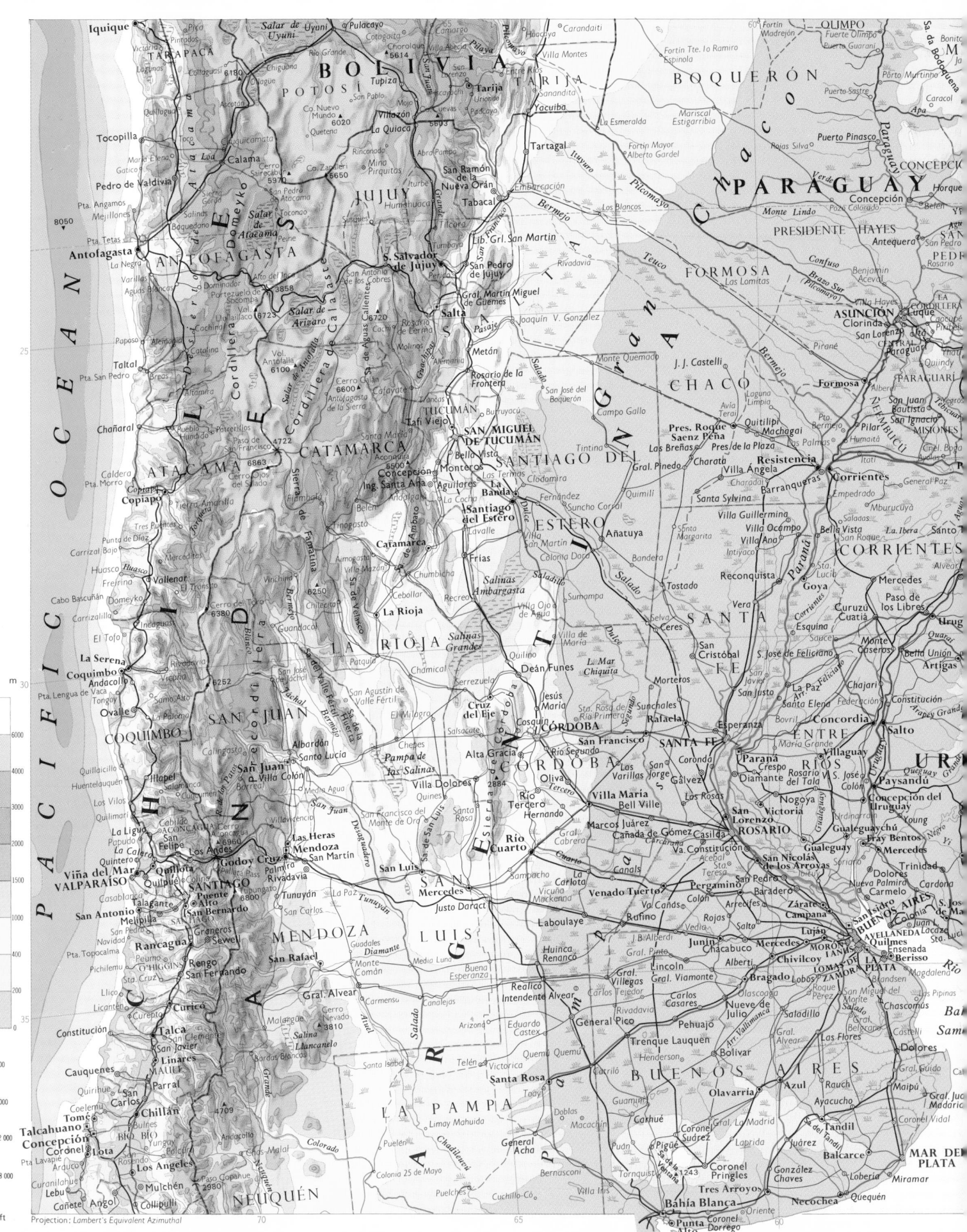
PACIFIC OCEAN
BOLIVIA
PARAGUAY
ARGENTINA
CHILE
ANDES
Gran Chaco
Atacama
BOQUERÓN
POTOSÍ
TARIJA
JUJUY
SALTA
FORMOSA
CHACO
CATAMARCA
TUCUMÁN
SANTIAGO DEL ESTERO
LA RIOJA
SAN JUAN
CÓRDOBA
SANTA FE
CORRIENTES
MISIONES
ENTRE RÍOS
SAN LUIS
MENDOZA
LA PAMPA
BUENOS AIRES
NEUQUÉN
ANTOFAGASTA
ATACAMA
COQUIMBO
TARAPACA
PRESIDENTE HAYES
Iquique
Tocopilla
Antofagasta
Taltal
Chañaral
Copiapó
Vallenar
La Serena
Coquimbo
Ovalle
Viña del Mar
VALPARAÍSO
SANTIAGO
San Antonio
Rancagua
Curicó
Talca
Linares
Chillán
Talcahuano
Concepción
Los Angeles
Salar de Uyuni
Potosí
Tupiza
Tarija
Villazón
La Quiaca
Calama
S. Salvador de Jujuy
Salta
SAN MIGUEL DE TUCUMÁN
Catamarca
La Rioja
San Juan
Mendoza
San Luis
San Rafael
CÓRDOBA
Río Cuarto
Villa María
Santiago del Estero
Resistencia
Corrientes
Formosa
ASUNCIÓN
Concepción
Paraná
SANTA FE
ROSARIO
BUENOS AIRES
LA PLATA
Santa Rosa
Bahía Blanca
Tandil
MAR DEL PLATA
Olavarría
Azul
Salto
Paysandú
Concordia
Projection: Lambert's Equivalent Azimuthal
ft m
18 000 6000
12 000 4000
9000 3000
6000 2000
4500 1500
3000 1000
1200 400
600 200
0 0
200 600
2000 6000
4000 12 000
6000 18 000
m ft
70
65
60
25
30
35

1 : 8 000 000
50   0   50   100   150 miles
50   0   50   100   150   200 km

BELO
HORIZONTE

A T L A N T I C

O C E A N

BRAZIL

MATO GROSSO DO SUL

SÃO PAULO

PARANÁ

SANTA CATARINA

RIO GRANDE DO SUL

RIO DE JANEIRO

MISIONES

UAY

Tropic of Capricorn

SÃO PAULO
SANTO ANDRÉ
SANTOS
CURITIBA
Florianópolis
PÔRTO ALEGRE
CAMPINAS
CAMPOS
NITERÓI
RIO DE JANEIRO
DUQUE DE CAXIAS
SÃO GONÇALO

Três Lagoas
Andradina
Mirassol
Olímpia
Passos
N. Lima
Itabirito
Vitória
Itaquari
Vila
Velha
Guarapari

5304

NICARAGUA
COSTA RICA
PANAMA
COLOMBIA
VENEZUELA
GUYANA
TRINIDAD & TOBAGO
GRENADA
The Grenadines
ECUADOR
PERU
BOLIVIA
CHILE
ARGENTINA
PARAGU
AMAZONAS
ACRE
RONDÔNIA
RORAIMA
PACIFIC OCEAN
Equator
Cocos Ridge
Milne Edwards Trench
Peru Chile Trench
Krümmel Trench
Malpelo (Colombia)
Managua
Bluefields
Panama
Barranquilla
Cartagena
Maracaibo
Caracas
Valencia
Port of Spain
Medellín
Bogota
Cali
Quito
Guayaquil
Cuenca
Iquitos
Manaus
Lima
Callao
Cuzco
Arequipa
La Paz
Cochabamba
Sucre
Potosí
Santa Cruz
Oruro
Porto Velho
Rio Branco
Mt. Roraima
Sierra Pacaraima
Orinoco
Negro
Solimões (Amazonas)
Madeira
Purus
Juruá
Ucayali
Marañón
Putumayo
Caquetá
L. Titicaca
L. Poopó
Salar de Uyuni
Chaco Boreal
Desierto de Sechura
Golfo de Panamá
G. de Guayaquil
Huascaran 6768
Chimborazo 6267
Cotopaxi 5896
Illimani 6462
Sajama 6520
ft
m
18 000
6000
12 000
4000
9000
3000
6000
2000
4500
1500
3000
1000
1200
400
600
200
0
200
600
2000
6000
4000
12 000
6000
18 000
8000
24 000
m
ft
Projection: Sanson-Flamsteed's Sinusoidal
80
75
70
65
60
West fr

1:16 000 000

100   0   100   200   300   400   500 miles
100   0   100   200   300   400   500   600   700   800 km

A T L A N T I C   O C E A N

Equator

Paramaribo
Nieuw Amsterdam
St. Laurent
Cayenne

FR. GUIANA

SURINAM

AMAPÁ
C. do Norte
Macapá

Estuario do
Rio Amazonas
Ilha Caviana

Belém (Pará)

Ilha de
Marajó

São Luís (Maranhão)

Rosário
Parnaíba

Fortaleza (Ceará)

Fernando de Noronha
(Braz.)

Santarém
Amazonas

P A R Á

MARANHÃO

Bacabal

Teresina

CEARÁ

RIO GRANDE
DO NORTE

Mossoró
Macau
Natal
C. de São Roque

B R A Z I L

PIAUÍ

PARAÍBA
Campina Grande
João Pessoa
(Paraiba)

Caruaru

PERNAMBUCO
RECIFE
(Pernambuco)

Juàzeiro
Paulo Afonso
Maceió

ALAGOAS

SERGIPE
Aracaju

GOIÁS

B A H I A

Feira de
Santana
Alagoinhas

Santo Amaro

Salvador (Bahia)

MATO GROSSO

Planalto do
Mato Grosso

Vitória da
Conquista
Ilhéus

DIST.
FED. Brasília

Goiânia

Anápolis

Montes
Claros

Diamantina

Teófilo Otoni
Nanuque

MINAS GERAIS
Gov. Valadares

ESPIRITO
SANTO

Belo Horizonte

Campo Grande

Uberlândia

Vitória

Trindade
(Braz.)

Ribeirão Prêto
SÃO
PAULO
Juiz de Fora
Campos

Marília
Bauru
Piracicaba
Campinas

Petrópolis
RIO DE JANEIRO
Niterói

DO SUL

1:16 000 000

100 50 0 100 200 300 miles
100 0 100 200 300 400 km

Projection: Sanson-Flamsteed's Sinusoidal

60 West from Greenwich

INDEX *

The number printed in bold type against each entry indicates the map page where the feature can be found. This is followed by its geographical coordinates. The first coordinate indicates latitude, i.e. distance north or south of the Equator. The second coordinate indicates longitude, i.e. distance east or west of the meridian of Greenwich in England (shown as 0° longitude). Both latitude and longitude are measured in degrees and minutes (with 60 minutes in a degree), and appear on the map as horizontal and vertical gridlines respectively. Thus the entry for Paris in France reads.

Paris, France   **19** 48 50 N   2 20 E

This entry indicates that Paris is on page 19, at latitude 48 degrees 50 minutes north (approximately five-sixths of the distance between horizontal gridlines 48 and 49, marked on either side of the page) and at longitude 2 degrees 20 minutes east (approximately one-third of the distance between vertical gridlines 2 and 3, marked at top and bottom of the page). Paris can be found where lines extended from these two points cross on the page. The geographical coordinates are sometimes only approximate but are close enough for the place to be located. Rivers have been indexed to their mouth or confluence.

An open square □ signifies that the name refers to an administrative subdivision of a country while a solid square ■ follows the name of a country. An arrow ⌒ follows the name of a river.

The alphabetical order of names composed of two or more words is governed primarily by the first word and then by the second. This rule applies even if the second word is a description or its abbreviation, R.,L.,I. for example. Names composed of a proper name (Gibraltar) and a description (Strait of) are positioned alphabetically by the proper name. If the same place name occurs twice or more times in the index and all are in the same country, each is followed by the name of the administrative subdivision in which it is located. The names are placed in the alphabetical order of the subdivisions. If the same place name occurs twice or more in the index and the places are in different countries they will be followed by their country names, the latter governing the alphabetical order. In a mixture of these situations the primary order is fixed by the alphabetical sequence of the countries and the secondary order by that of the country subdivisions.

Please refer to the table at the end of the index for the recent place name changes in India, Iran, Mozambique and Zimbabwe.

Abbreviations used in the index:

A. R.–Autonomous Region
A. S. S. R.–Autonomous Soviet Socialist Republic
Afghan.–Afghanistan
Afr.–Africa
Ala.–Alabama
Alas.–Alaska
Alg.–Algeria
Alta.–Alberta
Amer.–America
And. P.–Andhra Pradesh
Arch.–Archipelago
Argent.–Argentina
Ariz.–Arizona
Ark.–Arkansas
Atl. Oc. – Atlantic Ocean
Austral. – Australia
B. – Baie, Bahía, Bay, Bucht, Bugt
B.A. – Buenos Aires
B.C. – British Columbia
Bangla. – Bangladesh
Barr. – Barrage
Bay. – Bayern
Belg. – Belgium
Berks. – Berkshire
Bol. – Bolshoi
Boliv. – Bolivia
Bots. – Botswana
Br. – British
Bri. – Bridge
Bt. – Bight
Bucks. – Buckinghamshire
Bulg. – Bulgaria
C. – Cabo, Cap, Cape, Coast
C. Prov. – Cape Province
Calif. – California
Camb. – Cambodia
Cambs. – Cambridgeshire
Can. – Canada
Cent. – Central
Chan. – Channel
Co. – Country
Colomb. – Colombia
Colo. – Colorado
Conn. – Connecticut
Cord. – Cordillera
Cr. – Creek
Cumb. – Cumbria
Czech. – Czechoslovakia
D.C. – District of Columbia
Del. – Delaware
Dep. – Dependency
Derby. – Derbyshire
Des. – Desert
Dist. – District
Dj. – Djebel
Dumf. & Gall. – Dumfries and Galloway
E. – East
Eng. – England
Fed. – Federal, Federation
Fla. – Florida
For. – Forest
Fr. – France, French
Fs. – Falls
Ft. – Fort

G. – Golfe, Golfo, Gulf, Guba
Ga. – Georgia
Ger. – Germany
Glam. – Glamorgan
Glos. – Gloucestershire
Gr. – Grande, Great, Greater, Group
H.K. – Hong Kong
H.P. – Himachal Pradesh
Hants. – Hampshire
Harb. – Harbor, Harbour
Hd. – Head
Here. & Worcs. – Hereford and Worcester
Herts. – Hertfordshire
Hts. – Heights
Hung. – Hungary
I.o.M. – Isle of Man
I.(s). – Île, Ilha, Insel, Isla, Island, Isle
Id. – Idaho
Ill. – Illinois
Ind. – Indiana
Ind. Oc. – Indian Ocean
Indon. – Indonesia
J. – Jabal, Jabel, Jazira
Junc. – Junction
K. – Kap, Kapp
K. – Kuala
Kal. – Kalmyk A.S.S.R.
Kans. – Kansas
Kep. – Kepulauan
Ky. – Kentucky
L. – Lac, Lacul, Lago, Lagoa, Lake, Limni, Loch, Lough
La. – Lousiana
Lancs. – Lancashire
Leb. – Lebanon
Leics. – Leicestershire
Lim. – Limerick
Lincs. – Lincolnshire
Lit. – Little
Lr. – Lower
Mad. P. – Madhya Pradesh
Madag. – Madagascar
Malay. – Malaysia
Man. – Manitoba
Manch. – Manchester
Maran. – Maranhão
Mass. – Massachusetts
Md. – Maryland
Me. – Maine
Mend. – Mendoza
Mér. – Méridionale
Mich. – Michigan
Mid. – Middle
Minn. – Minnesota
Miss. – Mississippi
Mo. – Missouri
Mong. – Mongolia
Mont. – Montana
Moroc. – Morocco
Mozam. – Mozambique
Mt.(e). – Mont, Monte, Monti, Montaña, Mountain
Mys. – Mysore
N. – Nord, Norte, North, Northern, Nouveau

N.B. – New Brunswick
N.C. – North Carolina
N.D. – North Dakota
N.H. – New Hampshire
N.I. – North Island
N.J. – New Jersey
N. Mex. – New Mexico
N.S. – Nova Scotia
N.S.W. – New South Wales
N.T. – Northern Territory
N.W.T. – North West Territory
N.Y. – New York
N.Z. – New Zealand
Nat. – National
Nat.Park. – National Park
Nebr. – Nebraska
Neth. – Netherlands
Nev. – Nevada
Newf. – Newfoundland
Nic. – Nicaragua
Northants. – Northamptonshire
Northumb. – Northumberland
Notts. – Nottinghamshire
O. – Oued, ouadi
Occ. – Occidentale
O.F.S. – Orange Free State
Okla. – Oklahoma
Ont. – Ontario
Or. – Orientale
Os. – Ostrov
Oxon. – Oxfordshire
Oz. – Ozero·
P. – Pass, Passo, Pasul, Pulau
P.E.I. – Prince Edward Island
P.N.G. – Papua New Guinea
P.O. – Post Office
P. Rico.–Puerto Rico
Pa. – Pennsylvania
Pac. Oc. – Pacific Ocean
Pak. – Pakistan
Parag. – Paraguay
Pass. – Passage
Pen. – Peninsula, Peninsule
Phil. – Philippines
Pk. – Peak
Plat. – Plateau
P-ov. – Poluostrov
Port. – Portugal, Portuguese
Prom. – Promontory
Prov. – Province, Provincial
Pt. – Point
Pta. – Ponta, Punta
Pte. – Pointe
Qué. – Québec
Queens. – Queensland
R. – Rio, River
R.I. – Rhode Island
R.S.F.S.R. – Russian Soviet Federative Socialist Republic
Ra.(s). – Range(s)
Raj. – Rajasthan
Reg. – Region
Rep. – Republic
Res. – Reserve, Reservoir
Rhld. – Pfz. – Rheinland–Pfalz

S. – San, South
S. Afr. – South Africa
S. Austral. – South Australia
S.C. – South Carolina
S.D. – South Dakota
S.-Holst. – Schleswig-Holstein
S.I. – South Island
S. Leone–Sierra Leone
S.S.R. – Soviet Socialist Republic
Sa. – Serra, Sierra
Sard. – Sardinia
Sask. – Saskatchewan
Scot. – Scotland
Sd. – Sound
Sept. – Septentrionale
Sev. – Severnaja
Sib. – Siberia
Som. – Somerset
Span. – Spanish
Sprs. – Springs
St. – Saint
Sta. – Santa, Station
Staffs. – Staffordshire
Ste. – Sainte
Sto. – Santo
Str. – Strait, Stretto
Switz. – Switzerland
T.O. – Telegraph Office
Tas. – Tasmania
Tenn. – Tennessee
Terr. – Territory
Tex. – Texas
Tg. – Tanjung
Thai. – Thailand
Tipp. – Tipperary
Trans. – Transvaal
U.K. – United Kingdom
U.S.A. – United States of America
U.S.S.R. – Union of Soviet Socialist Republics
Ukr. – Ukraine
Ut.P. – Uttar Pradesh
Utd. – United
V. – Vorota
Va. – Virginia
Vdkhr. – Vodokhranilishche
Venez. – Venezuela
Vic. – Victoria
Viet. – Vietnam
Vol. – Volcano
Vt. – Vermont
W. – Wadi, West
W.A. – Western Australia
W. Isles–Western Isles
W. Va. – West Virginia
Wash. – Washington
Wilts. – Wiltshire
Wis. – Wisconsin
Wlkp. – Wielkopolski
Wyo. – Wyoming
Yorks. – Yorkshire
Yug. – Yugoslavia
Zap. – Zapadnaja
Zimb. – Zimbabwe

Aachen Ain el Mafki

A

Aachen 24 50 47N 6 4 E
Aâlâ en Nîl □ 87 8 50N 29 55 E
Aalen 25 48 49N 10 6 E
Aalsmeer 16 52 17N 4 43 E
Aalst 16 50 56N 4 2 E
Aalten 16 51 56N 6 35 E
Aarau 25 47 23N 8 4 E
Aarberg 25 47 2N 7 16 E
Aare → 25 47 33N 8 14 E
Aargau □ 25 47 26N 8 10 E
Aarschot 16 50 59N 4 49 E
Aba, Nigeria 85 5 10N 7 19 E
Aba, Zaïre 90 3 58N 30 17 E
Âbâ, Jazîrat 87 13 30N 32 31 E
Âbâdân 64 30 22N 48 20 E
Abade, Ethiopia 87 9 22N 38 3 E
Abade, Iran 65 31 8N 52 40 E
Abadin 30 43 21N 7 29W
Abadla 82 31 2N 2 45W
Abaetetuba 127 1 40 S 48 50W
Abagnar Qi 76 43 52N 116 2 E
Abai 125 25 58 S 55 54W
Abak 85 4 58N 7 50 E
Abakaliki 85 6 22N 8 2 E
Abakan 59 53 40N 91 10 E
Abal Nam 86 25 20N 38 37 E
Abalemma 85 16 12N 7 50 E
Abanilla 33 38 12N 1 3W
Abano Terme 39 45 22N 11 46 E
Abarán 33 38 12N 1 23W
Abarqû 65 31 10N 53 20 E
'Abasân 62 31 19N 34 21 E
Abashiri 74 44 0N 144 15 E
Abashiri-Wan 74 44 0N 144 30 E
Abau 98 10 11 S 148 46 E
Abaújszántó 27 48 16N 21 12 E
Abay 58 49 38N 72 53 E
Abaya L. 87 6 30N 37 50 E
Abaza 58 52 39N 90 6 E
Abbadia San Salvatore 39 42 53N 11 40 E
Abbay (Nîl el Azraq) → 87 15 38N 32 31 E
Abbaye, Pt. 114 46 58N 88 4W
Abbé, L. 87 11 8N 41 47 E
Abbeville, France 19 50 6N 1 49 E
Abbeville, La., U.S.A. 117 30 0N 92 7W
Abbeville, S.C., U.S.A. 115 34 12N 82 21W
Abbiategrasso 38 45 23N 8 55 E
Abbieglassie 99 27 15 S 147 28 E
Abbotsford, B.C., Can. 108 49 5N 122 20W
Abbotsford, Qué., Can. 113 45 25N 72 53W
Abbotsford, U.S.A. 116 44 55N 90 20W
Abbottabad 66 34 10N 73 15 E
Abd al Kûrî 63 12 5N 52 20 E
Abéché 81 13 50N 20 35 E
Abejar 32 41 48N 2 47W
Abekr 87 12 45N 28 50 E
Abêlessa 82 22 58N 4 47 E
Abengourou 84 6 42N 3 27W
Åbenrå 49 55 3N 9 25 E
Abensberg 25 48 49N 11 51 E
Abeokuta 85 7 3N 3 19 E
Aber 90 2 12N 32 25 E
Aberaeron 13 52 15N 4 16W
Aberayron = Aberaeron 13 52 15N 4 16W
Abercorn 99 25 12 S 151 5 E
Abercorn = Mbala 91 8 46 S 31 17 E
Abercrombie → 100 33 54 S 149 8 E
Aberdare 13 51 43N 3 27W
Aberdare Ra. 90 0 15 S 36 50 E
Aberdeen, Austral. 99 32 9 S 150 56 E
Aberdeen, Can. 109 52 20N 106 8W
Aberdeen, S. Afr. 92 32 28 S 24 2 E
Aberdeen, U.K. 14 57 9N 2 6W
Aberdeen, Ala., U.S.A. 115 33 49N 88 33W
Aberdeen, Idaho, U.S.A. 118 42 57N 112 50W
Aberdeen, S.D., U.S.A. 116 45 30N 98 30W
Aberdeen, Wash., U.S.A. 118 47 0N 123 50W
Aberdovey 13 52 33N 4 3W
Aberfeldy 14 56 37N 3 50W
Abergaria-a-Velha 30 40 41N 8 32W
Abergavenny 13 51 49N 3 1W
Abernathy 117 33 49N 101 49W
Abert L. 118 42 40N 120 8W
Aberystwyth 13 52 25N 4 6W
Abha 86 18 0N 42 34 E
Abhayapuri 69 26 24N 90 38 E
Abidiya 86 18 18N 34 3 E
Abidjan 84 5 26N 3 58W
Abilene, Kans., U.S.A. 116 39 0N 97 16W
Abilene, Texas, U.S.A. 117 32 22N 99 40W
Abingdon, U.K. 13 51 40N 1 17W
Abingdon, Ill., U.S.A. 116 40 53N 90 23W
Abingdon, Va., U.S.A. 115 36 46N 81 56W
Abitau → 109 59 53N 109 3W
Abitau L. 109 60 27N 107 15W
Abitibi L. 106 48 40N 79 40W
Abiy Adi 87 13 39N 39 3 E
Abkhaz A.S.S.R. □ 57 43 0N 41 0 E
Abkit 59 64 10N 157 10 E
Abnûb 86 27 18N 31 4 E
Åbo 51 60 28N 22 15 E
Abo, Massif d' 83 21 41N 16 8 E
Abocho 85 7 35N 6 56 E
Abohar 68 30 10N 74 10 E
Aboisso 84 5 30N 3 5W
Aboméy 85 7 10N 2 5 E
Abondance 21 46 18N 6 42 E
Abong-Mbang 88 4 0N 13 8 E
Abonnema 85 4 41N 6 49 E
Abony 27 47 12N 20 3 E
Aboso 84 5 23N 1 57W
Abou-Deïa 81 11 20N 19 20 E
Aboyne 14 57 4N 2 48W
Abra Pampa 124 22 43 S 65 42W
Abrantes 31 39 24N 8 7W
Abraveses 30 40 41N 7 55W
Abreojos, Pta. 120 26 50N 113 40W
Abreschviller 19 48 39N 7 6 E
Abrets, Les 21 45 32N 5 35 E
Abri, Esh Shimâliya, Sudan 86 20 50N 30 27 E
Abri, Janub Kordofân, Sudan 87 11 40N 30 21 E
Abrud 46 46 19N 23 5 E
Abruzzi □ 39 42 15N 14 0 E
Absaroka Ra. 118 44 40N 110 0W
Abû al Khaṣîb 64 30 25N 48 0 E
Abû 'Alî 64 27 20N 49 27 E
Abu 'Arish 63 16 53N 42 48 E
Abû Ballas 86 24 26N 27 36 E
Abu Deleiq 87 15 57N 33 48 E
Abû Dhabî 65 24 28N 54 36 E
Abû Dîs 62 31 47N 35 16 E
Abû Dis 86 19 12N 33 38 E
Abû Dom 87 16 18N 32 25 E
Abû Gabra 87 11 2N 26 50 E
Abû Ghaush 62 31 48N 35 6 E
Abû Gubeiha 87 11 30N 31 15 E
Abu Habl, Khawr → 87 12 37N 31 0 E
Abu Hamed 86 19 32N 33 13 E
Abu Haraz 87 14 35N 33 30 E
Abû Haraz 86 19 8N 32 18 E
Abû Higar 87 12 50N 33 59 E
Abû Kamâl 64 34 30N 41 0 E
Abû Madd, Ra's 64 24 50N 37 7 E
Abû Markhah 64 25 4N 38 22 E
Abu Qir 86 31 18N 30 0 E
Abu Qireiya 86 24 5N 35 28 E
Abu Qurqâs 86 28 1N 30 44 E
Abû Rudies 86 29 0N 33 15 E
Abu Salama 86 27 10N 35 51 E
Abû Simbel 86 22 18N 31 40 E
Abu Tig 86 27 4N 31 15 E
Abu Tiga 87 12 47N 34 12 E
Abû Zabad 87 12 25N 29 10 E
Abû Zâbî 65 24 28N 54 22 E
Abuja 85 9 16N 7 2 E
Abukuma-Gawa → 74 38 06N 140 52 E
Abunã 126 9 40 S 65 20W
Abunã → 126 9 41 S 65 20W
Aburo, Mt. 90 2 4N 30 53 E
Abut Hd. 101 43 7 S 170 15 E
Abwong 87 9 2N 32 14 E
Åby 49 58 40N 16 10 E
Aby, Lagune 84 5 15N 3 14W
Acámbaro 120 20 0N 100 40W
Acanthus 44 40 27N 23 47 E
Acaponeta 120 22 30N 105 20W
Acapulco 120 16 51N 99 56W
Acatlán 120 18 10N 98 3W
Acayucan 120 17 59N 94 58W
Accéglio 38 44 28N 6 59 E
Accomac 114 37 43N 75 40W
Accra 85 5 35N 0 6W
Accrington 12 53 46N 2 22W
Acebal 124 33 20 S 60 50W
Aceh □ 72 4 15N 97 30 E
Acerenza 41 40 50N 15 58 E
Acerra 41 40 57N 14 22 E
Aceuchal 31 38 39N 6 30W
Achalpur 68 21 22N 77 32 E
Achenkirch 26 47 32N 11 45 E
Achensee 26 47 26N 11 45 E
Acher 68 23 10N 72 32 E
Achern 25 48 37N 8 5 E
Achill 15 53 56N 9 55W
Achill Hd. 15 53 59N 10 15W
Achill I. 15 53 58N 10 5W
Achill Sound 15 53 53N 9 55W
Achim 24 53 1N 9 2 E
Achinsk 59 56 20N 90 20 E
Achol 87 6 35N 31 32 E
Acireale 41 37 37N 15 9 E
Ackerman 117 33 20N 89 8W
Acklins I. 121 22 30N 74 0W
Acland, Mt. 97 24 50 S 148 20 E
Acme 108 51 33N 113 30W
Aconcagua □, Argent. 124 32 50 S 70 0W
Aconcagua □, Chile 124 32 15 S 70 30W
Aconcagua, Cerro 124 32 39 S 70 0W
Aconquija, Mt. 124 27 0 S 66 0W
Açores, Is. dos = Azores 6 38 44N 29 0W
Acquapendente 39 42 45N 11 50 E
Acquasanta 39 42 46N 13 24 E
Acquaviva delle Fonti 41 40 53N 16 50 E
Acqui 38 44 40N 8 28 E
Acre = 'Akko 62 32 55N 35 4 E
Acre □ 126 9 1 S 71 0W
Acre → 126 8 45 S 67 22W
Acri 41 39 29N 16 23 E
Acs 27 47 42N 18 0 E
Actium 44 38 57N 20 45 E
Acton 112 43 38N 80 3W
Ad Dahnā 64 24 30N 48 10 E
Ad Dammām 64 26 20N 50 5 E
Ad Dār al Ḥamrā' 64 27 20N 37 45 E
Ad Dawhah 65 25 15N 51 35 E
Ad Dilam 64 23 55N 47 10 E
Ada, Ghana 85 5 44N 0 40 E
Ada, Minn., U.S.A. 116 47 20N 96 30W
Ada, Okla., U.S.A. 117 34 50N 96 45W
Ada, Yugo. 42 45 49N 20 9 E
Adaja → 30 41 32N 4 52W
Ådalslinden 48 63 27N 16 55 E
Adam 65 22 15N 57 28 E
Adamaoua, Massif de l' 85 7 20N 12 20 E
Adamawa Highlands = Adamaoua, Massif de l' 85 7 20N 12 20 E
Adamello, Mt. 38 46 10N 10 34 E
Adami Tulu 87 7 53N 38 41 E
Adaminaby 99 36 0 S 148 45 E
Adams, Mass., U.S.A. 113 42 38N 73 8W
Adams, N.Y., U.S.A. 114 43 50N 76 3W
Adams, Wis., U.S.A. 116 43 59N 89 50W
Adam's Bridge 70 9 15N 79 40 E
Adams Center 113 43 51N 76 1W
Adams L. 108 51 10N 119 40W
Adams, Mt. 118 46 10N 121 28W
Adam's Peak 70 6 48N 80 30 E
Adamuz 31 38 2N 4 32W
Adana 64 37 0N 35 16 E
Adanero 30 40 56N 4 36W
Adapazarı 64 40 48N 30 25 E
Adarama 87 17 10N 34 52 E
Adare, C. 5 71 0 S 171 0 E
Adaut 73 8 8 S 131 7 E
Adavale 97 25 52 S 144 32 E
Adda → 38 45 8N 9 53 E
Addis Ababa = Addis Abeba 87 9 2N 38 42 E
Addis Abeba 87 9 2N 38 42 E
Addis Alem 87 9 0N 38 17 E
Addison 112 42 9N 77 15W
Adebour 85 13 17N 11 50 E
Adel 115 31 10N 83 28W
Adelaide, Austral. 97 34 52 S 138 30 E
Adelaide, Madag. 93 32 42 S 26 20 E
Adelaide I. 5 67 15 S 68 30W
Adelaide Pen. 104 68 15N 97 30W
Adélie, Terre 5 68 0 S 140 0 E
Ademuz 32 40 5N 1 13W
Aden = Al 'Adan 63 12 45N 45 12 E
Aden, G. of 63 13 0N 50 0 E
Adendorp 92 32 25 S 24 30 E
Adgz 82 30 47N 6 30W
Adhoi 68 23 26N 70 32 E
Adi 73 4 15 S 133 30 E
Adi Daro 87 14 20N 38 14 E
Adi Keyih 87 14 51N 39 22 E
Adi Kwala 87 14 38N 38 48 E
Adi Ugri 87 14 58N 38 48 E
Adieu, C. 96 32 0 S 132 10 E
Adigala 87 10 24N 42 15 E
Adige → 39 45 9N 12 20 E
Adigrat 87 14 20N 39 26 E
Adilabad 70 19 33N 78 20 E
Adin 118 41 10N 121 0W
Adin Khel 65 32 45N 68 5 E
Adirampattinam 70 10 28N 79 20 E
Adirondack Mts. 114 44 0N 74 15W
Adjim 83 33 47N 10 50 E
Adjohon 85 6 41N 2 32 E
Adjud 46 46 7N 27 10 E
Adjumani 90 3 20N 31 50 E
Adlavik Is. 107 55 2N 57 45W
Adler 57 43 28N 39 52 E
Admer 83 20 21N 5 27 E
Admer, Erg d' 83 24 0N 9 5 E
Admiralty B. 5 62 0 S 59 0W
Admiralty G. 96 14 20 S 125 55 E
Admiralty I. 104 57 40N 134 35W
Admiralty Inlet 118 48 0N 122 40W
Admiralty Is. 94 2 0 S 147 0 E
Admiralty Ra. 5 72 0 S 164 0 E
Ado 85 6 36N 2 56 E
Ado Ekiti 85 7 38N 5 12 E
Adok 87 8 10N 30 20 E
Adola 87 11 14N 41 44 E
Adonara 73 8 15 S 123 5 E
Adoni 70 15 33N 77 18W
Adony 27 47 6N 18 52 E
Adour → 20 43 32N 1 32W
Adra, India 69 23 30N 86 42 E
Adra, Spain 33 36 43N 3 3W
Adrano 41 37 40N 14 49 E
Adrar 82 27 51N 0 11W
Adré 81 13 40N 22 20 E
Adrī 83 27 32N 13 2 E
Ádria 39 45 4N 12 3 E
Adrian, Mich., U.S.A. 114 41 55N 84 0W
Adrian, Tex., U.S.A. 117 35 19N 102 37W
Adriatic Sea 34 43 0N 16 0 E
Adua 73 1 45 S 129 50 E
Adur 70 9 8N 76 40 E
Adwa 87 14 15N 38 52 E
Adzhar A.S.S.R. □ 57 42 0N 42 0 E
Adzopé 84 6 7N 3 49W
Ægean Sea 35 37 0N 25 0 E
Æolian Is. = Eólie 41 38 30N 14 50 E
Aerht'ai Shan 75 46 40N 92 45 E
Ærø 49 54 52N 10 25 E
Ærøskøbing 49 54 53N 10 24 E
Aëtós 45 37 15N 21 50 E
Afafi, Massif d' 83 22 11N 15 10 E
Afándou 45 36 18N 28 12 E
Afarag, Erg 82 23 50N 2 47 E
Affreville = Khemis Miliania 82 36 11N 2 14 E
Afghanistan ■ 65 33 0N 65 0 E
Afgoi 63 2 7N 44 59 E
'Afif 64 23 53N 42 56 E
Afikpo 85 5 53N 7 54 E
Aflisses, O. → 82 28 40N 0 50 E
Aflou 82 34 7N 2 3 E
Afognak I. 104 58 10N 152 50W
Afragola 41 40 54N 14 15 E
Afrera 87 13 16N 41 5 E
Africa 78 10 0N 20 0 E
Afton 113 42 14N 75 31W
Aftout 82 26 50N 3 45W
Afuá 127 0 15 S 50 20W
Afula 62 32 37N 35 17 E
Afyonkarahisar 64 38 45N 30 33 E
Aga 86 30 55N 31 10 E
Agadès = Agadez 85 16 58N 7 59 E
Agadez 85 16 58N 7 59 E
Agadir 82 30 28N 9 35W
Agano → 74 37 57N 139 8 E
Agapa 59 71 27N 89 15 E
Agar 68 23 40N 76 2 E
Agaro 87 7 50N 36 38 E
Agartala 67 23 50N 91 23 E
Agăş 46 46 28N 26 15 E
Agassiz 108 49 14N 121 46W
Agats 73 5 33 S 138 0 E
Agattu I. 104 52 25N 172 30 E
Agbélouvé 85 6 35N 1 14 E
Agboville 84 5 55N 4 15W
Agdam 57 40 0N 46 58 E
Agdash 57 40 44N 47 22 E
Agde 20 43 19N 3 28 E
Agde, C. d' 20 43 16N 3 28 E
Agdzhabedi 57 40 5N 47 27 E
Agen 20 44 12N 0 38 E
Ager Tay 83 20 0N 17 41 E
Agersø 49 55 13N 11 12 E
Ageyevo 55 54 10N 36 27 E
Agger 49 56 47N 8 13 E
Aggius 40 40 56N 9 4 E
Aghil Mts. 69 36 0N 77 0 E
Aginskoye 59 51 6N 114 32 E
Agira 41 37 40N 14 30 E
Agly → 20 42 46N 3 3 E
Agnibilékrou 84 7 10N 3 11W
Agnita 46 45 59N 24 40 E
Agnone 41 41 49N 14 20 E
Agofie 85 8 27N 0 15 E
Agogna → 38 45 4N 8 52 E
Agogo 87 7 50N 28 45 E
Agon 18 49 2N 1 34W
Agön 48 61 34N 17 23 E
Agordo 39 46 18N 12 2 E
Agout → 20 43 47N 1 41 E
Agra 68 27 17N 77 58 E
Agramunt 32 41 48N 1 6 E
Agreda 32 41 51N 1 55W
Agri → 41 40 13N 16 44 E
Ağri Daği 64 39 50N 44 15 E
Ağri Karakose 64 39 44N 43 3 E
Agrigento 40 37 19N 13 33 E
Agrinion 45 38 37N 21 27 E
Agrópoli 41 40 23N 14 59 E
Agua Clara 127 20 25 S 52 45W
Agua Prieta 120 31 20N 109 32W
Aguadas 126 5 40N 75 38W
Aguadilla 121 18 27N 67 10W
Aguanish 107 50 14N 62 2W
Aguanus → 107 50 13N 62 5W
Aguapey → 124 29 7 S 56 36W
Aguaray Guazú → 124 24 47 S 57 19W
Aguarico → 126 0 59 S 75 11W
Aguas → 32 41 20N 0 30W
Aguas Blancas 124 24 15 S 69 55W
Aguas Calientes, Sierra de 124 25 26 S 66 40W
Aguascalientes 120 21 53N 102 12W
Aguascalientes □ 120 22 0N 102 20W
Agudo 31 38 59N 4 52W
Agueda 30 40 34N 8 27W
Agueda → 30 41 2N 6 56W
Aguié 85 13 31N 7 46 E
Aguilafuente 30 41 13N 4 7W
Aguilar 31 37 31N 4 40W
Aguilar de Campóo 30 42 47N 4 15W
Aguilares 124 27 26 S 65 35W
Aguilas 33 37 23N 1 35W
Agulaa 87 13 40N 39 40 E
Agulhas, Kaap 92 34 52 S 20 0 E
Agung 72 8 20 S 115 28 E
'Agur 62 31 42N 34 55 E
Agur 90 2 28N 32 55 E
Agusan → 73 9 0N 125 30 E
Agvali 57 42 36N 46 8 E
Aha Mts. 92 19 45 S 21 0 E
Ahaggar 83 23 0N 6 30 E
Ahamansu 85 7 38N 0 35 E
Ahar 64 38 35N 47 0 E
Ahaus 24 52 4N 7 1 E
Ahelledjem 83 26 37N 6 58 E
Ahipara B. 101 35 5 S 173 5 E
Ahiri 70 19 30N 80 0 E
Ahlen 24 51 45N 7 52 E
Ahmadabad (Ahmedabad) 68 23 0N 72 40 E
Ahmadnagar (Ahmednagar) 70 19 7N 74 46 E
Ahmadpur 68 29 12N 71 10 E
Ahmar Mts. 87 9 20N 41 15 E
Ahoada 85 5 8N 6 36 E
Ahr → 24 50 33N 7 17 E
Ahrensbök 24 54 0N 10 34 E
Ahrweiler 24 50 31N 7 3 E
Aḥsā', Wāḥat al 64 25 50N 49 0 E
Ahuachapán 120 13 54N 89 52W
Åhus 49 55 56N 14 18 E
Ahvāz 64 31 20N 48 40 E
Ahvenanmaa = Åland 51 60 15N 20 0 E
Ahwar 63 13 30N 46 40 E
Ahzar 85 15 30N 3 20 E
Aichach 25 48 28N 11 9 E
Aichi □ 74 35 0N 137 15 E
Aidone 41 37 26N 14 26 E
Aiello Cálabro 41 39 6N 16 12 E
Aigle 25 46 18N 6 58 E
Aigle, L' 18 48 46N 0 38 E
Aignay-le-Duc 19 47 40N 4 43 E
Aigre 20 45 54N 0 1 E
Aigua 125 34 13 S 54 46W
Aigueperse 20 46 3N 3 13 E
Aigues-Mortes 21 43 35N 4 12 E
Aigues-Mortes, G. d' 21 43 31N 4 3 E
Aiguilles 21 44 47N 6 51 E
Aiguillon 20 44 18N 0 21 E
Aiguillon, L' 20 46 20N 1 16W
Aigurande 20 46 27N 1 49 E
Aihui 75 50 10N 127 30 E
Aija 126 9 50 S 77 45W
Aijal 67 23 40N 92 44 E
Aiken 115 33 34N 81 50W
Aillant-sur-Tholon 19 47 52N 3 20 E
Aillik 107 55 11N 59 18W
Ailly-sur-Noye 19 49 45N 2 20 E
Ailsa Craig 14 55 15N 5 7W
'Ailūn 62 32 18N 35 47 E
Aim 59 59 0N 133 55 E
Aimere 73 8 45 S 121 3 E
Aimogasta 124 28 33 S 66 50W
Aimorés 127 19 30 S 41 4W
Ain □ 21 46 5N 5 20 E
Ain → 21 45 45N 5 11 E
Ain Banaiyan 65 23 0N 51 0 E
Aïn Beïda 83 35 50N 7 29 E
Aïn ben Khellil 82 33 15N 0 49W
Aïn Ben Tili 82 25 59N 9 27W
Aïn Beni Mathar 82 34 1N 2 0W
Aïn Benian 82 36 48N 2 55 E
Ain Dalla 86 27 20N 27 20 E
Ain Dar 64 25 55N 49 10 E
Ain el Mafki 86 27 30N 28 15 E

Aïn Galakka Alexandria

Aïn Galakka 81 18 10N 18 30 E
Aïn Girba 86 29 20N 25 14 E
Aïn M'lila 83 36 2N 6 35 E
Aïn Qeiqab 86 29 42N 24 55 E
Aïn-Sefra 82 32 47N 0 37W
Aïn Sheikh Murzûk 86 26 47N 27 45 E
Aïn Sukhna 86 29 32N 32 20 E
Aïn Tédelès 82 36 0N 0 21 E
Aïn-Témouchent 82 35 16N 1 8W
Aïn Touta 83 35 26N 5 54 E
Aïn Zeitûn 86 29 10N 25 48 E
Aïn Zorah 82 34 37N 3 32W
Ainabo 63 9 0N 46 25 E
Ainaži 54 57 50N 24 24 E
Aínos Óros 45 38 10N 20 35 E
Ainsworth 116 42 33N 99 52W
Aïr 85 18 30N 8 0 E
Airaines 19 49 58N 1 55 E
Airdrie 14 55 53N 3 57W
Aire 19 50 37N 2 22 E
Aire →, France 19 49 18N 4 55 E
Aire →, U.K. 12 53 42N 0 55W
Aire, I. del 32 39 48N 4 16 E
Aire-sur-l'Adour 20 43 42N 0 15W
Airvault 18 46 50N 0 8W
Aisch → 25 49 46N 11 1 E
Aisne □ 19 49 42N 3 40 E
Aisne → 19 49 26N 2 50 E
Aitana, Sierra de 33 38 35N 0 24W
Aitape 98 3 11 S 142 22 E
Aitkin 116 46 32N 93 43W
Aitolía Kai Akarnanía □ 45 38 45N 21 18 E
Aitolikón 45 38 26N 21 21 E
Aiud 46 46 19N 23 44 E
Aix-en-Provence 21 43 32N 5 27 E
Aix-la-Chapelle = Aachen 24 50 47N 6 4 E
Aix-les-Bains 21 45 41N 5 53 E
Aix-sur-Vienne 20 45 48N 1 8 E
Aiyansh 108 55 17N 129 2W
Aiyina 45 37 45N 23 26 E
Aiyinion 44 40 28N 22 28 E
Aiyion 45 38 15N 22 5 E
Aizenay 18 46 44N 1 38W
Aizpute 54 56 43N 21 40 E
Ajaccio 21 41 55N 8 40 E
Ajaccio, G. d' 21 41 52N 8 40 E
Ajanta Ra. 70 20 28N 75 50 E
Ajax 112 43 50N 79 1W
Ajdâbiyah 83 30 54N 20 4 E
Ajdovščina 39 45 54N 13 54 E
Ajibar 87 10 35N 38 36 E
Ajka 27 47 4N 17 31 E
'Ajmān 65 25 25N 55 30 E
Ajmer 68 26 28N 74 37 E
Ajo 119 32 18N 112 54W
Ajok 87 9 15N 28 28 E
Ak Dağ 64 36 30N 30 0 E
Akaba 85 8 10N 1 2 E
Akabli 82 26 49N 1 31 E
Akaki Beseka 87 8 55N 38 45 E
Akala 87 15 39N 36 13 E
Akaroa 101 43 49 S 172 59 E
Akasha 86 21 10N 30 32 E
Akashi 74 34 45N 135 0 E
Akbou 83 36 31N 4 31 E
Akelamo 73 1 35N 129 40 E
Åkernes 47 58 45N 7 30 E
Akershus fylke □ 47 60 0N 11 10 E
Akeru → 70 17 25N 80 0 E
Aketi 88 2 38N 23 47 E
Akhaïa □ 45 38 5N 21 45 E
Akhalkalaki 57 41 27N 43 25 E
Akhaltsikhe 57 41 40N 43 0 E
Akharnaí 45 38 5N 23 44 E
Akhelóös → 45 38 36N 21 14 E
Akhendria 45 34 58N 25 16 E
Akhéron → 44 39 20N 20 29 E
Akhisar 64 38 56N 27 48 E
Akhladhókambos 45 37 31N 22 35 E
Akhmîm 86 26 31N 31 47 E
Akhtopol 43 42 6N 27 56 E
Akhtubinsk (Petropavlovskiy) 57 48 13N 46 7 E
Akhty 57 41 30N 47 45 E
Akhtyrka 54 50 25N 35 0 E
Akimiski I. 106 52 50N 81 30W
Akimovka 56 46 44N 35 0 E
Åkirkeby 49 55 4N 14 55 E
Akita 74 39 45N 140 7 E
Akita □ 74 39 40N 140 30 E
Akjoujt 84 19 45N 14 15W
Akka 82 29 22N 8 9W
'Akko 62 32 55N 35 4 E
Akkol 58 45 0N 75 39 E
Akköy 45 37 30N 27 18 E
Aklampa 85 8 15N 2 10 E
Aklavik 104 68 12N 135 0W
Akmonte 31 37 13N 6 38W
Aknoul 82 34 40N 3 55W
Ako 85 10 19N 10 48 E
Akobo → 87 7 48N 33 3 E
Akola 68 20 42N 77 2 E
Akonolinga 85 3 50N 12 18 E
Akordat 87 15 30N 37 40 E
Akosombo Dam 85 6 20N 0 5 E
Akot, India 68 21 10N 77 10 E
Akot, Sudan 87 6 31N 30 9 E
Akpatok I. 105 60 25N 68 8W
Akranes 50 64 19N 21 58W
Åkrehamn 47 59 15N 5 10 E
Akreïjit 84 18 19N 9 11W
Akrítas Venétiko, Ákra 45 36 43N 21 54 E
Akron, Colo., U.S.A. 116 40 13N 103 15W
Akron, Ohio, U.S.A. 114 41 7N 81 31W
Akrotiri, Ákra 44 40 26N 25 27 E
Aksai Chih 69 35 15N 79 55 E
Aksaray 64 38 25N 34 2 E
Aksarka 58 66 31N 67 50 E
Aksay 52 51 11N 53 0 E
Akşehir 64 38 18N 31 30 E
Aksenovo Zilovskoye 59 53 20N 117 40 E
Akstafa 57 41 7N 45 27 E
Aksu 75 41 5N 80 10 E
Aksum 87 14 5N 38 40 E
Aktogay 58 46 57N 79 40 E
Aktyubinsk 53 50 17N 57 10 E
Aku 85 6 40N 7 18 E
Akure 85 7 15N 5 5 E
Akureyri 50 65 40N 18 6W
Akusha 57 42 18N 47 30 E
Al Abyār 83 32 9N 20 29 E
Al 'Adan 63 12 45N 45 0 E
Al Amāda03yah 64 37 5N 43 30 E
Al Amārah 64 31 55N 47 15 E
Al 'Aqabah 62 29 31N 35 0 E
Al 'Aramah 64 25 30N 46 0 E
Al Ashkhara 65 21 50N 59 30 E
Al 'Ayzarīyah (Bethany) 62 31 47N 35 15 E
Al 'Azīzīyah 83 32 30N 13 1 E
Al Badī' 64 22 0N 46 35 E
Al Barkāt 83 24 56N 10 14 E
Al Başrah 64 30 30N 47 50 E
Al Bāzūrīyah 62 33 15N 35 16 E
Al Bīrah 62 31 55N 35 12 E
Al Bu'ayrāt 83 31 24N 15 44 E
Al Buqay'ah 62 32 15N 35 30 E
Al Dīwaniyah 64 32 0N 45 0 E
Al Fallūjah 64 33 20N 43 55 E
Al Fāw 64 30 0N 48 30 E
Al Fujayrah 65 25 7N 56 18 E
Al Ghaţghaţ 64 24 40N 46 15 E
Al Hābah 64 27 10N 47 0 E
Al Haddār 64 21 58N 45 57 E
Al Ḩadīthah 64 34 0N 41 13 E
Al Ḩāmad 64 31 30N 39 30 E
Al Ḩamar 64 22 23N 46 6 E
Al Ḩammādah al Ḩamrā' 83 29 30N 12 0 E
Al Ḩamrā 64 24 2N 38 55 E
Al Ḩarīq 64 23 29N 46 27 E
Al Ḩarīr, W. → 62 32 44N 35 59 E
Al Harūj al Aswad 83 27 0N 17 10 E
Al Ḩasakah 64 36 35N 40 45 E
Al Ḩawīyah 64 24 40N 49 15 E
Al Ḩawrah 63 13 50N 47 35 E
Al Ḩawţah 63 16 5N 48 20 E
Al Ḩayy 64 32 5N 46 5 E
Al Ḩillah, Iraq 64 32 30N 44 25 E
Al Ḩillah, Si. Arab. 64 23 35N 46 50 E
Al Hindīyah 64 32 30N 44 10 E
Al Ḩişnn 62 32 29N 35 52 E
Al Hoceïma 82 35 8N 3 58W
Al Ḩudaydah 63 14 50N 43 0 E
Al Ḩufrah, Awbārī, Libya 83 25 32N 14 1 E
Al Ḩufrah, Misrātah, Libya 83 29 5N 18 3 E
Al Hūfuf 64 25 25N 49 45 E
Al Ḩulwah 64 23 24N 46 48 E
Al Husayyāt 83 30 24N 20 37 E
Al 'Idwah 64 27 15N 42 35 E
Al Irq 81 29 5N 21 35 E
Al Ittihad = Madīnat ash Sha'b 63 12 50N 45 0 E
Al Jāfūrah 64 25 0N 50 15 E
Al Jaghbūb 81 29 42N 24 38 E
Al Jahrah 64 29 25N 47 40 E
Al Jalāmīd 64 31 20N 39 45 E
Al Jawf, Libya 81 24 10N 23 24 E
Al Jawf, Si. Arab. 64 29 55N 39 40 E
Al Jazır 63 18 30N 56 31 E
Al Jazirah, Libya 81 26 10N 21 20 E
Al Jazirah, Si. Arab. 64 33 30N 44 0 E
Al Jubayl 64 27 0N 49 50 E
Al Jubaylah 64 24 55N 46 25 E
Al Junaynah 81 13 27N 22 45 E
Al Juwārah 63 19 0N 57 13 E
Al Khābūrah 65 23 57N 57 5 E
Al Khalīl = Hebron 62 31 32N 35 6 E
Al Khalūf 63 20 30N 58 13 E
Al Kharfah 64 22 0N 46 35 E
Al Kharj 64 24 0N 47 0 E
Al Khufayfīyah 64 24 50N 44 35 E
Al Khums 83 32 40N 14 17 E
Al Khums □ 83 31 20N 14 10 E
Al Khurmah 64 21 58N 42 3 E
Al Kufrah 81 24 17N 23 15 E
Al Kūt 64 32 30N 46 0 E
Al Kuwayt 64 29 30N 47 30 E
Al Lādhiqīyah 64 35 30N 35 45 E
Al Lidām 63 20 33N 44 45 E
Al Līth 86 20 9N 40 15 E
Al Lubban 62 32 9N 35 14 E
Al Luḩayyah 63 15 45N 42 40 E
Al Madīnah 64 24 35N 39 52 E
Al-Mafraq 62 32 17N 36 14 E
Al Majma'ah 64 25 57N 45 22 E
Al Manāmāh 65 26 10N 50 30 E
Al Marj 81 32 25N 20 30 E
Al Maşīrah 63 20 25N 58 50 E
Al Matamma 63 16 10N 44 40 E
Al Mawşil 64 36 15N 43 5 E
Al Mazra 62 31 16N 35 31 E
Al Midhnab 64 25 50N 44 18 E
Al Miqdādīyah 64 34 0N 45 0 E
Al Mish'āb 64 28 12N 48 36 E
Al Mubarraz 64 25 30N 49 40 E
Al Muḩarraq 65 26 15N 50 40 E
Al Mukallā 63 14 33N 49 2 E
Al Mukhā 63 13 18N 43 15 E
Al Musayyib 64 32 40N 44 25 E
Al Mustajiddah 64 26 30N 41 50 E
Al Muwayliḩ 64 27 40N 35 30 E
Al Qaddāhīyah 83 31 15N 15 9 E
Al Qadīmah 64 22 20N 39 13 E
Al Qāmishli 64 37 10N 41 10 E
Al Qaryah ash Sharqīyah 83 30 28N 13 40 E
Al Qaşabát 83 32 39N 14 1 E
Al Qaţīf 64 26 35N 50 0 E
Al Qaţrūn 83 24 56N 15 3 E
Al Quaisūmah 64 28 10N 46 20 E
Al Quds 62 31 47N 35 10 E
Al Qunfidha 86 19 3N 41 4 E
Al Quraiyat 65 23 17N 58 53 E
Al Qurnah 64 31 1N 47 25 E
Al 'Ulá 64 26 35N 38 0 E
Al Uqaylah ash Sharqīgah 83 30 12N 19 10 E
Al Uqayr 64 25 40N 50 15 E
Al 'Uthmānīyahyah 64 25 5N 49 22 E
Al 'Uwaynid 64 24 50N 46 0 E
Al' 'Uwayqīlah ash Sharqīgah 64 30 30N 42 10 E
Al 'Uyūn 64 26 30N 43 50 E
Al Wajh 86 26 10N 36 30 E
Al Wakrah 65 25 10N 51 40 E
Al Wari'āh 64 27 51N 47 25 E
Al Wātīyah 83 32 28N 11 57 E
Al Yāmūn 62 32 29N 35 14 E
Ala 38 45 46N 11 0 E
Alabama □ 115 33 0N 87 0W
Alabama → 115 31 8N 87 57W
Alaçati 45 38 16N 26 23 E
Alaejos 30 41 18N 5 13W
Alagna Valsésia 38 45 51N 7 56 E
Alagoa Grande 127 7 3 S 35 35W
Alagoas □ 127 9 0 S 36 0W
Alagoinhas 127 12 7 S 38 20W
Alagón 32 41 46N 1 12W
Alagón → 31 39 44N 6 53W
Alajuela 121 10 2N 84 8W
Alakamisy 93 21 19 S 47 14 E
Alakurtti 52 67 0N 30 30 E
Alameda, Spain 31 37 12N 4 39W
Alameda, Idaho, U.S.A. 118 43 2N 112 30W
Alameda, N. Mex., U.S.A. 119 35 10N 106 43W
Alamitos, Sierra de los 120 37 21N 115 10W
Alamo 119 36 21N 115 10W
Alamogordo 119 32 59N 106 0W
Alamos 120 27 0N 109 0W
Alamosa 119 37 30N 106 0W
Åland 51 60 15N 20 0 E
Aland 70 17 36N 76 35 E
Alandroal 31 38 41N 7 24W
Alandur 70 13 0N 80 15 E
Alange, Presa de 31 38 45N 6 18W
Alanis 31 38 3N 5 43W
Alanya 64 36 38N 32 0 E
Alaotra, Farihin' 93 17 30 S 48 30 E
Alapayevsk 58 57 52N 61 42 E
Alar del Rey 30 42 38N 4 20W
Alaraz 30 40 45N 5 17W
Alaşehir 53 38 23N 28 30 E
Alaska □ 104 65 0N 150 0W
Alaska, G. of 104 58 0N 145 0W
Alaska Highway 108 60 0N 130 0W
Alaska Pen. 104 56 0N 160 0W
Alaska Range 104 62 50N 151 0W
Alássio 38 44 1N 8 10 E
Alataw Shankou 75 45 5N 81 57 E
Alatri 40 41 44N 13 21 E
Alatyr 55 54 45N 46 35 E
Alatyr → 55 54 52N 46 36 E
Alausi 126 2 0 S 78 50W
Álava □ 32 42 48N 2 28W
Alava, C. 118 48 10N 124 40W
Alaverdi 57 41 15N 44 37 E
Alawoona 99 34 45 S 140 30 E
Alayor 32 39 57N 4 8 E
Alazan → 57 41 5N 46 40 E
Alba 38 44 41N 8 1 E
Alba □ 46 46 10N 23 30 E
Alba de Tormes 30 40 50N 5 30W
Alba Iulia 46 46 8N 23 39 E
Albac 46 46 28N 23 1 E
Albacete 33 39 0N 1 50W
Albacete □ 33 38 50N 2 0W
Albacutya, L. 99 35 45 S 141 58 E
Albæk 49 57 36N 10 25 E
Albæk Bucht 49 57 35N 10 40 E
Albaida 33 38 51N 0 31W
Albalate de las Nogueras 32 40 22N 2 18W
Albalate del Arzobispo 32 41 6N 0 31W
Albania ■ 44 41 0N 20 0 E
Albano Laziale 40 41 44N 12 40 E
Albany, Austral. 96 35 1 S 117 58 E
Albany, Ga., U.S.A. 115 31 40N 84 10W
Albany, Minn., U.S.A. 116 45 37N 94 38W
Albany, N.Y., U.S.A. 114 42 35N 73 47W
Albany, Oreg., U.S.A. 118 44 41N 123 0W
Albany, Tex., U.S.A. 117 32 45N 99 20W
Albany → 106 52 17N 81 31W
Albardón 124 31 20 S 68 30W
Albarracín 32 40 25N 1 26W
Albarracín, Sierra de 32 40 30N 1 30W
Albatross B. 97 12 45 S 141 30 E
Albegna → 39 42 30N 11 11 E
Albemarle 115 35 27N 80 15W
Albemarle Sd. 115 36 0N 76 30W
Albenga 38 44 3N 8 12 E
Alberche → 30 39 58N 4 46W
Alberdi 124 26 14 S 58 20W
Alberes, Mts. 32 42 28N 2 56 E
Alberique 33 39 7N 0 31W
Albersdorf 24 54 8N 9 19 E
Albert 19 50 0N 2 38 E
Albert Canyon 108 51 8N 117 41W
Albert L. 99 35 30 S 139 10 E
Albert, L. = Mobutu Sese Seko, L. 90 1 30N 31 0 E
Albert Lea 116 43 32N 93 20W
Albert Nile → 90 3 36N 32 2 E
Alberta □ 108 54 40N 115 0W
Alberti 124 35 1 S 60 16W
Albertinia 92 34 11 S 21 34 E
Albertirsa 27 47 14N 19 37 E
Alberton 107 46 50N 64 0W
Albertville 21 45 40N 6 22 E
Albertville = Kalemie 90 5 55 S 29 9 E
Alberz, Reshteh-Ye Kūhhā-Ye 65 36 0N 52 0 E
Albi 20 43 56N 2 9 E
Albia 116 41 0N 92 50W
Albina 127 5 37N 54 15W
Albina, Ponta 92 15 52 S 11 44 E
Albino 38 45 47N 9 48 E
Albion, Idaho, U.S.A. 118 42 21N 113 37W
Albion, Mich., U.S.A. 114 42 15N 84 45W
Albion, Nebr., U.S.A. 116 41 47N 98 0W
Albion, Pa., U.S.A. 112 41 53N 80 21W
Albocácer 32 40 21N 0 1 E
Alböke 49 56 57N 16 47 E
Alborán 31 35 57N 3 0W
Alborea 33 39 17N 1 24W
Ålborg 49 57 2N 9 54 E
Ålborg B. 49 56 50N 10 35 E
Albox 33 37 23N 2 8W
Albreda 108 52 35N 119 10W
Albuera, La 31 38 45N 6 49W
Albufeira 31 37 5N 8 15W
Albula → 25 46 38N 9 30 E
Albuñol 33 36 48N 3 11W
Albuquerque 119 35 5N 106 47W
Albuquerque, Cayos de 121 12 10N 81 50W
Alburg 113 44 58N 73 19W
Alburno, Mte. 41 40 32N 15 15 E
Alburquerque 31 39 15N 6 59W
Albury 97 36 3 S 146 56 E
Alby 48 62 30N 15 28 E
Alcácer do Sal 31 38 22N 8 33W
Alcaçovas 31 38 23N 8 9W
Alcalá de Chisvert 32 40 19N 0 13 E
Alcalá de Guadaira 31 37 20N 5 50W
Alcalá de Henares 32 40 28N 3 22W
Alcalá de los Gazules 31 36 29N 5 43W
Alcalá la Real 31 37 27N 3 57W
Alcamo 40 37 59N 12 55 E
Alcanadre 32 42 24N 2 7W
Alcanadre → 32 41 43N 0 12W
Alcanar 32 40 33N 0 28 E
Alcanede 31 39 25N 8 49W
Alcanena 31 39 27N 8 40W
Alcañices 30 41 41N 6 21W
Alcaníz 32 41 2N 0 8W
Alcântara 127 2 20 S 44 30W
Alcántara 31 39 41N 6 57W
Alcantara L. 109 60 57N 108 9W
Alcantarilla 33 37 59N 1 12W
Alcaracejos 31 38 24N 4 58W
Alcaraz 33 38 40N 2 29W
Alcaraz, Sierra de 33 38 40N 2 20W
Alcarria, La 32 40 31N 2 45W
Alcaudete 31 37 35N 4 5W
Alcázar de San Juan 33 39 24N 3 12W
Alcira 33 39 9N 0 30W
Alcoa 115 35 50N 84 0W
Alcobaça 31 39 32N 9 0W
Alcobendas 32 40 32N 3 38W
Alcolea del Pinar 32 41 2N 2 28W
Alcora 32 40 5N 0 14W
Alcoutim 31 37 25N 7 28W
Alcova 118 42 37N 106 52W
Alcoy 33 38 43N 0 30W
Alcubierre, Sierra de 32 41 45N 0 22W
Alcublas 32 39 48N 0 43W
Alcudia 32 39 51N 3 7 E
Alcudia, B. de 32 39 47N 3 15 E
Alcudia, Sierra de la 31 38 34N 4 30W
Aldabra Is. 3 9 22 S 46 28 E
Aldan 59 58 40N 125 30 E
Aldan → 59 63 28N 129 35 E
Aldeburgh 13 52 9N 1 35 E
Aldeia Nova 31 37 55N 7 24W
Alder 118 45 27N 112 3W
Alderney 18 49 42N 2 12W
Aldershot 13 51 15N 0 43W
Aldersyde 108 50 40N 113 53W
Aledo 116 41 10N 90 50W
Alefa 87 11 55N 36 55 E
Aleg 84 17 3N 13 55W
Alegre 125 20 50 S 41 30W
Alegrete 125 29 40 S 56 0W
Aleisk 58 52 40N 83 0 E
Alejandro Selkirk, I. 95 33 50 S 80 15W
Aleksandriya, Ukraine S.S.R., U.S.S.R. 54 50 37N 26 19 E
Aleksandriya, Ukraine S.S.R., U.S.S.R. 56 48 42N 33 3 E
Aleksandriyskaya 57 43 59N 47 0 E
Aleksandrov 55 56 23N 38 44 E
Aleksandrovac, Srbija, Yugo. 42 44 28N 21 13 E
Aleksandrovac, Srbija, Yugo. 42 43 28N 21 3 E
Aleksandrovka 56 48 55N 32 20 E
Aleksandrovo 43 43 14N 24 51 E
Aleksandrovsk-Sakhaliniskiy 59 50 50N 142 20 E
Aleksandrovskiy Zavod 59 50 40N 117 50 E
Aleksandrovskoye 58 60 35N 77 50 E
Aleksandrów Kujawski 28 52 53N 18 43 E
Aleksandrów Łódźki 28 51 49N 19 17 E
Alekseyevka 55 50 43N 38 40 E
Aleksin 55 54 31N 37 9 E
Aleksinac 42 43 31N 21 42 E
Além Paraíba 125 21 52 S 42 41W
Alemania, Argent. 124 25 40 S 65 30W
Alemania, Chile 124 25 10 S 69 55W
Ålen 47 62 51N 11 17 E
Alençon 18 48 27N 0 4 E
Alenuihaha Chan. 110 20 25N 156 0W
Aleppo = Ḩalab 64 36 10N 37 15 E
Aléria 21 42 5N 9 26 E
Alert Bay 108 50 30N 126 55W
Alès 21 44 9N 4 5 E
Aleşd 46 47 3N 22 22 E
Alessándria 38 44 54N 8 37 E
Ålestrup 49 56 42N 9 29 E
Ålesund 47 62 28N 6 12 E
Alet-les-Bains 20 43 0N 2 14 E
Aleutian Is. 104 52 0N 175 0W
Aleutian Trench 94 48 0N 180 0
Alexander 116 47 51N 103 40W
Alexander Arch. 104 57 0N 135 0W
Alexander B. 92 28 36 S 16 33 E
Alexander City 115 32 58N 85 57W
Alexander I. 5 69 0 S 70 0W
Alexandra, Austral. 99 37 8 S 145 40 E
Alexandra, N.Z. 101 45 14 S 169 25 E
Alexandra Falls 108 60 29N 116 18W
Alexandria, B.C., Can. 108 52 35N 122 27W
Alexandria, Ont., Can. 106 45 19N 74 38W
Alexandria, Romania 46 43 57N 25 24 E
Alexandria, S. Afr. 92 33 38 S 26 28 E
Alexandria, Ind., U.S.A. 114 40 18N 85 40W
Alexandria, La., U.S.A. 117 31 20N 92 30W
Alexandria, Minn., U.S.A. 116 45 50N 95 20W
Alexandria, S.D., U.S.A. 116 43 40N 97 45W
Alexandria, Va., U.S.A. 114 38 47N 77 1W

Alexandria Amursk

Alexandria = El Iskandarîya **86** 31 0N 30 0 E
Alexandria Bay **114** 44 20N 75 52W
Alexandrina, L. **97** 35 25 S 139 10 E
Alexandroúpolis **44** 40 50N 25 54 E
Alexis → **107** 52 33N 56 8W
Alexis Creek **108** 52 10N 123 20W
Alfambra **32** 40 33N 1 5W
Alfândega da Fé **30** 41 20N 6 59W
Alfaro **32** 42 10N 1 50W
Alfatar **43** 43 59N 27 13 E
Alfeld **24** 52 0N 9 49 E
Alfenas **125** 21 20 S 46 10W
Alfiós → **45** 37 40N 21 33 E
Alfonsine **39** 44 30N 12 1 E
Alford **14** 57 13N 2 42W
Alfred, Me., U.S.A. **113** 43 28N 70 40W
Alfred, N.Y., U.S.A. **112** 42 15N 77 45W
Alfreton **12** 53 6N 1 22W
Alfta **48** 61 21N 16 4 E
Alga **58** 49 53N 57 20 E
Algaba, La **31** 37 27N 6 1W
Algar **31** 36 40N 5 39W
Ålgård **47** 58 46N 5 53 E
Algarinejo **31** 37 19N 4 9W
Algarve **31** 36 58N 8 20W
Algeciras **31** 36 9N 5 28W
Algemesí **33** 39 11N 0 27W
Alger **82** 36 42N 3 8 E
Algeria ■ **82** 35 10N 3 11 E
Alghero **40** 40 34N 8 20 E
Algiers = Alger **82** 36 42N 3 8 E
Algoabaai **92** 33 50 S 25 45 E
Algodonales **31** 36 54N 5 24W
Algodor → **30** 39 55N 3 53W
Algoma, Oreg., U.S.A. **118** 42 25N 121 54W
Algoma, Wis., U.S.A. **114** 44 35N 87 27W
Algona **116** 43 4N 94 14W
Algonac **112** 42 37N 82 32W
Alhama de Almería **33** 36 57N 2 34W
Alhama de Aragón **32** 41 18N 1 54W
Alhama de Granada **31** 37 0N 3 59W
Alhama de Murcia **33** 37 51N 1 25W
Alhambra, Spain **33** 38 54N 3 4W
Alhambra, U.S.A. **119** 34 2N 118 10W
Alhaurín el Grande **31** 36 39N 4 41W
Alhucemas = Al-Hoceïma **82** 35 8N 3 58W
'Alī al Gharbī **64** 32 30N 46 45 E
Ali Bayramly **57** 39 59N 48 52 E
Ali Sabieh **87** 11 10N 42 44 E
Ália **40** 37 47N 13 42 E
'Alīābād **65** 28 10N 57 35 E
Aliaga **32** 40 40N 0 42W
Aliákmon → **44** 40 30N 22 36 E
Alibag **70** 18 38N 72 56 E
Alibo **87** 9 52N 37 5 E
Alibunar **42** 45 5N 20 57 E
Alicante **33** 38 23N 0 30W
Alicante □ **33** 38 30N 0 37W
Alice, S. Afr. **92** 32 48 S 26 55 E
Alice, U.S.A. **117** 27 47N 98 1W
Alice →, Queens., Austral. **98** 24 2 S 144 50 E
Alice →, Queens., Austral. **98** 15 35 S 142 20 E
Alice Arm **108** 55 29N 129 31W
Alice, Punta dell' **41** 39 23N 17 10 E
Alice Springs **96** 23 40 S 133 50 E
Alicedale **92** 33 15 S 26 4 E
Aliceville **115** 33 9N 88 10W
Alick Cr. → **98** 20 55 S 142 20 E
Alicudi, I. **41** 38 33N 14 20 E
Alida **109** 49 25N 101 55W
Aligarh, Raj., India **68** 25 55N 76 15 E
Aligarh, Ut. P., India **68** 27 55N 78 10 E
Alīgūdarz **64** 33 25N 49 45 E
Alijó **30** 41 16N 7 27W
Alimena **41** 37 42N 14 4 E
Alimnía **45** 36 16N 27 43 E
Alingsås **49** 57 56N 12 31 E
Alipur **68** 29 25N 70 55 E
Alipur Duar **69** 26 30N 89 35 E
Aliquippa **114** 40 38N 80 18W
Aliste → **30** 41 34N 5 58W
Alitus **54** 54 24N 24 3 E
Alivérion **45** 38 24N 24 2 E
Aliwal North **92** 30 45 S 26 45 E
Alix **108** 52 24N 113 11W
Aljezur **31** 37 18N 8 49W
Aljustrel **31** 37 55N 8 10W
Alkamari **85** 13 27N 11 10 E
Alkmaar **16** 52 37N 4 45 E
All American Canal **119** 32 45N 115 0W
Allada **85** 6 41N 2 9 E
Allah Dad **68** 25 38N 67 34 E
Allahabad **69** 25 25N 81 58 E
Allakh-Yun **59** 60 50N 137 5 E
Allal Tazi **82** 34 30N 6 20W
Allan **109** 51 53N 106 4W
Allanche **20** 45 14N 2 57 E
Allanmyo **67** 19 30N 95 17 E
Allanridge **92** 27 45 S 26 40 E
Allanwater **106** 50 14N 90 10W
Allaqi, Wadi → **86** 23 7N 32 47 E
Allariz **30** 42 11N 7 50W
Allassac **20** 45 15N 1 29 E
Allegan **114** 42 32N 85 52W
Allegany **112** 42 6N 78 30W
Allegheny → **114** 40 27N 80 0W
Allegheny Mts. **114** 38 0N 80 0W
Allegheny Res. **112** 42 0N 78 55W
Allègre **20** 45 12N 3 41 E
Allen, Bog of **15** 53 15N 7 0W
Allen, L. **15** 54 12N 8 5W
Allenby (Hussein) Bridge **62** 31 53N 35 33 E
Allende **120** 28 20N 100 50W
Allentown **114** 40 36N 75 30W
Allentsteig **26** 48 41N 15 20 E
Alleppey **70** 9 30N 76 28 E
Aller → **24** 52 57N 9 10 E
Allevard **21** 45 24N 6 5 E
Alliance, Nebr., U.S.A. **116** 42 10N 102 50W
Alliance, Ohio, U.S.A. **114** 40 53N 81 7W
Allier □ **20** 46 25N 3 0 E
Allier → **19** 46 57N 3 4 E
Allingåbro **49** 56 28N 10 20 E
Allinge **49** 55 17N 14 50 E
Alliston **106** 44 9N 79 52W
Alloa **14** 56 7N 3 49W
Allos **21** 44 15N 6 38 E
Alma, Can. **107** 48 35N 71 40W
Alma, Ga., U.S.A. **115** 31 33N 82 28W
Alma, Kans., U.S.A. **116** 39 1N 96 22W
Alma, Mich., U.S.A. **114** 43 25N 84 40W
Alma, Nebr., U.S.A. **116** 40 10N 99 25W
Alma, Wis., U.S.A. **116** 44 19N 91 54W
'Almā ash Sha'b **62** 33 7N 35 9 E
Alma Ata **58** 43 15N 76 57 E
Almada **31** 38 40N 9 9W
Almaden **98** 17 22 S 144 40 E
Almadén **31** 38 49N 4 52W
Almagro **31** 38 50N 3 45W
Almanor, L. **118** 40 15N 121 11W
Almansa **33** 38 51N 1 5W
Almanza **30** 42 39N 5 3W
Almanzor, Pico de **30** 40 15N 5 18W
Almanzora → **33** 37 14N 1 46W
Almarcha, La **32** 39 41N 2 24W
Almaş, Mţii. **46** 44 49N 22 12 E
Almazán **32** 41 30N 2 30W
Almazora **32** 39 57N 0 3W
Almeirim, Brazil **127** 1 30 S 52 34W
Almeirim, Port. **31** 39 12N 8 37W
Almelo **16** 52 22N 6 42 E
Almenar **32** 41 43N 2 12W
Almenara **32** 39 46N 0 14W
Almenara, Sierra de **33** 37 34N 1 32W
Almendralejo **31** 38 41N 6 26W
Almería **33** 36 52N 2 27W
Almería □ **33** 37 20N 2 20W
Almería, G. de **33** 36 41N 2 28W
Almirante **14** 9 10N 82 30W
Almiropótamos **45** 38 16N 24 11 E
Almirós **45** 39 11N 22 45 E
Almodôvar **31** 37 31N 8 2W
Almodóvar del Campo **31** 38 43N 4 10W
Almogia **31** 36 50N 4 32W
Almonaster la Real **31** 37 52N 6 48W
Almont **112** 42 53N 83 2W
Almonte **113** 45 14N 76 12W
Almonte → **31** 39 41N 6 28W
Almora **69** 29 38N 79 40 E
Almoradi **33** 38 7N 0 46W
Almorox **30** 40 14N 4 24W
Almoustarat **85** 17 35N 0 8 E
Älmult **49** 56 33N 14 8 E
Almuñécar **31** 36 43N 3 41W
Almunia de Doña Godina, La **32** 41 29N 1 23W
Alnif **82** 31 10N 5 8W
Alnwick **12** 55 25N 1 42W
Aloi **90** 2 16N 33 10 E
Alonsa **109** 50 50N 99 0W
Alor **73** 8 15 S 124 30 E
Alor Setar **71** 6 7N 100 22 E
Alora **31** 36 49N 4 46W
Alosno **31** 37 33N 7 7W
Alougoum **82** 30 17N 6 56W
Alpedrinha **30** 40 6N 7 27W
Alpena **114** 45 6N 83 24W
Alpes-de-Haute-Provence □ **21** 44 8N 6 10 E
Alpes-Maritimes □ **21** 43 55N 7 10 E
Alpha **97** 23 39 S 146 37 E
Alpi Apuane **38** 44 7N 10 14 E
Alpi Lepontine **25** 46 22N 8 27 E
Alpi Orobie **38** 46 7N 10 0 E
Alpi Retiche **25** 46 30N 10 0 E
Alpiarça **31** 39 15N 8 35W
Alpine, Ariz., U.S.A. **119** 33 57N 109 4W
Alpine, Tex., U.S.A. **117** 30 25N 103 35W
Alps **22** 47 0N 8 0 E
Alpujarras, Las **33** 36 55N 3 20W
Alrø **49** 55 52N 10 5 E
Alsace **19** 48 15N 7 25 E
Alsask **109** 51 21N 109 59W
Alsásua **32** 42 54N 2 10W
Alsen **48** 63 23N 13 56 E
Alsfeld **24** 50 44N 9 19 E
Alsónémedi **27** 47 20N 19 15 E
Alsten **50** 65 58N 12 40 E
Alta **50** 69 57N 23 10 E
Alta Gracia **124** 31 40 S 64 30W
Alta Lake **108** 50 10N 123 0W
Alta, Sierra **32** 40 31N 1 30W
Altaelva → **50** 69 46N 23 45 E
Altafjorden **50** 70 5N 23 5 E
Altagracia **126** 10 45N 71 30W
Altai = Aerhatai Shan **75** 46 40N 92 45 E
Altamaha → **115** 31 19N 81 17W
Altamira, Brazil **127** 3 12 S 52 10W
Altamira, Chile **124** 25 47 S 69 51W
Altamira, Cuevas de **30** 43 20N 4 5W
Altamont **113** 42 43N 74 3W
Altamura **41** 40 50N 16 33 E
Altanbulag **75** 50 16N 106 30 E
Altar **120** 30 40N 111 50W
Altata **120** 24 30N 108 0W
Altavista **114** 37 9N 79 22W
Altay **75** 47 48N 88 10 E
Altdorf **25** 46 52N 8 36 E
Alte Mellum **24** 53 45N 8 6 E
Altea **33** 38 38N 0 2W
Altenberg **24** 50 46N 13 47 E
Altenbruch **24** 53 48N 8 44 E
Altenburg **24** 50 59N 12 28 E
Altenkirchen, Germ., E. **24** 54 38N 13 20 E
Altenkirchen, Germ., W. **24** 50 41N 7 38 E
Altenmarkt **26** 47 43N 14 39 E
Altenteptow **24** 53 42N 13 15 E
Alter do Chão **31** 39 12N 7 40W
Altkirch **19** 47 37N 7 15 E
Altmühl → **25** 48 54N 11 54 E
Alto Adige = Trentino-Alto Adige **38** 46 30N 11 0 E
Alto Araguaia **127** 17 15 S 53 20W
Alto Chindio **91** 16 19 S 35 25 E
Alto Cuchumatanes = Cuchumatanes, Sa. de los **120** 15 30N 91 10W
Alto del Inca **124** 24 10 S 68 10W
Alto Ligonha **91** 15 30 S 38 11 E
Alto Molocue **91** 15 50 S 37 35 E
Alto Paraná □ **125** 25 0 S 54 50W
Alton, Can. **112** 43 54N 80 5W
Alton, U.S.A. **116** 38 55N 90 5W
Alton Downs **99** 26 7 S 138 57 E
Altona, Austral. **100** 37 51 S 144 50 E
Altona, Ger. **24** 53 32N 9 56 E
Altoona **114** 40 32N 78 24W
Altopáscio **38** 43 50N 10 40 E
Altötting **25** 48 14N 12 41 E
Altstätten **25** 47 22N 9 33 E
Altun Shan **75** 38 30N 88 0 E
Alturas **118** 41 36N 120 37W
Altus **117** 34 30N 99 25W
Alucra **57** 40 22N 38 47 E
Aluksne **54** 57 24N 27 3 E
Alùla **63** 11 50N 50 45 E
Alupka **56** 44 23N 34 2 E
Alushta **56** 44 40N 34 25 E
Alusi **73** 7 35 S 131 40 E
Alustante **32** 40 36N 1 40W
Alva **117** 36 50N 98 50W
Alvaiázere **30** 39 49N 8 23W
Älvängen **49** 57 58N 12 8 E
Alvarado, Mexico **120** 18 40N 95 50W
Alvarado, U.S.A. **117** 32 25N 97 15W
Alvaro Obregón, Presa **120** 27 55N 109 52W
Alvdal **47** 62 6N 10 37 E
Alvear **124** 29 5 S 56 30W
Alverca **31** 38 56N 9 1W
Alvesta **49** 56 54N 14 35 E
Alvie **99** 38 14 S 143 30 E
Alvin **117** 29 23N 95 12W
Alvinston **113** 42 49N 81 52W
Alvito **31** 38 15N 8 0W
Älvros **48** 62 3N 14 38 E
Älvsborgs län □ **49** 58 30N 12 30 E
Älvsbyn **50** 65 40N 21 0 E
Älvsered **49** 57 14N 12 51 E
Alwar **68** 27 38N 76 34 E
Alwaye **70** 10 8N 76 24 E
Alxa Zuoqi **76** 38 50N 105 40 E
Alyangula **97** 13 55 S 136 30 E
Alyaskitovyy **59** 64 45N 141 30 E
Alyata **57** 39 58N 49 25 E
Alyth **14** 56 38N 3 15W
Alzada **116** 45 3N 104 22W
Alzano Lombardo **38** 45 44N 9 43 E
Alzey **25** 49 48N 8 4 E
Am Dam **81** 12 40N 20 35 E
Am Géréda **81** 12 53N 21 14 E
Am-Timan **81** 11 0N 20 10 E
Amadeus, L. **96** 24 54 S 131 0 E
Amâdi **87** 5 29N 30 25 E
Amadi **90** 3 40N 26 40 E
Amadjuak **105** 64 0N 72 39W
Amadjuak L. **105** 65 0N 71 8W
Amadora **31** 38 45N 9 13W
Amagasaki **74** 34 42N 135 20 E
Amager **49** 55 37N 12 35 E
Amakusa-Shotō **74** 32 15N 130 10 E
Åmål **48** 59 3N 12 42 E
Amalapuram **70** 16 35N 81 55 E
Amalfi **41** 40 39N 14 34 E
Amaliás **45** 37 47N 21 22 E
Amalner **68** 21 5N 75 5 E
Amambaí **125** 23 5 S 55 13W
Amambaí → **125** 23 22 S 53 56W
Amambay □ **125** 23 0 S 56 0W
Amambay, Cordillera de **125** 23 0 S 55 45W
Amándola **39** 42 59N 13 21 E
Amangeldy **58** 50 10N 65 10 E
Amantea **41** 39 8N 16 3 E
Amapá **127** 2 5N 50 50W
Amapá □ **127** 1 40N 52 0W
Amara **87** 10 25N 34 10 E
Amarante, Brazil **127** 6 14 S 42 50W
Amarante, Port. **30** 41 16N 8 5W
Amaranth **109** 50 36N 98 43W
Amaravati → **70** 11 0N 78 15 E
Amareleja **31** 38 12N 7 13W
Amargosa **127** 13 2 S 39 36W
Amarillo **117** 35 14N 101 46W
Amaro, Mt. **39** 42 5N 14 6 E
Amarpur **69** 25 5N 87 0 E
Amasra **64** 41 45N 32 30 E
Amassama **85** 5 1N 6 2 E
Amasya **64** 40 40N 35 50 E
Amatikulu **93** 29 3 S 31 33 E
Amatitlán **120** 14 29N 90 38W
Amatrice **39** 42 38N 13 16 E
Amazon = Amazonas → **127** 0 5 S 50 0W
Amazonas □ **126** 4 0 S 62 0W
Amazonas → **127** 0 5 S 50 0W
Ambad **70** 19 38N 75 50 E
Ambahakily **93** 21 36 S 43 41 E
Ambala **68** 30 23N 76 56 E
Ambalangoda **70** 6 15N 80 5 E
Ambalapuzha **70** 9 25N 76 25 E
Ambalavao **93** 21 50 S 46 56 E
Ambam **88** 2 20N 11 15 E
Ambanja **93** 13 40 S 48 27 E
Ambarchik **59** 69 40N 162 20 E
Ambarijeby **93** 14 56 S 47 41 E
Ambarnath **70** 19 12N 73 22 E
Ambaro, Helodranon' **93** 13 23 S 48 38 E
Ambartsevo **58** 57 30N 83 52 E
Ambasamudram **70** 8 43N 77 25 E
Ambato **126** 1 5 S 78 42W
Ambato Boeny **93** 16 28 S 46 43 E
Ambato, Sierra de **124** 28 25 S 66 10W
Ambatofinandrahana **93** 20 33 S 46 48 E
Ambatolampy **93** 19 20 S 47 35 E
Ambatondrazaka **93** 17 55 S 48 28 E
Ambatosoratra **93** 17 37 S 48 31 E
Ambenja **93** 15 17 S 46 58 E
Amberg **25** 49 25N 11 52 E
Ambergris Cay **120** 18 0N 88 0W
Ambérieu-en-Bugey **21** 45 57N 5 20 E
Amberley **101** 43 9 S 172 44 E
Ambert **20** 45 33N 3 44 E
Ambidédi **84** 14 35N 11 47W
Ambikapur **69** 23 15N 83 15 E
Ambikol **86** 21 20N 30 50 E
Ambinanindrano **93** 20 5 S 48 23 E
Ambjörnarp **49** 57 25N 13 17 E
Ambleside **12** 54 26N 2 58W
Ambo, Ethiopia **87** 12 20N 37 30 E
Ambo, Peru **126** 10 5 S 76 10W
Ambodifototra **93** 16 59 S 49 52 E
Ambodilazana **93** 18 6 S 49 10 E
Ambohimahasoa **93** 21 7 S 47 13 E
Ambohimanga **93** 20 52 S 47 36 E
Ambon **73** 3 35 S 128 20 E
Amboseli L. **90** 2 40 S 37 10 E
Ambositra **93** 20 31 S 47 25 E
Ambovombé **93** 25 11 S 46 5 E
Amboy **119** 34 33N 115 51W
Amboyna I. **72** 7 50N 112 50 E
Ambridge **112** 40 36N 80 15W
Ambriz **88** 7 48 S 13 8 E
Ambur **70** 12 48N 78 43 E
Amby **99** 26 30 S 148 11 E
Amchitka I. **104** 51 30N 179 0W
Amderma **58** 69 45N 61 30 E
Ameca **120** 20 30N 104 0W
Ameca → **120** 20 40N 105 15W
Amecameca **120** 19 7N 98 46W
Ameland **16** 53 27N 5 45 E
Amélia **39** 42 34N 12 25 E
Amélie-les-Bains-Palalda **20** 42 29N 2 41 E
Amen **59** 68 45N 180 0 E
Amendolaro **41** 39 58N 16 34 E
American Falls **118** 42 46N 112 56W
American Falls Res. **118** 43 0N 112 50W
American Highland **5** 73 0 S 75 0 E
American Samoa **101** 14 20 S 170 40W
Americana **125** 22 45 S 47 20W
Americus **115** 32 0N 84 10W
Amersfoort, Neth. **16** 52 9N 5 23 E
Amersfoort, S. Afr. **93** 26 59 S 29 53 E
Amery **109** 56 34N 94 3W
Amery Ice Shelf **5** 69 30 S 72 0 E
Ames **116** 42 0N 93 40W
Amesbury **113** 42 50N 70 52W
Amesdale **109** 50 2N 92 55W
Amfiklia **45** 38 38N 22 35 E
Amfilokhía **45** 38 52N 21 9 E
Amfípolis **44** 40 48N 23 52 E
Ámfissa **45** 38 32N 22 22 E
Amga **59** 60 50N 132 0 E
Amga → **59** 62 38N 134 32 E
Amgu **59** 45 45N 137 15 E
Amgun → **59** 52 56N 139 38 E
Amherst, Burma **67** 16 2N 97 20 E
Amherst, Can. **107** 45 48N 64 8W
Amherst, Mass., U.S.A. **113** 42 21N 72 30W
Amherst, Ohio, U.S.A. **112** 41 23N 82 15W
Amherst, Tex., U.S.A. **117** 34 0N 102 24W
Amherst I. **113** 44 8N 76 43W
Amherstburg **106** 42 6N 83 6W
Amiata, Mte. **39** 42 54N 11 40 E
Amiens **19** 49 54N 2 16 E
Amigdhalokefáli **45** 35 23N 23 30 E
Amindaion **44** 40 42N 21 42 E
Amirante Is. **3** 6 0 S 53 0 E
Amisk L. **109** 54 35N 102 15W
Amite **117** 30 47N 90 31W
Amizmiz **82** 31 12N 8 15W
Åmli **47** 58 45N 8 32 E
Amlwch **12** 53 24N 4 21W
Amm Adam **87** 16 20N 36 1 E
'Ammān **62** 31 57N 35 52 E
Ammanford **13** 51 48N 4 0W
Ammerån **48** 63 9N 16 13 E
Ammerån → **48** 63 9N 16 13 E
Ammersee **25** 48 0N 11 7 E
Ammi'ad **62** 32 55N 35 32 E
Amnéville **19** 49 16N 6 9 E
Amorebieta **32** 43 13N 2 44W
Amorgós **45** 36 50N 25 57 E
Amory **115** 33 59N 88 29W
Amos **106** 48 35N 78 5W
Åmot, Buskerud, Norway **47** 59 54N 9 54 E
Åmot, Telemark, Norway **47** 59 34N 8 0 E
Åmotsdal **47** 59 37N 8 26 E
Amour, Djebel **82** 33 42N 1 37 E
Amoy = Xiamen **76** 24 25N 118 4 E
Ampanihy **93** 24 40 S 44 45 E
Ampasindava, Helodranon' **93** 13 40 S 48 15 E
Ampasindava, Saikanosy **93** 13 42 S 47 55W
Amper **85** 9 25N 9 40 E
Amper → **25** 48 30N 11 57 E
Ampère **83** 35 44N 5 27 E
Ampezzo **39** 46 25N 12 48 E
Amposta **32** 40 43N 0 34 E
Ampotaka **93** 25 3 S 44 41 E
Ampoza **93** 22 20 S 44 44 E
Amqa **62** 32 59N 35 10 E
Amqui **107** 48 28N 67 27W
Amraoti **68** 20 55N 77 45 E
Amreli **68** 21 35N 71 17 E
Amrenene el Kasba **82** 22 10N 0 30 E
Amritsar **68** 31 35N 74 57 E
Amroha **68** 28 53N 78 30 E
Amrum **24** 54 37N 8 21 E
Amsel **83** 22 47N 5 29 E
Amsterdam, Neth. **16** 52 23N 4 54 E
Amsterdam, U.S.A. **114** 42 58N 74 10W
Amsterdam, I. **3** 37 30 S 77 30 E
Amstetten **26** 48 7N 14 51 E
Amudarya → **58** 43 40N 59 0 E
Amund Ringnes I. **4** 78 20N 96 25W
Amundsen Gulf **104** 71 0N 124 0W
Amundsen Sea **5** 72 0 S 115 0W
Amungen **48** 61 10N 15 40 E
Amuntai **72** 2 28 S 115 25 E
Amur → **59** 52 56N 141 10 E
Amurang **73** 1 5N 124 40 E
Amuri Pass **101** 42 31 S 172 11 E
Amurrio **32** 43 3N 3 0W
Amursk **59** 50 14N 136 54 E

Amurzet Arapkir

Amurzet **59** 47 50N 131 5 E
Amusco **30** 42 10N 4 28W
Amvrakikós Kólpos **45** 39 0N 20 55 E
Amvrosiyevka **57** 47 43N 38 30 E
Amzeglouf **82** 26 50N 0 1 E
An Nafūd **64** 28 15N 41 0 E
An Najaf **64** 32 3N 44 15 E
An Nāqūrah **62** 33 7N 35 8 E
An Nāṣirīyah **64** 31 0N 46 15 E
An Nawfaliyah **83** 30 54N 17 58 E
An Nhon (Binh Dinh) **71** 13 55N 109 7 E
An Nîl □ **86** 19 30N 33 0 E
An Nîl el Abyad □ **87** 14 0N 32 15 E
An Nîl el Azraq □ **87** 12 30N 34 30 E
An Nu'ayrīyah **64** 27 30N 48 30 E
An Uaimh **15** 53 39N 6 40W
Åna-Sira **47** 58 17N 6 25 E
Anabar → **59** 73 8N 113 36 E
'Anabtā **62** 32 19N 35 7 E
Anaconda **118** 46 7N 113 0W
Anacortes **118** 48 30N 122 40W
Anadarko **117** 35 4N 98 15W
Anadia **30** 40 26N 8 27W
Anadolu **64** 38 0N 30 0 E
Anadyr **59** 64 35N 177 20 E
Anadyr → **59** 64 55N 176 5 E
Anadyrskiy Zaliv **59** 64 0N 180 0 E
Anáfi **45** 36 22N 25 48 E
Anafópoulo **45** 36 17N 25 50 E
Anagni **40** 41 44N 13 8 E
'Ānah **64** 34 25N 42 0 E
Anahim Lake **108** 52 28N 125 18W
Anáhuac **120** 27 14N 100 9W
Anai Mudi, Mt. **70** 10 12N 77 4 E
Anaimalai Hills **70** 10 20N 76 40 E
Anakapalle **70** 17 42N 83 06 E
Anakie **98** 23 32 S 147 45 E
Anaklia **57** 42 22N 41 35 E
Analalava **93** 14 35 S 48 0 E
Anambar → **68** 30 15N 68 50 E
Anambas, Kepulauan **72** 3 20N 106 30 E
Anamoose **116** 47 55N 100 20W
Anamosa **116** 42 7N 91 30W
Anamur **64** 36 8N 32 58 E
Anan **74** 33 54N 134 40 E
Anand **68** 22 32N 72 59 E
Anandpur **69** 21 16N 86 13 E
Anánes **45** 36 33N 24 9 E
Anantapur **70** 14 39N 77 42 E
Anantnag **69** 33 45N 75 10 E
Ananyev **56** 47 44N 29 47 E
Anapa **56** 44 55N 37 25 E
Anápolis **127** 16 15 S 48 50W
Anār **65** 30 55N 55 13 E
Anārak **65** 33 25N 53 40 E
Anatolia = Anadolu **64** 38 0N 30 0 E
Anatone **118** 46 9N 117 4W
Añatuya **124** 28 20 S 62 50W
Anaunethad L. **109** 60 55N 104 25W
Anaye **81** 19 15N 12 50 E
Ancenis **18** 47 21N 1 10W
Anchorage **104** 61 10N 149 50W
Ancião **30** 39 56N 8 27W
Ancohuma, Nevada **126** 16 0 S 68 50W
Ancón **126** 11 50 S 77 10W
Ancona **39** 43 37N 13 30 E
Ancud **128** 42 0 S 73 50W
Ancud, G. de **128** 42 0 S 73 0W
Anda **76** 46 24N 125 19 E
Andacollo, Argent. **124** 37 10 S 70 42W
Andacollo, Chile **124** 30 5 S 71 10W
Andalgalá **124** 27 40 S 66 30W
Åndalsnes **47** 62 35N 7 43 E
Andalucía **31** 37 35N 5 0W
Andalusia **115** 31 19N 86 30W
Andalusia = Andalucía **31** 37 35N 5 0W
Andaman Is. **71** 12 30N 92 30 E
Andaman Sea **72** 13 0N 96 0 E
Andaman Str. **71** 12 15N 92 20 E
Andara **92** 18 2 S 21 9 E
Andelot **19** 48 15N 5 18 E
Andelys, Les **18** 49 15N 1 25 E
Andenne **16** 50 30N 5 5 E
Andéranboukane **85** 15 26N 3 2 E
Andermatt **25** 46 38N 8 35 E
Andernach **24** 50 24N 7 25 E
Andernos-les-Bains **20** 44 44N 1 6W
Anderslöv **49** 55 26N 13 19 E
Anderson, Calif., U.S.A. **118** 40 30N 122 19W
Anderson, Ind., U.S.A. **114** 40 5N 85 40W
Anderson, Mo., U.S.A. **117** 36 43N 94 29W
Anderson, S.C., U.S.A. **115** 34 32N 82 40W
Anderson → **104** 69 42N 129 0W
Anderson, Mt. **93** 25 5 S 30 42 E
Anderstorp **49** 57 19N 13 39 E
Andes **126** 5 40N 75 53W
Andes, Cord de los **126** 20 0 S 68 0W
Andfjorden **50** 69 10N 16 20 E
Andhra, L. **70** 18 54N 73 32 E
Andhra Pradesh □ **70** 16 0N 79 0 E
Andikíthira **45** 35 52N 23 15 E
Andímilos **45** 36 47N 24 12 E
Andíparos **45** 37 0N 25 3 E
Andípaxoi **45** 39 9N 20 13 E
Andípsara **45** 38 30N 25 29 E
Andírrion **45** 38 24N 21 46 E
Andizhan **58** 41 10N 72 0 E
Andkhvoy **65** 36 52N 65 8 E
Andol **70** 17 51N 78 4 E
Andong **76** 36 40N 128 43 E
Andorra ■ **32** 42 30N 1 30 E
Andorra La Vella **32** 42 31N 1 32 E
Andover, U.K. **13** 51 13N 1 29W
Andover, N.Y., U.S.A. **112** 42 11N 77 48W
Andover, Ohio, U.S.A. **112** 41 35N 80 35W
Andrahary, Mt. **93** 13 37 S 49 17 E
Andraitx **32** 39 39N 2 25 E
Andramasina **93** 19 11 S 47 35 E
Andranopasy **93** 21 17 S 43 44 E
Andreanof Is. **104** 52 0N 178 0W
Andreapol **54** 56 40N 32 17 E
Andrespol **28** 51 45N 19 34 E
Andrews, S.C., U.S.A. **115** 33 29N 79 30W
Andrews, Tex., U.S.A. **117** 32 18N 102 33W
Ándria **41** 41 13N 16 17 E
Andriba **93** 17 30 S 46 58 E
Andrijevica **42** 42 45N 19 48 E
Andrítsaina **45** 37 29N 21 52 E
Androka **93** 24 58 S 44 2 E
Ándros **45** 37 50N 24 57 E
Andros I. **121** 24 30N 78 0W
Andros Town **121** 24 43N 77 47W
Andrychów **27** 49 51N 19 18 E
Andújar **31** 38 3N 4 5W
Aneby **49** 57 48N 14 49 E
Anegada I. **121** 18 45N 64 20W
Anegada Passage **121** 18 15N 63 45W
Aného **85** 6 12N 1 34 E
Anergane **82** 31 4N 7 14W
Aneto, Pico de **32** 42 37N 0 40 E
Ang Thong **71** 14 35N 100 31 E
Angamos, Punta **124** 23 1 S 70 32W
Ang'angxi **75** 47 10N 123 48 E
Angara → **59** 58 30N 97 0 E
Angarab **87** 13 11N 37 7 E
Angarsk **59** 52 30N 104 0 E
Angaston **99** 34 30 S 139 8 E
Ånge **48** 62 31N 15 35 E
Ángel de la Guarda **120** 29 30N 113 30W
Angeles **73** 15 9N 120 33 E
Ängelholm **49** 56 15N 12 58 E
Angellala **99** 26 24 S 146 54 E
Angels Camp **119** 38 8N 120 30W
Ängelsberg **48** 59 58N 16 0 E
Anger → **87** 9 37N 36 6 E
Angereb → **87** 13 45N 36 40 E
Ångermanälven → **48** 62 40N 18 0 E
Angermünde **24** 53 1N 14 0 E
Angers, Can. **113** 45 31N 75 29W
Angers, France **18** 47 30N 0 35W
Angerville **19** 48 19N 2 0 E
Ångesån → **50** 66 50N 22 15 E
Anghiari **39** 43 32N 12 3 E
Angikuni L. **109** 62 0N 100 0W
Angkor **71** 13 22N 103 50 E
Anglés **32** 41 57N 2 38 E
Anglesey **12** 53 17N 4 20W
Anglet **20** 43 29N 1 31W
Angleton **117** 29 12N 95 23W
Anglin → **20** 46 42N 0 52 E
Anglure **19** 48 35N 3 50 E
Angmagssalik **4** 65 40N 37 20W
Ango **90** 4 10N 26 5 E
Angoche **91** 16 8 S 40 0 E
Angoche, I. **91** 16 20 S 39 50 E
Angol **124** 37 56 S 72 45W
Angola, Ind., U.S.A. **114** 41 40N 85 0W
Angola, N.Y., U.S.A. **112** 42 38N 79 2W
Angola ■ **89** 12 0 S 18 0 E
Angoon **108** 57 40N 134 40W
Angoram **98** 4 4 S 144 4 E
Angoulême **20** 45 39N 0 10 E
Angoumois **20** 45 50N 0 25 E
Angra dos Reis **125** 23 0 S 44 10W
Angren **58** 41 1N 70 12 E
Angu **90** 3 25N 24 28 E
Anguilla **121** 18 14N 63 5W
Angus, Braes of **14** 56 51N 3 10W
Anhanduí → **125** 21 46 S 52 9W
Anholt **49** 56 42N 11 33 E
Anhua **77** 28 23N 111 12 E
Anhui □ **75** 32 0N 117 0 E
Anhwei □ = Anhui □ **75** 32 0N 117 0 E
Ánidhros **45** 36 38N 25 43 E
Anie **85** 7 42N 1 8 E
Animas **119** 31 58N 108 58W
Ånimskog **49** 58 53N 12 35 E
Anin **71** 15 36N 97 50 E
Anina **42** 45 6N 21 51 E
Anivorano **93** 18 44 S 48 58 E
Anjangaon **68** 21 10N 77 20 E
Anjar **68** 23 6N 70 10 E
Anjidiv I. **70** 14 40N 74 10 E
Anjou **18** 47 20N 0 15W
Anjozorobe **93** 18 22 S 47 52 E
Anju **76** 39 36N 125 40 E
Anka **85** 12 13N 5 58 E
Ankang **75** 32 40N 109 1 E
Ankara **64** 40 0N 32 54 E
Ankaramena **93** 21 57 S 46 39 E
Ankazoabo **93** 22 18 S 44 31 E
Ankazobe **93** 18 20 S 47 10 E
Ankisabe **93** 19 17 S 46 29 E
Anklam **24** 53 48N 13 40 E
Anklesvar **68** 21 38N 73 3 E
Ankober **87** 9 35N 39 40 E
Ankoro **90** 6 45 S 26 55 E
Anlu **77** 31 15N 113 45 E
Ånn **48** 63 19N 12 34 E
Ann Arbor **114** 42 17N 83 45W
Ann C., Antarct. **5** 66 30 S 50 30 E
Ann C., U.S.A. **114** 42 39N 70 37W
Anna, U.S.A. **117** 37 28N 89 10W
Anna, U.S.S.R. **55** 51 28N 40 23 E
Annaba **83** 36 50N 7 46 E
Annaberg-Buchholz **24** 50 34N 12 58 E
Annalee → **15** 54 3N 7 15W
Annam = Trung-Phan **71** 16 30N 107 30 E
Annamitique, Chaîne **71** 17 0N 106 0 E
Annan **14** 55 0N 3 17W
Annan → **14** 54 58N 3 18W
Annapolis **114** 38 95N 76 30W
Annapolis Royal **107** 44 44N 65 32W
Annapurna **69** 28 34N 83 50 E
Anneberg **49** 57 32N 12 6 E
Annecy **21** 45 55N 6 8 E
Annecy, L. d' **21** 45 52N 6 10 E
Annemasse **21** 46 12N 6 16 E
Anning **75** 24 55N 102 26 E
Anniston **115** 33 45N 85 50W
Annobón **79** 1 25 S 5 35 E
Annonay **21** 45 15N 4 40 E
Annonciation, L' **106** 46 25N 74 55W
Annot **21** 43 58N 6 38 E
Annotto Bay **121** 18 17N 77 3W
Annuello **99** 34 53 S 142 55 E
Annville **113** 40 18N 76 32W
Annweiler **25** 49 12N 7 58 E
Áno Arkhánai **45** 35 16N 25 11 E
Áno Porróia **44** 41 17N 23 2 E
Áno Viánnos **45** 35 2N 25 21 E
Anoka **116** 45 10N 93 26W
Anorotsangana **93** 13 56 S 47 55 E
Anqing **75** 30 30N 117 3 E
Anren **77** 26 43N 113 18 E
Ansāb **64** 29 11N 44 43 E
Ansai **76** 36 50N 109 20 E
Ansbach **25** 49 17N 10 34 E
Anse au Loup, L' **107** 51 32N 56 50W
Anse, L' **106** 46 47N 88 28W
Anseba → **87** 16 0N 38 30 E
Anshan **76** 41 5N 122 58 E
Anshun **75** 26 18N 105 57 E
Ansirabe **93** 19 55 S 47 2 E
Ansley **116** 41 19N 99 24W
Ansó **32** 42 51N 0 48W
Anson **117** 32 46N 99 54W
Anson B. **96** 13 20 S 130 6 E
Ansongo **85** 15 25N 0 35 E
Ansonia **113** 41 21N 73 6W
Anstruther **14** 56 14N 2 40W
Ansudu **73** 2 11 S 139 22 E
Antabamba **126** 14 40 S 73 0W
Antakya **64** 36 14N 36 10 E
Antalaha **93** 14 57 S 50 20 E
Antalya **64** 36 52N 30 45 E
Antalya Körfezi **64** 36 15N 31 30 E
Antananarivo **93** 18 55 S 47 31 E
Antananarivo □ **93** 19 0 S 47 0 E
Antanimbaribe **93** 21 30 S 44 48 E
Antarctic Pen. **5** 67 0 S 60 0W
Antarctica **5** 90 0 S 0 0
Antelope **91** 21 2 S 28 31 E
Antequera, Parag. **124** 24 8 S 57 7W
Antequera, Spain **31** 37 5N 4 33W
Antero Mt. **119** 38 45N 106 15W
Anthemoús **44** 40 31N 23 15 E
Anthony, Kans., U.S.A. **117** 37 8N 98 2W
Anthony, N. Mex., U.S.A. **119** 32 1N 106 37W
Anti Atlas, Mts. **82** 30 0N 8 30W
Antibes **21** 43 34N 7 6 E
Antibes, C. d' **21** 43 31N 7 7 E
Anticosti, Î. d' **107** 49 30N 63 0W
Antifer, C. d' **18** 49 41N 0 10 E
Antigo **116** 45 8N 89 5W
Antigonish **107** 45 38N 61 58W
Antigua **120** 14 34N 90 41W
Antigua & Barbuda ■ **121** 17 0N 61 50W
Antilla **121** 20 40N 75 50W
Antimony **119** 38 7N 112 0W
Antioch **118** 38 7N 121 45W
Antioche, Pertuis d' **20** 46 6N 1 20W
Antioquia **126** 6 40N 75 55W
Antipodes Is. **94** 49 45 S 178 40 E
Antler **116** 48 58N 101 18W
Antler → **109** 49 8N 101 0W
Antlers **117** 34 15N 95 35W
Antofagasta **124** 23 50 S 70 30W
Antofagasta □ **124** 24 0 S 69 0W
Antofagasta de la Sierra **124** 26 5 S 67 20W
Antofalla **124** 25 30 S 68 5W
Antofalla, Salar de **124** 25 40 S 67 45W
Anton **117** 33 49N 102 5W
Anton Chico **119** 35 12N 105 5W
Antongila, Helodrano **93** 15 30 S 49 50 E
Antonibé **93** 15 7 S 47 24 E
Antonibé, Presqu'île d' **93** 14 55 S 47 20 E
Antonina **125** 25 26 S 48 42W
Antonito **119** 37 4N 106 1W
Antonovo **57** 49 25N 51 42 E
Antrain **18** 48 28N 1 30W
Antrim **15** 54 43N 6 13W
Antrim □ **15** 54 55N 6 20W
Antrim, Mts. of **15** 54 57N 6 8W
Antrodoco **39** 42 25N 13 4 E
Antropovo **55** 58 26N 42 51 E
Antsalova **93** 18 40 S 44 37 E
Antsiranana **93** 12 25 S 49 20 E
Antsohihy **93** 14 50 S 47 59 E
Antwerp **113** 44 12N 75 36W
Antwerp = Antwerpen **16** 51 13N 4 25 E
Antwerpen **16** 51 13N 4 25 E
Antwerpen □ **16** 51 15N 4 40 E
Anupgarh **68** 29 10N 73 10 E
Anuradhapura **70** 8 22N 80 28 E
Anvers = Antwerpen **16** 51 13N 4 25 E
Anvers I. **5** 64 30 S 63 40W
Anvik **104** 62 37N 160 20W
Anxi, Fujian, China **77** 25 2N 118 12 E
Anxi, Gansu, China **75** 40 30N 95 43 E
Anxious B. **96** 33 24 S 134 45 E
Anyama **84** 5 30N 4 3W
Anyang **76** 36 5N 114 21 E
Anyer-Lor **73** 6 6 S 105 56 E
Anyi, Jiangxi, China **77** 28 49N 115 25 E
Anyi, Shanxi, China **77** 35 2N 111 2 E
Anyuan **77** 25 9N 115 21 E
'Anzah **62** 32 22N 35 12 E
Anzhero-Sudzhensk **58** 56 10N 86 0 E
Ánzio **40** 41 28N 12 37 E
Aoiz **32** 42 46N 1 22W
Aomori **74** 40 45N 140 45 E
Aomori □ **74** 40 45N 140 40 E
Aonla **68** 28 16N 79 11 E
Aoreora **82** 28 51N 10 53W
Aosta **38** 45 43N 7 20 E
Aoudéras **85** 17 45N 8 20 E
Aouinet Torkoz **82** 28 31N 9 46W
Aoukar **82** 23 50N 2 45W
Aouker **84** 17 40N 10 0W
Aoulef el Arab **82** 26 55N 1 2 E
Apa → **124** 22 6 S 58 2W
Apache, Ariz., U.S.A. **119** 31 46N 109 6W
Apache, Okla., U.S.A. **117** 34 53N 98 22W
Apalachee B. **115** 30 0N 84 0W
Apalachicola **115** 29 40N 85 0W
Apalachicola → **115** 29 40N 85 0W
Apapa **85** 6 25N 3 25 E
Apaporis → **126** 1 23 S 69 25W
Aparri **73** 18 22N 121 38 E
Apateu **46** 46 36N 21 47 E
Apatin **42** 45 40N 19 0 E
Apàtity **52** 67 34N 33 22 E
Apatzingán **120** 19 0N 102 20W
Apeldoorn **16** 52 13N 5 57 E
Apen **24** 53 12N 7 47 E
Apenam **72** 8 35 S 116 13 E
Apennines **9** 44 20N 10 20 E
Apia **101** 13 50 S 171 50W
Apiacás, Serra dos **126** 9 50 S 57 0W
Apizaco **120** 19 26N 98 9W
Aplao **126** 16 0 S 72 40W
Apo, Mt. **73** 6 53N 125 14 E
Apolda **24** 51 1N 11 30 E
Apollo Bay **100** 38 45 S 143 40 E
Apollonia **45** 36 58N 24 43 E
Apollonia = Marsá Susah **81** 32 52N 21 59 E
Apolo **126** 14 30 S 68 30W
Apostle Is. **116** 47 0N 90 30W
Apóstoles **125** 28 0 S 56 0W
Apostolovo **56** 47 39N 33 39 E
Apoteri **126** 4 2N 58 32W
Appalachian Mts. **114** 38 0N 80 0W
Appalachicola → **115** 29 40N 85 0W
Appennini **41** 41 0N 15 0 E
Appennino Ligure **38** 44 30N 9 0 E
Appenzell-Ausser Rhoden □ **25** 47 23N 9 23 E
Appenzell-Inner Rhoden □ **25** 47 20N 9 25 E
Appiano **39** 46 27N 11 17 E
Apple Hill **113** 45 13N 74 46W
Appleby **12** 54 35N 2 29W
Appleton **114** 44 17N 88 25W
Approuague **127** 4 20N 52 0W
Aprelevka, U.S.S.R. **55** 55 33N 37 4 E
Aprelevka, U.S.S.R. **55** 55 34N 37 4 E
Apricena **41** 41 47N 15 25 E
Aprigliano **41** 39 17N 16 19 E
Aprília **40** 41 38N 12 38 E
Apsheronsk **57** 44 28N 39 42 E
Apt **21** 43 53N 5 24 E
Apucarana **125** 23 55 S 51 33W
Apulia = Púglia **41** 41 0N 16 30 E
Apure → **126** 7 37N 66 25W
Apurimac → **126** 12 17 S 73 56W
Apuseni, Munţii **46** 46 30N 22 45 E
Aqabah = Al 'Aqabah **86** 29 13N 35 0 E
'Aqabah, Khalīj al **64** 28 15N 33 20 E
Āqcheh **65** 37 0N 66 5 E
Aqîq **86** 18 14N 38 12 E
Aqîq, Khalîg **86** 18 20N 38 10 E
Aqrabā **62** 32 9N 35 20 E
Aqrah **64** 36 46N 43 45 E
Aquidauana **127** 20 30 S 55 50W
Áquila, L' **39** 42 21N 13 24 E
Aquiles Serdán **120** 28 37N 105 54W
Ar Rachidiya **82** 31 58N 4 20W
Ar Rafīd **62** 32 57N 35 52 E
Ar Ramādī **64** 33 25N 43 20 E
Ar Raml **83** 26 45N 19 40 E
Ar Ramthā **62** 32 34N 36 0 E
Ar Raqqah **64** 36 0N 38 55 E
Ar Rass **64** 25 50N 43 40 E
Ar Rifā'ī **64** 31 50N 46 10 E
Ar Riyāḍ **64** 24 41N 46 42 E
Ar Rummān **62** 32 9N 35 48 E
Ar Ruṭbah **64** 33 0N 40 15 E
Ar Ruwayḍah **64** 23 40N 44 40 E
Arab, Bahr el → **87** 9 50N 29 0 E
Arab, Khalîg el **86** 30 55N 29 0 E
Arab, Shatt al **64** 30 0N 48 31 E
Arabatskaya Strelka **56** 45 40N 35 0 E
Arabba **39** 46 30N 11 51 E
Arabia **60** 25 0N 45 0 E
Arabian Sea **60** 16 0N 65 0 E
Arac **64** 41 15N 33 21 E
Aracaju **127** 10 55 S 37 4W
Aracataca **126** 10 38N 74 9W
Aracati **127** 4 30 S 37 44W
Araçatuba **125** 21 10 S 50 30W
Aracena **31** 37 53N 6 38W
Aracena, Sierra de **31** 37 50N 6 50W
Araçuai **127** 16 52 S 42 4W
'Arad **62** 31 15N 35 12 E
Arad **42** 46 10N 21 20 E
Arad □ **42** 46 20N 22 0 E
Arada **81** 15 0N 20 20 E
Aradu Nou **42** 46 8N 21 20 E
Arafura Sea **73** 9 0 S 135 0 E
Aragats **57** 40 30N 44 15 E
Aragón **32** 41 25N 1 0W
Aragón → **32** 42 13N 1 44W
Aragona **40** 37 24N 13 36 E
Araguacema **127** 8 50 S 49 20W
Araguaia → **127** 5 21 S 48 41W
Araguari **127** 18 38 S 48 11W
Araguari → **127** 1 15N 49 55W
Arak **82** 25 20N 3 45 E
Arāk **64** 34 0N 49 40 E
Arakan Coast **67** 19 0N 94 0 E
Arakan Yoma **67** 20 0N 94 40 E
Arákhova **45** 38 28N 22 35 E
Araks → = Aras, Rūd-e → **64** 39 10N 47 10 E
Aral Sea = Aralskoye More **58** 44 30N 60 0 E
Aralsk **58** 46 50N 61 20 E
Aralskoye More **58** 44 30N 60 0 E
Aramă, Mţii. de **46** 47 10N 22 30 E
Aramac **97** 22 58 S 145 14 E
Arambagh **69** 22 53N 87 48 E
Aran I. **15** 55 0N 8 30W
Aran Is. **15** 53 5N 9 42W
Aranda de Duero **32** 41 39N 3 42W
Aranđelovac **42** 44 18N 20 27 E
Aranjuez **30** 40 1N 3 40W
Aranos **92** 24 9 S 19 7 E
Aransas Pass **117** 27 55N 97 9W
Araouane **84** 18 55N 3 30W
Arapahoe **116** 40 22N 99 53W
Arapey Grande → **124** 30 55 S 57 49W
Arapkir **64** 39 5N 38 30 E

Arapongas Aska

Arapongas 125 23 29 S 51 28 W
Araranguá 125 29 0 S 49 30 W
Araraquara 127 21 50 S 48 0 W
Ararás, Serra das 125 25 0 S 53 10 W
Ararat 97 37 16 S 143 0 E
Ararat, Mt. = Ağri Daği 64 39 50 N 44 15 E
Araria 69 26 9 N 87 33 E
Araripe, Chapada do 127 7 20 S 40 0 W
Araruama, Lagoa de 125 22 53 S 42 12 W
Aras, Rūd-e → 64 39 10 N 47 10 E
Arauca 126 7 0 N 70 40 W
Arauca → 126 7 24 N 66 35 W
Arauco 124 37 16 S 73 25 W
Arauco □ 124 37 40 S 73 25 W
Arawa 87 9 57 N 41 58 E
Araxá 127 19 35 S 46 55 W
Araya, Pen. de 126 10 40 N 64 0 W
Arba Minch 87 6 0 N 37 30 E
Arbatax 40 39 57 N 9 42 E
Arbaza 59 52 40 N 92 30 E
Arbīl 64 36 15 N 44 5 E
Arboga 48 59 24 N 15 52 E
Arbois 19 46 55 N 5 46 E
Arbore 87 5 3 N 36 50 E
Arborea 40 39 46 N 8 34 E
Arborfield 109 53 6 N 103 39 W
Arborg 109 50 54 N 97 13 W
Arbrå 48 61 28 N 16 22 E
Arbresie, L' 21 45 50 N 4 26 E
Arbroath 21 56 34 N 2 35 W
Arbuckle 118 39 3 N 122 2 W
Arbus 40 39 30 N 8 33 E
Arbuzinka 56 47 0 N 31 59 E
Arc 19 47 28 N 5 34 E
Arc → 21 45 34 N 6 12 E
Arcachon 20 44 40 N 1 10 W
Arcachon, Bassin d' 20 44 42 N 1 10 W
Arcade 112 42 34 N 78 25 W
Arcadia, Fla., U.S.A. 115 27 20 N 81 50 W
Arcadia, La., U.S.A. 117 32 34 N 92 53 W
Arcadia, Nebr., U.S.A. 116 41 29 N 99 4 W
Arcadia, Pa., U.S.A. 112 40 46 N 78 54 W
Arcadia, Wis., U.S.A. 116 44 13 N 91 29 W
Arcata 118 40 55 N 124 4 W
Arcévia 39 43 29 N 12 58 E
Archangel = Arkhangelsk 52 64 40 N 41 0 E
Archar 42 43 50 N 22 54 E
Archbald 113 41 30 N 75 31 W
Archena 33 38 9 N 1 16 W
Archer → 97 13 28 S 141 41 E
Archer B. 98 13 20 S 141 30 E
Archers Post 90 0 35 N 37 35 E
Archidona 31 37 6 N 4 22 W
Arci, Monte 40 39 47 N 8 44 E
Arcidosso 39 42 51 N 11 30 E
Arcila = Asilah 82 35 29 N 6 0 W
Arcis-sur-Aube 19 48 32 N 4 10 E
Arco, Italy 38 45 55 N 10 54 E
Arco, U.S.A. 118 43 45 N 113 16 W
Arcola 109 49 40 N 102 30 W
Arcos 32 41 12 N 2 16 W
Arcos de los Frontera 31 36 45 N 5 49 W
Arcos de Valdevez 30 41 55 N 8 22 W
Arcot 70 12 53 N 79 20 E
Arcoverde 127 8 25 S 37 4 W
Arcs, Les 21 43 27 N 6 29 E
Arctic Bay 105 73 1 N 85 7 W
Arctic Ocean 4 78 0 N 160 0 W
Arctic Red River 104 67 15 N 134 0 W
Arda →, Bulg. 43 41 40 N 26 29 E
Arda →, Italy 38 44 53 N 9 52 E
Ardabīl 64 38 15 N 48 18 E
Ardahan 64 41 7 N 42 41 E
Ardakān 65 30 20 N 52 5 E
Årdal, Aust-Agder, Norway 47 58 42 N 7 48 E
Årdal, Rogaland, Norway 47 59 9 N 6 13 E
Ardales 31 36 53 N 4 51 W
Årdalstangen 47 61 14 N 7 43 E
Ardatov 55 54 51 N 46 15 E
Ardea 44 40 58 N 22 3 E
Ardèche □ 21 44 42 N 4 16 E
Ardèche → 21 44 16 N 4 39 E
Ardee 15 53 51 N 6 32 W
Arden 112 44 43 N 76 56 W
Arden Stby. 49 56 46 N 9 52 E
Ardennes 16 50 0 N 5 10 E
Ardennes □ 19 49 35 N 4 40 E
Ardentes 19 46 45 N 1 50 E
Ardestān 65 33 20 N 52 25 E
Ardgour 14 56 45 N 5 25 W
Árdhas → 44 41 36 N 26 25 E
Ardila → 31 38 12 N 7 28 W
Ardino 43 41 34 N 25 9 E
Ardjuno 73 7 49 S 112 34 E
Ardlethan 99 34 22 S 146 53 E
Ardmore, Austral. 98 21 39 S 139 11 E
Ardmore, Okla., U.S.A. 117 34 10 N 97 5 W
Ardmore, Pa., U.S.A. 113 39 58 N 75 18 W
Ardmore, S.D., U.S.A. 116 43 0 N 103 40 W
Ardnacrusha 15 52 43 N 8 38 W
Ardnamurchan, Pt. of 14 56 44 N 6 14 W
Ardore Marina 41 38 11 N 16 10 E
Ardres 19 50 50 N 2 0 E
Ardrossan, Austral. 99 34 26 S 137 53 E
Ardrossan, U.K. 14 55 39 N 4 50 W
Ards □ 15 54 35 N 5 30 W
Ards Pen. 15 54 30 N 5 25 W
Ardud 46 47 37 N 22 52 E
Ardunac 57 41 8 N 42 5 E
Åre 48 63 22 N 13 15 E
Arecibo 121 18 29 N 66 42 W
Areia Branca 127 5 0 S 37 0 W
Aremark 47 59 15 N 11 42 E
Arenas 30 43 17 N 4 50 W
Arenas de San Pedro 30 40 12 N 5 5 W
Arendal 47 58 28 N 8 46 E
Arendsee 24 52 52 N 11 27 E
Arenys de Mar 32 41 35 N 2 33 E
Arenzano 38 44 24 N 8 40 E
Areópolis 45 36 40 N 22 22 E
Arequipa 126 16 20 S 71 30 W
Arero 87 4 41 N 38 50 E
Arès 20 44 47 N 1 8 W
Arévalo 30 41 3 N 4 43 W
Arezzo 39 43 28 N 11 50 E
Arga → 32 42 18 N 1 47 W
Argalasti 44 39 13 N 23 13 E
Argamasilla de Alba 33 39 8 N 3 5 W
Arganda 32 40 19 N 3 26 W
Arganil 30 40 13 N 8 3 W
Argelès-Gazost 20 43 0 N 0 6 W
Argelès-sur-Mer 20 42 34 N 3 1 E
Argens → 21 43 24 N 6 44 E
Argent-sur-Sauldre 19 47 33 N 2 25 E
Argenta, Can. 108 50 20 N 116 55 W
Argenta, Italy 39 44 37 N 11 50 E
Argentan 18 48 45 N 0 1 W
Argentário, Mte. 39 42 23 N 11 11 E
Argentat 20 45 6 N 1 56 E
Argentera 38 44 23 N 6 58 E
Argentera, Monte del 38 44 12 N 7 5 E
Argenteuil 19 48 57 N 2 14 E
Argentia 107 47 18 N 53 58 W
Argentiera, C. dell' 40 40 44 N 8 8 E
Argentière, L' 21 44 47 N 6 33 E
Argentina ■ 128 35 0 S 66 0 W
Argentino, L. 128 50 10 S 73 0 W
Argenton-Château 18 46 59 N 0 27 W
Argenton-sur-Creuse 20 46 36 N 1 30 E
Argeş □ 46 45 0 N 24 45 E
Argeş → 46 44 30 N 25 50 E
Arghandab → 66 31 30 N 64 15 E
Argo 86 19 28 N 30 30 E
Argolikós Kólpos 45 37 20 N 22 52 E
Argolís □ 45 37 38 N 22 50 E
Argonne 19 49 0 N 5 20 E
Árgos 45 37 40 N 22 43 E
Árgos Orestikón 44 40 27 N 21 26 E
Argostólion 45 38 12 N 20 33 E
Arguedas 32 42 11 N 1 36 W
Arguello, Pt. 119 34 34 N 120 40 W
Argun → 59 53 20 N 121 28 E
Argungu 85 12 40 N 4 31 E
Argyle 116 48 23 N 96 49 W
Argyrádhes 44 39 27 N 19 58 E
Århus 49 56 8 N 10 11 E
Århus Amtskommune □ 49 56 15 N 10 15 E
Ariamsvlei 92 28 9 S 19 51 E
Ariana 83 36 52 N 10 12 E
Ariano Irpino 41 41 10 N 15 4 E
Ariano nel Polèsine 39 44 56 N 12 5 E
Aribinda 85 14 17 N 0 52 W
Arica, Chile 126 18 32 S 70 20 W
Arica, Colomb. 126 2 0 S 71 50 W
Arid, C. 96 34 1 S 123 10 E
Aridh 64 25 0 N 46 0 E
Ariège □ 20 42 56 N 1 30 E
Ariège → 20 43 30 N 1 25 E
Arieş → 46 46 24 N 23 20 E
Arilje 42 43 44 N 20 7 E
Arima 121 10 38 N 61 17 W
Arinos → 126 10 25 S 58 20 W
Ario de Rosales 120 19 12 N 102 0 W
Aripuanã 126 9 25 S 60 30 W
Aripuanã → 126 5 7 S 60 25 W
Ariquemes 126 9 55 S 63 6 W
Arisaig 14 56 55 N 5 50 W
Arish, W. el → 86 31 9 N 33 49 E
Arissa 87 11 10 N 41 35 E
Aristazabal I. 108 52 40 N 129 10 W
Arivaca 119 31 37 N 111 25 W
Arivonimamo 93 19 1 S 47 11 E
Ariyalur 70 11 8 N 79 8 E
Ariza 74 41 19 N 2 3 W
Arizaro, Salar de 124 24 40 S 67 50 W
Arizona 124 35 45 S 65 25 W
Arizona □ 119 34 20 N 111 30 W
Arizpe 120 30 20 N 110 11 W
Årjäng 48 59 24 N 12 8 E
Arjeplog 50 66 3 N 18 2 E
Arjona, Colomb. 126 10 14 N 75 22 W
Arjona, Spain 31 37 56 N 4 4 W
Arka 59 60 15 N 142 0 E
Arkadak 55 51 58 N 43 19 E
Arkadelphia 117 34 5 N 93 0 W
Arkadhía □ 45 37 30 N 22 20 E
Arkaig, L. 14 56 58 N 5 10 W
Arkalyk 58 50 13 N 66 50 E
Arkansas □ 117 35 0 N 92 30 W
Arkansas → 117 33 48 N 91 4 W
Arkansas City 117 37 4 N 97 3 W
Árkathos → 44 39 20 N 21 4 E
Arkhángelos 45 36 13 N 28 7 E
Arkhangelsk 52 64 40 N 41 0 E
Arkhangelskoye 55 51 32 N 40 58 E
Arkiko 87 15 33 N 39 30 E
Arklow 15 52 48 N 6 10 W
Árkoi 45 37 24 N 26 44 E
Arkona, Kap 24 54 41 N 13 26 E
Arkonam 70 13 7 N 79 43 E
Arkösund 49 58 29 N 16 56 E
Arkoúdhi 45 38 33 N 20 43 E
Arkticheskiy, Mys 59 81 10 N 95 0 E
Arkul 55 57 17 N 50 3 E
Arlanc 20 45 25 N 3 42 E
Arlanza → 30 42 6 N 4 9 W
Arlanzón → 30 42 3 N 4 17 W
Arlberg Pass 25 47 9 N 10 12 E
Arlee 118 47 10 N 114 4 W
Arles 21 43 41 N 4 40 E
Arlington, S. Afr. 93 28 1 S 27 53 E
Arlington, Oreg., U.S.A. 118 45 48 N 120 6 W
Arlington, S.D., U.S.A. 116 44 25 N 97 4 W
Arlington, Va., U.S.A. 114 38 52 N 77 5 W
Arlington, Wash., U.S.A. 118 48 11 N 122 4 W
Arlon 16 49 42 N 5 49 E
Arlöv 49 55 38 N 13 5 E
Arly 85 11 35 N 1 28 E
Armagh 15 54 22 N 6 40 W
Armagh □ 15 54 18 N 6 37 W
Armagnac 20 43 44 N 0 10 E
Armançon → 19 47 59 N 3 30 E
Armavir 57 45 2 N 41 7 E
Armenia 126 4 35 N 75 45 W
Armenian S.S.R. □ 57 40 0 N 44 0 E
Armeniş 46 45 13 N 22 17 E
Armentières 19 50 40 N 2 50 E
Armidale 97 30 30 S 151 40 E
Armour 116 43 20 N 98 25 W
Armstrong, B.C., Can. 108 50 25 N 119 10 W
Armstrong, Ont., Can. 106 50 18 N 89 4 W
Armstrong, U.S.A. 117 26 59 N 97 48 W
Armur 70 18 48 N 78 16 E
Arnaía 44 40 30 N 23 40 E
Arnaouti, C. 64 35 0 N 32 20 E
Arnarfjörður 50 65 48 N 23 40 W
Arnaud → 105 60 0 N 70 0 W
Arnay-le-Duc 19 47 10 N 4 27 E
Arnedillo 32 42 13 N 2 14 W
Arnedo 32 42 12 N 2 5 W
Årnes 50 66 1 N 21 31 W
Årnes 47 60 7 N 11 28 E
Arnett 117 36 9 N 99 44 W
Arnhem 16 51 58 N 5 55 E
Arnhem B. 96 12 20 S 136 10 E
Arnhem, C. 97 12 20 S 137 30 E
Arnhem Land 96 13 10 S 134 30 E
Arni 70 12 43 N 79 19 E
Árnissa 44 40 47 N 21 49 E
Arno → 38 43 41 N 10 17 E
Arnold, Nebr., U.S.A. 116 41 29 N 100 10 W
Arnold, Pa., U.S.A. 112 40 36 N 79 44 W
Arnoldstein 26 46 33 N 13 43 E
Arnon → 19 47 13 N 2 1 E
Arnot 109 55 56 N 96 41 W
Arnøy 50 70 9 N 20 40 E
Arnprior 106 45 26 N 76 21 W
Arnsberg 24 51 25 N 8 2 E
Arnstadt 24 50 50 N 10 56 E
Aroab 92 26 41 S 19 39 E
Aroánia Óri 45 37 56 N 22 12 E
Aroche 31 37 56 N 6 57 W
Arolsen 24 51 23 N 9 1 E
Aron → 19 46 50 N 3 27 E
Arona 38 45 45 N 8 32 E
Arosa, Ria de → 30 42 28 N 8 57 W
Arpajon, Cantal, France 20 44 54 N 2 28 E
Arpajon, Essonne, France 19 48 37 N 2 12 E
Arpino 40 41 40 N 13 35 E
Arrabury 99 26 45 S 141 0 E
Arrah 69 25 35 N 84 32 E
Arraiján 120 8 56 N 79 36 W
Arraiolos 31 38 44 N 7 59 W
Arran 14 55 34 N 5 12 W
Arrandale 108 54 57 N 130 0 W
Arras 19 50 17 N 2 46 E
Arrats → 20 44 6 N 0 52 E
Arreau 20 42 54 N 0 22 E
Arrecife 80 28 57 N 13 37 W
Arrecifes 124 34 06 S 60 9 W
Arrée, Mts. d' 18 48 26 N 3 55 W
Arriaga 120 21 55 N 101 23 W
Arrilalah P.O. 98 23 43 S 143 54 E
Arromanches-les-Bains 18 49 20 N 0 38 W
Arronches 31 39 8 N 7 16 W
Arros, R 20 43 40 N 0 2 W
Arrou 18 48 6 N 1 8 E
Arrow, L. 15 54 3 N 8 20 W
Arrow Rock Res. 118 43 45 N 115 50 W
Arrowhead 108 50 40 N 117 55 W
Arrowtown 101 44 57 S 168 50 E
Arroyo de la Luz 31 39 30 N 6 38 W
Arroyo Grande 119 35 9 N 120 32 W
Ars 49 56 48 N 9 30 E
Ars 20 46 13 N 1 30 W
Ars-sur-Moselle 19 49 5 N 6 4 E
Arsenault L. 109 55 6 N 108 32 W
Arsiero 39 45 49 N 11 22 E
Arsikere 70 13 15 N 76 15 E
Arsk 55 56 10 N 49 50 E
Árta 45 39 8 N 21 2 E
Artá 32 39 41 N 3 21 E
Árta □ 44 39 15 N 21 5 E
Arteaga 120 18 50 N 102 20 W
Arteijo 30 43 19 N 8 29 W
Artem, Ostrov 57 40 28 N 50 20 E
Artemovsk, R.S.F.S.R., U.S.S.R. 59 54 45 N 93 35 E
Artemovsk, Ukraine S.S.R., U.S.S.R. 56 48 35 N 38 0 E
Artemovski 57 47 45 N 40 16 E
Artenay 19 48 5 N 1 50 E
Artern 24 51 22 N 11 18 E
Artesa de Segre 32 41 54 N 1 3 E
Artesia 117 32 55 N 104 25 W
Artesia Wells 117 28 17 N 99 18 W
Artesian 116 44 2 N 97 54 W
Arthez-de-Béarn 20 43 29 N 0 38 W
Arthington 84 6 35 N 10 45 W
Arthur → 99 41 2 S 144 40 E
Arthur Pt. 98 22 7 S 150 3 E
Arthur's Pass 101 42 54 S 171 35 E
Artigas 124 30 20 S 56 30 W
Artik 57 40 38 N 43 58 E
Artillery L. 109 63 9 N 107 52 W
Artois 19 50 20 N 2 30 E
Artotina 45 38 42 N 22 2 E
Artsiz 56 46 4 N 29 26 E
Artvin 64 41 14 N 41 44 E
Aru, Kepulauan 73 6 0 S 134 30 E
Aru Meru □ 90 3 20 S 36 50 E
Arua 90 3 1 N 30 58 E
Aruanã 127 14 54 S 51 10 W
Aruba 121 12 30 N 70 0 W
Arudy 20 43 7 N 0 28 W
Arun → 69 26 55 N 87 10 E
Arunachal Pradesh □ 67 28 0 N 95 0 E
Aruppukottai 70 9 31 N 78 8 E
Arusha 90 3 20 S 36 40 E
Arusha □ 90 4 0 S 36 30 E
Arusha Chini 90 3 32 S 37 20 E
Arusi □ 87 7 45 N 39 00 E
Aruvi → 70 8 48 N 79 53 E
Aruwimi → 90 1 13 N 23 36 E
Arvada 118 44 43 N 106 6 W
Arvakalu 70 8 20 N 79 58 E
Arvayheer 75 46 15 N 102 48 E
Arve → 21 46 11 N 6 8 E
Arvi 68 20 59 N 78 16 E
Arvida 107 48 25 N 71 14 W
Arvidsjaur 50 65 35 N 19 10 E
Arvika 48 59 40 N 12 36 E
Arxan 75 47 11 N 119 57 E
Arys 58 42 26 N 68 48 E
Arzachena 40 41 5 N 9 27 E
Arzamas 55 55 27 N 43 55 E
Arzew 82 35 50 N 0 23 W
Arzgir 57 45 18 N 44 23 E
Arzignano 39 45 30 N 11 20 E
Aš 26 50 13 N 12 12 E
'As Saffānīyah 64 28 5 N 48 50 E
Aş Şāfī 62 31 2 N 35 28 E
As Salt 62 32 2 N 35 43 E
As Samāwah 64 31 15 N 45 15 E
As Samū' 62 31 24 N 35 4 E
As Sanamayn 62 33 3 N 36 10 E
As Sulaymānīyah 64 24 9 N 47 18 E
As Sulţan 83 31 4 N 17 8 E
As Sumaymānīyah 64 35 35 N 45 29 E
As Summān 64 25 0 N 47 0 E
As Suwaih 65 22 10 N 59 33 E
As Suwaydā' 64 32 40 N 36 30 E
Aş Şuwayrah 64 32 55 N 45 0 E
Asab 92 25 30 S 18 0 E
Asaba 85 6 12 N 6 38 E
Asafo 84 6 20 N 2 40 W
Asahigawa 74 43 46 N 142 22 E
Asale, L. 87 14 0 N 40 20 E
Asamankese 85 5 50 N 0 40 W
Asansol 69 23 40 N 87 1 E
Åsarna 48 62 39 N 14 22 E
Asbe Teferi 87 9 4 N 40 49 E
Asbesberge 92 29 0 S 23 0 E
Asbestos 107 45 47 N 71 58 W
Asbury Park 114 40 15 N 74 1 W
Ascensión, B. de la 120 19 50 N 87 20 W
Ascension I. 7 8 0 S 14 15 W
Aschach 26 48 22 N 14 2 E
Aschaffenburg 25 49 58 N 9 8 E
Aschendorf 24 53 2 N 7 22 E
Aschersleben 24 51 45 N 11 28 E
Asciano 39 43 14 N 11 32 E
Áscoli Piceno 39 42 51 N 13 34 E
Áscoli Satriano 41 41 11 N 15 32 E
Ascope 126 7 46 S 79 8 W
Ascotán 124 21 45 S 68 17 W
Aseb 87 13 0 N 42 40 E
Åseda 49 57 10 N 15 20 E
Asedjrad 82 24 51 N 1 29 E
Asela 87 8 0 N 39 0 E
Asenovgrad 43 42 1 N 24 51 E
Aseral 47 58 37 N 7 25 E
Asfeld 19 49 27 N 4 5 E
Asfûn el Matâ'na 86 25 26 N 32 30 E
Åsgårdstrand 47 59 22 N 10 27 E
Ash Fork 119 35 14 N 112 32 W
Ash Grove 117 37 21 N 93 36 W
Ash Shām, Bādiyat 64 32 0 N 40 0 E
Ash Shāmiyah 64 31 55 N 44 35 E
Ash Shāriqah 65 25 23 N 55 26 E
Ash Shaţrah 64 31 30 N 46 10 E
Ash Shu'aybah 64 27 53 N 42 43 E
Ash Shu'bah 64 28 54 N 44 44 E
Ash Shūnah ash Shamālīyah 62 32 37 N 35 34 E
Asha 52 55 0 N 57 16 E
Ashaira 86 21 40 N 40 40 E
Ashanti □ 85 7 30 N 1 30 W
Ashburn 115 31 42 N 83 40 W
Ashburton 101 43 53 S 171 48 E
Ashburton → 96 21 40 S 114 56 E
Ashby-de-la-Zouch 12 52 45 N 1 29 W
Ashcroft 108 50 40 N 121 20 W
Ashdod 62 31 49 N 34 35 E
Ashdot Yaaqov 62 32 39 N 35 35 E
Asheboro 115 35 43 N 79 46 W
Asherton 117 28 25 N 99 43 W
Asheville 115 35 39 N 82 30 W
Asheweig → 106 54 17 N 87 12 W
Ashford, Austral. 99 29 15 S 151 3 E
Ashford, U.K. 13 51 8 N 0 53 E
Ashford, U.S.A. 118 46 45 N 122 2 W
Ashikaga 74 36 28 N 139 29 E
Ashizuri-Zaki 74 32 44 N 133 0 E
Ashkhabad 58 38 0 N 57 50 E
Ashland, Kans., U.S.A. 117 37 13 N 99 43 W
Ashland, Ky., U.S.A. 114 38 25 N 82 40 W
Ashland, Me., U.S.A. 107 46 34 N 68 26 W
Ashland, Mont., U.S.A. 118 45 41 N 106 12 W
Ashland, Nebr., U.S.A. 116 41 5 N 96 27 W
Ashland, Ohio, U.S.A. 114 40 52 N 82 20 W
Ashland, Oreg., U.S.A. 118 42 10 N 122 38 W
Ashland, Pa., U.S.A. 113 40 45 N 76 22 W
Ashland, Va., U.S.A. 114 37 46 N 77 30 W
Ashland, Wis., U.S.A. 116 46 40 N 90 52 W
Ashley, N.D., U.S.A. 116 46 3 N 99 23 W
Ashley, Pa., U.S.A. 113 41 12 N 75 55 W
Ashley Snow I. 5 73 35 S 77 6 W
Ashmont 108 54 7 N 111 35 W
Ashmore Reef 96 12 14 S 123 5 E
Ashmûn 86 30 18 N 30 55 E
Ashq'elon 62 31 42 N 34 35 E
Ashtabula 114 41 52 N 80 50 W
Ashti 70 18 50 N 75 15 E
Ashton, S. Afr. 92 33 50 S 20 5 E
Ashton, U.S.A. 118 44 6 N 111 30 W
Ashton-under-Lyne 12 53 30 N 2 8 W
Ashuanipi, L. 107 52 45 N 66 15 W
Asia 60 45 0 N 75 0 E
Asia, Kepulauan 73 1 0 N 131 13 E
Asiago 39 45 52 N 11 30 E
Asifabad 70 19 20 N 79 24 E
Asike 73 6 39 S 140 24 E
Asilah 82 35 29 N 6 0 W
Asinara, G. dell' 40 41 0 N 8 30 E
Asinara I. 40 41 5 N 8 15 E
Asino 58 57 0 N 86 0 E
'Asīr □ 63 18 40 N 42 30 E
Asir, Ras 63 11 55 N 51 10 E
Aska 70 19 2 N 84 42 E

Asker Babana

Asker 47 59 50N 10 26 E
Askersund 49 58 53N 14 55 E
Askim 47 59 35N 11 10 E
Askja 50 65 3N 16 48W
Asl 86 29 33N 32 44 E
Åsmår 65 35 10N 71 27 E
Asmera (Asmara) 87 15 19N 38 55 E
Asnæs 49 55 40N 11 0 E
Asni 82 31 17N 7 58W
Aso 74 33 0N 131 5 E
Asola 38 45 12N 10 25 E
Asoteriba, Jebel 86 21 51N 36 30 E
Asotin 118 46 20N 117 3W
Aspe 33 38 20N 0 40W
Aspen 119 39 12N 106 56W
Aspermont 117 33 11N 100 15W
Aspiring, Mt. 101 44 23 S 168 46 E
Aspres 21 44 32N 5 44 E
Aspromonte 41 38 10N 16 0 E
Aspur 68 23 58N 74 7 E
Asquith 109 52 8N 107 13W
Assa 82 28 35N 9 6W
Assâba 84 16 10N 11 45W
Assam □ 67 26 0N 93 0 E
Assamakka 85 19 21N 5 38 E
Asse 16 50 24N 4 10 E
Assekrem 83 23 16N 5 49 E
Assémini 40 39 18N 9 0 E
Assen 16 53 0N 6 35 E
Assens, Fyn, Denmark 49 56 41N 10 3 E
Assens, Fyn, Denmark 49 55 16N 9 55 E
Assini 84 5 9N 3 17W
Assiniboia 109 49 40N 105 59W
Assiniboine → 109 49 53N 97 8W
Assis 125 22 40 S 50 20W
Assisi 39 43 4N 12 36 E
Ássos 45 38 22N 20 33 E
Assus 44 39 32N 26 22 E
Assynt, L. 14 58 25N 5 15W
Astaffort 20 44 4N 0 40 E
Astakidha 45 35 53N 26 50 E
Astara 53 38 30N 48 50 E
Asti 38 44 54N 8 11 E
Astipálaia 45 36 32N 26 22 E
Astorga 30 42 29N 6 8W
Astoria 118 46 16N 123 50W
Åstorp 49 56 6N 12 55 E
Astrakhan 57 46 25N 48 5 E
Astrakhan-Bazàr 53 39 14N 48 30 E
Astudillo 30 42 12N 4 22W
Asturias 30 43 15N 6 0W
Asunción 124 25 10 S 57 30W
Asunción, La 126 11 2N 63 53W
Asutri 87 15 25N 35 45 E
Aswa → 90 3 43N 31 55 E
Aswad, Ras al 86 21 20N 39 0 E
Aswân 86 24 4N 32 57 E
Aswân High Dam = Sadd el Aali 86 24 5N 32 54 E
Asyût 86 27 11N 31 4 E
Asyûti, Wadi → 86 27 11N 31 16 E
Aszód 27 47 39N 19 28 E
At Țafilah 64 30 45N 35 30 E
At Ta'if 86 21 5N 40 27 E
Aţ Ţur 62 31 47N 35 14 E
Aţ Ţurrah 62 32 39N 35 59 E
Atacama □ 124 27 30 S 70 0W
Atacama, Desierto de 124 24 0 S 69 20W
Atacama, Salar de 124 23 30N 68 20W
Atakor 83 23 27N 5 31 E
Atakpamé 85 7 31N 1 13 E
Atalándi 45 38 39N 22 58 E
Atalaya 126 10 45 S 73 50W
Atami 74 35 5N 139 4 E
Atapupu 73 9 0 S 124 51 E
Atâr 80 20 30N 13 5W
Atara 59 63 10N 129 10 E
Ataram, Erg n- 82 23 57N 2 0 E
Atarfe 31 37 13N 3 40W
Atascadero 119 35 32N 120 44W
Atasu 58 48 30N 71 0 E
Atauro 73 8 10 S 125 30 E
Atbara 86 17 42N 33 59 E
'Atbara → 86 17 40N 33 56 E
Atbasar 58 51 48N 68 20 E
Atchafalaya B. 117 29 30N 91 20W
Atchison 116 39 40N 95 10W
Atebubu 85 7 47N 1 0W
Ateca 32 41 20N 1 49W
Aterno → 39 42 11N 13 51 E
Atesine, Alpi 38 46 55N 11 30 E
Atessa 39 42 5N 14 27 E
Ath 16 50 38N 3 47 E
Ath Thāmāmi 64 27 45N 44 45 E
Athabasca 108 54 45N 113 20W
Athabasca → 109 58 40N 110 50W
Athabasca, L. 109 59 15N 109 15W
Athboy 15 53 37N 6 55W
Athenry 15 53 18N 8 45W
Athens, Can. 113 44 38N 75 57W
Athens, Ala., U.S.A. 115 34 49N 86 58W
Athens, Ga., U.S.A. 115 33 56N 83 24W
Athens, N.Y., U.S.A. 113 42 15N 73 48W
Athens, Ohio, U.S.A. 114 39 25N 82 6W
Athens, Pa., U.S.A. 113 41 57N 76 36W
Athens, Tenn., U.S.A. 115 35 45N 84 38W
Athens, Tex., U.S.A. 117 32 11N 95 48W
Athens = Athínai 45 37 58N 23 46 E
Atherley 112 44 37N 79 20W
Atherton 97 17 17 S 145 30 E
Athiéme 85 6 37N 1 40 E
Athínai 45 37 58N 23 46 E
Athlone 15 53 26N 7 57W
Athni 70 16 44N 75 6 E
Atholl, Forest of 14 56 51N 3 50W
Atholville 107 47 59N 66 43W
Áthos, Mt. 44 40 9N 24 22 E
Athy 15 53 0N 7 0W
Ati, Chad 81 13 13N 18 20 E
Ati, Sudan 87 13 5N 29 2 E
Atiak 90 3 12N 32 2 E
Atico 126 16 14 S 73 40W
Atienza 32 41 12N 2 52W
Atikokan 106 48 45N 91 37W
Atikonak L. 107 52 40N 64 32W
Atka 59 60 50N 151 48 E
Atkarsk 55 51 55N 45 2 E
Atkinson 116 42 35N 98 59W
Atlanta, Ga., U.S.A. 115 33 50N 84 24W
Atlanta, Tex., U.S.A. 117 33 7N 94 8W
Atlantic 116 41 25N 95 0W
Atlantic City 114 39 25N 74 25W
Atlantic Ocean 6 0 0 20 0W
Atlin 104 59 31N 133 41W
Atlin, L. 108 59 26N 133 45W
'Atlit 62 32 42N 34 56 E
Atløy 47 61 21N 4 58 E
Atmakur 70 14 37N 79 40 E
Atmore 115 31 2N 87 30W
Atna → 47 61 44N 10 49 E
Atoka 117 34 22N 96 10W
Átokos 45 38 28N 20 49 E
Atouguia 31 39 20N 9 20W
Atoyac → 120 16 30N 97 31W
Atrak → 65 37 50N 57 0 E
Ätran 49 57 7N 12 57 E
Atrauli 68 28 2N 78 20 E
Atri 39 42 35N 14 0 E
Atsbi 87 13 52N 39 50 E
Atsoum, Mts. 85 6 41N 12 57 E
Attalla 115 34 2N 86 5W
Attawapiskat 106 52 56N 82 24W
Attawapiskat → 106 52 57N 82 18W
Attawapiskat, L. 106 52 18N 87 54W
Attendorn 24 51 8N 7 54 E
Attersee 26 47 55N 13 32 E
Attica 114 40 20N 87 15W
Attichy 19 49 25N 3 3 E
Attigny 19 49 28N 4 35 E
Attikamagen L. 107 55 0N 66 30W
Attikí □ 45 38 10N 23 40 E
'Attīl 62 32 23N 35 4 E
Attleboro 114 41 56N 71 18W
Attock 66 33 52N 72 20 E
Attopeu 71 14 48N 106 50 E
Attur 70 11 35N 78 30 E
Atuel → 124 36 17 S 66 50W
Åtvidaberg 49 58 12N 16 0 E
Atwater 119 37 21N 120 37W
Atwood, Can. 112 43 40N 81 1W
Atwood, U.S.A. 116 39 52N 101 3W
Au Sable → 114 44 25N 83 20W
Au Sable Pt. 106 46 40N 86 10W
Aubagne 21 43 17N 5 37 E
Aube □ 19 48 15N 4 0 E
Aube → 19 48 34N 3 43 E
Aubenas 21 44 37N 4 24 E
Aubenton 19 49 50N 4 12 E
Aubigny-sur-Nère 19 47 30N 2 24 E
Aubin 20 44 33N 2 15 E
Aubrac, Mts. d' 20 44 38N 2 58 E
Auburn, Ala., U.S.A. 115 32 37N 85 30W
Auburn, Calif., U.S.A. 118 38 53N 121 4W
Auburn, Ind., U.S.A. 114 41 20N 85 0W
Auburn, N.Y., U.S.A. 114 42 57N 76 39W
Auburn, Nebr., U.S.A. 116 40 25N 95 50W
Auburn Range 99 25 15 S 150 30 E
Auburndale 115 28 5N 81 45W
Aubusson 20 45 57N 2 11 E
Auch 20 43 39N 0 36 E
Auchel 19 50 30N 2 29 E
Auchi 85 7 6N 6 13 E
Auckland 101 36 52 S 174 46 E
Auckland Is. 94 50 40 S 166 5 E
Aude □ 20 43 8N 2 28 E
Aude → 20 43 13N 3 14 E
Auden 106 50 14N 87 53W
Auderville 18 49 43N 1 57W
Audierne 18 48 1N 4 34W
Audincourt 19 47 30N 6 50 E
Audo Ra. 87 6 20N 41 50 E
Audubon 116 41 43N 94 56W
Aue 24 50 34N 12 43 E
Auerbach 24 50 30N 12 25 E
Auffay 18 49 43N 1 07 E
Augathella 97 25 48 S 146 35 E
Augrabies Falls 92 28 35 S 20 20 E
Augsburg 25 48 22N 10 54 E
Augusta, Italy 41 37 14N 15 12 E
Augusta, Ark., U.S.A. 117 35 17N 91 25W
Augusta, Ga., U.S.A. 115 33 29N 81 59W
Augusta, Kans., U.S.A. 117 37 40N 97 0W
Augusta, Me., U.S.A. 107 44 20N 69 46W
Augusta, Mont., U.S.A. 118 47 30N 112 29W
Augusta, Wis., U.S.A. 116 44 41N 91 8W
Augustenborg 49 54 57N 9 53 E
Augusto Cardosa 91 12 40 S 34 50 E
Augustów 28 53 51N 23 00 E
Augustus Downs 98 18 35 S 139 55 E
Augustus, Mt. 96 24 20 S 116 50 E
Aukan 87 15 29N 40 50 E
Aulla 38 44 12N 10 0 E
Aulnay 20 46 2N 0 22W
Aulne → 18 48 17N 4 16W
Aulnoye 19 50 12N 3 50 E
Ault 116 40 40N 104 42W
Ault-Onival 18 50 5N 1 29 E
Aulus-les-Bains 20 42 49N 1 19 E
Aumale 19 49 46N 1 46 E
Aumont-Aubrac 20 44 43N 3 17 E
Auna 85 10 9N 4 42 E
Aundh 70 17 33N 74 23 E
Aunis 20 46 5N 0 50W
Auponhia 73 1 58 S 125 27 E
Aups 21 43 37N 6 15 E
Auraiya 69 26 28N 79 33 E
Aurangabad, Bihar, India 69 24 45N 84 18 E
Aurangabad, Maharashtra, India 70 19 50N 75 23 E
Auray 18 47 40N 3 0W
Aurès 83 35 8N 6 30 E
Aurich 24 53 28N 7 30 E
Aurillac 20 44 55N 2 26 E
Aurlandsvangen 47 60 55N 7 12 E
Auronza 39 46 33N 12 27 E
Aurora, Can. 112 44 0N 79 28W
Aurora, S. Afr. 92 32 40 S 18 29 E
Aurora, Colo., U.S.A. 116 39 44N 104 55W
Aurora, Ill., U.S.A. 114 41 42N 88 12W
Aurora, Mo., U.S.A. 117 36 58N 93 42W
Aurora, Nebr., U.S.A. 116 40 55N 98 0W
Aurora, Ohio, U.S.A. 112 41 21N 81 20W
Aurskog 47 59 55N 11 26 E
Aurukun Mission 98 13 20 S 141 45 E
Aus 92 26 35 S 16 12 E
Aust-Agder fylke □ 47 58 55N 7 40 E
Austad 47 58 58N 7 37 E
Austerlitz = Slavkov 27 49 10N 16 52 E
Austevoll 47 60 5N 5 13 E
Austin, Minn., U.S.A. 116 43 37N 92 59W
Austin, Nev., U.S.A. 118 39 30N 117 1W
Austin, Pa., U.S.A. 112 41 40N 78 7W
Austin, Tex., U.S.A. 117 30 20N 97 45W
Austin, L. 96 27 40 S 118 0 E
Austral Downs 97 20 30 S 137 45 E
Austral Is. = Tubuai Is. 95 23 0 S 150 0W
Austral Seamount Chain 95 24 0 S 150 0W
Australia ■ 94 23 0 S 135 0 E
Australian Alps 97 36 30 S 148 30 E
Australian Cap. Terr. □ 97 35 30 S 149 0 E
Australian Dependency □ 5 73 0 S 90 0 E
Austria ■ 26 47 0N 14 0 E
Austvågøy 50 68 20N 14 40 E
Auterive 20 43 21N 1 29 E
Authie → 19 50 22N 1 38 E
Authon 18 48 12N 0 55 E
Autlán 120 19 40N 104 30W
Autun 19 46 58N 4 17 E
Auvergne 20 45 20N 3 15 E
Auvézère → 20 45 12N 0 50 E
Auxerre 19 47 48N 3 32 E
Auxi-le-Château 19 50 15N 2 8 E
Auxonne 19 47 10N 5 20 E
Auzances 20 46 2N 2 30 E
Auzat 20 45 27N 3 19 E
Avallon 19 47 30N 3 53 E
Avalon Pen. 107 47 30N 53 20W
Avalon Res. 117 32 30N 104 30W
Avanigadda 70 16 0N 80 56 E
Avaré 125 23 4 S 48 58W
Ávas 44 40 57N 25 56 E
Aveiro, Brazil 127 3 10 S 55 5W
Aveiro, Port. 30 40 37N 8 38W
Aveiro □ 30 40 40N 8 35W
Āvej 64 35 40N 49 15 E
Avellaneda 124 34 50 S 58 10W
Avellino 41 40 54N 14 46 E
Averøya 47 63 0N 7 35 E
Aversa 41 40 58N 14 11 E
Avery 118 47 22N 115 56W
Aves, I. de 121 15 45N 63 55W
Aves, Is. de 121 12 0N 67 30W
Avesnes-sur-Helpe 19 50 8N 3 55 E
Avesta 48 60 9N 16 10 E
Aveyron □ 20 44 22N 2 45 E
Aveyron → 20 44 7N 1 5 E
Avezzano 39 42 2N 13 24 E
Avgó 45 35 33N 25 37 E
Aviá Terai 124 26 45 S 60 50W
Aviano 39 46 3N 12 35 E
Avigliana 38 45 7N 7 13 E
Avigliano 41 40 44N 15 41 E
Avignon 21 43 57N 4 50 E
Ávila 30 40 39N 4 43W
Ávila □ 30 40 30N 5 0W
Ávila, Sierra de 30 40 40N 5 0W
Avilés 30 43 35N 5 57W
Avionárion 45 38 31N 24 8 E
Avisio → 39 46 7N 11 5 E
Aviz 31 39 4N 7 53W
Avize 19 48 59N 4 0 E
Avoca, Austral. 100 37 5 S 143 26 E
Avoca, Ireland 15 52 52N 6 13W
Avoca, U.S.A. 112 42 24N 77 25W
Avoca → 100 35 40 S 143 43 E
Avola, Can. 108 51 45N 119 19W
Avola, Italy 41 36 56N 15 7 E
Avon, N.Y., U.S.A. 112 43 0N 77 42W
Avon, S.D., U.S.A. 116 43 0N 98 3W
Avon □ 13 51 30N 2 40W
Avon →, Avon, U.K. 13 51 30N 2 43W
Avon →, Hants., U.K. 13 50 44N 1 45W
Avon →, Warwick, U.K. 13 52 0N 2 8W
Avon Downs 97 19 58 S 137 25 E
Avon, Îles 97 19 37 S 158 17 E
Avon Lake 112 41 28N 82 3W
Avondale 91 17 43 S 30 58 E
Avonlea 109 50 0N 105 0W
Avonmore 113 45 10N 74 58W
Avonmouth 13 51 30N 2 42W
Avramov 43 42 45N 26 38 E
Avranches 18 48 40N 1 20W
Avre → 18 48 47N 1 22 E
Avrig 46 45 43N 24 21 E
Avrillé 20 46 28N 1 28W
Avtovac 42 43 9N 18 35 E
Awag el Baqar 87 10 10N 33 10 E
'Awālī 65 26 0N 50 30 E
Awarja → 70 17 5N 76 15 E
'Awartā 62 32 10N 35 17 E
Awasa, L. 87 7 0N 38 30 E
Awash 87 9 1N 40 10 E
Awash → 87 11 45N 41 5 E
Awaso 84 6 15N 2 22W
Awatere → 101 41 37 S 174 10 E
Awbārī 83 26 46N 12 57 E
Awbārī □ 83 26 35N 12 46 E
Awe, L. 14 56 15N 5 15W
Aweil 87 8 42N 27 20 E
Awgu 85 6 4N 7 24 E
Awjilah 81 29 8N 21 7 E
Ax-les-Thermes 20 42 44N 1 50 E
Axarfjörður 50 66 15N 16 45W
Axel Heiberg I. 4 80 0N 90 0W
Axim 84 4 51N 2 15W
Axintele 46 44 37N 26 47 E
Axiós → 44 40 57N 22 35 E
Axmarsbruk 48 61 3N 17 10 E
Axminster 13 50 47N 3 1W
Axstedt 24 53 26N 8 43 E
Axvall 49 58 23N 13 34 E
Ay 19 49 3N 4 0 E
Ayabaca 126 4 40 S 79 53W
Ayabe 74 35 20N 135 20 E
Ayacucho, Argent. 124 37 5 S 58 20W
Ayacucho, Peru 126 13 0 S 74 0W
Ayaguz 58 48 10N 80 0 E
Ayakudi 70 10 28N 77 56 E
Ayamonte 31 37 12N 7 24W
Ayan 59 56 30N 138 16 E
Ayancık 56 41 57N 34 18 E
Ayas 56 40 10N 32 14 E
Ayaviri 126 14 50 S 70 35W
Āybaq 65 36 15N 68 5 E
Ayenngré 85 8 40N 1 1 E
Ayeritam 71 5 24N 100 15 E
Ayer's Cliff 113 45 10N 72 3W
Ayers Rock 96 25 23 S 131 5 E
Aygues → 21 44 7N 4 43 E
Ayiá 44 39 43N 22 45 E
Ayía Ánna 45 38 52N 23 24 E
Ayía Marína 45 35 27N 26 53 E
Ayía Marína 45 37 11N 26 48 E
Ayia Paraskeví 44 39 14N 26 16 E
Ayia Rouméli 45 35 14N 23 58 E
Ayiássos 45 39 5N 26 23 E
Áyion Óros 44 40 25N 24 6 E
Áyios Andréas 45 37 21N 22 45 E
Áyios Evstrátios 44 39 34N 24 58 E
Áyios Evstrátios 44 39 30N 25 0 E
Áyios Ioannis, Ákra 45 35 20N 25 40 E
Áyios Kiríkos 45 37 34N 26 17 E
Áyios Matthaíos 44 39 30N 19 47 E
Áyios Mírono 45 35 15N 25 1 E
Áyios Nikólaos 45 35 11N 25 41 E
Áyios Pétros 45 38 38N 20 33 E
Áyios Yeóryios 45 37 28N 23 57 E
Aykathonisi 45 37 28N 27 0 E
Aykin 52 62 15N 49 56 E
Aylesbury 13 51 48N 0 49W
Aylmer 112 42 46N 80 59W
Aylmer L. 104 64 0N 110 8W
'Ayn al Mubārak 64 24 10N 38 10 E
'Ayn 'Arīk 62 31 54N 35 8 E
'Ayn Zaqqūt 83 29 0N 19 30 E
Ayn Zhālah 64 36 45N 42 35 E
Ayna 33 38 34N 2 3W
Ayolas 124 27 10 S 56 59W
Ayom 87 7 49N 28 23 E
Ayon, Ostrov 59 69 50N 169 0 E
Ayora 33 39 3N 1 3W
Ayr, Austral. 97 19 35 S 147 25 E
Ayr, U.K. 14 55 28N 4 37W
Ayr → 14 55 29N 4 40W
Ayre, Pt. of 12 54 27N 4 21W
Aysha 87 10 50N 42 23 E
Aytos 43 42 42N 27 16 E
Aytoska Planina 43 42 45N 27 30 E
Ayu, Kepulauan 73 0 35N 131 5 E
Ayutla 120 16 58N 99 17W
Ayvalık 64 39 20N 26 46 E
Az Zāhirīyah 62 31 25N 34 58 E
Az Zahrān 64 26 10N 50 7 E
Az Zarqā 62 32 5N 36 4 E
Az Zāwiyah 83 32 52N 12 56 E
Az-Zilfī 64 26 12N 44 52 E
Az Zubayr 64 30 20N 47 50 E
Azambuja 31 39 4N 8 51W
Azamgarh 69 26 5N 83 13 E
Azaouak, Vallée de l' 85 15 50N 3 20 E
Āzārbāijān □ 64 37 0N 44 30 E
Azare 85 11 55N 10 10 E
Azay-le-Rideau 18 47 16N 0 30 E
Azazga 83 36 48N 4 22 E
Azbine = Aïr 85 18 0N 8 0 E
Azeffoun 83 36 51N 4 26 E
Azemmour 82 33 20N 9 20W
Azerbaijan S.S.R. □ 57 40 20N 48 0 E
Azezo 87 12 28N 37 15 E
Azilal, Beni Mallal 82 32 0N 6 30W
Azimganj 69 24 14N 88 16 E
Aznalcóllar 31 37 32N 6 17W
Azogues 126 2 35 S 78 0W
Azor 62 32 2N 34 48 E
Azores 6 38 44N 29 0W
Azov 57 47 3N 39 25 E
Azov Sea = Azovskoye More 56 46 0N 36 30 E
Azovskoye More 56 46 0N 36 30 E
Azovy 58 64 55N 64 35 E
Azpeitia 32 43 12N 2 19W
Azrou 82 33 28N 5 19W
Aztec 119 36 54N 108 0W
Azúa de Compostela 121 18 25N 70 44W
Azuaga 31 38 16N 5 39W
Azuara 32 41 15N 0 53W
Azuer → 31 39 8N 3 36W
Azuero, Pen. de 121 7 30N 80 30W
Azul 124 36 42 S 59 43W
Azzaba 83 36 48N 7 6 E
Azzano Décimo 39 45 53N 12 46 E

B

Ba Don 71 17 45N 106 26 E
Ba Ngoi = Cam Lam 71 11 50N 109 10 E
Ba Xian 76 39 8N 116 22 E
Baa 73 10 50 S 123 0 E
Baamonde 30 43 7N 7 44W
Baarle Nassau 16 51 27N 4 56 E
Baarn 16 52 12N 5 17 E
Bāb el Māndeb 63 12 35N 43 25 E
Baba 43 42 44N 23 59 E
Baba Burnu 44 39 29N 26 2 E
Baba dag 57 41 0N 48 19W
Babadag 46 44 53N 28 44 E
Babaeski 43 41 26N 27 6 E
Babahoyo 126 1 40 S 79 30W
Babana 85 10 31N 3 46 E

Babar Bandula

Babar, Alg. 83 35 10N 7 6 E
Babar, Indon. 73 8 0 S 129 30 E
Babar, Pak. 68 31 7N 69 32 E
Babarkach 68 29 45N 68 0 E
Babayevo 55 59 24N 35 55 E
Babb 118 48 56N 113 27W
Babenhausen 25 49 57N 8 56 E
Babia Gora 27 49 38N 19 38 E
Babile 87 9 16N 42 11 E
Babinda 98 17 20 S 145 56 E
Babine 108 55 22N 126 37W
Babine ⤳ 108 55 45N 127 44W
Babine L. 108 54 48N 126 0W
Babo 73 2 30 S 133 30 E
Babócsa 27 46 2N 17 21 E
Bābol 65 36 40N 52 50 E
Bābol Sar 65 36 45N 52 45 E
Baborówo Kietrz 27 50 7N 18 1 E
Baboua 88 5 49N 14 58 E
Babuna 42 41 30N 21 40 E
Babura 85 12 51N 8 59 E
Babušnica 42 43 7N 22 27 E
Babuyan Chan. 73 19 10N 122 0 E
Babylon, Iraq 64 32 40N 44 30 E
Babylon, U.S.A. 113 40 42N 73 20W
Bač 42 45 29N 19 17 E
Bac Kan 71 22 5N 105 50 E
Bac Ninh 71 21 13N 106 4 E
Bac Phan 71 22 0N 105 0 E
Bac Quang 71 22 30N 104 48 E
Bacabal 127 4 15 S 44 45W
Bacan, Kepulauan 73 0 35 S 127 30 E
Bacan, Pulau 73 0 50 S 127 30 E
Bacarès, Le 20 42 47N 3 3 E
Bacarra 73 18 15N 120 37 E
Bacau 73 8 27 S 126 27 E
Bacău 46 46 35N 26 55 E
Bacău □ 46 46 30N 26 45 E
Baccarat 19 48 28N 6 42 E
Bacchus Marsh 100 37 43 S 144 27 E
Bacerac 120 30 18N 108 50W
Băceşti 46 46 50N 27 11 E
Bacharach 25 50 3N 7 46 E
Bachelina 58 57 45N 67 20 E
Bachuma 87 6 48N 35 53 E
Bačina 42 43 42N 21 23 E
Back ⤳ 104 65 10N 104 0W
Bačka Palanka 42 45 17N 19 27 E
Bačka Topola 42 45 49N 19 39 E
Bäckefors 49 58 48N 12 9 E
Bački Petrovac 42 45 29N 19 32 E
Backnang 25 48 57N 9 26 E
Backstairs Passage 97 35 40 S 138 5 E
Bacolod 73 10 40N 122 57 E
Bacqueville 18 49 47N 1 0 E
Bacs-Kiskun □ 27 46 43N 19 30 E
Bácsalmás 27 46 8N 19 17 E
Bad ⤳ 116 44 22N 100 22W
Bad Aussee 26 47 43N 13 45 E
Bad Axe 106 43 48N 82 59W
Bad Bergzabern 25 49 6N 8 0 E
Bad Bramstedt 24 53 56N 9 53 E
Bad Doberan 24 54 6N 11 55 E
Bad Driburg 24 51 44N 9 0 E
Bad Ems 25 50 22N 7 44 E
Bad Frankenhausen 24 51 21N 11 3 E
Bad Freienwalde 24 52 47N 14 3 E
Bad Godesberg 24 50 41N 7 4 E
Bad Hersfeld 24 50 52N 9 42 E
Bad Hofgastein 26 47 17N 13 6 E
Bad Homburg 25 50 17N 8 33 E
Bad Honnef 24 50 39N 7 13 E
Bad Ischl 26 47 44N 13 38 E
Bad Kissingen 25 50 11N 10 5 E
Bad Kreuznach 25 49 47N 7 47 E
Bad Lands 116 43 40N 102 10W
Bad Langensalza 24 51 6N 10 40 E
Bad Lauterberg 24 51 38N 10 29 E
Bad Leonfelden 26 48 31N 14 18 E
Bad Lippspringe 24 51 47N 8 46 E
Bad Mergentheim 25 49 29N 9 47 E
Bad Münstereifel 24 50 33N 6 46 E
Bad Muskau 24 51 33N 14 43 E
Bad Nauheim 25 50 24N 8 45 E
Bad Oeynhausen 24 52 16N 8 45 E
Bad Oldesloe 24 53 48N 10 22 E
Bad Orb 25 50 16N 9 21 E
Bad Pyrmont 24 51 59N 9 15 E
Bad Reichenhall 25 47 44N 12 53 E
Bad St.-Peter 24 54 23N 8 32 E
Bad Salzuflen 24 52 8N 8 44 E
Bad Segeberg 24 53 58N 10 16 E
Bad Tölz 25 47 43N 11 34 E
Bad Waldsee 25 47 56N 9 46 E
Bad Wildungen 24 51 7N 9 10 E
Bad Wimpfen 25 49 12N 9 10 E
Bad Windsheim 25 49 29N 10 25 E
Badagara 70 11 35N 75 40 E
Badagri 85 6 25N 2 55 E
Badajoz 31 38 50N 6 59W
Badajoz □ 31 38 40N 6 30W
Badakhshan □ 65 36 30N 71 0 E
Badalona 32 41 26N 2 15 E
Badalzai 66 29 50N 65 35 E
Badampahar 69 22 10N 86 10 E
Badanah 64 30 58N 41 30 E
Badas 72 4 33N 114 25 E
Badas, Kepulauan 72 0 45N 107 5 E
Baddo ⤳ 66 28 0N 64 20 E
Bade 73 7 10 S 139 35 E
Baden, Austria 27 48 1N 16 13 E
Baden, Can. 112 43 14N 80 40W
Baden, Switz. 25 47 28N 8 18 E
Baden-Baden 25 48 45N 8 15 E
Baden-Württemberg □ 25 48 40N 9 0 E
Badgastein 26 47 7N 13 9 E
Badger 107 49 0N 56 4W
Bādghīsāt □ 65 35 0N 63 0 E
Badia Polèsine 39 45 6N 11 30 E
Badin 68 24 38N 68 54 E
Badnera 68 20 48N 77 44 E
Badogo 84 11 2N 8 13W
Badong 77 31 1N 110 23 E
Badrinath 69 30 45N 79 30 E
Baduen 63 7 15N 47 40 E
Badulla 70 7 1N 81 7 E
Baena 31 37 37N 4 20W
Baeza 33 37 57N 3 25W
Bafa Gölü 45 37 30N 27 29 E
Bafang 85 5 9N 10 11 E
Bafatá 84 12 8N 14 40W
Baffin B. 4 72 0N 64 0W
Baffin I. 105 68 0N 75 0W
Bafia 88 4 40N 11 10 E
Bafilo 85 9 22N 1 22 E
Bafing ⤳ 84 13 49N 10 50W
Bafoulabé 84 13 50N 10 55W
Bafoussam 85 5 28N 10 25 E
Bafra 56 41 34N 35 54 E
Bafra, C. 56 41 44N 35 58 E
Bāft, Esfahān, Iran 65 31 40N 55 25 E
Bāft, Kermān, Iran 65 29 15N 56 38 E
Bafut 85 6 6N 10 2 E
Bafwasende 90 1 3N 27 5 E
Bagalkot 70 16 10N 75 40 E
Bagamoyo 90 6 28 S 38 55 E
Bagamoyo □ 90 6 20 S 38 30 E
Baganga 73 7 34N 126 33 E
Bagansiapiapi 72 2 12N 100 50 E
Bagasra 68 21 30N 71 0 E
Bagawi 87 12 20N 34 18 E
Bagdarin 59 54 26N 113 36 E
Bagé 125 31 20 S 54 15W
Bagenalstown = Muine Bheag 15 52 42N 6 57W
Baggs 118 41 8N 107 46W
Baghdād 64 33 20N 44 30 E
Bagherhat 69 22 40N 89 47 E
Bagheria 40 38 5N 13 30 E
Bāghīn 65 30 12N 56 45 E
Baghlān 65 36 12N 69 0 E
Baghlān □ 65 36 0N 68 30 E
Bagley 116 47 30N 95 22W
Bagnacavallo 39 44 25N 11 58 E
Bagnara Cálabra 41 38 16N 15 49 E
Bagnères-de-Bigorre 20 43 5N 0 9 E
Bagnères-de-Luchon 20 42 47N 0 38 E
Bagni di Lucca 38 44 1N 10 37 E
Bagno di Romagna 39 43 50N 11 59 E
Bagnoles-de-l'Orne 18 48 32N 0 25W
Bagnoli di Sopra 39 45 13N 11 55 E
Bagnolo Mella 38 45 27N 10 14 E
Bagnols-les-Bains 20 44 30N 3 40 E
Bagnols-sur-Cèze 21 44 10N 4 36 E
Bagnorégio 39 42 38N 12 7 E
Bagolino 38 45 49N 10 28 E
Bagotville 107 48 22N 70 54W
Bagrdan 42 44 5N 21 11 E
Baguio 73 16 26N 120 34 E
Bahabón de Esgueva 32 41 52N 3 43W
Bahadurgarh 68 28 40N 76 57 E
Bahama, Canal Viejo de 121 22 10N 77 30W
Bahamas ■ 121 24 0N 75 0W
Baharîya, El Wâhât al 86 28 0N 28 50 E
Bahau 71 2 48N 102 26 E
Bahawalnagar 68 30 0N 73 15 E
Bahawalpur 68 29 24N 71 40 E
† Bahawalpur □ 68 29 5N 71 3 E
Baheri 69 28 45N 79 34 E
Bahi 90 5 58 S 35 21 E
Bahi Swamp 90 6 10 S 35 0 E
Bahia = Salvador 127 13 0 S 38 30W
Bahía □ 127 12 0 S 42 0W
Bahía Blanca 124 38 35 S 62 13W
Bahía de Caráquez 126 0 40 S 80 27W
Bahía, Islas de la 121 16 45N 86 15W
Bahía Laura 128 48 10 S 66 30W
Bahía Negra 126 20 5 S 58 5W
Bahir Dar 87 11 37N 37 10 E
Bahmer 82 27 32N 0 10W
Bahönye 27 46 25N 17 28 E
Bahr Aouk ⤳ 88 8 40N 19 0 E
Bahr el Ahmar □ 86 20 0N 35 0 E
Bahr el Ghazâl □ 87 7 0N 28 0 E
Bahr el Jebel ⤳ 87 7 30N 30 30 E
Bahr Salamat ⤳ 81 9 20N 18 0 E
Bahr Yûsef ⤳ 86 28 25N 30 35 E
Bahra el Burullus 86 31 28N 30 48 E
Bahraich 69 27 38N 81 37 E
Bahrain ■ 65 26 0N 50 35 E
Bai 84 13 35N 3 28W
Baia Mare 46 47 40N 23 35 E
Baia-Sprie 46 47 41N 23 43 E
Baïbokoum 81 7 46N 15 43 E
Baicheng 76 45 38N 122 42 E
Băicoi 46 45 3N 25 52 E
Baidoa 63 3 8N 43 30 E
Baie Comeau 107 49 12N 68 10W
Baie-St-Paul 107 47 28N 70 32W
Baie Trinité 107 49 25N 67 20W
Baie Verte 107 49 55N 56 12W
Baignes 20 45 23N 0 25W
Baigneux-les-Juifs 19 47 31N 4 39 E
Ba'ījī 64 35 0N 43 30 E
Baikal, L. = Baykal, Oz. 59 53 0N 108 0 E
Bailadila, Mt. 70 18 43N 81 15 E
Baile Atha Cliath = Dublin 15 53 20N 6 18W
Bailei 87 6 44N 40 18 E
Bailén 31 38 8N 3 48W
Băileşti 46 44 01N 23 20 E
Bailhongal 70 15 55N 74 53 E
Bailleul 19 50 44N 2 41 E
Bailundo 89 12 10 S 15 50 E
Baimuru 98 7 35 S 144 51 E
Bain-de-Bretagne 18 47 50N 1 40W
Bainbridge, Ga., U.S.A. 115 30 53N 84 34W
Bainbridge, N.Y., U.S.A. 113 42 17N 75 29W
Baing 73 10 14 S 120 34 E
Bainville 116 48 8N 104 10W
Bā'ir 64 30 45N 36 55 E
Baird 117 32 25N 99 25W
Baird Mts. 104 67 10N 160 15W
Bairin Youqi 76 43 30N 118 35 E
Bairin Zuoqi 76 43 58N 119 15 E
Bairnsdale 97 37 48 S 147 36 E
Baise ⤳ 20 44 17N 0 18 E
Baissa 85 7 14N 10 38 E
Baitadi 69 29 35N 80 25 E
Baiyin 76 36 45N 104 14 E
Baiyu Shan 76 37 15N 107 30 E
Baiyuda 86 17 35N 32 07 E
Baja 27 46 12N 18 59 E
Baja California 120 31 10N 115 12W
Baja, Pta. 120 29 50N 116 0W
Bajah, Wadi ⤳ 86 23 14N 39 20 E
Bajana 68 23 7N 71 49 E
Bajimba, Mt. 99 29 17 S 152 6 E
Bajina Bašta 42 43 58N 19 35 E
Bajmok 42 45 57N 19 24 E
Bajo Nuevo 121 15 40N 78 50W
Bajoga 85 10 57N 11 20 E
Bajool 98 23 40 S 150 35 E
Bak 27 46 43N 16 51 E
Bakala 88 6 15N 20 20 E
Bakar 39 45 18N 14 32 E
Bakchav 58 57 1N 82 5 E
Bakel 84 14 56N 12 20W
Baker, Calif., U.S.A. 119 35 16N 116 8W
Baker, Mont., U.S.A. 116 46 22N 104 12W
Baker, Nev., U.S.A. 118 38 59N 114 7W
Baker, Oreg., U.S.A. 118 44 50N 117 55W
Baker I. 94 0 10N 176 35W
Baker, L. 104 64 0N 96 0W
Baker Lake 104 64 20N 96 3W
Baker Mt. 118 48 50N 121 49W
Baker's Dozen Is. 106 56 45N 78 45W
Bakersfield, Calif., U.S.A. 119 35 25N 119 0W
Bakersfield, Vt., U.S.A. 113 44 46N 72 48W
Bakhchisaray 56 44 40N 33 45 E
Bakhmach 54 51 10N 32 45 E
Bakhtīārī □ 64 32 0N 49 0 E
Bakinskikh Komissarov, im 26 64 39 20N 49 15 E
Bakırköy 43 40 59N 28 53 E
Bakkafjörður 50 66 2N 14 48W
Bakkagerði 50 65 31N 13 49W
Bakony ⤳ 27 47 35N 17 54 E
Bakony Forest = Bakony Hegység 27 47 10N 17 30 E
Bakony Hegység 27 47 10N 17 30 E
Bakori 85 11 34N 7 25 E
Bakouma 88 5 40N 22 56 E
Bakov 26 50 27N 14 55 E
Baku 57 40 25N 49 45 E
Bala 112 45 1N 79 37W
Bal'ā 62 32 20N 35 6 E
Bala, L. = Tegid, L. 12 52 53N 3 38W
Balabac I. 72 8 0N 117 0 E
Balabac, Str. 72 7 53N 117 5 E
Balabakk 64 34 0N 36 10 E
Balabalangan, Kepulauan 72 2 20 S 117 30 E
Bălăciţa 46 44 23N 23 8 E
Balaghat 69 21 49N 80 12 E
Balaghat Ra. 70 18 50N 76 30 E
Balaguer 32 41 50N 0 50 E
Balakhna 55 56 25N 43 32 E
Balaklava, Austral. 99 34 7 S 138 22 E
Balaklava, U.S.S.R. 56 44 30N 33 30 E
Balakleya 56 49 28N 36 55 E
Balakovo 55 52 4N 47 55 E
Balanda 55 51 30N 44 40 E
Balangir 69 20 43N 83 35 E
Balapur 68 20 40N 76 45 E
Balashikha 55 55 49N 37 59 E
Balashov 55 51 30N 43 10 E
Balasinor 68 22 57N 73 23 E
Balasore 69 21 35N 87 3 E
Balassagyarmat 27 48 4N 19 15 E
Balât 86 25 36N 29 19 E
Balaton 27 46 50N 17 40 E
Balatonfüred 27 46 58N 17 54 E
Balatonszentgyörgy 27 46 41N 17 19 E
Balazote 33 38 54N 2 09W
Balboa 120 9 0N 79 30W
Balboa Hill 120 9 6N 79 44W
Balbriggan 15 53 35N 6 10W
Balcarce 124 38 0 S 58 10W
Balcarres 109 50 50N 103 35W
Balchik 43 43 28N 28 11 E
Balclutha 101 46 15 S 169 45 E
Bald Knob 117 35 20N 91 35W
Baldock L. 109 56 33N 97 57W
Baldwin, Fla., U.S.A. 115 30 15N 82 10W
Baldwin, Mich., U.S.A. 114 43 54N 85 53W
Baldwinsville 114 43 10N 76 19W
Bale 39 45 4N 13 46 E
Bale □ 87 6 20N 41 30 E
Baleares □ 32 39 30N 3 0 E
Baleares, Islas 32 39 30N 3 0 E
Balearic Is. = Baleares, Islas 32 39 30N 3 0 E
Băleni 46 45 48N 27 51 E
Baler 73 15 46N 121 34 E
Balfe's Creek 98 20 12 S 145 55 E
Balfour 93 26 38 S 28 35 E
Balfouriyya 62 32 38N 35 18 E
Bali, Camer. 85 5 54N 10 0 E
Bali, Indon. 72 8 20 S 115 0 E
Bali □ 72 8 20 S 115 0 E
Bali, Selat 73 8 30 S 114 35 E
Baligród 27 49 20N 22 17 E
Balikesir 64 39 35N 27 58 E
Balikpapan 72 1 10 S 116 55 E
Balimbing 73 5 10N 120 3 E
Baling 71 5 41N 100 55 E
Balipara 67 26 50N 92 45 E
Baliza 127 16 0 S 52 20W
Balkan Mts. = Stara Planina 43 43 15N 23 0 E
Balkan Pen. 9 42 0N 22 0 E
Balkh 65 36 44N 66 47 E
Balkh □ 65 36 30N 67 0 E
Balkhash 58 46 50N 74 50 E
Balkhash, Ozero 58 46 0N 74 50 E
Ballachulish 14 56 40N 5 10W
Balladoran 100 31 52 S 148 39 E
Ballarat 97 37 33 S 143 50 E
Ballard, L. 96 29 20 S 120 10 E
Ballarpur 70 19 50N 79 23 E
Ballater 14 57 2N 3 2W
Ballenas, Canal de las 120 29 10N 113 45W
Balleny Is. 5 66 30 S 163 0 E
Ballia 69 25 46N 84 12 E
Ballina, Austral. 97 28 50 S 153 31 E
Ballina, Mayo, Ireland 15 54 7N 9 10W
Ballina, Tipp., Ireland 15 52 49N 8 27W
Ballinasloe 15 53 20N 8 12W
Ballinger 117 31 45N 99 58W
Ballinrobe 15 53 36N 9 13W
Ballinskelligs B. 15 51 46N 10 11W
Ballon 18 48 10N 0 14 E
Ballycastle 15 55 12N 6 15W
Ballymena 15 54 53N 6 18W
Ballymena □ 15 54 53N 6 18W
Ballymoney 15 55 5N 6 30W
Ballymoney □ 15 55 5N 6 23W
Ballyshannon 15 54 30N 8 10W
Balmaceda 128 46 0 S 71 50W
Balmazújváros 27 47 37N 21 21 E
Balmoral, Austral. 99 37 15 S 141 48 E
Balmoral, U.K. 14 57 3N 3 13W
Balmorhea 117 31 2N 103 41W
Balonne ⤳ 97 28 47 S 147 56 E
Balrampur 69 27 30N 82 20 E
Balranald 97 34 38 S 143 33 E
Balş 46 44 22N 24 5 E
Balsas ⤳ 120 17 55N 102 10W
Bålsta 48 59 35N 17 30 E
Balston Spa 113 43 0N 73 52W
Balta, Romania 46 44 54N 22 38 E
Balta, U.S.A. 116 48 12N 100 7W
Balta, R.S.F.S.R., U.S.S.R. 57 42 58N 44 32 E
Balta, Ukraine S.S.R., U.S.S.R. 56 48 2N 29 45 E
Baltanás 30 41 56N 4 15W
Baltic Sea 51 56 0N 20 0 E
Baltîm 86 31 35N 31 10 E
Baltimore, Ireland 15 51 29N 9 22W
Baltimore, U.S.A. 114 39 18N 76 37W
Baltrum 24 53 43N 7 25 E
Baluchistan □ 65 27 30N 65 0 E
Balurghat 69 25 15N 88 44 E
Balygychan 59 63 56N 154 12 E
Bam 65 29 7N 58 14 E
Bama 85 11 33N 13 41 E
Bamako 84 12 34N 7 55W
Bamba 85 17 5N 1 24W
Bambari 88 5 40N 20 35 E
Bamberg, Ger. 25 49 54N 10 53 E
Bamberg, U.S.A. 115 33 19N 81 1W
Bambesi 87 9 45N 34 40 E
Bambey 84 14 42N 16 28W
Bambili 90 3 40N 26 0 E
Bamboo 98 14 34 S 143 20 E
Bamenda 85 5 57N 10 11 E
Bamfield 108 48 45N 125 10W
Bāmīān □ 65 35 0N 67 0 E
Bamiancheng 76 43 15N 124 2 E
Bamkin 85 6 3N 11 27 E
Bampūr 65 27 15N 60 21 E
Ban Aranyaprathet 71 13 41N 102 30 E
Ban Ban 71 19 31N 103 30 E
Ban Bua Chum 71 15 11N 101 12 E
Ban Houei Sai 71 20 22N 100 32 E
Ban Khe Bo 71 19 10N 104 39 E
Ban Khun Yuam 71 18 49N 97 57 E
* Ban Me Thuot 71 12 40N 108 3 E
Ban Phai 71 16 4N 102 44 E
Ban Thateng 71 15 25N 106 27 E
Baña, Punta de la 32 40 33N 0 40 E
Banaba 94 0 45 S 169 50 E
Banadar Daryay Oman □ 65 27 30N 56 0 E
Banalia 90 1 32N 25 5 E
Banam 71 11 20N 105 17 E
Banamba 84 13 29N 7 22W
Banana 98 24 28 S 150 8 E
Bananal, I. do 127 11 30 S 50 30W
Banaras = Varanasi 69 25 22N 83 8 E
Banas ⤳, Gujarat, India 68 23 45N 71 25 E
Banas ⤳, Madhya Pradesh, India 69 24 15N 81 30 E
Bânâs, Ras. 86 23 57N 35 50 E
Banbridge 15 54 21N 6 17W
Banbridge □ 15 54 21N 6 16W
Banbury 13 52 4N 1 21W
Banchory 14 57 3N 2 30W
Bancroft 106 45 3N 77 51W
Band 43 46 30N 24 25 E
Band-e Torkestān 65 35 30N 64 0 E
Banda 68 25 30N 80 26 E
Banda Aceh 72 5 35N 95 20 E
Banda Banda, Mt. 99 31 10 S 152 28 E
Banda Elat 73 5 40 S 133 5 E
Banda, Kepulauan 73 4 37 S 129 50 E
Banda, La 124 27 45 S 64 10W
Banda Sea 73 6 0 S 130 0 E
Bandama ⤳ 84 6 32N 5 30W
Bandanaira 73 4 32 S 129 54 E
Bandanwara 68 26 9N 74 38 E
Bandar = Machilipatnam 70 16 12N 81 12 E
Bandār 'Abbās 65 27 15N 56 15 E
Bandar-e Būshehr 65 28 55N 50 55 E
Bandar-e Chārak 65 26 45N 54 20 E
Bandar-e Deylam 64 30 5N 50 10 E
Bandar-e Lengeh 65 26 35N 54 58 E
Bandar-e Ma'shur 64 30 35N 49 10 E
Bandar-e Nakhīlū 65 26 58N 53 30 E
Bandar-e Rīg 65 29 30N 50 45 E
Bandar-e Shāh 65 37 0N 54 10 E
Bandar-e Shāhpūr 64 30 30N 49 5 E
Bandar-i-Pahlavī 64 37 30N 49 30 E
Bandar Seri Begawan 72 4 52N 115 0 E
Bandawe 91 11 58 S 34 5 E
Bande 30 42 3N 7 58W
Bandeira, Pico da 125 20 26 S 41 47W
Bandera, Argent. 124 28 55 S 62 20W
Bandera, U.S.A. 117 29 45N 99 3W
Banderas, Bahía de 120 20 40N 105 30W
Bandia ⤳ 70 19 2N 80 28 E
Bandiagara 84 14 12N 3 29W
Bandırma 64 40 20N 28 0 E
Bandon 15 51 44N 8 45W
Bandon ⤳ 15 51 40N 8 41W
Bandula 91 19 0 S 33 7 E

† *Now part of Punjab □*

* *Renamed Buon Me Thuot*

Bandundu Baume-les-Dames

Bandundu 88 3 15S 17 22 E
Bandung 73 6 54S 107 36 E
Băneasa 46 45 56N 27 55 E
Bañeres 33 38 44N 0 38W
Banes 121 21 0N 75 42W
Bañeza, La 30 42 17N 5 54W
Banff, Can. 108 51 10N 115 34W
Banff, U.K. 14 57 40N 2 32W
Banff Nat. Park 108 51 30N 116 15W
Banfora 84 10 40N 4 40W
Bang Hieng → 71 16 10N 105 10 E
Bang Lamung 71 13 3N 100 56 E
Bang Saphan 71 11 14N 99 28 E
Bangala Dam 91 21 7S 31 25 E
Bangalore 70 12 59N 77 40 E
Bangante 85 5 8N 10 32 E
Bangaon 69 23 0N 88 47 E
Bangassou 88 4 55N 23 7 E
Bangeta, Mt. 98 6 21S 147 3 E
Banggai 73 1 40S 123 30 E
Banggi, P. 72 7 17N 117 12 E
Banghāzī 83 32 11N 20 3 E
Banghāzī □ 83 32 7N 20 4 E
Bangil 73 7 36S 112 50 E
Bangjang 87 11 23N 32 41 E
Bangka, Pulau, Sulawesi, Indon. 73 1 50N 125 5 E
Bangka, Pulau, Sumatera, Indon. 72 2 0S 105 50 E
Bangka, Selat 72 2 30S 105 30 E
Bangkalan 73 7 2S 112 46 E
Bangkinang 72 0 18N 101 5 E
Bangko 72 2 5S 102 9 E
Bangkok = Krung Thep 71 13 45N 100 35 E
Bangladesh ■ 67 24 0N 90 0 E
Bangolo 84 7 1N 7 29W
Bangor, N. Ireland, U.K. 15 54 40N 5 40W
Bangor, Wales, U.K. 12 53 13N 4 9W
Bangor, Me., U.S.A. 107 44 48N 68 42W
Bangor, Pa., U.S.A. 113 40 51N 75 13W
Bangued 73 17 40N 120 37 E
Bangui 88 4 23N 18 35 E
Banguru 90 0 30N 27 10 E
Bangweulu, L. 91 11 0S 30 0 E
Bangweulu Swamp 91 11 20S 30 15 E
Bani 121 18 16N 70 22W
Bani → 84 14 30N 4 12W
Bani Bangou 85 15 3N 2 42 E
Bani, Djebel 82 29 16N 8 0W
Banī Na'īm 62 31 31N 35 10 E
Banī Suhaylah 62 31 21N 34 19 E
Bania 84 9 4N 3 6W
Baniara 98 9 44S 149 54 E
Banīnah 83 32 0N 20 12 E
Bāniyās 64 35 10N 36 0 E
Banja Luka 42 44 49N 17 11 E
Banjar 73 7 24S 108 30 E
Banjarmasin 72 3 20S 114 35 E
Banjarnegara 73 7 24S 109 42 E
Banjul 84 13 28N 16 40W
Bankeryd 49 57 53N 14 6 E
Banket 91 17 27S 30 19 E
Bankilaré 85 14 35N 0 44 E
Bankipore 69 25 35N 85 10 E
Banks I., B.C., Can. 108 53 20N 130 0W
Banks I., N.W.T., Can. 4 73 15N 121 30W
Banks I., P.N.G. 97 10 10S 142 15 E
Banks Pen. 101 43 45S 173 15 E
Banks Str. 99 40 40S 148 10 E
Bankura 69 23 11N 87 18 E
Bankya 42 42 43N 23 8 E
Bann →, Down, U.K. 15 54 30N 6 31W
Bann →, Londonderry, U.K. 15 55 10N 6 34W
Bannalec 18 47 57N 3 42W
Banning 119 33 58N 116 52W
Banningville = Bandundu 88 3 15S 17 22 E
Bannockburn, Can. 112 44 39N 77 33W
Bannockburn, U.K. 14 56 5N 3 55W
Bannockburn, Zimb. 91 20 17S 29 48 E
Bañolas 32 42 16N 2 44 E
Banon 21 44 2N 5 38 E
Baños de la Encina 31 38 10N 3 46W
Baños de Molgas 30 42 15N 7 40W
Bánovce 27 48 44N 18 16 E
Banská Bystrica 27 48 46N 19 14 E
Banská Štiavnica 27 48 25N 18 55 E
Bansko 43 41 52N 23 28 E
Banswara 68 23 32N 74 24 E
Banten 73 6 5S 106 8 E
Bantry 15 51 40N 9 28W
Bantry, B. 15 51 35N 9 50W
Bantul 73 7 55S 110 19 E
Bantva 68 21 29N 70 12 E
Bantval 70 12 55N 75 0 E
Banya 43 42 33N 24 50 E
Banyak, Kepulauan 72 2 10N 97 10 E
Banyo 85 6 52N 11 45 E
Banyuls 20 42 29N 3 8 E
Banyumas 73 7 32S 109 18 E
Banyuwangi 73 8 13S 114 21 E
Banzare Coast 5 68 0S 125 0 E
Banzyville = Mobayi 88 4 15N 21 8 E
Baocheng 77 33 12N 106 56 E
Baode 76 39 1N 111 5 E
Baoding 76 38 50N 115 28 E
Baoji 77 34 20N 107 5 E
Baojing 77 28 45N 109 41 E
Baokang 77 31 54N 111 12 E
Baoshan 75 25 10N 99 5 E
Baotou 76 40 32N 110 2 E
Baoying 77 33 17N 119 20 E
Bap 68 27 23N 72 18 E
Bapatla 70 15 55N 80 30 E
Bapaume 19 50 7N 2 50 E
Bāqa el Gharbīyya 62 32 25N 35 2 E
Ba'qūbah 64 33 45N 44 50 E
Baquedano 124 23 20S 69 52W
Bar, U.S.S.R. 56 49 4N 27 40 E
Bar, Yugo. 42 42 8N 19 8 E
Bar Harbor 107 44 15N 68 20W
Bar-le-Duc 19 48 47N 5 10 E
Bar-sur-Aube 19 48 14N 4 40 E
Bar-sur-Seine 19 48 7N 4 20 E
Barabai 72 2 32S 115 34 E
Barabinsk 58 55 20N 78 20 E
Baraboo 116 43 28N 89 46W
Baracoa 121 20 20N 74 30W
Baradero 124 33 52S 59 29W
Baraga 116 46 49N 88 29W
Barahona, Dom. Rep. 121 18 13N 71 7W
Barahona, Spain 32 41 17N 2 39W
Barail Range 67 25 15N 93 20 E
Baraka → 86 18 13N 37 35 E
Barakhola 67 25 0N 92 45 E
Barakot 69 21 33N 84 59 E
Barakula 99 26 30S 150 33 E
Baralaba 98 24 13S 149 50 E
Baralzon L. 109 60 0N 98 3W
Baramati 70 18 11N 74 33 E
Baramba 69 20 25N 85 23 E
Barameiya 86 18 32N 36 38 E
Baramula 69 34 15N 74 20 E
Baran 68 25 9N 76 40 E
Baranof I. 104 57 0N 135 10W
Baranovichi 54 53 10N 26 0 E
Baranów Sandomierski 28 50 29N 21 30 E
Baranya □ 27 46 0N 18 15 E
Barão de Melgaço 126 11 50S 60 45W
Baraolt 46 46 5N 25 34 E
Barapasi 73 2 15S 137 5 E
Barasat 69 22 46N 88 31 E
Barat Daya, Kepulauan 73 7 30S 128 0 E
Barataria B. 117 29 15N 89 45W
Baraut 68 29 13N 77 7 E
Barbacena 125 21 15S 43 56W
Barbacoas 126 1 45N 78 0W
Barbados ■ 121 13 0N 59 30W
Barban 39 45 5N 14 4 E
Barbastro 32 42 2N 0 5 E
Barbate 31 36 13N 5 56W
Barberino di Mugello 39 44 1N 11 15 E
Barberton, S. Afr. 93 25 42S 31 2 E
Barberton, U.S.A. 114 41 0N 81 40W
Barbezieux 20 45 28N 0 9W
Barbigha 69 25 21N 85 47 E
Barbourville 115 36 57N 83 52W
Barbuda I. 121 17 30N 61 40W
Barca, La 120 20 20N 102 40W
Barcaldine 97 23 43S 145 6 E
Barcarrota 31 38 31N 6 51W
Barcellona Pozzo di Gotto 41 38 8N 15 15 E
Barcelona, Spain 32 41 21N 2 10 E
Barcelona, Venez. 126 10 10N 64 40W
Barcelona □ 32 41 30N 2 0 E
Barcelonette 21 44 23N 6 40 E
Barcelos 126 1 0S 63 0W
Barcin 28 52 52N 17 55 E
Barcoo → 97 25 30S 142 50 E
Barcs 27 45 58N 17 28 E
Barczewo 28 53 50N 20 42 E
Barda 57 40 25N 47 10 E
Bardai 83 21 25N 17 0 E
Bardas Blancas 124 35 49S 69 45W
Bardejov 27 49 18N 21 15 E
Bardera 63 2 20N 42 27 E
Bardi 38 44 38N 9 43 E
Bardi, Ra's 64 24 17N 37 31 E
Bardia 81 31 45N 25 0 E
Bardo 28 50 31N 16 42 E
Bardoli 68 21 12N 73 5 E
Bardolino 38 45 33N 10 43 E
Bardsey I. 12 52 46N 4 47W
Bardstown 114 37 50N 85 29W
Bareilly 69 28 22N 79 27 E
Barentin 18 49 33N 0 58 E
Barenton 18 48 38N 0 50W
Barents Sea 4 73 0N 39 0 E
Barentu 87 15 2N 37 35 E
Barfleur 18 49 40N 1 17W
Barga, China 75 30 40N 81 20 E
Barga, Italy 38 44 5N 10 30 E
Bargal 63 11 25N 51 0 E
Bargara 98 24 50S 152 25 E
Barge 38 44 43N 7 19 E
Barge, La 118 42 12N 110 4W
Bargnop 87 9 32N 28 25 E
Bargteheide 24 53 42N 10 13 E
Barguzin 59 53 37N 109 37 E
Barh 69 25 29N 85 46 E
Barhaj 69 26 18N 83 44 E
Barham 100 35 36S 144 8 E
Barhi 69 24 15N 85 25 E
Bari, India 68 26 39N 77 39 E
Bari, Italy 41 41 6N 16 52 E
Bari Doab 68 30 20N 73 0 E
Bariadi □ 90 2 45S 34 40 E
Barīm 63 12 39N 43 25 E
Barinas 126 8 36N 70 15W
Baring C. 104 70 0N 117 30W
Baringo 90 0 47N 36 16 E
Baringo □ 90 0 55N 36 0 E
Baringo, L. 90 0 47N 36 16 E
Baripada 69 21 57N 86 45 E
Bârîs 86 24 42N 30 31 E
Barisal 69 22 45N 90 20 E
Barisan, Bukit 72 3 30S 102 15 E
Barito → 72 4 0S 114 50 E
Barjac 21 44 20N 4 22 E
Barjols 21 43 34N 6 2 E
Barjūj, Wadi → 83 25 26N 12 12 E
Bark L. 112 45 27N 77 51W
Barka = Baraka → 87 18 13N 37 35 E
Barkah 65 23 40N 58 0 E
Barker 112 43 20N 78 35W
Barkley Sound 108 48 50N 125 10W
Barkly Downs 98 20 30S 138 30 E
Barkly East 92 30 58S 27 33 E
Barkly Tableland 97 17 50S 136 40 E
Barkly West 92 28 5S 24 31 E
Barkol, Wadi → 86 17 40N 32 0 E
Barksdale 117 29 47N 100 2W
Barlee, L. 96 29 15S 119 30 E
Barlee Ra. 96 23 30S 116 0 E
Barletta 41 41 20N 16 17 E
Barleur, Pointe de 18 49 42N 1 16W
Barlinek 28 53 0N 15 15 E
Barlow L. 109 62 00N 103 0W
Barmedman 99 34 9S 147 21 E
Barmer 68 25 45N 71 20 E
Barmera 99 34 15S 140 28 E
Barmouth 12 52 44N 4 3W
Barmstedt 24 53 47N 9 46 E
Barnagar 68 23 7N 75 19 E
Barnard Castle 12 54 33N 1 55W
Barnato 99 31 38S 145 0 E
Barnaul 58 53 20N 83 40 E
Barne Inlet 5 80 15S 160 0 E
Barnes 99 36 2S 144 47 E
Barnesville 115 33 6N 84 9W
Barnet 13 51 37N 0 15W
Barneveld, Neth. 16 52 7N 5 36 E
Barneveld, U.S.A. 113 43 16N 75 14W
Barneville 18 49 23N 1 46W
Barney, Mt. 97 28 17S 152 44 E
Barngo 99 25 3S 147 20 E
Barnhart 117 31 10N 101 8W
Barnsley 12 53 33N 1 29W
Barnstaple 13 51 5N 4 3W
Barnsville 116 46 43N 96 28W
Baro 85 8 35N 6 18 E
Baro → 87 8 26N 33 13 E
Baroda 68 25 29N 76 35 E
Baroda = Vadodara 68 22 20N 73 10 E
Barpali 69 21 11N 83 35 E
Barqin 83 27 33N 13 34 E
Barques, Pte. aux 114 44 5N 82 55W
Barquinha 31 39 28N 8 25W
Barquisimeto 126 10 4N 69 19W
Barr 19 48 25N 7 28 E
Barra, Brazil 127 11 5S 43 10W
Barra, U.K. 14 57 0N 7 30W
Barra do Corda 127 5 30S 45 10W
Barra do Piraí 125 22 30S 43 50W
Barra Falsa, Pta. da 93 22 58S 35 37 E
Barra Hd. 14 56 47N 7 40W
Barra Mansa 125 22 35S 44 12W
Barra, Sd. of 14 57 4N 7 25W
Barraba 99 30 21S 150 35 E
Barrackpur 69 22 44N 88 30 E
Barrafranca 41 37 22N 14 10 E
Barranca, Lima, Peru 126 10 45S 77 50W
Barranca, Loreto, Peru 126 4 50S 76 50W
Barrancabermeja 126 7 0N 73 50W
Barrancas 126 8 55N 62 5W
Barrancos 31 38 10N 6 58W
Barranqueras 124 27 30S 59 0W
Barranquilla 126 11 0N 74 50W
Barras 127 4 15S 42 18W
Barraute 106 48 26N 77 38W
Barre 114 44 15N 72 30W
Barreal 124 31 33S 69 28W
Barreiras 127 12 8S 45 0W
Barreirinhas 127 2 30S 42 50W
Barreiro 31 38 40N 9 6W
Barreiros 127 8 49S 35 12W
Barrême 21 43 57N 6 23 E
Barren I. 71 12 17N 93 50 E
Barren, Nosy 93 18 25S 43 40 E
Barretos 127 20 30S 48 35W
Barrhead 108 54 10N 114 24W
Barrie 106 44 24N 79 40W
Barrier Ra. 97 31 0S 141 30 E
Barrière 108 51 12N 120 7W
Barrington, Ill., U.S.A. 114 42 8N 88 5W
Barrington, R.I., U.S.A. 113 41 43N 71 20W
Barrington L. 109 56 55N 100 15W
Barrington Tops 97 32 6S 151 28 E
Barrow 104 71 16N 156 50W
Barrow → 15 52 10N 6 57W
Barrow Creek T.O. 96 21 30S 133 55 E
Barrow I. 96 20 45S 115 20 E
Barrow-in-Furness 12 54 8N 3 15W
Barrow Pt. 98 14 20S 144 40 E
Barrow Ra. 96 26 0S 127 40 E
Barrow Str. 4 74 20N 95 0W
Barruecopardo 30 41 4N 6 40W
Barruelo 30 42 54N 4 17W
Barry 13 51 23N 3 19W
Barry's Bay 106 45 29N 77 41W
Barsalogho 85 13 25N 1 3W
Barsi 70 18 10N 75 50 E
Barsø 49 55 7N 9 33 E
Barstow, Calif., U.S.A. 119 34 58N 117 2W
Barstow, Tex., U.S.A. 117 31 28N 103 24W
Barth 24 54 20N 12 36 E
Bartica 126 6 25N 58 40W
Bartin 64 41 38N 32 21 E
Bartle Frere, Mt. 97 17 27S 145 50 E
Bartlesville 117 36 50N 95 58W
Bartlett 117 30 46N 97 30W
Bartlett, L. 108 63 5N 118 20W
Bartolomeu Dias 91 21 10S 35 8 E
Barton-upon-Humber 12 53 41N 0 27W
Bartoszyce 28 54 15N 20 55 E
Bartow 115 27 53N 81 49W
Barumba 90 1 3N 23 37 E
Baruth 24 52 3N 13 31 E
Barvenkovo 56 48 57N 37 0 E
Barwani 68 22 2N 74 57 E
Barycz → 28 51 42N 16 15 E
Barysh 55 53 39N 47 8 E
Bas-Rhin □ 19 48 40N 7 30 E
Bašaid 42 45 38N 20 25 E
Bāsa'idū 65 26 35N 55 20 E
Basankusa 88 1 5N 19 50 E
Bascuñán, C. 124 28 52S 71 35W
Basel (Basle) 25 47 35N 7 35 E
Basel-Stadt □ 25 47 35N 7 35 E
Baselland □ 25 47 26N 7 45 E
Basento → 41 40 21N 16 50 E
Bashkir A.S.S.R. □ 52 54 0N 57 0 E
Basilaki I. 98 10 35S 151 0 E
Basilan 73 6 35N 122 0 E
Basilan Str. 73 6 50N 122 0 E
Basildon 13 51 34N 0 29 E
Basilicata □ 41 40 30N 16 0 E
Basim 70 20 3N 77 0 E
Basin 118 44 22N 108 2W
Basingstoke 13 51 15N 1 5W
Basirhat 69 22 40N 88 54 E
Baška 39 44 58N 14 45 E
Baskatong, Rés. 106 46 46N 75 50W
Baskerville C. 96 17 10S 122 15 E
Basle = Basel 25 47 35N 7 35 E
Basmat 70 19 15N 77 12 E
Basoda 68 23 52N 77 54 E
Basoka 90 1 16N 23 40 E
Basongo 88 4 15S 20 20 E
Basque Provinces = Vascongadas 32 42 50N 2 45W
Basra = Al Başrah 64 30 30N 47 50 E
Bass Rock 14 56 5N 2 40W
Bass Str. 97 39 15S 146 30 E
Bassano 108 50 48N 112 20W
Bassano del Grappa 39 45 45N 11 45 E
Bassar 85 9 19N 0 57 E
Basse Santa-Su 84 13 13N 14 15W
Basse-Terre 121 16 0N 61 40W
Bassée, La 19 50 31N 2 49 E
Bassein 70 19 26N 72 48 E
Basseterre 121 17 17N 62 43W
Bassett, Nebr., U.S.A. 116 42 37N 99 30W
Bassett, Va., U.S.A. 115 36 48N 79 59W
Bassi 68 30 44N 76 21 E
Bassigny 19 48 0N 5 10 E
Bassikounou 84 15 55N 6 1W
Bassum 24 52 50N 8 42 E
Båstad 49 56 25N 12 51 E
Bastak 65 27 15N 54 25 E
Bastar 70 19 15N 81 40 E
Basti 69 26 52N 82 55 E
Bastia 21 42 40N 9 30 E
Bastia Umbra 39 43 4N 12 34 E
Bastide-Puylaurent, La 20 44 35N 3 55 E
Bastogne 16 50 1N 5 43 E
Bastrop 117 30 5N 97 22W
Basuto 92 19 50S 26 25 E
Bat Yam 62 32 2N 34 44 E
Bata, Eq. Guin. 88 1 57N 9 50 E
Bata, Romania 46 46 1N 22 4 E
Bataan 73 14 40N 120 25 E
Batabanó 121 22 40N 82 20W
Batabanó, G. de 121 22 30N 82 30W
Batac 73 18 3N 120 34 E
Batagoy 59 67 38N 134 38 E
Batak 43 41 57N 24 12 E
Batakan 72 4 5S 114 38 E
Batalha 31 39 40N 8 50W
Batama 90 0 58N 26 33 E
Batamay 59 63 30N 129 15 E
Batang, China 75 30 1N 99 0 E
Batang, Indon. 73 6 55S 109 40 E
Batangafo 88 7 25N 18 20 E
Batangas 73 13 35N 121 10 E
Batanta 73 0 55S 130 40 E
Batatais 125 20 54S 47 37W
Batavia 114 43 0N 78 10W
Bataysk 57 47 3N 39 45 E
Batchelor 96 13 4S 131 1 E
Bateman's B. 97 35 40S 150 12 E
Batemans Bay 99 35 44S 150 11 E
Batesburg 115 33 54N 81 32W
Batesville, Ark., U.S.A. 117 35 48N 91 40W
Batesville, Miss., U.S.A. 117 34 17N 89 58W
Batesville, Tex., U.S.A. 117 28 59N 99 38W
Bath, U.K. 13 51 22N 2 22W
Bath, Maine, U.S.A. 107 43 50N 69 49W
Bath, N.Y., U.S.A. 114 42 20N 77 17W
Bathgate 14 55 54N 3 38W
Bathurst, Austral. 97 33 25S 149 31 E
Bathurst, Can. 107 47 37N 65 43W
Bathurst = Banjul 84 13 28N 16 40W
Bathurst B. 97 14 16S 144 25 E
Bathurst, C. 104 70 34N 128 0W
Bathurst Harb. 99 43 15S 146 10 E
Bathurst I., Austral. 96 11 30S 130 10 E
Bathurst I., Can. 4 76 0N 100 30W
Bathurst In. 104 68 10N 108 50W
Bathurst Inlet 104 66 50N 108 1W
Batie 84 9 53N 2 53W
Batinah 65 24 0N 56 0 E
Batlow 99 35 31S 148 9 E
Batman 64 37 55N 41 5 E
Batna 83 35 34N 6 15 E
Batočina 42 44 7N 21 5 E
Batoka 91 16 45S 27 15 E
Baton Rouge 117 30 30N 91 5W
Batopilas 120 27 0N 107 45W
Batouri 88 4 30N 14 25 E
Battambang 71 13 7N 103 12 E
Batticaloa 70 7 43N 81 45 E
Battipáglia 41 40 38N 15 0 E
Battīr 62 31 44N 35 8 E
Battle, Can. 109 52 58N 110 52W
Battle, U.K. 13 50 55N 0 30 E
Battle → 109 52 43N 108 15W
Battle Camp 98 15 20S 144 40 E
Battle Creek 114 42 20N 85 6W
Battle Harbour 107 52 16N 55 35W
Battle Lake 116 46 20N 95 43W
Battle Mountain 118 40 45N 117 0W
Battlefields 91 18 37S 29 47 E
Battleford 109 52 45N 108 15W
Battonya 27 46 16N 21 3 E
Batu 87 6 55N 39 45 E
Batu Gajah 71 4 28N 101 3 E
Batu, Kepulauan 72 0 30S 98 25 E
Batu Pahat 71 1 50N '02 56 E
Batuata 73 6 12S 122 42 E
Batumi 57 41 30N 41 30 E
Baturaja 72 4 11S 104 15 E
Baturité 127 4 28S 38 45W
Bau 72 1 25N 110 9 E
Baubau 73 5 25S 122 38 E
Bauchi 85 10 22N 9 48 E
Bauchi □ 85 10 30N 10 0 E
Baud 18 47 52N 3 1W
Baudette 116 48 46N 94 35W
Baugé 18 47 31N 0 8W
Baule-Escoublac, La 18 47 18N 2 23W
Baume-les-Dames 19 47 22N 6 22 E

Baunatal Benavente

Baunatal **24** 51 13N 9 25 E
Baunei **40** 40 2N 9 41 E
Bauru **125** 22 10 S 49 0W
Baús **127** 18 22 S 52 47W
Bauska **54** 56 24N 25 15 E
Bautzen **24** 51 11N 14 25 E
Baux, Les **21** 43 45N 4 51 E
Bavanište **42** 44 49N 20 53 E
Bavaria = Bayern □ **25** 49 7N 11 30 E
Båven **48** 59 0N 16 56 E
Bavi Sadri **68** 24 28N 74 30 E
Bavispe → **120** 29 30N 109 11W
Baw Baw, Mt. **100** 37 49 S 146 19 E
Bawdwin **67** 23 5N 97 20 E
Bawean **72** 5 46 S 112 35 E
Bawku **85** 11 3N 0 19W
Bawlake **67** 19 11N 97 21 E
Baxley **115** 31 43N 82 23W
Baxter Springs **117** 37 3N 94 45W
Bay Bulls **107** 47 19N 52 50W
Bay City, Mich., U.S.A. **114** 43 35N 83 51W
Bay City, Oreg., U.S.A. **118** 45 45N 123 58W
Bay City, Tex., U.S.A. **117** 28 59N 95 55W
Bay de Verde **107** 48 5N 52 54W
Bay, Laguna de **73** 14 20N 121 11 E
Bay Minette **115** 30 54N 87 43W
Bay St. Louis **117** 30 18N 89 22W
Bay Shore **114** 40 44N 73 15W
Bay Springs **117** 31 58N 89 18W
Bay View **101** 39 25 S 176 50 E
Baya **91** 11 53 S 27 25 E
Bayamo **121** 20 20N 76 40W
Bayamón **121** 18 24N 66 10W
Bayan **76** 46 5N 127 24 E
Bayan Har Shan **75** 34 0N 98 0 E
Bayan Hot = Alxa Zuoqi **76** 38 50N 105 40 E
Bayan Obo **76** 41 52N 109 59 E
Bayana **68** 26 55N 77 18 E
Bayanaul **58** 50 45N 75 45 E
Bayanhongor **75** 46 8N 102 43 E
Bayard **116** 41 48N 103 17W
Bayázeh **65** 33 30N 54 40 E
Baybay **73** 10 40N 124 55 E
Bayburt **64** 40 15N 40 20 E
Bayerischer Wald **25** 49 0N 13 0 E
Bayern □ **25** 49 7N 11 30 E
Bayeux **18** 49 17N 0 42W
Bayfield, Can. **112** 43 34N 81 42W
Bayfield, U.S.A. **116** 46 50N 90 48W
Baykal, Oz. **59** 53 0N 108 0 E
Baykit **59** 61 50N 95 50 E
Baykonur **58** 47 48N 65 50 E
Baymak **52** 52 36N 58 19 E
Baynes Mts. **92** 17 15 S 13 0 E
Bayombong **73** 16 30N 121 10 E
Bayon **19** 48 30N 6 20 E
Bayona **30** 42 6N 8 52W
Bayonne, France **20** 43 30N 1 28W
Bayonne, U.S.A. **113** 40 41N 74 7W
Bayovar **126** 5 50 S 81 0W
Baypore → **70** 11 10N 75 47 E
Bayram-Ali **58** 37 37N 62 10 E
Bayreuth **25** 49 56N 11 35 E
Bayrischzell **25** 47 39N 12 1 E
Bayrūt **64** 33 53N 35 31 E
Bayt Awlá **62** 31 37N 35 2 E
Bayt Fajjār **62** 31 38N 35 9 E
Bayt Fūrīk **62** 32 11N 35 20 E
Bayt Ḥānūn **62** 31 32N 34 32 E
Bayt Jālā **62** 31 43N 35 11 E
Bayt Lahm **62** 31 43N 35 12 E
Bayt Rīma **62** 32 2N 35 6 E
Bayt Sāḥūr **62** 31 42N 35 13 E
Bayt Ummar **62** 31 38N 35 7 E
Bayt 'ūr al Taḥtā **62** 31 54N 35 5 E
Baytīn **62** 31 56N 35 14 E
Baytown **117** 29 42N 94 57W
Baytūniyā **62** 31 54N 35 10 E
Bayzo **85** 13 52N 4 35 E
Baza **33** 37 30N 2 47W
Bazar Dyuzi **57** 41 12N 47 50 E
Bazarny Karabulak **55** 52 15N 46 20 E
Bazarnyy Syzgan **55** 53 45N 46 40 E
Bazartobe **57** 49 26N 51 45 E
Bazaruto, I. do **93** 21 40 S 35 28 E
Bazas **20** 44 27N 0 13W
Bazhong **77** 31 52N 106 46 E
Beach **116** 46 57N 103 58W
Beach City **112** 40 38N 81 35W
Beachport **99** 37 29 S 140 0 E
Beachy Head **13** 50 44N 0 16 E
Beacon **114** 41 32N 73 58W
Beaconia **109** 50 25N 96 31W
Beaconsfield **97** 41 11 S 146 48 E
Beagle, Canal **128** 55 0 S 68 30W
Bealanana **93** 14 33N 48 44 E
Beamsville **112** 43 12N 79 28W
Béar, C. **20** 42 31N 3 8 E
Bear I. **15** 51 38N 9 50W
Bear L., B.C., Can. **108** 56 10N 126 52W
Bear L., Man., Can. **109** 55 8N 96 0W
Bear L., U.S.A. **118** 42 0N 111 20W
Bearcreek **118** 45 11N 109 6W
Beardmore **106** 49 36N 87 57W
Beardmore Glacier **5** 84 30 S 170 0 E
Beardstown **116** 40 0N 90 25W
Béarn **20** 43 8N 0 36W
Bearpaw Mt. **118** 48 15N 109 30W
Bearskin Lake **106** 53 58N 91 2W
Beas de Segura **33** 38 15N 2 53W
Beasain **32** 43 3N 2 11W
Beata, C. **121** 17 40N 71 30W
Beatrice, U.S.A. **116** 40 20N 96 40W
Beatrice, Zimb. **91** 18 15 S 30 55 E
Beatrice, C. **97** 14 20 S 136 55 E
Beatton → **108** 56 15N 120 45W
Beatton River **108** 57 26N 121 20W
Beatty **119** 36 58N 116 46W
Beaucaire **21** 43 48N 4 39 E
Beauce, Plaine de la **19** 48 10N 1 45 E
Beauceville **107** 46 13N 70 46W
Beaudesert **99** 27 59 S 153 0 E
Beaufort, Austral. **100** 37 25 S 143 25 E
Beaufort, Malay. **72** 5 30N 115 40 E
Beaufort, N.C., U.S.A. **115** 34 45N 76 40W
Beaufort, S.C., U.S.A. **115** 32 25N 80 40W
Beaufort Sea **4** 72 0N 140 0W
Beaufort West **92** 32 18 S 22 36 E
Beaugency **19** 47 47N 1 38 E
Beauharnois **106** 45 20N 73 52W
Beaujeu **21** 46 10N 4 35 E
Beaulieu **20** 44 59N 1 50 E
Beaulieu → **108** 62 3N 113 11W
Beauly **14** 57 29N 4 27W
Beauly → **14** 57 26N 4 28W
Beaumaris **12** 53 16N 4 7W
Beaumetz-les-Loges **19** 50 15N 2 40 E
Beaumont, Dordogne, France **20** 44 45N 0 46 E
Beaumont, Sarthe, France **18** 48 13N 0 8 E
Beaumont, U.S.A. **117** 30 5N 94 8W
Beaumont-de-Lomagne **20** 43 53N 0 59 E
Beaumont-le-Roger **18** 49 4N 0 47 E
Beaumont-sur-Oise **19** 49 9N 2 17 E
Beaune **19** 47 2N 4 50 E
Beaune-la-Rolande **19** 48 4N 2 25 E
Beaupréau **18** 47 12N 1 00W
Beauséjour **109** 50 5N 96 35W
Beausset, Le **21** 43 10N 5 46 E
Beauvais **19** 49 25N 2 8 E
Beauval **109** 55 9N 107 37W
Beauvoir **18** 46 55N 2 1W
Beauvoir-sur-Niort **20** 46 12N 0 30W
Beaver, Alaska, U.S.A. **104** 66 20N 147 30W
Beaver, Okla., U.S.A. **117** 36 52N 100 31W
Beaver, Pa., U.S.A. **112** 40 40N 80 20W
Beaver, Utah, U.S.A. **119** 38 20N 112 45W
Beaver →, B.C., Can. **108** 59 52N 124 20W
Beaver →, Sask., Can. **109** 55 26N 107 45W
Beaver City **116** 40 13N 99 50W
Beaver Dam **116** 43 28N 88 50W
Beaver Falls **114** 40 44N 80 20W
Beaver I. **106** 45 40N 85 31W
Beaver, R **106** 55 55N 87 48W
Beaverhill L., Alta., Can. **108** 53 27N 112 32W
Beaverhill L., Man., Can. **109** 54 5N 94 50W
Beaverhill L., N.W.T., Can. **109** 63 2N 104 22W
Beaverlodge **108** 55 11N 119 29W
Beavermouth **108** 51 32N 117 23W
Beaverstone → **106** 54 59N 89 25W
Beaverton **112** 44 26N 79 9W
Beawar **68** 26 3N 74 18 E
Bebedouro **125** 21 0 S 48 25W
Beboa **93** 17 22 S 44 33 E
Bebra **24** 50 59N 9 48 E
Beccles **13** 52 27N 1 33 E
Bečej **42** 45 36N 20 3 E
Beceni **46** 45 23N 26 48 E
Becerreá **30** 42 51N 7 10W
Béchar **82** 31 38N 2 18W
Bechyně **26** 49 17N 14 29 E
Beckley **114** 37 50N 81 8W
Beckum **24** 51 46N 8 3 E
Bécon **18** 47 30N 0 50W
Bečva → **27** 49 31N 17 40 E
Bédar **33** 37 11N 1 59W
Bédarieux **20** 43 37N 3 10 E
Bédarrides **21** 44 2N 4 54 E
Beddouza, Ras **82** 32 33N 9 9W
Bedele **87** 8 31N 36 23 E
Bederkesa **24** 53 37N 8 50 E
Bedeso **87** 9 58N 40 52 E
Bedford, Can. **106** 45 7N 72 59W
Bedford, S. Afr. **92** 32 40 S 26 10 E
Bedford, U.K. **13** 52 8N 0 29W
Bedford, Ind., U.S.A. **114** 38 50N 86 30W
Bedford, Iowa, U.S.A. **116** 40 40N 94 41W
Bedford, Ohio, U.S.A. **114** 41 23N 81 32W
Bedford, Pa., U.S.A. **112** 40 1N 78 30W
Bedford, Va., U.S.A. **114** 37 25N 79 30W
Bedford □ **13** 52 4N 0 28W
Bedford, C. **97** 15 14 S 145 21 E
Będków **28** 51 36N 19 44 E
Bednja → **39** 46 12N 16 25 E
Bednodemyanovsk **55** 53 55N 43 15 E
Bedónia **38** 44 28N 9 36 E
Bedourie **97** 24 30 S 139 30 E
Bedous **20** 43 0N 0 36W
Będzin **28** 50 19N 19 7 E
Beech Grove **114** 39 40N 86 2W
Beechworth **99** 36 22 S 146 43 E
Beechy **109** 50 53N 107 24W
Beelitz **24** 52 14N 12 58 E
Beenleigh **99** 27 43 S 153 10 E
Be'er Sheva' **62** 31 15N 34 48 E
Be'er Sheva' → **62** 31 12N 34 40 E
Be'er Toviyya **62** 31 44N 34 42 E
Be'eri **62** 31 25N 34 30 E
Be'erotayim **62** 32 19N 34 59 E
Beersheba = Be'er Sheva' **62** 31 15N 34 48 E
Beeskow **24** 52 9N 14 14 E
Beeston **12** 52 55N 1 11W
Beetzendorf **24** 52 42N 11 6 E
Beeville **117** 28 27N 97 44W
Befale **88** 0 25N 20 45 E
Befotaka **93** 23 49 S 47 0 E
Bega **97** 36 41 S 149 51 E
Bega, Canalul **42** 45 37N 20 46 E
Bégard **18** 48 38N 3 18W
* Begemdir & Simen □ **87** 12 55N 37 30 E
Bègles **20** 44 45N 0 35W
Begna → **47** 60 41N 10 0 E
Begonte **30** 43 10N 7 40W
Begu-Sarai **69** 25 24N 86 9 E
Behbehān **64** 30 30N 50 15 E
Behror **68** 27 51N 76 20 E
Behshahr **65** 36 45N 53 35 E
Bei Jiang → **75** 23 2N 112 58 E
Bei'an **75** 48 10N 126 20 E
Beibei **75** 29 47N 106 22 E
Beihai **75** 21 28N 109 6 E
Beijing **76** 39 55N 116 20 E
Beijing □ **76** 39 55N 116 20 E
Beilen **16** 52 52N 6 27 E
Beilngries **25** 49 1N 11 27 E
Beilpajah **99** 32 54 S 143 52 E
Beilul **87** 13 2N 42 20 E
Beira **91** 19 50 S 34 52 E
Beirut = Bayrūt **64** 33 53N 35 31 E
Beit Lāhiyah **62** 31 32N 34 30 E
Beitaolaizhao **76** 44 58N 125 58 E
Beitbridge **91** 22 12 S 30 0 E
Beiuş **46** 46 40N 22 21 E
Beizhen **76** 37 20N 118 2 E
Beja **31** 38 2N 7 53W
Béja **83** 36 43N 9 12 E
Beja □ **31** 37 55N 7 55W
Bejaia **83** 36 42N 5 2 E
Béjar **30** 40 23N 5 46W
Bejestān **65** 34 30N 58 5 E
Bekasi **73** 6 20 S 107 0 E
Békés **27** 46 47N 21 9 E
Békés □ **27** 46 45N 21 0 E
Békéscsaba **27** 46 40N 21 5 E
Bekily **93** 24 13 S 45 19 E
Bekoji **87** 7 40N 39 17 E
Bekok **71** 2 20N 103 7 E
Bekwai **85** 6 30N 1 34W
Bela, India **69** 25 50N 82 0 E
Bela, Pak. **66** 26 12N 66 20 E
Bela Crkva **42** 44 55N 21 27 E
Bela Palanka **42** 43 13N 22 17 E
Bela Vista, Brazil **124** 22 12 S 56 20W
Bela Vista, Mozam. **93** 26 10 S 32 44 E
Bélâbre **20** 46 34N 1 8 E
Belalcázar **31** 38 35N 5 10W
Belanovica **42** 44 15N 20 23 E
Belavenona **93** 24 50 S 47 4 E
Belawan **72** 3 33N 98 32 E
Belaya → **52** 56 0N 54 32 E
Belaya Glina **57** 46 5N 40 48 E
Belaya Kalitva **57** 48 13N 40 50 E
Belaya Kholunitsa **55** 58 41N 50 13 E
Belaya, Mt. **87** 11 25N 36 8 E
Belaya Tserkov **54** 49 45N 30 10 E
Belceşti **46** 47 19N 27 7 E
Bełchatów **28** 51 21N 19 22 E
Belcher, C. **4** 71 0N 161 0W
Belcher Is. **106** 56 15N 78 45W
Belchite **32** 41 18N 0 43W
Belebey **52** 54 7N 54 7 E
Belém (Pará) **127** 1 20 S 48 30W
Belén, Argent. **124** 27 40 S 67 5W
Belén, Parag. **124** 23 30 S 57 6W
Belen **119** 34 40N 106 50W
Belene **43** 43 39N 25 10 E
Bélesta **20** 42 55N 1 56 E
Belet Uen **63** 4 30N 45 5 E
Belev **55** 53 50N 36 5 E
Belfast, S. Afr. **93** 25 42 S 30 2 E
Belfast, U.K. **15** 54 35N 5 56W
Belfast, Maine, U.S.A. **107** 44 30N 69 0W
Belfast, N.Y., U.S.A. **112** 42 21N 78 9W
Belfast □ **15** 54 35N 5 56W
Belfast, L. **15** 54 40N 5 50W
Belfield **116** 46 54N 103 11W
Belfort **19** 47 38N 6 50 E
Belfort □ **19** 47 38N 6 52 E
Belfry **118** 45 10N 109 2W
Belgaum **70** 15 55N 74 35 E
Belgioioso **38** 45 9N 9 21 E
Belgium ■ **16** 50 30N 5 0 E
Belgorod **56** 50 35N 36 35 E
Belgorod-Dnestrovskiy **56** 46 11N 30 23 E
Belgrade **118** 45 50N 111 10W
Belgrade = Beograd **42** 44 50N 20 37 E
Belhaven **115** 35 34N 76 35W
Beli Drim → **42** 42 6N 20 25 E
Beli Manastir **42** 45 45N 18 36 E
Beli Timok → **42** 43 53N 22 14 E
Belice → **40** 37 35N 12 55 E
Belin **20** 44 30N 0 47W
Belinga **88** 1 10N 13 2 E
Belingwe **91** 20 29 S 29 57 E
Belingwe, N. **91** 20 37 S 29 55 E
Belinskiy (Chembar) **55** 53 0N 43 25 E
Belinţ **42** 45 48N 21 54 E
Belinyu **72** 1 35 S 105 50 E
Belitung, P. **72** 3 10 S 107 50 E
Beliu **46** 46 30N 22 0 E
Belize ■ **120** 17 0N 88 30W
Belize City **120** 17 25N 88 0W
Beljanica **42** 44 08N 21 43 E
Belkovskiy, Ostrov **59** 75 32N 135 44 E
Bell → **106** 49 48N 77 38W
Bell Bay **99** 41 6 S 146 53 E
Bell I. **107** 50 46N 55 35W
Bell-Irving → **108** 56 12N 129 5W
Bell Peninsula **105** 63 50N 82 0W
Bell Ville **124** 32 40 S 62 40W
Bella Bella **108** 52 10N 128 10W
Bella Coola **108** 52 25N 126 40W
Bella Unión **124** 30 15 S 57 40W
Bella Vista, Corrientes, Argent. **124** 28 33 S 59 0W
Bella Vista, Tucuman, Argent. **124** 27 10 S 65 25W
Bellac **20** 46 7N 1 3 E
Bellágio **38** 45 59N 9 15 E
Bellaire **114** 40 1N 80 46W
Bellary **70** 15 10N 76 56 E
Bellata **99** 29 53 S 149 46 E
Belle Fourche **116** 44 43N 103 52W
Belle Fourche → **116** 44 25N 102 19W
Belle Glade **115** 26 43N 80 38W
Belle-Île **18** 47 20N 3 10W
Belle Isle **107** 51 57N 55 25W
Belle-Isle-en-Terre **18** 48 33N 3 23W
Belle Isle, Str. of **107** 51 30N 56 30W
Belle, La **115** 26 45N 81 22W
Belle Plaine, Iowa, U.S.A. **116** 41 51N 92 18W
Belle Plaine, Minn., U.S.A. **116** 44 35N 93 48W
Belle Yella **84** 7 24N 10 0W
Belledonne **21** 45 30N 6 10 E
Belledune **107** 47 55N 65 50W
Bellefontaine **114** 40 20N 83 45W
Bellefonte **114** 40 56N 77 45W
Bellegarde, Ain, France **21** 46 4N 5 49 E
Bellegarde, Creuse, France **20** 45 59N 2 18 E
Bellegarde, Loiret, France **19** 48 0N 2 26 E
Bellême **18** 48 22N 0 34 E
Belleoram **107** 47 31N 55 25W
Belleville, Can. **106** 44 10N 77 23W
Belleville, Rhône, France **21** 46 7N 4 45 E
Belleville, Vendée, France **18** 46 48N 1 28W
Belleville, Ill., U.S.A. **116** 38 30N 90 0W
Belleville, Kans., U.S.A. **116** 39 51N 97 38W
Belleville, N.Y., U.S.A. **113** 43 46N 76 10W
Bellevue, Can. **108** 49 35N 114 22W
Bellevue, Idaho, U.S.A. **118** 43 25N 114 23W
Bellevue, Ohio, U.S.A. **112** 41 20N 82 48W
Bellevue, Pa., U.S.A. **112** 40 29N 80 3W
Belley **21** 45 46N 5 41 E
Bellin (Payne Bay) **105** 60 0N 70 0W
Bellingen **99** 30 25 S 152 50 E
Bellingham **118** 48 45N 122 27W
Bellingshausen Sea **5** 66 0 S 80 0W
Bellinzona **25** 46 11N 9 1 E
Bellona Reefs **97** 21 26 S 159 0 E
Bellows Falls **114** 43 10N 72 30W
Bellpat **68** 29 0N 68 5 E
Bellpuig **32** 41 37N 1 1 E
Belluno **39** 46 8N 12 13 E
Bellville **117** 29 58N 96 18W
Bellwood **112** 40 36N 78 21W
Belmar **113** 40 10N 74 2W
Bélmez **31** 38 17N 5 17W
Belmont, Austral. **99** 33 4 S 151 42 E
Belmont, Can. **112** 42 53N 81 5W
Belmont, U.S.A. **112** 42 14N 78 3W
Belmonte, Brazil **127** 16 0 S 39 0W
Belmonte, Port. **30** 40 21N 7 20W
Belmonte, Spain **32** 39 34N 2 43W
Belmopan **120** 17 18N 88 30W
Belmullet **15** 54 13N 9 58W
Belo Horizonte **127** 19 55 S 43 56W
Belo-sur-Mer **93** 20 42 S 44 0 E
Belo-Tsiribihina **93** 19 40 S 44 30 E
Belogorsk, R.S.F.S.R., U.S.S.R. **59** 51 0N 128 20 E
Belogorsk, Ukraine S.S.R., U.S.S.R. **56** 45 3N 34 35 E
Belogradchik **42** 43 53N 22 15 E
Belogradets **43** 43 22N 27 18 E
Beloha **93** 25 10 S 45 3 E
Beloit, Kans., U.S.A. **116** 39 32N 98 9W
Beloit, Wis., U.S.A. **116** 42 35N 89 0W
Belokorovichi **54** 51 7N 28 2 E
Belomorsk **52** 64 35N 34 30 E
Belonia **67** 23 15N 91 30 E
Belopolye **54** 51 14N 34 20 E
Beloretsk **52** 53 58N 58 24 E
Belovo **58** 54 30N 86 0 E
Beloye More **52** 66 30N 38 0 E
Beloye, Oz. **52** 60 10N 37 35 E
Beloye Ozero **57** 45 15N 46 50 E
Belozem **43** 42 12N 25 2 E
Belozersk **55** 60 0N 37 30 E
Belpasso **41** 37 37N 15 0 E
Belsito **40** 37 50N 13 47 E
Beltana **99** 30 48 S 138 25 E
Belterra **127** 2 45 S 55 0W
Beltinci **39** 46 37N 16 20 E
Belton, S.C., U.S.A. **115** 34 31N 82 39W
Belton, Tex., U.S.A. **117** 31 4N 97 30W
Belton Res. **117** 31 8N 97 32W
Beltsy **56** 47 48N 28 0 E
Belturbet **15** 54 6N 7 28W
Belukha **58** 49 50N 86 50 E
Beluran **72** 5 48N 117 35 E
Beluša **27** 49 5N 18 27 E
Belušić **42** 43 50N 21 10 E
Belvedere Marittimo **41** 39 37N 15 52 E
Belvès **20** 44 46N 1 0 E
Belvidere, Ill., U.S.A. **116** 42 15N 88 55W
Belvidere, N.J., U.S.A. **113** 40 48N 75 5W
Belvis de la Jara **31** 39 45N 4 57W
Belyando → **97** 21 38 S 146 50 E
Belyy **54** 55 48N 32 51 E
Belyy, Ostrov **58** 73 30N 71 0 E
Belyy Yar **58** 58 26N 84 39 E
Belzig **24** 52 8N 12 36 E
Belzoni **117** 33 12N 90 30W
Bełżyce **28** 51 11N 22 17 E
Bemaraha, Lembalemban' i **93** 18 40 S 44 45 E
Bemarivo **93** 21 45 S 44 45 E
Bemarivo → **93** 15 27 S 47 40 E
Bemavo **93** 21 33 S 45 25 E
Bembéréke **85** 10 11N 2 43 E
Bembesi **91** 20 0 S 28 58 E
Bembesi → **91** 18 57 S 27 47 E
Bembézar → **31** 37 45N 5 13W
Bemidji **116** 47 30N 94 50W
Ben 'Ammi **62** 33 0N 35 7 E
Ben Cruachan **14** 56 26N 5 8W
Ben Dearg **14** 57 47N 4 58W
Ben Gardane **83** 33 11N 11 11 E
Ben Hope **14** 58 24N 4 36W
Ben Lawers **14** 56 33N 4 13W
Ben Lomond, Austral. **97** 41 38 S 147 42 E
Ben Lomond, U.K. **14** 56 12N 4 39W
Ben Macdhui **14** 57 4N 3 40W
Ben Mhor **14** 57 16N 7 21W
Ben More, Central, U.K. **14** 56 23N 4 31W
Ben More, Strathclyde, U.K. **14** 56 26N 6 2W
Ben More Assynt **14** 58 7N 4 51W
Ben Nevis **14** 56 48N 5 0W
Ben Slimane **82** 33 38N 7 7W
Ben Vorlich **14** 56 22N 4 15W
Ben Wyvis **14** 57 40N 4 35W
Bena **85** 11 20N 5 50 E
Bena Dibele **88** 4 4 S 22 50 E
Benagalbón **31** 36 45N 4 15W
Benagerie **99** 31 25 S 140 22 E
Benahmed **82** 33 4N 7 9W
Benalla **97** 36 30 S 146 0 E
Benambra, Mt. **100** 36 31 S 147 34 E
Benamejí **31** 37 16N 4 33W
Benanee **99** 34 31 S 142 52 E
Benares = Varanasi **69** 25 22N 83 8 E
Bénat, C. **21** 43 5N 6 22 E
Benavente, Port. **31** 38 59N 8 49W

* *Renamed Gonder* □

Benavente Bilaspur

Benavente, Spain 30 42 2N 5 43W
Benavides, Spain 30 42 30N 5 54W
Benavides, U.S.A. 117 27 35N 98 28W
Benbecula 14 57 26N 7 21W
Bencubbin 96 30 48S 117 52 E
Bend 118 44 2N 121 15W
Bendel □ 85 6 0N 6 0 E
Bender Beila 63 9 30N 50 48 E
Bendery 56 46 50N 29 30 E
Bendigo 97 36 40S 144 15 E
Bendorf 24 50 26N 7 34 E
Benē Beraq, Israel 62 32 6N 34 51 E
Benē Beraq, Israel 62 32 6N 34 51 E
Bénéna 84 13 9N 4 17W
Benenitra 93 23 27S 45 5 E
Benešŏv 26 49 46N 14 41 E
Bénestroff 19 48 54N 6 45 E
Benet 20 46 22N 0 35W
Benevento 41 41 7N 14 45 E
Benfeld 19 48 22N 7 34 E
Benga 91 16 11S 33 40 E
Bengal, Bay of 60 15 0N 90 0 E
Bengawan Solo → 73 7 5S 112 35 E
Bengbu 75 32 58N 117 20 E
Benghazi = Banghāzī 83 32 11N 20 3 E
Bengkalis 72 1 30N 102 10 E
Bengkulu 72 3 50S 102 12 E
Bengkulu □ 72 3 48S 102 16 E
Bengough 109 49 25N 105 10W
Benguela 89 12 37S 13 25 E
Benguerir 82 32 16N 7 56W
Benguérua, I. 93 21 58S 35 28 E
Benha 86 30 26N 31 8 E
Beni 90 0 30N 29 27 E
Beni → 126 10 23S 65 24W
Beni Abbès 82 30 5N 2 5W
Beni-Haoua 82 36 30N 1 30 E
Beni Mazâr 86 28 32N 30 44 E
Beni Mellal 82 32 21N 6 21W
Beni Ounif 82 32 0N 1 10W
Beni Saf 82 35 17N 1 15W
Beni Suef 86 29 5N 31 6 E
Beniah L. 108 63 23N 112 17W
Benicarló 32 40 23N 0 23 E
Benidorm 33 38 33N 0 9W
Benidorm, Islote de 33 38 31N 0 9W
Benin ■ 85 10 0N 2 0 E
Benin, Bight of 85 5 0N 3 0 E
Benin City 85 6 20N 5 31 E
Benisa 33 38 43N 0 03 E
Benjamin Aceval 124 24 58S 57 34W
Benjamin Constant 126 4 40S 70 15W
Benkelman 116 40 7N 101 32W
Benkovac 39 44 2N 15 37 E
Benlidi 98 24 35S 144 50 E
Bennett 108 59 56N 134 53W
Bennett, Ostrov 59 76 21N 148 56 E
Bennettsville 115 34 38N 79 39W
Bennington 114 42 52N 73 12W
Benoa 72 8 50S 115 20 E
Bénodet 18 47 53N 4 7W
Benoni 93 26 11S 28 18 E
Benoud 82 32 20N 0 16 E
Bensheim 25 49 40N 8 38 E
Benson 119 31 59N 110 19W
Bent 65 26 20N 59 31 E
Benteng 73 6 10S 120 30 E
Bentinck I. 97 17 3S 139 35 E
Bentiu 87 9 10N 29 55 E
Bento Gonçalves 125 29 10S 51 31W
Benton, Ark., U.S.A. 117 34 30N 92 35W
Benton, Ill., U.S.A. 116 38 0N 88 55W
Benton Harbor 114 42 10N 86 28W
Bentong 71 3 31N 101 55 E
Bentu Liben 87 8 32N 38 21 E
Benue □ 85 7 30N 7 30 E
Benue → 85 7 48N 6 46 E
Benxi 76 41 20N 123 48 E
Beo 73 4 25N 126 50 E
Beograd 42 44 50N 20 37 E
Beowawe 118 40 35N 116 30W
Beppu 74 33 15N 131 30 E
Berati 44 40 43N 19 59 E
Berau, Teluk 73 2 30S 132 30 E
Berber 86 18 0N 34 0 E
Berbera 63 10 30N 45 2 E
Berbérati 88 4 15N 15 40 E
Berberia, C. del 33 38 39N 1 24 E
Berbice → 126 6 20N 57 32W
Berceto 38 44 30N 10 0 E
Berchtesgaden 25 47 37N 12 58 E
Berck-sur-Mer 19 50 25N 1 36 E
Berdichev 56 49 57N 28 30 E
Berdsk 58 54 47N 83 2 E
Berdyansk 56 46 45N 36 50 E
Berea, Ky., U.S.A. 114 37 35N 84 18W
Berea, Ohio, U.S.A. 112 41 21N 81 50W
Berebere 73 2 25N 128 45 E
Bereda 63 11 45N 51 0 E
Berekum 84 7 29N 2 34W
Berenice 86 24 2N 35 25 E
Berens → 109 52 25N 97 2W
Berens I. 109 52 18N 97 18W
Berens River 109 52 25N 97 0W
Berestechko 54 50 22N 25 5 E
Bereşti 46 46 6N 27 50 E
Beretău → 46 46 59N 21 7 E
Berettyo → 27 46 59N 21 7 E
Berettyóújfalu 27 47 13N 21 33 E
Berevo, Majunga, Madag. 93 17 14S 44 17 E
Berevo, Tuléar, Madag. 93 19 44S 44 58 E
Bereza 54 52 31N 24 51 E
Berezhany 54 49 26N 24 58 E
Berezina → 54 52 33N 30 14 E
Berezna 55 51 35N 31 46 E
Berezniki 58 59 24N 56 46 E
Berezovka 56 47 14N 30 55 E
Berezovo 58 64 0N 65 0 E
Berg 47 59 10N 11 18 E
Berga, Spain 32 42 6N 1 48 E
Berga, Sweden 49 57 14N 16 3 E
Bergama 64 39 8N 27 15 E
Bérgamo 38 45 42N 9 40 E
Bergantiños 30 43 20N 8 40W
Bergedorf 24 53 28N 10 12 E
Bergen, Ger. 24 54 24N 13 26 E
Bergen, Neth. 16 52 40N 4 43 E
Bergen, Norway 47 60 23N 5 20 E
Bergen, U.S.A. 112 43 5N 77 56W
Bergen-op-Zoom 16 51 30N 4 18 E
Bergerac 20 44 51N 0 30 E
Bergheim 24 50 57N 6 38 E
Bergisch-Gladbach 24 50 59N 7 9 E
Bergkvara 49 56 23N 16 5 E
Bergsjö 48 61 59N 17 3 E
Bergues 19 50 58N 2 24 E
Bergum 16 53 13N 5 59 E
Bergvik 48 61 16N 16 50 E
Berhala, Selat 72 1 0S 104 15 E
Berhampore 69 24 2N 88 27 E
Berhampur 70 19 15N 84 54 E
Berheci → 46 46 7N 27 19 E
Bering Sea 94 58 0N 167 0 E
Bering Str. 104 66 0N 170 0W
Beringen 16 51 3N 5 14 E
Beringovskiy 59 63 3N 179 19 E
Berislav 56 46 50N 33 30 E
Berisso 124 34 56S 57 50W
Berja 33 36 50N 2 56W
Berkane 82 34 52N 2 20W
Berkeley 13 51 41N 2 28W
Berkeley Springs 114 39 38N 78 12W
Berkner I. 5 79 30S 50 0W
Berkovitsa 43 43 16N 23 8 E
Berkshire □ 13 51 30N 1 20W
Berland → 108 54 0N 116 50W
Berlanga 31 38 17N 5 50W
Berleburg 24 51 3N 8 22 E
Berlenga, Ilhas 31 39 25N 9 30W
Berlin, Ger. 24 52 32N 13 24 E
Berlin, Md., U.S.A. 114 38 19N 75 12W
Berlin, N.H., U.S.A. 114 44 29N 71 10W
Berlin, Wis., U.S.A. 114 43 58N 88 55W
Berlin, E. □ 24 52 30N 13 30 E
Berlin, W. □ 24 52 30N 13 20 E
Bermeja, Sierra 31 36 30N 5 11W
Bermejo →, Formosa, Argent. 124 26 51S 58 23W
Bermejo →, San Juan, Argent. 124 32 30S 67 30W
Bermeo 32 43 25N 2 47W
Bermillo de Sayago 30 41 22N 6 8W
Bermuda ■ 121 32 45N 65 0W
Bern (Berne) 25 46 57N 7 28 E
Bern (Berne) □ 25 46 45N 7 40 E
Bernado 119 34 30N 106 53W
Bernalda 41 40 24N 16 44 E
Bernalillo 119 35 17N 106 37W
Bernam → 71 3 45N 101 5 E
Bernardo de Irigoyen 125 26 15S 53 40W
Bernasconi 124 37 55S 63 44W
Bernau, Germ., E. 24 52 40N 13 35 E
Bernau, Germ., W. 25 47 45N 12 20 E
Bernay 18 49 5N 0 35 E
Bernburg 24 51 40N 11 42 E
Berndorf 26 47 59N 16 1 E
Berne = Bern 25 46 57N 7 28 E
Berneck 25 51 3N 11 40 E
Berner Alpen 25 46 27N 7 35 E
Bernese Oberland = Oberland 25 46 27N 7 35 E
Bernier I. 96 24 50S 113 12 E
Bernina, Piz 25 46 20N 9 54 E
Bernkastel-Kues 25 49 55N 7 04 E
Beror Hayil 62 31 34N 34 38 E
Béroubouay 85 10 34N 2 46 E
Beroun 26 49 57N 14 5 E
Berounka → 26 50 0N 13 47 E
Berovo 42 41 38N 22 51 E
Berrahal 83 36 54N 7 33 E
Berre, Étang de 21 43 27N 5 5 E
Berrechid 82 33 18N 7 36W
Berri 99 34 14S 140 35 E
Berriane 82 32 50N 3 46 E
Berrigan 100 35 38S 145 49 E
Berrouaghia 82 36 10N 2 53 E
Berry, Austral. 99 34 46S 150 43 E
Berry, France 19 47 0N 2 0 E
Berry Is. 121 25 40N 77 50W
Berryville 117 36 23N 93 35W
Bersenbrück 24 52 33N 7 56 E
Berthold 116 48 19N 101 45W
Berthoud 116 40 21N 105 5W
Bertincourt 19 50 5N 2 58 E
Bertoua 88 4 30N 13 45 E
Bertrand 116 40 35N 99 38W
Berufjörður 50 64 48N 14 29W
Berwick 114 41 4N 76 17W
Berwick-upon-Tweed 12 55 47N 2 0W
Berwyn Mts. 12 52 54N 3 26W
Berzasca 42 44 39N 21 58 E
Berzence 27 46 12N 17 11 E
Besalampy 93 16 43S 44 29 E
Besançon 19 47 15N 6 0 E
Besar 72 2 40S 116 0 E
Beserah 71 3 50N 103 21 E
Beshenkovichi 54 55 2N 29 29 E
Beška 42 45 8N 20 6 E
Beskydy 27 49 35N 18 40 E
Beslan 57 43 15N 44 28 E
Besna Kobila 42 42 31N 22 10 E
Besnard L. 109 55 25N 106 0W
Besni 64 37 41N 37 52 E
Besor, N. → 62 31 28N 34 22 E
Beşparmak Daği 45 37 32N 27 30 E
Bessarabiya 46 47 0N 28 10 E
Bessarabka 56 46 21N 28 58 E
Bessèges 21 44 18N 4 8 E
Bessemer, Ala., U.S.A. 115 33 25N 86 57W
Bessemer, Mich., U.S.A. 116 46 27N 90 0W
Bessin 18 49 21N 1 0W
Bessines-sur-Gartempe 20 46 6N 1 22 E
Bet Alfa 62 32 31N 35 25 E
Bet Dagan 62 32 1N 34 49 E
Bet Guvrin 62 31 37N 34 54 E
Bet Ha'Emeq 62 32 58N 35 8 E
Bet Hashitta 62 32 31N 35 27 E
Bet Qeshet 62 32 41N 35 21 E
Bet She'an 62 32 30N 35 30 E
Bet Shemesh 62 31 44N 35 0 E
Bet Tadjine, Djebel 82 29 0N 3 30W
Bet Yosef 62 32 34N 35 33 E
Betafo 93 19 50S 46 51 E
Betanzos 30 43 15N 8 12W
Bétaré Oya 88 5 40N 14 5 E
Bétera 32 39 35N 0 28W
Bethal 93 26 27S 29 28 E
Bethanien 92 26 31S 17 8 E
Bethany, S. Afr. 92 29 34S 25 59 E
Bethany, U.S.A. 116 40 18N 94 0W
Bethany = Al Ayzarīyah 62 31 47N 35 15 E
Bethel, Alaska, U.S.A. 104 60 50N 161 50W
Bethel, Pa., U.S.A. 112 40 20N 80 2W
Bethel, Vt., U.S.A. 113 43 50N 72 37W
Bethlehem, S. Afr. 93 28 14S 28 18 E
Bethlehem, U.S.A. 114 40 39N 75 24W
Bethlehem = Bayt Lahm 62 31 43N 35 12 E
Bethulie 92 30 30S 25 59 E
Béthune 19 50 30N 2 38 E
Béthune → 18 49 53N 1 9 E
Betioky 93 23 48S 44 20 E
Beton Bazoches 19 48 42N 3 15 E
Betong, Malay. 72 1 24N 111 31 E
Betong, Thai. 71 5 45N 101 5 E
Betoota 99 25 45S 140 42 E
Betroka 93 23 16S 46 0 E
Betsiamites 107 48 56N 68 40W
Betsiamites → 107 48 56N 68 38W
Betsiboka → 93 16 3S 46 36 E
Betsjoeanaland 92 26 30S 22 30 E
Bettiah 69 26 48N 84 33 E
Bèttola 38 44 42N 9 32 E
Betul 68 21 58N 77 59 E
Betzdorf 24 50 47N 7 53 E
Beuca 46 44 14N 24 56 E
Beuil 21 44 6N 6 59 E
Beulah 116 47 18N 101 47W
Bevensen 24 53 5N 10 34 E
Beverley, Austral. 96 32 9S 116 56 E
Beverley, U.K. 12 53 52N 0 26W
Beverly, Mass., U.S.A. 113 42 32N 70 50W
Beverly, Wash., U.S.A. 118 46 55N 119 59W
Beverly Hills 119 34 4N 118 29W
Beverwijk 16 52 28N 4 38 E
Bex 25 46 15N 7 0 E
Beyin 84 5 1N 2 41W
Beykoz 43 41 8N 29 7 E
Beyla 84 8 30N 8 38W
Beynat 20 45 8N 1 44 E
Beyneu 58 45 10N 55 3 E
Beypazarı 64 40 10N 31 56 E
Beyşehir Gölü 64 37 40N 31 45 E
Bezdan 42 45 50N 18 57 E
Bezet 62 33 4N 35 8 E
Bezhetsk 55 57 47N 36 39 E
Bezhitsa 54 53 19N 34 17 E
Béziers 20 43 20N 3 12 E
Bezwada = Vijayawada 70 16 31N 80 39 E
Bhadra → 70 14 0N 75 20 E
Bhadrakh 69 21 10N 86 30 E
Bhadravati 70 13 49N 75 40 E
Bhagalpur 69 25 10N 87 0 E
Bhaisa 70 19 10N 77 58 E
Bhakkar 68 31 40N 71 5 E
Bhakra Dam 68 31 30N 76 45 E
Bhamo 67 24 15N 97 15 E
Bhamragarh 70 19 30N 80 40 E
Bhandara 69 21 5N 79 42 E
Bhanrer Ra. 68 23 40N 79 45 E
Bharatpur 68 27 15N 77 30 E
Bharuch 68 21 47N 73 0 E
Bhatghar L. 70 18 10N 73 48 E
Bhatiapara Ghat 69 23 13N 89 42 E
Bhatinda 68 30 15N 74 57 E
Bhatkal 70 13 58N 74 35 E
Bhatpara 69 22 50N 88 25 E
Bhattiprolu 70 16 7N 80 45 E
Bhaun 68 32 55N 72 40 E
Bhaunagar = Bhavnagar 68 21 45N 72 10 E
Bhavani 70 11 27N 77 43 E
Bhavani → 70 11 0N 78 15 E
Bhavnagar 68 21 45N 72 10 E
Bhawanipatna 70 19 55N 80 10 E
Bhera 68 32 29N 72 57 E
Bhilsa = Vidisha 68 23 28N 77 53 E
Bhilwara 68 25 25N 74 38 E
Bhima → 70 16 25N 77 17 E
Bhimavaram 70 16 30N 81 30 E
Bhind 68 26 30N 78 46 E
Bhir 70 19 4N 75 46 E
Bhiwandi 70 19 20N 73 0 E
Bhiwani 68 28 50N 76 9 E
Bhola 69 22 45N 90 35 E
Bhongir 70 17 30N 78 56 E
Bhopal 68 23 20N 77 30 E
Bhor 70 18 12N 73 53 E
Bhubaneswar 69 20 15N 85 50 E
Bhuj 68 23 15N 69 49 E
Bhumibol Dam 72 17 15N 98 58 E
Bhusaval 68 21 3N 75 46 E
Bhutan ■ 69 27 25N 90 30 E
Biafra, B. of = Bonny, Bight of 85 3 30N 9 20 E
Biak 73 1 10S 136 6 E
Biała 28 50 24N 17 40 E
Biała →, Białystok, Poland 28 53 11N 23 4 E
Biała →, Tarnów, Poland 27 50 3N 20 55 E
Biała Piska 28 53 37N 22 5 E
Biała Podlaska 28 52 4N 23 6 E
Biała Podlaska □ 28 52 0N 23 0 E
Biała Rawska 28 51 48N 20 29 E
Białobrzegi 28 52 27N 21 3 E
Białogard 28 54 2N 15 58 E
Białowieża 28 52 41N 23 49 E
Biały Bór 28 53 53N 16 51 E
Białystok 28 53 10N 23 10 E
Białystok □ 28 53 9N 23 10 E
Biancavilla 41 37 39N 14 50 E
Biaro 73 2 5N 125 26 E
Biarritz 20 43 29N 1 33W
Biasca 25 46 22N 8 58 E
Biba 86 28 55N 31 0 E
Bibala 89 14 44S 13 24 E
Bibane, Bahiret el 83 33 16N 11 13 E
Bibbiena 39 43 43N 11 50 E
Bibby I. 109 61 55N 93 0W
Biberach 25 48 5N 9 49 E
Bibey → 30 42 24N 7 13W
Bibiani 84 6 30N 2 8W
Bibile 70 7 10N 81 25 E
Biboohra 98 16 56S 145 25 E
Bibungwa 90 2 40S 28 15 E
Bic 107 48 20N 68 41W
Bicaj 44 42 0N 20 25 E
Bicaz 46 46 53N 26 5 E
Biccari 41 41 23N 15 12 E
Biche, La → 108 59 57N 123 50W
Bichena 87 10 28N 38 10 E
Bicknell, Ind., U.S.A. 114 38 50N 87 20W
Bicknell, Utah, U.S.A. 119 38 16N 111 35W
Bida 85 9 3N 5 58 E
Bidar 70 17 55N 77 35 E
Biddeford 107 43 30N 70 28W
Biddiyā 62 32 7N 35 4 E
Biddū 62 31 50N 35 8 E
Biddwara 87 5 11N 38 34 E
Bideford 13 51 1N 4 13W
Bidor 71 4 6N 101 15 E
Bié, Planalto de 89 12 0S 16 0 E
Bieber 118 41 4N 121 6W
Biebrza → 28 53 13N 22 25 E
Biecz 27 49 44N 21 15 E
Biel (Bienne) 25 47 8N 7 14 E
Bielawa 28 50 43N 16 37 E
Bielé Karpaty 27 49 5N 18 0 E
Bielefeld 24 52 2N 8 31 E
Bielersee 25 47 6N 7 5 E
Biella 38 45 33N 8 3 E
Bielsk Podlaski 28 52 47N 23 12 E
Bielsko-Biała 27 49 50N 19 2 E
Bielsko-Biała □ 27 49 45N 19 15 E
Bien Hoa 71 10 57N 106 49 E
Bienfait 109 49 10N 102 50W
Bienne = Biel 25 47 8N 7 14 E
Bienvenida 31 38 18N 6 12W
Bienville, L. 106 55 5N 72 40W
Biescas 32 42 37N 0 20W
Biese → 24 52 53N 11 46 E
Biesiesfontein 92 30 57S 17 58 E
Bietigheim 25 48 57N 9 8 E
Biferno → 41 41 59N 15 2 E
Big → 107 54 50N 58 55W
Big B. 107 55 43N 60 35W
Big Beaver 109 49 10N 105 10W
Big Belt Mts. 118 46 50N 111 30W
Big Bend 93 26 50S 32 2 E
Big Bend Nat. Park 117 29 15N 103 15W
Big Black → 117 32 0N 91 5W
Big Blue → 116 39 11N 96 40W
Big Cr. → 108 51 42N 122 41W
Big Cypress Swamp 115 26 12N 81 10W
Big Falls 116 48 11N 93 48W
Big Fork → 116 48 31N 93 43W
Big Horn 118 46 11N 107 25W
Big Horn Mts. = Bighorn Mts. 118 44 30N 107 30W
Big Lake 117 31 12N 101 25W
Big Moose 113 43 49N 74 58W
Big Muddy → 116 48 8N 104 36W
Big Pine 119 37 12N 118 17W
Big Piney 118 42 32N 110 3W
Big Quill L. 109 51 55N 104 50W
Big Rapids 114 43 42N 85 27W
Big River 109 53 50N 107 0W
Big Run 112 40 57N 78 55W
Big Sable Pt. 114 44 5N 86 30W
Big Sand L. 109 57 45N 99 45W
Big Sandy 118 48 12N 110 9W
Big Sandy Cr. → 116 38 6N 102 29W
Big Sioux → 116 42 30N 96 25W
Big Spring 117 32 10N 101 25W
Big Springs 116 41 4N 102 3W
Big Stone City 116 45 20N 96 30W
Big Stone Gap 115 36 52N 82 45W
Big Stone L. 116 45 30N 96 35W
Big Trout L. 106 53 40N 90 0W
Biganos 20 44 39N 0 59W
Bigfork 118 48 3N 114 2W
Biggar, Can. 109 52 4N 108 0W
Biggar, U.K. 14 55 38N 3 31W
Biggenden 99 25 31S 152 4 E
Bighorn → 118 46 9N 107 28W
Bighorn Mts. 118 44 30N 107 30W
Bignona 84 12 52N 16 14W
Bigorre 20 43 6N 0 5 E
Bigstone L. 109 53 42N 95 44W
Bigtimber 118 45 53N 110 0W
Bigwa 90 7 10S 39 10 E
Bihać 39 44 49N 15 57 E
Bihar 69 25 5N 85 40 E
Bihar □ 69 25 0N 86 0 E
Biharamulo 90 2 25S 31 25 E
Biharamulo □ 90 2 30S 31 20 E
Biharkeresztes 27 47 8N 21 44 E
Bihor □ 46 47 0N 22 10 E
Bihor, Munţii 46 46 29N 22 47 E
Bijagós, Arquipélago dos 84 11 15N 16 10W
Bijaipur 68 26 2N 77 20 E
Bijapur, Mad. P., India 70 18 50N 80 50 E
Bijapur, Mysore, India 70 16 50N 75 55 E
Bijār 64 35 52N 47 35 E
Bijeljina 42 44 46N 19 17 E
Bijelo Polje 42 43 1N 19 45 E
Bijie 77 27 20N 105 16 E
Bijnor 68 29 27N 78 11 E
Bikaner 68 28 2N 73 18 E
Bikapur 69 26 30N 82 7 E
Bikin 59 46 50N 134 20 E
Bikini Atoll 94 12 0N 167 30 E
Bikoué 85 3 55N 11 50 E
Bilād Banī Bū 'Ali 65 22 0N 59 20 E
Bilara 68 26 14N 73 53 E
Bilaspur, Mad. P., India 69 22 2N 82 15 E

Bilaspur Bogalusa

Bilaspur, Punjab, India 68 31 19N 76 50 E
Bilauk Taung dan 71 13 0N 99 0 E
Bilbao 32 43 16N 2 56W
Bilbeis 86 30 25N 31 34 E
Bilbor 46 47 6N 25 30 E
Bildudalur 50 65 41N 23 36W
Bileća 42 42 53N 18 27 E
Bilecik 64 40 5N 30 5 E
Biłgoraj 28 50 33N 22 42 E
Bilibino 59 68 3N 166 20 E
Bilibiza 91 12 30S 40 20 E
Bilir 59 65 40N 131 20 E
Bilishti 44 40 37N 21 2 E
Bill 116 43 18N 105 18W
Billabong Creek 100 35 5S 144 2 E
Billingham 12 54 36N 1 18W
Billings 118 45 43N 108 29W
Billingsfors 48 58 59N 12 15 E
Billiton Is = Belitung 72 3 10S 107 50 E
Billom 20 45 43N 3 20 E
Bilma 81 18 50N 13 30 E
Bilo Gora 42 45 53N 17 15 E
Biloela 97 24 24S 150 31 E
Biloxi 117 30 24N 88 53W
Bilpa Morea Claypan 99 25 0S 140 0 E
Biltine 81 14 40N 20 50 E
Bilyana 98 18 5S 145 50 E
Bilyarsk 55 54 58N 50 22 E
Bima 73 8 22S 118 49 E
Bimban 86 24 24N 32 54 E
Bimberi Peak 100 35 44S 148 51 E
Bimbila 85 8 54N 0 5 E
Bimbo 88 4 15N 18 33 E
Bimini Is. 121 25 42N 79 25W
Bin Xian 77 35 2N 108 4 E
Bina-Etawah 68 24 13N 78 14 E
Binalbagan 73 10 12N 122 50 E
Binalong 100 34 40S 148 39 E
Binalud, Kuh-e 65 36 30N 58 30 E
Binatang 72 2 10N 111 40 E
Binche 16 50 26N 4 10 E
Binda 99 27 52S 147 21 E
Bindle 99 27 40S 148 45 E
Bindura 91 17 18S 31 18 E
Bingara, N.S.W., Austral. 99 29 52S 150 36 E
Bingara, Queens., Austral. 99 28 10S 144 37 E
Bingen 25 49 57N 7 53 E
Bingerville 84 5 18N 3 49W
Bingham 107 45 5N 69 50W
Bingham Canyon 118 40 31N 112 10W
Binghamton 114 42 9N 75 54W
Bingöl 64 38 53N 40 29 E
Binh Dinh = An Nhon 71 13 55N 109 7 E
Binh Son 71 15 20N 108 40 E
Binjai 72 3 20N 98 30 E
Binnaway 99 31 28S 149 24 E
Binongko 73 5 55S 123 55 E
Binscarth 109 50 37N 101 17W
Bint Jubayl 62 33 8N 35 25 E
Bintan 72 1 0N 104 0 E
Bintulu 72 3 10N 113 0 E
Bintuni (Steenkool) 73 2 7S 133 32 E
Binyamina 62 32 32N 34 56 E
Binyang 77 23 12N 108 47 E
Binz 24 54 23N 13 37 E
Binzert = Bizerte 83 37 15N 9 50 E
Bío Bío □ 124 37 35S 72 0W
Biograd 39 43 56N 15 29 E
Biokovo 42 43 23N 17 0 E
Biougra 82 30 15N 9 14W
Biq'at Bet Netofa 62 32 49N 35 22 E
Bîr Abu Hashim 86 23 42N 34 6 E
Bîr Abu M'nqar 86 26 33N 27 33 E
Bîr Adal Deib 86 22 35N 36 10 E
Bi'r al Malfa 83 31 58N 15 18 E
Bir Aouine 83 32 25N 9 18 E
Bîr 'Asal 86 25 55N 34 20 E
Bir Autrun 81 18 15N 26 40 E
Bi'r Dhu'fān 83 31 59N 14 32 E
Bîr Diqnash 86 31 3N 25 23 E
Bir el Abbes 82 26 7N 6 9W
Bir el Ater 83 34 46N 8 3 E
Bîr el Basur 86 29 51N 25 49 E
Bîr el Gellaz 86 30 50N 26 40 E
Bîr el Shaqqa 86 30 54N 25 1 E
Bîr Fuad 86 30 35N 26 28 E
Bîr Haimur 86 22 45N 33 40 E
Bir Jdid 82 33 26N 8 0W
Bîr Kanayis 86 24 59N 33 15 E
Bîr Kerawein 86 27 10N 28 25 E
Bir Lahrache 83 32 1N 8 12 E
Bîr Maql 86 23 7N 33 40 E
Bîr Misaha 86 22 13N 27 59 E
Bir Mogrein 82 25 10N 11 25W
Bi'r Mubayrīk 64 23 22N 39 8 E
Bîr Murr 86 23 28N 30 10 E
Bi'r Nabālā 62 31 52N 35 12 E
Bîr Nakheila 86 24 1N 30 50 E
Bîr Qatrani 86 30 55N 26 10 E
Bîr Ranga 86 24 25N 35 15 E
Bir, Ras 87 12 0N 43 20 E
Bîr Sahara 86 22 54N 28 40 E
Bîr Seiyâla 86 26 10N 33 50 E
Bir Semguine 82 30 1N 5 39W
Bîr Shalatein 86 23 5N 35 25 E
Bîr Shebb 86 22 25N 29 40 E
Bîr Shût 86 23 50N 35 15 E
Bîr Terfawi 86 22 57N 28 55 E
Bîr Umm Qubûr 86 24 35N 34 2 E
Bîr Ungât 86 22 8N 33 48 E
Bîr Za'farâna 86 29 10N 32 40 E
Bîr Zāmūs 83 24 16N 15 6 E
Bi'r Zayt 62 31 59N 35 11 E
Bîr Zeidûn 86 25 45N 33 40 E
Bira 73 2 3S 132 2 E
Bîra 46 47 2N 27 3 E
Birak Sulaymān 62 31 42N 35 7 E
Biramféro 84 11 40N 9 10W
Birao 81 10 20N 22 47 E
Birawa 90 2 20S 28 48 E
Birca 46 43 59N 23 36 E
Birch Hills 109 52 59N 105 25W
Birch I. 109 52 26N 99 54W
Birch L., N.W.T., Can. 108 62 4N 116 33W
Birch L., Ont., Can. 106 51 23N 92 18W
Birch L., U.S.A. 106 47 48N 91 43W
Birch Mts. 108 57 30N 113 10W
Birch River 109 52 24N 101 6W
Birchip 99 35 56S 142 55 E
Birchiş 46 45 58N 22 9 E
Bird 109 56 30N 94 13W
Bird City 116 39 48N 101 33W
Bird I., Austral. 97 22 10S 155 28 E
Bird I., S. Afr. 92 32 3S 18 17 E
Bird I. = Aves, I. de 121 12 0N 67 30W
Birdlip 13 51 50N 2 7W
Birdsville 97 25 51S 139 20 E
Birdum 96 15 39S 133 13 E
Birecik 64 37 0N 38 0 E
Bireuen 72 5 14N 96 39 E
Birifo 84 13 30N 14 0W
Birigui 125 21 18S 50 16W
Birk 86 18 8N 41 30 E
Birka 86 22 11N 40 38 E
Birkenfeld 25 49 39N 7 11 E
Birkenhead 12 53 24N 3 1W
Birket Qârûn 86 29 30N 30 40 E
Birkfeld 26 47 21N 15 45 E
Birkhadem 82 36 43N 3 3 E
Bîrlad 46 46 15N 27 38 E
Birmingham, U.K. 13 52 30N 1 55W
Birmingham, U.S.A. 115 33 31N 86 50W
Birmitrapur 69 22 24N 84 46 E
Birni Ngaouré 85 13 5N 2 51 E
Birni Nkonni 85 13 55N 5 15 E
Birnin Gwari 85 11 0N 6 45 E
Birnin Kebbi 85 12 32N 4 12 E
Birnin Kudu 85 11 30N 9 29 E
Birobidzhan 59 48 50N 132 50 E
Birqīn 62 32 27N 35 15 E
Birr 15 53 7N 7 55W
Birrie → 99 29 43S 146 37 E
Birsilpur 68 28 11N 72 15 E
Birsk 52 55 25N 55 30 E
Birtin 46 46 59N 22 31 E
Birtle 109 50 30N 101 5W
Biryuchiy 56 46 10N 35 0 E
Birzai 54 56 11N 24 45 E
Bîrzava 46 46 7N 21 59 E
Bisa 73 1 15S 127 28 E
Bisáccia 41 41 0N 15 20 E
Bisacquino 40 37 42N 13 13 E
Bisalpur 69 28 14N 79 48 E
Bisbal, La 32 41 58N 3 2 E
Bisbee 119 31 30N 110 0W
Biscarrosse, Étang de 20 44 21N 1 10W
Biscay, B. of 6 45 0N 2 0W
Biscayne B. 115 25 40N 80 12W
Biscéglie 41 41 14N 16 30 E
Bischofshofen 26 47 26N 13 14 E
Bischofswerda 24 51 8N 14 11 E
Bischwiller 19 48 41N 7 50 E
Biscoe Bay 5 77 0S 152 0W
Biscoe I. 5 66 0S 67 0W
Biscostasing 106 47 18N 82 9W
Biševo 39 42 57N 16 3 E
Bisha 87 15 30N 37 31 E
Bisha, Wadi → 86 21 24N 43 26 E
Bishop, Calif., U.S.A. 119 37 20N 118 26W
Bishop, Tex., U.S.A. 117 27 35N 97 49W
Bishop Auckland 12 54 40N 1 40W
Bishop's Falls 107 49 2N 55 30W
Bishop's Stortford 13 51 52N 0 11 E
Bisignano 41 39 30N 16 17 E
Bisina, L. 90 1 38N 33 56 E
Biskra 83 34 50N 5 44 E
Biskupiec 28 53 53N 20 58 E
Bislig 73 8 15N 126 27 E
Bismarck 116 46 49N 100 49W
Bismarck Arch. 94 2 30S 150 0 E
Bismarck Sea 98 4 10S 146 50 E
Bismark 24 52 39N 11 31 E
Biso 90 1 44N 31 26 E
Bison 116 45 34N 102 28W
Bispfors 50 63 1N 16 37 E
Bispgården 48 63 2N 16 40 E
Bissagos = Bijagós, Arquipélago dos 84 11 15N 16 10W
Bissau 84 11 45N 15 45W
Bissett 109 51 2N 95 41W
Bissikrima 84 10 50N 10 58W
Bistcho L. 108 59 45N 118 50W
Bistreţu 46 43 54N 23 23 E
Bistrica = Ilirska-Bistrica 39 45 34N 14 14 E
Bistriţa 46 47 9N 24 35 E
Bistriţa → 46 46 30N 26 57 E
Bistriţa Năsăud □ 46 47 15N 24 30 E
Bistriţei, Munţii 46 47 15N 25 40 E
Biswan 69 27 29N 81 2 E
Bisztynek 28 54 8N 20 53 E
Bitam 88 2 5N 11 25 E
Bitburg 25 49 58N 6 32 E
Bitche 19 49 2N 7 25 E
Bitkine 81 11 59N 18 13 E
Bitlis 64 38 20N 42 3 E
Bitola (Bitolj) 42 41 5N 21 10 E
Bitonto 41 41 7N 16 40 E
Bitter Creek 118 41 39N 108 36W
Bitter L. = Buheirat-Murrat-el-Kubra 86 30 15N 32 40 E
Bitterfeld 24 51 36N 12 20 E
Bitterfontein 92 31 0S 18 32 E
Bitterroot → 118 46 52N 114 6W
Bitterroot Range 118 46 0N 114 20W
Bitti 40 40 29N 9 20 E
Bittou 85 11 17N 0 18W
Biu 85 10 40N 12 3 E
Bivolari 46 47 31N 27 27 E
Bivolu 46 47 16N 25 58 E
Biwa-Ko 74 35 15N 136 10 E
Biwabik 116 47 33N 92 19W
Bixad 46 47 56N 23 28 E
Biyang 77 32 38N 113 21 E
Biysk 58 52 40N 85 0 E
Bizana 93 30 50S 29 52 E
Bizerte (Binzert) 83 37 15N 9 50 E
Bjargtangar 50 65 30N 24 30W
Bjelasica 42 42 50N 19 40 E
Bjelašnica 42 43 43N 18 9 E
Bjelovar 42 45 56N 16 49 E
Bjerringbro 49 56 23N 9 39 E
Björbo 48 60 27N 14 44 E
Björneborg 48 59 14N 14 16 E
Bjørnøya 4 74 30N 19 0 E
Bjuv 49 56 5N 12 55 E
Blace 42 43 18N 21 17 E
Blachownia 28 50 49N 18 56 E
Black →, Can. 112 44 42N 79 19W
Black →, Ark., U.S.A. 117 35 38N 91 19W
Black →, N.Y., U.S.A. 113 43 59N 76 4W
Black →, Wis., U.S.A. 116 43 52N 91 22W
Black Diamond 108 50 45N 114 14W
Black Forest = Schwarzwald 25 48 0N 8 0 E
Black Hills 116 44 0N 103 50W
Black I. 109 51 12N 96 30W
Black L., Can. 109 59 12N 105 15W
Black L., U.S.A. 114 45 28N 84 15W
Black Mesa, Mt. 117 36 57N 102 55W
Black Mt. = Mynydd Du 13 51 45N 3 45W
Black Mts. 13 51 52N 3 5W
Black Range 119 33 30N 107 55W
Black River 121 18 0N 77 50W
Black River Falls 116 44 23N 90 52W
Black Sea 9 43 30N 35 0 E
Black Sugarloaf, Mt. 100 31 18S 151 35 E
Black Volta → 84 8 41N 1 33W
Black Warrior → 115 32 32N 87 51W
Blackall 97 24 25S 145 45 E
Blackball 101 42 22S 171 26 E
Blackbull 98 17 55S 141 45 E
Blackburn 12 53 44N 2 30W
Blackduck 116 47 43N 94 32W
Blackfoot 118 43 13N 112 12W
Blackfoot → 118 46 52N 113 53W
Blackfoot River Res. 118 43 0N 111 35W
Blackie 108 50 36N 113 37W
Blackpool 12 53 48N 3 3W
Blackriver 112 44 46N 83 17W
Blacks Harbour 107 45 3N 66 49W
Blacksburg 114 37 17N 80 23W
Blacksod B. 15 54 6N 10 0W
Blackstone 114 37 6N 78 0W
Blackstone → 108 61 5N 122 55W
Blackstone Ra. 96 26 00S 129 00 E
Blackville 107 46 44N 65 50W
Blackwater 98 23 35S 148 53 E
Blackwater →, Ireland 15 51 55N 7 50W
Blackwater →, U.K. 15 54 31N 6 35W
Blackwater Cr. → 99 25 56S 144 30 E
Blackwell 117 36 55N 97 20W
Blaenau Ffestiniog 12 53 0N 3 57W
Blagaj 42 43 16N 17 55 E
Blagodarnoye 57 45 7N 43 37 E
Blagoevgrad (Gorna Dzhumayo) 42 42 2N 23 5 E
Blagoveshchensk 59 50 20N 127 30 E
Blain 18 47 29N 1 45W
Blaine 118 48 59N 122 43W
Blaine Lake 109 52 51N 106 52W
Blainville 19 48 33N 6 23 E
Blair 116 41 38N 96 10W
Blair Athol 97 22 42S 147 31 E
Blair Atholl 14 56 46N 3 50W
Blairgowrie 14 56 36N 3 20W
Blairmore 108 49 40N 114 25W
Blairsville 112 40 27N 79 15W
Blaj 46 46 10N 23 57 E
Blake Pt. 116 48 12N 88 27W
Blakely 115 31 22N 85 0W
Blâmont 19 48 35N 6 50 E
Blanc, C. 83 37 15N 9 56 E
Blanc, Le 20 46 37N 1 3 E
Blanc, Mont 21 45 48N 6 50 E
Blanca, Bahía 128 39 10S 61 30W
Blanca Peak 119 37 35N 105 29W
Blanchard 117 35 8N 97 40W
Blanche L., S. Austral., Austral. 97 29 15S 139 40 E
Blanche L., W. Austral., Austral. 96 22 25S 123 17 E
Blanco, S. Afr. 92 33 55S 22 23 E
Blanco, U.S.A. 117 30 7N 98 30W
Blanco → 124 30 20S 68 42W
Blanco, C., C. Rica 121 9 34N 85 8W
Blanco, C., Spain 33 39 21N 2 51 E
Blanco, C., U.S.A. 118 42 50N 124 40W
Blanda → 50 65 20N 19 40W
Blandford Forum 13 50 52N 2 10W
Blanding 119 37 35N 109 30W
Blanes 32 41 40N 2 48 E
Blanice → 26 49 10N 14 5 E
Blankenberge 16 51 20N 3 9 E
Blankenburg 24 51 46N 10 56 E
Blanquefort 20 44 55N 0 38W
Blanquillo 125 32 53S 55 37W
Blansko 27 49 22N 16 40 E
Blantyre 91 15 45S 35 0 E
Blarney 15 51 57N 8 35W
Błaski 28 51 38N 18 30 E
Blatná 26 49 25N 13 52 E
Blatnitsa 43 43 41N 28 32 E
Blato 39 42 56N 16 48 E
Blaubeuren 25 48 24N 9 47 E
Blaydon 12 54 56N 1 47W
Blaye 20 45 8N 0 40W
Blaye-les-Mines 20 44 1N 2 8 E
Blayney 99 33 32S 149 14 E
Blaze, Pt. 96 12 56S 130 11 E
Błażowa 27 49 53N 22 7 E
Bleckede 24 53 18N 10 43 E
Bled 39 46 27N 14 7 E
Blednaya, Gora 58 76 20N 65 0 E
Bleiburg 26 46 35N 14 49 E
Blejeşti 46 44 19N 25 27 E
Blekinge län □ 49 56 20N 15 20 E
Blenheim, Can. 112 42 20N 82 0W
Blenheim, N.Z. 101 41 38S 173 57 E
Bléone → 21 44 5N 6 0 E
Bletchley 13 51 59N 0 44W
Bleymard, Le 20 44 30N 3 42 E
Blida 82 36 30N 2 49 E
Blidet Amor 83 32 59N 5 58 E
Blidö 48 59 37N 18 53 E
Blidsberg 49 57 56N 13 30 E
Bligh Sound 101 44 47S 167 32 E
Blind River 106 46 10N 82 58W
Blinishti 44 41 52N 19 58 E
Blitar 73 8 5S 112 11 E
Blitta 85 8 23N 1 6 E
Block I. 114 41 11N 71 35W
Block Island Sd. 113 41 17N 71 35W
Bloemfontein 92 29 6S 26 14 E
Bloemhof 92 27 38S 25 32 E
Blois 18 47 35N 1 20 E
Blomskog 48 59 16N 12 2 E
Blönduós 50 65 40N 20 12W
Błonie 28 52 12N 20 37 E
Bloodvein → 109 51 47N 96 43W
Bloody Foreland 15 55 10N 8 18W
Bloomer 116 45 8N 91 30W
Bloomfield, Can. 112 43 59N 77 14W
Bloomfield, Iowa, U.S.A. 116 40 44N 92 26W
Bloomfield, N. Mexico, U.S.A. 119 36 46N 107 59W
Bloomfield, Nebr., U.S.A. 116 42 38N 97 40W
Bloomfield River Mission 98 15 56S 145 22 E
Bloomington, Ill., U.S.A. 116 40 27N 89 0W
Bloomington, Ind., U.S.A. 114 39 10N 86 30W
Bloomsburg 114 41 0N 76 30W
Blora 73 6 57S 111 25 E
Blossburg 112 41 40N 77 4W
Blouberg 93 23 8S 29 0 E
Blountstown 115 30 28N 85 5W
Bludenz 26 47 10N 9 50 E
Blue Island 114 41 40N 87 40W
Blue Lake 118 40 53N 124 0W
Blue Mesa Res. 119 38 30N 107 15W
Blue Mts., Austral. 97 33 40S 150 0 E
Blue Mts., Ore., U.S.A. 118 45 15N 119 0W
Blue Mts., Pa., U.S.A. 114 40 30N 76 30W
Blue Mud B. 97 13 30S 136 0 E
Blue Nile = An Nîl el Azraq □ 87 12 30N 34 30 E
Blue Nile = Nîl el Azraq → 87 15 38N 32 31 E
Blue Rapids 116 39 41N 96 39W
Blue Ridge Mts. 115 36 30N 80 15W
Blue Stack Mts. 15 54 46N 8 5W
Blueberry → 108 56 45N 120 49W
Bluefield 114 37 18N 81 14W
Bluefields 121 12 20N 83 50W
Bluff, Austral. 98 23 35S 149 4 E
Bluff, N.Z. 101 46 37S 168 20 E
Bluff, U.S.A. 119 37 17N 109 33W
Bluffton 114 40 43N 85 9W
Blumenau 125 27 0S 49 0W
Blumenthal 24 53 5N 8 20 E
Blunt 116 44 32N 100 0W
Bly 118 42 23N 121 0W
Blyberg 48 61 9N 14 11 E
Blyth, Can. 112 43 44N 81 26W
Blyth, U.K. 12 55 8N 1 32W
Blythe 119 33 40N 114 33W
Blytheswood 112 42 8N 82 37W
Bø 47 59 25N 9 3 E
Bo 84 7 55N 11 50W
Bo Duc 71 11 58N 106 50 E
Bo Hai 76 39 0N 120 0 E
Bo Xian 77 33 50N 115 45 E
Boa Vista 126 2 48N 60 30W
Boaco 121 12 29N 85 35W
Boal 30 43 25N 6 49W
Boatman 99 27 16S 146 55 E
Bobai 77 22 17N 109 59 E
Bobbili 70 18 35N 83 30 E
Bóbbio 38 44 47N 9 22 E
Bobcaygeon 106 44 33N 78 33W
Böblingen 25 48 41N 9 1 E
Bobo-Dioulasso 84 11 8N 4 13W
Boboc 43 45 13N 26 59 E
Bobolice 28 53 58N 16 37 E
Boboshevo 42 42 9N 23 0 E
Bobov Dol 42 42 20N 23 0 E
Bóbr → 28 52 4N 15 4 E
Bobraomby, Tanjon' i 93 12 40S 49 10 E
Bobrinets 56 48 4N 32 5 E
Bobrov 55 51 5N 40 2 E
Bobruysk 54 53 10N 29 15 E
Bôca do Acre 126 8 50S 67 27W
Boca, La 120 8 56N 79 30W
Boca Raton 115 26 21N 80 5W
Bocaiúva 127 17 7S 43 49W
Bocanda 84 7 5N 4 31W
Bocaranga 88 7 0N 15 35 E
Bocas del Toro 121 9 15N 82 20W
Boceguillas 32 41 20N 3 39W
Bochnia 27 49 58N 20 27 E
Bocholt 24 51 50N 6 35 E
Bochov 26 50 9N 13 3 E
Bochum 24 51 28N 7 12 E
Bockenem 24 52 1N 10 8 E
Boćki 28 52 39N 23 3 E
Bocşa Montană 42 45 21N 21 47 E
Boda 88 4 19N 17 26 E
Böda 49 57 15N 17 3 E
Bodafors 49 57 48N 14 23 E
Bodaybo 59 57 50N 114 0 E
Boden 50 65 50N 21 42 E
Bodensee 25 47 35N 9 25 E
Bodenteich 24 52 49N 10 41 E
Bodhan 70 18 40N 77 44 E
Bodinayakkanur 70 10 2N 77 10 E
Bodinga 85 12 58N 5 10 E
Bodmin 13 50 28N 4 44W
Bodmin Moor 13 50 33N 4 36W
Bodrog → 27 48 15N 21 35 E
Bodrum 64 37 5N 27 30 E
Bódva → 27 48 19N 20 45 E
Boegoebergdam 92 29 7S 22 9 E
Boën 21 45 44N 4 0 E
Boende 88 0 24S 21 12 E
Boerne 117 29 48N 98 41W
Boffa 84 10 16N 14 3W
Bogalusa 117 30 50N 89 55W

Bogan Brabant L.

Bogan → 97 29 59S 146 17 E
Bogan Gate 99 33 7S 147 49 E
Bogantungan 98 23 41S 147 17 E
Bogata 117 33 26N 95 10W
Bogatić 42 44 51N 19 30 E
Bogenfels 92 27 25S 15 25 E
Bogense 49 55 34N 10 5 E
Boggabilla 99 28 36S 150 24 E
Boggabri 99 30 45S 150 0 E
Boggeragh Mts. 15 52 2N 8 55W
Bognor Regis 13 50 47N 0 40W
Bogø 49 54 55N 12 2 E
Bogo 73 11 3N 124 0 E
Bogodukhov 54 50 9N 35 33 E
Bogong, Mt. 97 36 47S 147 17 E
Bogor 73 6 36S 106 48 E
Bogoroditsk 55 53 47N 38 8 E
Bogorodsk 55 56 4N 43 30 E
Bogorodskoye 59 52 22N 140 30 E
Bogoso 84 5 38N 2 3W
Bogota 126 4 34N 74 0W
Bogotol 58 56 15N 89 50 E
Bogra 69 24 51N 89 22 E
Boguchany 59 58 40N 97 30 E
Boguchar 57 49 55N 40 32 E
Bogué 84 16 45N 14 10W
Boguslav 56 49 47N 30 53 E
Boguszów 28 50 45N 16 12 E
Bohain 19 49 59N 3 28 E
Bohemia 26 50 0N 14 0 E
Bohemian Forest = Böhmerwald 25 49 30N 12 40 E
Bohena Cr. → 99 30 17S 149 42 E
Bohinjska Bistrica 39 46 17N 14 1 E
Böhmerwald 25 49 30N 12 40 E
Bohmte 24 52 24N 8 20 E
Bohol 73 9 50N 124 10 E
Bohotleh 63 8 20N 46 25 E
Boi 85 9 35N 9 27 E
Boi, Pta. de 125 23 55S 45 15W
Boiano 41 41 28N 14 29 E
Boileau, C. 96 17 40S 122 7 E
Boinitsa 42 43 58N 22 32 E
Boise 118 43 43N 116 9W
Boise City 117 36 45N 102 30W
Boissevain 109 49 15N 100 5W
Boite → 39 46 5N 12 5 E
Boitzenburg 24 53 16N 13 36 E
Boizenburg 24 53 22N 10 42 E
Bojador C. 80 26 0N 14 30W
Bojana → 42 41 52N 19 22 E
Bojanowo 28 51 43N 16 42 E
Bojnūrd 65 37 30N 57 20 E
Bojonegoro 73 7 11S 111 54 E
Boju 85 7 22N 7 55 E
Boka 42 45 22N 20 52 E
Boka Kotorska 42 42 23N 18 32 E
Bokala 84 8 31N 4 33W
Boké 84 10 56N 14 17W
Bokhara → 99 29 55S 146 42 E
Bokkos 85 9 17N 9 1 E
Boknafjorden 47 59 14N 5 40 E
Bokoro 81 12 25N 17 14 E
Bokote 88 0 12S 21 8 E
Bokpyin 71 11 18N 98 42 E
Boksitogorsk 54 59 32N 33 56 E
Bokungu 88 0 35S 22 50 E
Bol, Chad 81 13 30N 15 0 E
Bol, Yugo. 39 43 18N 16 38 E
Bolama 84 11 30N 15 30W
Bolan Pass 66 29 50N 67 20 E
Bolaños → 120 21 14N 104 8W
Bolbec 18 49 30N 0 30 E
Boldeşti 46 45 3N 26 2 E
Bole, China 75 45 11N 81 37 E
Bole, Ethiopia 87 6 36N 37 20 E
Bolekhov 54 49 0N 24 0 E
Bolesławiec 28 51 17N 15 37 E
Bolgatanga 85 10 44N 0 53W
Bolgrad 56 45 40N 28 32 E
Boli, China 76 45 46N 130 31 E
Boli, Sudan 87 6 2N 28 48 E
Bolinao C. 73 16 23N 119 55 E
Bolivar, Argent. 124 36 15S 60 53W
Bolívar, Colomb. 126 2 0N 77 0W
Bolivar, Mo., U.S.A. 117 37 38N 93 22W
Bolivar, Tenn., U.S.A. 117 35 14N 89 0W
Bolivia ■ 126 17 6S 64 0W
Boljevac 42 43 51N 21 58 E
Bolkhov 55 53 25N 36 0 E
Bollène 21 44 18N 4 45 E
Bollnäs 48 61 21N 16 24 E
Bollon 99 28 2S 147 29 E
Bollstabruk 48 63 1N 17 40 E
Bollullos 31 37 19N 6 32W
Bolmen 49 56 55N 13 40 E
Bolobo 88 2 6S 16 20 E
Bologna 39 44 30N 11 20 E
Bologne 19 48 10N 5 8 E
Bologoye 54 57 55N 34 0 E
Bolomba 88 0 35N 19 0 E
Bolong 73 7 6N 122 16 E
Boloven, Cao Nguyen 71 15 10N 106 30 E
Bolpur 69 23 40N 87 45 E
Bolsena 39 42 40N 11 58 E
Bolsena, L. di 39 42 35N 11 55 E
Bolshaya Glushitsa 55 52 24N 50 29 E
Bolshaya Martynovka 57 47 12N 41 46 E
Bolshaya Vradiyevka 56 47 50N 30 40 E
Bolshereche 58 56 4N 74 45 E
Bolshevik, Ostrov 59 78 30N 102 0 E
Bolshezemelskaya Tundra 52 67 0N 56 0 E
Bolshoi Kavkas 57 42 50N 44 0 E
Bolshoy Anyuy → 59 68 30N 160 49 E
Bolshoy Atlym 58 62 25N 66 50 E
Bolshoy Begichev, Ostrov 59 74 20N 112 30 E
Bolshoy Lyakhovskiy, Ostrov 59 73 35N 142 0 E
Bolshoy Tokmak 56 47 16N 35 42 E
Bol'shoy Tyuters, Ostrov 54 59 51N 27 13 E
Bolsward 16 53 3N 5 32 E
Boltaña 32 42 28N 0 4 E
Boltigen 25 46 38N 7 24 E
Bolton, Can. 112 43 54N 79 45W
Bolton, U.K. 12 53 35N 2 26W
Bolu 64 40 45N 31 35 E
Bolvadin 64 38 45N 31 4 E
Bolzano (Bozen) 39 46 30N 11 20 E
Bom Despacho 127 19 43S 45 15W
Bom Jesus da Lapa 127 13 15S 43 25W
Boma 88 5 50S 13 4 E
Bomaderry 99 34 52S 150 37 E
Bombala 97 36 56S 149 15 E
Bombarral 31 39 15N 9 9W
Bombay 70 18 55N 72 50 E
Bomboma 88 2 25N 18 55 E
Bombombwa 90 1 40N 25 40 E
Bomi Hills 84 7 1N 10 38W
Bomili 90 1 45N 27 5 E
Bomokandi → 90 3 39N 26 8 E
Bomongo 88 1 27N 18 21 E
Bomu → 88 4 40N 23 30 E
Bon C. 83 37 1N 11 2 E
Bonaire 121 12 10N 68 15W
Bonang 99 37 11S 148 41 E
Bonanza 121 13 54N 84 35W
Bonaparte Archipelago 96 14 0S 124 30 E
Boñar 30 42 52N 5 19W
Bonaventure 107 48 5N 65 32W
Bonavista 107 48 40N 53 5W
Bonavista, C. 107 48 42N 53 5W
Bondeno 39 44 53N 11 22 E
Bondo 88 3 55N 23 53 E
Bondoukou 84 8 2N 2 47W
Bondowoso 73 7 56S 113 49 E
Bone Rate 73 7 25S 121 5 E
Bone Rate, Kepulauan 73 6 30S 121 10 E
Bone, Teluk 73 4 10S 120 50 E
Bonefro 41 41 42N 14 55 E
Bo'ness 14 56 0N 3 38W
Bong Son = Hoai Nhon 71 14 28N 109 1 E
Bongandanga 88 1 24N 21 3 E
Bongor 81 10 35N 15 20 E
Bongouanou 84 6 42N 4 15W
Bonham 117 33 30N 96 10W
Bonifacio 21 41 24N 9 10 E
Bonifacio, Bouches de 40 41 12N 9 15 E
Bonin Is. 94 27 0N 142 0 E
Bonke 87 6 5N 37 16 E
Bonn 24 50 43N 7 6 E
Bonnat 20 46 20N 1 54 E
Bonne Terre 117 37 57N 90 33W
Bonners Ferry 118 48 38N 116 21W
Bonnétable 18 48 11N 0 25 E
Bonneuil-Matours 18 46 41N 0 34 E
Bonneval 18 48 11N 1 24 E
Bonneville 21 46 5N 6 24 E
Bonney, L. 99 37 50S 140 20 E
Bonnie Rock 96 30 29S 118 22 E
Bonny, France 19 47 34N 2 50 E
Bonny, Nigeria 85 4 25N 7 13 E
Bonny → 85 4 20N 7 10 E
Bonny, Bight of 88 3 30N 9 20 E
Bonnyville 109 54 20N 110 45W
Bonoi 73 1 45S 137 41 E
Bonorva 40 40 25N 8 47 E
Bontang 72 0 10N 117 30 E
Bonthain 73 5 34S 119 56 E
Bonthe 84 7 30N 12 33W
Bontoc 73 17 7N 120 58 E
Bonyeri 84 5 1N 2 46W
Bonyhád 27 46 18N 18 32 E
Booker 117 36 29N 100 30W
Boolaboolka, L. 99 32 38S 143 10 E
Booligal 99 33 58S 144 53 E
Boom 16 51 6N 4 20 E
Boonah 99 27 58S 152 41 E
Boone, Iowa, U.S.A. 116 42 5N 93 53W
Boone, N.C., U.S.A. 115 36 14N 81 43W
Booneville, Ark., U.S.A. 117 35 10N 93 54W
Booneville, Miss., U.S.A. 115 34 39N 88 34W
Boonville, Ind., U.S.A. 114 38 3N 87 13W
Boonville, Mo., U.S.A. 116 38 57N 92 45W
Boonville, N.Y., U.S.A. 114 43 31N 75 20W
Boorindal 99 30 22S 146 11 E
Boorowa 99 34 28S 148 44 E
Boothia, Gulf of 105 71 0N 90 0W
Boothia Pen. 104 71 0N 94 0W
Bootle, Cumb., U.K. 12 54 17N 3 24W
Bootle, Merseyside, U.K. 12 53 28N 3 1W
Booué 88 0 5S 11 55 E
Bopeechee 99 29 36S 137 22 E
Bophuthatswana □ 92 26 0S 26 0 E
Boppard 25 50 13N 7 36 E
Boquete 121 8 49N 82 27W
Bor 26 49 41N 12 45 E
Bôr 87 6 10N 31 40 E
Bor, Sweden 49 57 9N 14 10 E
Bor, Yugo. 42 44 8N 22 7 E
Borah, Mt. 118 44 19N 113 46W
Borama 63 9 55N 43 7 E
Borang 87 4 50N 30 59 E
Borås 49 57 43N 12 56 E
Borāzjān 65 29 22N 51 10 E
Borba, Brazil 126 4 12S 59 34W
Borba, Port. 31 38 50N 7 26W
Borçka 57 41 25N 41 41 E
Bordeaux 20 44 50N 0 36W
Borden 107 46 18N 63 47W
Borden I. 4 78 30N 111 30W
Borders □ 14 55 35N 2 50W
Bordertown 97 36 19S 140 45 E
Borðeyri 50 65 12N 21 6W
Bordighera 38 43 47N 7 40 E
Bordj bou Arreridj 83 36 4N 4 45 E
Bordj Bourguiba 83 32 12N 10 2 E
Bordj el Hobra 83 32 9N 4 51 E
Bordj Fly Ste. Marie 82 27 19N 2 32W
Bordj-in-Eker 83 24 9N 5 3 E
Bordj Menaiel 83 36 46N 3 43 E
Bordj Messouda 83 30 12N 9 25 E
Bordj Nili 82 33 28N 3 2 E
Bordj Omar Driss 83 28 10N 6 40 E
Bordj Zelfana 83 32 27N 4 15 E
Borek Wielkopolski 28 51 54N 17 11 E
Borensberg 49 58 34N 15 17 E
Borgarnes 50 64 32N 21 55W
Børgefjellet 50 65 20N 13 45 E
Borger, Neth. 16 52 54N 6 44 E
Borger, U.S.A. 117 35 40N 101 20W
Borghamn 49 58 23N 14 41 E
Borgholm 49 56 52N 16 39 E
Bórgia 41 38 50N 16 30 E
Borgo San Dalmazzo 38 44 19N 7 29 E
Borgo San Lorenzo 39 43 57N 11 21 E
Borgo Valsugano 39 46 3N 11 27 E
Borgomanero 38 45 41N 8 28 E
Borgonovo Val Tidone 38 45 1N 9 28 E
Borgorose 39 42 12N 13 14 E
Borgosésia 38 45 43N 8 17 E
Borgvattnet 48 63 26N 15 48 E
Borislav 54 49 18N 23 28 E
Borisoglebsk 55 51 27N 42 5 E
Borisoglebskiy 55 56 28N 43 59 E
Borisov 54 54 17N 28 28 E
Borispol 54 50 21N 30 59 E
Borja, Peru 126 4 20S 77 40W
Borja, Spain 32 41 48N 1 34W
Borjas Blancas 32 41 31N 0 52 E
Borken 24 51 51N 6 52 E
Borkou 81 18 15N 18 50 E
Borkum 24 53 36N 6 42 E
Borlänge 48 60 29N 15 26 E
Borley, C. 5 66 15S 52 30 E
Bormida → 38 44 23N 8 13 E
Bórmio 38 46 28N 10 22 E
Borna 24 51 8N 12 31 E
Borneo 72 1 0N 115 0 E
Bornholm 49 55 10N 15 0 E
Bornholmsgattet 49 55 15N 14 20 E
Borno □ 85 12 30N 12 30 E
Bornos 31 36 48N 5 42W
Bornu Yassa 85 12 14N 12 25 E
Borobudur 73 7 36S 110 13 E
Borodino 54 55 31N 35 40 E
Borogontsy 59 62 42N 131 8 E
Boromo 84 11 45N 2 58W
Borongan 73 11 37N 125 26 E
Bororen 98 24 13S 151 33 E
Borotangba Mts. 87 6 30N 25 0 E
Borovan 43 43 27N 23 45 E
Borovichi 54 58 25N 33 55 E
Borovsk 55 55 12N 36 24 E
Borrby 49 55 27N 14 10 E
Borriol 32 40 4N 0 4W
Borroloola 97 16 4S 136 17 E
Borşa 46 47 41N 24 50 E
Borsod-Abaúj-Zemplén □ 27 48 20N 21 0 E
Bort-les-Orgues 20 45 24N 2 29 E
Borth 13 52 29N 4 3W
Borujerd 64 33 55N 48 50 E
Borzhomi 57 41 48N 43 28 E
Borzna 54 51 18N 32 26 E
Borzya 59 50 24N 116 31 E
Bosa 40 40 17N 8 32 E
Bosanska Brod 42 45 10N 18 0 E
Bosanska Dubica 39 45 10N 16 50 E
Bosanska Gradiška 42 45 10N 17 15 E
Bosanska Kostajnica 39 45 11N 16 33 E
Bosanska Krupa 39 44 53N 16 10 E
Bosanski Novi 39 45 2N 16 22 E
Bosanski Samac 42 45 3N 18 29 E
Bosansko Grahovo 39 44 12N 16 26 E
Bosansko Petrovac 39 44 35N 16 21 E
Bosaso 63 11 12N 49 18 E
Boscastle 13 50 42N 4 42W
Boscotrecase 41 40 46N 14 28 E
Bose 77 23 53N 106 35 E
Boshan 76 36 28N 117 49 E
Boshoek 92 25 30S 27 9 E
Boshof 92 28 31S 25 13 E
Boshrūyeh 65 33 50N 57 30 E
Bosilegrad 42 42 30N 22 27 E
Boskovice 27 49 29N 16 40 E
Bosna → 42 45 4N 18 29 E
Bosna i Hercegovina □ 42 44 0N 18 0 E
Bosnia = Bosna □ 42 44 0N 18 0 E
Bosnik 73 1 5S 136 10 E
Bōsō-Hantō 74 35 20N 140 20 E
Bosobolo 88 4 15N 19 50 E
Bosporus = Karadeniz Boğazı 64 41 10N 29 10 E
Bossangoa 88 6 35N 17 30 E
Bossekop 50 69 57N 23 15 E
Bossembélé 81 5 25N 17 40 E
Bossier City 117 32 28N 93 48W
Bosso 85 13 43N 13 19 E
Bossut C. 96 18 42S 121 35 E
Bosten Hu 75 41 55N 87 40 E
Boston, U.K. 12 52 59N 0 2W
Boston, U.S.A. 114 42 20N 71 0W
Boston Bar 108 49 52N 121 30W
Bosut → 42 45 20N 19 0 E
Boswell, Can. 108 49 28N 116 45W
Boswell, Okla., U.S.A. 117 34 1N 95 50W
Boswell, Pa., U.S.A. 112 40 9N 79 2W
Botad 68 22 15N 71 40 E
Botevgrad 43 42 55N 23 47 E
Bothaville 92 27 23S 26 34 E
Bothnia, G. of 50 63 0N 20 0 E
Bothwell, Austral. 99 42 20S 147 1 E
Bothwell, Can. 112 42 38N 81 52W
Boticas 30 41 41N 7 40W
Botletle → 92 20 10S 23 15 E
Botoroaga 46 44 8N 25 32 E
Botoşani 46 47 42N 26 41 E
Botoşani □ 46 47 50N 26 50 E
Botro 84 7 51N 5 19W
Botswana ■ 92 22 0S 24 0 E
Bottineau 116 48 49N 100 25W
Bottrop 24 51 34N 6 59 E
Botucatu 125 22 55S 48 30W
Botwood 107 49 6N 55 23W
Bou Alam 82 33 50N 1 26 E
Bou Ali 82 27 11N 0 4W
Bou Djébéha 84 18 25N 2 45W
Bou Guema 82 28 49N 0 19 E
Bou Ismael 82 36 38N 2 42 E
Bou Izakarn 82 29 12N 9 46W
Bou Saâda 83 35 11N 4 9 E
Bou Salem 83 36 45N 9 2 E
Bouaké 84 7 40N 5 2W
Bouar 88 6 0N 15 40 E
Bouârfa 82 32 32N 1 58 E
Bouca 88 6 45N 18 25 E
Boucau 20 43 32N 1 29W
Bouches-du-Rhône □ 21 43 37N 5 2 E
Bouda 82 27 50N 0 27W
Boudenib 82 31 59N 3 31W
Boufarik 82 36 34N 2 58 E
Bougainville C. 96 13 57S 126 4 E
Bougaroun, C. 83 37 6N 6 30 E
Bougie = Bejaia 83 36 42N 5 2 E
Bougouni 84 11 30N 7 20W
Bouillon 16 49 44N 5 3 E
Bouïra 83 36 20N 3 59 E
Boulder, Austral. 96 30 46S 121 30 E
Boulder, Colo., U.S.A. 116 40 3N 105 10W
Boulder, Mont., U.S.A. 118 46 14N 112 4W
Boulder City 119 36 0N 114 50W
Boulder Dam = Hoover Dam 119 36 0N 114 45W
Bouli 84 15 17N 12 18W
Boulia 97 22 52S 139 51 E
Bouligny 19 49 17N 5 45 E
Boulogne → 18 47 12N 1 47W
Boulogne-sur-Gesse 20 43 18N 0 38 E
Boulogne-sur-Mer 19 50 42N 1 36 E
Bouloire 18 47 58N 0 33 E
Boulsa 85 12 39N 0 34W
Boultoum 85 14 45N 10 25 E
Boumalne 82 31 25N 6 0W
Bouna 84 9 10N 3 0W
Boundiali 84 9 30N 6 20W
Bountiful 118 40 57N 111 58W
Bounty I. 94 48 0S 178 30 E
Bourbon-Lancy 20 46 37N 3 45 E
Bourbon-l'Archambault 20 46 36N 3 4 E
Bourbonnais 20 46 28N 3 0 E
Bourbonne-les-Bains 19 47 59N 5 45 E
Bourem 85 17 0N 0 24W
Bourg 20 45 3N 0 34W
Bourg-Argental 21 45 18N 4 32 E
Bourg-de-Péage 21 45 2N 5 3 E
Bourg-en-Bresse 21 46 13N 5 12 E
Bourg-St.-Andéol 21 44 23N 4 39 E
Bourg-St.-Maurice 21 45 35N 6 46 E
Bourganeuf 20 45 57N 1 45 E
Bourges 19 47 9N 2 25 E
Bourget 113 45 26N 75 9W
Bourget, L. du 21 45 44N 5 52 E
Bourgneuf, B. de 18 47 3N 2 10W
Bourgneuf-en-Retz 18 47 2N 1 58W
Bourgneuf-la-Fôret, Le 18 48 10N 0 59W
Bourgogne 19 47 0N 4 30 E
Bourgoin-Jallieu 21 45 36N 5 17 E
Bourgueil 18 47 17N 0 10 E
Bourke 97 30 8S 145 55 E
Bournemouth 13 50 43N 1 53W
Bourriot-Bergonce 20 44 7N 0 14W
Bouscat, Le 20 44 53N 0 32W
Boussac 20 46 22N 2 13 E
Boussens 20 43 12N 0 58 E
Bousso 81 10 34N 16 52 E
Boutilimit 84 17 45N 14 40W
Boutonne → 20 45 55N 0 43 E
Bouvet I. = Bouvetøya 7 54 26S 3 24 E
Bouvetøya 7 54 26S 3 24 E
Bouznika 82 33 46N 7 6W
Bouzonville 19 49 17N 6 32 E
Bova Marina 41 37 59N 15 56 E
Bovalino Marina 41 38 9N 16 10 E
Bovec 39 46 20N 13 33 E
Bovigny 16 50 12N 5 55 E
Bovill 118 46 58N 116 27W
Bovino 41 41 15N 15 20 E
Bow Island 108 49 50N 111 23W
Bowbells 116 48 47N 102 19W
Bowdle 116 45 30N 99 40W
Bowen 97 20 0S 148 16 E
Bowen → 98 20 24S 147 20 E
Bowen Mts. 99 37 0S 148 0 E
Bowie, Ariz., U.S.A. 119 32 15N 109 30W
Bowie, Tex., U.S.A. 117 33 33N 97 50W
Bowland, Forest of 12 54 0N 2 30W
Bowling Green, Ky., U.S.A. 114 37 0N 86 25W
Bowling Green, Ohio, U.S.A. 114 41 22N 83 40W
Bowling Green, C. 97 19 19S 147 25 E
Bowman 116 46 12N 103 21W
Bowman I. 5 65 0S 104 0 E
Bowmans 99 34 10S 138 17 E
Bowmanville 106 43 55N 78 41W
Bowmore 14 55 45N 6 18W
Bowral 97 34 26S 150 27 E
Bowraville 99 30 37S 152 52 E
Bowron → 108 54 3N 121 50W
Bowser L. 108 56 30N 129 30W
Bowsman 109 52 14N 101 12W
Bowwood 91 17 5S 26 20 E
Boxelder Cr. → 118 47 20N 108 30W
Boxholm 49 58 12N 15 3 E
Boxtel 16 51 36N 5 20 E
Boyabat 56 41 28N 34 42 E
Boyce 117 31 25N 92 39W
Boyer → 108 58 27N 115 57W
Boyle 15 53 58N 8 19W
Boyne → 15 53 43N 6 15W
Boyne City 114 45 13N 85 1W
Boyni Qara 65 36 20N 67 0 E
Boynton Beach 115 26 31N 80 3W
Bozburun 45 36 43N 28 8 E
Bozcaada 44 39 49N 26 3 E
Bozeman 118 45 40N 111 0W
Bozen = Bolzano 39 46 30N 11 20 E
Bożepole Wielkopolski 28 54 33N 17 56 E
Boževac 42 44 32N 21 24 E
Bozouls 20 44 28N 2 43 E
Bozoum 88 6 25N 16 35 E
Bozovici 46 44 56N 22 1 E
Bra 38 44 41N 7 50 E
Brabant □ 16 50 46N 4 30 E
Brabant L. 109 55 58N 103 43W

Brabrand **Bucharest**

Brabrand **49** 56 9N 10 7 E
Brač **39** 43 20N 16 40 E
Bracadale, L. **14** 57 20N 6 30W
Bracciano **39** 42 6N 12 10 E
Bracciano, L. di **39** 42 8N 12 11 E
Bracebridge **106** 45 2N 79 19W
Brach **83** 27 31N 14 20 E
Bracieux **19** 47 30N 1 30 E
Bräcke **48** 62 45N 15 26 E
Brackettville **117** 29 21N 100 20W
Bracki Kanal **39** 43 24N 16 40 E
Brad **46** 46 10N 22 50 E
Brádano → **41** 40 23N 16 51 E
Braddock **112** 40 24N 79 51W
Bradenton **115** 27 25N 82 35W
Bradford, Can. **112** 44 7N 79 34W
Bradford, U.K. **12** 53 47N 1 45W
Bradford, Pa., U.S.A. **114** 41 58N 78 41W
Bradford, Vt., U.S.A. **113** 43 59N 72 9W
Brădiceni **46** 45 3N 23 4 E
Bradley, Ark., U.S.A. **117** 33 7N 93 39W
Bradley, S.D., U.S.A. **116** 45 10N 97 40W
Bradley Institute **91** 17 7S 31 25 E
Bradore Bay **107** 51 27N 57 18W
Bradshaw **97** 15 21 S 130 16 E
Brady **117** 31 8N 99 25W
Brædstrup **49** 55 58N 9 37 E
Braeside **113** 45 28N 76 24W
Braga **30** 41 35N 8 25W
Braga □ **30** 41 30N 8 30W
Bragado **124** 35 2 S 60 27W
Bragança, Brazil **127** 1 0 S 47 2W
Bragança, Port. **30** 41 48N 6 50W
Bragança □ **30** 41 30N 6 45W
Bragança Paulista **125** 22 55 S 46 32W
Brahmanbaria **69** 23 58N 91 15 E
Brahmani → **69** 20 39N 86 46 E
Brahmaputra → **67** 24 2N 90 59 E
Braich-y-pwll **12** 52 47N 4 46W
Braidwood **99** 35 27 S 149 49 E
Brăila **46** 45 19N 27 59 E
Brăila □ **46** 45 5N 27 30 E
Brainerd **116** 46 20N 94 10W
Braintree, U.K. **13** 51 53N 0 34 E
Braintree, U.S.A. **113** 42 11N 71 0W
Brak → **92** 29 35 S 22 55 E
Brake, Niedersachsen, Ger. **24** 53 19N 8 30 E
Brake, Nordrhein, Ger. **24** 51 43N 9 12 E
Bräkne-Hoby **49** 56 14N 15 6 E
Brakwater **92** 22 28 S 17 3 E
Brålanda **49** 58 34N 12 21 E
Bralorne **108** 50 50N 123 45W
Bramberg **25** 50 6N 10 40 E
Bramminge **49** 55 28N 8 42 E
Brämön **48** 62 14N 17 40 E
Brampton **106** 43 45N 79 45W
Bramsche **24** 52 25N 7 58 E
Bramwell **98** 12 8 S 142 37 E
Branco → **126** 1 20 S 61 50W
Brande **49** 55 57N 9 8 E
Brandenburg **24** 52 24N 12 33 E
Brandfort **92** 28 40 S 26 30 E
Brandon, Can. **109** 49 50N 99 57W
Brandon, U.S.A. **113** 43 48N 73 4W
Brandon B. **15** 52 17N 10 8W
Brandon, Mt. **15** 52 15N 10 15W
Brandsen **124** 35 10 S 58 15W
Brandval **47** 60 19N 12 1 E
Brandvlei **92** 30 25 S 20 30 E
Brandýs **26** 50 10N 14 40 E
Branford **113** 41 15N 72 48W
Braniewo **28** 54 25N 19 50 E
Bransfield Str. **5** 63 0 S 59 0W
Brańsk **28** 52 44N 22 51 E
Branson, Colo., U.S.A. **117** 37 4N 103 53W
Branson, Mo., U.S.A. **117** 36 40N 93 18W
Brantford **106** 43 10N 80 15W
Brantôme **20** 45 22N 0 39 E
Branxholme **99** 37 52 S 141 49 E
Branzi **38** 46 0N 9 46 E
Bras d'or, L. **107** 45 50N 60 50W
Brasiléia **126** 11 0 S 68 45W
Brasília **127** 15 47 S 47 55 E
Braslav **54** 55 38N 27 0 E
Braslovce **39** 46 21N 15 3 E
Braşov **46** 45 38N 25 35 E
Braşov □ **46** 45 45N 25 15 E
Brass **85** 4 35N 6 14 E
Brass → **85** 4 15N 6 13 E
Brassac-les-Mines **20** 45 24N 3 20 E
Brasschaat **16** 51 19N 4 27 E
Brassey, Banjaran **72** 5 0N 117 15 E
Brasstown Bald, Mt. **115** 34 54N 83 45W
Bratislava **27** 48 10N 17 7 E
Bratsigovo **43** 42 1N 24 22 E
Bratsk **59** 56 10N 101 30 E
Brattleboro **114** 42 53N 72 37W
Braţul Chilia → **46** 45 25N 29 20 E
Braţul Sfîntu Gheorghe → **46** 45 0N 29 20 E
Braţul Sulina → **46** 45 10N 29 20 E
Bratunac **42** 44 13N 19 21 E
Braunau **26** 48 15N 13 3 E
Braunschweig **24** 52 17N 10 28 E
Braunton **13** 51 6N 4 9W
Brava **63** 1 20N 44 8 E
Bråviken **48** 58 38N 16 32 E
Bravo del Norte → **120** 25 57N 97 9W
Brawley **119** 32 58N 115 30W
Bray **15** 53 12N 6 6W
Bray, Pays de **19** 49 46N 1 26 E
Bray-sur-Seine **19** 48 25N 3 14 E
Brazeau → **108** 52 55N 115 14W
Brazil **114** 39 32N 87 8W
Brazil ■ **127** 10 0 S 50 0W
Brazilian Highlands = Brasil, Planalto **122** 18 0 S 46 30W
Brazo Sur → **124** 25 21 S 57 42W
Brazos → **117** 28 53N 95 23W
Brazzaville **88** 4 9 S 15 12 E
Brčko **42** 44 54N 18 46 E
Brda → **28** 53 8N 18 8 E
Breadalbane, Austral. **98** 23 50 S 139 35 E
Breadalbane, U.K. **14** 56 30N 4 15W
Breaksea Sd. **101** 45 35 S 166 35 E
Bream Bay **101** 35 56 S 174 28 E
Bream Head **101** 35 51 S 174 36 E
Breas **124** 25 29 S 70 24W
Brebes **73** 6 52 S 109 3 E
Brechin, Can. **112** 44 32N 79 10W
Brechin, U.K. **14** 56 44N 2 40W
Breckenridge, Colo., U.S.A. **118** 39 30N 106 2W
Breckenridge, Minn., U.S.A. **116** 46 20N 96 36W
Breckenridge, Tex., U.S.A. **117** 32 48N 98 55W
Břeclav **27** 48 46N 16 53 E
Brecon **13** 51 57N 3 23W
Brecon Beacons **13** 51 53N 3 27W
Breda **16** 51 35N 4 45 E
Bredaryd **49** 57 10N 13 45 E
Bredasdorp **92** 34 33 S 20 2 E
Bredbo **99** 35 58 S 149 10 E
Bredstedt **24** 54 37N 8 59 E
Bregalnica → **42** 41 43N 22 9 E
Bregenz **26** 47 30N 9 45 E
Bregovo **42** 44 9N 22 39 E
Bréhal **18** 48 53N 1 30W
Bréhat, I. de **18** 48 51N 3 0W
Breiðafjörður **50** 65 15N 23 15W
Breil **21** 43 56N 7 31 E
Breisach **25** 48 2N 7 37 E
Brejo **127** 3 41 S 42 47W
Brekke **47** 61 1N 5 26 E
Breloux-la-Crèche **20** 46 23N 0 19W
Bremangerlandet **47** 61 51N 5 0 E
Bremen **24** 53 4N 8 47 E
Bremen □ **24** 53 6N 8 46 E
Bremerhaven **24** 53 34N 8 35 E
Bremerton **118** 47 30N 122 38W
Bremervörde **24** 53 28N 9 10 E
Bremnes **47** 59 47N 5 8 E
Bremsnes **47** 63 6N 7 40 E
Brenes **31** 37 32N 5 54W
Brenham **117** 30 5N 96 27W
Brenner Pass **26** 47 0N 11 30 E
Breno **38** 45 57N 10 20 E
Brent, Can. **106** 46 2N 78 29W
Brent, U.K. **13** 51 33N 0 18W
Brenta → **39** 45 11N 12 18 E
Brentwood **13** 51 37N 0 19 E
Bréscia **38** 45 33N 10 13 E
Breskens **16** 51 23N 3 33 E
Breslau = Wrocław **28** 51 5N 17 5 E
Bresle → **18** 50 4N 1 22 E
Bresles **19** 49 25N 2 13 E
Bressanone **39** 46 43N 11 40 E
Bressay I. **14** 60 10N 1 5W
Bresse, La **19** 48 0N 6 53 E
Bresse, Plaine de **19** 46 50N 5 10 E
Bressuire **18** 46 51N 0 30W
Brest, France **18** 48 24N 4 31W
Brest, U.S.S.R. **54** 52 10N 23 40 E
Bretagne **18** 48 0N 3 0W
Bretçu **46** 46 7N 26 18 E
Breteuil, Eur, France **18** 48 50N 0 53 E
Breteuil, Oise, France **19** 49 38N 2 18 E
Breton **108** 53 7N 114 28W
Breton, Pertuis **20** 46 17N 1 25W
Breton Sd. **117** 29 40N 89 12W
Brett, C. **101** 35 10 S 174 20 E
Bretten **25** 49 2N 8 43 E
Brevard **115** 35 19N 82 42W
Brevik **47** 59 4N 9 42 E
Brewarrina **99** 30 0 S 146 51 E
Brewer **107** 44 43N 68 50W
Brewster, N.Y., U.S.A. **113** 41 23N 73 37W
Brewster, Wash., U.S.A. **118** 48 10N 119 51W
Brewster, Kap **4** 70 7N 22 0W
Brewton **115** 31 9N 87 2W
Breyten **93** 26 16 S 30 0 E
Breytovo **55** 58 18N 37 50 E
Brežice **39** 45 54N 15 35 E
Brézina **82** 33 4N 1 14 E
Březnice **26** 49 32N 13 57 E
Breznik **42** 42 44N 22 50 E
Brezno **27** 48 50N 19 40 E
Brezovo **43** 42 21N 25 5 E
Bria **88** 6 30N 21 58 E
Briançon **21** 44 54N 6 39 E
Briare **19** 47 38N 2 45 E
Bribie I. **97** 27 0 S 152 58 E
Bricon **19** 48 5N 5 0 E
Bricquebec **18** 49 28N 1 38W
Bridgehampton **113** 40 56N 72 19W
Bridgend **13** 51 30N 3 35W
Bridgeport, Calif., U.S.A. **119** 38 14N 119 15W
Bridgeport, Conn., U.S.A. **114** 41 12N 73 12W
Bridgeport, Nebr., U.S.A. **116** 41 42N 103 10W
Bridgeport, Tex., U.S.A. **117** 33 15N 97 45W
Bridger **118** 45 20N 108 58W
Bridgeton **114** 39 29N 75 10W
Bridgetown, Austral. **96** 33 58 S 116 7 E
Bridgetown, Barbados **121** 13 0N 59 30W
Bridgetown, Can. **107** 44 55N 65 18W
Bridgewater, Can. **107** 44 25N 64 31W
Bridgewater, Mass., U.S.A. **113** 41 59N 70 56W
Bridgewater, S.D., U.S.A. **116** 43 34N 97 29W
Bridgewater, C. **97** 38 23 S 141 23 E
Bridgnorth **13** 52 33N 2 25W
Bridgton **113** 44 5N 70 41W
Bridgwater **13** 51 7N 3 0W
Bridlington **12** 54 6N 0 11W
Bridport, Austral. **99** 40 59 S 147 23 E
Bridport, U.K. **13** 50 43N 2 45W
Brie-Comte-Robert **19** 48 40N 2 35 E
Brie, Plaine de la **19** 48 35N 3 10 E
Briec **18** 48 6N 4 0W
Brienne-le-Château **19** 48 24N 4 30 E
Brienon **19** 48 0N 3 35 E
Brienz **25** 46 46N 8 2 E
Brienzersee **25** 46 44N 7 53 E
Briey **19** 49 14N 5 57 E
Brig **25** 46 18N 7 59 E
Brigg **12** 53 33N 0 30W
Briggsdale **116** 40 40N 104 20W
Brigham City **118** 41 30N 112 1W
Bright **99** 36 42 S 146 56 E
Brighton, Austral. **99** 35 5 S 138 30 E
Brighton, Can. **106** 44 2N 77 44W
Brighton, U.K. **13** 50 50N 0 9W
Brighton, U.S.A. **116** 39 59N 104 50W
Brignogan-Plage **18** 48 40N 4 20W
Brignoles **21** 43 25N 6 5 E
Brihuega **32** 40 45N 2 52W
Brikama **84** 13 15N 16 45W
Brilliant, Can. **108** 49 19N 117 38W
Brilliant, U.S.A. **112** 40 15N 80 39W
Brilon **24** 51 23N 8 32 E
Brindisi **41** 40 39N 17 55 E
Brinje **39** 45 0N 15 9 E
Brinkley **117** 34 55N 91 15W
Brinkworth **99** 33 42 S 138 26 E
Brion, I. **107** 47 46N 61 26W
Brionne **18** 49 11N 0 43 E
Brionski **39** 44 55N 13 45 E
Brioude **20** 45 18N 3 24 E
Briouze **18** 48 42N 0 23W
Brisbane **97** 27 25 S 153 2 E
Brisbane → **99** 27 24 S 153 9 E
Brisighella **39** 44 14N 11 46 E
Bristol, U.K. **13** 51 26N 2 35W
Bristol, Conn., U.S.A. **114** 41 44N 72 57W
Bristol, Pa., U.S.A. **113** 40 6N 74 52W
Bristol, R.I., U.S.A. **113** 41 40N 71 15W
Bristol, S.D., U.S.A. **116** 45 25N 97 43W
Bristol, Tenn., U.S.A. **115** 36 36N 82 11W
Bristol B. **104** 58 0N 160 0W
Bristol Channel **13** 51 18N 4 30W
Bristol I. **5** 58 45 S 28 0W
Bristol L. **119** 34 23N 116 50W
Bristow **117** 35 55N 96 28W
British Antarctic Territory □ **5** 66 0 S 45 0W
British Columbia □ **108** 55 0N 125 15W
British Guiana = Guyana ■ **126** 5 0N 59 0W
British Honduras = Belize ■ **120** 17 0N 88 30W
British Isles **8** 55 0N 4 0W
Brits **93** 25 37 S 27 48 E
Britstown **92** 30 37 S 23 30 E
Britt **106** 45 46N 80 34W
Brittany = Bretagne **18** 48 0N 3 0W
Britton **116** 45 50N 97 47W
Brive-la-Gaillarde **20** 45 10N 1 32 E
Briviesca **32** 42 32N 3 19W
Brixton **98** 23 32 S 144 57 E
Brlik **58** 44 0N 74 5 E
Brno **27** 49 10N 16 35 E
Bro **48** 59 31N 17 38 E
Broach = Bharuch **68** 21 47N 73 0 E
Broad → **115** 33 59N 82 39W
Broad B. **14** 58 14N 6 16W
Broad Haven **15** 54 20N 9 55W
Broad Law **14** 55 30N 3 22W
Broad Sd. **97** 22 0 S 149 45 E
Broadford **100** 37 14 S 145 4 E
Broads, The **12** 52 45N 1 30 E
Broadsound Ra. **97** 22 50 S 149 30 E
Broadus **116** 45 28N 105 27W
Broadview **109** 50 22N 102 35W
Broager **49** 54 53N 9 40 E
Broaryd **49** 57 7N 13 15 E
Brochet **109** 57 53N 101 40W
Brochet, L. **109** 58 36N 101 35W
Brock **109** 51 26N 108 43W
Brocken **24** 51 48N 10 40 E
Brockport **114** 43 12N 77 56W
Brockton **113** 42 8N 71 2W
Brockville **106** 44 35N 75 41W
Brockway, Mont., U.S.A. **116** 47 18N 105 46W
Brockway, Pa., U.S.A. **112** 41 14N 78 48W
Brocton **112** 42 25N 79 26W
Brod **42** 41 35N 21 17 E
Brodarevo **42** 43 14N 19 44 E
Brodeur Pen. **105** 72 30N 88 10W
Brodick **14** 55 34N 5 9W
Brodnica **28** 53 15N 19 25 E
Brody **54** 50 5N 25 10 E
Brogan **118** 44 14N 117 32W
Broglie **18** 49 0N 0 30 E
Brok **28** 52 43N 21 52 E
Broken → **100** 36 24 S 145 24 E
Broken Bay **100** 33 30 S 151 15 E
Broken Bow, Nebr., U.S.A. **116** 41 25N 99 35W
Broken Bow, Okla., U.S.A. **117** 34 2N 94 43W
Broken Hill **97** 31 58 S 141 29 E
Broken Hill = Kabwe **91** 14 27 S 28 28 E
Brokind **49** 58 13N 15 42 E
Bromfield **13** 52 25N 2 45W
Bromley **13** 51 20N 0 5 E
Bromölla **49** 56 5N 14 28 E
Brønderslev **49** 57 16N 9 57 E
Brong-Ahafo **84** 7 50N 2 0W
Bronkhorstspruit **93** 25 46 S 28 45 E
Bronnitsy **55** 55 27N 38 10 E
Bronte, Italy **41** 37 48N 14 49 E
Bronte, U.S.A. **117** 31 54N 100 18W
Bronte Park **99** 42 8 S 146 30 E
Brookfield **116** 39 50N 93 4W
Brookhaven **117** 31 40N 90 25W
Brookings, Oreg., U.S.A. **118** 42 4N 124 10W
Brookings, S.D., U.S.A. **116** 44 20N 96 45W
Brooklands **98** 18 10 S 144 0 E
Brooklin **112** 43 55N 78 55W
Brookmere **108** 49 52N 120 53W
Brooks **108** 50 35N 111 55W
Brooks B. **108** 50 15N 127 55W
Brooks L. **109** 61 55N 106 35W
Brooks Ra. **104** 68 40N 147 0W
Brooksville **115** 28 32N 82 21W
Brookton **96** 32 22 S 117 1 E
Brookville **114** 39 25N 85 0W
Brooloo **99** 26 30 S 152 43 E
Broom, L. **14** 57 55N 5 15W
Broome **96** 18 0 S 122 15 E
Broons **18** 48 20N 2 16W
Brora **14** 58 0N 3 50W
Brora → **14** 58 4N 3 52W
Brösarp **49** 55 43N 14 6 E
Brosna → **15** 53 8N 8 0W
Broşteni **46** 47 14N 25 43 E
Brothers **118** 43 56N 120 39W
Brøttum **47** 61 2N 10 34 E
Brou **18** 48 13N 1 11 E
Brouage **20** 45 52N 1 4W
Broughton Island **105** 67 33N 63 0W
Broughty Ferry **14** 56 29N 2 50W
Broumov **27** 50 35N 16 20 E
Brouwershaven **16** 51 45N 3 55 E
Brovary **54** 50 34N 30 48 E
Brovst **49** 57 6N 9 31 E
Browerville **116** 46 3N 94 50W
Brown Willy **13** 50 35N 4 34W
Brownfield **117** 33 10N 102 15W
Browning **118** 48 35N 113 0W
Brownlee **109** 50 43N 106 1W
Brownsville, Oreg., U.S.A. **118** 44 29N 123 0W
Brownsville, Tenn., U.S.A. **117** 35 35N 89 15W
Brownsville, Tex., U.S.A. **117** 25 56N 97 25W
Brownwood **117** 31 45N 99 0W
Brownwood, L. **117** 31 51N 98 35W
Brozas **31** 39 37N 6 47W
Bru **47** 61 32N 5 11 E
Bruas **71** 4 31N 100 46 E
Bruay-en-Artois **19** 50 29N 2 33 E
Bruce, Mt. **96** 22 37 S 118 8 E
Bruce Pen. **112** 45 0N 81 30W
Bruche → **19** 48 34N 7 43 E
Bruchsal **25** 49 9N 8 39 E
Bruck an der Leitha **27** 48 1N 16 47 E
Bruck an der Mur **26** 47 24N 15 16 E
Brückenau **25** 50 17N 9 48 E
Brue → **13** 51 10N 2 59W
Bruges = Brugge **16** 51 13N 3 13 E
Brugg **25** 47 29N 8 11 E
Brugge **16** 51 13N 3 13 E
Brühl **24** 50 49N 6 51 E
Brûlé **108** 53 15N 117 58W
Brûlon **18** 47 58N 0 15W
Brumado **127** 14 14 S 41 40W
Brumath **19** 48 43N 7 40 E
Brumunddal **47** 60 53N 10 56 E
Brundidge **115** 31 43N 85 45W
Bruneau **118** 42 57N 115 55W
Bruneau → **118** 42 57N 115 58W
Brunei = Bandar Seri Begawan **72** 4 52N 115 0 E
Brunei ■ **72** 4 50N 115 0 E
Brunflo **48** 63 5N 14 50 E
Brunico **39** 46 50N 11 55 E
Brunkeberg **47** 59 26N 8 28 E
Brunna **48** 59 52N 17 25 E
Brunnen **25** 46 59N 8 37 E
Brunner **101** 42 27 S 171 20 E
Brunner, L. **101** 42 37 S 171 27 E
Brunnsvik **48** 60 12N 15 8 E
Bruno **109** 52 20N 105 30W
Brunsbüttelkoog **24** 53 52N 9 13 E
Brunswick, Ga., U.S.A. **115** 31 10N 81 30W
Brunswick, Md., U.S.A. **114** 39 20N 77 38W
Brunswick, Me., U.S.A. **107** 43 53N 69 50W
Brunswick, Mo., U.S.A. **116** 39 26N 93 10W
Brunswick, Ohio, U.S.A. **112** 41 15N 81 50W
Brunswick = Braunschweig **24** 52 17N 10 28 E
Brunswick B. **96** 15 15 S 124 50 E
Brunswick, Pen. de **128** 53 30 S 71 30W
Bruntál **27** 50 0N 17 27 E
Bruny I. **97** 43 20 S 147 15 E
Brusartsi **42** 43 40N 23 5 E
Brush **116** 40 17N 103 33W
Brushton **113** 44 50N 74 62W
Brusio **25** 46 14N 10 8 E
Brusque **125** 27 5 S 49 0W
Brussel **16** 50 51N 4 21 E
Brussels, Can. **112** 43 45N 81 25W
Brussels, Ont., Can. **112** 43 44N 81 15W
Brussels = Bruxelles **16** 50 51N 4 21 E
Bruthen **99** 37 42 S 147 50 E
Bruxelles **16** 50 51N 4 21 E
Bruyères **19** 48 10N 6 40 E
Brwinów **28** 52 9N 20 40 E
Bryagovo **43** 41 58N 25 8 E
Bryan, Ohio, U.S.A. **114** 41 30N 84 30W
Bryan, Texas, U.S.A. **117** 30 40N 96 27W
Bryan, Mt. **99** 33 30 S 139 0 E
Bryanka **57** 48 32N 38 45 E
Bryansk **54** 53 13N 34 25 E
Bryanskoye **57** 44 20N 47 10 E
Bryant **116** 44 35N 97 28W
Bryne **47** 58 44N 5 38 E
Bryson City **115** 35 28N 83 25W
Brza Palanka **42** 44 28N 22 27 E
Brzava → **42** 45 21N 20 45 E
Brzeg **28** 50 52N 17 30 E
Brzeg Din **28** 51 16N 16 41 E
Brześć Kujawski **28** 52 36N 18 55 E
Brzesko **27** 49 59N 20 34 E
Brzeszcze **27** 49 59N 19 10 E
Brzeziny **28** 51 49N 19 42 E
Brzozów **27** 49 41N 22 3 E
Bū Athlah **83** 30 9N 15 39 E
Bu Craa **80** 26 45N 12 50W
Bua Yai **71** 15 33N 102 26 E
Buabuq **86** 31 29N 25 29 E
Buapinang **73** 4 40 S 121 30 E
Buayan **73** 6 3N 125 6 E
Buba **84** 11 40N 14 59W
Bubanza **90** 3 6 S 29 23 E
Bucak **64** 37 28N 30 36 E
Bucaramanga **126** 7 0N 73 0W
Bucchiánico **39** 42 20N 14 10 E
Bucecea **46** 47 47N 26 28 E
Buchach **54** 49 5N 25 25 E
Buchan **14** 57 32N 2 8W
Buchan Ness **14** 57 29N 1 48W
Buchanan, Can. **109** 51 40N 102 45W
Buchanan, Liberia **84** 5 57N 10 2W
Buchanan, L., Queens., Austral. **98** 21 35 S 145 52 E
Buchanan, L., W. Australia, Austral. **96** 25 33 S 123 2 E
Buchanan, L., U.S.A. **117** 30 50N 98 25W
Buchans **107** 48 50N 56 52W
Bucharest = Bucureşti **46** 44 27N 26 10 E

Buchholz Caeté

Buchholz 24 53 19N 9 51 E
Buchloe 25 48 3N 10 45 E
Bückeburg 24 52 16N 9 2 E
Buckeye 119 33 28N 112 40W
Buckhannon 114 39 2N 80 10W
Buckhaven 14 56 10N 3 2W
Buckie 14 57 40N 2 58W
Buckingham, Can. 106 45 37N 75 24W
Buckingham, U.K. 13 52 0N 0 59W
Buckingham □ 13 51 50N 0 55W
Buckingham B. 97 12 10 S 135 40 E
Buckingham Can. 70 14 0N 80 5 E
Buckinguy 99 31 3 S 147 30 E
Buckland Newton 13 50 45N 2 25W
Buckley 118 47 10N 122 2W
Bucklin 117 37 37N 99 40W
Bucquoy 19 50 9N 2 43 E
Buctouche 107 46 30N 64 45W
Bucureşti 46 44 27N 26 10 E
Bucyrus 114 40 48N 83 0W
Budafok 27 47 26N 19 2 E
Budalin 67 22 20N 95 10 E
Budapest 27 47 29N 19 5 E
Budaun 68 28 5N 79 10 E
Budd Coast 5 68 0 S 112 0 E
Buddusò 40 40 35N 9 18 E
Bude 13 50 49N 4 33W
Budeşti 46 44 13N 26 30 E
Budge Budge 69 22 30N 88 5 E
Búðareyri 50 65 2N 14 13W
Búðir 50 64 49N 23 23W
Budia 32 40 38N 2 46W
Budjala 88 2 50N 19 40 E
Búdrio 39 44 31N 11 31 E
Budva 42 42 17N 18 50 E
Budzyń 28 52 54N 16 59 E
Buea 85 4 10N 9 9 E
Buena Vista, Colo., U.S.A. 119 38 56N 106 6W
Buena Vista, Va., U.S.A. 114 37 47N 79 23W
Buena Vista L. 119 35 15N 119 21W
Buenaventura, Colomb. 126 3 53N 77 4W
Buenaventura, Mexico 120 29 50N 107 30W
Buendía, Pantano de 32 40 25N 2 43W
Buenos Aires 124 34 30 S 58 20W
Buenos Aires □ 124 36 30 S 60 0W
Buenos Aires, Lago 128 46 35 S 72 30W
Buffalo, Mo., U.S.A. 117 37 40N 93 5W
Buffalo, N.Y., U.S.A. 114 42 55N 78 50W
Buffalo, Okla., U.S.A. 117 36 55N 99 42W
Buffalo, S.D., U.S.A. 116 45 39N 103 31W
Buffalo, Wyo., U.S.A. 118 44 25N 106 50W
Buffalo → 108 60 5N 115 5W
Buffalo Head Hills 108 57 25N 115 55W
Buffalo L. 108 52 27N 112 54W
Buffalo Narrows 109 55 51N 108 29W
Buffels → 92 29 36 S 17 15 E
Buford 115 34 5N 84 0W
Bug →, Poland 28 52 31N 21 5 E
Bug →, U.S.S.R. 56 46 59N 31 58 E
Buga 126 4 0N 76 15W
Buganda □ 90 0 0N 31 30 E
Buganga 90 0 3 S 32 0 E
Bugeat 20 45 36N 1 55 E
Bugel, Tanjung 72 6 26 S 111 3 E
Bugojno 42 44 2N 17 25 E
Bugsuk 72 8 15N 117 15 E
Bugt 76 48 47N 121 56 E
Bugue, Le 20 44 55N 0 56 E
Bugulma 52 54 33N 52 48 E
Buguma 85 4 42N 6 55 E
Buguruslan 52 53 39N 52 26 E
Buhăeşti 46 46 47N 27 32 E
Buheirat-Murrat-el-Kubra 86 30 15N 32 40 E
Buhl, Idaho, U.S.A. 118 42 35N 114 54W
Buhl, Minn., U.S.A. 116 47 30N 92 46W
Buhuşi 46 46 41N 26 45 E
Buick 117 37 38N 91 2W
Builth Wells 13 52 10N 3 26W
Buinsk 55 55 0N 48 18 E
Buir Nur 75 47 50N 117 42 E
Buis-les-Baronnies 21 44 17N 5 16 E
Buitrago 30 41 0N 3 38W
Bujalance 31 37 54N 4 23W
Buján 30 42 59N 8 36W
Bujanovac 42 42 28N 21 44 E
Bujaraloz 32 41 29N 0 10W
Buje 39 45 24N 13 39 E
Bujumbura (Usumbura) 90 3 16 S 29 18 E
Bük 27 47 22N 16 45 E
Buk 28 52 21N 16 30 E
Bukachacha 59 52 55N 116 50 E
Bukama 91 9 10 S 25 50 E
Bukavu 90 2 20 S 28 52 E
Bukene 90 4 15 S 32 48 E
Bukhara 58 39 48N 64 25 E
Bukima 90 1 50 S 33 25 E
Bukittinggi 72 0 20 S 100 20 E
Bukkapatnam 70 14 14N 77 46 E
Bukoba 90 1 20 S 31 49 E
Bukoba □ 90 1 30 S 32 0 E
Bukowno 27 50 17N 19 35 E
Bukuru 85 9 42N 8 48 E
Bukuya 90 0 40N 31 52 E
Bula, Guin.-Biss. 84 12 7N 15 43W
Bula, Indon. 73 3 6 S 130 30 E
Bulan 73 12 40N 123 52 E
Bulandshahr 68 28 28N 77 51 E
Bûlâq 86 25 10N 30 38 E
Bulawayo 91 20 7 S 28 32 E
Buldana 68 20 30N 76 18 E
Bulgan 75 48 45N 103 34 E
Bulgaria ■ 43 42 35N 25 30 E
Bulgroo 99 25 47 S 143 58 E
Bulhar 63 10 25N 44 30 E
Buli, Teluk 73 1 5N 128 25 E
Buliluyan, C. 72 8 20N 117 15 E
Bulki 87 6 11N 36 31 E
Bulkley → 108 55 15N 127 40W
Bull Shoals L. 117 36 40N 93 5W
Bullaque → 31 38 59N 4 17W
Bullas 33 38 2N 1 40W
Bulle 25 46 37N 7 3 E
Buller, Mt. 100 37 10 S 146 28 E
Bullfinch 96 30 58 S 119 3 E
Bulli 99 34 15 S 150 57 E
Bullock Creek 98 17 43 S 144 31 E
Bulloo → 97 28 43 S 142 30 E
Bulloo Downs 99 28 31 S 142 57 E
Bulloo L. 99 28 43 S 142 25 E
Bulls 101 40 10 S 175 24 E
Bully-les-Mines 19 50 27N 2 44 E
Bulnes 124 36 42 S 72 19W
Bulo Burti 63 3 50N 45 33 E
Bulolo 98 7 10 S 146 40 E
Bulqiza 44 41 30N 20 21 E
Bulsar 68 20 40N 72 58 E
Bultfontein 92 28 18 S 26 10 E
Bulu Karakelong 73 4 35N 126 50 E
Bulukumba 73 5 33 S 120 11 E
Bulun 59 70 37N 127 30 E
Bumba 88 2 13N 22 30 E
Bumbiri I. 90 1 40 S 31 55 E
Bumble Bee 119 34 8N 112 18W
Bumhpa Bum 67 26 51N 97 14 E
Bumi → 91 17 0 S 28 20 E
Buna, Kenya 90 2 58N 39 30 E
Buna, P.N.G. 98 8 42 S 148 27 E
Bunazi 90 1 3 S 31 23 E
Bunbah, Khalīj 81 32 20N 23 15 E
Bunbury 96 33 20 S 115 35 E
Buncrana 15 55 8N 7 28W
Bundaberg 97 24 54 S 152 22 E
Bünde 24 52 11N 8 33 E
Bundi 68 25 30N 75 35 E
Bundoran 15 54 24N 8 17W
Bundukia 87 5 14N 30 55 E
Bundure 100 35 10 S 146 1 E
Bungendore 100 35 14 S 149 30 E
Bungo-Suidō 74 33 0N 132 15 E
Bungoma 90 0 34N 34 34 E
Bungu 90 7 35 S 39 0 E
Bungun Shara 75 49 0N 104 0 E
Bunia 90 1 35N 30 20 E
Bunji 69 35 45N 74 40 E
Bunju 72 3 35N 117 50 E
Bunkerville 119 36 47N 114 6W
Bunkie 117 31 1N 92 12W
Bunnell 115 29 28N 81 12W
Buñol 33 39 25N 0 47W
Buntok 72 1 40 S 114 58 E
Bununu 85 9 51N 9 32 E
Bununu Dass 85 10 0N 9 31 E
Bunza 85 12 8N 4 0 E
Buol 73 1 15N 121 32 E
Buorkhaya, Mys 59 71 50N 132 40 E
Buqayq 64 26 0N 49 45 E
Buqei'a 62 32 58N 35 20 E
Bur Acaba 63 3 12N 44 20 E
Bûr Fuad 86 31 15N 32 20 E
Bûr Safâga 86 26 43N 33 57 E
Bûr Sa'îd 86 31 16N 32 18 E
Bûr Sûdân 86 19 32N 37 9 E
Bûr Taufiq 86 29 54N 32 32 E
Bura 90 1 4 S 39 58 E
Buraimī, Al Wāhāt al 65 24 10N 55 43 E
Burao 63 9 32N 45 32 E
Buras 117 29 20N 89 33W
Buraydah 64 26 20N 44 8 E
Burbank 119 34 9N 118 23W
Burcher 99 33 30 S 147 16 E
Burdekin → 98 19 38 S 147 25 E
Burdett 108 49 50N 111 32W
Burdur 64 37 45N 30 22 E
Burdwan 69 23 14N 87 39 E
Bure 87 10 40N 37 4 E
Bure → 12 52 38N 1 45 E
Bureba, La 32 42 36N 3 24W
Büren 24 51 33N 8 34 E
Bureya → 59 49 27N 129 30 E
Burford 112 43 7N 80 27W
Burg, Magdeburg, Ger. 24 52 16N 11 50 E
Burg, Schleswig-Holstein, Ger. 24 54 25N 11 10 E
Burg el Arab 86 30 54N 29 32 E
Burg et Tuyur 86 20 55N 27 56 E
Burgas 43 42 33N 27 29 E
Burgaski Zaliv 43 42 30N 27 39 E
Burgdorf, Ger. 24 52 27N 10 0 E
Burgdorf, Switz. 25 47 3N 7 37 E
Burgenland □ 27 47 20N 16 20 E
Burgeo 107 47 37N 57 38W
Burgersdorp 92 31 0 S 26 20 E
Burghausen 25 48 10N 12 50 E
Búrgio 40 37 35N 13 18 E
Burglengenfeld 25 49 11N 12 2 E
Burgo de Osma 32 41 35N 3 4W
Burgohondo 30 40 26N 4 47W
Burgos 32 42 21N 3 41W
Burgos □ 32 42 21N 3 42W
Burgstädt 24 50 55N 12 49 E
Burgsteinfurt 24 52 9N 7 23 E
Burgsvik 49 57 3N 18 19 E
Burguillos del Cerro 31 38 23N 6 35W
Burgundy = Bourgogne 19 47 0N 4 30 E
Burhanpur 68 21 18N 76 14 E
Burhou 18 49 45N 2 15W
Buri Pen. 87 15 25N 39 55 E
Burias 73 12 55N 123 5 E
Burica, Pta. 121 8 3N 82 51W
Burigi, L. 90 2 2 S 31 22 E
Burin 107 47 1N 55 14W
Būrīn 62 32 11N 35 15 E
Buriram 71 15 0N 103 0 E
Burji 87 5 29N 37 51 E
Burkburnett 117 34 7N 98 35W
Burke 118 47 31N 115 56W
Burke → 98 23 12 S 139 33 E
Burketown 97 17 45 S 139 33 E
Burk's Falls 106 45 37N 79 24W
Burley 118 42 37N 113 55W
Burlington, Can. 112 43 18N 79 45W
Burlington, Colo., U.S.A. 116 39 21N 102 18W
Burlington, Iowa, U.S.A. 116 40 50N 91 5W
Burlington, Kans., U.S.A. 116 38 15N 95 47W
Burlington, N.C., U.S.A. 115 36 7N 79 27W
Burlington, N.J., U.S.A. 114 40 5N 74 50W
Burlington, Vt., U.S.A. 114 44 27N 73 14W
Burlington, Wash., U.S.A. 118 48 29N 122 19W
Burlington, Wis., U.S.A. 114 42 41N 88 18W
Burlyu-Tyube 58 46 30N 79 10 E
Burma ■ 67 21 0N 96 30 E
Burnaby I. 108 52 25N 131 19W
Burnet 117 30 45N 98 11W
Burnett → 97 24 45 S 152 23 E
Burney 118 40 56N 121 41W
Burnham 112 40 37N 77 34W
Burnie 97 41 4 S 145 56 E
Burnley 12 53 47N 2 15W
Burns, Oreg., U.S.A. 118 43 40N 119 4W
Burns, Wyo., U.S.A. 116 41 13N 104 18W
Burns Lake 108 54 20N 125 45W
Burnside → 104 66 51N 108 4W
Burnt River 112 44 41N 78 42W
Burntwood → 109 56 8N 96 34W
Burntwood L. 109 55 22N 100 26W
Burqâ 62 32 18N 35 11 E
Burqān 64 29 0N 47 57 E
Burqin 75 47 43N 87 0 E
Burra 97 33 40 S 138 55 E
Burragorang, L. 100 33 52 S 150 37 E
Burreli 44 41 36N 20 1 E
Burrendong, L. 100 32 45 S 149 10 E
Burrewarra Pt. 100 35 50 S 150 15 E
Burriana 32 39 50N 0 4W
Burrinjuck Dam 100 35 0 S 148 34 E
Burrinjuck Res. 99 35 0 S 148 36 E
Burro, Serranías del 120 29 0N 102 0W
Burruyacú 124 26 30 S 64 40W
Burry Port 13 51 41N 4 17W
Bursa 64 40 15N 29 5 E
Burseryd 49 57 12N 13 17 E
Burstall 109 50 39N 109 54W
Burton L. 106 54 45N 78 20W
Burton-upon-Trent 12 52 48N 1 39W
Burtundy 99 33 45 S 142 15 E
Buru 73 3 30 S 126 30 E
Burullus, Bahra el 86 31 25N 31 0 E
Burundi ■ 90 3 15 S 30 0 E
Burung 72 0 24N 103 33 E
Bururi 90 3 57 S 29 37 E
Burutu 85 5 20N 5 29 E
Burwell 116 41 49N 99 8W
Bury 12 53 36N 2 19W
Bury St. Edmunds 13 52 15N 0 42 E
Buryat A.S.S.R. □ 59 53 0N 110 0 E
Buryn 54 51 13N 33 50 E
Burzenin 28 51 28N 18 47 E
Busalla 38 44 34N 8 58 E
Busango Swamp 91 14 15 S 25 45 E
Buşayyah 64 30 0N 46 10 E
Busca 38 44 31N 7 29 E
Bushati 44 41 58N 19 34 E
Bushell 109 59 31N 108 45W
Bushenyi 90 0 35 S 30 10 E
Bushnell, Ill., U.S.A. 116 40 32N 90 30W
Bushnell, Nebr., U.S.A. 116 41 18N 103 50W
Busia □ 90 0 25N 34 6 E
Busie 84 10 29N 2 22W
Businga 88 3 16N 20 59 E
Buskerud fylke □ 47 60 13N 9 0 E
Busko Zdrój 28 50 28N 20 42 E
Busoga □ 90 0 5N 33 30 E
Busovača 42 44 6N 17 53 E
Busra ash Shām 64 32 30N 36 25 E
Bussang 19 47 50N 6 50 E
Busselton 96 33 42 S 115 15 E
Busseto 38 44 59N 10 2 E
Bussum 16 52 16N 5 10 E
Bustard Hd. 97 24 0 S 151 48 E
Busto Arsizio 38 45 40N 8 50 E
Busto, C. 30 43 34N 6 28W
Busu-Djanoa 88 1 43N 21 23 E
Busuanga 73 12 10N 120 0 E
Büsum 24 54 7N 8 50 E
Buta 90 2 50N 24 53 E
Butare 90 2 31 S 29 52 E
Bute 14 55 48N 5 2W
Bute Inlet 108 50 40N 124 53W
Butemba 90 1 9N 31 37 E
Butembo 90 0 9N 29 18 E
Butera 41 37 10N 14 10 E
Butha Qi 75 48 0N 122 32 E
Butiaba 90 1 50N 31 20 E
Butler, Mo., U.S.A. 116 38 17N 94 18W
Butler, Pa., U.S.A. 114 40 52N 79 52W
Butom Odrzánski 28 51 44N 15 48 E
Butte, Mont., U.S.A. 118 46 0N 112 31W
Butte, Nebr., U.S.A. 116 42 56N 98 54W
Butterworth 71 5 24N 100 23 E
Button B. 109 58 45N 94 23W
Butuan 73 8 57N 125 33 E
Butuku-Luba 85 3 29N 8 33 E
Butung 73 5 0 S 122 45 E
Buturlinovka 55 50 50N 40 35 E
Butzbach 24 50 24N 8 40 E
Bützow 24 53 51N 11 59 E
Buxar 69 25 34N 83 58 E
Buxton, S. Afr. 92 27 38 S 24 42 E
Buxton, U.K. 12 53 16N 1 54W
Buxy 19 46 44N 4 40 E
Buy 55 58 28N 41 28 E
Buyaga 59 59 50N 127 0 E
Buynaksk 57 42 48N 47 7 E
Büyük Çekmece 43 41 2N 28 35 E
Büyük Kemikli Burun 44 40 20N 26 15 E
Buzançais 18 46 54N 1 25 E
Buzău 46 45 10N 26 50 E
Buzău □ 46 45 20N 26 30 E
Buzău → 46 45 10N 27 20 E
Buzău, Pasul 46 45 35N 26 12 E
Buzaymah 81 24 50N 22 2 E
Buzen 74 33 35N 131 5 E
Buzet 39 45 24N 13 58 E
Buzi → 91 19 50 S 34 43 E
Buziaş 42 45 38N 21 36 E
Buzuluk 52 52 48N 52 12 E
Buzuluk → 55 50 15N 42 7 E
Buzzards Bay 114 41 45N 70 38W
Bwana Mkubwe 91 13 8 S 28 38 E
Byala, Ruse, Bulg. 43 43 28N 25 44 E
Byala, Varna, Bulg. 43 42 53N 27 55 E
Byala Slatina 43 43 26N 23 55 E
Byandovan, Mys 57 39 45N 49 28 E
Bychawa 28 51 1N 22 36 E
Byczyna 28 51 7N 18 12 E
Bydgoszcz 28 53 10N 18 0 E
Bydgoszcz □ 28 53 16N 17 33 E
Byelorussian S.S.R. □ 54 53 30N 27 0 E
Byers 116 39 46N 104 13W
Byesville 112 39 56N 81 32W
Bygland 47 58 50N 7 48 E
Byglandsfjord 47 58 40N 7 50 E
Byglandsfjorden 47 58 44N 7 50 E
Byhalia 117 34 53N 89 41W
Bykhov 54 53 31N 30 14 E
Bykle 47 59 20N 7 22 E
Bykovo 57 49 50N 45 25 E
Bylas 119 33 11N 110 9W
Bylderup 49 54 57N 9 6 E
Bylot I. 105 73 13N 78 34W
Byrd, C. 5 69 38 S 76 7W
Byrd Land 5 79 30 S 125 0W
Byrd Sub-Glacial Basin 5 82 0 S 120 0W
Byrock 99 30 40 S 146 27 E
Byron, C. 97 28 38 S 153 40 E
Byrranga, Gory 59 75 0N 100 0 E
Byrum 49 57 16N 11 0 E
Byske 50 64 57N 21 11 E
Byske älv → 50 64 57N 21 13 E
Bystrzyca →, Lublin, Poland 28 51 21N 22 46 E
Bystrzyca →, Wrocław, Poland 28 51 12N 16 55 E
Bystrzyca Kłodzka 28 50 19N 16 39 E
Byten 54 52 50N 25 27 E
Bytom 28 50 25N 18 54 E
Bytów 28 54 10N 17 30 E
Byumba 90 1 35 S 30 4 E
Bzenec 27 48 58N 17 18 E
Bzura → 28 52 25N 20 15 E

C

Ca Mau 71 9 7N 105 8 E
Ca Mau, Mui = Bai Bung 71 8 35N 104 42 E
Caacupé 124 25 23 S 57 5W
Caála 89 12 46 S 15 30 E
Caamano Sd. 108 52 55N 129 25W
Caazapá 124 26 8 S 56 19W
Caazapá □ 125 26 10 S 56 0W
Caballeria, C. de 32 40 5N 4 5 E
Cabañaquinta 30 43 10N 5 38W
Cabanatuan 73 15 30N 120 58 E
Cabanes 32 40 9N 0 2 E
Cabano 107 47 40N 68 56W
Čabar 39 45 36N 14 39 E
Cabedelo 127 7 0 S 34 50W
Cabeza del Buey 31 38 44N 5 13W
Cabildo 124 32 30 S 71 5W
Cabimas 126 10 23N 71 25W
Cabinda 88 5 33 S 12 11 E
Cabinda □ 88 5 0 S 12 30 E
Cabinet Mts. 118 48 0N 115 30W
Cabo Blanco 128 47 15 S 65 47W
Cabo Frio 125 22 51 S 42 3W
Cabo Pantoja 126 1 0 S 75 10W
Cabonga, Réservoir 106 47 20N 76 40W
Cabool 117 37 10N 92 8W
Caboolture 99 27 5 S 152 58 E
Cabora Bassa Dam 91 15 20 S 32 50 E
Caborca (Heroica) 120 30 40N 112 10W
Cabot, Mt. 113 44 30N 71 25W
Cabot Strait 107 47 15N 59 40W
Cabra 31 37 30N 4 28W
Cabra del Santo Cristo 33 37 42N 3 16W
Cábras 40 39 57N 8 30 E
Cabrera, I. 33 39 8N 2 57 E
Cabrera, Sierra 30 42 12N 6 40W
Cabri 109 50 35N 108 25W
Cabriel → 33 39 14N 1 3W
Cacabelos 30 42 36N 6 44W
Čačak 42 43 54N 20 20 E
Cáceres, Brazil 126 16 5 S 57 40W
Cáceres, Spain 31 39 26N 6 23W
Cáceres □ 31 39 45N 6 0W
Cache Bay 106 46 22N 80 0W
Cachepo 31 37 20N 7 49W
Cachéu 84 12 14N 16 8W
Cachi 124 25 5 S 66 10W
Cachimbo, Serra do 127 9 30 S 55 0W
Cachoeira 127 12 30 S 39 0W
Cachoeira de Itapemirim 125 20 51 S 41 7W
Cachoeira do Sul 125 30 3 S 52 53W
Cachopo 31 37 20N 7 49W
Cacólo 88 10 9 S 19 21 E
Caconda 89 13 48 S 15 8 E
Cadarache, Barrage de 21 43 42N 5 47 E
Čadca 27 49 26N 18 45 E
Caddo 117 34 8N 96 18W
Cader Idris 12 52 43N 3 56W
Cadí, Sierra del 32 42 17N 1 42 E
Cadillac, Can. 106 48 14N 78 23W
Cadillac, France 20 44 38N 0 20W
Cadillac, U.S.A. 114 44 16N 85 25W
Cadiz 73 10 57N 123 15 E
Cádiz 31 36 30N 6 20W
Cadiz 112 40 13N 81 0W
Cádiz □ 31 36 36N 5 45W
Cádiz, G. de 31 36 40N 7 0W
Cadomin 108 53 2N 117 20W
Cadotte → 108 56 43N 117 10W
Cadours 20 43 44N 1 2 E
Caen 18 49 10N 0 22W
Caernarfon 12 53 8N 4 17W
Caernarfon B. 12 53 4N 4 40W
Caernarvon = Caernarfon 12 53 8N 4 17W
Caerphilly 13 51 34N 3 13W
Caesarea 62 32 30N 34 53 E
Caeté 127 19 55 S 43 40W

Caetité

Carbon

Caetité **127** 13 50S 42 32W
Cafayate **124** 26 2S 66 0W
Cafu **92** 16 30S 15 8E
Cagayan **73** 9 39N 121 16E
Cagayan → **73** 18 25N 121 42E
Cagayan de Oro **73** 8 30N 124 40E
Cagli **39** 43 32N 12 38E
Cágliari **40** 39 15N 9 6E
Cágliari, G. di **40** 39 8N 9 10E
Cagnano Varano **41** 41 49N 15 47E
Cagnes-sur-Mer **21** 43 40N 7 9E
Caguas **121** 18 14N 66 4W
Caha Mts. **15** 51 45N 9 40W
Cahama **92** 16 17S 14 19E
Caher **15** 52 23N 7 56W
Cahersiveen **15** 51 57N 10 13W
Cahore Pt. **15** 52 34N 6 11W
Cahors **20** 44 27N 1 27E
Cahuapanas **126** 5 15S 77 0W
Caianda **91** 11 2S 23 31E
Caibarién **121** 22 30N 79 30W
Caicara **126** 7 38N 66 10W
Caicó **127** 6 20S 37 0W
Caicos Is. **121** 21 40N 71 40W
Caicos Passage **121** 22 45N 72 45W
Cainsville **112** 43 9N 80 15W
Caird Coast **5** 75 0S 25 0W
Cairn Gorm **14** 57 7N 3 40W
Cairn Toul **14** 57 3N 3 44W
Cairngorm Mts. **14** 57 6N 3 42W
Cairns **97** 16 57S 145 45E
Cairo, Ga., U.S.A. **115** 30 52N 84 12W
Cairo, Illinois, U.S.A. **117** 37 0N 89 10W
Cairo = El Qâhira **86** 30 1N 31 14E
Cairo Montenotte **38** 44 23N 8 16E
Caithness, Ord of **14** 58 9N 3 37W
Caiundo **89** 15 50S 17 28E
Caiza **126** 20 2S 65 40W
Cajamarca **126** 7 5S 78 28W
Cajarc **20** 44 29N 1 50E
Cajàzeiras **127** 6 52S 38 30W
Čajetina **42** 43 47N 19 42E
Čajniče **42** 43 34N 19 5E
Çakirgol **57** 40 33N 39 40E
Čakovec **39** 46 23N 16 26E
Cala **31** 37 59N 6 21W
Cala → **31** 37 38N 6 5W
Cala Cadolar, Punta de **33** 38 38N 1 35E
Calabar **85** 4 57N 8 20E
Calábria □ **41** 39 24N 16 30E
Calaburras, Pta. de **31** 36 30N 4 38W
Calaceite **32** 41 1N 0 11E
Calafat **46** 43 58N 22 59E
Calafate **128** 50 19S 72 15W
Calahorra **32** 42 18N 1 59W
Calais, France **19** 50 57N 1 56E
Calais, U.S.A. **107** 45 11N 67 20W
Calais, Pas de **19** 50 57N 1 20E
Calalaste, Cord. de **124** 25 0S 67 0W
Calama, Brazil **126** 8 0S 62 50W
Calama, Chile **124** 22 30S 68 55W
Calamar, Bolívar, Colomb. **126** 10 15N 74 55W
Calamar, Vaupés, Colomb. **126** 1 58N 72 32W
Calamian Group **73** 11 50N 119 55E
Calamocha **32** 40 50N 1 17W
Calañas **31** 37 40N 6 53W
Calanda **32** 40 56N 0 15W
Calang **72** 4 37N 95 37E
Calangiánus **40** 40 56N 9 12E
Calapan **73** 13 25N 121 7E
Călăraşi **46** 44 12N 27 20E
Calasparra **33** 38 14N 1 41W
Calatafimi **40** 37 56N 12 50E
Calatayud **32** 41 20N 1 40W
Calauag **73** 13 55N 122 15E
Calavà, C. **41** 38 11N 14 55E
Calavite, Cape **73** 13 26N 120 20E
Calbayog **73** 12 4N 124 38E
Calbe **24** 51 57N 11 47E
Calca **126** 13 22S 72 0W
Calcasieu L. **117** 30 0N 93 17W
Calci **38** 43 44N 10 31E
Calcutta **69** 22 36N 88 24E
Caldaro **39** 46 23N 11 15E
Caldas da Rainha **31** 39 24N 9 8W
Caldas de Reyes **30** 42 36N 8 39W
Calder → **12** 53 44N 1 21W
Caldera **124** 27 5S 70 55W
Caldwell, Idaho, U.S.A. **118** 43 45N 116 42W
Caldwell, Kans., U.S.A. **117** 37 5N 97 37W
Caldwell, Texas, U.S.A. **117** 30 30N 96 42W
Caledon **92** 34 14S 19 26E
Caledon → **92** 30 31S 26 5E
Caledon B. **97** 12 45S 137 0E
Caledonia, Can. **112** 43 7N 79 58W
Caledonia, U.S.A. **112** 42 57N 77 54W
Calella **32** 41 37N 2 40E
Calemba **92** 16 0S 15 44E
Calera, La **124** 32 50S 71 10W
Calexico **119** 32 40N 115 33W
Calf of Man **12** 54 4N 4 48W
Calgary **108** 51 0N 114 10W
Calhoun **115** 34 30N 84 55W
Cali **126** 3 25N 76 35W
Calicoan **73** 10 59N 125 50E
Calicut (Kozhikode) **70** 11 15N 75 43E
Caliente **119** 37 36N 114 34W
California, Mo., U.S.A. **116** 38 37N 92 30W
California, Pa., U.S.A. **112** 40 5N 79 55W
California □ **119** 37 25N 120 0W
California, Baja, T.N. □ **120** 30 0N 115 0W
California, Baja, T.S. □ **120** 25 50N 111 50W
California, Golfo de **120** 27 0N 111 0W
California, Lr. = California, Baja **120** 25 50N 111 50W
Călimăneşti **46** 45 14N 24 20E
Călimani, Munţii **46** 47 12N 25 0E
Călineşti **46** 45 21N 24 18E
Calingasta **124** 31 15S 69 30W
Calipatria **119** 33 8N 115 30W
Calistoga **118** 38 36N 122 32W
Calitri **41** 40 54N 15 25E
Callabonna, L. **97** 29 40S 140 5E
Callac **18** 48 25N 3 27W
Callan **15** 52 33N 7 25W
Callander **14** 56 15N 4 14W
Callao **126** 12 0S 77 0W
Callaway **116** 41 20N 99 56W
Callide **98** 24 18S 150 28E
Calling Lake **108** 55 15N 113 12W
Callosa de Ensarriá. **33** 38 40N 0 8W
Callosa de Segura **33** 38 7N 0 53W
Calne **12** 51 26N 2 0W
Calola **92** 16 25S 17 48E
Calore → **41** 41 11N 14 28E
Caloundra **99** 26 45S 153 10E
Calpe **33** 38 39N 0 3E
Calstock **106** 49 47N 84 9W
Caltabellotta **40** 37 36N 13 11E
Caltagirone **41** 37 13N 14 30E
Caltanissetta **41** 37 30N 14 3E
Caluire-et-Cuire **21** 45 49N 4 51E
Calulo **88** 10 1S 14 56E
Calumet **114** 47 14N 88 27W
Calunda **89** 12 7S 23 36E
Caluso **38** 45 18N 7 52E
Calvados □ **18** 49 5N 0 15W
Calvert **117** 30 59N 96 40W
Calvert I. **108** 51 30N 128 0W
Calvinia **92** 31 28S 19 45E
Calw **25** 48 43N 8 44E
Calzada Almuradiel **33** 38 32N 3 28W
Calzada de Calatrava **31** 38 42N 3 46W
Cam → **13** 52 21N 0 16E
Cam Lam **71** 11 54N 109 10E
Cam Ranh **71** 11 54N 109 12E
Camabatela **88** 8 20S 15 26E
Camacupa **89** 11 58S 17 22E
Camagüey **121** 21 20N 78 0W
Camaiore **38** 43 57N 10 18E
Camaná **126** 16 30S 72 50W
Camaquã → **125** 31 17S 51 47W
Camarat, C. **21** 43 12N 6 41E
Camaret **18** 48 16N 4 37W
Camargo **126** 20 38S 65 15E
Camargue **21** 43 34N 4 34E
Camariñas **30** 43 8N 9 12W
Camarón, C. **121** 16 0N 85 0W
Camarones **128** 44 50S 65 40W
Camas **118** 45 35N 122 24W
Camas Valley **118** 43 0N 123 46W
Cambados **30** 42 31N 8 49W
Cambará **125** 23 2S 50 5W
Cambay **68** 22 23N 72 33E
Cambay, G. of **68** 20 45N 72 30E
Cambil **33** 37 40N 3 33W
Cambo-les-Bains **20** 43 22N 1 23W
Cambodia ■ **71** 12 15N 105 0E
Camborne **13** 50 13N 5 18W
Cambrai **19** 50 11N 3 14E
Cambria **119** 35 39N 121 6W
Cambrian Mts. **13** 52 25N 3 52W
Cambridge, Can. **106** 43 23N 80 15W
Cambridge, N.Z. **101** 37 54S 175 29E
Cambridge, U.K. **13** 52 13N 0 8E
Cambridge, Idaho, U.S.A. **118** 44 36N 116 40W
Cambridge, Mass., U.S.A. **114** 42 20N 71 8W
Cambridge, Md., U.S.A. **114** 38 33N 76 2W
Cambridge, Minn., U.S.A. **116** 45 34N 93 15W
Cambridge, N.Y., U.S.A. **113** 43 2N 73 22W
Cambridge, Nebr., U.S.A. **116** 40 20N 100 12W
Cambridge, Ohio, U.S.A. **114** 40 1N 81 35W
Cambridge Bay **104** 69 10N 105 0W
Cambridge Gulf **96** 14 55S 128 15E
Cambridge Springs **112** 41 47N 80 4W
Cambridgeshire □ **13** 52 12N 0 7E
Cambrils **32** 41 8N 1 3E
Cambuci **125** 21 35S 41 55W
Camden, Ala., U.S.A. **115** 31 59N 87 15W
Camden, Ark., U.S.A. **117** 33 40N 92 50W
Camden, Me., U.S.A. **107** 44 14N 69 6W
Camden, N.J., U.S.A. **114** 39 57N 75 7W
Camden, S.C., U.S.A. **115** 34 17N 80 34W
Camdenton **117** 38 0N 92 45W
Camembert **18** 48 53N 0 10E
Cámeri **38** 45 30N 8 40E
Camerino **39** 43 10N 13 4E
Cameron, Ariz., U.S.A. **119** 35 55N 111 31W
Cameron, La., U.S.A. **117** 29 50N 93 18W
Cameron, Mo., U.S.A. **116** 39 42N 94 14W
Cameron, Tex., U.S.A. **117** 30 53N 97 0W
Cameron Falls **106** 49 8N 88 19W
Cameron Highlands **71** 4 27N 101 22E
Cameron Hills **108** 59 48N 118 0W
Cameroon ■ **88** 6 0N 12 30E
Camerota **41** 40 2N 15 21E
Cameroun → **85** 4 0N 9 35E
Cameroun, Mt. **88** 4 13N 9 10E
Cametá **127** 2 12S 49 30W
Camiguin **73** 8 55N 123 55E
Caminha **30** 41 50N 8 50W
Camino **118** 38 47N 120 40W
Camira Creek **99** 29 15S 152 58E
Cammal **112** 41 24N 77 28W
Camocim **127** 2 55S 40 50W
Camogli **38** 44 21N 9 9E
Camooweal **97** 19 56S 138 7E
Camopi → **127** 3 10N 52 20W
Camp Crook **116** 45 36N 103 59W
Camp Wood **117** 29 41N 100 0W
Campagna **41** 40 40N 15 5E
Campana **124** 34 10S 58 55W
Campana, I. **128** 48 20S 75 20W
Campanario **31** 38 52N 5 36W
Campania □ **41** 40 50N 14 45E
Campbell **112** 41 5N 80 36W
Campbell I. **94** 52 30S 169 0E
Campbell L. **109** 63 14N 106 55W
Campbell River **108** 50 5N 125 20W
Campbell Town **99** 41 52S 147 30E
Campbellford **112** 44 18N 77 48W
Campbellsville **114** 37 23N 85 21W
Campbellton **107** 47 57N 66 43W
Campbelltown **99** 34 4S 150 49E
Campbeltown **14** 55 25N 5 36W
Campeche **120** 19 50N 90 32W
Campeche □ **120** 19 50N 90 32W
Campeche, Bahía de **120** 19 30N 93 0W
Camperdown **99** 38 14S 143 9E
Camperville **109** 51 59N 100 9W
Campi Salentina **41** 40 22N 18 2E
Campidano **40** 39 30N 8 40E
Campillo de Altobuey **32** 39 36N 1 49W
Campillo de Llerena **31** 38 30N 5 50W
Campillos **31** 37 4N 4 51W
Campina Grande **127** 7 20S 35 47W
Campiña, La **31** 37 45N 4 45W
Campinas **125** 22 50S 47 0W
Campli **39** 42 44N 13 40E
Campo, Camer. **88** 2 22N 9 50E
Campo, Spain **32** 42 25N 0 24E
Campo Belo **127** 20 52S 45 16W
Campo de Criptana **33** 39 24N 3 7W
Campo de Gibraltar **31** 36 15N 5 25W
Campo Formoso **127** 10 30S 40 20W
Campo Grande **127** 20 25S 54 40W
Campo Maíor **127** 4 50S 42 12W
Campo Maior **31** 38 59N 7 7W
Campo Túres **39** 46 53N 11 55E
Campoalegre **126** 2 41N 75 20W
Campobasso **41** 41 34N 14 40E
Campobello di Licata **40** 37 16N 13 55E
Campobello di Mazara **40** 37 38N 12 45E
Campofelice **40** 37 54N 13 53E
Camporeale **40** 37 53N 13 3E
Campos **125** 21 50S 41 20W
Campos Belos **127** 13 10S 47 3W
Campos del Puerto **33** 39 26N 3 1E
Campos Novos **125** 27 21S 51 50W
Camprodón **32** 42 19N 2 23E
Campuya → **126** 1 40S 73 30W
Camrose **108** 53 0N 112 50W
Camsell Portage **109** 59 37N 109 15W
Can Tho **71** 10 2N 105 46E
Canaan **113** 42 1N 73 20W
Canada ■ **104** 60 0N 100 0W
Cañada de Gómez **124** 32 40S 61 30W
Canadian **117** 35 56N 100 25W
Canadian → **117** 35 27N 95 3W
Canakkale **44** 40 8N 26 30E
Canakkale Boğazi **44** 40 0N 26 0E
Canal Flats **108** 50 10N 115 48W
Canal latéral à la Garonne **20** 44 25N 0 15E
Canalejas **124** 35 15S 66 34W
Canals, Argent. **124** 33 35S 62 53W
Canals, Spain **33** 38 58N 0 35W
Canandaigua **114** 42 55N 77 18W
Cananea **120** 31 0N 110 20W
Canarias, Islas **80** 28 30N 16 0W
Canarreos, Arch. de los **121** 21 35N 81 40W
Canary Is. = Canarias, Islas **80** 29 30N 17 0W
Canaveral, C. **115** 28 28N 80 31W
Cañaveras **32** 40 27N 2 24W
Canavieiras **127** 15 39S 39 0W
Canbelego **99** 31 32S 146 18E
Canberra **97** 35 15S 149 8E
Canby, Calif., U.S.A. **118** 41 26N 120 58W
Canby, Minn., U.S.A. **116** 44 44N 96 15W
Canby, Ore., U.S.A. **118** 45 16N 122 42W
Cancale **18** 48 40N 1 50W
Canche → **19** 50 31N 1 39E
Candala **63** 11 30N 49 58E
Candas **30** 43 35N 5 45W
Candé **18** 47 34N 1 0W
Candela **41** 41 8N 15 31E
Candelaria **125** 27 29S 55 44W
Candelaria, Pta. de la **30** 43 45N 8 0W
Candeleda **30** 40 10N 5 14W
Candelo **99** 36 47S 149 43E
Candia = Iráklion **45** 35 20N 25 12E
Candia, Sea of = Crete, Sea of **45** 36 0N 25 0E
Candle L. **109** 53 50N 105 18W
Candlemas I. **5** 57 3S 26 40W
Cando **116** 48 30N 99 14W
Canea = Khaniá **45** 35 30N 24 4E
Canelli **38** 44 44N 8 18E
Canelones **125** 34 32S 56 17W
Canet-Plage **20** 42 41N 3 2E
Cañete, Chile **124** 37 50S 73 30W
Cañete, Peru **126** 13 8S 76 30W
Cañete, Spain **32** 40 3N 1 54W
Cañete de las Torres **31** 37 53N 4 19W
Canfranc **32** 42 42N 0 31W
Cangas **30** 42 16N 8 47W
Cangas de Narcea **30** 43 10N 6 32W
Cangas de Onís **30** 43 21N 5 8W
Canguaretama **127** 6 20S 35 5W
Canguçu **125** 31 22S 52 43W
Cangxi **77** 31 47N 105 59E
Cangzhou **76** 38 19N 116 52E
Cani, I. **83** 36 21N 10 5E
Canicattì **40** 37 21N 13 50E
Canicattini **41** 37 1N 15 3E
Canim Lake **108** 51 47N 120 54W
Canipaan **72** 8 33N 117 15E
Canisteo **112** 42 17N 77 37W
Canisteo → **112** 42 15N 77 30W
Cañiza, La **30** 42 13N 8 16W
Cañizal **30** 41 12N 5 22W
Canjáyar **33** 37 1N 2 44W
Cankırı **64** 40 40N 33 37E
Cankuzo **90** 3 10S 30 31E
Canmore **108** 51 7N 115 18W
Cann River **99** 37 35S 149 7E
Canna **14** 57 3N 6 33W
Cannanore **70** 11 53N 75 27E
Cannes **21** 43 32N 7 0E
Canning Basin **96** 19 50S 124 0E
Canning Town **69** 22 23N 88 40E
Cannington **112** 44 20N 79 2W
Cannock **12** 52 42N 2 2W
Cannon Ball → **116** 46 20N 100 38W
Canoe L. **109** 55 10N 108 15W
Canon City **116** 38 27N 105 14W
Canora **109** 51 40N 102 30W
Canosa di Púglia **41** 41 13N 16 4E
Canourgue, Le **20** 44 26N 3 13E
Canowindra **99** 33 35S 148 38E
Canso **107** 45 20N 61 0W
Cantabria, Sierra de **32** 42 40N 2 30W
Cantabrian Mts. = Cantábrica, Cordillera **30** 43 0N 5 10W
Cantábrica, Cordillera **30** 43 0N 5 10W
Cantal □ **20** 45 4N 2 45E
Cantanhede **30** 40 20N 8 36W
Cantavieja **32** 40 31N 0 25W
Čantavir **42** 45 55N 19 46E
Canterbury, Austral. **99** 25 23S 141 53E
Canterbury, U.K. **13** 51 17N 1 5E
Canterbury □ **101** 43 45S 171 19E
Canterbury Bight **101** 44 16S 171 55E
Canterbury Plains **101** 43 55S 171 22E
Cantillana **31** 37 36N 5 50W
Canton, Ga., U.S.A. **115** 34 13N 84 29W
Canton, Ill., U.S.A. **116** 40 32N 90 0W
Canton, Mass., U.S.A. **113** 42 8N 71 8W
Canton, Miss., U.S.A. **117** 32 40N 90 1W
Canton, Mo., U.S.A. **116** 40 10N 91 33W
Canton, N.Y., U.S.A. **114** 44 32N 75 3W
Canton, Ohio, U.S.A. **114** 40 47N 81 22W
Canton, Okla., U.S.A. **117** 36 5N 98 36W
Canton, S.D., U.S.A. **116** 43 20N 96 35W
Canton = Guangzhou **75** 23 5N 113 10E
• Canton I. **94** 2 50S 171 40W
Canton L. **117** 36 12N 98 40W
Cantù **38** 45 44N 9 8E
Canudos **126** 7 13S 58 5W
Canutama **126** 6 30S 64 20W
Canutillo **119** 31 58N 106 36W
Canyon, Texas, U.S.A. **117** 35 0N 101 57W
Canyon, Wyo., U.S.A. **118** 44 43N 110 36W
Canyonlands Nat. Park **119** 38 25N 109 30W
Canyonville **118** 42 55N 123 14W
Canzo **38** 45 54N 9 18E
Cao Xian **77** 34 50N 115 35E
Cáorle **39** 45 36N 12 51E
Cap-aux-Meules **107** 47 23N 61 52W
Cap-Chat **107** 49 6N 66 40W
Cap-de-la-Madeleine **106** 46 22N 72 31W
Cap-Haïtien **121** 19 40N 72 20W
Capa Stilo **41** 38 25N 16 35E
Capáccio **41** 40 26N 15 4E
Capaia **88** 8 27S 20 13E
Capanaparo → **126** 7 1N 67 7W
Capbreton **20** 43 39N 1 26W
Capdenac **20** 44 34N 2 5E
Cape → **98** 20 49S 146 51E
Cape Barren I. **97** 40 25S 148 15E
Cape Breton Highlands Nat. Park **107** 46 50N 60 40W
Cape Breton I. **107** 46 0N 60 30W
Cape Charles **114** 37 15N 75 59W
Cape Coast **85** 5 5N 1 15W
Cape Dorset **105** 64 14N 76 32W
Cape Dyer **105** 66 30N 61 22W
Cape Fear → **115** 34 30N 78 25W
Cape Girardeau **117** 37 20N 89 30W
Cape May **114** 39 1N 74 53W
Cape Montague **107** 46 5N 62 25W
Cape Palmas **84** 4 25N 7 49W
Cape Province □ **92** 32 0S 23 0E
Cape Tormentine **107** 46 8N 63 47W
Cape Town (Kaapstad) **92** 33 55S 18 22E
Cape Verde Is. ■ **6** 17 10N 25 20W
Cape Vincent **113** 44 9N 76 21W
Cape York Peninsula **97** 12 0S 142 30E
Capela **127** 10 30S 37 0W
Capella **98** 23 2S 148 1E
Capella, Mt. **98** 5 4S 141 8E
Capelle, La **19** 49 59N 3 50E
Capendu **20** 43 11N 2 31E
Capernaum = Kefar Naḥum **62** 32 54N 35 32E
Capestang **20** 43 20N 3 2E
Capim → **127** 1 40S 47 47W
Capitan **119** 33 33N 105 41W
Capizzi **41** 37 50N 14 26E
Čapljina **42** 43 10N 17 43E
Capoche → **91** 15 35S 33 0E
Capraia **38** 43 2N 9 50E
Caprarola **39** 42 21N 12 11E
Capreol **106** 46 43N 80 56W
Caprera **40** 41 12N 9 28E
Capri **41** 40 34N 14 15E
Capricorn, C. **97** 23 30S 151 13E
Capricorn Group **98** 23 30S 151 55E
Caprino Veronese **38** 45 37N 10 47E
Caprivi Strip **92** 18 0S 23 0E
Captainganj **69** 26 55N 83 45E
Captain's Flat **99** 35 35S 149 27E
Captieux **20** 44 18N 0 16W
Cápua **41** 41 7N 14 15E
Capulin **117** 36 48N 103 59W
Caquetá → **126** 1 15S 69 15W
Caracal **46** 44 8N 24 22E
Caracas **126** 10 30N 66 55W
Caracol **127** 9 15S 43 22W
Caradoc **99** 30 35S 143 5E
Caráglio **38** 44 25N 7 25E
Carajás, Serra dos **127** 6 0S 51 30W
Carangola **125** 20 44S 42 5W
Caransebeş **46** 45 28N 22 18E
Carantec **18** 48 40N 3 55W
Carapelle → **41** 41 3N 15 55E
Caraş Severin □ **42** 45 10N 22 10E
Caraşova **42** 45 11N 21 51E
Caratasca, Laguna **121** 15 20N 83 40W
Caratinga **127** 19 50S 42 10W
Caraúbas **127** 5 43S 37 33W
Caravaca **33** 38 8N 1 52W
Caravággio **38** 45 30N 9 39E
Caravelas **127** 17 45S 39 15W
Caraveli **126** 15 45S 73 25W
Caràzinho **125** 28 16S 52 46W
Carballino **30** 42 26N 8 5W
Carballo **30** 43 13N 8 41W
Carberry **109** 49 50N 99 25W
Carbia **30** 42 48N 8 14W
Carbó **120** 29 42N 110 58W
Carbon **108** 51 30N 113 9W

• *Renamed Abariringa*

Carbonara, C. Cefalù

Carbonara, C. 40 39 8N 9 30 E
Carbondale, Colo, U.S.A. 118 39 30N 107 10W
Carbondale, Ill., U.S.A. 117 37 45N 89 10W
Carbondale, Pa., U.S.A. 114 41 37N 75 30W
Carbonear 107 47 42N 53 13W
Carboneras 33 37 0N 1 53W
Carboneras de Guadazaón 32 39 54N 1 50W
Carbonia 40 39 10N 8 30 E
Carcabuey 31 37 27N 4 17W
Carcagente 33 39 8N 0 28W
Carcajou 108 57 47N 117 6W
Carcans, Étang d' 20 45 6N 1 7W
Carcasse, C. 121 18 30N 74 28W
Carcassonne 20 43 13N 2 20 E
Carche 33 38 26N 1 9W
Carcross 104 60 13N 134 45W
Cardamom Hills 70 9 30N 77 15 E
Cárdenas, Cuba 121 23 0N 81 30W
Cárdenas, San Luis Potosí, Mexico 120 22 0N 99 41W
Cárdenas, Tabasco, Mexico 120 17 59N 93 21W
Cardenete 32 39 46N 1 41W
Cardiff 13 51 28N 3 11W
Cardigan 13 52 6N 4 41W
Cardigan B. 13 52 30N 4 30W
Cardinal 113 44 47N 75 23W
Cardona, Spain 32 41 56N 1 40 E
Cardona, Uruguay 124 33 53 S 57 18W
Cardoner → 32 41 41N 1 51 E
Cardross 109 49 50N 105 40W
Cardston 108 49 15N 113 20W
Cardwell 98 18 14 S 146 2 E
Careen L. 109 57 0N 108 11W
Carei 46 47 40N 22 29 E
Careme 73 6 55 S 108 27 E
Carentan 18 49 19N 1 15W
Carey, Idaho, U.S.A. 118 43 19N 113 58W
Carey, Ohio, U.S.A. 114 40 58N 83 22W
Carey, L. 96 29 0 S 122 15 E
Carey L. 109 62 12N 102 55W
Careysburg 84 6 34N 10 30W
Cargados Garajos 3 17 0 S 59 0 E
Cargèse 21 42 7N 8 35 E
Carhaix-Plouguer 18 48 18N 3 36W
Carhué 124 37 10 S 62 50W
Caribbean Sea 121 15 0N 75 0W
Cariboo Mts. 108 53 0N 121 0W
Caribou 107 46 55N 68 0W
Caribou →, Man., Can. 109 59 20N 94 44W
Caribou →, N.W.T., Can. 108 61 27N 125 45W
Caribou I. 106 47 22N 85 49W
Caribou Is. 108 61 55N 113 15W
Caribou L., Man., Can. 109 59 21N 96 10W
Caribou L., Ont., Can. 106 50 25N 89 5W
Caribou Mts. 108 59 12N 115 40W
Carignan 19 49 38N 5 10 E
Carignano 38 44 55N 7 40 E
Carinda 99 30 28 S 147 41 E
Cariñena 32 41 20N 1 13W
Carinhanha 127 14 15 S 44 46W
Carini 40 38 9N 13 10 E
Carinola 40 41 11N 13 58 E
Carinthia □ = Kärnten 26 46 52N 13 30 E
Caripito 126 10 8N 63 6W
Caritianas 126 9 20 S 63 6W
Carlbrod = Dimitrovgrad 42 43 0N 22 48 E
Carlentini 41 37 15N 15 2 E
Carleton Place 106 45 8N 76 9W
Carletonville 92 26 23 S 27 22 E
Carlin 118 40 44N 116 5W
Carlingford, L. 15 54 0N 6 5W
Carlinville 116 39 20N 89 55W
Carlisle, U.K. 12 54 54N 2 55W
Carlisle, U.S.A. 114 40 12N 77 10W
Carlitte, Pic 20 42 35N 1 55 E
Carloforte 40 39 10N 8 18 E
Carlos Casares 124 35 32 S 61 20W
Carlos Tejedor 124 35 25 S 62 25W
Carlota, La 124 33 30 S 63 20W
Carlow 15 52 50N 6 58W
Carlow □ 15 52 43N 6 50W
Carlsbad, Calif., U.S.A. 119 33 11N 117 25W
Carlsbad, N. Mex., U.S.A. 117 32 20N 104 14W
Carlyle, Can. 109 49 40N 102 20W
Carlyle, U.S.A. 116 38 38N 89 23W
Carmacks 104 62 5N 136 16W
Carmagnola 38 44 50N 7 42 E
Carman 109 49 30N 98 0W
Carmangay 108 50 10N 113 10W
Carmanville 107 49 23N 54 19W
Carmarthen 13 51 52N 4 20W
Carmarthen B. 13 51 40N 4 30W
Carmaux 20 44 3N 2 10 E
Carmel 113 41 25N 73 38W
Carmel-by-the-Sea 119 36 38N 121 55W
Carmel Mt. 62 32 45N 35 3 E
Carmelo 124 34 0 S 58 20W
Carmen, Colomb. 126 9 43N 75 8W
Carmen, Parag. 125 27 13 S 56 12W
Carmen de Patagones 128 40 50 S 63 0W
Carmen, I. 120 26 0N 111 20W
Cármenes 30 42 58N 5 34W
Carmensa 124 35 15 S 67 40W
Carmi 114 38 6N 88 10W
Carmila 98 21 55 S 149 24 E
ˈ Carmona 31 37 28N 5 42W
Carnarvon, Queens., Austral. 98 24 48 S 147 45 E
Carnarvon, W. Austral., Austral. 96 24 51 S 113 42 E
Carnarvon, S. Afr. 92 30 56 S 22 8 E
Carnarvon Ra. 99 25 15 S 148 30 E
Carnaxide 31 38 43N 9 14W
Carndonagh 15 55 15N 7 16W
Carnduff 109 49 10N 101 50W
Carnegie 112 40 24N 80 4W
Carnegie, L. 96 26 5 S 122 30 E
Carnic Alps = Karnische Alpen 26 46 36N 13 0 E
Carnot 88 4 59N 15 56 E
Carnot B. 96 17 20 S 121 30 E
Carnsore Pt. 15 52 10N 6 20W
Caro 114 43 29N 83 27W
Carol City 115 25 5N 80 16W
Carolina, Brazil 127 7 10 S 47 30W
Carolina, S. Afr. 93 26 5 S 30 6 E
Carolina, La 31 38 17N 3 38W
Caroline I. 95 9 15 S 150 3W
Caroline Is. 94 8 0N 150 0 E
Caron 109 50 30N 105 50W
Caroni → 126 8 21N 62 43W
Carovigno 41 40 42N 17 40 E
Carpathians 46 49 50N 21 0 E
Carpaţii Meridionali 46 45 30N 25 0 E
Carpenédolo 38 45 22N 10 25 E
Carpentaria Downs 98 18 44 S 144 20 E
Carpentaria, G. of 97 14 0 S 139 0 E
Carpentras 21 44 3N 5 2 E
Carpi 38 44 47N 10 52 E
Carpino 41 41 50N 15 51 E
Carpinteria 119 34 25N 119 31W
Carpio 30 41 13N 5 7W
Carrabelle 115 29 52N 84 40W
Carrara 38 44 5N 10 7 E
Carrascosa del Campo 32 40 2N 2 45W
Carrauntohill, Mt. 15 52 0N 9 49W
Carrick-on-Shannon 15 53 57N 8 7W
Carrick-on-Suir 15 52 22N 7 30W
Carrickfergus 15 54 43N 5 50W
Carrickfergus □ 15 54 43N 5 49W
Carrickmacross 15 54 0N 6 43W
Carrieton 99 32 25 S 138 31 E
Carrington 116 47 30N 99 7W
Carrión → 30 41 53N 4 32W
Carrión de los Condes 30 42 20N 4 37W
Carrizal Bajo 124 28 5 S 71 20W
Carrizalillo 124 29 5 S 71 30W
Carrizo Cr. 117 36 30N 103 40W
Carrizo Springs 117 28 28N 99 50W
Carrizozo 119 33 40N 105 57W
Carroll 116 42 2N 94 55W
Carrollton, Ga., U.S.A. 115 33 36N 85 5W
Carrollton, Ill., U.S.A. 116 39 20N 90 25W
Carrollton, Ky., U.S.A. 114 38 40N 85 10W
Carrollton, Mo., U.S.A. 116 39 19N 93 24W
Carrollton, Ohio, U.S.A. 112 40 31N 81 9W
Carron → 14 57 30N 5 30W
Carron, L. 14 57 22N 5 35W
Carrot → 109 53 50N 101 17W
Carrot River 109 53 17N 103 35W
Carrouges 18 48 34N 0 10W
Carruthers 109 52 52N 109 16W
Çarşamba 64 41 15N 36 45 E
Carse of Gowrie 14 56 30N 3 10W
Carsoli 39 42 7N 13 3 E
Carson 116 46 27N 101 29W
Carson City 118 39 12N 119 46W
Carson Sink 118 39 50N 118 40W
Carsonville 114 43 25N 82 39W
Carstairs 14 55 42N 3 41W
Cartagena, Colomb. 126 10 25N 75 33W
Cartagena, Spain 33 37 38N 0 59W
Cartago, Colomb. 126 4 45N 75 55W
Cartago, C. Rica 121 9 50N 85 52W
Cartaxo 31 39 10N 8 47W
Cartaya 31 37 16N 7 9W
Carteret 18 49 23N 1 47W
Cartersville 115 34 11N 84 48W
Carterton 101 41 2 S 175 31 E
Carthage, Ark., U.S.A. 117 34 4N 92 32W
Carthage, Ill., U.S.A. 116 40 25N 91 10W
Carthage, Mo., U.S.A. 117 37 10N 94 20W
Carthage, N.Y., U.S.A. 114 43 59N 75 37W
Carthage, S.D., U.S.A. 116 44 14N 97 38W
Carthage, Texas, U.S.A. 117 32 8N 94 20W
Cartier I. 96 12 31 S 123 29 E
Cartwright 107 53 41N 56 58W
Caruaru 127 8 15 S 35 55W
Carúpano 126 10 39N 63 15W
Caruthersville 117 36 10N 89 40W
Carvin 19 50 30N 2 57 E
Carvoeiro 126 1 30 S 61 59W
Carvoeiro, Cabo 31 39 21N 9 24W
Casa Branca 31 38 29N 8 12W
Casa Grande 119 32 53N 111 51W
Casa Nova 127 9 25 S 41 5W
Casablanca, Chile 124 33 20 S 71 25W
Casablanca, Moroc. 82 33 36N 7 36W
Casacalenda 41 41 45N 14 50 E
Casal di Principe 41 41 0N 14 8 E
Casalbordino 39 42 10N 14 34 E
Casale Monferrato 38 45 8N 8 28 E
Casalmaggiore 38 44 59N 10 25 E
Casalpusterlengo 38 45 10N 9 40 E
Casamance → 84 12 33N 16 46W
Casamássima 41 40 58N 16 55 E
Casarano 41 40 0N 18 10 E
Casares 31 36 27N 5 16W
Casas Grandes 120 30 22N 108 0W
Casas Ibañez 33 39 17N 1 30W
Casasimarro 33 39 22N 2 3W
Casatejada 30 39 54N 5 40W
Casavieja 30 40 17N 4 46W
Cascade, Idaho, U.S.A. 118 44 30N 116 2W
Cascade, Mont., U.S.A. 118 47 16N 111 46W
Cascade Locks 118 45 44N 121 54W
Cascade Ra. 102 47 0N 121 30W
Cascais 31 38 41N 9 25W
Cáscina 38 43 40N 10 32 E
Caselle Torinese 38 45 12N 7 39 E
Caserta 41 41 5N 14 20 E
Cashel 15 52 31N 7 53W
Cashmere 118 47 31N 120 30W
Casiguran 73 16 22N 122 7 E
Casilda 124 33 10 S 61 10W
Casimcea 46 44 45N 28 23 E
Casino 97 28 52 S 153 3 E
Casiquiare → 126 2 1N 67 7W
Caslan 108 54 38N 112 31W
Čáslav 26 49 54N 15 22 E
Casma 126 9 30 S 78 20W
Casola Valsenio 39 44 12N 11 40 E
Càsoli 39 42 7N 14 18 E
Caspe 32 41 14N 0 1W
Casper 118 42 52N 106 20W
Caspian Sea 53 43 0N 50 0 E
Casquets 18 49 46N 2 15W
Cass City 114 43 34N 83 24W
Cass Lake 116 47 23N 94 38W
Cassá de la Selva 32 41 53N 2 52 E
Cassano Iónio 41 39 47N 16 20 E
Cassel 19 50 48N 2 30 E
Casselman 113 45 19N 75 5W
Casselton 116 47 0N 97 15W
Cassiar 108 59 16N 129 40W
Cassiar Mts. 108 59 30N 130 30W
Cassino 40 41 30N 13 50 E
Cassis 21 43 14N 5 32 E
Cassville 117 36 45N 93 52W
Cástagneto Carducci 38 43 9N 10 36 E
Castéggio 38 45 1N 9 8 E
Castejón de Monegros 32 41 37N 0 15W
Castel di Sangro 39 41 47N 14 6 E
Castel San Giovanni 38 45 4N 9 25 E
Castel San Pietro 39 44 23N 11 30 E
Castelbuono 41 37 56N 14 4 E
Casteldelfino 38 44 35N 7 4 E
Castelfiorentino 38 43 36N 10 58 E
Castelfranco Emília 38 44 37N 11 2 E
Castelfranco Véneto 39 45 40N 11 56 E
Casteljaloux 20 44 19N 0 6 E
Castellabate 41 40 18N 14 55 E
Castellammare del Golfo 40 38 2N 12 53 E
Castellammare di Stábia 41 40 47N 14 29 E
Castellammare, G. di 40 38 5N 12 55 E
Castellamonte 38 45 23N 7 42 E
Castellana Grotte 41 40 53N 17 10 E
Castellane 21 43 50N 6 31 E
Castellaneta 41 40 40N 16 57 E
Castellar de Santisteban 33 38 16N 3 8W
Castelleone 38 45 19N 9 47 E
Castelli 124 36 7 S 57 47W
Castelló de Ampurias 32 42 15N 3 4 E
Castellón □ 32 40 15N 0 5W
Castellón de la Plana 32 39 58N 0 3W
Castellote 32 40 48N 0 15W
Castelltersol 32 41 45N 2 8 E
Castelmáuro 41 41 50N 14 40 E
Castelnau-de-Médoc 20 45 2N 0 48W
Castelnaudary 20 43 20N 1 58 E
Castelnovo ne' Monti 38 44 27N 10 26 E
Castelnuovo di Val di Cécina 38 43 12N 10 54 E
Castelo 125 20 33 S 41 14 E
Castelo Branco 30 39 50N 7 31W
Castelo Branco □ 30 39 52N 7 45W
Castelo de Paiva 30 41 2N 8 16W
Castelo de Vide 31 39 25N 7 27W
Castelsarrasin 20 44 2N 1 7 E
Casteltérmini 40 37 32N 13 38 E
Castelvetrano 40 37 40N 12 46 E
Casterton 99 37 30 S 141 30 E
Castets 20 43 52N 1 6W
Castiglione del Lago 39 43 7N 12 3 E
Castiglione della Pescáia 38 42 46N 10 53 E
Castiglione della Stiviere 38 45 23N 10 30 E
Castiglione Fiorentino 39 43 20N 11 55 E
Castilblanco 31 39 17N 5 5W
Castilla La Nueva 31 39 45N 3 20W
Castilla La Vieja 30 41 55N 4 0W
Castilla, Playa de 31 37 0N 6 33W
Castille = Castilla 30 40 0N 3 30W
Castillon, Barrage de 21 43 53N 6 33 E
Castillon-en-Couserans 20 42 56N 1 1 E
Castillon-la-Bataille 20 44 51N 0 2W
Castillonès 20 44 39N 0 37 E
Castillos 125 34 12 S 53 52W
Castle Dale 118 39 11N 111 1W
Castle Douglas 14 54 57N 3 57W
Castle Harbour 121 32 17N 64 44W
Castle Point 101 40 54 S 176 15 E
Castle Rock, Colo., U.S.A. 116 39 26N 104 50W
Castle Rock, Wash., U.S.A. 118 46 20N 122 58W
Castlebar 15 53 52N 9 17W
Castleblaney 15 54 7N 6 44W
Castlegar 108 49 20N 117 40W
Castlegate 118 39 45N 110 57W
Castlemaine 97 37 2 S 144 12 E
Castlereagh 15 53 47N 8 30W
Castlereagh □ 15 54 33N 5 53W
Castlereagh → 97 30 12 S 147 32 E
Castlereagh B. 96 12 10 S 135 10 E
Castletown 12 54 4N 4 40W
Castletown Bearhaven 15 51 40N 9 54W
Castlevale 98 24 30 S 146 48 E
Castor 108 52 15N 111 50W
Castres 20 43 37N 2 13 E
Castries 121 14 0N 60 50W
Castril 33 37 48N 2 46W
Castro, Brazil 125 24 45 S 50 0W
Castro, Chile 128 42 30 S 73 50W
Castro Alves 127 12 46 S 39 33W
Castro del Rio 31 37 41N 4 29W
Castro Marim 31 37 13N 7 26W
Castro Urdiales 32 43 23N 3 11W
Castro Verde 31 37 41N 8 4W
Castrojeriz 30 42 17N 4 9W
Castropol 30 43 32N 7 0W
Castroreale 41 38 5N 15 15 E
Castrovillari 41 39 49N 16 11 E
Castroville 117 29 20N 98 53W
Castuera 31 38 43N 5 37W
Casummit Lake 106 51 29N 92 22W
Cat I., Bahamas 121 24 30N 75 30W
Cat I., U.S.A. 117 30 15N 89 7W
Cat L. 106 51 40N 91 50W
Čata 27 47 58N 18 38 E
Catacáos 126 5 20 S 80 45W
Cataguases 125 21 23 S 42 39W
Catahoula L. 117 31 30N 92 5W
Catalão 127 18 10 S 47 57W
Catalina 107 48 31N 53 4W
Catalonia = Cataluña 32 41 40N 1 15 E
Cataluña 32 41 40N 1 15 E
Catamarca 124 28 30 S 65 50W
Catamarca □ 124 27 0 S 65 50W
Catanduanes 73 13 50N 124 20 E
Catanduva 125 21 5 S 48 58W
Catánia 41 37 31N 15 4 E
Catánia, G. di 41 37 25N 15 8 E
Catanzaro 41 38 54N 16 38 E
Catarman 73 12 28N 124 35 E
Catastrophe C. 96 34 59 S 136 0 E
Cateau, Le 19 50 6N 3 30 E
Cateel 73 7 47N 126 24 E
Cathcart 92 32 18 S 27 10 E
Cathlamet 118 46 12N 123 23W
Catio 84 11 17N 15 15W
Cativa 120 9 21N 79 49W
Catlettsburg 114 38 23N 82 38W
Cato I. 97 23 15 S 155 32 E
Catoche, C. 120 21 40N 87 8W
Catral 33 38 10N 0 47W
Catria, Mt. 39 43 28N 12 42 E
Catrimani 126 0 27N 61 41W
Catskill 114 42 14N 73 52W
Catskill Mts. 114 42 15N 74 15W
Cattaraugus 112 42 22N 78 52W
Cattólica 39 43 58N 12 43 E
Cattólica Eraclea 40 37 27N 13 24 E
Catuala 92 16 25 S 19 2 E
Catur 91 13 45 S 35 30 E
Cauca → 126 8 54N 74 28W
Caucaia 127 3 40 S 38 35W
Caucasus Mts. = Bolshoi Kavkas 57 42 50N 44 0 E
Caudebec-en-Caux 18 49 30N 0 42 E
Caudete 33 38 42N 1 2W
Caudry 19 50 7N 3 22 E
Caulnes 18 48 18N 2 10W
Caulónia 41 38 23N 16 25 E
Caúngula 88 8 26 S 18 38 E
Cauquenes 124 36 0 S 72 22W
Caura → 126 7 38N 64 53W
Cauresi → 91 17 8 S 33 0 E
Causapscal 107 48 19N 67 12W
Caussade 20 44 10N 1 33 E
Cauterets 20 42 52N 0 8W
Caux, Pays de 18 49 38N 0 35 E
Cava dei Tirreni 41 40 42N 14 42 E
Cávado → 30 41 32N 8 48W
Cavaillon 21 43 50N 5 2 E
Cavalaire-sur-Mer 21 43 10N 6 33 E
Cavalerie, La 20 44 0N 3 10 E
Cavalese 39 46 17N 11 29 E
Cavalier 116 48 50N 97 39W
Cavallo, Île de 21 41 22N 9 16 E
Cavally → 84 4 22N 7 32W
Cavan 15 54 0N 7 22W
Cavan □ 15 53 58N 7 10W
Cavàrzere 39 45 8N 12 6 E
Cave City 114 37 13N 85 57W
Cavendish 99 37 31 S 142 2 E
Caviana, I. 127 0 10N 50 10W
Cavite 73 14 29N 120 55 E
Cavour 38 44 47N 7 22 E
Cavtat 42 42 35N 18 13 E
Cawndilla, L. 99 32 30 S 142 15 E
Cawnpore = Kanpur 69 26 28N 80 20 E
Caxias 127 4 55 S 43 20W
Caxias do Sul 125 29 10 S 51 10W
Caxine, C. 82 35 56N 0 27W
Caxito 88 8 30 S 13 30 E
Cay Sal Bank 121 23 45N 80 0W
Cayambe 126 0 3N 78 8W
Cayce 115 33 59N 81 10W
Cayenne 127 5 0N 52 18W
Cayes, Les 121 18 15N 73 46W
Cayeux-sur-Mer 19 50 10N 1 30 E
Caylus 20 44 15N 1 47 E
Cayman Is. 121 19 40N 80 30W
* Cayo 120 17 10N 89 0W
Cayo Romano 121 22 0N 78 0W
Cayuga, Can. 112 42 59N 79 50W
Cayuga, U.S.A. 113 42 54N 76 44W
Cayuga L. 114 42 45N 76 45W
Cazalla de la Sierra 31 37 56N 5 45W
Căzăneşti 46 44 36N 27 3 E
Cazaux et de Sanguinet, Étang de 20 44 29N 1 10W
Cazères 20 43 13N 1 5 E
Cazin 39 44 57N 15 57 E
Čazma 39 45 45N 16 39 E
Čazma → 39 45 35N 16 29 E
Cazombo 89 11 54 S 22 56 E
Cazorla 33 37 55N 3 2W
Cazorla, Sierra de 33 38 5N 2 55W
Cea → 30 42 0N 5 36W
Ceamurlia de Jos 43 44 43N 28 47 E
Ceanannus Mor 15 53 42N 6 53W
Ceará = Fortaleza 127 3 43 S 38 35W
Ceará □ 127 5 0 S 40 0W
Ceará Mirim 127 5 38 S 35 25W
Ceauru, L. 46 44 58N 23 11 E
Cebollar 124 29 10 S 66 35W
Cebollera, Sierra de 32 42 0N 2 30W
Cebreros 30 40 27N 4 28W
Cebu 73 10 18N 123 54 E
Ceccano 40 41 34N 13 18 E
Cece 27 46 46N 18 39 E
Cechi 84 6 15N 4 25W
Cecil Plains 99 27 30 S 151 11 E
Cécina 38 43 19N 10 33 E
Cécina → 38 43 19N 10 29 E
Ceclavín 30 39 50N 6 45W
Cedar → 116 41 17N 91 21W
Cedar City 119 37 41N 113 3W
Cedar Creek Res. 117 32 4N 96 5W
Cedar Falls 116 42 39N 92 29W
Cedar Key 115 29 9N 83 5W
Cedar L. 109 53 10N 100 0W
Cedar Rapids 116 42 0N 91 38W
Cedarburg 114 43 18N 87 55W
Cedartown 115 34 1N 85 15W
Cedarvale 108 55 1N 128 22W
Cedarville 118 41 37N 120 13W
Cedeira 30 43 39N 8 2W
Cedral 120 23 50N 100 42W
Cedrino → 40 40 23N 9 44 E
Cedro 127 6 34 S 39 3W
Cedros, I. de 120 28 10N 115 20W
Ceduna 96 32 7 S 133 46 E
Cedynia 28 52 53N 14 12 E
Cefalù 41 38 3N 14 1 E

ˈ Renamed N'gage

* Renamed San Ignacio

HIA

Cega Chelmsford

Cega → 30 41 33N 4 46W
Cegléd 27 47 11N 19 47 E
Céglie Messápico 41 40 39N 17 31 E
Cehegín 33 38 6N 1 48W
Cehu-Silvaniei 46 47 24N 23 9 E
Ceiba, La 121 15 40N 86 50W
Ceica 46 46 53N 22 10 E
Ceira → 30 40 13N 8 16W
Cekhira 83 34 20N 10 5 E
Celano 39 42 6N 13 30 E
Celanova 30 42 9N 7 58W
Celaya 120 20 31N 100 37W
Celbridge 15 53 20N 6 33W
Celebes = Sulawesi 73 2 0S 120 0 E
Celebes Sea 73 3 0N 123 0 E
Čelić 42 44 43N 18 47 E
Celina 114 40 32N 84 31W
Celje 39 46 16N 15 18 E
Celldömölk 27 47 16N 17 10 E
Celle 24 52 37N 10 4 E
Celorico da Beira 30 40 38N 7 24W
Cement 117 34 56N 98 8W
Cengong 77 27 13N 108 44 E
Cenis, Col du Mt. 21 45 15N 6 55 E
Ceno → 38 44 4N 10 5 E
Cenon 20 44 50N 0 33W
Centallo 38 44 30N 7 35 E
Center, N.D., U.S.A. 116 47 9N 101 17W
Center, Texas, U.S.A. 117 31 50N 94 10W
Centerfield 119 39 9N 111 56W
Centerville, Ala., U.S.A. 115 32 55N 87 7W
Centerville, Iowa, U.S.A. 116 40 45N 92 57W
Centerville, Miss., U.S.A. 117 31 10N 91 3W
Centerville, Pa., U.S.A. 112 40 3N 79 59W
Centerville, S.D., U.S.A. 116 43 10N 96 58W
Centerville, Tenn., U.S.A. 115 35 46N 87 29W
Centerville, Tex., U.S.A. 117 31 15N 95 56W
Cento 39 44 43N 11 16 E
Central 119 32 46N 108 9W
Central □, Kenya 90 0 30S 37 30 E
Central □, Malawi 91 13 30S 33 30 E
Central □, U.K. 14 56 10N 4 30W
Central □, Zambia 91 14 25S 28 50 E
Central African Republic ■ 88 7 0N 20 0 E
Central City, Ky., U.S.A. 114 37 20N 87 7W
Central City, Nebr., U.S.A. 116 41 8N 98 0W
Central, Cordillera, Colomb. 126 5 0N 75 0W
Central, Cordillera, C. Rica 121 10 10N 84 5W
Central I. 90 3 30N 36 0 E
Central Islip 113 40 49N 73 13W
Central Makran Range 65 26 30N 64 15 E
Central Patricia 106 51 30N 90 9W
Central Ra. 98 5 0S 143 0 E
Central Russian Uplands 9 54 0N 36 0 E
Central Siberian Plateau 59 65 0N 105 0 E
Centralia, Ill., U.S.A. 116 38 32N 89 5W
Centralia, Mo., U.S.A. 116 39 12N 92 6W
Centralia, Wash., U.S.A. 118 46 46N 122 59W
Centúripe 41 37 37N 14 41 E
Cephalonia = Kefallinía 45 38 15N 20 30 E
Cepin 42 45 32N 18 34 E
Ceprano 40 41 33N 13 30 E
Ceptura 46 45 1N 26 21 E
Cepu 73 7 12S 111 31 E
Ceram = Seram 73 3 10S 129 0 E
Ceram Sea = Seram Sea 73 2 30S 128 30 E
Cerbère 20 42 26N 3 10 E
Cerbicales, Îles 21 41 33N 9 22 E
Cerbu 46 44 46N 24 46 E
Cercal 31 37 48N 8 40W
Cercemaggiore 41 41 27N 14 43 E
Cerdaña 32 42 22N 1 35 E
Cerdedo 30 42 33N 8 23W
Cère → 20 44 55N 1 49 E
Cerea 39 45 12N 11 13 E
Ceres, Argent. 124 29 55S 61 55W
Ceres, Italy 38 45 19N 7 22 E
Ceres, S. Afr. 92 33 21S 19 18 E
Céret 20 42 30N 2 42 E
Cerignola 41 41 17N 15 53 E
Cerigo = Kíthira 45 36 15N 23 0 E
Cérilly 20 46 37N 2 50 E
Cerisiers 19 48 8N 3 30 E
Cerizay 18 46 50N 0 40W
Çerkeş 64 40 49N 32 52 E
Cerknica 39 45 48N 14 21 E
Cermerno 42 43 35N 20 25 E
Cerna 46 45 4N 28 17 E
Cerna → 46 44 45N 24 0 E
Cernavodă 46 44 22N 28 3 E
Cernay 19 47 44N 7 10 E
Cernik 42 45 17N 17 22 E
Cerralvo 120 24 20N 109 45 E
Cerreto Sannita 41 41 17N 14 34 E
Cerritos 120 22 27N 100 20W
Cerro 119 36 47N 105 36W
Certaldo 38 43 32N 11 2 E
Cervaro → 41 41 30N 15 52 E
Cervera 32 41 40N 1 16 E
Cervera de Pisuerga 30 42 51N 4 30W
Cervera del Río Alhama 32 42 2N 1 58W
Cérvia 39 44 15N 12 20 E
Cervignano del Friuli 39 45 49N 13 20 E
Cervinara 41 41 2N 14 36 E
Cervione 21 42 20N 9 29 E
Cervo 30 43 40N 7 24W
Cesaro 41 37 50N 14 38 E
Cesena 39 44 9N 12 14 E
Cesenático 39 44 12N 12 22 E
Cēsis 54 57 17N 25 28 E
Česká Lípa 26 50 45N 14 30 E
Česka Socialistická Republika □ 26 49 30N 14 40 E
Česká Třebová 27 49 54N 16 27 E
České Budějovice 26 48 55N 14 25 E
České Velenice 26 48 45N 15 1 E
Ceskomoravská Vrchovina 26 49 30N 15 40 E
Český Brod 26 50 4N 14 52 E
Český Krumlov 26 48 43N 14 21 E
Český Těšín 27 49 45N 18 39 E
Çeşme 45 38 20N 26 23 E
Cessnock 97 32 50S 151 21 E
Cestas 20 44 44N 0 41W
Cestos → 84 5 40N 9 10W
Cetate 46 44 7N 23 2 E
Cétin Grad 39 45 9N 15 45 E
Cetina → 39 43 26N 16 42 E
Cetinje 42 42 23N 18 59 E
Cetraro 41 39 30N 15 56 E
Ceuta 82 35 52N 5 18W
Ceva 38 44 23N 8 3 E
Cévennes 20 44 10N 3 50 E
Ceyhan 64 37 4N 35 47 E
Ceylon = Sri Lanka ■ 70 7 30N 80 50 E
Cèze → 21 44 13N 4 43 E
Cha Pa 71 22 20N 103 47 E
Chabeuil 21 44 54N 5 1 E
Chablais 21 46 20N 6 36 E
Chablis 19 47 47N 3 48 E
Chabounia 82 35 30N 2 38 E
Chacabuco 124 34 40S 60 27W
Chachapoyas 126 6 15S 77 50W
Chachro 68 25 5N 70 15 E
Chaco □ 124 26 30S 61 0W
Chad ■ 81 15 0N 17 15 E
Chad, L. = Tchad, L. 81 13 30N 14 30 E
Chadan 59 51 17N 91 35 E
Chadileuvú → 124 37 46S 66 0W
Chadiza 91 14 45S 32 27 E
Chadron 116 42 50N 103 0W
Chadyr-Lunga 56 46 3N 28 51 E
Chagda 59 58 45N 130 38 E
Chagny 19 46 57N 4 45 E
Chagoda 54 59 10N 35 15 E
Chagos Arch. 60 6 0S 72 0 E
Chágres → 120 9 10N 79 40W
Châh Bahār 65 25 20N 60 40 E
Châh Gay Hills 65 29 30N 64 0 E
Chaillé-les-Marais 20 46 25N 1 2W
Chaise-Dieu, La 20 45 20N 3 40 E
Chaize-le-Vicomte, La 18 46 40N 1 18W
Chaj Doab 68 32 15N 73 0 E
Chajari 124 30 42S 58 0W
Chake Chake 90 5 15S 39 45 E
Chakhansur 65 31 10N 62 0 E
Chakhansur □ 65 30 0N 62 0 E
Chakonipau, L. 107 56 18N 68 30W
Chakradharpur 69 22 45N 85 40 E
Chakwal 68 32 56N 72 53 E
Chala 126 15 48S 74 20W
Chalais 20 45 16N 0 3 E
Chalakudi 70 10 18N 76 20 E
Chalcis = Khalkís 45 38 27N 23 42 E
Chaleur B. 107 47 55N 65 30W
Chalhuanca 126 14 15S 73 15W
Chalindrey 19 47 48N 5 26 E
Chaling 77 26 58N 113 30 E
Chalisgaon 68 20 30N 75 10 E
Chalkar 57 50 35N 51 52 E
Chalkar Oz. 57 50 33N 51 45 E
Chalky Inlet 101 46 3S 166 31 E
Challans 18 46 50N 1 52W
Challapata 126 18 53S 66 50W
Challerange 19 49 18N 4 46 E
Challis 118 44 32N 114 25W
Chalna 69 22 36N 89 35 E
Chalon-sur-Saône 19 46 48N 4 50 E
Chalonnes 18 47 20N 0 45W
Châlons-sur-Marne 19 48 58N 4 20 E
Châlus 20 45 39N 0 58 E
Cham 25 49 12N 12 40 E
Chama 119 36 54N 106 35W
Chaman 66 30 58N 66 25 E
Chamarajnagar-Ramasamudram 70 11 52N 76 52 E
Chamartín de la Rosa 32 40 28N 3 40W
Chamba 68 32 35N 76 10 E
Chambal → 69 26 29N 79 15 E
Chamberlain 116 43 50N 99 21W
Chambers 119 35 13N 109 30W
Chambersburg 114 39 53N 77 41W
Chambéry 21 45 34N 5 55 E
Chambly 113 45 27N 73 17W
Chambois 18 48 48N 0 6 E
Chambon-Feugerolles, Le 21 45 24N 4 18 E
Chambord 107 48 25N 72 6W
Chambri L. 98 4 15S 143 10 E
Chamical 124 30 22S 66 27W
Chamonix 21 45 55N 6 51 E
Champa 69 22 2N 82 43 E
Champagne, Can. 108 60 49N 136 30W
Champagne, France 19 49 0N 4 40 E
Champagne, Plaine de 19 49 0N 4 30 E
Champagnole 19 46 45N 5 55 E
Champaign 114 40 8N 88 14W
Champaubert 19 48 50N 3 45 E
Champdeniers 20 46 29N 0 25W
Champeix 20 45 37N 3 8 E
Champion B. 96 28 44S 114 36 E
Champlain, Can. 106 46 27N 72 24W
Champlain, U.S.A. 114 44 59N 73 27W
Champlain, L. 114 44 30N 73 20W
Champotón 120 19 20N 90 50W
Chamusca 31 39 21N 8 29W
Chañaral 124 26 23S 70 40W
Chanasma 68 23 44N 72 5 E
Chandalar 104 67 30N 148 35W
Chandannagar 69 22 52N 88 24 E
Chandausi 68 28 27N 78 49 E
Chandeleur Is. 117 29 48N 88 51W
Chandeleur Sd. 117 29 58N 88 40W
Chandigarh 68 30 43N 76 47 E
Chandler, Can. 107 48 18N 64 46W
Chandler, Ariz., U.S.A. 119 33 20N 111 56W
Chandler, Okla., U.S.A. 117 35 43N 96 53W
Chandmani 75 45 22N 98 2 E
Chandpur, Bangla. 69 23 8N 90 45 E
Chandpur, India 68 29 8N 78 19 E
Chandrapur 70 19 57N 79 25 E
Chang 68 26 59N 68 30 E
Chang Jiang →, Jiangsu, China 75 31 48N 121 10 E
Chang Jiang →, Shanghai, China 75 31 35N 121 15 E
Changanacheri 70 9 25N 76 31 E
Changbai 76 41 25N 128 5 E
Changbai Shan 76 42 20N 129 0 E
Changchiak'ou = Zhangjiakou 76 40 48N 114 55 E
Ch'angchou = Changzhou 75 31 47N 119 58 E
Changchun 76 43 57N 125 17 E
Changde 75 29 4N 111 35 E
Changfeng 77 32 28N 117 10 E
Changhai = Shanghai 75 31 15N 121 26 E
Changjiang 75 19 20N 108 55 E
Changjin-chŏsuji 76 40 30N 127 15 E
Changle 77 25 59N 119 27 E
Changli 76 39 40N 119 13 E
Changning 77 26 28N 112 22 E
Changping 76 40 14N 116 12 E
Changsha 75 28 12N 113 0 E
Changshou 77 29 51N 107 8 E
Changshu 77 31 38N 120 43 E
Changshun 77 26 3N 106 25 E
Changtai 77 24 35N 117 42 E
Changting 75 25 50N 116 22 E
Changyang 77 30 30N 111 10 E
Changzhi 76 36 10N 113 6 E
Changzhou 75 31 47N 119 58 E
Chanhanga 92 16 0S 14 8 E
Chanlar 57 40 25N 46 10 E
Channapatna 70 12 40N 77 15 E
Channel Is., U.K. 18 49 30N 2 40W
Channel Is., U.S.A. 119 33 55N 119 26W
Channel-Port aux Basques 107 47 30N 59 9W
Channing, Mich., U.S.A. 114 46 9N 88 1W
Channing, Tex., U.S.A. 117 35 45N 102 20W
Chantada 30 42 36N 7 46W
Chanthaburi 71 12 38N 102 12 E
Chantilly 19 49 12N 2 29 E
Chantonnay 18 46 40N 1 3W
Chantrey Inlet 104 67 48N 96 20W
Chanute 117 37 45N 95 25W
Chanza → 31 37 32N 7 30W
Chao Hu 77 31 30N 117 30 E
Chao Phraya → 71 13 32N 100 36 E
Chao'an 75 23 42N 116 32 E
Chaoyang, Guangdong, China 75 23 17N 116 30 E
Chaoyang, Liaoning, China 76 41 35N 120 22 E
Chapala 91 15 50S 37 35 E
Chapala, Lago de 120 20 10N 103 20W
Chapayevo 57 50 25N 51 10 E
Chapayevsk 55 53 0N 49 40 E
Chapecó 125 27 14S 52 41W
Chapel Hill 115 35 53N 79 3W
Chapelle-d'Angillon, La 19 47 21N 2 25 E
Chapelle-Glain, La 18 47 38N 1 11W
Chapleau 106 47 50N 83 24W
Chaplin 109 50 28N 106 40W
Chaplino 56 48 8N 36 15 E
Chaplygin 55 53 15N 40 0 E
Chapra 69 25 48N 84 44 E
Châr 80 21 32N 12 45 E
Chara 59 56 54N 118 20 E
Charadai 124 27 35S 60 0W
Charagua 126 19 45S 63 10W
Charaña 126 17 30S 69 25W
Charata 124 27 13S 61 14W
Charcas 120 23 10N 101 20W
Charcoal L. 109 58 49N 102 22W
Charcot I. 5 70 0S 75 0W
Chard 13 50 52N 2 59W
Chardara 58 41 16N 67 59 E
Chardon 112 41 34N 81 17W
Chardzhou 58 39 6N 63 34 E
Charente 20 45 40N 0 5 E
Charente □ 20 45 50N 0 16 E
Charente → 20 45 57N 1 5W
Charente-Maritime □ 20 45 30N 0 35W
Charentsavan 57 40 35N 44 41 E
Chārīkār 65 35 0N 69 10 E
Charité, La 19 47 10N 3 0 E
Chariton → 116 39 19N 92 58W
Charkhari 69 25 24N 79 45 E
Charkhi Dadri 68 28 37N 76 17 E
Charleroi 16 50 24N 4 27 E
Charlerol 112 40 8N 79 54W
Charles, C. 114 37 10N 75 59W
Charles City 116 43 2N 92 41W
Charles L. 109 59 50N 110 33W
Charles Town 114 39 20N 77 50W
Charleston, Ill., U.S.A. 114 39 30N 88 10W
Charleston, Miss., U.S.A. 117 34 2N 90 3W
Charleston, Mo., U.S.A. 117 36 52N 89 20W
Charleston, S.C., U.S.A. 115 32 47N 79 56W
Charleston, W. Va., U.S.A. 114 38 24N 81 36W
Charleston Harb. 115 32 46N 79 55W
Charlestown, S. Afr. 93 27 26S 29 53 E
Charlestown, U.S.A. 114 38 29N 85 40W
Charlesville 88 5 27S 20 59 E
Charleville 97 26 24S 146 15 E
Charleville = Rath Luirc 15 52 21N 8 40W
Charleville-Mézières 19 49 44N 4 40 E
Charlevoix 114 45 19N 85 14W
Charlieu 21 46 10N 4 10 E
Charlotte, Mich., U.S.A. 114 42 36N 84 48W
Charlotte, N.C., U.S.A. 115 35 16N 80 46W
Charlotte Amalie 121 18 22N 64 56W
Charlotte Harbor 115 26 58N 82 4W
Charlotte Waters 96 25 56S 134 54 E
Charlottenberg 48 59 54N 12 17 E
Charlottesville 114 38 1N 78 30W
Charlottetown 107 46 14N 63 8W
Charlton, Austral. 99 36 16S 143 24 E
Charlton, U.S.A. 116 40 59N 93 20W
Charlton I. 106 52 0N 79 20W
Charmes 19 48 22N 6 17 E
Charny 107 46 43N 71 15W
Charolles 21 46 27N 4 16 E
Charost 19 47 0N 2 7 E
Charouine 82 29 0N 0 15W
Charre 91 17 13S 35 10 E
Charroux 20 46 9N 0 25 E
Charters Towers 97 20 5S 146 13 E
Chartre, La 18 47 42N 0 34 E
Chartres 18 48 29N 1 30 E
Chascomús 124 35 30S 58 0W
Chasefu 91 11 55S 33 8 E
Chasovnya-Uchurskaya 59 57 15N 132 50 E
Chasseneuil-sur-Bonnieure 20 45 52N 0 29 E
Chata 68 27 42N 77 30 E
Châtaigneraie, La 18 46 38N 0 45W
Chatal Balkan = Udvoy Balkan 43 42 50N 26 50 E.
Château-Chinon 19 47 4N 3 56 E
Château-du-Loir 18 47 40N 0 25 E
Château-Gontier 18 47 50N 0 48W
Château-la-Vallière 18 47 30N 0 20 E
Château-Landon 19 48 8N 2 40 E
Château, Le 20 45 52N 1 12W
Château-Porcien 19 49 31N 4 13 E
Château-Renault 18 47 36N 0 56 E
Château-Salins 19 48 50N 6 30 E
Château-Thierry 19 49 3N 3 20 E
Châteaubourg 18 48 7N 1 25W
Châteaubriant 18 47 43N 1 23W
Châteaudun 18 48 3N 1 20 E
Châteaugiron 18 48 3N 1 30W
Châteauguay 113 45 23N 73 45W
Châteaulin 18 48 11N 4 8W
Châteaumeillant 20 46 35N 2 12 E
Châteauneuf 18 48 35N 1 15 E
Châteauneuf-du-Faou 18 48 11N 3 50W
Châteauneuf-sur-Charente 20 45 36N 0 3W
Châteauneuf-sur-Cher 19 46 52N 2 18 E
Châteauneuf-sur-Loire 19 47 52N 2 13 E
Châteaurenard 21 43 53N 4 51 E
Châteauroux 19 46 50N 1 40 E
Châteaux-Arnoux 21 44 6N 6 0 E
Châtelaillon-Plage 20 46 5N 1 5W
Châtelaudren 18 48 33N 2 59W
Châtelet, Le, Cher, France 20 46 40N 2 20 E
Châtelet, Le, Seine-et-Marne, France 19 48 30N 2 47 E
Châtelguyon 20 45 55N 3 4 E
Châtellerault 18 46 50N 0 30 E
Châtelus-Malvaleix 20 46 18N 2 1 E
Chatfield 116 43 15N 91 58W
Chatham, N.B., Can. 107 47 2N 65 28W
Chatham, Ont., Can. 106 42 24N 82 11W
Chatham, U.K. 13 51 22N 0 32 E
Chatham, La., U.S.A. 117 32 22N 92 26W
Chatham, N.Y., U.S.A. 113 42 21N 73 32W
Chatham Is. 94 44 0S 176 40W
Chatham Str. 108 57 0N 134 40W
Châtillon, Loiret, France 19 47 36N 2 44 E
Châtillon, Marne, France 19 49 5N 3 43 E
Châtillon 38 45 45N 7 40 E
Châtillon-Coligny 19 47 50N 2 51 E
Châtillon-en-Bazois 19 47 3N 3 39 E
Châtillon-en-Diois 21 44 41N 5 29 E
Châtillon-sur-Indre 18 46 59N 1 10 E
Châtillon-sur-Seine 19 47 50N 4 33 E
Châtillon-sur-Sèvre 18 46 56N 0 45W
Chatmohar 69 24 15N 89 15 E
Chatra 69 24 12N 84 56 E
Chatrapur 69 19 22N 85 2 E
Châtre, La 20 46 35N 1 59 E
Chats, L. des 113 45 30N 76 20W
Chatsworth, Can. 112 44 27N 80 54W
Chatsworth, Zimb. 91 19 38S 31 13 E
Chattahoochee 115 30 43N 84 51W
Chattanooga 115 35 2N 85 17W
Chaudanne, Barrage de 21 43 51N 6 32 E
Chaudes-Aigues 20 44 51N 3 1 E
Chauffailles 21 46 13N 4 20 E
Chauk 67 20 53N 94 49 E
Chaukan La 67 27 0N 97 15 E
Chaulnes 19 49 48N 2 47 E
Chaumont, France 19 48 7N 5 8 E
Chaumont, U.S.A. 113 44 4N 76 9W
Chaumont-en-Vexin 19 49 16N 1 53 E
Chaumont-sur-Loire 18 47 29N 1 11 E
Chaunay 20 46 13N 0 9 E
Chauny 19 49 37N 3 12 E
Chausey, Îs. 18 48 52N 1 49W
Chaussin 19 46 59N 5 22 E
Chautauqua 112 42 17N 79 30W
Chauvigny 18 46 34N 0 39 E
Chauvin 109 52 45N 110 10W
Chaux-de-Fonds, La 25 47 7N 6 50 E
Chaves, Brazil 127 0 15S 49 55W
Chaves, Port. 30 41 45N 7 32W
Chavuma 89 13 4S 22 40 E
Chaykovskiy 52 56 47N 54 9 E
Chazelles-sur-Lyon 21 45 39N 4 22 E
Chazy 113 44 52N 73 28W
Cheb (Eger) 26 50 9N 12 28 E
Cheboksary 55 56 8N 47 12 E
Cheboygan 114 45 38N 84 29W
Chebsara 55 59 10N 38 59 E
Chech, Erg 82 25 0N 2 15W
Chechaouen 82 35 9N 5 15W
Chechen, Os. 57 43 59N 47 40 E
Checheno-Ingush A.S.S.R. □ 57 43 30N 45 29 E
Chęciny 28 50 46N 20 28 E
Checleset B. 108 50 5N 127 35W
Checotah 117 35 31N 95 30W
Chedabucto B. 107 45 25N 61 8W
Cheduba I. 67 18 45N 93 40 E
Cheepie 99 26 33S 145 1 E
Chef-Boutonne 20 46 7N 0 4W
Chegdomyn 59 51 7N 133 1 E
Chegga 82 25 27N 5 40W
Chehalis 118 46 44N 122 59W
Cheiron 21 43 49N 6 58 E
Cheju Do 77 33 29N 126 34 E
Chekalin 55 54 10N 36 10 E
Chekiang = Zhejiang □ 75 29 0N 120 0 E
Chela, Sa. da 92 16 20S 13 20 E
Chelan 118 47 49N 120 0W
Chelan, L. 118 48 5N 120 30W
Cheleken 53 39 26N 53 7 E
Chelforó 128 39 0S 66 33W
Chéliff, O. → 82 36 0N 0 8 E
Chelkar 58 47 48N 59 39 E
Chelkar Tengiz, Solonchak 58 48 0N 62 30 E
Chellala Dahrania 82 33 2N 0 1 E
Chelles 19 48 52N 2 33 E
Chełm 28 51 8N 23 30 E
Chełm □ 28 51 15N 23 30 E
Chełmek 27 50 6N 19 16 E
Chełmno 28 53 20N 18 30 E
Chelmsford 13 51 44N 0 29 E

Chelmsford Dam
Cilician Gates P.

Chelmsford Dam 93 27 55S 29 59E
Chelmża 28 53 10N 18 39E
Chelsea, Austral. 100 38 5S 145 8E
Chelsea, Can. 113 45 30N 75 47W
Chelsea, Okla., U.S.A. 117 36 35N 95 35W
Chelsea, Vt., U.S.A. 113 43 59N 72 27W
Cheltenham 13 51 55N 2 5W
Chelva 32 39 45N 1 0W
Chelyabinsk 58 55 10N 61 24E
Chemainus 108 48 55N 123 42W
Chemillé 18 47 14N 0 45W
Chemnitz = Karl-Marx-Stadt 24 50 50N 12 55E
Chemult 118 43 14N 121 47W
Chen, Gora 59 65 16N 141 50E
Chen Xian 75 25 47N 113 1E
Chenab → 68 30 23N 71 2E
Chenachane, O. → 82 25 20N 3 20W
Chenango Forks 113 42 15N 75 51W
Chencha 87 6 15N 37 32E
Chenchiang = Zhenjiang 75 32 12N 119 24E
Cheney 118 47 29N 117 34W
Chengbu 77 26 18N 110 16E
Chengcheng 77 35 8N 109 56E
Chengde 76 40 59N 117 58E
Chengdu 75 30 38N 104 2E
Chenggu 77 33 10N 107 21E
Chengjiang 75 24 39N 103 0E
Ch'engtu = Chengdu 75 30 38N 104 2E
Chengyang 76 36 18N 120 21E
Chenxi 77 28 2N 110 12E
Cheo Reo 71 13 25N 108 28E
Cheom Ksan 71 14 13N 104 56E
Chepelare 43 41 44N 24 40E
Chepén 126 7 15S 79 23W
Chepes 124 31 20S 66 35W
Chepo 121 9 10N 79 6W
Cheptsa → 55 58 36N 50 4E
Cheptulil, Mt. 90 1 25N 35 35E
Chequamegon B. 116 46 40N 90 30W
Cher □ 19 47 10N 2 30E
Cher → 18 47 21N 0 29E
Cheran 69 25 45N 90 44E
Cherasco 38 44 39N 7 50E
Cheraw 115 34 42N 79 54W
Cherbourg 18 49 39N 1 40W
Cherchell 82 36 35N 2 12E
Cherdakly 55 54 25N 48 50E
Cherdyn 52 60 24N 56 29E
Cheremkhovo 59 53 8N 103 1E
Cherepanovo 58 54 15N 83 30E
Cherepovets 55 59 5N 37 55E
Chergui, Chott ech 82 34 21N 0 25E
Cherikov 54 53 32N 31 20E
Cherkassy 56 49 27N 32 4E
Cherkessk 57 44 15N 42 5E
Cherlak 58 54 15N 74 55E
Chernaya Kholunitsa 55 58 51N 51 52E
Cherni 43 42 35N 23 18E
Chernigov 54 51 28N 31 20E
Chernikovsk 52 54 48N 56 8E
Chernobyl 54 51 13N 30 15E
Chernogorsk 59 53 49N 91 18E
Chernomorskoye 56 45 31N 32 40E
Chernovskoye 55 58 48N 47 20E
Chernovtsy 56 48 15N 25 52E
Chernoye 59 70 30N 89 10E
Chernyakhovsk 54 54 36N 21 48E
Chernyshkovskiy 57 48 30N 42 13E
Chernyshovskiy 59 63 0N 112 30E
Cherokee, Iowa, U.S.A. 116 42 40N 95 30W
Cherokee, Okla., U.S.A. 117 36 45N 98 25W
Cherokees, L. O'The 117 36 50N 95 12W
Cherquenco 128 38 35S 72 0W
Cherrapunji 67 25 17N 91 47E
Cherry Creek 118 39 50N 114 58W
Cherryvale 117 37 20N 95 33W
Cherskiy 59 68 45N 161 18E
Cherskogo Khrebet 59 65 0N 143 0E
Chertkovo 57 49 25N 40 19E
Cherven 54 53 45N 28 28E
Cherven-Bryag 43 43 17N 24 7E
Chervonograd 54 50 25N 24 10E
Cherwell → 13 51 46N 1 18W
Chesapeake 114 36 43N 76 15W
Chesapeake Bay 114 38 0N 76 12W
Cheshire □ 12 53 14N 2 30W
Cheshskaya Guba 52 67 20N 47 0E
Cheslatta L. 108 53 49N 125 20W
Chesley 112 44 17N 81 5W
Chesne, Le 19 49 30N 4 45E
Cheste 33 39 30N 0 41W
Chester, U.K. 12 53 12N 2 53W
Chester, Calif., U.S.A. 118 40 22N 121 14W
Chester, Ill., U.S.A. 117 37 58N 89 50W
Chester, Mont., U.S.A. 118 48 31N 111 0W
Chester, N.Y., U.S.A. 113 41 22N 74 16W
Chester, Pa., U.S.A. 114 39 54N 75 20W
Chester, S.C., U.S.A. 115 34 44N 81 13W
Chesterfield 12 53 14N 1 26W
Chesterfield, Îles 94 19 52S 158 15E
Chesterfield In. 104 63 25N 90 45W
Chesterfield Inlet 104 63 30N 90 45W
Chesterton Range 99 25 30S 147 27E
Chesterville 113 45 6N 75 14W
Chesuncook L. 107 46 0N 69 10W
Chetaibi 83 37 1N 7 20E
Chéticamp 107 46 37N 60 59W
Chetumal 120 18 30N 88 20W
Chetumal, Bahia de 120 18 40N 88 10W
Chetwynd 108 55 45N 121 36W
Chevanceaux 20 45 18N 0 14W
Cheviot Hills 12 55 20N 2 30W
Cheviot Ra. 99 25 20S 143 45E
Cheviot, The 12 55 29N 2 8W
Chew Bahir 87 4 40N 36 50E
Chewelah 118 48 17N 117 43W
Cheyenne, Okla., U.S.A. 117 35 35N 99 40W
Cheyenne, Wyo., U.S.A. 116 41 9N 104 49W
Cheyenne → 116 44 40N 101 15W
Cheyenne Wells 116 38 51N 102 10W
Cheylard, Le 21 44 55N 4 25E
Chhabra 68 24 40N 76 54E
Chhatarpur 69 24 55N 79 35E
Chhindwara 68 22 2N 78 59E
Chhlong 71 12 15N 105 58E
Chi → 71 15 11N 104 43E
Chiamis 73 7 20S 108 21E
Chiamussu = Jiamusi 75 46 40N 130 26E
Chiang Mai 71 18 47N 98 59E
Chiange 89 15 35S 13 40E
Chiapa → 120 16 42N 93 0W
Chiapas □ 120 17 0N 92 45W
Chiaramonte Gulfi 41 37 1N 14 41E
Chiaravalle 39 43 38N 13 17E
Chiaravalle Centrale 41 38 41N 16 25E
Chiari 38 45 31N 9 55E
Chiatura 57 42 15N 43 17E
Chiávari 38 44 20N 9 20E
Chiavenna 38 46 18N 9 23E
Chiba 74 35 30N 140 7E
Chiba □ 74 35 30N 140 20E
Chibabava 93 20 17S 33 35E
Chibatu 73 7 6S 107 59E
Chibemba, Angola 89 15 48S 14 8E
Chibemba, Angola 92 16 20S 15 20E
Chibia 89 15 10S 13 42E
Chibougamau 106 49 56N 74 24W
Chibougamau L. 106 49 50N 74 20W
Chibuk 85 10 52N 12 50E
Chic-Chocs, Mts. 107 48 55N 66 0W
Chicacole = Srikakulam 70 18 14N 84 4E
Chicago 114 41 53N 87 40W
Chicago Heights 114 41 29N 87 37W
Chichagof I. 108 58 0N 136 0W
Chichaoua 82 31 32N 8 44W
Chichén Itzá 120 20 40N 88 32W
Chichester 13 50 50N 0 47W
Chichibu 74 36 5N 139 10E
Ch'ich'ihaerh = Qiqihar 75 47 26N 124 0E
Chickasha 117 35 0N 98 0W
Chiclana de la Frontera 31 36 26N 6 9W
Chiclayo 126 6 42S 79 50W
Chico 118 39 45N 121 54W
Chico →, Chubut, Argent. 128 44 0S 67 0W
Chico →, Santa Cruz, Argent. 128 50 0S 68 30W
Chicomo 93 24 31S 34 6E
Chicopee 114 42 6N 72 37W
Chicoutimi 107 48 28N 71 5W
Chidambaram 70 11 20N 79 45E
Chidenguele 93 24 55S 34 11E
Chidley C. 105 60 23N 64 26W
Chiede 92 17 15S 16 22E
Chiefs Pt. 112 44 41N 81 18W
Chiemsee 25 47 53N 12 27E
Chiengi 91 8 45S 29 10E
Chienti → 39 43 18N 13 45E
Chieri 38 45 0N 7 50E
Chiers → 19 49 39N 5 0E
Chiese → 38 45 8N 10 25E
Chieti 39 42 22N 14 10E
Chifeng 76 42 18N 118 58E
Chigirin 56 49 4N 32 38E
Chignecto B. 107 45 30N 64 40W
Chiguana 124 21 0S 67 58W
Chihli, G. of = Bo Hai 76 39 0N 120 0E
Chihuahua 120 28 40N 106 3W
Chihuahua □ 120 28 40N 106 3W
Chiili 58 44 20N 66 15E
Chik Bollapur 70 13 25N 77 45E
Chikhli 68 20 20N 76 18E
Chikmagalur 70 13 15N 75 45E
Chikodi 70 16 26N 74 38E
Chikwawa 91 16 2S 34 50E
Chilako → 108 53 53N 122 57W
Chilanga 91 15 33S 28 16E
Chilapa 120 17 40N 99 11W
Chilas 69 35 25N 74 5E
Chilcotin → 108 51 44N 122 23W
Childers 97 25 15S 152 17E
Childress 117 34 30N 100 15W
Chile ■ 128 35 0S 72 0W
Chile Rise 95 38 0S 92 0W
Chilecito 124 29 10S 67 30W
Chilete 126 7 10S 78 50W
Chililabombwe 91 12 18S 27 43E
Chilin = Jilin 76 43 55N 126 30E
Chilka L. 69 19 40N 85 25E
Chilko → 108 52 0N 123 40W
Chilko, L. 108 51 20N 124 10W
Chillagoe 97 17 7S 144 33E
Chillán 124 36 40S 72 10W
Chillicothe, Ill., U.S.A. 116 40 55N 89 32W
Chillicothe, Mo., U.S.A. 116 39 45N 93 30W
Chillicothe, Ohio, U.S.A. 114 39 20N 82 58W
Chilliwack 108 49 10N 121 54W
Chilo 68 27 25N 73 32E
Chiloane, I. 93 20 40S 34 55E
Chiloé, I. de 128 42 30S 73 50W
Chilpancingo 120 17 30N 99 30W
Chiltern Hills 13 51 44N 0 42W
Chilton 114 44 1N 88 12W
Chiluage 88 9 30S 21 50E
Chilubula 91 10 14S 30 51E
Chilumba 91 10 28S 34 12E
Chilwa, L. 91 15 15S 35 40E
Chimacum 118 48 1N 122 46W
Chimay 16 50 3N 4 20E
Chimbay 58 42 57N 59 47E
Chimborazo 126 1 29S 78 55W
Chimbote 126 9 0S 78 35W
Chimishliya 46 46 34N 28 44E
Chimkent 58 42 18N 69 36E
Chimoio 91 19 4S 33 30E
Chimpembe 91 9 31S 29 33E
Chin □ 67 22 0N 93 0E
Chin Ling Shan = Qinling Shandi 77 33 50N 108 10E
China 120 25 40N 99 20W
China ■ 75 30 0N 110 0E
Chinan = Jinan 76 36 38N 117 1E
Chinandega 121 12 35N 87 12W
Chinati Pk. 117 30 0N 104 25W
Chincha Alta 126 13 25S 76 7W
Chinchilla 99 26 45S 150 38E
Chinchilla de Monte Aragón 33 38 53N 1 40W
Chinchón 32 40 9N 3 26W
Chinchorro, Banco 120 18 35N 87 20W
Chinchou = Jinzhou 76 41 5N 121 3E
Chincoteague 114 37 58N 75 21W
Chinde 91 18 35S 36 30E
Chindwin → 67 21 26N 95 15E
Chinga 91 15 13S 38 35E
Chingleput 70 12 42N 79 58E
Chingola 91 12 31S 27 53E
Chingole 91 13 4S 34 17E
Ch'ingtao = Qingdao 76 36 5N 120 20E
Chinguetti 80 20 25N 12 24W
Chingune 93 20 33S 35 0E
Chinhae 76 35 9N 128 47E
Chinhanguanine 93 25 21S 32 30E
Chiniot 68 31 45N 73 0E
Chinju 76 35 12N 128 2E
Chinle 119 36 14N 109 38W
Chinnamanur 70 9 50N 77 24E
Chinnampo 76 38 52N 125 10E
Chinnur 70 18 57N 79 49E
Chino Valley 119 34 54N 112 28W
Chinon 18 47 10N 0 15E
Chinook, Can. 109 51 28N 110 59W
Chinook, U.S.A. 118 48 35N 109 19W
Chinsali 91 10 30S 32 2E
Chintamani 70 13 26N 78 3E
Chióggia 39 45 13N 12 15E
Chios = Khios 45 38 27N 26 9E
* Chipai L. 106 52 56N 87 53W
Chipata 91 13 38S 32 28E
Chipatujah 73 7 45S 108 0E
Chipewyan L. 109 58 0N 98 27W
Chipinga 91 20 13S 32 28E
Chipiona 31 36 44N 6 26W
Chipley 115 30 45N 85 32W
Chiplun 70 17 31N 73 34E
Chipman 107 46 6N 65 53W
Chipoka 91 13 57S 34 28E
Chippawa 112 43 5N 79 2W
Chippenham 13 51 27N 2 7W
Chippewa → 116 44 25N 92 10W
Chippewa Falls 116 44 55N 91 22W
Chiprovtsi 42 43 24N 22 52E
Chiquián 126 10 10S 77 0W
Chiquimula 120 14 51N 89 37W
Chiquinquira 126 5 37N 73 50W
Chir → 57 48 30N 43 0E
Chirala 70 15 50N 80 26E
Chiramba 91 16 55S 34 39E
Chirawa 68 28 14N 75 42E
Chirayinkil 70 8 41N 76 49E
Chirchik 58 41 29N 69 35E
Chirfa 83 20 55N 12 22E
Chiricahua Pk. 119 31 53N 109 14W
Chirikof I. 104 55 50N 155 40W
Chiriquí, Golfo de 121 8 0N 82 10W
Chiriquí, Lago de 121 9 10N 82 0W
† Chiriquí, Vol. de 121 8 55N 82 35W
Chirivira Falls 91 21 10S 32 12E
Chirnogi 46 44 7N 26 32E
Chirpan 43 42 10N 25 19E
Chirripó Grande, Cerro 121 9 29N 83 29W
Chisamba 91 14 55S 28 20E
Chisholm 108 54 55N 114 10W
Chishtian Mandi 68 29 50N 72 55E
Chisimaio 79 0 22S 42 32E
Chisimba Falls 91 10 12S 30 56E
Chisineu Criş 42 46 32N 21 37E
Chisone → 38 44 49N 7 25E
Chisos Mts. 117 29 20N 103 15W
Chistopol 55 55 25N 50 38E
Chita 59 52 0N 113 35E
Chitapur 70 17 10N 77 5E
Chitembo 89 13 30S 16 50E
Chitipa 91 9 41S 33 19E
Chitokoloki 89 13 50S 23 13E
Chitorgarh 68 24 52N 74 38E
Chitrakot 70 19 10N 81 40E
Chitral 66 35 50N 71 56E
Chitravati → 70 14 45N 78 15E
Chitré 121 7 59N 80 27W
Chittagong 67 22 19N 91 48E
Chittagong □ 67 24 5N 91 0E
Chittoor 70 13 15N 79 5E
Chittur 70 10 40N 76 45E
Chiusa 39 46 38N 11 34E
Chiusi 39 43 1N 11 58E
Chiva 33 39 27N 0 41W
Chivasso 38 45 10N 7 52E
Chivilcoy 124 34 55S 60 0W
Chiwanda 91 11 23S 34 55E
Chizela 91 13 10S 25 0E
Chkalov = Orenburg 52 52 0N 55 5E
Chkolovsk 55 56 50N 43 10E
Chlumec 26 50 9N 15 29E
Chmielnik 28 50 37N 20 43E
Choba 90 2 30N 38 5E
Chobe National Park 92 18 0S 25 0E
Chocianów 28 51 27N 15 55E
Chociwel 28 53 29N 15 21E
Chodaków 28 52 16N 20 18E
Chodavaram 70 17 50N 82 57E
Chodecz 28 52 24N 19 2E
Chodziez 28 52 58N 16 58E
Choele Choel 128 39 11S 65 40W
Choisy-le-Roi 19 48 45N 2 24E
Choix 120 26 40N 108 23W
Chojna 28 52 58N 14 25E
Chojnice 28 53 42N 17 32E
Chojnów 28 51 18N 15 58E
Choke Mts. 87 11 18N 37 15E
Chokurdakh 59 70 38N 147 55E
Cholet 18 47 4N 0 52W
Choluteca 121 13 20N 87 14W
Choma 91 16 48S 26 59E
Chomen Swamp 87 9 20N 37 10E
Chomu 68 27 15N 75 40E
Chomutov 26 50 28N 13 23E
Chon Buri 71 13 21N 101 1E
Chonan 76 36 48N 127 9E
Chone 126 0 40S 80 0W
Chong'an 77 27 45N 118 0E
Chongde 77 30 32N 120 26E
Chongjin 76 41 47N 129 50E
Chŏngju 76 39 40N 125 5E
Chŏngju 76 36 39N 127 27E
Chongli 76 40 58N 115 15E
Chongqing 75 29 35N 106 25E
Chongzuo 77 22 23N 107 20E
Chŏnju 76 35 50N 127 4E
Chonming Dao 77 31 40N 121 30E
Chonos, Arch. de los 128 45 0S 75 0W
Chopda 68 21 20N 75 15E
Chopim → 125 25 35S 53 5W
Chorley 12 53 39N 2 39W
Chorolque, Cerro 124 20 59S 66 5W
Choroszcz 28 53 10N 22 59E
Chorrera, La 120 8 50N 79 50W
Chortkov, U.S.S.R. 54 49 2N 25 46E
Chortkov, U.S.S.R. 56 49 2N 25 42E
Chŏrwŏn 76 38 15N 127 10E
Chorzele 28 53 15N 20 55E
Chorzów 28 50 18N 18 57E
Chos-Malal 124 37 20S 70 15W
Chosan 76 40 50N 125 47E
Chōshi 74 35 45N 140 51E
Choszczno 28 53 7N 15 25E
Choteau 118 47 50N 112 10W
Chotila 68 22 23N 71 15E
Chowchilla 119 37 11N 120 12W
Choybalsan 75 48 4N 114 30E
Christchurch, N.Z. 101 43 33S 172 47E
Christchurch, U.K. 13 50 44N 1 33W
Christian I. 112 44 50N 80 12W
Christiana 92 27 52S 25 8E
Christiansfeld 49 55 21N 9 29E
Christie B. 109 62 32N 111 10W
Christina → 109 56 40N 111 3W
Christmas I., Ind. Oc. 94 10 30S 105 40E
* Christmas I., Pac. Oc. 95 1 58N 157 27W
Chrudim 26 49 58N 15 43E
Chrzanów 27 50 10N 19 21E
Chtimba 91 10 35S 34 13E
Chu 58 43 36N 73 42E
Chu → 71 19 53N 105 45E
Chu Chua 108 51 22N 120 10W
Ch'uanchou = Quanzhou 75 24 55N 118 34E
Chūbu □ 74 36 45N 137 30E
Chubut → 128 43 20S 65 5W
Chuchi L. 108 55 12N 124 30W
Chudovo 54 59 10N 31 41E
Chudskoye, Oz. 54 58 13N 27 30E
Chūgoku □ 74 35 0N 133 0E
Chūgoku-Sanchi 74 35 0N 133 0E
Chuguyev 56 49 55N 36 45E
Chugwater 116 41 48N 104 47W
Chukai 71 4 13N 103 25E
Chukhloma 55 58 45N 42 40E
Chukotskiy Khrebet 59 68 0N 175 0E
Chukotskoye More 59 68 0N 175 0W
Chula Vista 119 32 39N 117 8W
Chulman 59 56 52N 124 52E
Chulucanas 126 5 8S 80 10W
Chulym → 58 57 43N 83 51E
Chumbicha 124 29 0S 66 10W
Chumerna 43 42 45N 25 55E
Chumikan 59 54 40N 135 10E
Chumphon 71 10 35N 99 14E
Chumuare 91 14 31S 31 50E
Chuna → 59 57 47N 94 37E
Chun'an 77 29 35N 119 3E
Chunchŏn 76 37 58N 127 44E
Chunga 91 15 0S 26 2E
Chungking = Chongqing 75 29 35N 106 25E
Chunian 68 30 57N 74 0E
Chunya 91 8 30S 33 27E
Chunya □ 90 7 48S 33 0E
Chuquibamba 126 15 47S 72 44W
Chuquicamata 124 22 15S 69 0W
Chuquisaca □ 126 23 30S 63 30W
Chur 25 46 52N 9 32E
Churachandpur 67 24 20N 93 40E
Churchill 109 58 47N 94 11W
Churchill →, Man., Can. 109 58 47N 94 12W
Churchill →, Newf., Can. 107 53 19N 60 10W
Churchill, C. 109 58 46N 93 12W
Churchill Falls 107 53 36N 64 19W
Churchill L. 109 55 55N 108 20W
Churchill Pk. 108 58 10N 125 10W
Churu 68 28 20N 74 50E
Chushal 69 33 40N 78 40E
Chusovoy 52 58 15N 57 40E
Chuvash A.S.S.R. □ 55 55 30N 47 0E
Ci Xian 76 36 20N 114 25E
Ciacova 42 45 35N 21 10E
Cianjur 73 6 51S 107 7E
Cibadok 73 6 53S 106 47E
Cibatu 73 7 8S 107 59E
Cicero 114 41 48N 87 48W
Cidacos → 32 42 21N 1 38W
Cide 56 41 53N 33 1E
Ciechanów 28 52 52N 20 38E
Ciechanów □ 28 53 0N 20 30E
Ciechanowiec 28 52 40N 22 31E
Ciechocinek 28 52 53N 18 45E
Ciego de Avila 121 21 50N 78 50W
Ciénaga 126 11 1N 74 15W
Cienfuegos 121 22 10N 80 30W
Cieplice Śląskie Zdrój 28 50 50N 15 40E
Cierp 20 42 55N 0 40E
Cíes, Islas 30 42 12N 8 55W
Cieszanów 28 50 14N 23 8E
Cieszyn 27 49 45N 18 35E
Cieza 33 38 17N 1 23W
Cifuentes 32 40 47N 2 37W
Cíjara, Pantano de 31 39 18N 4 52W
Cijulang 73 7 42S 108 27E
Cikajang 73 7 25S 107 48E
Cikampek 73 6 23S 107 28E
Cilacap 73 7 43S 109 0E
Çıldır 57 41 10N 43 20E
Cilician Gates P. 64 37 20N 34 52E

* *Renamed Wapikopa, L.*

† *Renamed Barú, Vol.*

* *Renamed Kirimati*

20

Colunga Cradock

Colunga 30 43 29N 5 16W
Colusa 118 39 15N 122 1W
Colville 118 48 33N 117 54W
Colville → 104 70 25N 151 0W
Colville, C. 101 36 29S 175 21 E
Colwyn Bay 12 53 17N 3 44W
Coma 87 8 29N 36 53 E
Comácchio 39 44 41N 12 10 E
Comallo 128 41 0S 70 5W
Comana 46 44 10N 26 10 E
Comanche, Okla., U.S.A. 117 34 27N 97 58W
Comanche, Tex., U.S.A. 117 31 55N 98 35W
Comănești 46 46 25N 26 26 E
Combahee → 115 32 30N 80 31W
Combeaufontaine 19 47 38N 5 54 E
Comber 112 42 14N 82 33W
Comblain-au-Pont 16 50 29N 5 35 E
Combles 19 50 0N 2 50 E
Combourg 18 48 25N 1 46W
Combronde 20 45 58N 3 5 E
Comeragh Mts. 15 52 17N 7 35W
Comet 98 23 36S 148 38 E
Comilla 69 23 28N 91 10 E
Comino, C. 40 40 28N 9 47 E
Comino I. 36 36 0N 14 20 E
Cómiso 41 36 57N 14 35 E
Comitán 120 16 18N 92 9W
Commentry 20 46 20N 2 46 E
Commerce, Ga., U.S.A. 115 34 10N 83 25W
Commerce, Tex., U.S.A. 117 33 15N 95 50W
Commercy 19 48 46N 5 34 E
Committee B. 105 68 30N 86 30W
Commonwealth B. 5 67 0S 144 0 E
Commoron Cr. → 99 28 22S 150 8 E
Communism Pk. = Kommunisma, Pic 65 38 40N 72 0 E
Como 38 45 48N 9 5 E
Como, L. di 38 46 5N 9 17 E
Comodoro Rivadavia 128 45 50S 67 40W
Comorin, C. 70 8 3N 77 40 E
Comoriște 42 45 10N 21 35 E
Comoro Is. 3 12 10S 44 15 E
Comox 108 49 42N 124 55W
Compiègne 19 49 24N 2 50 E
Compiglia Marittima 38 43 4N 10 37 E
Comporta 31 38 22N 8 46W
Comprida, I. 125 24 50S 47 42W
Compton Downs 99 30 28S 146 30 E
Côn Dao 71 8 45N 106 45 E
Conakry 84 9 29N 13 49W
Conara Junction 99 41 50S 147 26 E
Concarneau 18 47 52N 3 56W
Conceição 91 18 47S 36 7 E
Conceição da Barra 127 18 35S 39 45W
Conceição do Araguaia 127 8 0S 49 2W
Concepción, Argent. 124 27 20S 65 35W
Concepción, Boliv. 126 16 15S 62 8W
Concepción, Chile 124 36 50S 73 0W
Concepción, Parag. 124 23 22S 57 26W
Concepción □ 124 37 0S 72 30W
Concepción → 120 30 32N 113 2W
Concepción del Oro 120 24 40N 101 30W
Concepción del Uruguay 124 32 35S 58 20W
Concepción, L. 126 17 20S 61 20W
Concepción, La = Ri-Aba 85 3 28N 8 40 E
Concepcion, Pt. 119 34 27N 120 27W
Concepción, Punta 120 26 55N 111 59W
Conception B. 92 23 55S 14 22 E
Conception I. 121 23 52N 75 9W
Conception, Pt. 119 34 30N 120 34W
Concession 91 17 27S 30 56 E
Conchas Dam 117 35 25N 104 10W
Conche 107 50 55N 55 58W
Conches 18 48 51N 2 43 E
Concho 119 34 32N 109 43W
Concho → 117 31 30N 99 45W
Conchos → 120 29 32N 104 25W
Concord, N.C., U.S.A. 115 35 28N 80 35W
Concord, N.H., U.S.A. 114 43 12N 71 30W
Concordia 124 31 20S 58 2W
Concórdia 126 4 36S 66 36W
Concordia 116 39 35N 97 40W
Concordia, La 120 16 8N 92 38W
Concots 20 44 26N 1 40 E
Concrete 118 48 35N 121 49W
Condamine → 97 27 7S 149 48 E
Condat 20 45 21N 2 46 E
Condé 19 50 26N 3 34 E
Conde 116 45 13N 98 5W
Condé-sur-Noireau 18 48 51N 0 33W
Condeúba 127 14 52S 42 0W
Condobolin 99 33 4S 147 6 E
Condom 20 43 57N 0 22 E
Condon 118 45 15N 120 8W
Condove 38 45 8N 7 19 E
Conegliano 39 45 53N 12 18 E
Conejera, I. 33 39 11N 2 58 E
Conflans-en-Jarnisy 19 49 10N 5 52 E
Confolens 20 46 2N 0 40 E
Confuso → 124 25 9S 57 34W
Congleton 12 53 10N 2 12W
Congo = Zaïre → 88 1 30N 28 0 E
Congo ■ 88 1 0S 16 0 E
Congo Basin 78 0 10S 24 30 E
Congonhas 125 20 30S 43 52W
Congress 119 34 11N 112 56W
Conil 31 36 17N 6 10W
Coniston 106 46 29N 80 51W
Conjeevaram = Kanchipuram 70 12 52N 79 45 E
Conjuboy 98 18 35S 144 35 E
Conklin 109 55 38N 111 5W
Conlea 99 30 7S 144 35 E
Conn, L. 15 54 3N 9 15W
Connacht 15 53 23N 8 40W
Conneaut 114 41 55N 80 32W
Connecticut □ 114 41 40N 72 40W
Connecticut → 114 41 17N 72 21W
Connell 118 46 36N 118 51W
Connellsville 114 40 3N 79 32W
Connemara 15 53 29N 9 45W
Connemaugh → 112 40 38N 79 42W
Conner, La 118 48 22N 122 27W
Connerré 18 48 3N 0 30 E
Connersville 114 39 40N 85 10W
Connors Ra. 98 21 40S 149 10 E
Conoble 99 32 55S 144 33 E
Conon → 14 57 33N 4 28W
Cononaco → 126 1 32S 75 35W
Cononbridge 14 57 32N 4 30W
Conquest 109 51 32N 107 14W
Conquet, Le 18 48 21N 4 46W
Conrad 118 48 11N 112 0W
Conran, C. 99 37 49S 148 44 E
Conroe 117 30 15N 95 28W
Conselheiro Lafaiete 125 20 40S 43 48W
Conshohocken 113 40 5N 75 18W
Consort 109 52 1N 110 46W
Constance = Konstanz 25 47 39N 9 10 E
Constance, L. = Bodensee 25 47 35N 9 25 E
Constanța 46 44 14N 28 38 E
Constanța □ 46 44 15N 28 15 E
Constantina 31 37 51N 5 40W
Constantine 83 36 25N 6 42 E
Constitución, Chile 124 35 20S 72 30W
Constitución, Uruguay 124 42 0S 57 50W
Consuegra 31 39 28N 3 36W
Consul 109 49 20N 109 30W
Contact 118 41 50N 114 56W
Contai 69 21 54N 87 46 E
Contamana 126 7 19S 74 55W
Contarina 39 45 2N 12 13 E
Contas → 127 14 17S 39 1W
Contes 21 43 49N 7 19 E
Contoocook 113 43 13N 71 45W
Contra Costa 93 25 9S 33 30 E
Contres 18 47 24N 1 26 E
Contrexéville 19 48 6N 5 53 E
Conversano 41 40 57N 17 8 E
Conway, Ark., U.S.A. 117 35 5N 92 30W
Conway, N.H., U.S.A. 114 43 58N 71 8W
Conway, S.C., U.S.A. 115 33 49N 79 2W
Conway = Conwy 12 53 17N 3 50W
Conwy 12 53 17N 3 50W
Conwy → 12 53 18N 3 50W
Coober Pedy 96 29 1S 134 43 E
Cooch Behar 69 26 22N 89 29 E
Cook 116 47 49N 92 39W
Cook, Bahia 128 55 10S 70 0W
Cook Inlet 104 59 0N 151 0W
Cook Is. 95 17 0S 160 0W
Cook, Mt. 101 43 36S 170 9 E
Cook Strait 101 41 15S 174 29 E
Cookeville 115 36 12N 85 30W
Cookhouse 92 32 44S 25 47 E
Cookshire 113 45 25N 71 38W
Cookstown 15 54 40N 6 43W
Cookstown □ 15 54 40N 6 43W
Cooksville 112 43 36N 79 35W
Cooktown 97 15 30S 145 16 E
Coolabah 99 31 1S 146 43 E
Cooladdi 99 26 37S 145 23 E
Coolah 99 31 48S 149 41 E
Coolamon 99 34 46S 147 8 E
Coolangatta 99 28 11S 153 29 E
Coolgardie 96 30 55S 121 8 E
Coolidge 119 33 1N 111 35W
Coolidge Dam 119 33 10N 110 30W
Cooma 97 36 12S 149 8 E
Coonabarabran 99 31 14S 149 18 E
Coonamble 97 30 56S 148 27 E
Coondapoor 70 13 42N 74 40 E
Coongie 99 27 9S 140 8 E
Coongoola 99 27 43S 145 51 E
Cooninie, L. 99 26 4S 139 59 E
Coonoor 70 11 21N 76 45 E
Cooper 117 33 20N 95 40W
Cooper → 115 33 0N 79 55W
Coopers Cr. → 97 28 29S 137 46 E
Cooperstown, N.D., U.S.A. 116 47 30N 98 6W
Cooperstown, N.Y., U.S.A. 114 42 42N 74 57W
Coorabulka 98 23 41S 140 20 E
Coorong, The 97 35 50S 139 20 E
Cooroy 99 26 22S 152 54 E
Coos Bay 118 43 26N 124 7W
Cootamundra 97 34 36S 148 1 E
Cootehill 15 54 5N 7 5W
Cooyar 99 26 59S 151 51 E
Cooyeana 98 24 29S 138 45 E
Copahue Paso 124 37 49S 71 8W
Copainalá 120 17 8N 93 11W
Cope 116 39 44N 102 50W
Cope, Cabo 33 37 26N 1 28W
Copenhagen = København 49 55 41N 12 34 E
Copertino 41 40 17N 18 2 E
Copiapó 124 27 30S 70 20W
Copiapó → 124 27 19S 70 56W
Copley 99 30 36S 138 26 E
Copp L. 108 60 14N 114 40W
Copparo 39 44 52N 11 49 E
Copper Center 104 62 10N 145 25W
Copper Cliff 106 46 28N 81 4W
Copper Harbor 114 47 31N 87 55W
Copper Queen 91 17 29S 29 18 E
Copperbelt □ 91 13 15S 27 30 E
Coppermine 104 67 50N 115 5W
Coppermine → 104 67 49N 116 4W
Coquet → 12 55 18N 1 45W
Coquilhatville = Mbandaka 88 0 1N 18 18 E
Coquille 118 43 15N 124 12W
Coquimbo 124 30 0S 71 20W
Coquimbo □ 124 31 0S 71 0W
Corabia 46 43 48N 24 30 E
Coracora 126 15 5S 73 45W
Coradi, Is. 41 40 27N 17 10 E
Coral Gables 115 25 45N 80 16W
Coral Harbour 105 64 8N 83 10W
Coral Sea 94 15 0S 150 0 E
Coral Sea Islands Terr. 97 20 0S 155 0 E
Corangamite, L. 100 38 0S 143 30 E
Coraopolis 112 40 30N 80 10W
Corato 41 41 12N 16 22 E
Corbeil-Essonnes 19 48 36N 2 26 E
Corbie 19 49 54N 2 30 E
Corbières 20 42 55N 2 35 E
Corbigny 19 47 16N 3 40 E
Corbin 114 37 0N 84 3W
Corbones → 31 37 36N 5 39W
Corby 13 52 49N 0 31W
Corcoles → 33 39 40N 3 18W
Corcoran 119 36 6N 119 35W
Corcubión 30 42 56N 9 12W
Cordele 115 31 55N 83 49W
Cordell 117 35 18N 99 0W
Cordenons 39 45 59N 12 42 E
Cordes 20 44 5N 1 57 E
Córdoba, Argent. 124 31 20S 64 10W
Córdoba, Mexico 120 18 50N 97 0W
Córdoba, Spain 31 37 50N 4 50W
Córdoba □, Argent. 124 31 22S 64 15W
Córdoba □, Spain 31 38 5N 5 0W
Córdoba, Sierra de 124 31 10S 64 25W
Cordon 73 16 42N 121 32 E
Cordova, Ala., U.S.A. 115 33 45N 87 12W
Cordova, Alaska, U.S.A. 104 60 36N 145 45W
Corella 32 42 7N 1 48W
Corella → 98 19 34S 140 47 E
Corfield 98 21 40S 143 21 E
Corfu = Kérkira 44 39 38N 19 50 E
Corgo 30 42 56N 7 25W
Cori 40 41 39N 12 53 E
Coria 30 40 0N 6 33W
Coricudgy, Mt. 100 32 51S 150 24 E
Corigliano Cálabro 41 39 36N 16 31 E
Corinna 99 41 35S 145 10 E
Corinth, Miss., U.S.A. 115 34 54N 88 30W
Corinth, N.Y., U.S.A. 113 43 15N 73 50W
Corinth = Kórinthos 45 38 19N 22 24 E
Corinth Canal 45 37 58N 23 0 E
Corinth, G. of = Korinthiakós 45 38 16N 22 30 E
Corinto, Brazil 127 18 20S 44 30W
Corinto, Nic. 121 12 30N 87 10W
Corj □ 46 45 5N 23 25 E
Cork 15 51 54N 8 30W
Cork □ 15 51 50N 8 50W
Cork Harbour 15 51 46N 8 16W
Corlay 18 48 20N 3 5W
Corleone 40 37 48N 13 16 E
Corleto Perticara 41 40 23N 16 2 E
Çorlu 43 41 11N 27 49 E
Cormack L. 108 60 56N 121 37W
Cormòns 39 45 58N 13 29 E
Cormorant 109 54 14N 100 35W
Cormorant L. 109 54 15N 100 50W
Corn Is. = Maiz, Is. del 121 12 0N 83 0W
Cornélio Procópio 125 23 7S 50 40W
Cornell 116 45 10N 91 8W
Corner Brook 107 48 57N 57 58W
Corner Inlet 97 38 45S 146 20 E
Corníglio 38 44 29N 10 5 E
Corning, Ark., U.S.A. 117 36 27N 90 34W
Corning, Calif., U.S.A. 118 39 56N 122 9W
Corning, Iowa, U.S.A. 116 40 57N 94 40W
Corning, N.Y., U.S.A. 114 42 10N 77 3W
Corno, Monte 39 42 28N 13 34 E
Cornwall, Austral. 99 41 33S 148 7 E
Cornwall, Can. 106 45 2N 74 44W
Cornwall □ 13 50 26N 4 40W
Cornwallis I. 4 75 8N 95 0W
Corny Pt. 99 34 55S 137 0 E
Coro 126 11 25N 69 41W
Coroatá 127 4 8S 44 0W
Corocoro 126 17 15S 68 28W
Coroico 126 16 0S 67 50W
Coromandel 101 36 45S 175 31 E
Coromandel Coast 70 12 30N 81 0 E
Corona, Austral. 99 31 16S 141 24 E
Corona, Calif., U.S.A. 119 33 49N 117 36W
Corona, N. Mex., U.S.A. 119 34 15N 105 32W
Coronada 119 32 45N 117 9W
Coronado, Bahía de 121 9 0N 83 40W
Coronation 108 52 5N 111 27W
Coronation Gulf 104 68 25N 110 0W
Coronation I., Antarct. 5 60 45S 46 0W
Coronation I., U.S.A. 108 55 52N 134 20W
Coronda 124 31 58S 60 56W
Coronel 124 37 0S 73 10W
Coronel Bogado 124 27 11S 56 18W
Coronel Dorrego 124 38 40S 61 10W
Coronel Oviedo 124 25 24S 56 30W
Coronel Pringles 124 38 0S 61 30W
Coronel Suárez 124 37 30S 61 52W
Coronel Vidal 124 37 28S 57 45W
Çorovoda 44 40 31N 20 14 E
Corowa 99 35 58S 146 21 E
Corozal, Belize 120 18 23N 88 23W
Corozal, Panama 120 8 59N 79 34W
Corps 21 44 50N 5 56 E
Corpus 125 27 10S 55 30W
Corpus Christi 117 27 50N 97 28W
Corpus Christi L. 117 28 5N 97 54W
Corque 126 18 20S 67 41W
Corral de Almaguer 32 39 45N 3 10W
Corrèggio 38 44 46N 10 47 E
Correntes, C. das 93 24 6S 35 34 E
Corrèze □ 20 45 20N 1 45 E
Corrèze → 20 45 10N 1 28 E
Corrib, L. 15 53 5N 9 10W
Corrientes 124 27 30S 58 45W
Corrientes □ 124 28 0S 57 0W
Corrientes →, Argent. 124 30 42S 59 38W
Corrientes →, Peru 126 3 43S 74 35W
Corrientes, C., Colomb. 126 5 30N 77 34W
Corrientes, C., Cuba 121 21 43N 84 30W
Corrientes, C., Mexico 120 20 25N 105 42W
Corrigan 117 31 0N 94 48W
Corry 114 41 55N 79 39W
Corse 21 42 0N 9 0 E
Corse, C. 21 43 1N 9 25 E
Corse-du-Sud □ 21 41 45N 9 0 E
Corsica = Corse 21 42 0N 9 0 E
Corsicana 117 32 5N 96 30W
Corté 21 42 19N 9 11 E
Corte do Pinto 31 37 42N 7 29W
Cortegana 31 37 52N 6 49W
Cortez 119 37 24N 108 35W
Cortina d'Ampezzo 39 46 32N 12 9 E
Cortland 114 42 35N 76 11W
Cortona 39 43 16N 12 0 E
Coruche 31 38 57N 8 30W
Çorum 64 40 30N 34 57 E
Corumbá 126 19 0S 57 30W
Corumbá de Goiás 127 16 0S 48 50W
Coruña, La 30 43 20N 8 25W
Coruña, La □ 30 43 10N 8 30W
Corund 46 46 30N 25 13 E
Corunna = La Coruña 30 43 20N 8 25W
Corvallis 118 44 36N 123 15W
Corvette, L. de la 106 53 25N 74 3W
Corydon 116 40 42N 93 22W
Cosalá 120 24 28N 106 40W
Cosamaloapan 120 18 23N 95 50W
Cosenza 41 39 17N 16 14 E
Coşereni 46 44 38N 26 35 E
Coshocton 114 40 17N 81 51W
Cosne-sur-Loire 19 47 24N 2 54 E
Cospeito 30 43 12N 7 34W
Cosquín 124 31 15S 64 30W
Cossato 38 45 34N 8 10 E
Cossé-le-Vivien 18 47 57N 0 54W
Cosson → 19 47 30N 1 15 E
Costa Blanca 33 38 25N 0 10W
Costa Brava 32 41 30N 3 0 E
Costa del Sol 31 36 30N 4 30W
Costa Dorada 32 40 45N 1 15 E
Costa Rica ■ 121 10 0N 84 0W
Costa Smeralda 40 41 5N 9 35 E
Costigliole d'Asti 38 44 48N 8 11 E
Costilla 119 37 0N 105 30W
Coştiui 46 47 53N 24 2 E
Coswig 24 51 52N 12 31 E
Cotabato 73 7 14N 124 15 E
Cotagaita 124 20 45S 65 40W
Côte d'Azur 21 43 25N 6 50 E
Côte d'Or 19 47 10N 4 50 E
Côte-d'Or □ 19 47 30N 4 50 E
Côte-St.-André, La 21 45 24N 5 15 E
Coteau des Prairies 116 44 30N 97 0W
Coteau du Missouri, Plat. du 116 47 0N 101 0W
Coteau Landing 113 45 15N 74 13W
Cotentin 18 49 30N 1 30W
Côtes de Meuse 19 49 15N 5 22 E
Côtes-du-Nord □ 18 48 25N 2 40W
Cotiella 32 42 31N 0 19 E
Cotina → 42 43 36N 18 50 E
Cotonou 85 6 20N 2 25 E
Cotopaxi, Vol. 126 0 40S 78 30W
Cotronei 41 39 9N 16 45 E
Cotswold Hills 13 51 42N 2 10W
Cottage Grove 118 43 48N 123 2W
Cottbus 24 51 44N 14 20 E
Cottbus □ 24 51 43N 13 30 E
Cottonwood 119 34 48N 112 1W
Cotulla 117 28 26N 99 14W
Coubre, Pte. de la 20 45 42N 1 15W
Couches 19 46 53N 4 30 E
Couço 31 38 59N 8 17W
Coudersport 114 41 45N 77 40W
Couëron 18 47 13N 1 44W
Couesnon → 18 48 38N 1 32W
Couhe-Vérac 20 46 18N 0 12 E
Coulanges 19 47 30N 3 30 E
Coulee City 118 47 36N 119 18W
Coulman I. 5 73 35S 170 0 E
Coulommiers 19 48 50N 3 3 E
Coulon → 21 43 51N 5 0 E
Coulonge → 106 45 52N 76 46W
Coulonges 20 46 28N 0 35W
Council, Alaska, U.S.A. 104 64 55N 163 45W
Council, Idaho, U.S.A. 118 44 44N 116 26W
Council Bluffs 116 41 20N 95 50W
Council Grove 116 38 41N 96 30W
Courantyne → 126 5 55N 57 5W
Courçon 20 46 15N 0 50W
Couronne, C. 21 43 19N 5 3 E
Cours 21 46 7N 4 19 E
Coursan 20 43 14N 3 4 E
Courseulles 18 49 20N 0 29W
Courtenay 108 49 45N 125 0W
Courtine, La 20 45 43N 2 16 E
Courtrai = Kortrijk 16 50 50N 3 17 E
Courtright 112 42 49N 82 28W
Courville 18 48 28N 1 15 E
Coushatta 117 32 0N 93 21W
Coutances 18 49 3N 1 28W
Couterne 18 48 30N 0 25W
Coutras 20 45 3N 0 8W
Coutts 108 49 0N 111 57W
Covarrubias 32 42 4N 3 31W
Covasna 46 45 50N 26 10 E
Covasna □ 46 45 50N 26 0 E
Coventry 13 52 25N 1 31W
Coventry L. 109 61 15N 106 15W
Covilhã 30 40 17N 7 31W
Covington, Ga., U.S.A. 115 33 36N 83 50W
Covington, Ky., U.S.A. 114 39 5N 84 30W
Covington, Okla., U.S.A. 117 36 21N 97 36W
Covington, Tenn., U.S.A. 117 35 34N 89 39W
Cowal, L. 97 33 40S 147 25 E
Cowan 109 52 5N 100 45W
Cowan, L. 96 31 45S 121 45 E
Cowan L. 109 54 0N 107 15W
Cowangie 99 35 12S 141 26 E
Cowansville 113 45 14N 72 46W
Cowarie 99 27 45S 138 15 E
Cowdenbeath 14 56 7N 3 20W
Cowes 13 50 45N 1 18W
Cowra 97 33 49S 148 42 E
Coxim 127 18 30S 54 55W
Cox's Bazar 67 21 26N 91 59 E
Cox's Cove 107 49 7N 58 5W
Coyuca de Benítez 120 17 1N 100 8W
Coyuca de Catalan 120 18 18N 100 41W
Cozad 116 40 55N 99 57W
Cozumel, Isla de 120 20 30N 86 40W
Craboon 99 32 3S 149 30 E
Cracow 99 25 17S 150 17 E
Cracow = Kraków 27 50 4N 19 57 E
Cradock 92 32 8S 25 36 E

Craig Damba

Craig, Alaska, U.S.A. 108 55 30N 133 5W
Craig, Colo., U.S.A. 118 40 32N 107 33W
Craigavon = Lurgan 15 54 28N 6 20W
Craigmore 91 20 28 S 32 50 E
Crailsheim 25 49 7N 10 5 E
Craiova 46 44 21N 23 48 E
Cramsie 98 23 20 S 144 15 E
Cranberry Portage 109 54 35N 101 23W
Cranbrook, Austral. 99 42 0 S 148 5 E
Cranbrook, Can. 108 49 30N 115 46W
Crandon 116 45 32N 88 52W
Crane, Oregon, U.S.A. 118 43 21N 118 39W
Crane, Texas, U.S.A. 117 31 26N 102 27W
Cranston 113 41 47N 71 27W
Craon 18 47 50N 0 58W
Craonne 19 49 27N 3 46 E
Craponne 20 45 20N 3 51 E
Crasna 46 46 32N 27 51 E
Crasna → 46 47 44N 22 35 E
Crasnei, Munţii 46 47 0N 23 20 E
Crater, L. 118 42 55N 122 3W
Crater Pt. 98 5 25 S 152 9 E
Crateús 127 5 10 S 40 39W
Crati → 41 39 41N 16 30 E
Crato, Brazil 127 7 10 S 39 25W
Crato, Port. 31 39 16N 7 39W
Crau 21 43 32N 4 40 E
Crawford 116 42 40N 103 25W
Crawfordsville 114 40 2N 86 51W
Crawley 13 51 7N 0 10W
Crazy Mts. 118 46 14N 110 30W
Crean L. 109 54 5N 106 9W
Crécy-en-Brie 19 48 50N 2 53 E
Crécy-en-Ponthieu 19 50 15N 1 53 E
Crediton 112 43 17N 81 33W
Cree →, Can. 109 58 57N 105 47W
Cree →, U.K. 14 54 51N 4 24W
Cree L. 109 57 30N 106 30W
Creede 119 37 56N 106 59W
Creel 120 27 45N 107 38W
Creighton 116 42 30N 97 52W
Creil 19 49 15N 2 34 E
Crema 38 45 21N 9 40 E
Cremona 38 45 8N 10 2 E
Crepaja 42 45 1N 20 38 E
Crépy 19 49 37N 3 32 E
Crépy-en-Valois 19 49 14N 2 54 E
Cres 39 44 58N 14 25 E
Cresbard 116 45 13N 98 57W
Crescent, Okla., U.S.A. 117 35 58N 97 36W
Crescent, Oreg., U.S.A. 118 43 30N 121 37W
Crescent City 118 41 45N 124 12W
Crescentino 38 45 11N 8 7 E
Crespino 39 44 59N 11 51 E
Crespo 124 32 2 S 60 19W
Cressy 99 38 2 S 143 40 E
Crest 21 44 44N 5 2 E
Crested Butte 119 38 57N 107 0W
Crestline 112 40 46N 82 45W
Creston, Can. 108 49 10N 116 31W
Creston, Iowa, U.S.A. 116 41 0N 94 20W
Creston, Wash., U.S.A. 118 47 47N 118 36W
Creston, Wyo., U.S.A. 118 41 46N 107 50W
Crestview 115 30 45N 86 35W
Creswick 100 37 25 S 143 58 E
Crete 116 40 38N 96 58W
Crete = Kriti 45 35 15N 25 0 E
Crete, La 108 58 11N 116 24W
Crete, Sea of 45 36 0N 25 0 E
Cretin, C. 98 6 40 S 147 53 E
Creus, C. 32 42 20N 3 19 E
Creuse □ 20 46 0N 2 0 E
Creuse → 20 47 0N 0 34 E
Creusot, Le 19 46 50N 4 24 E
Creuzburg 24 51 3N 10 15 E
Crevalcore 39 44 41N 11 10 E
Crèvecœur-le-Grand 19 49 37N 2 5 E
Crevillente 33 38 12N 0 48W
Crewe 12 53 6N 2 28W
Crib Point 99 38 22 S 145 13 E
Criciúma 125 28 40 S 49 23W
Crieff 14 56 22N 3 50W
Crikvenica 39 45 11N 14 40 E
Crimea = Krymskaya 56 45 0N 34 0 E
Crimmitschau 24 50 48N 12 23 E
Crinan 14 56 6N 5 34W
Cristeşti 46 47 15N 26 33 E
Cristóbal 120 9 19N 79 54W
Crişul Alb → 42 46 42N 21 17 E
Crişul Negru → 46 46 38N 22 26 E
Crişul Repede → 46 46 55N 20 59 E
Crivitz 24 53 35N 11 39 E
Crna Gora 42 42 10N 21 30 E
Crna Gora □ 42 42 40N 19 20 E
Crna Reka → 42 41 33N 21 59 E
Crna Trava 42 42 49N 22 19 E
Crni Drim → 42 41 17N 20 40 E
Crni Timok → 42 43 53N 22 15 E
Črnoljeva Planina 42 42 20N 21 0 E
Črnomelj 39 45 33N 15 10 E
Croaghpatrick 15 53 46N 9 40W
Croatia = Hrvatska □ 39 45 20N 16 0 E
Crocker, Barisan 72 5 40N 116 30 E
Crocker I. 96 11 12 S 132 32 E
Crockett 117 31 20N 95 30W
Crocodile = Krokodil → 93 25 26 S 32 0 E
Crocodile Is. 96 12 3 S 134 58 E
Crocq 20 45 52N 2 21 E
Croisette, C. 21 43 13N 5 20 E
Croisic, Le 18 47 18N 2 30W
Croisic, Pte. du 18 47 19N 2 31W
Croix, La, L. 106 48 20N 92 15W
Cromarty, Can. 109 58 3N 94 9W
Cromarty, U.K. 14 57 40N 4 2W
Cromer 12 52 56N 1 18 E
Cromwell 101 45 3 S 169 14 E
Cronat 19 46 43N 3 40 E
Cronulla 100 34 3 S 151 8 E
Crooked →, Can. 108 54 50N 122 54W
Crooked →, U.S.A. 118 44 30N 121 16W
Crooked I. 121 22 50N 74 10W
Crookston, Minn., U.S.A. 116 47 50N 96 40W
Crookston, Nebr., U.S.A. 116 42 56N 100 45W
Crooksville 114 39 45N 82 8W
Crookwell 99 34 28 S 149 24 E
Crosby, Minn., U.S.A. 116 46 28N 93 57W
Crosby, N.D., U.S.A. 109 48 55N 103 18W
Crosby, Pa., U.S.A. 112 41 45N 78 23W
Crosbyton 117 33 37N 101 12W
Cross → 85 4 42N 8 21 E
Cross City 115 29 35N 83 5W
Cross Fell 12 54 44N 2 29W
Cross L. 109 54 45N 97 30W
Cross Plains 117 32 8N 99 7W
Cross River □ 85 6 0N 8 0 E
Cross Sound 104 58 20N 136 30W
Crosse, La, Kans., U.S.A. 116 38 33N 99 20W
Crosse, La, Wis., U.S.A. 116 43 48N 91 13W
Crossett 117 33 10N 91 57W
Crossfield 108 51 25N 114 0W
Crosshaven 15 51 48N 8 19W
Croton-on-Hudson 113 41 12N 73 55W
Crotone 41 39 5N 17 6 E
Crow → 108 59 41N 124 20W
Crow Agency 118 45 40N 107 30W
Crow Hd. 15 51 34N 10 9W
Crowell 117 33 59N 99 45W
Crowley 117 30 15N 92 20W
Crown Point 114 41 24N 87 23W
Crows Nest 99 27 16 S 152 4 E
Crowsnest Pass 108 49 40N 114 40W
Croydon, Austral. 97 18 13 S 142 14 E
Croydon, U.K. 13 51 18N 0 5W
Crozet Is. 3 46 27 S 52 0 E
Crozon 18 48 15N 4 30W
Cruz Alta 125 28 45 S 53 40W
Cruz, C. 121 19 50N 77 50W
Cruz del Eje 124 30 45 S 64 50W
Cruz, La 120 23 55N 106 54W
Cruzeiro 125 22 33 S 45 0W
Cruzeiro do Oeste 125 23 46 S 53 4W
Cruzeiro do Sul 126 7 35 S 72 35W
Cry L. 108 58 45N 129 0W
Crystal Brook 99 33 21 S 138 12 E
Crystal City, Mo., U.S.A. 116 38 15N 90 23W
Crystal City, Tex., U.S.A. 117 28 40N 99 50W
Crystal Falls 114 46 9N 88 11W
Crystal River 115 28 54N 82 35W
Crystal Springs 117 31 59N 90 25W
Csongrád 27 46 43N 20 12 E
Csongrád □ 27 46 32N 20 15 E
Csorna 27 47 38N 17 18 E
Csurgo 27 46 16N 17 9 E
Cu Lao Hon 71 10 54N 108 18 E
Cuácua → 91 17 54 S 37 0 E
Cuamato 92 17 2 S 15 7 E
Cuamba 91 14 45 S 36 22 E
Cuando → 89 14 0 S 19 30 E
Cuando Cubango □ 92 16 25 S 20 0 E
Cuangar 92 17 36 S 18 39 E
Cuarto → 124 33 25 S 63 2W
Cuba, Port. 31 38 10N 7 54W
Cuba, N. Mex., U.S.A. 119 36 0N 107 0W
Cuba, N.Y., U.S.A. 112 42 12N 78 18W
Cuba ■ 121 22 0N 79 0W
Cubango → 92 18 50 S 22 25 E
Cuchi 89 14 37 S 16 58 E
Cúcuta 126 7 54N 72 31W
Cudahy 114 42 54N 87 50W
Cudalbi 46 45 46N 27 41 E
Cuddalore 70 11 46N 79 45 E
Cuddapah 70 14 30N 78 47 E
Cuddapan, L. 97 25 45 S 141 26 E
Cudgewa 99 36 10 S 147 42 E
Cudillero 30 43 33N 6 9W
Cue 96 27 25 S 117 54 E
Cuéllar 30 41 23N 4 21W
Cuenca, Ecuador 126 2 50 S 79 9W
Cuenca, Spain 32 40 5N 2 10W
Cuenca □ 32 40 0N 2 0W
Cuenca, Serranía de 32 39 55N 1 50W
Cuerda del Pozo, Pantano de la 32 41 51N 2 44W
Cuernavaca 120 18 50N 99 20W
Cuero 117 29 5N 97 17W
Cuers 21 43 14N 6 5 E
Cuervo 117 35 5N 104 25W
Cuevas del Almanzora 33 37 18N 1 58W
Cuevo 126 20 15 S 63 30W
Cugir 46 45 48N 23 25 E
Cuiabá 127 15 30 S 56 0W
Cuiabá → 127 17 5 S 56 36W
Cuillin Hills 14 57 14N 6 15W
Cuillin Sd. 14 57 4N 6 20W
Cuiluan 76 47 51N 128 32 E
Cuima 89 13 25 S 15 45 E
Cuiseaux 21 46 30N 5 22 E
Cuito → 92 18 1 S 20 48 E
Cuitzeo, L. de 120 19 55N 101 5W
Cujmir 46 44 13N 22 57 E
Culan 20 46 34N 2 20 E
Culbertson 116 48 9N 104 30W
Culcairn 99 35 41 S 147 3 E
Culebra, Sierra de la 30 41 55N 6 20W
Culgoa → 99 29 56 S 146 20 E
Culiacán 120 24 50N 107 23W
Culion 73 11 54N 120 1 E
Cúllar de Baza 33 37 35N 2 34W
Cullarin Range 99 34 30 S 149 30 E
Cullen 14 57 45N 2 50W
Cullen Pt. 98 11 57 S 141 54 E
Cullera 33 39 9N 0 17W
Cullman 115 34 13N 86 50W
Culloden Moor 14 57 29N 4 7W
Culoz 21 45 47N 5 46 E
Culpeper 114 38 29N 77 59W
Culuene → 127 12 56 S 52 51W
Culver, Pt. 96 32 54 S 124 43 E
Culverden 101 42 47 S 172 49 E
Cumali 45 36 42N 27 28 E
Cumaná 126 10 30N 64 5W
Cumberland, B.C., Can. 108 49 40N 125 0W
Cumberland, Qué., Can. 113 45 30N 75 24W
Cumberland, Md., U.S.A. 114 39 40N 78 43W
Cumberland, Wis., U.S.A. 116 45 32N 92 3W
Cumberland → 115 36 15N 87 0W
Cumberland I. 115 30 52N 81 30W
Cumberland Is. 97 20 35 S 149 10 E
Cumberland L. 109 54 3N 102 18W
Cumberland Pen. 105 67 0N 64 0W
Cumberland Plat. 115 36 0N 84 30W
Cumberland Sd. 105 65 30N 66 0W
Cumborah 99 29 40 S 147 45 E
Cumbres Mayores 31 38 4N 6 39W
Cumbria □ 12 54 35N 2 55W
Cumbrian Mts. 12 54 30N 3 0W
Cumbum 70 15 40N 79 10 E
Cumnock, Austral. 99 32 59 S 148 46 E
Cumnock, U.K. 14 55 27N 4 18W
Cuncumén 124 31 53 S 70 38W
Cunene → 92 17 20 S 11 50 E
Cúneo 38 44 23N 7 31 E
Cunillera, I. 33 38 59N 1 13 E
Cunlhat 20 45 38N 3 32 E
Cunnamulla 97 28 2 S 145 38 E
Cuorgnè 38 45 23N 7 39 E
Cupar, Can. 109 50 57N 104 10W
Cupar, U.K. 14 56 20N 3 0W
Cupica, Golfo de 126 6 25N 77 30W
Ćuprija 42 43 57N 21 26 E
Curaçao 121 12 10N 69 0W
Curanilahue 124 37 29 S 73 28W
Curaray → 126 2 20 S 74 5W
Cure → 19 47 40N 3 41 E
Curepto 124 35 8 S 72 1W
Curiapo 126 8 33N 61 5W
Curicó 124 34 55 S 71 20W
Curicó □ 124 34 50 S 71 15W
Curitiba 125 25 20 S 49 10W
Currabubula 99 31 16 S 150 44 E
Currais Novos 127 6 13 S 36 30W
Curralinho 127 1 45 S 49 46W
Currant 118 38 51N 115 32W
Curraweena 99 30 47 S 145 54 E
Currawilla 99 25 10 S 141 20 E
Current → 117 37 15N 91 10W
Currie, Austral. 99 39 56 S 143 53 E
Currie, U.S.A. 118 40 16N 114 45W
Currie, Mt. 93 30 29 S 29 21 E
Currituck Sd. 115 36 20N 75 50W
Currockbilly Mt. 100 35 25 S 150 0 E
Curtea de Argeş 46 45 12N 24 42 E
Curtis, Spain 30 43 7N 8 4W
Curtis, U.S.A. 116 40 41N 100 32W
Curtis I. 97 23 35 S 151 10 E
Curuápanema → 127 2 25 S 55 2W
Curuçá 127 0 43 S 47 50W
Curuguaty 125 24 31 S 55 42W
Çürüksu Çayi → 53 37 27N 27 11 E
Curundu 120 8 59N 79 38W
Curup 72 4 26 S 102 13 E
Cururupu 127 1 50 S 44 50W
Curuzú Cuatiá 124 29 50 S 58 5W
Curvelo 127 18 45 S 44 27W
Cushing 117 35 59N 96 46W
Cushing, Mt. 108 57 35N 126 57W
Cusihuiriáchic 120 28 10N 106 50W
Cusna, Monte 38 44 13N 10 25 E
Cusset 20 46 8N 3 28 E
Custer 116 43 45N 103 38W
Cut Bank 118 48 40N 112 15W
Cuthbert 115 31 47N 84 47W
Cutro 41 39 1N 16 58 E
Cuttaburra → 99 29 43 S 144 22 E
Cuttack 69 20 25N 85 57 E
Cuvier, C. 96 23 14 S 113 22 E
Cuvier I. 101 36 27 S 175 50 E
Cuxhaven 24 53 51N 8 41 E
Cuyahoga Falls 114 41 8N 81 30W
Cuyo 73 10 50N 121 5 E
Cuzco, Boliv. 126 20 0 S 66 50W
Cuzco, Peru 126 13 32 S 72 0W
Čvrsnica 42 43 36N 17 35 E
Cwmbran 13 51 39N 3 0W
Cyangugu 90 2 29 S 28 54 E
Cybinka 28 52 12N 14 46 E
Cyclades = Kikladhes 45 37 20N 24 30 E
Cygnet 99 43 8 S 147 1 E
Cynthiana 114 38 23N 84 10W
Cypress Hills 109 49 40N 109 30W
Cyprus ■ 64 35 0N 33 0 E
Cyrenaica 81 27 0N 23 0 E
Cyrene = Shaḥḥāt 81 32 40N 21 35 E
Czaplinek 28 53 34N 16 14 E
Czar 109 52 27N 110 50W
Czarna →, Piotrkow Trybunalski, Poland 28 51 18N 19 55 E
Czarna →, Tarnobrzeg, Poland 28 50 3N 21 21 E
Czarna Woda 28 53 51N 18 6 E
Czarne 28 53 42N 16 58 E
Czarnków 28 52 55N 16 38 E
Czechoslovakia ■ 27 49 0N 17 0 E
Czechowice-Dziedzice 27 49 54N 18 59 E
Czeladz 28 50 16N 19 2 E
Czempiń 28 52 9N 16 33 E
Czeremcha 28 52 31N 23 21 E
Czersk 28 53 46N 17 58 E
Czerwieńsk 28 52 1N 15 13 E
Czerwionka 27 50 7N 18 37 E
Częstochowa 28 50 49N 19 7 E
Częstochowa □ 28 50 45N 19 0 E
Człopa 28 53 6N 16 6 E
Człuchów 28 53 41N 17 22 E
Czyzew 28 52 48N 22 19 E

D

Da → 71 21 15N 105 20 E
Da Hinggan Ling 75 48 0N 121 0 E
Da Lat 71 11 56N 108 25 E
Da Nang 71 16 4N 108 13 E
Da Qaidam 75 37 50N 95 15 E
Da Yunhe, Jiangsu, China 77 34 25N 120 5 E
Da Yunhe, Zhejiang, China 77 30 45N 120 35 E
Da'an 76 45 30N 124 7 E
Dab'a, Râs el 86 31 3N 28 31 E
Daba Shan 75 32 0N 109 0 E
Dabai 85 11 25N 5 15 E
Dabakala 84 8 15N 4 20W
Dabbūrīya 62 32 42N 35 22 E
Dabhoi 68 22 10N 73 20 E
Dąbie, Poland 28 53 27N 14 45 E
Dąbie, Poland 28 52 5N 18 50 E
Dabo 72 0 30 S 104 33 E
Dabola 84 10 50N 11 5W
Dabou 84 5 20N 4 23W
Daboya 85 9 30N 1 20W
Dabrowa Górnicza 28 50 15N 19 10 E
Dabrowa Tarnówska 27 50 10N 20 59 E
Dąbrówno 28 53 27N 20 2 E
Dabus → 87 10 48N 35 10 E
Dacato → 87 7 25N 42 40 E
Dacca 69 23 43N 90 26 E
Dacca □ 69 24 25N 90 25 E
Dachau 25 48 16N 11 27 E
Dadanawa 126 2 50N 59 30W
Daday 56 41 28N 33 27 E
Dade City 115 28 20N 82 12W
Dades, Oued → 82 30 58N 6 44W
Dadiya 85 9 35N 11 24 E
Dadra and Nagar Haveli □ 68 20 5N 73 0 E
Dadri = Charkhi Dadri 68 28 37N 76 17 E
Dadu 68 26 45N 67 45 E
Dăeni 46 44 51N 28 10 E
Daet 73 14 2N 122 55 E
Dafang 77 27 9N 105 39 E
Dagana 84 16 30N 15 35W
Dagash 86 19 19N 33 25 E
Dagestan A.S.S.R. □ 57 42 30N 47 0 E
Dagestanskiye Ogni 57 42 6N 48 12 E
Daghfeli 86 19 18N 32 40 E
Dagö = Hiiumaa 54 58 50N 22 45 E
Dagupan 73 16 3N 120 20 E
Dahab 86 28 30N 34 31 E
Dahlak Kebir 87 15 50N 40 10 E
Dahlenburg 24 53 11N 10 43 E
Dahlonega 115 34 35N 83 59W
Dahme, Germ., E. 24 51 51N 13 25 E
Dahme, Germ., W. 24 54 13N 11 5 E
Dahomey = Benin ■ 85 10 0N 2 0 E
Dahra 84 15 22N 15 30W
Dahra, Massif de 82 36 7N 1 21 E
Dai Shan 77 30 25N 122 10 E
Dai Xian 76 39 4N 112 58 E
Daimiel 33 39 5N 3 35W
Daingean 15 53 18N 7 15W
Daintree 98 16 20 S 145 20 E
Daiō-Misaki 74 34 15N 136 45 E
Dairût 86 27 34N 30 43 E
Daitari 69 21 10N 85 46 E
Dajarra 97 21 42 S 139 30 E
Dakar 84 14 34N 17 29W
Dakhla 80 23 50N 15 53W
Dakhla, El Wâhât el- 86 25 30N 28 50 E
Dakhovskaya 57 44 13N 40 13 E
Dakingari 85 11 37N 4 1 E
Dakor 68 22 45N 73 11 E
Dakoro 85 14 31N 6 46 E
Dakota City 116 42 27N 96 28W
Đakovica 42 42 22N 20 26 E
Đakovo 42 45 19N 18 24 E
Dalaba 84 10 42N 12 15W
Dalachi 76 36 48N 105 0 E
Dalai Nur 76 43 20N 116 45 E
Dalandzadgad 75 43 27N 104 30 E
Dalbandin 65 29 0N 64 23 E
Dalbeattie 14 54 55N 3 50W
Dalbosjön 49 58 40N 12 45 E
Dalby, Austral. 97 27 10 S 151 17 E
Dalby, Sweden 49 55 40N 13 22 E
Dale 47 61 22N 5 23 E
Dalen 47 59 26N 8 0 E
Dalga 86 27 39N 30 41 E
Dalhart 117 36 10N 102 30W
Dalhousie, Can. 107 48 5N 66 26W
Dalhousie, India 68 32 38N 76 0 E
Dali, Shaanxi, China 77 34 48N 109 58 E
Dali, Yunnan, China 75 25 40N 100 10 E
Daliang Shan 75 28 0N 102 45 E
Dalias 33 36 49N 2 52W
Dāliyat el Karmel 62 32 43N 35 2 E
Dalj 42 45 29N 18 59 E
Dalkeith 14 55 54N 3 5W
Dall I. 108 54 59N 133 25W
Dallarnil 99 25 19 S 152 2 E
Dallas, Oregon, U.S.A. 118 45 0N 123 15W
Dallas, Texas, U.S.A. 117 32 50N 96 50W
Dallol 87 14 14N 40 17 E
Dalmacija □ 42 43 20N 17 0 E
Dalmatia = Dalmacija □ 42 43 20N 17 0 E
Dalmellington 14 55 20N 4 25W
Dalneretchensk 59 45 50N 133 40 E
Daloa 84 7 0N 6 30W
Dalrymple, Mt. 97 21 1 S 148 39 E
Dalsjöfors 49 57 46N 13 5 E
Dalskog 49 58 44N 12 18 E
Dalton, Can. 106 48 11N 84 1W
Dalton, Ga., U.S.A. 115 34 47N 84 58W
Dalton, Mass., U.S.A. 113 42 28N 73 11W
Dalton, Nebr., U.S.A. 116 41 27N 103 0W
Dalton Iceberg Tongue 5 66 15 S 121 30 E
Daltonganj 69 24 0N 84 4 E
Dalvík 50 65 58N 18 32W
Daly → 96 13 35 S 130 19 E
Daly L. 109 56 32N 105 39W
Daly Waters 96 16 15 S 133 24 E
Dama, Wadi → 86 27 12N 35 50 E
Daman 68 20 25N 72 57 E
Daman □ 68 20 25N 72 58 E
Damanhûr 86 31 0N 30 30 E
Damar 73 7 7 S 128 40 E
Damaraland 92 21 0 S 17 0 E
Damascus = Dimashq 64 33 30N 36 18 E
Damaturu 85 11 45N 11 55 E
Damāvand 65 35 47N 52 0 E
Damāvand, Qolleh-ye 65 35 56N 52 10 E
Damba 88 6 44 S 15 20 E

Dāmghān
Dessye

Dāmghān 65 36 10N 54 17 E
Dāmienesti 46 46 44N 27 1 E
Damietta = Dumyât 86 31 24N 31 48 E
Daming 76 36 15N 115 6 E
Dāmīya 62 32 6N 35 34 E
Dammarie 19 48 20N 1 30 E
Dammartin 19 49 3N 2 41 E
Damme 24 52 32N 8 12 E
Damodar → 69 23 17N 87 35 E
Damoh 69 23 50N 79 28 E
Damous 82 36 31N 1 42 E
Dampier 96 20 41 S 116 42 E
Dampier Arch. 96 20 38 S 116 32 E
Dampier Downs 96 18 24 S 123 5 E
Dampier, Selat 73 0 40 S 131 0 E
Dampier Str. 98 5 50 S 148 0 E
Damville 18 48 51N 1 5 E
Damvillers 19 49 20N 5 21 E
Dan-Gulbi 85 11 40N 6 15 E
Dan Xian 77 19 31N 109 33 E
Dana 73 11 0 S 122 52 E
Dana, Lac 106 50 53N 77 20W
Danakil Depression 87 12 45N 41 0 E
Danao 73 10 31N 124 1 E
Danbury 114 41 23N 73 29W
Danby L. 119 34 17N 115 0W
Dandeldhura 69 29 20N 80 35 E
Dandenong 99 38 0 S 145 15 E
Dandong 76 40 10N 124 20 E
Danforth 107 45 39N 67 57W
* Danger Is. 95 10 53 S 165 49W
Danger Pt. 92 34 40 S 19 17 E
Dangla 87 11 18N 36 56 E
Dangora 85 11 30N 8 7 E
Dangshan 77 34 27N 116 22 E
Dangtu 77 31 32N 118 25 E
Dangyang 77 30 52N 111 44 E
Daniel 118 42 56N 110 2W
Daniel's Harbour 107 50 13N 57 35W
Danielskull 92 28 11 S 23 33 E
Danielson 113 41 50N 71 52W
Danilov 55 58 16N 40 13 E
Danilovgrad 42 42 38N 19 9 E
Danilovka 55 50 25N 44 12 E
Danissa 90 3 15N 40 58 E
Danja 85 11 21N 7 30 E
Dankalwa 85 11 52N 12 12 E
Dankama 85 13 20N 7 44 E
Dankov 55 53 20N 39 5 E
Danlí 121 14 4N 86 35W
Dannemora, Sweden 48 60 12N 17 51 E
Dannemora, U.S.A. 114 44 41N 73 44W
Dannenberg 24 53 7N 11 4 E
Dannevirke 101 40 12 S 176 8 E
Dannhauser 93 28 0 S 30 3 E
Danshui 77 25 12N 121 25 E
Dansville 114 42 32N 77 41W
Dantan 69 21 57N 87 20 E
Dante 63 10 25N 51 26 E
Danube → 43 45 20N 29 40 E
Danukandi 69 23 32N 90 43 E
Danvers 113 42 34N 70 55W
Danville, Ill., U.S.A. 114 40 10N 87 40W
Danville, Ky., U.S.A. 114 37 40N 84 45W
Danville, Va., U.S.A. 115 36 40N 79 20W
Danzhai 77 26 11N 107 48 E
Danzig = Gdańsk 28 54 22N 18 40 E
Dao 73 10 30N 121 57 E
Dão → 30 40 20N 8 11W
Dao Xian 77 25 36N 111 31 E
Daosa 68 26 52N 76 20 E
Daoud = Aïn Beida 83 35 44N 7 22 E
Daoulas 18 48 22N 4 17W
Dapong 85 10 55N 0 16 E
Daqing Shan 76 40 40N 111 0 E
Daqu Shan 77 30 25N 122 20 E
Dar al Hamrā, Ad 64 27 22N 37 43 E
Dar es Salaam 90 6 50 S 39 12 E
Dar'ā 62 32 36N 36 7 E
Dārāb 65 28 50N 54 30 E
Darabani 46 48 10N 26 39 E
Daraj 83 30 10N 10 28 E
Daravica 42 42 32N 20 8 E
Daraw 86 24 22N 32 51 E
Darazo 85 11 1N 10 24 E
Darband 66 34 20N 72 50 E
Darbhanga 69 26 15N 85 55 E
Darby 118 46 2N 114 7W
Darda 42 45 40N 18 41 E
Dardanelle 117 35 12N 93 9W
Dardanelles = Canakkale Boğazi 44 40 0N 26 0 E
Darfo 38 45 52N 10 11 E
Dargai 66 34 25N 71 55 E
Dargan Ata 58 40 29N 62 10 E
Dargaville 101 35 57 S 173 52 E
Darhan Muminggan Lianheqi 76 41 40N 110 28 E
Dari 87 5 48N 30 26 E
Darien 120 9 7N 79 46W
Darién, G. del 126 9 0N 77 0W
Darjeeling 69 27 3N 88 18 E
Dark Cove 107 48 47N 54 13W
Darling → 97 34 4 S 141 54 E
Darling Downs 99 27 30 S 150 30 E
Darling Ra. 96 32 30 S 116 0 E
Darlington, U.K. 12 54 33N 1 33W
Darlington, S.C., U.S.A. 115 34 18N 79 50W
Darlington, Wis., U.S.A. 116 42 43N 90 7W
Darlington Point 100 34 37 S 146 1 E
Darłowo 28 54 25N 16 25 E
Dărmăneşti 46 46 21N 26 33 E
Darmstadt 25 49 51N 8 40 E
Darnah 81 32 40N 22 35 E
Darnall 93 29 23 S 31 18 E
Darnétal 18 49 25N 1 10 E
Darney 19 48 5N 6 0 E
Darnick 100 32 48 S 143 38 E
Darnley B. 104 69 30N 123 30W
Darnley, C. 5 68 0 S 69 0 E
Daroca 32 41 9N 1 25W
Darr 98 23 13 S 144 7 E
Darr → 98 23 39 S 143 50 E
Darrington 118 48 14N 121 37W

* *Renamed Pakapuka*

Darror → 63 10 30N 50 0 E
Darsana 69 23 35N 88 48 E
Darsi 70 15 46N 79 44 E
Darsser Ort 24 54 29N 12 31 E
Dart → 13 50 24N 3 36W
Dart, C. 5 73 6 S 126 20W
Dartmoor 13 50 36N 4 0W
Dartmouth, Austral. 98 23 31 S 144 44 E
Dartmouth, Can. 107 44 40N 63 30W
Dartmouth, U.K. 13 50 21N 3 35W
Dartmouth, L. 99 26 4 S 145 18 E
Dartuch, C. 32 39 55N 3 49 E
Daru 98 9 3 S 143 13 E
Daruvar 42 45 35N 17 14 E
Darvaza 58 40 11N 58 24 E
Darwha 68 20 15N 77 45 E
Darwin 96 12 25 S 130 51 E
Darwin Glacier 5 79 53 S 159 0 E
Daryacheh-ye-Sistan 65 31 0N 61 0 E
Daryapur 68 20 55N 77 20 E
Das 65 25 20N 53 30 E
Dashkesan 57 40 40N 46 0 E
Dasht → 65 25 10N 61 40 E
Dasht-e Kavīr 65 34 30N 55 0 E
Dasht-e Lūt 65 31 30N 58 0 E
Dasht-e Mārgow 65 30 40N 62 30 E
Daska 68 32 20N 74 20 E
Dassa-Zoume 85 7 46N 2 14 E
Dasseneiland 92 33 25 S 18 3 E
Datça 45 36 46N 27 40 E
Datia 68 25 39N 78 27 E
Datian 77 25 40N 117 50 E
Datong, Anhui, China 77 30 48N 117 44 E
Datong, Shanxi, China 76 40 6N 113 18 E
Dattapur 68 20 45N 78 15 E
Datu Piang 73 7 2N 124 30 E
Datu, Tanjung 72 2 5N 109 39 E
Daugava → 54 57 4N 24 3 E
Daugavpils 54 55 53N 26 32 E
Daulatabad 70 19 57N 75 15 E
Daun 25 50 10N 6 53 E
Dauphin 109 51 9N 100 5W
Dauphin I. 115 30 16N 88 10W
Dauphin L. 109 51 20N 99 45W
Dauphiné 21 45 15N 5 25 E
Dauqa 86 19 30N 41 0 E
Daura, Borno, Nigeria 85 11 31N 11 24 E
Daura, Kaduna, Nigeria 85 13 2N 8 21 E
Davangere 70 14 25N 75 55 E
Davao 73 7 0N 125 40 E
Davao, G. of 73 6 30N 125 48 E
Dāvar Panāh 65 27 25N 62 15 E
Davenport, Iowa, U.S.A. 116 41 30N 90 40W
Davenport, Wash., U.S.A. 118 47 40N 118 5W
Davenport Downs 98 24 8 S 141 7 E
Davenport Ra. 96 20 28 S 134 0 E
David 121 8 30N 82 30W
David City 116 41 18N 97 10W
David Gorodok 54 52 4N 27 8 E
Davidson 109 51 16N 105 59W
Davis, Antarct. 5 68 34 S 17 55 E
Davis, U.S.A. 118 38 33N 121 44W
Davis Dam 119 35 11N 114 35W
Davis Inlet 107 55 50N 60 59W
Davis Mts. 117 30 42N 104 15W
Davis Sea 5 66 0 S 92 0 E
Davis Str. 105 65 0N 58 0W
Davos 25 46 48N 9 49 E
Davy L. 109 58 53N 108 18W
Dawa → 87 4 11N 42 6 E
Dawaki, Bauchi, Nigeria 85 9 25N 9 33 E
Dawaki, Kano, Nigeria 85 12 5N 8 23 E
Dawes Ra. 98 24 40 S 150 40 E
Dawson, Can. 104 64 10N 139 30W
Dawson, Ga., U.S.A. 115 31 45N 84 28W
Dawson, N.D., U.S.A. 116 46 56N 99 45W
Dawson → 97 23 25 S 149 45 E
Dawson Creek 108 55 45N 120 15W
Dawson, I. 128 53 50 S 70 50W
Dawson Inlet 109 61 50N 93 25W
Dawson Range 98 24 30 S 149 48 E
Dax 20 43 44N 1 3W
Daxian 75 31 15N 107 23 E
Daxin 77 22 50N 107 11 E
Daxue Shan 75 30 30N 101 30 E
Daye 77 30 6N 114 58 E
Daylesford 100 37 21 S 144 9 E
Dayong 77 29 11N 110 30 E
Dayr Abū Sa'īd 62 32 30N 35 42 E
Dayr al-Ghuşūn 62 32 21N 35 4 E
Dayr az Zawr 64 35 20N 40 5 E
Dayr Dirwān 62 31 55N 35 15 E
Daysland 108 52 50N 112 20W
Dayton, Ohio, U.S.A. 114 39 45N 84 10W
Dayton, Pa., U.S.A. 112 40 54N 79 18W
Dayton, Tenn., U.S.A. 115 35 30N 85 1W
Dayton, Wash., U.S.A. 118 46 20N 118 10W
Daytona Beach 115 29 14N 81 0W
Dayu 77 25 24N 114 22 E
Dayville 118 44 33N 119 37W
Dazhu 77 30 41N 107 15 E
Dazu 77 29 40N 105 42 E
De Aar 92 30 39 S 24 0 E
De Funiak Springs 115 30 42N 86 10W
De Grey 96 20 12 S 119 12 E
De Land 115 29 1N 81 19W
De Leon 117 32 9N 98 35W
De Pere 114 44 28N 88 1W
De Queen 117 34 3N 94 24W
De Quincy 117 30 30N 93 27W
De Ridder 117 30 48N 93 15W
De Smet 116 44 25N 97 35W
De Soto 116 38 7N 90 33W
De Tour 114 45 59N 83 56W
De Witt 117 34 19N 91 20W
Dead Sea = Miyet, Bahr el 64 31 30N 35 30 E
Deadwood 116 44 23N 103 44W
Deadwood L. 108 59 10N 128 30W
Deakin 96 30 46 S 128 0 E
Deal 13 51 13N 1 25 E
Dealesville 92 28 41 S 25 44 E
Dean, Forest of 13 51 50N 2 35W
Deán Funes 124 30 20 S 64 20W
Dearborn 106 42 18N 83 15W
Dease → 108 59 56N 128 32W
Dease L. 108 58 40N 130 5W
Dease Lake 108 58 25N 130 6W
Death Valley 119 36 19N 116 52W
Death Valley Junc. 119 36 21N 116 30W
Death Valley Nat. Monument 119 36 30N 117 0W
Deauville 18 49 23N 0 2 E
Deba Habe 85 10 14N 11 20 E
Debaltsevo 56 48 22N 38 26 E
Debao 77 23 21N 106 46 E
Debar 42 41 31N 20 30 E
Debden 109 53 30N 106 50W
Debdou 82 33 59N 3 0W
Dębica 27 50 2N 21 25 E
Dęblin 28 51 34N 21 50 E
Debno 28 52 44N 14 41 E
Débo, L. 84 15 14N 4 15W
Debolt 108 55 12N 118 1W
Debrc 42 44 38N 19 53 E
Debre Birhan 87 9 41N 39 31 E
Debre Markos 87 10 20N 37 40 E
Debre May 87 11 20N 37 25 E
Debre Sina 87 9 51N 39 50 E
Debre Tabor 87 11 50N 38 26 E
Debre Zebit 87 11 48N 38 30 E
Debrecen 27 47 33N 21 42 E
Dečani 42 42 30N 20 10 E
Decatur, Ala., U.S.A. 115 34 35N 87 0W
Decatur, Ga., U.S.A. 115 33 47N 84 17W
Decatur, Ill., U.S.A. 116 39 50N 89 0W
Decatur, Ind., U.S.A. 114 40 50N 84 56W
Decatur, Texas, U.S.A. 117 33 15N 97 35W
Decazeville 20 44 34N 2 15 E
Deccan 70 18 0N 79 0 E
Deception I. 5 63 0 S 60 15W
Deception L. 109 56 33N 104 13W
Děčín 26 50 47N 14 12 E
Decize 19 46 50N 3 28 E
Deckerville 112 43 33N 82 46W
Decollatura 41 39 2N 16 21 E
Decorah 116 43 20N 91 50W
Deda 46 46 56N 24 50 E
Dedéagach = Alexandroúpotis 44 40 50N 25 54 E
Dedham 113 42 14N 71 10W
Dedilovo 55 53 59N 37 50 E
Dédougou 84 12 30N 3 25W
Deduru Oya 70 7 32N 79 50 E
Dedza 91 14 20 S 34 20 E
Dee →, Scot., U.K. 14 57 4N 2 7W
Dee →, Wales, U.K. 12 53 15N 3 7W
Deep B. 108 61 15N 116 35W
Deepdale 96 21 42 S 116 10 E
Deepwater 99 29 25 S 151 51 E
Deer → 109 58 23N 94 13W
Deer Lake, Newf., Can. 107 49 11N 57 27W
Deer Lake, Ontario, Can. 109 52 36N 94 20W
Deer Lodge 118 46 25N 112 40W
Deer Park 118 47 55N 117 21W
Deer River 116 47 21N 93 44W
Deeral 98 17 14 S 145 55 E
Deerdepoort 92 24 37 S 26 27 E
Deesa 68 24 18N 72 10 E
Deferiet 113 44 2N 75 41W
Defiance 114 41 20N 84 20W
Deganya 62 32 43N 35 34 E
Degebe → 31 38 13N 7 29W
Degeh Bur 63 8 11N 43 31 E
Degema 85 4 50N 6 48 E
Deggendorf 25 48 49N 12 59 E
Degloor 70 18 34N 77 33 E
Deh Bīd 65 30 39N 53 11 E
Deh Kheyr 65 28 45N 54 40 E
Dehibat 83 32 0N 10 47 E
Dehiwala 70 6 50N 79 51 E
Dehkareqan 64 37 43N 45 55 E
Dehra Dun 68 30 20N 78 4 E
Dehri 69 24 50N 84 15 E
Dehui 76 44 30N 125 40 E
Deinze 16 50 59N 3 32 E
Dej 46 47 10N 23 52 E
Deje 48 59 35N 13 29 E
Dekalb 116 41 55N 88 45W
Dekemhare 87 15 6N 39 0 E
Dekese 88 3 24 S 21 24 E
Del Norte 119 37 40N 106 27W
Del Rio 117 29 23N 100 50W
Delagua 117 37 21N 104 35W
Delai 86 17 21N 36 6 E
Delano 119 35 48N 119 13W
Delareyville 92 26 41 S 25 26 E
Delavan 116 42 40N 88 39W
Delaware 114 40 20N 83 0W
Delaware □ 114 39 0N 75 40W
Delaware → 114 39 20N 75 25W
Delčevo 42 41 58N 22 46 E
Delegate 99 37 4 S 148 56 E
Delémont 25 47 22N 7 20 E
Delft 16 52 1N 4 22 E
Delft I. 70 9 30N 79 40 E
Delfzijl 16 53 20N 6 55 E
Delgado, C. 91 10 45 S 40 40 E
Delgo 86 20 6N 30 40 E
Delhi, Can. 112 42 51N 80 30W
Delhi, India 68 28 38N 77 17 E
Delhi, U.S.A. 113 42 17N 74 56W
Deli Jovan 42 44 13N 22 9 E
Delia 108 51 38N 112 23W
Delice → 64 39 45N 34 15 E
Delicias 120 28 10N 105 30W
Delitzsch 24 51 32N 12 22 E
Dell City 119 31 58N 105 19W
Dell Rapids 116 43 53N 96 44W
Delle 19 47 30N 7 2 E
Dellys 83 36 57N 3 57 E
Delmar 113 42 37N 73 47W
Delmenhorst 24 53 3N 8 37 E
Delmiro Gouveia 127 9 24 S 38 6W
Delnice 39 45 23N 14 50 E
Delong, Ostrova 59 76 40N 149 20 E
Deloraine, Austral. 99 41 30 S 146 40 E
Deloraine, Can. 109 49 15N 100 29W
Delorme, L. 107 54 31N 69 52W
Delphi, Greece 45 38 28N 22 30 E
Delphi, U.S.A. 114 40 37N 86 40W
Delphos 114 40 51N 84 17W
Delportshoop 92 28 22 S 24 20 E
Delray Beach 115 26 27N 80 4W
Delsbo 48 61 48N 16 32 E
Delta, Colo., U.S.A. 119 38 44N 108 5W
Delta, Utah, U.S.A. 118 39 21N 112 29W
Delungra 99 29 39 S 150 51 E
Delvina 44 39 59N 20 4 E
Delvinákion 44 39 57N 20 32 E
Demanda, Sierra de la 32 42 15N 3 0W
Demba 88 5 28 S 22 15 E
Dembecha 87 10 32N 37 30 E
Dembi 87 8 5N 36 25 E
Dembia 90 3 33N 25 48 E
Dembidolo 87 8 34N 34 50 E
Demer → 16 50 57N 4 42 E
Demetrias 44 39 22N 23 1 E
Demidov 54 55 16N 31 30 E
Deming 119 32 10N 107 50W
Demini → 126 0 46 S 62 56W
Demmin 24 53 54N 13 2 E
Demnate 82 31 44N 6 59W
Demonte 38 44 18N 7 18 E
Demopolis 115 32 30N 87 48W
Dempo, Mt. 72 4 2 S 103 15 E
Demyansk 54 57 40N 32 27 E
Den Burg 16 53 3N 4 47 E
Den Haag = 's Gravenhage 16 52 7N 4 17 E
Den Helder 16 52 57N 4 45 E
Den Oever 16 52 56N 5 2 E
Denain 19 50 20N 3 22 E
Denau 58 38 16N 67 54 E
Denbigh 12 53 12N 3 26W
Dendang 72 3 7 S 107 56 E
Dendermonde 16 51 2N 4 5 E
Deneba 87 9 47N 39 10 E
Deng Xian 77 32 34N 112 4 E
Denge 85 12 52N 5 21 E
Dengi 85 9 25N 9 55 E
Denham 96 25 56 S 113 31 E
Denham Ra. 97 21 55 S 147 46 E
Denia 33 38 49N 0 8 E
Deniliquin 97 35 30 S 144 58 E
Denison, Iowa, U.S.A. 116 42 0N 95 18W
Denison, Texas, U.S.A. 117 33 50N 96 40W
Denison Range 97 28 30 S 136 5 E
Denizli 64 37 42N 29 2 E
Denman Glacier 5 66 45 S 99 25 E
Denmark 96 34 59 S 117 25 E
Denmark ■ 49 55 30N 9 0 E
Denmark Str. 6 66 0N 30 0W
Dennison 112 40 21N 81 21W
Denpasar 72 8 45 S 115 14 E
Denton, Mont., U.S.A. 118 47 25N 109 56W
Denton, Texas, U.S.A. 117 33 12N 97 10W
D'Entrecasteaux Is. 98 9 0 S 151 0 E
D'Entrecasteaux Pt. 96 34 50 S 115 57 E
Denu 85 6 4N 1 8 E
Denver 116 39 45N 105 0W
Denver City 117 32 58N 102 48W
Deoband 68 29 42N 77 43 E
Deobhog 70 19 53N 82 44 E
Deogarh 69 21 32N 84 45 E
Deoghar 69 24 30N 86 42 E
Deolali 70 19 58N 73 50 E
Deoli 68 25 50N 75 20 E
Deoria 69 26 31N 83 48 E
Deosai Mts. 69 35 40N 75 0 E
Depew 112 42 55N 78 43W
Deping 76 37 25N 116 58 E
Deposit 113 42 5N 75 23W
Deputatskiy 59 69 18N 139 54 E
Dêqên 75 28 34N 98 51 E
Deqing 77 23 8N 111 42 E
Dera Ghazi Khan 68 30 5N 70 43 E
Dera Ismail Khan 68 31 50N 70 50 E
* Dera Ismail Khan □ 68 32 30N 70 0 E
Derbent 56 42 5N 48 4 E
Derby, Austral. 96 17 18 S 123 38 E
Derby, U.K. 12 52 55N 1 28W
Derby, Conn., U.S.A. 113 41 20N 73 5W
Derby, N.Y., U.S.A. 112 42 40N 78 59W
Derby □ 12 52 55N 1 28W
Derecske 27 47 20N 21 33 E
Derg → 15 54 42N 7 26W
Derg, L. 15 53 0N 8 20W
Dergachi 55 50 9N 36 11 E
Dergaon 67 26 45N 94 0 E
Dermantsi 43 43 8N 24 17 E
Dernieres Isles 117 29 0N 90 45W
Derryveagh Mts. 15 55 0N 8 40W
Derudub 86 17 31N 36 7 E
Derval 18 47 40N 1 41W
Dervéni 45 38 8N 22 25 E
Derventa 42 44 59N 17 55 E
Derwent 109 53 41N 110 58W
Derwent →, Derby, U.K. 12 52 53N 1 17W
Derwent →, N. Yorks., U.K. 12 53 45N 0 57W
Derwentwater, L. 12 54 35N 3 9W
Des Moines, Iowa, U.S.A. 116 41 35N 93 37W
Des Moines, N. Mex., U.S.A. 117 36 50N 103 51W
Des Moines → 116 40 23N 91 25W
Desaguadero →, Argent. 124 34 30 S 66 46W
Desaguadero →, Boliv. 126 18 24 S 67 5W
Deschaillons 107 46 32N 72 7W
Descharme → 109 56 51N 109 13W
Deschutes → 118 45 30N 121 0W
Dese 87 11 5N 39 40 E
Desenzano del Gardo 38 45 28N 10 32 E
Desert Center 119 33 45N 115 27W
Deskenatlata L. 108 60 55N 112 3W
Desna → 54 50 33N 30 32 E
Desnătui → 46 44 15N 23 27 E
Desolación, I. 128 53 0 S 74 0W
Despeñaperros, Paso 33 38 24N 3 30W
Despotovac 42 44 6N 21 30 E
Dessau 24 51 49N 12 15 E
Dessye = Dese 87 11 5N 39 40 E

* *Now part of North West Frontier □*

D'Estrees B. — Donja Stubica

D'Estrees B. **99** 35 55 S 137 45 E
Desuri **68** 25 18N 73 35 E
Desvrès **19** 50 40N 1 48 E
Deta **42** 45 24N 21 13 E
Detinja → **42** 43 51N 19 45 E
Detmold **24** 51 55N 8 50 E
Detour Pt. **114** 45 37N 86 35W
Detroit, Mich., U.S.A. **106** 42 23N 83 5W
Detroit, Tex., U.S.A. **117** 33 40N 95 10W
Detroit Lakes **116** 46 50N 95 50W
Dett **91** 18 38 S 26 50 E
Deurne, Belg. **16** 51 12N 4 24 E
Deurne, Neth. **16** 51 27N 5 49 E
Deutsche Bucht **24** 54 10N 7 51 E
Deutschlandsberg **26** 46 49N 15 14 E
Deux-Sèvres □ **18** 46 35N 0 20W
Deva **46** 45 53N 22 55 E
Devakottai **70** 9 55N 78 45 E
Devaprayag **68** 30 13N 78 35 E
Dévaványa **27** 47 2N 20 59 E
Deveci Daği **56** 40 10N 36 0 E
Devecser **27** 47 6N 17 26 E
Deventer **16** 52 15N 6 10 E
Deveron → **14** 57 40N 2 31W
Devesel **46** 44 28N 22 41 E
Devgad Baria **68** 22 40N 73 55 E
Devgad, I. **70** 14 48N 74 5 E
Devils Lake **116** 48 5N 98 50W
Devils Paw **108** 58 47N 134 0W
Devil's Pt. **70** 9 26N 80 6 E
Devin **43** 41 44N 24 24 E
Devizes **13** 51 21N 2 0W
Devnya **43** 43 13N 27 33 E
Devolii → **44** 40 57N 20 15 E
Devon **108** 53 24N 113 44W
Devon I. **4** 75 10N 85 0W
Devonport, Austral. **97** 41 10 S 146 22 E
Devonport, N.Z. **101** 36 49 S 174 49 E
Devonport, U.K. **13** 50 23N 4 11W
Devonshire □ **13** 50 50N 3 40W
Dewas **68** 22 59N 76 3 E
Dewetsdorp **92** 29 33 S 26 39 E
Dewsbury **12** 53 42N 1 38W
Dexter, Mo., U.S.A. **117** 36 50N 90 0W
Dexter, N. Mex., U.S.A. **117** 33 15N 104 25W
Deyhūk **65** 33 15N 57 30 E
Deyyer **65** 27 55N 51 55 E
Dezadeash L. **108** 60 28N 136 58W
Dezfūl **64** 32 20N 48 30 E
Dezh Shāhpūr **64** 35 30N 46 25 E
Dezhneva, Mys **59** 66 5N 169 40W
Dezhou **76** 37 26N 116 18 E
Dháfni **45** 37 48N 22 1 E
Dhafra **65** 23 20N 54 0 E
Dhahaban **86** 21 58N 39 3 E
Dhahira **65** 23 40N 57 0 E
Dhahiriya = Az Zāhirīyah **62** 31 25N 34 58 E
Dhahran = Az Zahrān **64** 26 18N 50 10 E
Dhamar **63** 14 30N 44 20 E
Dhamási **44** 39 43N 22 11 E
Dhampur **68** 29 19N 78 33 E
Dhamtari **69** 20 42N 81 35 E
Dhanbad **69** 23 50N 86 30 E
Dhankuta **69** 26 55N 87 40 E
Dhanora **69** 20 20N 80 22 E
Dhar **68** 22 35N 75 26 E
Dharampur, Gujarat, India **70** 20 32N 73 17 E
Dharampur, Mad. P., India **68** 22 13N 75 18 E
Dharapuram **70** 10 45N 77 34 E
Dharmapuri **70** 12 10N 78 10 E
Dharmavaram **70** 14 29N 77 44 E
Dharmsala (Dharamsala) **68** 32 16N 76 23 E
Dhaulagiri **69** 28 39N 83 28 E
Dhebar, L. **68** 24 10N 74 0 E
Dhenkanal **69** 20 45N 85 35 E
Dhenoúsa **45** 37 8N 25 48 E
Dheskáti **44** 39 55N 21 49 E
Dhespotikó **45** 36 57N 24 58 E
Dhestina **45** 38 25N 22 31 E
Dhidhimótikhon **44** 41 22N 26 29 E
Dhikti **45** 35 8N 25 22 E
Dhilianáta **45** 38 15N 20 34 E
Dhílos **45** 37 23N 25 15 E
Dhimitsána **45** 37 36N 22 3 E
Dhírfis **45** 38 40N 23 54 E
Dhodhekánisos **45** 36 35N 27 0 E
Dhokós **45** 37 20N 23 20 E
Dholiana **44** 39 54N 20 32 E
Dholka **68** 22 44N 72 29 E
Dholpur **68** 26 45N 77 59 E
Dhomokós **45** 39 10N 22 18 E
Dhond **70** 18 26N 74 40 E
Dhoraji **68** 21 45N 70 37 E
Dhoxáton **44** 41 9N 24 16 E
Dhragonísi **45** 37 27N 25 29 E
Dhrangadhra **68** 22 59N 71 31 E
Dhriopís **45** 37 25N 24 35 E
Dhrol **68** 22 33N 70 25 E
Dhubaibah **65** 23 25N 54 35 E
Dhubri **69** 26 2N 89 59 E
Dhula **63** 15 10N 47 30 E
Dhulia **68** 20 58N 74 50 E
Dhurm → **86** 20 18N 42 53 E
Di Linh, Cao Nguyen **71** 11 30N 108 0 E
Dia **45** 35 26N 25 13 E
Diablo Heights **120** 8 58N 79 34W
Diafarabé **84** 14 9N 4 57W
Diala **84** 14 10N 10 0W
Dialakoro **84** 12 18N 7 54W
Diallassagou **84** 13 47N 3 41W
Diamante **124** 32 5 S 60 40W
Diamante → **124** 34 30 S 66 46W
Diamantina **127** 18 17 S 43 40W
Diamantina → **97** 26 45 S 139 10 E
Diamantino **127** 14 30 S 56 30W
Diamond Harbour **69** 22 11N 88 14 E
Diamond Mts. **118** 40 0N 115 58W
Diamondville **118** 41 51N 110 30W
Diancheng **77** 21 30N 111 4 E
Diano Marina **38** 43 55N 8 3 E
Dianra **84** 8 45N 6 14W
Diapaga **85** 12 5N 1 46 E
Diapangou **85** 12 5N 0 10 E
Diariguila **84** 10 35N 10 2W
Dibaya **88** 6 30 S 22 57 E
Dibaya-Lubue **88** 4 12 S 19 54 E
Dibbi **87** 4 10N 41 52 E
Dibble Glacier Tongue **5** 66 8 S 134 32 E
Dibete **92** 23 45 S 26 32 E
Dibrugarh **67** 27 29N 94 55 E
Dickinson **116** 46 50N 102 48W
Dickson **115** 36 5N 87 22W
Dickson City **113** 41 29N 75 40W
Dickson (Dikson) **58** 73 40N 80 5 E
Dicomano **39** 43 53N 11 30 E
Didesa, W. → **87** 10 2N 35 32 E
Didiéni **84** 13 53N 8 6W
Didsbury **108** 51 35N 114 10W
Didwana **68** 27 23N 17 36 E
Die **21** 44 47N 5 22 E
Diébougou **84** 11 0N 3 15W
Diefenbaker L. **109** 51 0N 106 55W
Diego Garcia **3** 7 50 S 72 50 E
Diekirch **16** 49 52N 6 10 E
Diélette **18** 49 33N 1 52W
Diéma **84** 14 32N 9 12W
Diémbéring **84** 12 29N 16 47W
Dien Bien **71** 21 20N 103 0 E
Diepholz **24** 52 37N 8 22 E
Dieppe **18** 49 54N 1 4 E
Dieren **16** 52 3N 6 6 E
Dierks **117** 34 9N 94 0W
Diest **16** 50 58N 5 4 E
Dieulefit **21** 44 32N 5 4 E
Dieuze **19** 48 49N 6 43 E
Differdange **16** 49 31N 5 54 E
Dig **68** 27 28N 77 20 E
Digba **90** 4 25N 25 48 E
Digby **107** 44 38N 65 50W
Digges **109** 58 40N 94 0W
Digges Is. **105** 62 40N 77 50W
Dighinala **67** 23 15N 92 5 E
Dighton **116** 38 30N 100 26W
Digne **21** 44 5N 6 12 E
Digoin **20** 46 29N 3 58 E
Digos **73** 6 45N 125 20 E
Digranes **50** 66 4N 14 44 E
Digras **70** 20 6N 77 45 E
Digul → **73** 7 7 S 138 42 E
Dihang → **67** 27 48N 95 30 E
Dijlah, Nahr → **64** 31 0N 47 25 E
Dijon **19** 47 20N 5 0 E
Dikala **87** 4 45N 31 28 E
Dikkil **87** 11 8N 42 20 E
Dikomu di Kai **92** 24 58 S 24 36 E
Diksmuide **16** 51 2N 2 52 E
Dikwa **85** 12 4N 13 30 E
Dila **87** 6 21N 38 22 E
Dili **73** 8 39 S 125 34 E
Dilizhan **57** 40 46N 44 57 E
Dilj **42** 45 29N 18 1 E
Dillenburg **24** 50 44N 8 17 E
Dilley **117** 28 40N 99 12W
Dilling **87** 12 3N 29 35 E
Dillingen **25** 48 32N 10 29 E
Dillon, Can. **109** 55 56N 108 35W
Dillon, Mont., U.S.A. **118** 45 9N 112 36W
Dillon, S.C., U.S.A. **115** 34 26N 79 20W
Dillon → **109** 55 56N 108 56W
Dilston **99** 41 22 S 147 10 E
Dimashq **64** 33 30N 36 18 E
Dimbokro **84** 6 45N 4 46W
Dimboola **99** 36 28 S 142 7 E
Dîmbovița □ **46** 45 0N 25 30 E
Dîmbovița → **46** 44 14N 26 13 E
Dîmbovnic → **46** 44 28N 25 18 E
Dimbulah **98** 17 8 S 145 4 E
Dimitrovgrad, Bulg. **43** 42 5N 25 35 E
Dimitrovgrad, U.S.S.R. **55** 54 14N 49 39 E
Dimitrovgrad, Yugo. **42** 43 0N 22 48 E
Dimitrovo = Pernik **42** 42 35N 23 2 E
Dimmitt **117** 34 36N 102 16W
Dimo **87** 5 19N 29 10 E
Dimona **62** 31 2N 35 1 E
Dimovo **42** 43 43N 22 50 E
Dinagat **73** 10 10N 125 40 E
Dinajpur **69** 25 33N 88 43 E
Dinan **18** 48 28N 2 2W
Dinant **16** 50 16N 4 55 E
Dinapur **69** 25 38N 85 5 E
Dinar **64** 38 5N 30 15 E
Dinara Planina **39** 43 50N 16 35 E
Dinard **18** 48 38N 2 6W
Dinaric Alps = Dinara Planina **9** 43 50N 16 35 E
Dinder, Nahr ed → **87** 14 6N 33 40 E
Dindi → **70** 16 24N 78 15 E
Dindigul **70** 10 25N 78 0 E
Ding Xian **76** 38 30N 114 59 E
Dingbian **76** 37 35N 107 32 E
Dingelstädt **24** 51 19N 10 19 E
Dinghai **77** 30 1N 122 6 E
Dingle **15** 52 9N 10 17W
Dingle B. **15** 52 3N 10 20W
Dingmans Ferry **113** 41 13N 74 55W
Dingnan **77** 24 45N 115 0 E
Dingo **98** 23 38 S 149 19 E
Dingolfing **25** 48 38N 12 30 E
Dingtao **77** 35 5N 115 35 E
Dinguiraye **84** 11 18N 10 49W
Dingwall **14** 57 36N 4 26W
Dingxi **76** 35 30N 104 33 E
Dingxiang **76** 38 30N 112 58 E
Dinokwe (Palla Road) **92** 23 29 S 26 37 E
Dinosaur National Monument **118** 40 30N 108 58W
Dinuba **119** 36 31N 119 22W
Dio **49** 56 37N 14 15 E
Diósgyör **27** 48 7N 20 43 E
Diosig **46** 47 18N 22 2 E
Diourbel **84** 14 39N 16 12W
Diplo **68** 24 35N 69 35 E
Dipolog **73** 8 36N 123 20 E
Dipșa **46** 46 58N 24 27 E
Dir **66** 35 08N 71 59 E
Diré **84** 16 20N 3 25W
Dire Dawa **87** 9 35N 41 45 E
Direction, C. **97** 12 51 S 143 32 E
Diriamba **121** 11 51N 86 19W
Dirk Hartog I. **96** 25 50 S 113 5 E
Dirranbandi **97** 28 33 S 148 17 E
Disa **87** 12 5N 34 15 E
Disappointment, C. **118** 46 20N 124 0W
Disappointment L. **96** 23 20 S 122 40 E
Disaster B. **97** 37 15 S 150 0 E
Discovery B. **97** 38 10 S 140 40 E
Disentis **25** 46 42N 8 50 E
Dishna **86** 26 9N 32 32 E
Disina **85** 11 35N 9 50 E
Disko **4** 69 45N 53 30W
Disko Bugt **4** 69 10N 52 0W
Disna **54** 55 32N 28 11 E
Disna → **54** 55 34N 28 12 E
Distrito Federal □ **127** 15 45 S 47 45W
Disūq **86** 31 8N 30 35 E
Diu **68** 20 45N 70 58 E
Dives → **18** 49 18N 0 7W
Dives-sur-Mer **18** 49 18N 0 8W
Divi Pt. **70** 15 59N 81 9 E
Divichi **57** 41 15N 48 57 E
Divide **118** 45 48N 112 47W
Divinópolis **127** 20 10 S 44 54W
Divnoye **57** 45 55N 43 21 E
Divo **84** 5 48N 5 15W
Diwal Kol **66** 34 23N 67 52 E
Dixie **118** 45 37N 115 27W
Dixon, Ill., U.S.A. **116** 41 50N 89 30W
Dixon, Mont., U.S.A. **118** 47 19N 114 25W
Dixon, N. Mex., U.S.A. **119** 36 15N 105 57W
Dixon Entrance **108** 54 30N 132 0W
Dixonville **108** 56 32N 117 40W
Diyarbakir **64** 37 55N 40 18 E
Diz Chah **65** 35 30N 55 30 E
Djado **83** 21 4N 12 14 E
Djado, Plateau du **83** 21 29N 12 21 E
Djakarta = Jakarta **73** 6 9 S 106 49 E
Djamâa **83** 33 32N 5 59 E
Djamba **92** 16 45 S 13 58 E
Djambala **88** 2 32 S 14 30 E
Djanet **83** 24 35N 9 32 E
Djaul I. **98** 2 58 S 150 57 E
Djawa = Jawa **73** 7 0 S 110 0 E
Djebiniana **83** 35 1N 11 0 E
Djelfa **82** 34 40N 3 15 E
Djema **90** 6 3N 25 15 E
Djendel **82** 36 15N 2 25 E
Djeneïene **83** 31 45N 10 9 E
Djenné **84** 14 0N 4 30W
Djenoun, Garet el **83** 25 4N 5 31 E
Djerba **83** 33 52N 10 51 E
Djerba, Île de **83** 33 56N 11 0 E
Djerid, Chott **83** 33 42N 8 30 E
Djibo **85** 14 9N 1 35W
Djibouti **87** 11 30N 43 5 E
Djibouti ■ **63** 12 0N 43 0 E
Djolu **88** 0 35N 22 5 E
Djorong **72** 3 58 S 114 56 E
Djougou **85** 9 40N 1 45 E
Djoum **88** 2 41N 12 35 E
Djourab **81** 16 40N 18 50 E
Djugu **90** 1 55N 30 35 E
Djúpivogur **50** 64 39N 14 17W
Djursholm **48** 59 25N 18 6 E
Djursland **49** 56 27N 10 45 E
Dmitriev-Lgovskiy **54** 52 10N 35 0 E
Dmitriya Lapteva, Proliv **59** 73 0N 140 0 E
Dmitrov **55** 56 25N 37 32 E
Dmitrovsk-Orlovskiy **54** 52 29N 35 10 E
Dneiper = Dnepr → **56** 46 30N 32 18 E
Dnepr → **56** 46 30N 32 18 E
Dneprodzerzhinsk **56** 48 32N 34 37 E
Dneprodzerzhinskoye Vdkhr. **56** 49 0N 34 0 E
Dnepropetrovsk **56** 48 30N 35 0 E
Dneprorudnoye **56** 47 21N 34 58 E
Dnestr → **56** 46 18N 30 17 E
Dnestrovski = Belgorod **56** 50 35N 36 35 E
Dniester = Dnestr → **56** 46 18N 30 17 E
Dno **54** 57 50N 29 58 E
Doba **81** 8 40N 16 50 E
Dobbiaco **39** 46 44N 12 13 E
Dobbyn **97** 19 44 S 139 59 E
Dobczyce **27** 49 52N 20 25 E
Döbeln **24** 51 7N 13 10 E
Doberai, Jazirah **73** 1 25 S 133 0 E
Dobiegniew **28** 52 59N 15 45 E
Doblas **124** 37 5 S 64 0W
Dobo **73** 5 45 S 134 15 E
Doboj **42** 44 46N 18 6 E
Dobra, Konin, Poland **28** 51 55N 18 37 E
Dobra, Szczecin, Poland **28** 53 34N 15 20 E
Dobra, Dîmbovita, Romania **43** 44 52N 25 40 E
Dobra, Hunedoara, Romania **46** 45 54N 22 36 E
Dobre Miasto **28** 53 58N 20 26 E
Dobrinishta **43** 41 49N 23 34 E
Dobříš **26** 49 46N 14 10 E
Dobrodzień **28** 50 45N 18 25 E
Dobropole **56** 48 25N 37 2 E
Dobruja **46** 44 30N 28 15 E
Dobrush **55** 52 28N 30 19 E
Dobrzyń nad Wisłą **28** 52 39N 19 22 E
Dobtong **87** 6 25N 31 40 E
Dodecanese = Dhodhekánisos **45** 36 35N 27 0 E
Dodge Center **116** 44 1N 92 50W
Dodge City **117** 37 42N 100 0W
Dodge L. **109** 59 50N 105 36W
Dodgeville **116** 42 55N 90 8W
Dodo **87** 5 10N 29 57 E
Dodola **87** 6 59N 39 11 E
Dodoma **90** 6 8 S 35 45 E
Dodoma □ **90** 6 0 S 36 0 E
Dodona **44** 39 40N 20 46 E
Dodsland **109** 51 50N 108 45W
Dodson **118** 48 23N 108 16W
Doetinchem **16** 51 59N 6 18 E
Doftana **46** 45 11N 25 45 E
Dog Creek **108** 51 35N 122 14W
Dog L., Man., Can. **109** 51 2N 98 31W
Dog L., Ont., Can. **106** 48 18N 89 30W
Doğanbey **45** 37 40N 27 10 E
Dogliani **38** 44 35N 7 55 E
Dogondoutchi **85** 13 38N 4 2 E
Dogran **68** 31 48N 73 35 E
Doguéraoua **85** 14 0N 5 31 E
Dohad **68** 22 50N 74 15 E
Dohazari **67** 22 10N 92 5 E
Doi **73** 2 14N 127 49 E
Doi Luang **71** 18 30N 101 0 E
Doig → **108** 56 25N 120 40W
Dois Irmãos, Sa. **127** 9 0 S 42 30W
Dojransko Jezero **42** 41 13N 22 44 E
Dokka **47** 60 49N 10 7 E
Dokka → **47** 61 7N 10 0 E
Dokkum **16** 53 20N 5 59 E
Dokri **68** 27 25N 68 7 E
Dol-de-Bretagne **18** 48 34N 1 47W
Doland **116** 44 55N 98 5W
Dolbeau **107** 48 53N 72 18W
Dole **19** 47 7N 5 31 E
Doleib, Wadi → **87** 12 10N 33 15 E
Dolgellau **12** 52 44N 3 53W
Dolgelley = Dolgellau **12** 52 44N 3 53W
Dolginovo **54** 54 39N 27 29 E
Dolianova **40** 39 23N 9 11 E
Dolinskaya **56** 48 6N 32 46 E
Dolj □ **46** 44 10N 23 30 E
Dollart **16** 53 20N 7 10 E
Dolna Banya **43** 42 18N 23 44 E
Dolni Dŭbnik **43** 43 24N 24 26 E
Dolo, Ethiopia **87** 4 11N 42 3 E
Dolo, Italy **39** 45 25N 12 4 E
Dolomites = Dolomiti **39** 46 30N 11 40 E
Dolomiti **39** 46 30N 11 40 E
Dolores, Argent. **124** 36 20 S 57 40W
Dolores, Uruguay **124** 33 34 S 58 15W
Dolores, Colo., U.S.A. **119** 37 30N 108 30W
Dolores, Tex., U.S.A. **117** 27 40N 99 38W
Dolores → **119** 38 49N 108 17W
Đolovo **42** 44 55N 20 52 E
Dolphin and Union Str. **104** 69 5N 114 45W
Dolphin C. **128** 51 10 S 59 0W
Dolsk **28** 51 59N 17 3 E
Dom Pedrito **125** 31 0 S 54 40W
Doma **85** 8 25N 8 18 E
Domasi **91** 15 15 S 35 22 E
Domazlice **26** 49 28N 13 0 E
Dombarovskiy **58** 50 46N 59 32 E
Dombasle **19** 48 38N 6 21 E
Dombes **21** 46 3N 5 0 E
Dombóvár **27** 46 21N 18 9 E
Dombrád **27** 48 13N 21 54 E
Domburg **16** 51 34N 3 30 E
Domel I. = Letsok-aw Kyun **71** 11 30N 98 25 E
Domérat **20** 46 21N 2 32 E
Domeyko **124** 29 0 S 71 0W
Domeyko, Cordillera **124** 24 30 S 69 0W
Domfront **18** 48 37N 0 40W
Dominador **124** 24 21 S 69 20W
Dominica ■ **121** 15 20N 61 20W
Dominican Rep. ■ **121** 19 0N 70 30W
Dömitz **24** 53 9N 11 13 E
Domme **20** 44 48N 1 12 E
Domo **63** 7 50N 47 10 E
Domodóssola **38** 46 6N 8 19 E
Dompaire **19** 48 14N 6 14 E
Dompierre-sur-Besbre **20** 46 31N 3 41 E
Dompim **84** 5 10N 2 5W
Domrémy **19** 48 26N 5 40 E
Domsjö **48** 63 16N 18 41 E
Domville, Mt. **99** 28 1 S 151 15 E
Domvraína **45** 38 15N 22 59 E
Domžale **39** 46 9N 14 35 E
Don →, India **70** 16 20N 76 15 E
Don →, Eng., U.K. **12** 53 41N 0 51W
Don →, Scot., U.K. **14** 57 14N 2 5W
Don →, U.S.S.R. **57** 47 4N 39 18 E
Don Benito **31** 38 53N 5 51W
Don Martín, Presa de **120** 27 30N 100 50W
Dona Ana **91** 17 25 S 35 5 E
Donaghadee **15** 54 38N 5 32W
Donald **99** 36 23 S 143 0 E
Donalda **108** 52 35N 112 34W
Donaldsonville **117** 30 2N 91 0W
Donalsonville **115** 31 3N 84 52W
Donau → **23** 48 10N 17 0 E
Donaueschingen **25** 47 57N 8 30 E
Donauwörth **25** 48 42N 10 47 E
Donawitz **26** 47 22N 15 4 E
Doncaster **12** 53 31N 1 9W
Dondo, Angola **88** 9 45 S 14 25 E
Dondo, Mozam. **91** 19 33 S 34 46 E
Dondo, Teluk **73** 0 29N 120 30 E
Dondra Head **70** 5 55N 80 40 E
Donegal **15** 54 39N 8 8W
Donegal □ **15** 54 53N 8 0W
Donegal B. **15** 54 30N 8 35W
Donets → **57** 47 33N 40 55 E
Donetsk **56** 48 0N 37 45 E
Donga **85** 7 45N 10 2 E
Dongara **96** 29 14 S 114 57 E
Dongargarh **69** 21 10N 80 40 E
Donges **18** 47 18N 2 4W
Dongfang **77** 18 50N 108 33 E
Donggala **73** 0 30 S 119 40 E
Donggou **76** 39 52N 124 10 E
Dongguan **77** 22 58N 113 44 E
Dongguang **76** 37 50N 116 30 E
Dongjingcheng **76** 44 0N 129 10 E
Donglan **77** 24 30N 107 21 E
Dongliu **77** 30 13N 116 55 E
Dongola **86** 19 9N 30 22 E
Dongou **88** 2 0N 18 5 E
Dongping **76** 35 55N 116 20 E
Dongshan **77** 23 43N 117 30 E
Dongsheng **76** 39 50N 110 0 E
Dongtai **77** 32 51N 120 21 E
Dongting Hu **75** 29 18N 112 45 E
Dongxing **75** 21 34N 108 0 E
Dongyang **77** 29 13N 120 15 E
Doniphan **117** 36 40N 90 50W
Donja Stubica **39** 45 59N 16 0 E

Donji Dušnik Dzhelinde

Donji Dušnik 42 43 12N 22 5 E
Donji Miholjac 42 45 45N 18 10 E
Donji Milanovac 42 44 28N 22 6 E
Donji Vakuf 42 44 8N 17 24 E
Donjon, Le 20 46 22N 3 48 E
Dønna 50 66 6N 12 30 E
Donna 117 26 12N 98 2W
Donnaconna 107 46 41N 71 41W
Donnelly's Crossing 101 35 42 S 173 38 E
Donora 112 40 11N 79 50W
Donor's Hills 98 18 42 S 140 33 E
Donskoy 55 53 55N 38 15 E
Donya Lendava 39 46 35N 16 25 E
Donzère-Mondragon 21 44 28N 4 43 E
Donzère-Mondragon, Barrage de 21 44 13N 4 42 E
Donzy 19 47 20N 3 6 E
Doon → 14 55 26N 4 41W
Đor (Tantûra) 62 32 37N 34 55 E
Dora Báltea → 38 45 11N 8 5 E
Dora, L. 96 22 0 S 123 0 E
Dora Riparia → 38 45 5N 7 44 E
Dorada, La 126 5 30N 74 40W
Doran L. 109 61 13N 108 6W
Dorat, Le 20 46 14N 1 5 E
Dorchester 13 50 42N 2 28W
Dorchester, C. 105 65 27N 77 27W
Dordogne □ 20 45 5N 0 40 E
Dordogne → 20 45 2N 0 36W
Dordrecht, Neth. 16 51 48N 4 39 E
Dordrecht, S. Afr. 92 31 20 S 27 3 E
Dore → 20 45 50N 3 35 E
Doré L. 109 54 46N 107 17W
Doré Lake 109 54 38N 107 36W
Dore, Mt. 20 45 32N 2 50 E
Dorfen 25 48 16N 12 10 E
Dorgali 40 40 18N 9 35 E
Dori 85 14 3N 0 2W
Doring → 92 31 54 S 18 39 E
Dorion 106 45 23N 74 3W
Dormaa-Ahenkro 84 7 15N 2 52W
Dormo, Ras 87 13 14N 42 35 E
Dornberg 39 55 45N 13 50 E
Dornbirn 26 47 25N 9 45 E
Dornes 19 46 48N 3 18 E
Dornoch 14 57 52N 4 0W
Dornoch Firth 14 57 52N 4 0W
Doro 85 16 9N 0 51W
Dorog 27 47 42N 18 45 E
Dorogobuzh 54 54 50N 33 18 E
Dorohoi 46 47 56N 26 30 E
Döröö Nuur 75 48 0N 93 0 E
Dorre I. 96 25 13 S 113 12 E
Dorrigo 99 30 20 S 152 44 E
Dorris 118 41 59N 121 58W
Dorset, Can. 112 45 14N 78 54W
Dorset, U.S.A. 112 41 4N 80 40W
Dorset □ 13 50 48N 2 25W
Dorsten 24 51 40N 6 55 E
Dortmund 24 51 32N 7 28 E
Dörtyol 64 36 52N 36 12 E
Dorum 24 53 40N 8 33 E
Doruma 90 4 42N 27 33 E
Dos Bahías, C. 128 44 58 S 65 32W
Dos Cabezas 119 32 10N 109 37W
Dos Hermanas 31 37 16N 5 55W
Dosso 85 13 0N 3 13 E
Dothan 115 31 10N 85 25W
Douai 19 50 21N 3 4 E
Douala 88 4 0N 9 45 E
Douaouir 82 20 45N 3 0W
Douarnenez 18 48 6N 4 21W
Douăzeci Şi Trei August 46 43 55N 28 40 E
Double Island Pt. 99 25 56 S 153 11 E
Doubrava → 26 49 40N 15 30 E
Doubs □ 19 47 10N 6 20 E
Doubs → 19 46 53N 5 1 E
Doubtful B. 96 34 15 S 119 28 E
Doubtful Sd. 101 45 20 S 166 49 E
Doubtless B. 101 34 55 S 173 26 E
Doudeville 18 49 43N 0 47 E
Doué 18 47 11N 0 20W
Douentza 84 14 58N 2 48W
Douglas, S. Afr. 92 29 4 S 23 46 E
Douglas, U.K. 12 54 9N 4 29W
Douglas, Alaska, U.S.A. 108 58 23N 134 24W
Douglas, Ariz., U.S.A. 119 31 21N 109 30W
Douglas, Ga., U.S.A. 115 31 32N 82 52W
Douglas, Wyo., U.S.A. 116 42 45N 105 20W
Douglastown 107 48 46N 64 24W
Douglasville 115 33 46N 84 43W
Douirat 82 33 2N 4 11W
Doukáton, Ákra 45 38 34N 20 30 E
Doulevant 19 48 22N 4 53 E
Doullens 19 50 10N 2 20 E
Doumé 88 4 15N 13 25 E
Douna 84 13 13N 6 0W
Dounreay 14 58 34N 3 44W
Dourados 125 22 9 S 54 50W
Dourados → 125 21 58 S 54 18W
Dourdan 19 48 30N 2 0 E
Douro → 30 41 8N 8 40W
Douvaine 21 46 19N 6 16 E
Douz 83 33 25N 9 0 E
Douze → 20 43 54N 0 30W
Dove → 12 52 51N 1 36W
Dove Creek 119 37 46N 108 59W
Dover, Austral. 99 43 18 S 147 2 E
Dover, U.K. 13 51 7N 1 19 E
Dover, Del., U.S.A. 114 39 10N 75 31W
Dover, N.H., U.S.A. 114 43 12N 70 51W
Dover, N.J., U.S.A. 113 40 53N 74 34W
Dover, Ohio, U.S.A. 114 40 32N 81 30W
Dover-Foxcroft 107 45 14N 69 14W
Dover Plains 113 41 43N 73 35W
Dover, Pt. 96 32 32 S 125 32 E
Dover, Str. of 18 51 0N 1 30 E
Dovey → 13 52 32N 4 0W
Dovrefjell 47 62 15N 9 33 E
Dowa 91 13 38 S 33 58 E
Dowagiac 114 42 0N 86 8W
Dowlat Yār 65 34 30N 65 45 E
Dowlatabad 65 28 20N 56 40W
Down □ 15 54 20N 6 0W
Downey 118 42 29N 112 3W
Downham Market 13 52 36N 0 22 E
Downieville 118 39 34N 120 50W
Downpatrick 15 54 20N 5 43W
Downpatrick Hd. 15 54 20N 9 21W
Dowshī 65 35 35N 68 43 E
Doylestown 113 40 21N 75 10W
Draa, C. 82 28 47N 11 0W
Draa, Oued → 82 30 29N 6 1W
Drac → 21 45 13N 5 41 E
Drachten 16 53 7N 6 5 E
Drăgăneşti 46 44 9N 24 32 E
Drăgăneşti-Vlaşca 46 44 5N 25 33 E
Dragaš 42 42 5N 20 35 E
Drăgăşani 46 44 39N 24 17 E
Dragina 42 44 30N 19 25 E
Dragocvet 42 44 0N 21 15 E
Dragoman, Prokhod 42 43 0N 22 53 E
Dragonera, I. 32 39 35N 2 19 E
Dragovishtitsa (Perivol) 42 42 22N 22 39 E
Draguignan 21 43 30N 6 27 E
Drain 118 43 45N 123 17W
Drake, Austral. 99 28 55 S 152 25 E
Drake, U.S.A. 116 47 56N 100 21W
Drake Passage 5 58 0 S 68 0W
Drakensberg 93 31 0 S 28 0 E
Dráma 44 41 9N 24 10 E
Dráma □ 44 41 20N 24 0 E
Drammen 47 59 42N 10 12 E
Drangajökull 50 66 9N 22 15W
Drangedal 47 59 6N 9 3 E
Dranov, Ostrov 46 44 55N 29 30 E
Drau = Drava → 26 46 32N 14 58 E
Drava → 42 45 33N 18 55 E
Draveil 19 48 41N 2 25 E
Dravograd 39 46 36N 15 5 E
Drawa → 28 52 52N 15 59 E
Drawno 28 53 13N 15 46 E
Drawsko Pomorskie 28 53 35N 15 50 E
Drayton Valley 108 53 12N 114 58W
Dren 42 43 8N 20 44 E
Drenthe □ 16 52 52N 6 40 E
Dresden, Can. 112 42 35N 82 11W
Dresden, Ger. 24 51 2N 13 45 E
Dresden □ 24 51 12N 14 0 E
Dreux 18 48 44N 1 23 E
Drezdenko 28 52 50N 15 49 E
Driffield 12 54 0N 0 25W
Driftwood 112 41 22N 78 9W
Driggs 118 43 50N 111 8W
Drin i zi → 44 41 37N 20 28 E
Drina → 42 44 53N 19 21 E
Drincea → 46 44 20N 22 55 E
Drînceni 46 46 49N 28 10 E
Drini → 44 42 20N 20 0 E
Drinjača → 42 44 15N 19 8 E
Driva → 47 62 33N 9 38 E
Drivstua 47 62 26N 9 47 E
Drniš 39 43 51N 16 10 E
Drøbak 47 59 39N 10 39 E
Drobin 28 52 42N 19 58 E
Drogheda 15 53 45N 6 20W
Drogichin 54 52 15N 25 8 E
Drogobych 54 49 20N 23 30 E
Drohiczyn 28 52 24N 22 39 E
Droichead Nua 15 53 11N 6 50W
Droitwich 13 52 16N 2 10W
Drôme □ 21 44 38N 5 15 E
Drôme → 21 44 46N 4 46 E
Dromedary, C. 99 36 17 S 150 10 E
Dronero 38 44 29N 7 22 E
Dronfield 98 21 12 S 140 3 E
Dronne → 20 45 2N 0 9W
Dronning Maud Land 5 72 30 S 12 0 E
Dronninglund 49 57 10N 10 19 E
Dropt → 20 44 35N 0 6W
Drosendorf 26 48 52N 15 37 E
Drouzhba 43 43 15N 28 0 E
Drumbo 112 43 16N 80 35W
Drumheller 108 51 25N 112 40W
Drummond 118 46 40N 113 4W
Drummond I. 106 46 0N 83 40W
Drummond Ra. 97 23 45 S 147 10 E
Drummondville 106 45 55N 72 25W
Drumright 117 35 59N 96 38W
Druskininkai 54 54 3N 23 58 E
Drut → 54 53 3N 30 42 E
Druya 54 55 45N 27 28 E
Druzhina 59 68 14N 145 18 E
Drvar 39 44 21N 16 23 E
Drvenik 39 43 27N 16 3 E
Drwęca → 28 53 0N 18 42 E
Dry Tortugas 121 24 38N 82 55W
Dryanovo 43 42 59N 25 28 E
Dryden, Can. 109 49 47N 92 50W
Dryden, U.S.A. 117 30 3N 102 3W
Drygalski I. 5 66 0 S 92 0 E
Drysdale → 96 13 59 S 126 51 E
Drzewiczka → 28 51 36N 20 36 E
Dschang 85 5 32N 10 3 E
Du Bois 114 41 8N 78 46W
Du Quoin 116 38 0N 89 10W
Duanesburg 113 42 45N 74 11W
Duaringa 98 23 42 S 149 42 E
Dubā 64 27 10N 35 40 E
Dubai = Dubayy 65 25 18N 55 20 E
Dubawnt → 109 64 33N 100 6W
Dubawnt, L. 109 63 4N 101 42W
Dubayy 65 25 18N 55 20 E
Dubbo 97 32 11 S 148 35 E
Dubele 90 2 56N 29 35 E
Dubica 39 45 11N 16 48 E
Dublin, Ireland 15 53 20N 6 18W
Dublin, Ga., U.S.A. 115 32 30N 82 34W
Dublin, Tex., U.S.A. 117 32 0N 98 20W
Dublin □ 15 53 24N 6 20W
Dublin B. 15 53 18N 6 5W
Dubna, U.S.S.R. 55 54 8N 36 59 E
Dubna, U.S.S.R. 55 56 44N 37 10 E
Dubno 54 50 25N 25 45 E
Dubois 118 44 7N 112 9W
Dubossary 56 47 15N 29 10 E
Dubossasy Vdkhr. 56 47 30N 29 0 E
Dubovka 57 49 5N 44 50 E
Dubovskoye 57 47 28N 42 46 E
Dubrajpur 69 23 48N 87 25 E
Dubréka 84 9 46N 13 31W
Dubrovitsa 54 51 31N 26 35 E
Dubrovnik 42 42 39N 18 6 E
Dubrovskoye 59 58 55N 111 10 E
Dubuque 116 42 30N 90 41W
Duchang 77 29 18N 116 12 E
Duchesne 118 40 14N 110 22W
Duchess 97 21 20 S 139 50 E
Ducie I. 95 24 40 S 124 48W
Duck Lake 109 52 50N 106 16W
Duck Mt. Prov. Parks 109 51 45N 101 0W
Duderstadt 24 51 30N 10 15 E
Dudinka 59 69 30N 86 13 E
Dudley 13 52 30N 2 5W
Dudna → 70 19 17N 76 54 E
Dueñas 30 41 52N 4 33W
Dueodde 49 54 59N 15 4 E
Duero → 30 41 8N 8 40W
Duff Is. 94 9 53 S 167 8 E
Dufftown 14 57 26N 3 9W
Dugi 39 44 0N 15 0 E
Dugo Selo 39 45 51N 16 18 E
Duifken Pt. 97 12 33 S 141 38 E
Duisburg 24 51 27N 6 42 E
Duiwelskloof 93 23 42 S 30 10 E
Dukati 44 40 16N 19 32 E
Duke I. 108 54 50N 131 20W
Dukelsky průsmyk 27 49 25N 21 42 E
Dukhān 65 25 25N 50 50 E
Dukhovshchina 54 55 15N 32 27 E
Dukla 27 49 30N 21 35 E
Duku, Bauchi, Nigeria 85 10 43N 10 43 E
Duku, Sokoto, Nigeria 85 11 11N 4 55 E
Dulce → 124 30 32 S 62 33W
Dulce, Golfo 121 8 40N 83 20W
Dŭlgopol 43 43 3N 27 22 E
Dullewala 68 31 50N 71 25 E
Dülmen 24 51 49N 7 18 E
Dulovo 43 43 48N 27 9 E
Dululu 98 23 48 S 150 15 E
Duluth 116 46 48N 92 10W
Dum Dum 69 22 39N 88 33 E
Dum Duma 67 27 40N 95 40 E
Dum Hadjer 81 13 18N 19 41 E
Dumaguete 73 9 17N 123 15 E
Dumai 72 1 35N 101 28 E
Dumaran 73 10 33N 119 50 E
Dumaring 73 1 46N 118 10 E
Dumas, Ark., U.S.A. 117 33 52N 91 30W
Dumas, Tex., U.S.A. 117 35 50N 101 58W
Dumbarton 14 55 58N 4 35W
Dumbrăveni 46 46 14N 24 34 E
Dumfries 14 55 4N 3 37W
Dumfries & Galloway □ 14 55 0N 4 0W
Dumka 69 24 12N 87 15 E
Dümmersee 24 52 30N 8 21 E
Dumoine → 106 46 13N 77 51W
Dumoine L. 106 46 55N 77 55W
Dumraon 69 25 33N 84 8 E
Dumyât 86 31 24N 31 48 E
Dumyât, Masabb 86 31 28N 31 51 E
Dun Laoghaire 15 53 17N 6 9W
Dun-le-Palestel 20 46 18N 1 39 E
Dun-sur-Auron 19 46 53N 2 33 E
Duna → 27 45 51N 18 48 E
Dunaföldvár 27 46 50N 18 57 E
Dunaj → 27 48 5N 17 10 E
Dunajec → 27 50 15N 20 44 E
Dunajska Streda 27 48 0N 17 37 E
Dunapatai 27 46 39N 19 4 E
Dunărea → 46 45 30N 8 15 E
Dunaszekcsö 27 46 6N 18 45 E
Dunaújváros 27 47 0N 18 57 E
Dunav → 42 44 47N 21 20 E
Dunavtsi 42 43 57N 22 53 E
Dunback 101 45 23 S 170 36 E
Dunbar, Austral. 98 16 0 S 142 22 E
Dunbar, U.K. 14 56 0N 2 32W
Dunblane 14 56 10N 3 58W
Duncan, Can. 108 48 45N 123 40W
Duncan, Ariz., U.S.A. 119 32 46N 109 6W
Duncan, Okla., U.S.A. 117 34 25N 98 0W
Duncan L. 108 62 51N 113 58W
Duncan, L. 106 53 29N 77 58W
Duncan Pass. 71 11 0N 92 30 E
Duncan Town 121 22 15N 75 45W
Duncannon 112 40 23N 77 2W
Dundalk, Can. 112 44 10N 80 24W
Dundalk, Ireland 15 54 1N 6 25W
Dundalk Bay 15 53 55N 6 15W
Dundas 106 43 17N 79 59W
Dundas I. 108 54 30N 130 50W
Dundas, L. 96 32 35 S 121 50 E
Dundas Str. 96 11 15 S 131 35 E
Dundee, S. Afr. 93 28 11 S 30 15 E
Dundee, U.K. 14 56 29N 3 0W
Dundoo 99 27 40 S 144 37 E
Dundrum 15 54 17N 5 50W
Dundrum B. 15 54 12N 5 40W
Dundwara 68 27 48N 79 9 E
Dunedin, N.Z. 101 45 50 S 170 33 E
Dunedin, U.S.A. 115 28 1N 82 45W
Dunedin → 108 59 30N 124 5W
Dunfermline 14 56 5N 3 28W
Dungannon, Can. 112 43 51N 81 36W
Dungannon, U.K. 15 54 30N 6 47W
Dungannon □ 15 54 30N 6 55W
Dungarpur 68 23 52N 73 45 E
Dungarvan 15 52 6N 7 40W
Dungarvan Bay 15 52 5N 7 35W
Dungeness 13 50 54N 0 59 E
Dungo, L. do 92 17 15 S 19 0 E
Dungog 99 32 22 S 151 46 E
Dungu 90 3 40N 28 32 E
Dungunâb 86 21 10N 37 9 E
Dungunâb, Khalij 86 21 5N 37 12 E
Dunhinda Falls 70 7 5N 81 6 E
Dunhua 76 43 20N 128 14 E
Dunhuang 75 40 8N 94 36 E
Dunières 21 45 13N 4 20 E
Dunk I. 98 17 59 S 146 29 E
Dunkeld 14 56 34N 3 36W
Dunkerque 19 51 2N 2 20 E
Dunkery Beacon 13 51 15N 3 37W
Dunkirk 114 42 30N 79 18W
Dunkirk = Dunkerque 19 51 2N 2 20 E
Dunkuj 87 12 50N 32 49 E
Dunkwa, Central, Ghana 84 6 0N 1 47W
Dunkwa, Central, Ghana 85 5 30N 1 0W
Dunlap 116 41 50N 95 36W
Dunmanus B. 15 51 31N 9 50W
Dunmore 114 41 27N 75 38W
Dunmore Hd. 15 52 10N 10 35W
Dunn 115 35 18N 78 36W
Dunnellon 115 29 4N 82 28W
Dunnet Hd. 14 58 38N 3 22W
Dunning 116 41 52N 100 4W
Dunnville 112 42 54N 79 36W
Dunolly 99 36 51 S 143 44 E
Dunoon 14 55 57N 4 56W
Dunqul 86 23 26N 31 37 E
Duns 14 55 47N 2 20W
Dunseith 116 48 49N 100 2W
Dunsmuir 118 41 10N 122 18W
Dunstable 13 51 53N 0 31W
Dunstan Mts. 101 44 53 S 169 35 E
Dunster 108 53 8N 119 50W
Dunvegan L. 109 60 8N 107 10W
Duolun 76 42 12N 116 28 E
Dupree 116 45 4N 101 35W
Dupuyer 118 48 11N 112 31W
Duque de Caxias 125 22 45 S 43 19W
Duquesne 112 40 22N 79 55W
Dūrā 62 31 31N 35 1 E
Durack Range 96 16 50 S 127 40 E
Durance → 21 43 55N 4 45 E
Durand 114 42 54N 83 58W
Durango, Mexico 120 24 3N 104 39W
Durango, Spain 32 43 13N 2 40W
Durango, U.S.A. 119 37 16N 107 50W
Durango □ 120 25 0N 105 0W
Durant 117 34 0N 96 25W
Duratón → 30 41 37N 4 7W
Durazno 124 33 25 S 56 31W
Durazzo = Durrësi 44 41 19N 19 28 E
Durban, France 20 43 0N 2 49 E
Durban, S. Afr. 93 29 49 S 31 1 E
Dúrcal 31 37 0N 3 34W
Đurđevac 42 46 2N 17 3 E
Düren 24 50 48N 6 30 E
Durg 69 21 15N 81 22 E
Durgapur 69 23 30N 87 20 E
Durham, Can. 106 44 10N 80 49W
Durham, U.K. 12 54 47N 1 34W
Durham, U.S.A. 115 36 0N 78 55W
Durham □ 12 54 42N 1 45W
Durmitor 34 43 10N 19 0 E
Durness 14 58 34N 4 45W
Durrës 44 41 19N 19 28 E
Durrësi 44 41 19N 19 28 E
Durrie 99 25 40 S 140 15 E
Durtal 18 47 40N 0 18W
Duru 90 4 14N 28 50 E
D'Urville I. 101 40 50 S 173 55 E
D'Urville, Tanjung 73 1 28 S 137 54 E
Duryea 113 41 20N 75 45W
Dusa Mareb 63 5 30N 46 15 E
Dûsh 86 24 35N 30 41 E
Dushak 58 37 13N 60 1 E
Dushan 77 25 48N 107 30 E
Dushanbe 58 38 33N 68 48 E
Dusheti 57 42 10N 44 42 E
Dusky Sd. 101 45 47 S 166 30 E
Düsseldorf 24 51 15N 6 46 E
Duszniki-Zdrój 28 50 24N 16 24 E
Dutch Harbor 104 53 54N 166 35W
Dutlhe 92 23 58 S 23 46 E
Dutsan Wai 85 10 50N 8 10 E
Dutton 112 42 39N 81 30W
Dutton → 98 20 44 S 143 10 E
Duved 48 63 24N 12 55 E
Duvno 42 43 42N 17 13 E
Duwādimi 64 24 35N 44 15 E
Duyun 77 26 18N 107 29 E
Duzce 64 40 50N 31 10 E
Duzdab = Zāhedān 65 29 30N 60 50 E
Dve Mogili 43 43 35N 25 55 E
Dvina, Sev. 52 64 32N 40 30 E
Dvinsk = Daugavpils 54 55 53N 26 32 E
Dvinskaya Guba 52 65 0N 39 0 E
Dvor 39 45 4N 16 22 E
Dvorce 27 49 50N 17 34 E
Dvur Králové 26 50 27N 15 50 E
Dwarka 68 22 18N 69 8 E
Dwight, Can. 112 45 20N 79 1W
Dwight, U.S.A. 114 41 5N 88 25W
Dyakovskoya 55 60 5N 41 12 E
Dyatkovo 54 53 40N 34 27 E
Dyatlovo 54 53 28N 25 28 E
Dyer, C. 105 66 40N 61 0W
Dyer Plateau 5 70 45 S 65 30W
Dyersburg 117 36 2N 89 20W
Dyfed □ 13 52 0N 4 30W
Dyje → 27 48 37N 16 56 E
Dynevor Downs 99 28 10 S 144 20 E
Dynów 27 49 50N 22 11 E
Dysart 109 50 57N 104 2W
Dzamin Üüd 75 43 50N 111 58 E
Dzerzhinsk, Byelorussian S.S.R., U.S.S.R. 54 53 40N 27 1 E
Dzerzhinsk, R.S.F.S.R., U.S.S.R. 55 56 14N 43 30 E
Dzhalal-Abad 58 40 56N 73 0 E
Dzhalinda 59 53 26N 124 0 E
Dzhambeyty 57 50 15N 52 30 E
Dzhambul 58 42 54N 71 22 E
Dzhankoi 56 45 40N 34 20 E
Dzhanybek 57 49 25N 46 50 E
Dzhardzhan 59 68 10N 124 10 E
Dzhelinde 59 70 0N 114 20 E

Dzhetygara Elbow

Dzhetygara 58 52 11N 61 12 E
Dzhezkazgan 58 47 44N 67 40 E
Dzhikimde 59 59 1N 121 47 E
Dzhizak 58 40 6N 67 50 E
Dzhugdzur, Khrebet 59 57 30N 138 0 E
Dzhungarskiye Vorota 58 45 0N 82 0 E
Dzhvari 57 42 42N 42 4 E
Działdowo 28 53 15N 20 15 E
Działoszyce 28 50 22N 20 20 E
Działoszyn 28 51 6N 18 50 E
Dzierzgoń 28 53 58N 19 20 E
Dzierzoniów 28 50 45N 16 39 E
Dzioua 83 33 14N 5 14 E
Dziwnów 28 54 2N 14 45 E
Dzungarian Gate = Alataw Shankou 75 45 5N 81 57 E
Dzuumod 75 47 45N 106 58 E

E

Eabamet, L. 106 51 30N 87 46W
Eads 116 38 30N 102 46W
Eagle, Alaska, U.S.A. 104 64 44N 141 7W
Eagle, Colo., U.S.A. 118 39 39N 106 55W
Eagle → 107 53 36N 57 26W
Eagle Butt 116 45 1N 101 12W
Eagle Grove 116 42 37N 93 53W
Eagle L., Calif., U.S.A. 118 40 35N 120 50W
Eagle L., Me., U.S.A. 107 46 23N 69 22W
Eagle Lake 117 29 35N 96 21W
Eagle Nest 119 36 33N 105 13W
Eagle Pass 117 28 45N 100 35W
Eagle River 116 45 55N 89 17W
Eaglehawk 99 36 39 S 144 16 E
Ealing 13 51 30N 0 19W
Earl Grey 109 50 57N 104 43W
Earle 117 35 18N 90 26W
Earlimart 119 35 53N 119 16W
Earn → 14 56 20N 3 19W
Earn, L. 14 56 23N 4 14W
Earnslaw, Mt. 101 44 32 S 168 27 E
Earth 117 34 18N 102 30W
Easley 115 34 52N 82 35W
East Angus 107 45 30N 71 40W
East Aurora 112 42 46N 78 38W
East B. 117 29 2N 89 16W
East Bengal 67 24 0N 90 0 E
East Beskids = Vychodné Beskydy 27 49 30N 22 0 E
East Brady 112 40 59N 79 36W
East C. 101 37 42 S 178 35 E
East Chicago 114 41 40N 87 30W
East China Sea 75 30 5N 126 0 E
East Coulee 108 51 23N 112 27W
East Falkland 128 51 30 S 58 30W
East Grand Forks 116 47 55N 97 5W
East Greenwich 113 41 39N 71 27W
East Hartford 113 41 45N 72 39W
East Helena 118 46 37N 111 58W
East Indies 72 0 0 120 0 E
East Jordan 114 45 10N 85 7W
East Kilbride 14 55 46N 4 10W
East Lansing 114 42 44N 84 29W
East Liverpool 114 40 39N 80 35W
East London 93 33 0 S 27 55 E
East Orange 114 40 46N 74 13W
East Pacific Ridge 95 15 0 S 110 0W
East Pakistan = Bangladesh ■ 67 24 0N 90 0 E
East Palestine 112 40 50N 80 32W
East Pine 108 55 48N 120 12W
East Pt. 107 46 27N 61 58W
East Point 115 33 40N 84 28W
East Providence 113 41 48N 71 22W
East Retford 12 53 19N 0 55W
East St. Louis 116 38 37N 90 4W
East Schelde → = Oosterschelde 16 51 38N 3 40 E
East Siberian Sea 59 73 0N 160 0 E
East Stroudsburg 113 41 1N 75 11W
East Sussex □ 13 51 0N 0 20 E
East Tawas 114 44 17N 83 31W
Eastbourne, N.Z. 101 41 19 S 174 55 E
Eastbourne, U.K. 13 50 46N 0 18 E
Eastend 109 49 32N 108 50W
Easter I. 95 27 8 S 109 23W
Easter Islands 95 27 0 S 109 0W
Eastern □, Kenya 90 0 0 S 38 30 E
Eastern □, Uganda 90 1 50N 33 45 E
Eastern Cr. → 98 20 40 S 141 35 E
Eastern Ghats 70 14 0N 78 50 E
Eastern Province □ 84 8 15N 11 0W
Easterville 109 53 8N 99 49W
Easthampton 113 42 15N 72 41W
Eastland 117 32 26N 98 45W
Eastleigh 13 50 58N 1 21W
Eastmain → 106 52 27N 78 26W
Eastmain (East Main) 106 52 10N 78 30W
Eastman, Can. 113 45 18N 72 19W
Eastman, U.S.A. 115 32 13N 83 20W
Easton, Md., U.S.A. 114 38 47N 76 7W
Easton, Pa., U.S.A. 114 40 41N 75 15W
Easton, Wash., U.S.A. 118 47 14N 121 8W
Eastport 107 44 57N 67 0W
Eaton 116 40 35N 104 42W
Eatonia 109 51 13N 109 25W
Eatonton 115 33 22N 83 24W
Eatontown 113 40 18N 74 7W
Eau Claire, S.C., U.S.A. 115 34 5N 81 2W
Eau Claire, Wis., U.S.A. 116 44 46N 91 30W
Eauze 20 43 53N 0 7 E
Ebagoola 98 14 15 S 143 12 E
Eban 85 9 40N 4 50 E
Ebbw Vale 13 51 47N 3 12W
Ebeggui 83 26 2N 6 0 E
Ebensburg 112 40 29N 78 43W
Ebensee 26 47 48N 13 46 E
Eberbach 25 49 27N 8 59 E
Eberswalde 24 52 49N 13 50 E
Ebingen 25 48 13N 9 1 E
Eboli 41 40 39N 15 2 E
Ebolowa 88 2 55N 11 10 E
Ebrach 25 49 50N 10 30 E
Ébrié, Lagune 84 5 12N 4 26W
Ebro → 32 40 43N 0 54 E
Ebro, Pantano del 30 43 0N 3 58W
Ebstorf 24 53 2N 10 23 E
Eceabat 44 40 11N 26 21 E
Éceuillé 18 47 10N 1 19 E
Echelles, Les 21 45 27N 5 45 E
Echmiadzin 57 40 12N 44 19 E
Echo Bay 106 46 29N 84 4W
Echo Bay (Port Radium) 104 66 05N 117 55W
Echoing → 109 55 51N 92 5W
Echternach 16 49 49N 6 25 E
Echuca 100 36 10 S 144 20 E
Ecija 31 37 30N 5 10W
Eckernförde 24 54 26N 9 50 E
Écommoy 18 47 50N 0 17 E
Écos 19 49 9N 1 35 E
Écouché 18 48 42N 0 10W
Ecuador ■ 126 2 0 S 78 0W
Ed 49 58 55N 11 55 E
Ed Dabbura 86 17 40N 34 15 E
Ed Dâmer 86 17 27N 34 0 E
Ed Debba 86 18 0N 30 51 E
Ed-Déffa 86 30 40N 26 30 E
Ed Deim 87 10 10N 28 20 E
Ed Dueim 87 14 0N 32 10 E
Edam, Can. 109 53 11N 108 46W
Edam, Neth. 16 52 31N 5 3 E
Edapally 70 11 19N 78 3 E
Eday 14 59 11N 2 47W
Edd 87 14 0N 41 38 E
Eddrachillis B. 14 58 16N 5 10W
Eddystone 13 50 11N 4 16W
Eddystone Pt. 99 40 59 S 148 20 E
Ede, Neth. 16 52 4N 5 40 E
Ede, Nigeria 85 7 45N 4 29 E
Édea 88 3 51N 10 9 E
Edehon L. 109 60 25N 97 15W
Edekel, Adrar 83 23 56N 6 47 E
Eden, Austral. 99 37 3 S 149 55 E
Eden, N.C., U.S.A. 115 36 29N 79 53W
Eden, N.Y., U.S.A. 112 42 39N 78 55W
Eden, Tex., U.S.A. 117 31 16N 99 50W
Eden, Wyo., U.S.A. 118 42 2N 109 27W
Eden → 12 54 57N 3 2W
Eden L. 109 56 38N 100 15W
Edenburg 92 29 43 S 25 58 E
Edenderry 15 53 21N 7 3W
Edenton 115 36 5N 76 36W
Edenville 93 27 37 S 27 34 E
Eder → 24 51 15N 9 25 E
Ederstausee 24 51 11N 9 0 E
Edgar 116 40 25N 98 0W
Edgartown 113 41 22N 70 28W
Edge Hill 13 52 7N 1 28W
Edgefield 115 33 50N 81 59W
Edgeley 116 46 27N 98 41W
Edgemont 116 43 15N 103 53W
Edgeøya 4 77 45N 22 30 E
Edhessa 44 40 48N 22 5 E
Edievale 101 45 49 S 169 22 E
Edina, Liberia 84 6 0N 10 10W
Edina, U.S.A. 116 40 6N 92 10W
Edinburg 117 26 22N 98 10W
Edinburgh 14 55 57N 3 12W
Edirne 43 41 40N 26 34 E
Edithburgh 99 35 5 S 137 43 E
Edjeleh 83 28 38N 9 50 E
Edmeston 113 42 42N 75 15W
Edmond 117 35 37N 97 30W
Edmonds 118 47 47N 122 22W
Edmonton, Austral. 98 17 2 S 145 46 E
Edmonton, Can. 108 53 30N 113 30W
Edmund L. 109 54 45N 93 17W
Edmundston 107 47 23N 68 20W
Edna 117 29 0N 96 40W
Edna Bay 108 55 55N 133 40W
Edolo 38 46 10N 10 21 E
Edremit 64 39 34N 27 0 E
Edsbyn 48 61 23N 15 49 E
Edsel Ford Ra. 5 77 0 S 143 0W
Edsele 48 63 25N 16 32 E
Edson 108 53 35N 116 28W
Eduardo Castex 124 35 50 S 64 18W
Edward → 99 35 0 S 143 30 E
Edward I. 106 48 22N 88 37W
Edward, L. 90 0 25 S 29 40 E
Edward VII Pen. 5 80 0 S 150 0W
Edwards Plat. 117 30 30N 101 5W
Edwardsville 113 41 15N 75 56W
Edzo 108 62 49N 116 4W
Eekloo 16 51 11N 3 33 E
Ef'e, Nahal 62 31 9N 35 13 E
Eferding 26 48 18N 14 1 E
Eferi 83 24 30N 9 28 E
Effingham 114 39 8N 88 30W
Eforie Sud 46 44 1N 28 37 E
Ega → 32 42 19N 1 55W
Égadi, Ìsole 40 37 55N 12 16 E
Eganville 106 45 32N 77 5W
Egeland 116 48 42N 99 6W
Egenolf L. 109 59 3N 100 0W
Eger 27 47 53N 20 27 E
Eger → 27 47 38N 20 50 E
Egersund 47 58 26N 6 1 E
Egerton, Mt. 96 24 42 S 117 44 E
Egg L. 109 55 5N 105 30W
Eggenburg 26 48 38N 15 50 E
Eggenfelden 25 48 24N 12 46 E
Égletons 20 45 24N 2 3 E
Egmont, C. 101 39 16 S 173 45 E
Egmont, Mt. 101 39 17 S 174 5 E
Eğridir 64 37 52N 30 51 E
Eğridir Gölü 64 37 53N 30 50 E
Egtved 49 55 38N 9 18 E
Egume 85 7 30N 7 14 E
Éguzon 20 46 27N 1 33 E
Egvekinot 59 66 19N 179 50W
Egyek 27 47 39N 20 52 E
Egypt ■ 86 28 0N 31 0 E
Eha Amufu 85 6 30N 7 46 E
Ehime □ 74 33 30N 132 40 E
Ehingen 25 48 16N 9 43 E
Ehrwald 26 47 24N 10 56 E
Eibar 32 43 11N 2 28W
Eichstatt 25 48 53N 11 12 E
Eida 47 60 32N 6 43 E
Eider → 24 54 19N 8 58 E
Eidsvold 99 25 25 S 151 12 E
Eifel 25 50 10N 6 45 E
Eiffel Flats 91 18 20 S 30 0 E
Eigg 14 56 54N 6 10W
Eighty Mile Beach 96 19 30 S 120 40 E
Eil 63 8 0N 49 50 E
Eil, L. 14 56 50N 5 15W
Eildon, L. 99 37 10 S 146 0 E
Eileen L. 109 62 16N 107 37W
Eilenburg 24 51 28N 12 38 E
Ein el Luweiqa 87 14 5N 33 50 E
Einasleigh 97 18 32 S 144 5 E
Einasleigh → 98 17 30 S 142 17 E
Einbeck 24 51 48N 9 50 E
Eindhoven 16 51 26N 5 30 E
Einsiedeln 25 47 7N 8 46 E
Eiriksjökull 50 64 46N 20 24W
Eirunepé 126 6 35 S 69 53W
Eisenach 24 50 58N 10 18 E
Eisenberg 24 50 59N 11 50 E
Eisenerz 26 47 32N 14 54 E
Eisenhüttenstadt 24 52 9N 14 41 E
Eisenkappel 26 46 29N 14 36 E
Eisenstadt 27 47 51N 16 31 E
Eiserfeld 24 50 50N 7 59 E
Eisfeld 24 50 25N 10 54 E
Eisleben 24 51 31N 11 31 E
Ejby 49 55 25N 9 56 E
Eje, Sierra del 30 42 24N 6 54W
Ejea de los Caballeros 32 42 7N 1 9W
Ekalaka 116 45 55N 104 30W
Eket 85 4 38N 7 56 E
Eketahuna 101 40 38 S 175 43 E
Ekhinos 44 41 16N 25 1 E
Ekibastuz 58 51 50N 75 10 E
Ekimchan 59 53 0N 133 0W
Ekoli 90 0 23 S 24 13 E
Eksjö 49 57 40N 14 58W
Ekwan → 106 53 12N 82 15W
Ekwan Pt. 106 53 16N 82 7W
El Aaiún 80 27 9N 13 12W
El Aat 62 32 50N 35 45 E
El Abiodh-Sidi-Cheikh 82 32 53N 0 31 E
El Aïoun 82 34 33N 2 30W
El 'Aiyat 86 29 36N 31 15 E
El Alamein 86 30 48N 28 58 E
El 'Arag 86 28 40N 26 20 E
El Arahal 31 37 15N 5 33W
El Arba 82 36 37N 3 12 E
El Aricha 82 34 13N 1 10W
El Arīhā 62 31 52N 35 27 E
El Arish 98 17 35 S 146 1 E
El 'Arîsh 86 31 8N 33 50 E
El Arrouch 83 36 37N 6 53 E
* El Asnam 82 36 10N 1 20 E
El Astillero 30 43 24N 3 49W
El Badâri 86 27 4N 31 25 E
El Bahrein 86 28 30N 26 25 E
El Ballâs 86 26 2N 32 43 E
El Balyana 86 26 10N 32 3 E
El Baqeir 86 18 40N 33 40 E
El Barco de Ávila 30 40 21N 5 31W
El Barco de Valdeorras 30 42 23N 7 0W
El Bauga 86 18 18N 33 52 E
El Bawiti 86 28 25N 28 45 E
El Bayadh 82 33 40N 1 1 E
El Bierzo 30 42 45N 6 30W
El Bluff 121 11 59N 83 40W
El Bonillo 33 38 57N 2 35W
El Cajon 119 32 49N 117 0W
El Callao 126 7 18N 61 50W
El Camp 32 41 5N 1 10 E
El Campo 117 29 10N 96 20W
El Castillo 31 37 41N 6 19W
El Centro 119 32 50N 115 40W
El Cerro, Boliv. 126 17 30 S 61 40W
El Cerro, Spain 31 37 45N 6 57W
El Coronil 31 37 5N 5 38W
El Cuy 128 39 55 S 68 25W
El Cuyo 120 21 30N 87 40W
El Dab'a 86 31 0N 28 27 E
El Deir 86 25 25N 32 20 E
El Dere 63 3 50N 47 8 E
El Dias 120 20 40N 87 20W
El Dilingat 86 30 50N 30 31 E
El Diviso 126 1 22N 78 14W
El Djem 83 35 18N 10 42 E
El Djouf 84 20 0N 11 30 E
El Dorado, Ark., U.S.A. 117 33 10N 92 40W
El Dorado, Kans., U.S.A. 117 37 55N 96 56W
El Dorado, Venez. 126 6 55N 61 37W
El Dorado Springs 117 37 54N 93 59W
El Eglab 82 26 20N 4 30W
El Escorial 30 40 35N 4 7W
El Eulma 83 36 9N 5 42 E
El Faiyûm 86 29 19N 30 50 E
El Fâsher 87 13 33N 25 26 E
El Fashn 86 28 50N 30 54 E
El Ferrol 30 43 29N 8 15W
El Fifi 87 10 4N 25 0 E
El Fuerte 120 26 30N 108 40W
El Gal 63 10 58N 50 20 E
El Gebir 87 13 40N 29 40 E
El Gedida 86 25 40N 28 30 E
El Geteina 87 14 50N 32 27 E
El Gezira □ 87 15 0N 33 0 E
El Gîza 86 30 0N 31 10 E
El Goléa 82 30 30N 2 50 E
El Guettar 83 34 5N 4 38 E
El Hadjira 83 32 36N 5 30 E
El Hagiz 87 15 15N 35 50 E
El Hajeb 82 33 43N 5 13W
El Hammam 86 30 52N 29 25 E
El Hank 82 24 30N 7 0W
El Harrache 80 36 45N 3 5 E
El Hawata 87 13 25N 34 42 E
El Heiz 86 27 50N 28 40 E
El 'Idisât 86 25 30N 32 35 E
El Iskandarîya 86 31 0N 30 0 E
El Istwâ'ya □ 87 5 0N 30 0 E
El Jadida 80 33 11N 8 17W
El Jebelein 81 12 40N 32 55 E
El Kab 86 19 27N 32 46 E
El Kala 83 36 50N 8 30 E
El Kalâa 82 32 4N 7 27W
El Kamlin 87 15 3N 33 11 E
El Kantara, Alg. 83 35 14N 5 45 E
El Kantara, Tunisia 83 33 45N 10 58 E
El Karaba 86 18 32N 33 41 E
El Kef 83 36 12N 8 47 E
El Khandaq 86 18 30N 30 30 E
El Khârga 86 25 30N 30 33 E
El Khartûm 87 15 31N 32 35 E
El Khartûm □ 87 16 0N 33 0 E
El Khartûm Bahrî 87 15 40N 32 31 E
El-Khroubs 83 36 10N 6 55 E
El Khureiba 86 28 3N 35 10 E
El Kseur 83 36 46N 4 49 E
El Ksiba 82 32 45N 6 1W
El Kuntilla 86 30 1N 34 45 E
El Laqâwa 81 11 25N 29 1 E
El Laqeita 86 25 50N 33 15 E
El Leiya 87 16 15N 35 28 E
El Mafâza 87 13 38N 34 30 E
El Mahalla el Kubra 86 31 0N 31 0 E
El Mahârîq 86 25 35N 30 35 E
El Mahmûdîya 86 31 10N 30 32 E
El Maiz 82 28 19N 0 9W
El-Maks el-Bahari 86 24 30N 30 40 E
El Manshâh 86 26 26N 31 50 E
El Mansour 82 27 47N 0 14W
El Mansûra 86 31 0N 31 19 E
El Manzala 86 31 10N 31 50 E
El Marâgha 86 26 35N 31 10 E
El Masid 87 15 15N 33 0 E
El Matariya 86 31 15N 32 0 E
El Meghaier 83 33 55N 5 58 E
El Meraguen 82 28 0N 0 7W
El Metemma 87 16 50N 33 10 E
El Milagro 124 30 59 S 65 59W
El Milia 83 36 51N 6 13 E
El Minyâ 86 28 7N 30 33 E
El Molar 32 40 42N 3 45W
El Mreyye 84 18 0N 6 0W
El Obeid 87 13 8N 30 10 E
El Odaiya 81 12 8N 28 12 E
El Oro 120 19 48N 100 8W
El Oro = Sta. María del Oro 120 25 50N 105 20W
El Oued 83 33 20N 6 58 E
El Palmito, Presa 120 25 40N 105 30W
El Panadés 32 41 10N 1 30 E
El Pardo 30 40 31N 3 47W
El Paso 119 31 50N 106 30W
El Pedernoso 33 39 29N 2 45W
El Pedroso 31 37 51N 5 45W
El Pobo de Dueñas 32 40 46N 1 39W
El Portal 119 37 44N 119 49W
El Prat de Llobregat 32 41 18N 2 3 E
El Progreso 120 15 26N 87 51W
El Provencío 33 39 23N 2 35W
El Pueblito 120 29 3N 105 4W
El Qâhira 86 30 1N 31 14 E
El Qantara 86 30 51N 32 20 E
El Qasr 86 25 44N 28 42 E
El Quseima 86 30 40N 34 15 E
El Qusîya 86 27 29N 30 44 E
El Râshda 86 25 36N 28 57 E
El Reno 117 35 30N 98 0W
El Ribero 30 42 30N 8 30W
El Rîdisiya 86 24 56N 32 51 E
El Ronquillo 31 37 44N 6 10W
El Rubio 31 37 22N 5 0W
El Saff 86 29 34N 31 16 E
El Salvador ■ 120 13 50N 89 0W
El Sancejo 31 37 4N 5 6W
El Sauce 121 13 0N 86 40W
El Shallal 86 24 0N 32 53 E
El Simbillawein 86 30 48N 31 13 E
El Suweis 86 29 58N 32 31 E
El Thamad 86 29 40N 34 28 E
El Tigre 126 8 44N 64 15W
El Tocuyo 126 9 47N 69 48W
El Tofo 124 29 22 S 71 18W
El Tránsito 124 28 52 S 70 17W
El Tûr 86 28 14N 33 36 E
El Turbio 128 51 45 S 72 5W
El Uqsur 86 25 41N 32 38 E
El Vado 32 41 2N 3 18W
El Vallés 32 41 35N 2 20 E
El Vigía 126 8 38N 71 39W
El Wak 90 2 49N 40 56 E
El Waqf 86 25 45N 32 15 E
El Wâsta 86 29 19N 31 12 E
El Weguet 87 5 28N 42 17 E
El Wuz 81 15 0N 30 7 E
Elafónisos 45 36 29N 22 56 E
Elamanchili = Yellamanchilli 70 17 26N 82 50 E
Elandsvlei 92 32 19 S 19 31 E
Élassa 45 35 18N 26 21 E
Elassón 44 39 53N 22 12 E
Elat 62 29 30N 34 56 E
Eláthia 45 38 37N 22 46 E
Elâzığ 64 38 37N 39 14 E
Elba, Italy 38 42 48N 10 15 E
Elba, U.S.A. 115 31 27N 86 4W
Elbasani 44 41 9N 20 9 E
Elbasani-Berati □ 44 40 58N 20 0 E
Elbe → 24 53 50N 9 0 E
Elbert, Mt. 119 39 5N 106 27W
Elberta 114 44 35N 86 14W
Elberton 115 34 7N 82 51W
Elbeuf 18 49 17N 1 2 E
Elbidtan 64 38 13N 37 12 E
Elbing = Elbląg 28 54 10N 19 25 E
Elbląg 28 54 10N 19 25 E
Elbląg □ 28 54 15N 19 30 E
Elbow 109 51 7N 106 35W

* Renamed Ech Cheliff

Elbrus Estevan

Elbrus 57 43 21N 42 30 E
Elburg 16 52 26N 5 50 E
Elburz Mts. = Alborz 65 36 0N 52 0 E
Elche 33 38 15N 0 42W
Elche de la Sierra 33 38 27N 2 3W
Elcho I. 97 11 55 S 135 45 E
Elda 33 38 29N 0 47W
Eldon 116 38 20N 92 38W
Eldora 116 42 20N 93 5W
Eldorado, Argent. 125 26 28 S 54 43W
Eldorado, Can. 109 59 35N 108 30W
Eldorado, Mexico 120 24 20N 107 22W
Eldorado, Ill., U.S.A. 114 37 50N 88 25W
Eldorado, Tex., U.S.A. 117 30 52N 100 35W
Eldoret 90 0 30N 35 17 E
Eldred 112 41 57N 78 24W
Electra 117 34 0N 99 0W
Elefantes → 93 24 10 S 32 40 E
Elektrogorsk 55 55 56N 38 50 E
Elektrostal 55 55 41N 38 32 E
Elele 85 5 5N 6 50 E
Elena 43 42 55N 25 53 E
Elephant Butte Res. 119 33 45N 107 30W
Elephant I. 5 61 0 S 55 0W
Elephant Pass 70 9 35N 80 25 E
Eleshnitsa 43 41 52N 23 36 E
Eleuthera 121 25 0N 76 20W
Elevsís 45 38 4N 23 26 E
Elevtheroúpolis 44 40 52N 24 20 E
Elgepiggen 47 62 10N 11 21 E
Elgeyo-Marakwet □ 90 0 45N 35 30 E
Elgin, N.B., Can. 107 45 48N 65 10W
Elgin, Ont., Can. 113 44 36N 76 13W
Elgin, U.K. 14 57 39N 3 20W
Elgin, Ill., U.S.A. 114 42 0N 88 20W
Elgin, N.D., U.S.A. 116 46 24N 101 46W
Elgin, Nebr., U.S.A. 116 41 58N 98 3W
Elgin, Nev., U.S.A. 119 37 21N 114 20W
Elgin, Oreg., U.S.A. 118 45 37N 118 0W
Elgin, Texas, U.S.A. 117 30 21N 97 22W
Elgon, Mt. 90 1 10N 34 30 E
Eliase 73 8 21 S 130 48 E
Elida 117 33 56N 103 41W
Elikón, Mt. 45 38 18N 22 45 E
Elin Pelin 43 42 40N 23 36 E
Elisabethville = Lubumbashi 91 11 40 S 27 28 E
Elista 57 46 16N 44 14 E
Elizabeth, Austral. 97 34 42 S 138 41 E
Elizabeth, U.S.A. 114 40 37N 74 12W
Elizabeth City 115 36 18N 76 16W
Elizabethton 115 36 20N 82 13W
Elizabethtown, Ky., U.S.A. 114 37 40N 85 54W
Elizabethtown, N.Y., U.S.A. 113 44 13N 73 36W
Elizabethtown, Pa., U.S.A. 113 40 8N 76 36W
Elizondo 32 43 12N 1 30W
Ełk 28 53 50N 22 21 E
Ełk → 28 53 41N 22 28 E
Elk City 117 35 25N 99 25W
Elk Island Nat. Park 108 53 35N 112 59W
Elk Lake 106 47 40N 80 25W
Elk Point 109 53 54N 110 55W
Elk River, Idaho, U.S.A. 118 46 50N 116 8W
Elk River, Minn., U.S.A. 116 45 17N 93 34W
Elkhart, Ind., U.S.A. 114 41 42N 85 55W
Elkhart, Kans., U.S.A. 117 37 3N 101 54W
Elkhorn 109 49 59N 101 14W
Elkhorn → 116 41 7N 98 15W
Elkhotovo 57 43 19N 44 15 E
Elkhovo 43 42 10N 26 40 E
Elkin 115 36 17N 80 50W
Elkins 114 38 53N 79 53W
Elko, Can. 108 49 20N 115 10W
Elko, U.S.A. 118 40 50N 115 50W
Ellef Ringnes I. 4 78 30N 102 2W
Ellen, Mt. 119 38 4N 110 56W
Ellendale 116 46 3N 98 30W
Ellensburg 118 47 0N 120 30W
Ellenville 114 41 42N 74 23W
Ellery, Mt. 99 37 28 S 148 47 E
Ellesmere I. 4 79 30N 80 0W
Ellesworth Land 5 76 0 S 89 0W
Ellice Is. = Tuvalu ■ 94 8 0 S 176 0 E
Ellinwood 116 38 27N 98 37W
Elliot 93 31 22 S 27 48 E
Elliot Lake 106 46 25N 82 35W
Ellis 116 39 0N 99 39W
Ellisville 117 31 38N 89 12W
Ellon 14 57 21N 2 5W
Ellore = Eluru 70 16 48N 81 8 E
Ells → 108 57 18N 111 40W
Ellsworth 116 38 47N 98 15W
Ellsworth Land 5 76 0 S 89 0W
Ellsworth Mts. 5 78 30 S 85 0W
Ellwangen 25 48 57N 10 9 E
Ellwood City 114 40 52N 80 19W
Elm 25 46 54N 9 10 E
Elma, Can. 109 49 52N 95 55W
Elma, U.S.A. 118 47 0N 123 30 E
Elmalı 64 36 44N 29 56 E
Elmhurst 114 41 52N 87 58W
Elmina 85 5 5N 1 21W
Elmira, Can. 112 43 36N 80 33W
Elmira, U.S.A. 114 42 8N 76 49W
Elmore 99 36 30 S 144 37 E
Elmshorn 24 53 44N 9 40 E
Elmvale 112 44 35N 79 52W
Elne 20 42 36N 2 58 E
Elora 112 43 41N 80 26W
Elos 45 36 46N 22 43 E
Eloy 119 32 46N 111 33W
Eloyes 19 48 6N 6 36 E
Elrose 109 51 12N 108 0W
Elsas 106 48 32N 82 55W
Elsinore, Cal., U.S.A. 119 33 40N 117 15W
Elsinore, Utah, U.S.A. 119 38 40N 112 2W
Elspe 24 51 10N 8 1 E
Elster → 24 51 25N 11 57 E
Elsterwerda 24 51 27N 13 32 E
Eltham 101 39 26 S 174 19 E
Elton 57 49 5N 46 52 E
Eluru 70 16 48N 81 8 E
Elvas 31 38 50N 7 10W
Elven 18 47 44N 2 36W
Elverum 47 60 53N 11 34 E
Elvo → 38 45 23N 8 21 E
Elvran 47 63 24N 11 3 E
Elwood, Ind., U.S.A. 114 40 20N 85 50W
Elwood, Nebr., U.S.A. 116 40 38N 99 51W
Ely, U.K. 13 52 24N 0 16 E
Ely, Minn., U.S.A. 116 47 54N 91 52W
Ely, Nev., U.S.A. 118 39 10N 114 50W
Elyashiv 62 32 23N 34 55 E
Elyria 114 41 22N 82 8W
Elyrus 45 35 15N 23 45 E
Elz → 25 48 21N 7 45 E
Emådalen 48 61 20N 14 44 E
Emba 58 48 50N 58 8 E
Emba → 58 45 25N 52 30 E
Embarcación 124 23 10 S 64 0W
Embarras Portage 109 58 27N 111 28W
Embóna 45 36 13N 27 51 E
Embrun 21 44 34N 6 30 E
Embu 90 0 32 S 37 38 E
Embu □ 90 0 30 S 37 35 E
Emden 24 53 22N 7 12 E
'Emeq Yizre'el 62 32 35N 35 12 E
Emerald 97 23 32 S 148 10 E
Emerson 109 49 0N 97 10W
Emery 119 38 59N 111 17W
Emery Park 119 32 10N 110 59W
Emi Koussi 83 20 0N 18 55 E
Emilia-Romagna □ 38 44 33N 10 40 E
Emilius, Mte. 38 45 41N 7 23 E
Eminabad 68 32 2N 74 8 E
Emine, Nos 43 42 40N 27 56 E
Emlenton 112 41 11N 79 41W
Emlichheim 24 52 37N 6 51 E
Emmaboda 49 56 37N 15 32 E
Emme → 25 47 0N 7 42 E
Emmeloord 16 52 44N 5 46 E
Emmen 16 52 48N 6 57 E
Emmendingen 25 48 7N 7 51 E
Emmental 25 47 0N 7 35 E
Emmerich 24 51 50N 6 12 E
Emmet 98 24 45 S 144 30 E
Emmetsburg 116 43 3N 94 40W
Emmett 118 43 51N 116 33W
Emöd 27 47 57N 20 47 E
Emona 43 42 43N 27 53 E
Empalme 120 28 1N 110 49W
Empangeni 93 28 50 S 31 52 E
Empedrado 124 28 0 S 58 46W
Emperor Seamount Chain 94 40 0N 170 0 E
Empoli 38 43 43N 10 57 E
Emporia, Kans., U.S.A. 116 38 25N 96 10W
Emporia, Va., U.S.A. 115 36 41N 77 32W
Emporium 114 41 30N 78 17W
Empress 109 50 57N 110 0W
Ems → 24 52 37N 9 26 E
Emsdale 112 45 32N 79 19W
Emsdetten 24 52 11N 7 31 E
Emu 76 43 40N 128 6 E
Emu Park 98 23 13 S 150 50 E
En Gedi 62 31 28N 35 25 E
En Gev 62 32 47N 35 38 E
En Harod 62 32 33N 35 22 E
'En Kerem 62 31 47N 35 6 E
En Nahud 87 12 45N 28 25 E
Enafors 48 63 17N 12 20 E
Enana 92 17 30 S 16 23 E
Enånger 48 61 30N 17 9 E
Enaratoli 73 3 55 S 136 21 E
Enard B. 14 58 5N 5 20W
Encantadas, Serra 125 30 40 S 53 0W
Encanto, C. 73 15 45N 121 38 E
Encarnación 125 27 15 S 55 50W
Encarnación de Diaz 120 21 30N 102 13W
Enchi 84 5 53N 2 48W
Encinal 117 28 3N 99 25W
Encino 119 34 38N 105 40W
Encounter B. 97 35 45 S 138 45 E
Endau 71 2 40N 103 38 E
Endau → 71 2 30N 103 30 E
Ende 73 8 45 S 121 40 E
Endeavour 109 52 10N 102 39W
Endeavour Str. 97 10 45 S 142 0 E
Endelave 49 55 46N 10 18 E
Enderbury I. 94 3 8 S 171 5W
Enderby 108 50 35N 119 10W
Enderby Land 5 66 0 S 53 0 E
Enderlin 116 46 37N 97 41W
Endicott, N.Y., U.S.A. 114 42 6N 76 2W
Endicott, Wash., U.S.A. 118 47 0N 117 45W
Endröd 27 46 55N 20 47 E
Enez 44 40 45N 26 5 E
Enfida 83 36 6N 10 28 E
Enfield 13 51 39N 0 4W
Engadin = Engiadina 25 46 51N 10 18 E
Engaño, C., Dom. Rep. 121 18 30N 68 20W
Engaño, C., Phil. 73 18 35N 122 23 E
Engelberg 25 46 48N 8 26 E
Engels 55 51 28N 46 6 E
Engemann L. 109 58 0N 106 55W
Enger 47 60 35N 10 20 E
Enggano 72 5 20 S 102 40 E
Enghien 16 50 37N 4 2 E
Engiadina 25 46 51N 10 18 E
Engil 82 33 12N 4 32W
Engkilili 72 1 3N 111 42 E
England 117 34 30N 91 58W
England □ 11 53 0N 2 0W
Englee 107 50 45N 56 5W
Englehart 106 47 49N 79 52W
Engler L. 109 59 8N 106 52W
Englewood, Colo., U.S.A. 116 39 40N 105 0W
Englewood, Kans., U.S.A. 117 37 7N 99 59W
Englewood, N.J., U.S.A. 113 40 54N 73 59W
English → 109 50 35N 93 30W
English Bazar 69 24 58N 88 10 E
English Channel 18 50 0N 2 0W
English River 106 49 14N 91 0W
Enid 117 36 26N 97 52W
Enipévs → 44 39 22N 22 17 E
Eniwetok 94 11 30N 162 15 E
Enkeldoorn 91 19 2 S 30 52 E
Enkhuizen 16 52 42N 5 17 E
Enköping 48 59 37N 17 4 E
Enna 41 37 34N 14 15 E
Ennadai 109 61 8N 100 53W
Ennadai L. 109 61 0N 101 0W
Ennedi 81 17 15N 22 0 E
Enngonia 99 29 21 S 145 50 E
Ennis, Ireland 15 52 51N 8 59W
Ennis, Mont., U.S.A. 118 45 20N 111 42W
Ennis, Texas, U.S.A. 117 32 15N 96 40W
Enniscorthy 15 52 30N 6 35W
Enniskillen 15 54 20N 7 40W
Ennistimon 15 52 56N 9 18W
Enns 26 48 12N 14 28 E
Enns → 26 48 14N 14 32 E
Enontekiö 50 68 23N 23 37 E
Enping 77 22 16N 112 21 E
Enriquillo, L. 121 18 20N 72 5W
Enschede 16 52 13N 6 53 E
Ensenada, Argent. 124 34 55 S 57 55W
Ensenada, Mexico 120 31 50N 116 50W
Enshi 77 30 18N 109 29 E
Ensisheim 19 47 50N 7 20 E
Entebbe 90 0 4N 32 28 E
Enterprise, Can. 108 60 47N 115 45W
Enterprise, Oreg., U.S.A. 118 45 30N 117 18W
Enterprise, Utah, U.S.A. 119 37 37N 113 36W
Entre Ríos, Boliv. 124 21 30 S 64 25W
Entre Rios, Mozam. 91 14 57 S 37 20 E
Entre Ríos □ 124 30 30 S 58 30W
Entrecasteaux, Pt. d' 96 34 50 S 115 56 E
Entrepeñas, Pantano de 32 40 34N 2 42W
Enugu 85 6 20N 7 30 E
Enugu Ezike 85 7 0N 7 29 E
Enumclaw 118 47 12N 122 0W
Envermeières 18 49 54N 1 16 E
Envermeu 18 49 53N 1 15 E
Enz → 25 49 1N 9 6 E
Enza → 38 44 54N 10 31 E
Eólie, I. 41 38 30N 14 50 E
Epanomí 44 40 25N 22 59 E
Epe, Neth. 16 52 21N 5 59 E
Epe, Nigeria 85 6 36N 3 59 E
Épernay 19 49 3N 3 56 E
Épernon 19 48 35N 1 40 E
Ephesus, Turkey 45 37 50N 27 33 E
Ephesus, Turkey 64 38 0N 27 19 E
Ephraim 118 39 21N 111 37W
Ephrata 118 47 20N 119 32W
Epidaurus Limera 45 36 46N 23 0 E
Epila 32 41 36N 1 17W
Épinac-les-Mines 19 46 59N 4 31 E
Épinal 19 48 10N 6 27 E
Episcopia Bihorulu 46 47 12N 21 55 E
Epitálion 45 37 37N 21 30 E
Epping 13 51 42N 0 8 E
Epukiro 92 21 40 S 19 9 E
Equatorial Guinea ■ 88 2 0 S 8 0 E
Er Rahad 87 12 45N 30 32 E
Er Rif 82 35 1N 4 1W
Er Roseires 87 11 55N 34 30 E
Er Yébigué 83 22 30N 17 30 E
Erandol 68 20 56N 75 20 E
Erāwadī Myit = Irrawaddy → 67 15 50N 95 6 E
Erba, Italy 38 45 49N 9 12 E
Erba, Sudan 86 19 5N 36 51 E
Ercha 59 69 45N 147 20 E
Erciyaş Dağı 64 38 30N 35 30 E
Erdao Jiang → 76 43 0N 127 0 E
Erding 25 48 18N 11 55 E
Erdre → 18 47 13N 1 32W
Erebus, Mt. 5 77 35 S 167 0 E
Erechim 125 27 35 S 52 15W
Ereğli, Turkey 64 41 15N 31 30 E
Ereğli, Turkey 64 37 31N 34 4 E
Erei, Monti 41 37 20N 14 20 E
Erenhot 76 43 48N 111 59 E
Eresma → 30 41 26N 40 45W
Eressós 45 39 11N 25 57 E
Erfenis Dam 92 28 30 S 26 50 E
Erfjord 47 59 20N 6 14 E
Erfoud 82 31 30N 4 15W
Erft → 24 51 11N 6 44 E
Erfurt 24 50 58N 11 2 E
Erfurt □ 24 51 10N 10 30 E
Ergani 64 38 17N 39 49 E
Ergene → 43 41 1N 26 22 E
Ergeni Vozyshennost 57 47 0N 44 0 E
Ergli 54 56 54N 25 38 E
Ergun Zuoqi 76 50 47N 121 31 E
Eria → 30 42 3N 5 44W
Eriba 87 16 40N 36 10 E
Eriboll, L. 14 58 28N 4 41W
Érice 40 38 4N 12 34 E
Erie 114 42 10N 80 7W
Erie Canal 112 43 15N 78 0W
Erie, L. 112 42 15N 81 0W
Erieau 112 42 16N 81 57W
Erigavo 63 10 35N 47 20 E
Erikoúsa 44 39 55N 19 14 E
Eriksdale 109 50 52N 98 7W
Erikslund 48 62 31N 15 54 E
Erímanthos 45 37 57N 21 50 E
Erimo-misaki 74 41 50N 143 15 E
Erithraí 45 38 13N 23 20 E
Eritrea □ 87 14 0N 41 0 E
Erjas → 31 39 40N 7 1W
Erlangen 25 49 35N 11 0 E
Ermelo, Neth. 16 52 18N 5 35 E
Ermelo, S. Afr. 93 26 31 S 29 59 E
Ermenak 64 36 38N 33 0 E
Ermióni 45 37 23N 23 15 E
Ermoúpolis = Siros 45 37 28N 24 57 E
Ernakulam = Cochin 70 9 59N 76 22 E
Erne → 15 54 30N 8 16W
Erne, Lough 15 54 26N 7 46W
Ernée 18 48 18N 0 56W
Ernstberg 25 50 14N 6 46 E
Erode 70 11 24N 77 45 E
Eromanga 99 26 40 S 143 11 E
Erongo 92 21 39 S 15 58 E
Erquy 18 48 38N 2 29W
Erquy, Cap d' 18 48 39N 2 29W
Erramala Hills 70 15 30N 78 15 E
Errer → 87 7 32N 42 35 E
Errigal, Mt. 15 55 2N 8 8W
Erris Hd. 15 54 19N 10 0W
Erseka 44 40 22N 20 40 E
Erskine 116 47 37N 96 0W
Erstein 19 48 25N 7 38 E
Ertil 55 51 55N 40 50 E
Ertvågøy 47 63 13N 8 26 E
Eruwa 85 7 33N 3 26 E
Ervy-le-Châtel 19 48 2N 3 55 E
Erwin 115 36 10N 82 28W
Erzgebirge 24 50 25N 13 0 E
Erzin 59 50 15N 95 10 E
Erzincan 64 39 46N 39 30 E
Erzurum 64 39 57N 41 15 E
Es Sahrâ' Esh Sharqîya 86 26 0N 33 30 E
Es Sînâ' 86 29 0N 34 0 E
Es Sûki 87 13 20N 33 58 E
Esambo 90 3 48 S 23 30 E
Esan-Misaki 74 41 40N 141 10 E
Esbjerg 49 55 29N 8 29 E
Escalante 119 37 47N 111 37W
Escalante → 119 37 17N 110 53W
Escalón 120 26 46N 104 20W
Escalona 30 40 9N 4 29W
Escambia → 115 30 32N 87 15W
Escanaba 114 45 44N 87 5W
Esch-sur-Alzette 16 49 32N 6 0 E
Eschallens 25 46 39N 6 38 E
Eschede 24 52 44N 10 13 E
Eschwege 24 51 10N 10 3 E
Eschweiler 24 50 49N 6 14 E
Escobal 120 9 6N 80 1W
Escondido 119 33 9N 117 4W
Escuinapa 120 22 50N 105 50W
Escuintla 120 14 20N 90 48W
Eséka 85 3 41N 10 44 E
Esens 24 53 40N 7 35 E
Esera → 32 42 6N 0 15 E
Eşfahān 65 33 0N 53 0 E
Esgueva → 30 41 40N 4 43W
Esh Sham = Dimashq 64 33 30N 36 18 E
Esh Shamâlîya □ 86 19 0N 29 0 E
Eshowe 93 28 50 S 31 30 E
Eshta' ol 62 31 47N 35 0 E
Esiama 84 4 56N 2 25W
Esino → 39 43 39N 13 22 E
Esk →, Dumfries, U.K. 14 54 58N 3 4W
Esk →, N. Yorks., U.K. 12 54 27N 0 36W
Eskifjörður 50 65 3N 13 55W
Eskilstuna 48 59 22N 16 32 E
Eskimo Pt. 109 61 10N 94 15W
Eskişehir 64 39 50N 30 35 E
Esla → 30 41 29N 6 3W
Esla, Pantano del 30 41 29N 6 3W
Eslöv 49 55 50N 13 20 E
Esmeralda, La 124 22 16 S 62 33W
Esmeraldas 126 1 0N 79 40W
Espalion 20 44 32N 2 47 E
Espalmador, I. 33 38 47N 1 26 E
Espanola 106 46 15N 81 46W
Espardell, I. del 33 38 48N 1 29 E
Esparraguera 32 41 33N 1 52 E
Espejo 31 37 40N 4 34W
Esperance 96 33 45 S 121 55 E
Esperance B. 96 33 48 S 121 55 E
Esperanza 124 31 29 S 61 3W
Espéraza 20 42 56N 2 14 E
Espevær 47 59 35N 5 7 E
Espichel, C. 31 38 22N 9 16W
Espiel 31 38 11N 5 1W
Espigão, Serra do 125 26 35 S 50 30W
Espinal 126 4 9N 74 53W
Espinhaço, Serra do 127 17 30 S 43 30W
Espinho 30 41 1N 8 38W
Espinilho, Serra do 125 28 30 S 55 0W
Espinosa de los Monteros 30 43 5N 3 34W
Espírito Santo □ 127 20 0 S 40 45W
Espíritu Santo, B. del 120 19 15N 87 0W
Espíritu Santo, I. 120 24 30N 110 23W
Espluga de Francolí 32 41 24N 1 7 E
Espuña, Sierra 33 37 51N 1 35W
Espungabera 93 20 29 S 32 45 E
Esquel 128 42 55 S 71 20W
Esquina 124 30 0 S 59 30W
Essaouira (Mogador) 82 31 32N 9 48W
Essarts, Les 18 46 47N 1 12W
Essebie 90 2 58N 30 40 E
Essen, Belg. 16 51 28N 4 28 E
Essen, Ger. 24 51 28N 6 59 E
Essequibo → 126 6 50N 58 30W
Essex, Can. 112 42 10N 82 49W
Essex, U.S.A. 113 44 17N 73 21W
Essex □ 13 51 48N 0 30 E
Esslingen 25 48 43N 9 19 E
Essonne □ 19 48 30N 2 20 E
Essvik 48 62 18N 17 24 E
Estaca, Pta. del 30 43 46N 7 42W
Estadilla 32 42 4N 0 16 E
Estados, I. de Los 128 54 40 S 64 30W
Estagel 20 42 47N 2 40 E
Estância 127 11 16 S 37 26W
Estancia 119 34 50N 106 1W
Estarreja 30 40 45N 8 35W
Estats, Pic d' 32 42 40N 1 24 E
Estcourt 93 28 58 S 29 53 E
Este 39 45 12N 11 40 E
Esteban 30 43 33N 6 5W
Esteli 121 13 9N 86 22W
Estella 32 42 40N 2 0W
Estelline, S.D., U.S.A. 116 44 39N 96 52W
Estelline, Texas, U.S.A. 117 34 35N 100 27W
Estena → 31 39 23N 4 44W
Estepa 31 37 17N 4 52W
Estepona 31 36 24N 5 7W
Esterhazy 109 50 37N 102 5W
Esternay 19 48 44N 3 33 E
Esterri de Aneu 32 42 38N 1 5 E
Estevan 109 49 10N 102 59W

Estevan Group Ferland

Estevan Group 108 53 3N 129 38W
Estherville 116 43 25N 94 50W
Estissac 19 48 16N 3 48 E
Eston 109 51 8N 108 40W
Estonian S.S.R. □ 54 58 30N 25 30 E
Estoril 31 38 42N 9 23W
Estouk 85 18 14N 1 2 E
Estrada, La 30 42 43N 8 27W
Estrêla, Serra da 30 40 10N 7 45W
Estrella 33 38 25N 3 35W
Estremoz 31 38 51N 7 39W
Estrondo, Serra do 127 7 20 S 48 0W
Esztergom 27 47 47N 18 44 E
Et Tîdra 84 19 45N 16 20W
Eţ Ţira 62 32 14N 34 56 E
Étables-sur-Mer 18 48 38N 2 51W
Etah 68 27 35N 78 40 E
Étain 19 49 13N 5 38 E
Etamamu 107 50 18N 59 59W
Étampes 19 48 26N 2 10 E
Étang 19 46 52N 4 10 E
Etanga 92 17 55 S 13 00 E
Étaples 19 50 30N 1 39 E
Etawah 68 26 48N 79 6 E
Etawah → 115 34 20N 84 15W
Etawney L. 109 57 50N 96 50W
Eteh 85 7 2N 7 28 E
Ethel, Oued el → 82 28 31N 3 37W
Ethelbert 109 51 32N 100 25W
Ethiopia ■ 63 8 0N 40 0 E
Ethiopian Highlands 78 10 0N 37 0 E
Etive, L. 14 56 30N 5 12W
Etna, Mt. 41 37 45N 15 0 E
Etne 47 59 40N 5 56 E
Etoile 91 11 33 S 27 30 E
Etolin I. 108 56 5N 132 20W
Etosha Pan 92 18 40 S 16 30 E
Etowah 115 35 20N 84 30W
Étrépagny 18 49 18N 1 36 E
Étretat 18 49 42N 0 12 E
Étroits, Les 107 47 24N 68 54W
Etropole 43 42 50N 24 0 E
Ettlingen 25 48 58N 8 25 E
Ettrick Water 14 55 31N 2 55W
Etuku 90 3 42 S 25 45 E
Etzatlán 120 20 48N 104 5W
Eu 18 50 3N 1 26 E
Euabalong West 100 33 3 S 146 23 E
Euboea = Evvoia 45 38 40N 23 40 E
Eucla Basin 96 31 19 S 126 9 E
Euclid 114 41 32N 81 31W
Eucumbene, L. 99 36 2 S 148 40 E
Eudora 117 33 5N 91 17W
Eufaula, Ala., U.S.A. 115 31 55N 85 11W
Eufaula, Okla., U.S.A. 117 35 20N 95 33W
Eufaula, L. 117 35 15N 95 28W
Eugene 118 44 0N 123 8W
Eugenia, Punta 120 27 50N 115 5W
Eugowra 99 33 22 S 148 24 E
Eulo 99 28 10 S 145 3 E
Eunice, La., U.S.A. 117 30 35N 92 28W
Eunice, N. Mex., U.S.A. 117 32 30N 103 10W
Eupen 16 50 37N 6 3 E
Euphrates = Furāt, Nahr al → 64 31 0N 47 25 E
Eure □ 18 49 6N 1 0 E
Eure → 18 49 18N 1 12 E
Eure-et-Loir □ 18 48 22N 1 30 E
Eureka, Can. 4 80 0N 85 56W
Eureka, Calif., U.S.A. 118 40 50N 124 0W
Eureka, Kans., U.S.A. 117 37 50N 96 20W
Eureka, Mont., U.S.A. 118 48 53N 115 6W
Eureka, Nev., U.S.A. 118 39 32N 116 2W
Eureka, S.D., U.S.A. 116 45 49N 99 38W
Eureka, Utah, U.S.A. 118 40 0N 112 9W
Euroa 99 36 44 S 145 35 E
Europa, Picos de 30 43 10N 4 49W
Europa Pt. = Europa, Pta. de 31 36 3N 5 21W
Europa, Pta. de 31 36 3N 5 21W
Europe 8 50 0N 20 0 E
Europoort 16 51 57N 4 10 E
Euskirchen 24 50 40N 6 45 E
Eustis 115 28 54N 81 36W
Eutin 24 54 7N 10 38 E
Eutsuk L. 108 53 20N 126 45W
Eval 62 32 15N 35 15 E
Evale 92 16 33 S 15 44 E
Evanger 47 60 39N 6 7 E
Evans 116 40 25N 104 43W
Evans Head 99 29 7 S 153 27 E
Evans L. 106 50 50N 77 0W
Evans Mills 113 44 6N 75 48W
Evans Pass 116 41 0N 105 35W
Evanston, Ill., U.S.A. 114 42 0N 87 40W
Evanston, Wyo., U.S.A. 118 41 10N 111 0W
Evansville, Ind., U.S.A. 114 38 0N 87 35W
Evansville, Wis., U.S.A. 116 42 47N 89 18W
Évaux-les-Bains 20 46 12N 2 29 E
Eveleth 116 47 29N 92 46W
Even Yahuda 62 32 16N 34 53 E
Evensk 59 62 12N 159 30 E
Evenstad 47 61 25N 11 7 E
Everard, L. 96 31 30 S 135 0 E
Everard Ras. 96 27 5 S 132 28 E
Everest, Mt. 69 28 5N 86 58 E
Everett, Pa., U.S.A. 112 40 2N 78 24W
Everett, Wash., U.S.A. 118 48 0N 122 10W
Everglades, Fla., U.S.A. 115 26 0N 80 30W
Everglades, Fla., U.S.A. 115 25 52N 81 23W
Everglades Nat. Park. 115 25 27N 80 53W
Evergreen 115 31 28N 86 55W
Everson 118 48 57N 122 22W
Evesham 13 52 6N 1 57W
Evian-les-Bains 21 46 24N 6 35 E
Evinayong 88 1 26N 10 35 E
Évinos → 45 38 27N 21 40 E
Evisa 21 42 15N 8 48 E
Evje 47 58 36N 7 51 E
Évora 31 38 33N 7 57W
Évora □ 31 38 33N 7 50W
Évreux 18 49 0N 1 8 E
Évritania □ 45 39 5N 21 30 E
Évron 18 48 10N 0 24W
Évros □ 44 41 10N 26 0 E
Evrótas → 45 36 50N 22 40 E
Évvoia 45 38 30N 24 0 E
Évvoia □ 45 38 40N 23 40 E
Ewe, L. 14 57 49N 5 38W
Ewing 116 42 18N 98 22W
Ewo 88 0 48 S 14 45 E
Exaltación 126 13 10 S 65 20W
Excelsior Springs 116 39 20N 94 10W
Excideuil 20 45 20N 1 4 E
Exe → 13 50 38N 3 27W
Exeter, Can. 112 43 21N 81 29W
Exeter, U.K. 13 50 43N 3 31W
Exeter, Calif., U.S.A. 119 36 17N 119 9W
Exeter, N.H., U.S.A. 113 43 0N 70 58W
Exeter, Nebr., U.S.A. 116 40 43N 97 30W
Exmes 18 48 45N 0 10 E
Exmoor 13 51 10N 3 59W
Exmouth, Austral. 96 21 54 S 114 10 E
Exmouth, U.K. 13 50 37N 3 26W
Exmouth G. 96 22 15 S 114 15 E
Expedition Range 97 24 30 S 149 12 E
Extremadura 31 39 30N 6 5W
Exuma Sound 121 24 30N 76 20W
Eyasi, L. 90 3 30 S 35 0 E
Eyeberry L. 109 63 8N 104 43W
Eyemouth 14 55 53N 2 5W
Eygurande 20 45 40N 2 26 E
Eyjafjörður 50 66 15N 18 30W
Eymet 20 44 40N 0 25 E
Eymoutiers 20 45 40N 1 45 E
Eyrarbakki 50 63 52N 21 9W
Eyre 96 32 15 S 126 18 E
Eyre Cr. → 97 26 40 S 139 0 E
Eyre, L. 97 29 30 S 137 26 E
Eyre Mts. 101 45 25 S 168 25 E
Eyre (North), L. 97 28 30 S 137 20 E
Eyre Pen. 96 33 30 S 137 17 E
Eyre (South), L. 99 29 18 S 137 25 E
Eyzies, Les 20 44 56N 1 1 E
Ez Zeidab 86 17 25N 33 55 E
Ezcaray 32 42 19N 3 0W
Ezine 44 39 48N 26 12 E

F

Fabens 119 31 30N 106 8W
Fåborg 49 55 6N 10 15 E
Fabriano 39 43 20N 12 52 E
Făcăeni 46 44 32N 27 53 E
Facatativá 126 4 49N 74 22W
Fachi 80 18 6N 11 34 E
Facture 20 44 39N 0 58W
Fada 81 17 13N 21 34 E
Fada-n-Gourma 85 12 10N 0 30 E
Fadd 27 46 28N 18 49 E
Faddeyevskiy, Ostrov 59 76 0N 150 0 E
Fādilī 64 26 55N 49 10 E
Fadlab 86 17 42N 34 2 E
Faenza 39 44 17N 11 53 E
Fafa 85 15 22N 0 48 E
Fafe 30 41 27N 8 11W
Fagam 85 11 1N 10 1 E
Făgăras 46 45 48N 24 58 E
Făgăras, Munţii 46 45 40N 24 40 E
Fågelsjö 48 61 50N 14 35 E
Fagerhult 49 57 8N 15 40 E
Fagersta 48 60 1N 15 46 E
Făget 46 45 52N 22 10 E
Făget, Munţii 46 47 40N 23 10 E
Fagnano Castello 41 39 31N 16 4 E
Fagnano, L. 128 54 30 S 68 0W
Fagnières 19 48 58N 4 20 E
Fahraj 65 29 0N 59 0 E
Fahūd 65 22 18N 56 28 E
Fair Hd. 15 55 14N 6 10W
Fair Isle 11 59 30N 1 40W
Fairbank 119 31 44N 110 12W
Fairbanks 104 64 50N 147 50W
Fairbury 116 40 5N 97 5W
Fairfax 117 36 37N 96 45W
Fairfield, Austral. 100 33 53 S 150 57 E
Fairfield, Ala., U.S.A. 115 33 30N 87 0W
Fairfield, Calif., U.S.A. 118 38 14N 122 1W
Fairfield, Conn., U.S.A. 113 41 8N 73 16W
Fairfield, Idaho, U.S.A. 118 43 21N 114 46W
Fairfield, Ill., U.S.A. 114 38 20N 88 20W
Fairfield, Iowa, U.S.A. 116 41 0N 91 58W
Fairfield, Mont., U.S.A. 118 47 40N 112 0W
Fairfield, Texas, U.S.A. 117 31 40N 96 0W
Fairford 109 51 37N 98 38W
Fairhope 115 30 35N 87 50W
Fairlie 101 44 5 S 170 49 E
Fairmont, Minn., U.S.A. 116 43 37N 94 30W
Fairmont, W. Va., U.S.A. 114 39 29N 80 10W
Fairmont Hot Springs 108 50 20N 115 56W
Fairplay 119 39 9N 105 40W
Fairport, N.Y., U.S.A. 114 43 8N 77 29W
Fairport, Ohio, U.S.A. 112 41 45N 81 17W
Fairview, Austral. 98 15 31 S 144 17 E
Fairview, Can. 108 56 5N 118 25W
Fairview, N. Dak., U.S.A. 116 47 49N 104 7W
Fairview, Okla., U.S.A. 117 36 19N 98 30W
Fairview, Utah, U.S.A. 118 39 50N 111 0W
Fairweather, Mt. 104 58 55N 137 45W
Faith 116 45 2N 102 4W
Faizabad 69 26 45N 82 10 E
Faizpur 68 21 14N 75 49 E
Fajardo 121 18 20N 65 39W
Fakfak 73 3 0 S 132 15 E
Fakiya 43 42 10N 27 6 E
Fakobli 84 7 23N 7 23W
Fakse 49 55 15N 12 8 E
Fakse B. 49 55 11N 12 15 E
Fakse Ladeplads 49 55 11N 12 9 E
Faku 76 42 32N 123 21 E
Falaise 18 48 54N 0 12W
Falakrón Óros 44 41 15N 23 58 E
Falam 67 23 0N 93 45 E
Falces 32 42 24N 1 48W
Fălciu 46 46 17N 28 7 E
Falcon, C. 82 35 50N 0 50W
Falcon Dam 117 26 50N 99 20W
Falconara Marittima 39 43 37N 13 23 E
Falconer 112 42 7N 79 13W
Faléa 84 12 16N 11 17W
Falenki 55 58 22N 51 35 E
Faleshty 56 47 32N 27 44 E
Falfurrias 117 27 14N 98 8W
Falher 108 55 44N 117 15W
Falkenberg, Ger. 24 51 34N 13 13 E
Falkenberg, Sweden 49 56 54N 12 30 E
Falkensee 24 52 35N 13 6 E
Falkenstein 24 50 27N 12 24 E
Falkirk 14 56 0N 3 47W
Falkland Is. 128 51 30 S 59 0W
Falkland Is. Dependency □ 5 57 0 S 40 0W
Falkland Sd. 128 52 0 S 60 0W
Falkonéra 45 36 50N 23 52 E
Falköping 49 58 12N 13 33 E
Fall Brook 119 33 25N 117 12W
Fall River 114 41 45N 71 5W
Fall River Mills 118 41 1N 121 30W
Fallon, Mont., U.S.A. 116 46 52N 105 8W
Fallon, Nev., U.S.A. 118 39 31N 118 51W
Falls City, Nebr., U.S.A. 116 40 0N 95 40W
Falls City, Oreg., U.S.A. 118 44 54N 123 29W
Falls Creek 112 41 8N 78 49W
Falmouth, Jamaica 121 18 30N 77 40W
Falmouth, U.K. 13 50 9N 5 5W
Falmouth, U.S.A. 114 38 40N 84 20W
False Divi Pt. 70 15 43N 80 50 E
Falset 32 41 7N 0 50 E
Falso, C. 121 15 12N 83 21W
Falster 49 54 45N 11 55 E
Falsterbo 49 55 23N 12 50 E
Fălticeni 46 47 21N 26 20 E
Falun 48 60 37N 15 37 E
Famagusta 64 35 8N 33 55 E
Famatina, Sierra, de 124 27 30 S 68 0W
Family L. 109 51 54N 95 27W
Fan Xian 76 35 55N 115 38 E
Fana, Mali 84 13 0N 6 56W
Fana, Norway 47 60 16N 5 20 E
Fanárion 44 39 24N 21 47 E
Fandriana 93 20 14 S 47 21 E
Fang Xian 77 32 3N 110 40 E
Fangchang 77 31 5N 118 4 E
Fangcheng 77 33 18N 112 59 E
Fangliao 77 22 22N 120 38 E
Fangzheng 76 49 50N 128 48 E
Fani i Madh → 44 41 56N 20 16 E
Fanjiatun 76 43 40N 125 0 E
Fannich, L. 14 57 40N 5 0W
* Fanning I. 95 3 51N 159 22W
Fanny Bay 108 49 27N 124 48W
Fanø 49 55 25N 8 25 E
Fano 39 43 50N 13 0 E
Fanshaw 108 57 11N 133 30W
Fao (Al Fāw) 64 30 0N 48 30 E
Faqirwali 68 29 27N 73 0 E
Fara in Sabina 39 42 13N 12 44 E
Faradje 90 3 50N 29 45 E
Faradofay 93 25 2 S 47 0 E
Farafangana 93 22 49 S 47 50 E
Farâfra, El Wâhât el- 86 27 15N 28 20 E
Farāh 65 32 20N 62 7 E
Farāh □ 65 32 25N 62 10 E
Farahalana 93 14 26 S 50 10 E
Faraid, Gebel 86 23 33N 35 19 E
Faramana 84 11 56N 4 45W
Faranah 84 10 3N 10 45W
Farasān, Jazā'ir 63 16 45N 41 55 E
Faratsiho 93 19 24 S 46 57 E
Fardes → 33 37 35N 3 0W
Fareham 13 50 52N 1 11W
Farewell, C. 101 40 29 S 172 43 E
Farewell C. = Farvel, K. 4 59 48N 43 55W
Fargo 116 46 52N 96 40W
Fari'a → 62 32 12N 35 27 E
Faribault 116 44 15N 93 19W
Faridkot 68 30 44N 74 45 E
Faridpur 69 23 15N 89 55 E
Färila 48 61 48N 15 50 E
Farim 84 12 27N 15 9W
Farīmān 65 35 40N 59 49 E
Farina 99 30 3 S 138 15 E
Faringe 48 59 55N 18 7 E
Fâriskûr 86 31 20N 31 43 E
Farmakonisi 45 37 17N 27 8 E
Farmerville 117 32 48N 92 23W
Farmington, N. Mex., U.S.A. 119 36 45N 108 28W
Farmington, N.H., U.S.A. 113 43 25N 71 7W
Farmington, Utah, U.S.A. 118 41 0N 111 12W
Farmington → 113 41 51N 72 38W
Farmville 114 37 19N 78 22W
Farnborough 13 51 17N 0 46W
Farne Is. 12 55 38N 1 37W
Farnham 113 45 17N 72 59W
Faro, Brazil 127 2 10 S 56 39W
Faro, Port. 31 37 2N 7 55W
Faro □ 31 37 12N 8 10W
Faroe Is. 8 62 0N 7 0W
Farquhar, C. 96 23 50 S 113 36 E
Farrar → 14 57 30N 4 30W
Farrars, Cr. → 98 25 35 S 140 43 E
Farrāshband 65 28 57N 52 5 E
Farrell 114 41 13N 80 29W
Farrell Flat 99 33 48 S 138 48 E
Farrukhabad-cum-Fatehgarh 69 27 30N 79 32 E
Fars □ 65 29 30N 55 0 E
Fársala 44 39 17N 22 23 E
Farsø 49 56 46N 9 19 E
Farsund 47 58 5N 6 55 E
Fartak, Rås 64 28 5N 34 34 E
Fartura, Serra da 125 26 21 S 52 52W
Faru 85 12 48N 6 12 E
Farum 49 55 49N 12 21 E
Farvel, Kap 4 59 48N 43 55W
Farwell 117 34 25N 103 0W
Faryab □ 65 36 0N 65 0 E
Fasā 65 29 0N 53 39 E
Fasano 41 40 50N 17 20 E
Fashoda 87 9 50N 32 2 E
Fastnet Rock 15 51 22N 9 37W
Fastov 54 50 7N 29 57 E
Fatagar, Tanjung 73 2 46 S 131 57 E
Fatehgarh 69 27 25N 79 35 E
Fatehpur, Raj., India 68 28 0N 74 40 E
Fatehpur, Ut. P., India 69 25 56N 81 13 E
Fatesh 55 52 8N 35 57 E
Fatick 84 14 19N 16 27W
Fatima 107 47 24N 61 53W
Fátima 31 39 37N 8 39W
Fatoya 84 11 37N 9 10W
Faucille, Col de la 21 46 22N 6 2 E
Faucilles, Monts 19 48 5N 5 50 E
Faulkton 116 45 4N 99 8W
Faulquemont 19 49 3N 6 36 E
Fauquembergues 19 50 36N 2 5 E
Făurei 46 45 6N 27 19 E
Fauresmith 92 29 44 S 25 17 E
Fauske 50 67 17N 15 25 E
Fåvang 47 61 27N 10 11 E
Favara 40 37 19N 13 39 E
Favignana 40 37 56N 12 18 E
Favignana, I. 40 37 56N 12 18 E
Favone 21 41 47N 9 26 E
Favourable Lake 106 52 50N 93 39W
Fawn → 106 52 22N 88 20W
Faxaflói 50 64 29N 23 0W
Faya-Largeau 81 17 58N 19 6 E
Fayd 64 27 1N 42 52 E
Fayence 21 43 38N 6 42 E
Fayette, Ala., U.S.A. 115 33 40N 87 50W
Fayette, Mo., U.S.A. 116 39 10N 92 40W
Fayette, La 114 40 22N 86 52W
Fayetteville, Ark., U.S.A. 117 36 0N 94 5W
Fayetteville, N.C., U.S.A. 115 35 0N 78 58W
Fayetteville, Tenn., U.S.A. 115 35 8N 86 30W
Fayón 32 41 15N 0 20 E
Fazilka 68 30 27N 74 2 E
Fazilpur 68 29 18N 70 29 E
Fdérik 80 22 40N 12 45W
Feale → 15 52 26N 9 40W
Fear, C. 115 33 51N 78 0W
Feather → 118 38 47N 121 36W
Featherston 101 41 6 S 175 20 E
Featherstone 91 18 42 S 30 55 E
Fécamp 18 49 45N 0 22 E
Fedala = Mohammedia 82 33 44N 7 21W
Federación 124 31 0 S 57 55W
Fedjadj, Chott el 83 33 52N 9 14 E
Fedje 47 60 47N 4 43 E
Fehérgyarmat 27 48 0N 22 30 E
Fehmarn 24 54 26N 11 10 E
Fei Xian 77 35 18N 117 59 E
Feilding 101 40 13 S 175 35 E
Feira de Santana 127 12 15 S 38 57W
Fejér □ 27 47 9N 18 30 E
Fejø 49 54 55N 11 30 E
Fekete → 27 45 47N 18 15 E
Felanitx 33 39 28N 3 9 E
Feldbach 26 46 57N 15 52 E
Feldberg, Germ., E. 24 53 20N 13 26 E
Feldberg, Germ., W. 25 47 51N 7 58 E
Feldkirch 26 47 15N 9 37 E
Feldkirchen 26 46 44N 14 6 E
Felipe Carrillo Puerto 120 19 38N 88 3W
Felixstowe 13 51 58N 1 22 E
Felletin 20 45 53N 2 11 E
Feltre 39 46 1N 11 55 E
Femø 49 54 58N 11 53 E
Femunden 47 62 10N 11 53 E
Fen He → 76 35 36N 110 42 E
Fenelon Falls 112 44 32N 78 45W
Feneroa 87 13 5N 39 3 E
Feng Xian, Jiangsu, China 77 34 43N 116 35 E
Feng Xian, Shaanxi, China 77 33 54N 106 40 E
Fengári 44 40 25N 25 32 E
Fengcheng, Jiangxi, China 77 28 12N 115 48 E
Fengcheng, Liaoning, China 76 40 28N 124 5 E
Fengdu 77 29 55N 107 41 E
Fengfeng 76 36 28N 114 8 E
Fenghua 77 29 40N 121 25 E
Fenghuang 77 27 57N 109 29 E
Fengjie 75 31 5N 109 36 E
Fengkai 77 23 24N 111 30 E
Fengle 77 31 29N 112 29 E
Fengning 76 41 10N 116 33 E
Fengtai 76 39 50N 116 18 E
Fengxian 77 30 55N 121 26 E
Fengxiang 77 34 29N 107 25 E
Fengxin 77 28 41N 115 18 E
Fengyang 77 32 51N 117 29 E
Fengzhen 76 40 25N 113 2 E
Feni Is. 98 4 0 S 153 40 E
Fenit 15 52 17N 9 51W
Fennimore 116 42 58N 90 41W
Fenny 69 22 55N 91 32 E
Feno, C. de 21 41 58N 8 33 E
Fenoarivo Afovoany 93 18 26 S 46 34 E
Fenoarivo Atsinanana 93 17 22 S 49 25 E
Fens, The 12 52 45N 0 2 E
Fenton 114 42 47N 83 44W
Fenyang 76 37 18N 111 48 E
Feodosiya 56 45 2N 35 28 E
Fer, C. de 83 37 3N 7 10 E
Ferdow 65 33 58N 58 2 E
Fère-Champenoise 19 48 45N 4 0 E
Fère-en-Tardenois 19 49 10N 3 30 E
Fère, La 19 49 40N 3 20 E
Ferentino 40 41 42N 13 14 E
Ferfer 63 5 4N 45 9 E
Fergana 58 40 23N 71 19 E
Fergus 106 43 43N 80 24W
Fergus Falls 116 46 18N 96 7W
Fergusson I. 98 9 30 S 150 45 E
Fériana 83 34 59N 8 33 E
Feričanci 42 45 32N 18 0 E
Ferkane 83 34 37N 7 26 E
Ferkéssédougou 84 9 35N 5 6W
Ferlach 26 46 32N 14 18 E
Ferland 106 50 19N 88 27W

* Renamed Tabuaeran

Ferlo, Vallée du Fortuna

Ferlo, Vallée du 84 15 15N 14 15W
Fermanagh □ 15 54 21N 7 40W
Fermo 39 43 10N 13 42 E
Fermoselle 30 41 19N 6 27W
Fermoy 15 52 4N 8 18W
Fernán Nuñéz 31 37 40N 4 44W
Fernández 124 27 55 S 63 50W
Fernandina Beach 115 30 40N 81 30W
Fernando de Noronha 127 4 0 S 33 10W
Fernando Póo = Bioko 85 3 30N 8 40 E
Ferndale, Calif., U.S.A. 118 40 37N 124 12W
Ferndale, Wash., U.S.A. 118 48 51N 122 41W
Fernie 108 49 30N 115 5W
Fernlees 98 23 51 S 148 7 E
Fernley 118 39 36N 119 14W
Feroke 70 11 9N 75 46 E
Ferozepore 68 30 55N 74 40 E
Férrai 44 40 53N 26 10 E
Ferrandina 41 40 30N 16 28 E
Ferrara 39 44 50N 11 36 E
Ferrato, C. 40 39 18N 9 39 E
Ferreira do Alentejo 31 38 4N 8 6W
Ferreñafe 126 6 42 S 79 50W
Ferret, C. 20 44 38N 1 15W
Ferrette 19 47 30N 7 20 E
Ferriday 117 31 35N 91 33W
Ferrières 19 48 5N 2 48 E
Ferriete 38 44 40N 9 30 E
Ferron 119 39 3N 111 3W
Ferryland 107 47 2N 52 53W
Ferté-Bernard, La 18 48 10N 0 40 E
Ferté, La 19 48 57N 3 6 E
Ferté-Mace, La 18 48 35N 0 21W
Ferté-St.-Aubin, La 19 47 42N 1 57 E
Ferté-Vidame, La 18 48 37N 0 53 E
Fertile 116 47 31N 96 18W
Fertília 40 40 37N 8 13 E
Fertöszentmiklós 27 47 35N 16 53 E
Fès 82 34 0N 5 0W
Feshi 88 6 8 S 18 10 E
Fessenden 116 47 42N 99 38W
Feteşti 46 44 22N 27 51 E
Fethiye 64 36 36N 29 10 E
Fetlar 14 60 36N 0 52W
Feuilles → 105 58 47N 70 4W
Feurs 21 45 45N 4 13 E
Feyzābād 65 37 7N 70 33 E
Fezzan 81 27 0N 15 0 E
Ffestiniog 12 52 58N 3 56W
Fiambalá 124 27 45 S 67 37W
Fianarantsoa 93 21 26 S 47 5 E
Fianarantsoa □ 93 19 30 S 47 0 E
Fianga 81 9 55N 15 9 E
Fibiş 42 45 57N 21 26 E
Fichtelgebirge 25 50 10N 12 0 E
Ficksburg 93 28 51 S 27 53 E
Fidenza 38 44 51N 10 3 E
Field 106 46 31N 80 1W
Field → 98 23 48 S 138 0 E
Fieri 44 40 43N 19 33 E
Fife □ 14 56 13N 3 2W
Fife Ness 14 56 17N 2 35W
Fifth Cataract 86 18 22N 33 50 E
Figeac 20 44 37N 2 2 E
Figline Valdarno 39 43 37N 11 28 E
Figtree 91 20 22 S 28 20 E
Figueira Castelo Rodrigo 30 40 57N 6 58W
Figueira da Foz 30 40 7N 8 54W
Figueiró dos Vinhos 30 39 55N 8 16W
Figueras 32 42 18N 2 58 E
Figuig 82 32 5N 1 11W
Fihaonana 93 18 36 S 47 12 E
Fiherenana 93 18 29 S 48 24 E
Fiherenana → 93 23 19 S 43 37 E
Fiji ■ 101 17 20 S 179 0 E
Fika 85 11 15N 11 13 E
Filabres, Sierra de los 33 37 13N 2 20W
Filadélfia 41 38 47N 16 17 E
Fil'akovo 27 48 17N 19 50 E
Filchner Ice Shelf 5 78 0 S 60 0W
Filer 118 42 30N 114 35W
Filey 12 54 13N 0 18W
Filiaşi 46 44 32N 23 31 E
Filiátes 44 39 38N 20 16 E
Filiatrá 45 37 9N 21 35 E
Filicudi 41 38 35N 14 33 E
Filiourí → 44 41 15N 25 40 E
Filipów 28 54 11N 22 37 E
Filipstad 48 59 43N 14 9 E
Filisur 25 46 41N 9 40 E
Fillmore, Can. 109 49 50N 103 25W
Fillmore, Calif., U.S.A. 119 34 23N 118 58W
Fillmore, Utah, U.S.A. 119 38 58N 112 20W
Filottrano 39 43 28N 13 20 E
Filyos 56 41 34N 32 4 E
Filyos → 64 41 35N 32 10 E
Finale Lígure 38 44 10N 8 21 E
Finale nell' Emília 39 44 50N 11 18 E
Fiñana 33 37 10N 2 50W
Finch 113 45 11N 75 7W
Findhorn → 14 57 38N 3 38W
Findlay 114 41 0N 83 41W
Finger L. 109 53 33N 124 18W
Fingõe 91 15 12 S 31 50 E
Finike 64 36 21N 30 10 E
Finistère □ 18 48 20N 4 0W
Finisterre 30 42 54N 9 16W
Finisterre, C. 30 42 50N 9 19W
Finisterre Ra. 98 6 0 S 146 30 E
Finke → 96 27 0 S 136 10 E
Finland ■ 52 63 0N 27 0 E
Finland, G. of 52 60 0N 26 0 E
Finlay → 108 57 0N 125 10W
Finley, Austral. 99 35 38 S 145 35 E
Finley, U.S.A. 116 47 35N 97 50W
Finn → 15 54 50N 7 55W
Finnigan, Mt. 98 15 49 S 145 17 E
Finnmark fylke □ 50 69 30N 25 0 E
Finschhafen 98 6 33 S 147 50 E
Finse 47 60 36N 7 30 E
Finsteraarhorn 25 46 31N 8 10 E
Finsterwalde 24 51 37N 13 42 E
Finucane I. 96 20 19 S 118 30 E
Fiora → 39 42 20N 11 35 E
Fiorenzuola d'Arda 38 44 56N 9 54 E
Fīq 62 32 46N 35 41 E
Fire River 106 48 47N 83 21W
Firebag → 109 57 45N 111 21W
Firedrake L. 109 61 25N 104 30W
Firenze 39 43 47N 11 15 E
Firminy, Aveyron, France 20 44 32N 2 19 E
Firminy, Loire, France 21 45 23N 4 18 E
Firozabad 68 27 10N 78 25 E
Fīrūzābād 65 28 52N 52 35 E
Fīrūzkūh 65 35 50N 52 50 E
Firvale 108 52 27N 126 13W
Fish → 92 28 7 S 17 45 E
Fisher B. 109 51 35N 97 13W
Fishguard 13 51 59N 4 59W
Fishing L. 109 52 10N 95 24W
Fismes 19 49 20N 3 40 E
Fitchburg 114 42 35N 71 47W
Fitero 32 42 4N 1 52W
Fitjar 47 59 55N 5 17 E
Fitri, L. 81 12 50N 17 28 E
Fitz Roy 128 47 0 S 67 0W
Fitzgerald, Can. 108 59 51N 111 36W
Fitzgerald, U.S.A. 115 31 45N 83 16W
Fitzroy →, Queens., Austral. 98 23 32 S 150 52 E
Fitzroy →, W. Australia, Austral. 96 17 31 S 123 35 E
Fitzroy Crossing 96 18 9 S 125 38 E
Fitzwilliam I. 112 45 30N 81 45W
Fiume = Rijeka 39 45 20N 14 27 E
Fiumefreddo Brúzio 41 39 14N 16 4 E
Fivizzano 38 44 12N 10 11 E
Fizi 90 4 17 S 28 55 E
Fjæra 47 59 52N 6 22 E
Fjellerup 49 56 29N 10 34 E
Fjerritslev 49 57 5N 9 15 E
Fkih ben Salah 82 32 32N 6 45W
Flå, Buskerud, Norway 47 60 25N 9 28 E
Flå, Sør-Trøndelag, Norway 47 63 13N 10 18 E
Flagler 116 39 20N 103 4W
Flagstaff 119 35 10N 111 40W
Flaherty I. 106 56 15N 79 15W
Flambeau → 116 45 18N 91 15W
Flamborough Hd. 12 54 8N 0 4W
Flaming Gorge Dam 118 40 50N 109 46W
Flaming Gorge L. 118 41 15N 109 30W
Flamingo, Teluk 73 5 30 S 138 0 E
Flanders = Flandres 16 51 10N 3 15 E
Flandre Occidental □ 16 51 0N 3 0 E
Flandre Orientale □ 16 51 0N 4 0 E
Flandreau 116 44 5N 96 38W
Flandres, Plaines des 16 51 10N 3 15 E
Flannan Is. 11 58 9N 7 52W
Flåsjön 50 64 5N 15 40 E
Flat → 108 61 51N 128 0W
Flat River 117 37 50N 90 30W
Flatey, Barðastrandarsýsla, Iceland 50 66 10N 17 52W
Flatey, Suður-Þingeyjarsýsla, Iceland 50 65 22N 22 56W
Flathead L. 118 47 50N 114 0W
Flattery, C., Austral. 98 14 58 S 145 21 E
Flattery, C., U.S.A. 118 48 21N 124 43W
Flavy-le-Martel 19 49 43N 3 12 E
Flaxton 116 48 52N 102 24W
Flèche, La 18 47 42N 0 5W
Fleetwood 12 53 55N 3 1W
Flekkefjord 47 58 18N 6 39 E
Flemington 112 41 7N 77 28W
Flensborg Fjord 49 54 50N 9 40 E
Flensburg 24 54 46N 9 28 E
Flers 18 48 47N 0 33W
Flesherton 112 44 16N 80 33W
Flesko, Tanjung 73 0 29N 124 30 E
Fletton 13 52 34N 0 13W
Fleurance 20 43 52N 0 40 E
Fleurier 25 46 54N 6 35 E
Flin Flon 109 54 46N 101 53W
Flinders → 97 17 36 S 140 36 E
Flinders B. 96 34 19 S 115 19 E
Flinders Group 98 14 11 S 144 15 E
Flinders I. 97 40 0 S 148 0 E
Flinders Ranges 97 31 30 S 138 30 E
Flint, U.K. 12 53 15N 3 7W
Flint, U.S.A. 114 43 5N 83 40W
Flint → 115 30 52N 84 38W
Flint, I. 95 11 26 S 151 48W
Flinton 99 27 55 S 149 32 E
Fliseryd 49 57 6N 16 15 E
Flix 32 41 14N 0 32 E
Flixecourt 19 50 0N 2 5 E
Flodden 12 55 37N 2 8W
Floodwood 116 46 55N 92 55W
Flora, Norway 47 63 27N 11 22 E
Flora, U.S.A. 114 38 40N 88 30W
Florac 20 44 20N 3 37 E
Florala 115 31 0N 86 20W
Florence, Ala., U.S.A. 115 34 50N 87 40W
Florence, Ariz., U.S.A. 119 33 0N 111 25W
Florence, Colo., U.S.A. 116 38 26N 105 0W
Florence, Oreg., U.S.A. 118 44 0N 124 3W
Florence, S.C., U.S.A. 115 34 12N 79 44W
Florence = Firenze 39 43 47N 11 15 E
Florence, L. 99 28 53 S 138 9 E
Florennes 16 50 15N 4 35 E
Florensac 20 43 23N 3 28 E
Florenville 16 49 40N 5 19 E
Flores, Azores 8 39 13N 31 13W
Flores, Guat. 120 16 59N 89 50W
Flores, Indon. 73 8 35 S 121 0 E
Flores I. 108 49 20N 126 10W
Flores Sea 72 6 30 S 124 0 E
Floresville 117 29 10N 98 10W
Floriano 127 6 50 S 43 0W
Florianópolis 125 27 30 S 48 30W
Florida, Cuba 121 21 32N 78 14W
Florida, Uruguay 125 34 7 S 56 10W
Florida □ 115 28 30N 82 0W
Florida B. 121 25 0N 81 20W
Florida Keys 121 25 0N 80 40W
Florida, Straits of 121 25 0N 80 0W
Florídia 41 37 6N 15 9 E
Floridsdorf 27 48 14N 16 22 E
Flórina 44 40 48N 21 26 E
Flórina □ 44 40 45N 21 20 E
Florø 47 61 35N 5 1 E
Flower Sta. 113 45 10N 76 41W
Flower's Cove 107 51 14N 56 46W
Floydada 117 33 58N 101 18W
Fluk 73 1 42 S 127 44 E
Flumen → 32 41 43N 0 9W
Flumendosa → 40 39 26N 9 38 E
Fluminimaggiore 40 39 25N 8 30 E
Flushing = Vlissingen 16 51 26N 3 34 E
Fluviá → 32 42 12N 3 7 E
Fly → 94 8 25 S 143 0 E
Flying Fish, C. 5 72 6 S 102 29W
Foam Lake 109 51 40N 103 32W
Foča 42 43 31N 18 47 E
Focşani 46 45 41N 27 15 E
Fogang 77 23 52N 113 30 E
Foggaret el Arab 82 27 13N 2 49 E
Foggaret ez Zoua 82 27 20N 2 53 E
Fóggia 41 41 28N 15 31 E
Foggo 85 11 21N 9 57 E
Foglia → 39 43 55N 12 54 E
Fogo 107 49 43N 54 17W
Fogo I. 107 49 40N 54 5W
Fohnsdorf 26 47 12N 14 40 E
Föhr 24 54 40N 8 30 E
Foia 31 37 19N 8 37W
Foix 20 42 58N 1 38 E
Foix □ 20 43 0N 1 30 E
Fojnica 42 43 59N 17 51 E
Fokino 54 53 30N 34 22 E
Fokís □ 45 38 30N 22 15 E
Fokstua 47 62 7N 9 17 E
Folda, Nord-Trøndelag, Norway 50 64 41N 10 50 E
Folda, Nordland, Norway 50 67 38N 14 50 E
Földeák 27 46 19N 20 30 E
Folégandros 45 36 40N 24 55 E
Folette, La 115 36 23N 84 9W
Foleyet 106 48 15N 82 25W
Folgefonn 47 60 3N 6 23 E
Foligno 39 42 58N 12 40 E
Folkestone 13 51 5N 1 11 E
Folkston 115 30 55N 82 0W
Follett 117 36 30N 100 12W
Follónica 38 42 55N 10 45 E
Follónica, Golfo di 38 42 50N 10 40 E
Folsom 118 38 41N 121 7W
Fond-du-Lac 109 59 19N 107 12W
Fond du Lac 116 43 46N 88 26W
Fond-du-Lac → 109 59 17N 106 0W
Fonda 113 42 57N 74 23W
Fondi 40 41 21N 13 25 E
Fonfría 30 41 37N 6 9W
Fongen 47 63 11N 11 38 E
Fonni 40 40 5N 9 16 E
Fonsagrada 30 43 8N 7 4W
Fonseca, G. de 120 13 10N 87 40W
Fontaine-Française 19 47 32N 5 21 E
Fontainebleau 19 48 24N 2 40 E
Fontas → 108 58 14N 121 48W
Fonte Boa 126 2 33 S 66 0W
Fontem 85 5 32N 9 52 E
Fontenay-le-Comte 20 46 28N 0 48W
Fontur 50 66 23N 14 32W
Fonyód 27 46 44N 17 33 E
Foochow = Fuzhou 75 26 5N 119 16 E
Foping 77 33 41N 108 0 E
Foppiano 38 46 21N 8 24 E
Föra 49 57 1N 16 51 E
Forbach 19 49 10N 6 52 E
Forbes 97 33 22 S 148 0 E
Forbesganj 69 26 17N 87 18 E
Forcados 85 5 26N 5 26 E
Forcados → 85 5 25N 5 19 E
Forcall → 32 40 51N 0 16W
Forcalquier 21 43 58N 5 47 E
Forchheim 25 49 42N 11 4 E
Ford City 112 40 47N 79 31W
Førde 47 61 27N 5 53 E
Ford's Bridge 99 29 41 S 145 29 E
Fordyce 117 33 50N 92 20W
Forécariah 84 9 28N 13 10W
Forel, Mt. 4 66 52N 36 55W
Foremost 108 49 26N 111 34W
Forenza 41 40 50N 15 50 E
Forest, Can. 112 43 6N 82 0W
Forest, U.S.A. 117 32 21N 89 27W
Forest City, Iowa, U.S.A. 116 43 12N 93 39W
Forest City, N.C., U.S.A. 115 35 23N 81 50W
Forest City, Pa., U.S.A. 113 41 39N 75 29W
Forest Grove 118 45 31N 123 4W
Forestburg 108 52 35N 112 1W
Forestier Pen. 99 43 0 S 148 0 E
Forestville, Can. 107 48 48N 69 2W
Forestville, U.S.A. 114 44 41N 87 29W
Forez, Mts. du 20 45 40N 3 50 E
Forfar 14 56 40N 2 53W
Forges-les-Eaux 19 49 37N 1 30 E
Forks 118 47 56N 124 23W
Forlì 39 44 14N 12 2 E
Forman 116 46 9N 97 43W
Formazza 38 46 23N 8 26 E
Formby Pt. 12 53 33N 3 7W
Formentera 33 38 43N 1 27 E
Formentor, C. de 32 39 58N 3 13 E
Fórmia 40 41 15N 13 34 E
Formigine 38 44 37N 10 51 E
Formiguères 20 42 37N 2 5 E
Formosa 124 26 15 S 58 10W
Formosa = Taiwan ■ 75 24 0N 121 0 E
Formosa □ 124 25 0 S 60 0W
Formosa Bay 90 2 40 S 40 20 E
Formosa, Serra 127 12 0 S 55 0W
Fornells 32 40 3N 4 7 E
Fornos de Algodres 30 40 38N 7 32W
Fornovo di Taro 38 44 42N 10 7 E
Forres 14 57 37N 3 38W
Forrest 99 38 33 S 143 47 E
Forrest City 117 35 0N 90 50W
Fors 48 60 14N 16 20 E
Forsa 48 61 44N 16 55 E
Forsand 47 58 54N 6 5 E
Forsayth 97 18 33 S 143 34 E
Forserum 49 57 42N 14 30 E
Forshaga 48 59 33N 13 29 E
Forskacka 48 60 39N 16 54 E
Forsmo 48 63 16N 17 11 E
Forst 24 51 43N 14 37 E
Forster 99 32 12 S 152 31 E
Forsyth, Ga., U.S.A. 115 33 4N 83 55W
Forsyth, Mont., U.S.A. 118 46 14N 106 37W
Fort Albany 106 52 15N 81 35W
Fort Amador 120 8 56N 79 32W
Fort Apache 119 33 50N 110 0W
Fort Assiniboine 108 54 20N 114 45W
Fort Augustus 14 57 9N 4 40W
Fort Beaufort 92 32 46 S 26 40 E
Fort Benton 118 47 50N 110 40W
Fort Bragg 118 39 28N 123 50W
Fort Bridger 118 41 22N 110 20W
Fort Chimo 105 58 6N 68 15W
Fort Chipewyan 109 58 42N 111 8W
Fort Clayton 120 9 0N 79 35W
Fort Collins 116 40 30N 105 4W
Fort-Coulonge 106 45 50N 76 45W
Fort Davis, Panama 120 9 17N 79 56W
Fort Davis, U.S.A. 117 30 38N 103 53W
Fort-de-France 121 14 36N 61 2W
Fort de Possel = Possel 88 5 5N 19 10 E
Fort Defiance 119 35 47N 109 4W
Fort Dodge 116 42 29N 94 10W
Fort Edward 113 43 16N 73 35W
Fort Frances 109 48 36N 93 24W
Fort Franklin 104 65 10N 123 30W
Fort Garland 119 37 28N 105 30W
Fort George 106 53 50N 79 0W
Fort Good-Hope 104 66 14N 128 40W
Fort Hancock 119 31 19N 105 56W
Fort Hertz (Putao) 67 27 28N 97 30 E
Fort Hope 106 51 30N 88 0W
Fort Huachuca 119 31 32N 110 30W
Fort Jameson = Chipata 91 13 38 S 32 28 E
Fort Kent 107 47 12N 68 30W
Fort Klamath 118 42 45N 122 0W
Fort Lallemand 83 31 13N 6 17 E
Fort-Lamy = Ndjamena 81 12 4N 15 8 E
Fort Laramie 116 42 15N 104 30W
Fort Lauderdale 115 26 10N 80 5W
Fort Liard 108 60 14N 123 30W
Fort Liberté 121 19 42N 71 51W
Fort Lupton 116 40 8N 104 48W
Fort Mackay 108 57 12N 111 41W
Fort McKenzie 107 57 20N 69 0W
Fort Macleod 108 49 45N 113 30W
Fort MacMahon 82 29 43N 1 45 E
Fort McMurray 108 56 44N 111 7W
Fort McPherson 104 67 30N 134 55W
Fort Madison 116 40 39N 91 20W
Fort Meade 115 27 45N 81 45W
Fort Miribel 82 29 25N 2 55 E
Fort Morgan 116 40 10N 103 50W
Fort Myers 115 26 39N 81 51W
Fort Nelson 108 58 50N 122 44W
Fort Nelson → 108 59 32N 124 0W
Fort Norman 104 64 57N 125 30W
Fort Payne 115 34 25N 85 44W
Fort Peck 118 48 1N 106 30W
Fort Peck Dam 118 48 0N 106 38W
Fort Peck L. 118 47 40N 107 0W
Fort Pierce 115 27 29N 80 19W
Fort Pierre 116 44 25N 100 25W
Fort Pierre Bordes = Ti-n-Zaouatene 82 20 0N 2 55 E
Fort Plain 113 42 56N 74 39W
Fort Portal 90 0 40N 30 20 E
Fort Providence 108 61 3N 117 40W
Fort Qu'Appelle 109 50 45N 103 50W
Fort Randolph 120 9 23N 79 53W
Fort Resolution 108 61 10N 113 40W
Fort Rixon 91 20 2 S 29 17 E
Fort Roseberry = Mansa 91 11 10 S 28 50 E
Fort Rupert (Rupert House) 106 51 30N 78 40W
Fort Saint 83 30 19N 9 31 E
Fort St. James 108 54 30N 124 10W
Fort St. John 108 56 15N 120 50W
Fort Sandeman 68 31 20N 69 31 E
Fort Saskatchewan 108 53 40N 113 15W
Fort Scott 117 37 50N 94 40W
Fort Severn 106 56 0N 87 40W
Fort Sherman 120 9 22N 79 56W
Fort Shevchenko 57 43 40N 51 20 E
Fort-Sibut 88 5 46N 19 10 E
Fort Simpson 108 61 45N 121 15W
Fort Smith, Can. 108 60 0N 111 51W
Fort Smith, U.S.A. 117 35 25N 94 25W
Fort Stanton 119 33 33N 105 36W
Fort Stockton 117 30 54N 102 54W
Fort Sumner 117 34 24N 104 16W
Fort Thomas 119 33 2N 109 59W
Fort Trinquet = Bir Mogrein 80 25 10N 11 35W
Fort Valley 115 32 33N 83 52W
Fort Vermilion 108 58 24N 116 0W
• Fort Victoria 91 20 8 S 30 49 E
Fort Walton Beach 115 30 25N 86 40W
Fort Wayne 114 41 5N 85 10W
Fort William 14 56 48N 5 8W
Fort Worth 117 32 45N 97 25W
Fort Yates 116 46 8N 100 38W
Fort Yukon 104 66 35N 145 20W
Fortaleza 127 3 45 S 38 35W
Forteau 107 51 28N 56 58W
Fortescue → 96 21 20 S 116 5 E
Forth, Firth of 14 56 5N 2 55W
Forthassa Rharbia 82 32 52N 1 18W
Fortore → 39 41 55N 15 17 E
Fortrose 14 57 35N 4 10W
Fortuna, Spain 33 38 11N 1 7W
Fortuna, Cal., U.S.A. 118 40 38N 124 8W
Fortuna, N.D., U.S.A. 116 48 55N 103 48W

• *Renamed Masvingo*

Fortune B. Galley Hd.

Fortune B. **107** 47 30N 55 22W
Forūr **65** 26 20N 54 30 E
Fos **21** 43 26N 4 56 E
Foshan **75** 23 4N 113 5 E
Fossacesia **39** 42 15N 14 30 E
Fossano **38** 44 33N 7 40 E
Fossil **118** 45 0N 120 9W
Fossilbrook P.O. **98** 17 47 S 144 29 E
Fossombrone **39** 43 41N 12 49 E
Fosston **116** 47 33N 95 39W
Foster **113** 45 17N 72 30W
Foster → **109** 55 47N 105 49W
Fostoria **114** 41 8N 83 25W
Fougamou **88** 1 16 S 10 30 E
Fougères **18** 48 21N 1 14W
Foul Pt. **70** 8 35N 81 18 E
Foulness I. **13** 51 36N 0 55 E
Foulness Pt. **13** 51 36N 0 59 E
Foulpointe **93** 17 41 S 49 31 E
Foum Assaka **82** 29 8N 10 24W
Foum Zguid **82** 30 2N 6 59W
Foumban **85** 5 45N 10 50 E
Foundiougne **84** 14 5N 16 32W
Fountain, Colo., U.S.A. **116** 38 42N 104 40W
Fountain, Utah, U.S.A. **118** 39 41N 111 37W
Fourchambault **19** 47 0N 3 3 E
Fourchu **107** 45 43N 60 17W
Fourmies **19** 50 1N 4 2 E
Fournás **45** 39 3N 21 52 E
Foúrnoi, Greece **45** 37 36N 26 32 E
Foúrnoi, Greece **45** 37 36N 26 28 E
Fours **19** 46 50N 3 42 E
Fouta Djalon **84** 11 20N 12 10W
Foux, Cap-à- **121** 19 43N 73 27W
Foveaux Str. **101** 46 42 S 168 10 E
Fowey **13** 50 20N 4 39W
Fowler, Calif., U.S.A. **119** 36 41N 119 41W
Fowler, Colo., U.S.A. **116** 38 10N 104 0W
Fowler, Kans., U.S.A. **117** 37 28N 100 7W
Fowlerton **117** 28 26N 98 50W
Fownhope **13** 52 0N 2 37W
Fox → **109** 56 3N 93 18W
Fox Valley **109** 50 30N 109 25W
Foxe Basin **105** 68 30N 77 0W
Foxe Channel **105** 66 0N 80 0W
Foxe Pen. **105** 65 0N 76 0W
Foxen, L. **48** 59 25N 11 55 E
Foxpark **118** 41 4N 106 6W
Foxton **101** 40 29 S 175 18 E
Foyle, Lough **15** 55 6N 7 8W
Foynes **15** 52 37N 9 5W
Foz **30** 43 33N 7 20W
Fôz do Cunene **92** 17 15 S 11 48 E
Foz do Gregório **126** 6 47 S 70 44W
Foz do Iguaçu **125** 25 30 S 54 30W
Frackville **113** 40 46N 76 15W
Fraga **32** 41 32N 0 21 E
Framingham **113** 42 18N 71 26W
Frampol **28** 50 41N 22 40 E
Franca **127** 20 33 S 47 30W
Francavilla al Mare **39** 42 25N 14 16 E
Francavilla Fontana **41** 40 32N 17 35 E
France ■ **17** 47 0N 3 0 E
Frances **99** 36 41 S 140 55 E
Frances → **108** 60 16N 129 10W
Frances L. **108** 61 23N 129 30W
Franceville **88** 1 40 S 13 32 E
Franche-Comté **19** 46 30N 5 50 E
Francisco I. Madero, Coahuila, Mexico **120** 25 48N 103 18W
Francisco I. Madero, Durango, Mexico **120** 24 32N 104 22W
Francofonte **41** 37 13N 14 50 E
François, Can. **107** 47 35N 56 45W
François, Mart. **121** 14 38N 60 57W
François L. **108** 54 0N 125 30W
Franeker **16** 53 12N 5 33 E
Frankado **87** 12 30N 43 12 E
Frankenberg **24** 51 3N 8 47 E
Frankenthal **25** 49 32N 8 21 E
Frankenwald **25** 50 18N 11 36 E
Frankfort, Madag. **93** 27 17 S 28 30 E
Frankfort, Ind., U.S.A. **114** 40 20N 86 33W
Frankfort, Kans., U.S.A. **116** 39 42N 96 26W
Frankfort, Ky., U.S.A. **114** 38 12N 84 52W
Frankfort, Mich., U.S.A. **114** 44 38N 86 14W
Frankfurt □ **24** 52 30N 14 0 E
Frankfurt am Main **25** 50 7N 8 40 E
Frankfurt an der Oder **24** 52 50N 14 31 E
Fränkische Alb **25** 49 20N 11 30 E
Fränkische Rezal → **25** 49 11N 11 1 E
Fränkische Saale → **25** 50 30N 9 42 E
Fränkische Schweiz **25** 49 45N 11 10 E
Franklin, Ky., U.S.A. **115** 36 40N 86 30W
Franklin, La., U.S.A. **117** 29 45N 91 30W
Franklin, Mass., U.S.A. **113** 42 4N 71 23W
Franklin, N.H., U.S.A. **114** 43 28N 71 39W
Franklin, N.J., U.S.A. **113** 41 9N 74 38W
Franklin, Nebr., U.S.A. **116** 40 9N 98 55W
Franklin, Pa., U.S.A. **114** 41 22N 79 45W
Franklin, Tenn., U.S.A. **115** 35 54N 86 53W
Franklin, Va., U.S.A. **115** 36 40N 76 58W
Franklin, W. Va., U.S.A. **114** 38 38N 79 21W
* Franklin □ **105** 71 0N 99 0W
Franklin B. **104** 69 45N 126 0W
Franklin D. Roosevelt L. **118** 48 30N 118 16W
Franklin I. **5** 76 10 S 168 30 E
Franklin, L. **118** 40 20N 115 26W
Franklin Mts. **104** 65 0N 125 0W
Franklin Str. **104** 72 0N 96 0W
Franklinton **117** 30 53N 90 10W
Franklinville **112** 42 21N 78 28W
Franks Peak **118** 43 50N 109 5W
Frankston **99** 38 8 S 145 8 E
Fränsta **48** 62 30N 16 11 E
Frantsa Josifa, Zemlya **58** 82 0N 55 0 E
Franz **106** 48 25N 84 30W
Franz Josef Land = Frantsa Josifa **58** 79 0N 62 0 E
Franzburg **24** 54 9N 12 52 E
Frascati **40** 41 48N 12 41 E
Fraser →, B.C., Can. **108** 49 7N 123 11W
Fraser →, Newf., Can. **107** 56 39N 62 10W
Fraser I. **97** 25 15 S 153 10 E
Fraser Lake **108** 54 0N 124 50W
Fraserburg **92** 31 55 S 21 30 E
Fraserburgh **14** 57 41N 2 0W
Fraserdale **106** 49 55N 81 37W
Frashëri **44** 40 23N 20 26 E
Frasne **19** 46 50N 6 10 E
Frauenfeld **25** 47 34N 8 54 E
Fray Bentos **124** 33 10 S 58 15W
Frechilla **30** 42 8N 4 50W
Fredericia **49** 55 34N 9 45 E
Frederick, Md., U.S.A. **114** 39 25N 77 23W
Frederick, Okla., U.S.A. **117** 34 22N 99 0W
Frederick, S.D., U.S.A. **116** 45 55N 98 29W
Frederick Reef **97** 20 58 S 154 23 E
Frederick Sd. **108** 57 10N 134 0W
Fredericksburg, Tex., U.S.A. **117** 30 17N 98 55W
Fredericksburg, Va., U.S.A. **114** 38 16N 77 29W
Frederickstown **117** 37 35N 90 15W
Fredericton **107** 45 57N 66 40W
Fredericton Junc. **107** 45 41N 66 40W
Frederikshavn **49** 57 28N 10 31 E
Frederikssund **49** 55 50N 12 3 E
Fredonia, Ariz., U.S.A. **119** 36 59N 112 36W
Fredonia, Kans., U.S.A. **117** 37 34N 95 50W
Fredonia, N.Y., U.S.A. **114** 42 26N 79 20W
Fredrikstad **47** 59 13N 10 57 E
Freehold **113** 40 15N 74 18W
Freeland **113** 41 3N 75 48W
Freeling, Mt. **96** 22 35 S 133 06 E
Freels, C. **107** 49 15N 53 30W
Freeman **116** 43 25N 97 20W
Freeport, Bahamas **121** 26 30N 78 47W
Freeport, Can. **107** 44 15N 66 20W
Freeport, Ill., U.S.A. **116** 42 18N 89 40W
Freeport, N.Y., U.S.A. **114** 40 39N 73 35W
Freeport, Tex., U.S.A. **117** 28 55N 95 22W
Freetown **84** 8 30N 13 17W
Frégate, L. **106** 53 15N 74 45W
Fregenal de la Sierra **31** 38 10N 6 39W
Fregene **40** 41 50N 12 12 E
Fregeneda, La **30** 40 58N 6 54W
Fréhel, C. **18** 48 40N 2 20W
Frei **47** 63 4N 7 48 E
Freiberg **24** 50 55N 13 20 E
Freibourg = Fribourg **25** 46 49N 7 9 E
Freiburg, Baden, Ger. **25** 48 0N 7 52 E
Freiburg, Niedersachsen, Ger. **24** 53 49N 9 17 E
Freire **128** 38 54 S 72 38W
Freirina **124** 28 30 S 71 10W
Freising **25** 48 24N 11 47 E
Freistadt **26** 48 30N 14 30 E
Freital **24** 51 0N 13 40 E
Fréjus **21** 43 25N 6 44 E
Fremantle **96** 32 7 S 115 47 E
Fremont, Mich., U.S.A. **114** 43 29N 85 59W
Fremont, Nebr., U.S.A. **116** 41 30N 96 30W
Fremont, Ohio, U.S.A. **114** 41 20N 83 5W
Fremont → **119** 38 15N 110 20W
Fremont, L. **118** 43 0N 109 50W
French → **114** 41 30N 80 2W
French Guiana ■ **127** 4 0N 53 0W
French I. **100** 38 20 S 145 22 E
French Terr. of Afars & Issas = Djibouti ■ **87** 11 30N 42 15 E
Frenchglen **118** 42 48N 119 0W
Frenchman → **118** 48 24N 107 5W
Frenchman Butte **109** 53 35N 109 38W
Frenchman Creek → **116** 40 13N 100 50W
Frenda **82** 35 2N 1 1 E
Fresco → **127** 7 15 S 51 30W
Freshfield, C. **5** 68 25 S 151 10 E
Fresnay **18** 48 17N 0 1 E
Fresnillo **120** 23 10N 103 0W
Fresno **119** 36 47N 119 50W
Fresno Alhandiga **30** 40 42N 5 37W
Fresno Res. **118** 48 40N 110 0W
Freudenstadt **25** 48 27N 8 25 E
Frévent **19** 50 15N 2 17 E
Freycinet Pen. **97** 42 10 S 148 25 E
Freyung **25** 48 48N 13 33 E
Fria **84** 10 27N 13 38W
Fria, C. **92** 18 0 S 12 0 E
Frias **124** 28 40 S 65 5W
Fribourg **25** 46 49N 7 9 E
Fribourg □ **25** 46 40N 7 0 E
Fridafors **49** 56 25N 14 39 E
Friedberg, Bayern, Ger. **25** 48 21N 10 59 E
Friedberg, Hessen, Ger. **25** 50 21N 8 46 E
Friedland **24** 53 40N 13 33 E
Friedrichshafen **25** 47 39N 9 29 E
Friedrichskoog **24** 54 1N 8 52 E
Friedrichsort **24** 54 24N 10 11 E
Friedrichstadt **24** 54 23N 9 6 E
Friendly (Tonga) Is. **101** 22 0 S 173 0W
Friesach **26** 46 57N 14 24 E
Friesack **24** 52 43N 12 35 E
Friesland □ **16** 53 5N 5 50 E
Friesoythe **24** 53 1N 7 51 E
Frijoles **120** 9 11N 79 48W
Frillesås **49** 57 20N 12 12 E
Frinnaryd **49** 57 55N 14 50 E
Frio → **117** 28 30N 98 10W
Friona **117** 34 40N 102 42W
Frisian Is. **24** 53 30N 6 0 E
Fristad **49** 57 50N 13 0 E
Fritch **117** 35 40N 101 35W
Fritsla **49** 57 33N 12 47 E
Fritzlar **24** 51 8N 9 19 E
Friuli-Venezia Giulia □ **39** 46 0N 13 0 E
Friville-Escarbotin **19** 50 5N 1 33 E
Frobisher B. **105** 62 30N 66 0W
Frobisher Bay **105** 63 44N 68 31W
Frobisher L. **109** 56 20N 108 15W
Frohavet **50** 63 50N 9 35 E
Froid **116** 48 20N 104 29W
Frolovo **57** 49 45N 43 40 E
Fromberg **118** 42 25N 108 58W
Frombork **28** 54 21N 19 41 E
Frome **13** 51 16N 2 17W
Frome, L. **97** 30 45 S 139 45 E
Fromentine **18** 46 53N 2 9W
Frómista **30** 42 16N 4 25W
Front Range **118** 40 0N 105 40W
Front Royal **114** 38 55N 78 10W
Fronteira **31** 39 3N 7 39W
Frontera **120** 18 30N 92 40W
Frontignan **20** 43 27N 3 45 E
Frosinone **40** 41 38N 13 20 E
Frosolone **41** 41 34N 14 27 E
Frostburg **114** 39 43N 78 57W
Frostisen **50** 68 14N 17 10 E
Frouard **19** 48 47N 6 8 E
Frövi **48** 59 28N 15 24 E
Frøya **47** 63 43N 8 40 E
Fruges **19** 50 30N 2 8 E
Frumoasa **46** 46 28N 25 48 E
Frunze **58** 42 54N 74 46 E
Fruška Gora **42** 45 7N 19 30 E
Frutal **127** 20 0 S 49 0W
Frutigen **25** 46 35N 7 38 E
Frýdek-Místek **27** 49 40N 18 20 E
Frýdlant, Severočeský, Czech. **26** 50 56N 15 9 E
Frýdlant, Severomoravsky, Czech. **27** 49 35N 18 20 E
Fryvaldov = Jeseník **27** 50 0N 17 8 E
Fthiótis □ **45** 38 50N 22 25 E
Fu Xian, Liaoning, China **76** 39 38N 121 58 E
Fu Xian, Shaanxi, China **76** 36 0N 109 20 E
Fucécchio **38** 43 44N 10 51 E
Fucheng **76** 37 50N 116 10 E
Fuchou = Fuzhou **75** 26 5N 119 16 E
Fuchuan **77** 24 50N 111 5 E
Fuchun Jiang → **77** 30 5N 120 5 E
Fúcino, Conca del **39** 42 1N 13 31 E
Fuding **77** 27 20N 120 12 E
Fuencaliente **31** 38 25N 4 18W
Fuengirola **31** 36 32N 4 41W
Fuente Álamo **33** 38 44N 1 24W
Fuente Álamo **33** 37 42N 1 6W
Fuente de Cantos **31** 38 15N 6 18W
Fuente de San Esteban, La **30** 40 49N 6 15W
Fuente del Maestre **31** 38 31N 6 28W
Fuente el Fresno **31** 39 14N 3 46W
Fuente Ovejuna **31** 38 15N 5 25W
Fuentes de Andalucía **31** 37 28N 5 20W
Fuentes de Ebro **32** 41 31N 0 38W
Fuentes de León **31** 38 5N 6 32W
Fuentes de Oñoro **30** 40 33N 6 52W
Fuentesaúco **30** 41 15N 5 30W
Fuerte → **120** 25 50N 109 25W
Fuerte Olimpo **124** 21 0 S 57 51W
Fuerteventura **80** 28 30N 14 0W
Fŭget, Munţii **46** 45 50N 22 9 E
Fugløysund **50** 70 15N 20 20 E
Fugou **77** 34 3N 114 25 E
Fuhai **75** 47 2N 87 25 E
Fuji-no-miya **74** 35 10N 138 40 E
Fuji-San **74** 35 22N 138 44 E
Fujian □ **75** 26 0N 118 0 E
Fujin **76** 47 16N 132 1 E
Fujisawa **74** 35 22N 139 29 E
Fukien = Fujian □ **75** 26 0N 118 0 E
Fukuchiyama **74** 35 19N 135 9 E
Fukui **74** 36 0N 136 10 E
Fukui □ **74** 36 0N 136 12 E
Fukuoka **74** 33 39N 130 21 E
Fukuoka □ **74** 33 30N 131 0 E
Fukushima **74** 37 44N 140 28 E
Fukushima □ **74** 37 30N 140 15 E
Fukuyama **74** 34 35N 133 20 E
Fulda **24** 50 32N 9 41 E
Fulda → **24** 51 27N 9 40 E
Fuling **77** 29 40N 107 20 E
Fullerton, Calif., U.S.A. **119** 33 52N 117 58W
Fullerton, Nebr., U.S.A. **116** 41 25N 98 0W
Fulton, Mo., U.S.A. **116** 38 50N 91 55W
Fulton, N.Y., U.S.A. **114** 43 20N 76 22W
Fulton, Tenn., U.S.A. **115** 36 31N 88 53W
Fuluälven **48** 61 18N 13 4 E
Fulufjället **48** 61 32N 12 41 E
Fumay **19** 50 0N 4 40 E
Fumel **20** 44 30N 0 58 E
Funabashi **74** 35 45N 140 0 E
Funafuti **94** 8 30 S 179 0 E
Funchal **80** 32 38N 16 54W
Fundación **126** 10 31N 74 11W
Fundão **30** 40 8N 7 30W
Fundy, B. of **107** 45 0N 66 0W
Funing, Jiangsu, China **77** 33 45N 119 50 E
Funing, Yunnan, China **77** 23 35N 105 45 E
Funiu Shan **77** 33 30N 112 20 E
Funsi **84** 10 21N 1 54W
Funtua **85** 11 30N 7 18 E
Fuping **76** 38 48N 114 12 E
Fuqing **77** 25 41N 119 21 E
Fur **49** 56 50N 9 0 E
Furāt, Nahr al → **64** 31 0N 47 25 E
Furmanov **55** 57 10N 41 9 E
Furmanovo **57** 49 42N 49 25 E
Furnas, Reprêsa de **125** 20 50 S 45 0W
Furneaux Group **97** 40 10 S 147 50 E
Furness, Pen. **12** 54 12N 3 10W
Fürstenau **24** 52 32N 7 40 E
Fürstenberg **24** 53 11N 13 9 E
Fürstenfeld **26** 47 3N 16 3 E
Fürstenfeldbruck **25** 48 10N 11 15 E
Fürstenwalde **24** 52 20N 14 3 E
Fürth **25** 49 29N 11 0 E
Furth im Wald **25** 49 19N 12 51 E
Furtwangen **25** 48 3N 8 14 E
Furudal **48** 61 10N 15 11 E
Furusund **48** 59 40N 18 55 E
Fury and Hecla Str. **105** 69 56N 84 0W
Fusa **47** 60 12N 5 37 E
Fusagasuga **126** 4 21N 74 22W
Fuscaldo **41** 39 25N 16 1 E
Fushan **76** 37 30N 121 15 E
Fushë Arrëzi **44** 42 4N 20 2 E
Fushun **76** 41 50N 123 56 E
Fusong **76** 42 20N 127 15 E
Füssen **25** 47 35N 10 43 E
Fusui **77** 22 40N 107 56 E
Futuna **94** 14 25 S 178 20 E
Fuwa **86** 31 12N 30 33 E
Fuxin **76** 42 5N 121 48 E
Fuyang, Anhui, China **77** 33 0N 115 48 E
Fuyang, Zhejiang, China **77** 30 5N 119 57 E
Fuyu **76** 45 12N 124 43 E
Fuyuan **75** 48 20N 134 5 E
Füzesgyarmat **27** 47 6N 21 14 E
Fuzhou, Fujian, China **75** 26 5N 119 16 E
Fuzhou, Jiangxi, China **75** 28 0N 116 25 E
Fylde **12** 53 50N 2 58W
Fyn **49** 55 20N 10 30 E
Fyne, L. **14** 56 0N 5 20W
Fyns Amtskommune □ **49** 55 15N 10 30 E
Fyresvatn **47** 59 6N 8 10 E

G

Gaanda **85** 10 10N 12 27 E
Gabarin **85** 11 8N 10 27 E
Gabas → **20** 43 46N 0 42W
Gabela **88** 11 0 S 14 24 E
Gabès **83** 33 53N 10 2 E
Gabès, Golfe de **83** 34 0N 10 30 E
Gabgaba, W. **86** 22 10N 33 5 E
Gabin **28** 52 23N 19 41 E
Gabon ■ **88** 0 10 S 10 0 E
Gaborone **92** 24 45 S 25 57 E
Gabriels **113** 44 26N 74 12W
Gabrovo **43** 42 52N 25 19 E
Gacé **18** 48 49N 0 20 E
Gach Sārān **65** 30 15N 50 45 E
Gacko **42** 43 10N 18 33 E
Gadag-Batgeri **70** 15 30N 75 45 E
Gadamai **87** 17 11N 36 10 E
Gadap **68** 25 5N 67 28 E
Gadarwara **68** 22 50N 78 50 E
Gadebusch **24** 53 41N 11 6 E
Gadein **87** 8 10N 28 45 E
Gadhada **68** 22 0N 71 35 E
Gádor, Sierra de **33** 36 57N 2 45W
Gadsden, Ala., U.S.A. **115** 34 1N 86 0W
Gadsden, Ariz., U.S.A. **119** 32 35N 114 47W
Gadwal **70** 16 10N 77 50 E
Gadyach **54** 50 21N 34 0 E
Găeşti **46** 44 48N 25 19 E
Gaeta **40** 41 12N 13 35 E
Gaeta, G. di **40** 41 0N 13 25 E
Gaffney **115** 35 3N 81 40W
Gafsa **83** 32 24N 8 43 E
Gagarin (Gzhatsk) **54** 55 38N 35 0 E
Gagetown **107** 45 46N 66 10W
Gagino **55** 55 15N 45 1 E
Gagliano del Capo **41** 39 50N 18 23 E
Gagnef **48** 60 36N 15 5 E
Gagnoa **84** 6 56N 5 16W
Gagnon **107** 51 50N 68 5W
Gagnon, L. **109** 62 3N 110 27W
Gagra **57** 43 20N 40 10 E
Gahini **90** 1 50 S 30 30 E
Gahmar **69** 25 27N 83 49 E
Gai Xian **76** 40 22N 122 20 E
Gaibanda **69** 25 20N 89 36 E
Gaïdhouronisi **45** 34 53N 25 41 E
Gail **117** 32 48N 101 25W
Gail → **26** 46 36N 13 53 E
Gaillac **20** 43 54N 1 54 E
Gaillon **18** 49 10N 1 20 E
Gaines **112** 41 46N 77 35W
Gainesville, Fla., U.S.A. **115** 29 38N 82 20W
Gainesville, Ga., U.S.A. **115** 34 17N 83 47W
Gainesville, Mo., U.S.A. **117** 36 35N 92 26W
Gainesville, Tex., U.S.A. **117** 33 40N 97 10W
Gainsborough **12** 53 23N 0 46W
Gairdner L. **96** 31 30 S 136 0 E
Gairloch, L. **14** 57 43N 5 45W
Gaj **42** 45 28N 17 3 E
Gal Oya Res. **70** 7 5N 81 30 E
Galachipa **69** 22 8N 90 26 E
Galán, Cerro **124** 25 55 S 66 52W
Galana → **90** 3 9 S 40 8 E
Galangue **89** 13 42 S 16 9 E
Galanta **27** 48 11N 17 45 E
Galápagos **95** 0 0 89 0W
Galas → **71** 4 55N 101 57 E
Galashiels **14** 55 37N 2 50W
Galatás **45** 37 30N 23 26 E
Galaţi **46** 45 27N 28 2 E
Galaţi □ **46** 45 45N 27 30 E
Galatina **41** 40 10N 18 10 E
Galátone **41** 40 8N 18 3 E
Galax **115** 36 42N 80 57W
Galaxidhion **45** 38 22N 22 23 E
Galbraith **98** 16 25 S 141 30 E
Galcaio **63** 6 30N 47 30 E
Galdhøpiggen **47** 61 38N 8 18 E
Galela **73** 1 50N 127 49 E
Galera **33** 37 45N 2 33W
Galesburg **116** 40 57N 90 23W
Galeton **112** 41 43N 77 40W
Gali **57** 42 37N 41 46 E
Galicea Mare **46** 44 4N 23 19 E
Galich **55** 58 23N 42 12 E
Galiche **43** 43 34N 23 50 E
Galicia **30** 42 43N 7 45W
Galilee = Hagalil **62** 32 53N 35 18 E
Galilee, L. **98** 22 20 S 145 50 E
Galion **112** 40 43N 82 48W
Galite, Is. de la **83** 37 30N 8 59 E
Galiuro Mts. **119** 32 40N 110 30W
Gallabat **81** 12 58N 36 11 E
Gallarate **38** 45 40N 8 48 E
Gallardon **19** 48 32N 1 47 E
Gallatin **115** 36 24N 86 27W
Galle **70** 6 5N 80 10 E
Gállego → **32** 41 39N 0 51W
Gallegos → **128** 51 35 S 69 0W
Galley Hd. **15** 51 32N 8 56W

* *Now part of Central Arctic and Baffin* □

Galliate Ghayl

Galliate **38** 45 27N 8 44 E
Gallinas, Pta. **126** 12 28N 71 40W
Gallípoli **41** 40 8N 18 0 E
Gallipoli = Gelibolu **44** 40 28N 26 43 E
Gallipolis **114** 38 50N 82 10W
Gällivare **50** 67 9N 20 40 E
Gallo, C. **40** 38 13N 13 19 E
Gallocanta, Laguna de **32** 40 58N 1 30W
Galloway **14** 55 0N 4 25W
Galloway, Mull of **14** 54 38N 4 50W
Gallup **119** 35 30N 108 45W
Gallur **32** 41 52N 1 19W
Gal'on **62** 31 38N 34 51 E
Galong **99** 34 37 S 148 34 E
Galtström **48** 62 10N 17 30 E
Galtür **26** 46 58N 10 11 E
Galty Mts. **15** 52 22N 8 10W
Galtymore **15** 52 22N 8 12W
Galva **116** 41 10N 90 0W
Galve de Sorbe **32** 41 13N 3 10W
Galveston **117** 29 15N 94 48W
Galveston B. **117** 29 30N 94 50W
Gálvez, Argent. **124** 32 0 S 61 14W
Gálvez, Spain **31** 39 42N 4 16W
Galway **15** 53 16N 9 4W
Galway □ **15** 53 16N 9 3W
Galway B. **15** 53 10N 9 20W
Gamari, L. **87** 11 32N 41 40 E
Gamawa **85** 12 10N 10 31 E
Gambaga **85** 10 30N 0 28W
Gambat **68** 27 17N 68 26 E
Gambela **87** 8 14N 34 38 E
Gambia ■ **84** 13 25N 16 0W
Gambia → **84** 13 28N 16 34W
Gamboa **120** 9 8N 79 42W
Gamboli **68** 29 53N 68 24 E
* Gambos **89** 14 37 S 14 40 E
Gamerco **119** 35 33N 108 56W
Gammon → **109** 51 24N 95 44W
Gammouda **83** 35 3N 9 39 E
Gan **20** 43 12N 0 27W
Gan Goriama, Mts. **85** 7 44N 12 45 E
Gan Jiang → **75** 29 15N 116 0 E
Gan Shemu'el **62** 32 28N 34 56 E
Gan Yavne **62** 31 48N 34 42 E
Ganado, Ariz., U.S.A. **119** 35 46N 109 41W
Ganado, Tex., U.S.A. **117** 29 4N 96 31W
Gananoque **106** 44 20N 76 10W
Ganaveh **65** 29 35N 50 35 E
Gancheng **77** 18 51N 108 37 E
Gand = Gent **16** 51 2N 3 42 E
Ganda **89** 13 3 S 14 35 E
Gandak → **69** 25 39N 85 13 E
Gandava **68** 28 32N 67 32 E
Gander **107** 48 58N 54 35W
Gander L. **107** 48 58N 54 35W
Ganderowe Falls **91** 17 20 S 29 10 E
Gandesa **32** 41 3N 0 26 E
Gandhi Sagar **68** 24 40N 75 40 E
Gandi **85** 12 55N 5 49 E
Gandía **33** 38 58N 0 9W
Gandino **38** 45 50N 9 52 E
Gandole **85** 8 28N 11 35 E
Ganedidalem = Gani **73** 0 48 S 128 14 E
Ganetti **86** 18 0N 31 10 E
Ganga → **69** 23 20N 90 30 E
Ganga, Mouths of the **69** 21 30N 90 0 E
Ganganagar **68** 29 56N 73 56 E
Gangapur **68** 26 32N 76 49 E
Gangara **85** 14 35N 8 29 E
Gangavati **70** 15 30N 76 36 E
Gangaw **67** 22 5N 94 5 E
Gangdisê Shan **67** 31 20N 81 0 E
Ganges **20** 43 56N 3 42 E
Ganges = Ganga → **69** 23 20N 90 30 E
Gangoh **68** 29 46N 77 18 E
Gangtok **69** 27 20N 88 37 E
Gani **73** 0 48 S 128 14 E
Ganj **68** 27 45N 78 57 E
Gannat **20** 46 7N 3 11 E
Gannett Pk. **118** 43 15N 109 38W
Gannvalley **116** 44 3N 98 57W
Ganquan **76** 36 20N 109 20 E
Gänserdorf **27** 48 20N 16 43 E
Gansu □ **75** 36 0N 104 0 E
Ganta (Gompa) **84** 7 15N 8 59W
Gantheaume B. **96** 27 40 S 114 10 E
Gantheaume, C. **99** 36 4 S 137 32 E
Gantsevichi **54** 52 49N 26 30 E
Ganyu **77** 34 50N 119 8 E
Ganyushkino **57** 46 35N 49 20 E
Ganzhou **75** 25 51N 114 56 E
Gao □ **85** 18 0N 1 0 E
Gao Bang **71** 22 37N 106 18 E
Gao'an **77** 28 26N 115 17 E
Gaomi **76** 36 20N 119 42 E
Gaoping **76** 35 45N 112 55 E
Gaoua **84** 10 20N 3 8W
Gaoual **84** 11 45N 13 25W
Gaoxiong **75** 22 38N 120 18 E
Gaoyou **77** 32 47N 119 26 E
Gaoyou Hu **77** 32 45N 119 20 E
Gaoyuan **76** 37 8N 117 58 E
Gap **21** 44 33N 6 5 E
Gar **75** 32 10N 79 58 E
Garachiné **121** 8 0N 78 12W
Garanhuns **127** 8 50 S 36 30W
Garawe **84** 4 35N 8 0W
Garba Tula **90** 0 30N 38 32 E
Garber **117** 36 30N 97 36W
Garberville **118** 40 11N 123 50W
Gard **63** 9 30N 49 6 E
Gard □ **21** 44 2N 4 10 E
Gard → **21** 43 51N 4 37 E
Garda, L. di **38** 45 40N 10 40 E
Gardala **81** 5 40N 37 25 E
Gardanne **21** 43 27N 5 27 E
Garde L. **109** 62 50N 106 13W
Gardelegen **24** 52 32N 11 21 E
Garden City, Kans., U.S.A. **117** 38 0N 100 45W
Garden City, Tex., U.S.A. **117** 31 52N 101 28W
Gardez **66** 33 37N 69 9 E

* *Renamed Kipungo*

Gardhíki **45** 38 50N 21 55 E
Gardiner **118** 45 3N 110 42W
Gardiners I. **113** 41 4N 72 5W
Gardner **114** 42 35N 72 0W
Gardner Canal **108** 53 27N 128 8W
Gardnerville **118** 38 59N 119 47W
Gardno, Jezioro **28** 54 40N 17 7 E
Garešnica **42** 45 36N 16 56 E
Garéssio **38** 44 12N 8 1 E
Garfield **118** 47 3N 117 8W
Gargaliánoi **45** 37 4N 21 38 E
Gargano, Mte. **41** 41 43N 15 43 E
Gargans, Mt. **20** 45 37N 1 39 E
Gargouna **85** 15 56N 0 13 E
Garhshankar **68** 31 13N 76 11 E
Garibaldi Prov. Park **108** 49 50N 122 40W
Garies **92** 30 32 S 17 59 E
Garigliano → **40** 41 13N 13 44 E
Garissa **90** 0 25 S 39 40 E
Garissa □ **90** 0 20 S 40 0 E
Garkida **85** 10 27N 12 36 E
Garko **85** 11 45N 8 53 E
Garland **118** 41 47N 112 10W
Garlasco **38** 45 11N 8 55 E
Garm **58** 39 0N 70 20 E
Garmisch-Partenkirchen **25** 47 30N 11 5 E
Garmsār **65** 35 20N 52 25 E
Garner **116** 43 4N 93 37W
Garnett **116** 38 18N 95 12W
Garo Hills **69** 25 30N 90 30 E
Garob **92** 26 37 S 16 0 E
Garoe **63** 8 25N 48 33 E
Garonne → **20** 45 2N 0 36W
Garoua (Garwa) **85** 9 19N 13 21 E
Garrel **24** 52 58N 7 59 E
Garrigues **20** 43 40N 3 30 E
Garrison, Mont., U.S.A. **118** 46 30N 112 56W
Garrison, N.D., U.S.A. **116** 47 39N 101 27W
Garrison, Tex., U.S.A. **117** 31 50N 94 28W
Garrison Res. **116** 47 30N 102 0W
Garrovillas **31** 39 40N 6 33W
Garrucha **33** 37 11N 1 49W
Garry → **14** 56 47N 3 47W
Garry L. **104** 65 58N 100 18W
Garsen **90** 2 20 S 40 5 E
Garson → **109** 56 20N 110 1W
Garson L. **109** 56 19N 110 2W
Gartempe → **20** 46 47N 0 49 E
Gartz **24** 53 12N 14 23 E
Garu **85** 10 55N 0 11W
Garut **73** 7 14 S 107 53 E
Garvão **31** 37 42N 8 21W
Garvie Mts. **101** 45 30 S 168 50 E
Garwa **69** 24 11N 83 47 E
Garwolin **28** 51 55N 21 38 E
Gary **114** 41 35N 87 20W
Garz **24** 54 17N 13 21 E
Garzê **75** 31 39N 99 58 E
Garzón **126** 2 10N 75 40W
Gasan Kuli **58** 37 40N 54 20 E
Gascogne **20** 43 45N 0 20 E
Gascogne, G. de **32** 44 0N 2 0W
Gascony = Gascogne **20** 43 45N 0 20 E
Gascoyne → **96** 24 52 S 113 37 E
Gascueña **32** 40 18N 2 31W
Gash, Wadi → **87** 16 48N 35 51 E
Gashaka **85** 7 20N 11 29 E
Gashua **85** 12 54N 11 0 E
Gaspé **107** 48 52N 64 30W
Gaspé, C. **107** 48 48N 64 7W
Gaspé, Pén. de **107** 48 45N 65 40W
Gaspésie, Parc Prov. de la **107** 48 55N 65 50W
Gassaway **114** 38 42N 80 43W
Gássino Torinese **38** 45 8N 7 50 E
Gassol **85** 8 34N 10 25 E
Gastonia **115** 35 17N 81 10W
Gastoúni **45** 37 51N 21 15 E
Gastoúri **44** 39 34N 19 54 E
Gastre **128** 42 20 S 69 15W
Gata, C. de **33** 36 41N 2 13W
Gata, Sierra de **30** 40 20N 6 45W
Gataga → **108** 58 35N 126 59W
Gătaia **42** 45 26N 21 30 E
Gatchina **54** 59 35N 30 9 E
Gateshead **12** 54 57N 1 37W
Gatesville **117** 31 29N 97 45W
Gaths **91** 20 2 S 30 32 E
Gatico **124** 22 29 S 70 20W
Gâtinais **19** 48 5N 2 40 E
Gâtine, Hauteurs de **20** 46 35N 0 45W
Gatineau **113** 45 29N 75 39W
Gatineau → **106** 45 27N 75 42W
Gatineau, Parc de la **106** 45 40N 76 0W
* Gatooma **91** 18 20 S 29 52 E
Gattinara **38** 45 37N 8 22 E
Gatun **120** 9 16N 79 55W
Gatun Dam **120** 9 16N 79 55W
Gatun, L. **120** 9 7N 79 56W
Gatun Locks **120** 9 16N 79 55W
Gaucín **31** 36 31N 5 19W
Gauer L. **109** 57 0N 97 50W
Gauhati **67** 26 10N 91 45 E
Gauja → **54** 57 10N 24 16 E
Gaula → **47** 63 21N 10 14 E
Gaussberg **5** 66 45 S 89 0 E
Gausta **47** 59 50N 8 37 E
Gavá **32** 41 18N 2 0 E
Gavarnie **20** 42 44N 0 3W
Gavāter **65** 25 10N 61 31 E
Gavdhopoúla **45** 34 56N 24 0 E
Gávdhos **45** 34 50N 24 5 E
Gavião **31** 39 28N 7 56W
Gävle **48** 60 40N 17 9 E
Gävleborgs län □ **48** 61 30N 16 15 E
Gavorrano **38** 42 55N 10 49 E
Gavray **18** 48 55N 1 20W
Gavrilov Yam **55** 57 18N 39 49 E
Gávrion **45** 37 54N 24 44 E
Gawachab **92** 27 4 S 17 55 E
Gawilgarh Hills **68** 21 15N 76 45 E
Gawler **97** 34 30 S 138 42 E
Gawler Ranges **96** 32 30 S 135 45 E

* *Renamed Kadoma*

Gaxun Nur **75** 42 22N 100 30 E
Gay **52** 51 27N 58 27 E
Gaya, India **69** 24 47N 85 4 E
Gaya, Niger **85** 11 52N 3 28 E
Gaya, Nigeria **85** 11 57N 9 0 E
Gaylord **114** 45 1N 84 41W
Gayndah **97** 25 35 S 151 32 E
Gaysin **56** 48 57N 28 25 E
Gayvoron **56** 48 22N 29 52 E
Gaza **62** 31 30N 34 28 E
Gaza □ **93** 23 10 S 32 45 E
Gaza Strip **62** 31 29N 34 25 E
Gazaoua **85** 13 32N 7 55 E
Gazelle Pen. **98** 4 40 S 152 0 E
Gazi **90** 1 3N 24 30 E
Gaziantep **64** 37 6N 37 23 E
Gazli **58** 40 14N 63 24 E
Gbarnga **84** 7 19N 9 13W
Gbekebo **85** 6 20N 4 56 E
Gboko **85** 7 17N 9 4 E
Gbongan **85** 7 28N 4 20 E
Gcuwa **93** 32 20 S 28 11 E
Gdańsk **28** 54 22N 18 40 E
Gdańsk □ **28** 54 10N 18 30 E
Gdańska, Zatoka **28** 54 30N 19 20 E
Gdov **54** 58 48N 27 55 E
Gdynia **28** 54 35N 18 33 E
Ge'a **62** 31 38N 34 37 E
Gebe **73** 0 5N 129 25 E
Gebeit Mine **86** 21 3N 36 29 E
Gebel Mûsa **86** 28 32N 33 59 E
Gecha **87** 7 30N 35 18 E
Gedaref **87** 14 2N 35 28 E
Gede, Tanjung **72** 6 46 S 105 12 E
Gedera **62** 31 49N 34 46 E
Gedo **87** 9 2N 37 25 E
Gèdre **20** 42 47N 0 2 E
Gedser **49** 54 35N 11 55 E
Gedser Odde **49** 54 30N 11 58 E
Geelong **97** 38 10 S 144 22 E
Geestenseth **24** 53 31N 8 51 E
Geesthacht **24** 53 25N 10 20 E
Geidam **85** 12 57N 11 57 E
Geikie → **109** 57 45N 103 52W
Geili **87** 16 1N 32 37 E
Geilo **47** 60 32N 8 14 E
Geinica **27** 48 51N 20 55 E
Geisingen **25** 47 55N 8 37 E
Geislingen **25** 48 37N 9 51 E
Geita **90** 2 48 S 32 12 E
Geita □ **90** 2 50 S 32 10 E
Gejiu **75** 23 20N 103 10 E
Gel → **87** 7 5N 29 10 E
Gel River **87** 7 5N 29 10 E
Gela **41** 37 6N 14 18 E
Gela, Golfo di **41** 37 0N 14 8 E
Geladi **63** 6 59N 46 30 E
Gelderland □ **16** 52 5N 6 10 E
Geldermalsen **16** 51 53N 5 17 E
Geldern **24** 51 32N 6 18 E
Geldrop **16** 51 25N 5 32 E
Geleen **16** 50 57N 5 49 E
Gelehun **84** 8 20N 11 40W
Gelendzhik **56** 44 33N 38 10 E
Gelibolu **44** 40 28N 26 43 E
Gelnhausen **25** 50 12N 9 12 E
Gelsenkirchen **24** 51 30N 7 5 E
Gelting **24** 54 43N 9 53 E
Gemas **71** 2 37N 102 36 E
Gembloux **16** 50 34N 4 43 E
Gemena **88** 3 13N 19 48 E
Gemerek **64** 39 15N 36 10 E
Gemona del Friuli **39** 46 16N 13 7 E
Gemsa **86** 27 39N 33 35 E
Gemu-Gofa □ **87** 5 40N 36 40 E
Gemünden **25** 50 3N 9 43 E
Gen He → **76** 50 16N 119 32 E
Genale **87** 6 0N 39 30 E
Gençay **20** 46 23N 0 23 E
Gendringen **16** 51 52N 6 21 E
Geneina, Gebel **86** 29 2N 33 55 E
General Acha **124** 37 20 S 64 38W
General Alvear, Buenos Aires, Argent. **124** 36 0 S 60 0W
General Alvear, Mendoza, Argent. **124** 35 0 S 67 40W
General Artigas **124** 26 52 S 56 16W
General Belgrano **124** 36 35 S 58 47W
General Cabrera **124** 32 53 S 63 52W
General Guido **124** 36 40 S 57 50W
General Juan Madariaga **124** 37 0 S 57 0W
General La Madrid **124** 37 17 S 61 20W
General MacArthur **73** 11 18N 125 28 E
General Martin Miguel de Güemes **124** 24 35 S 65 0W
General Paz **124** 27 45 S 57 36W
General Pico **124** 35 45 S 63 50W
General Pinedo **124** 27 15 S 61 20W
General Pinto **124** 34 45 S 61 50W
General Santos **73** 6 5N 125 14 E
General Toshevo **43** 43 42N 28 6 E
General Trías **120** 28 21N 106 22W
General Viamonte **124** 35 1 S 61 3W
General Villegas **124** 35 0 S 63 0W
Genesee, Idaho, U.S.A. **118** 46 31N 116 59W
Genesee, Pa., U.S.A. **112** 42 0N 77 54W
Genesee → **114** 42 35N 78 0W
Geneseo, Ill., U.S.A. **116** 41 25N 90 10W
Geneseo, Kans., U.S.A. **116** 38 32N 98 8W
Geneseo, N.Y., U.S.A. **112** 42 49N 77 49W
Geneva, Ala., U.S.A. **115** 31 2N 85 52W
Geneva, N.Y., U.S.A. **114** 42 53N 77 0W
Geneva, Nebr., U.S.A. **116** 40 35N 97 35W
Geneva, Ohio, U.S.A. **114** 41 49N 80 58W
Geneva = Genève **25** 46 12N 6 9 E
Geneva, L. **114** 42 38N 88 30W
Geneva, L. = Léman, Lac **25** 46 26N 6 30 E
Genève **25** 46 12N 6 9 E
Genève □ **25** 46 10N 6 10 E
Gengenbach **25** 48 25N 8 0 E
Genichesk **56** 46 12N 34 50 E
Genil → **31** 37 42N 5 19W
Génissiat, Barrage de **21** 46 1N 5 48 E
Genjem **73** 2 46 S 140 12 E
Genk **16** 50 58N 5 32 E
Genlis **19** 47 15N 5 12 E
Gennargentu, Mti. del **40** 40 0N 9 10 E
Gennep **16** 51 41N 5 59 E
Gennes **18** 47 20N 0 17W
Genoa, Austral. **99** 37 29 S 149 35 E
Genoa, N.Y., U.S.A. **113** 42 40N 76 32W
Genoa, Nebr., U.S.A. **116** 41 31N 97 44W
Genoa = Génova **38** 44 24N 8 57 E
Génova **38** 44 24N 8 56 E
Génova, Golfo di **38** 44 0N 9 0 E
Gent **16** 51 2N 3 42 E
Genthin **24** 52 24N 12 10 E
Geographe B. **96** 33 30 S 115 15 E
Geographe Chan. **96** 24 30 S 113 0 E
Geokchay **57** 40 42N 47 43 E
Georga, Zemlya **58** 80 30N 49 0 E
George **92** 33 58 S 22 29 E
George → **107** 58 49N 66 10W
George, L., N.S.W., Austral. **99** 35 10 S 149 25 E
George, L., S. Austral., Austral. **99** 37 25 S 140 0 E
George, L., Uganda **90** 0 5N 30 10 E
George, L., Fla., U.S.A. **115** 29 15N 81 35W
George, L., N.Y., U.S.A. **113** 43 30N 73 30W
George River = Port Nouveau **105** 58 30N 65 50W
George Sound **101** 44 52 S 167 25 E
George Town, Austral. **99** 41 5 S 146 49 E
George Town, Bahamas **121** 23 33N 75 47W
George Town, Malay. **71** 5 25N 100 15 E
George V Coast **5** 69 0 S 148 0 E
George VI Sound **5** 71 0 S 68 0W
George West **117** 28 18N 98 5W
Georgetown, Austral. **97** 18 17 S 143 33 E
Georgetown, Ont., Can. **106** 43 40N 79 56W
Georgetown, P.E.I., Can. **107** 46 13N 62 24W
Georgetown, Gambia **84** 13 30N 14 47W
Georgetown, Guyana **126** 6 50N 58 12W
Georgetown, Colo., U.S.A. **118** 39 46N 105 49W
Georgetown, Ky., U.S.A. **114** 38 13N 84 33W
Georgetown, Ohio, U.S.A. **114** 38 50N 83 50W
Georgetown, S.C., U.S.A. **115** 33 22N 79 15W
Georgetown, Tex., U.S.A. **117** 30 40N 97 45W
Georgi Dimitrov **43** 42 15N 23 54 E
Georgi Dimitrov, Yazovir **43** 42 37N 25 18 E
Georgia □ **115** 32 0N 82 0W
Georgia, Str. of **108** 49 25N 124 0W
Georgian B. **106** 45 15N 81 0W
Georgian S.S.R. □ **57** 42 0N 43 0 E
Georgievsk **57** 44 12N 43 28 E
Georgina → **97** 23 30 S 139 47 E
Georgiu-Dezh **55** 51 3N 39 30 E
Gera **24** 50 53N 12 11 E
Gera □ **24** 50 45N 11 45 E
Geraardsbergen **16** 50 45N 3 53 E
Geral de Goiás, Serra **127** 12 0 S 46 0W
Geral, Serra **125** 26 25 S 50 0W
Geraldine **118** 47 36N 110 18W
Geraldton, Austral. **96** 28 48 S 114 32 E
Geraldton, Can. **106** 49 44N 86 59W
Gérardmer **19** 48 3N 6 50 E
Gerede **56** 40 45N 32 10 E
Gereshk **65** 31 47N 64 35 E
Gérgal **33** 37 7N 2 31W
Gerik **71** 5 25N 101 0 E
Gering **116** 41 51N 103 30W
Gerizim **62** 32 13N 35 15 E
Gerlach **118** 40 43N 119 27W
Gerlachovka **27** 49 11N 20 7 E
Gerlogubi **63** 6 53N 45 3 E
German Planina **42** 42 20N 22 0 E
Germansen Landing **108** 55 43N 124 40W
Germany, East ■ **24** 52 0N 12 0 E
Germany, West ■ **24** 52 0N 9 0 E
Germersheim **25** 49 13N 8 20 E
Germiston **93** 26 15 S 28 10 E
Gernsheim **25** 49 44N 8 29 E
Gerolstein **25** 50 12N 6 40 E
Gerolzhofen **25** 49 54N 10 21 E
Gerona **32** 41 58N 2 46 E
Gerona □ **32** 42 11N 2 30 E
Gerrard **108** 50 30N 117 17W
Gers □ **20** 43 35N 0 38 E
Gers → **20** 44 9N 0 39 E
Gersfeld **24** 50 27N 9 57 E
Gersoppa Falls **70** 14 12N 74 46 E
Gerufa **92** 19 17 S 26 0 E
Geseke **24** 51 38N 8 29 E
Geser **73** 3 50 S 130 54 E
Gesso → **38** 44 24N 7 33 E
Gestro, Wabi → **87** 4 12N 42 2 E
Getafe **30** 40 18N 3 44W
Gethsémani **107** 50 13N 60 40W
Gettysburg, Pa., U.S.A. **114** 39 47N 77 18W
Gettysburg, S.D., U.S.A. **116** 45 3N 99 56W
Getz Ice Shelf **5** 75 0 S 130 0W
Gévaudan **20** 44 40N 3 40 E
Gevgelija **42** 41 9N 22 30 E
Gévora → **31** 38 53N 6 57W
Gex **21** 46 21N 6 3 E
Geyikli **44** 39 50N 26 12 E
Geyser **118** 47 17N 110 30W
Geysir **50** 64 19N 20 18W
Ghaghara → **69** 25 45N 84 40 E
Ghalla, Wadi el → **87** 10 25N 27 32 E
Ghana ■ **85** 6 0N 1 0W
Ghansor **69** 22 39N 80 1 E
Ghanzi **92** 21 50 S 21 34 E
Ghanzi □ **92** 21 50 S 21 45 E
Gharbîya, Es Sahrâ el **86** 27 40N 26 30 E
Ghard Abû Muharik **86** 26 50N 30 0 E
Ghardaïa **82** 32 20N 3 37 E
Ghârib, G. **86** 28 6N 32 54 E
Ghârib, Râs **86** 28 6N 33 18 E
Gharyān **83** 32 10N 13 0 E
Gharyān □ **83** 30 35N 12 0 E
Ghat **83** 24 59N 10 11 E
Ghatal **69** 22 40N 87 46 E
Ghatampur **69** 26 8N 80 13 E
Ghatprabha → **70** 16 15N 75 20 E
Ghayl **64** 21 40N 46 20 E

Ghazal, Bahr el Gorki

Ghazal, Bahr el →	81	15 0N	17 0 E
Ghazâl, Bahr el →	87	9 31N	30 25 E
Ghazaouet	82	35 8N	1 50W
Ghaziabad	68	28 42N	77 26 E
Ghazipur	69	25 38N	83 35 E
Ghazni	66	33 30N	68 28 E
Ghaznī □	65	33 0N	68 0 E
Ghedi	38	45 24N	10 16 E
Ghelari	46	45 38N	22 45 E
Ghèlinsor	63	6 28N	46 39 E
Ghent = Gand	16	51 2N	3 42 E
Gheorghe Gheorghiu-Dej	46	46 17N	26 47 E
Gheorgheni	46	46 43N	25 41 E
Ghergani	46	44 37N	25 37 E
Gherla	46	47 0N	23 57 E
Ghilarza	40	40 8N	8 50 E
Ghisonaccia	21	42 1N	9 26 E
Ghod →	70	18 30N	74 35 E
Ghot Ogrein	86	31 10N	25 20 E
Ghotaru	68	27 20N	70 1 E
Ghotki	68	28 5N	69 21 E
Ghowr □	65	34 0N	64 20 E
Ghudāmis	83	30 11N	9 29 E
Ghugri	69	22 39N	80 41 E
Ghugus	70	19 58N	79 12 E
Ghulam Mohammad Barrage	68	25 30N	68 20 E
Ghūriān	65	34 17N	61 25 E
Gia Nghia	71	12 0N	107 42 E
Gian	73	5 45N	125 20 E
Giannutri	38	42 16N	11 5 E
Giant Mts. = Krkonoše	26	50 50N	16 10 E
Giant's Causeway	15	55 15N	6 30W
Giarre	41	37 44N	15 10 E
Giaveno	38	45 3N	7 20 E
Gibara	121	21 9N	76 11W
Gibbon	116	40 49N	98 45W
Gibe →	87	7 20N	37 36 E
Gibellina	40	37 48N	13 0 E
Gibeon	92	25 7S	17 45 E
Gibraléon	31	37 23N	6 58W
Gibraltar	31	36 7N	5 22W
Gibraltar, Str. of	31	35 55N	5 40W
Gibson Des.	96	24 0S	126 0 E
Gibsons	108	49 24N	123 32W
Giddalur	70	15 20N	78 57 E
Giddings	117	30 11N	96 58W
Gidole	87	5 40N	37 25 E
Gien	19	47 40N	2 36 E
Giessen	24	50 34N	8 40 E
Gifatin, Geziret	86	27 10N	33 50 E
Gifhorn	24	52 29N	10 32 E
Gifu	74	35 30N	136 45 E
Gifu □	74	35 40N	137 0 E
Gigant	57	46 28N	41 20 E
Giganta, Sa. de la	120	25 30N	111 30W
Gigen	43	43 40N	24 28 E
Gigha	14	55 42N	5 45W
Giglio	38	42 20N	10 52 E
Gignac	20	43 39N	3 32 E
Gigüela →	33	39 8N	3 44W
Gijón	30	43 32N	5 42W
Gil I.	108	53 12N	129 15W
Gila →	119	32 43N	114 33W
Gila Bend	119	33 0N	112 46W
Gila Bend Mts.	119	33 15N	113 0W
Gilan □	64	37 0N	48 0 E
Gilău	46	46 45N	23 23 E
Gilbert →	97	16 35S	141 15 E
Gilbert Is.	94	1 0N	176 0 E
Gilbert Plains	109	51 9N	100 28W
Gilbert River	98	18 9S	142 52 E
Gilberton	98	19 16S	143 35 E
Gilf el Kebîr, Hadabat el	86	23 50N	25 50 E
Gilford I.	108	50 40N	126 30W
Gilgandra	97	31 43S	148 39 E
Gilgil	90	0 30S	36 20 E
Gilgit	69	35 50N	74 15 E
Giljeva Planina	42	43 9N	20 0 E
Gillam	109	56 20N	94 40W
Gilleleje	49	56 8N	12 19 E
Gillette	116	44 20N	105 30W
Gilliat	98	20 40S	141 28 E
Gillingham	13	51 23N	0 34 E
Gilmer	117	32 44N	94 55W
Gilmore	99	35 20S	148 12 E
Gilmour	106	44 48N	77 37W
Gilo →	87	8 10N	33 15 E
Gilort →	46	44 38N	23 32 E
Gilroy	119	37 1N	121 37W
Gimbi	87	9 3N	35 42 E
Gimigliano	41	38 58N	16 32 E
Gimli	109	50 40N	97 0W
Gimo	48	60 11N	18 12 E
Gimone →	20	44 0N	1 6 E
Gimont	20	43 38N	0 52 E
Gimzo	62	31 56N	34 56 E
Gin →	70	6 5N	80 7 E
Gin Gin	99	25 0S	151 58 E
Ginâh	86	25 21N	30 30 E
Gindie	98	23 44S	148 8 E
Gineta, La	33	39 8N	2 1W
Gîngiova	46	43 54N	23 50 E
Ginir	87	7 6N	40 40 E
Ginosa	41	40 35N	16 45 E
Ginzo de Limia	30	42 3N	7 47W
Giohar	63	2 48N	45 30 E
Gióia del Colle	41	40 49N	16 55 E
Gióia, G. di	41	38 30N	15 50 E
Gióia Táuro	41	38 26N	15 53 E
Gioiosa Iónica	41	38 20N	16 19 E
Gióna, Óros	45	38 38N	22 14 E
Giong, Teluk	73	4 50N	118 20 E
Giovi, Passo dei	38	44 33N	8 57 E
Giovinazzo	41	41 10N	16 40 E
Gippsland	97	37 45S	147 15 E
Gir Hills	68	21 0N	71 0 E
Girab	68	26 2N	70 38 E
Giraltovce	27	49 7N	21 32 E
Girard, Kans., U.S.A.	117	37 30N	94 50W
Girard, Ohio, U.S.A.	112	41 10N	80 42W
Girard, Pa., U.S.A.	112	42 1N	80 21W
Girardot	126	4 18N	74 48W
Girdle Ness	14	57 9N	2 2W
Giresun	64	40 55N	38 30 E
Girga	86	26 17N	31 55 E
Giridih	69	24 10N	86 21 E
Girifalco	41	38 49N	16 25 E
Girilambone	99	31 16S	146 57 E
Giro	85	11 7N	4 42 E
Giromagny	19	47 44N	6 50 E
Gironde □	20	44 45N	0 30W
Gironde →	20	45 32N	1 7W
Gironella	32	42 2N	1 53 E
Giru	98	19 30S	147 5 E
Girvan	14	55 15N	4 50W
Gisborne	101	38 39S	178 5 E
Gisenyi	90	1 41S	29 15 E
Giske	47	62 30N	6 3 E
Gislaved	49	57 19N	13 32 E
Gisors	19	49 15N	1 47 E
Gitega (Kitega)	90	3 26S	29 56 E
Giuba →	63	1 30N	42 35 E
Giugliano in Campania	41	40 55N	14 12 E
Giulianova	39	42 45N	13 58 E
Giurgeni	46	44 45N	27 48 E
Giurgiu	46	43 52N	25 57 E
Giv'at Brenner	62	31 52N	34 47 E
Giv'atayim	62	32 4N	34 49 E
Give	49	55 51N	9 13 E
Givet	19	50 8N	4 49 E
Givors	21	45 35N	4 45 E
Givry	19	46 41N	4 46 E
Giyon	87	8 33N	38 1 E
Giza = El Gîza	86	30 1N	31 11 E
Gizhiga	59	62 3N	160 30 E
Gizhiginskaya, Guba	59	61 0N	158 0 E
Giżycko	28	54 2N	21 48 E
Gizzeria	41	38 57N	16 10 E
Gjegjan	44	41 58N	20 3 E
Gjerstad	47	58 54N	9 0 E
Gjirokastra	44	40 7N	20 10 E
Gjoa Haven	104	68 20N	96 8W
Gjøl	49	57 4N	9 42 E
Gjøvik	47	60 47N	10 43 E
Glace Bay	107	46 11N	59 58W
Glacier B.	108	58 30N	136 10W
Glacier Nat. Park, Can.	108	51 15N	117 30W
Glacier Nat. Park, U.S.A.	118	48 35N	113 40W
Glacier Park	118	48 30N	113 18W
Glacier Peak Mt.	118	48 7N	121 7W
Gladewater	117	32 30N	94 58W
Gladstone, Austral.	99	33 15S	138 22 E
Gladstone, Can.	109	50 13N	98 57W
Gladstone, U.S.A.	114	45 52N	87 1W
Gladwin	114	43 59N	84 29W
Gladys L.	108	59 50N	133 0W
Glafsfjorden	48	59 30N	12 37 E
Głagów Małapolski	27	50 10N	21 56 E
Gláma	50	65 48N	23 0W
Glåma →	47	59 12N	10 57 E
Glamoč	39	44 3N	16 51 E
Glan	49	58 37N	16 0 E
Glarus	25	47 3N	9 4 E
Glasco, Kans., U.S.A.	116	39 25N	97 50W
Glasco, N.Y., U.S.A.	113	42 3N	73 57W
Glasgow, U.K.	14	55 52N	4 14W
Glasgow, Ky., U.S.A.	114	37 2N	85 55W
Glasgow, Mont., U.S.A.	118	48 12N	106 35W
Glastonbury, U.K.	13	51 9N	2 42W
Glastonbury, U.S.A.	113	41 42N	72 27W
Glauchau	24	50 50N	12 33 E
Glazov	55	58 9N	52 40 E
Gleisdorf	26	47 6N	15 44 E
Gleiwitz = Gliwice	28	50 22N	18 41 E
Glen	113	44 7N	71 10W
Glen Affric	14	57 15N	5 0W
Glen Canyon Dam	119	37 0N	111 25W
Glen Canyon Nat. Recreation Area	119	37 30N	111 0W
Glen Coe	12	56 40N	5 0W
Glen Cove	113	40 51N	73 37W
Glen Garry	14	57 3N	5 7W
Glen Innes	97	29 44S	151 44 E
Glen Lyon	113	41 10N	76 7W
Glen Mor	14	57 12N	4 37 E
Glen Moriston	14	57 10N	4 58W
Glen Orchy	14	56 27N	4 52W
Glen Spean	14	56 53N	4 40W
Glen Ullin	116	46 48N	101 46W
Glénans, Îles. de	18	47 42N	4 0W
Glenburnie	100	37 51S	140 50 E
Glencoe, Can.	112	42 45N	81 43W
Glencoe, S. Afr.	93	28 11S	30 11 E
Glencoe, U.S.A.	116	44 45N	94 10W
Glendale, Ariz., U.S.A.	119	33 40N	112 8W
Glendale, Calif., U.S.A.	119	34 7N	118 18W
Glendale, Oreg., U.S.A.	118	42 44N	123 29W
Glendale, Zimb.	91	17 22S	31 5 E
Glendive	116	47 7N	104 40W
Glendo	116	42 30N	105 0W
Glenelg	99	34 58S	138 31 E
Glenelg →	99	38 4S	140 59 E
Glengarriff	15	51 45N	9 33W
Glengyle	98	24 48S	139 37 E
Glenmora	117	31 1N	92 34W
Glenmorgan	99	27 14S	149 42 E
Glenns Ferry	118	43 0N	115 15W
Glenorchy	99	42 49S	147 18 E
Glenore	98	17 50S	141 12 E
Glenormiston	98	22 55S	138 50 E
Glenreagh	99	30 2S	153 1 E
Glenrock	118	42 53N	105 55W
Glenrothes	14	56 12N	3 11W
Glens Falls	114	43 20N	73 40W
Glenties	15	54 48N	8 18W
Glenville	114	38 56N	80 50W
Glenwood, Alta., Can.	108	49 21N	113 31W
Glenwood, Newf., Can.	107	49 0N	54 58W
Glenwood, Ark., U.S.A.	117	34 20N	93 30W
Glenwood, Hawaii, U.S.A.	110	19 29N	155 10W
Glenwood, Iowa, U.S.A.	116	41 7N	95 41W
Glenwood, Minn., U.S.A.	116	45 38N	95 21W
Glenwood Sprs.	118	39 39N	107 21W
Glina	39	45 20N	16 6 E
Glinojeck	28	52 49N	20 21 E
Glittertind	47	61 40N	8 32 E
Gliwice	28	50 22N	18 41 E
Globe	119	33 25N	110 53W
Glodeanu Siliştea	46	44 50N	26 48 E
Glödnitz	26	46 53N	14 7 E
Glodyany	46	47 45N	27 31 E
Gloggnitz	26	47 41N	15 56 E
Głogów	28	51 37N	16 5 E
Głogowek	28	50 21N	17 53 E
Glorieuses, Îles	93	11 30S	47 20 E
Glossop	12	53 27N	1 56W
Gloucester, Austral.	99	32 0S	151 59 E
Gloucester, U.K.	13	51 52N	2 15W
Gloucester, U.S.A.	113	42 38N	70 39W
Gloucester, C.	98	5 26S	148 21 E
Gloucester I.	98	20 0S	148 30 E
Gloucestershire □	13	51 44N	2 10W
Gloversville	114	43 5N	74 18W
Glovertown	107	48 40N	54 03W
Główno	28	51 59N	19 42 E
Głubczyce	27	50 13N	17 52 E
Glubokiy	57	48 35N	40 25 E
Glubokoye	54	55 10N	27 45 E
Glŭbovo	43	42 8N	25 55 E
Głuchołazy	28	50 19N	17 24 E
Glücksburg	24	54 48N	9 34 E
Glückstadt	24	53 46N	9 28 E
Glukhov	54	51 40N	33 58 E
Glussk	54	52 53N	28 41 E
Glyngøre	49	56 46N	8 52 E
Gmünd, Kärnten, Austria	26	46 54N	13 31 E
Gmünd, Niederösterreich, Austria	26	48 45N	15 0 E
Gmunden	26	47 55N	13 48 E
Gnarp	48	62 3N	17 16 E
Gnesta	48	59 3N	17 17 E
Gniew	28	53 50N	18 50 E
Gniewkowo	28	52 54N	18 25 E
Gniezno	28	52 30N	17 35 E
Gnjilane	42	42 28N	21 29 E
Gnoien	24	53 58N	12 41 E
Gnosjö	49	57 22N	13 43 E
Gnowangerup	96	33 58S	117 59 E
Go Cong	71	10 22N	106 40 E
Goa	70	15 33N	73 59 E
Goa □	70	15 33N	73 59 E
Goageb	92	26 49S	17 15 E
Goalen Hd.	99	36 33S	150 4 E
Goalpara	69	26 10N	90 40 E
Goalundo Ghat	69	23 50N	89 47 E
Goaso	84	6 48N	2 30W
Goat Fell	14	55 37N	5 11W
Goba	87	7 1N	39 59 E
Gobabis	92	22 30S	19 0 E
Gobi	75	44 0N	111 0 E
Gobichettipalayam	70	11 31N	77 21 E
Gobo	87	5 40N	31 10 E
Goch	24	51 40N	6 9 E
Gochas	92	24 59S	18 55 E
Godavari →	70	16 25N	82 18 E
Godavari Point	70	17 0N	82 20 E
Godbout	107	49 20N	67 38W
Godda	69	24 50N	87 13 E
Goddua	83	26 26N	14 19 E
Godech	42	43 1N	23 4 E
Godegård	49	58 43N	15 8 E
Goderich	106	43 45N	81 41W
Goderville	18	49 38N	0 22 E
Godhavn	4	69 15N	53 38W
Godhra	68	22 49N	73 40 E
Gödöllö	27	47 38N	19 25 E
Godoy Cruz	124	32 56S	68 52W
Gods →	109	56 22N	92 51W
Gods L.	109	54 40N	94 15W
Godthåb	4	64 10N	51 35W
Godwin Austen (K2)	69	36 0N	77 0 E
Goeie Hoop, Kaap die	92	34 24S	18 30 E
Goéland, L. au	106	49 50N	76 48W
Goeree	16	51 50N	4 0 E
Goes	16	51 30N	3 55 E
Gogama	106	47 35N	81 43W
Gogango	98	23 40S	150 2 E
Gogebic, L.	116	46 20N	89 34W
Gogha	68	21 40N	72 20 E
Gogolin	28	50 30N	18 0 E
Gogra = Ghaghara →	67	26 0N	84 20 E
Gogriâl	87	8 30N	28 8 E
Goiânia	127	16 43S	49 20W
Goiás	127	15 55S	50 10W
Goiás □	127	12 10S	48 0W
Góis	30	40 10N	8 6W
Goisern	26	47 38N	13 38 E
Gojam □	87	10 55N	36 30 E
Gojeb, Wabi →	87	7 12N	36 40 E
Gojra	68	31 10N	72 40 E
Gokak	70	16 11N	74 52 E
Gokarannath	69	27 57N	80 39 E
Gokarn	70	14 33N	74 17 E
Gökçeada	44	40 10N	25 50 E
Gokteik	67	22 26N	97 0 E
Gokurt	68	29 40N	67 26 E
Gola	69	28 3N	80 32 E
Golakganj	69	26 8N	89 52 E
Golaya Pristen	56	46 29N	32 32 E
Golchikha	4	71 45N	83 30 E
Golconda	118	40 58N	117 32W
Gold Beach	118	42 25N	124 25W
Gold Coast, Austral.	99	28 0S	153 25 E
Gold Coast, W. Afr.	85	4 0N	1 40W
Gold Hill	118	42 28N	123 2W
Gold River	108	49 46N	126 3 E
Gołdap	28	54 19N	22 18 E
Goldberg	24	53 34N	12 6 E
Golden, Can.	108	51 20N	117 59W
Golden, U.S.A.	116	39 42N	105 15W
Golden Bay	101	40 40S	172 50 E
Golden Gate	118	37 54N	122 30W
Golden Hinde	108	49 40N	125 44W
Golden Lake	112	45 34N	77 21W
Golden Prairie	109	50 13N	109 37W
Golden Rock	70	10 45N	78 48 E
Golden Vale	15	52 33N	8 17W
Goldendale	118	45 53N	120 48W
Goldfield	119	37 45N	117 13W
Goldfields	109	59 28N	108 29W
Goldsand L.	109	57 2N	101 8W
Goldsboro	115	35 24N	77 59W
Goldsmith	117	32 0N	102 40W
Goldthwaite	117	31 25N	98 32W
Golegã	31	39 24N	8 29W
Golęniów	28	53 35N	14 50 E
Golfito	121	8 41N	83 5W
Golfo Aranci	40	41 0N	9 35 E
Goliad	117	28 40N	97 22W
Golija, Crna Gora, Yugo.	42	43 5N	18 45 E
Golija, Srbija, Yugo.	42	43 22N	20 15 E
Golina	28	52 15N	18 4 E
Göllersdorf	27	48 29N	16 7 E
Golo →	21	42 31N	9 32 E
Golovanevsk	56	48 25N	30 30 E
Golspie	14	57 58N	3 58W
Golub Dobrzyń	28	53 7N	19 2 E
Golubac	42	44 38N	21 38 E
Golyam Perelik	43	41 36N	24 33 E
Golyama Kamchiya →	43	43 10N	27 55 E
Goma, Rwanda	90	2 11S	29 18 E
Goma, Zaïre	90	1 37S	29 10 E
Gomare	92	19 25S	22 8 E
Gomati →	69	25 32N	83 11 E
Gombari	90	2 45N	29 3 E
Gombe	85	10 19N	11 2 E
Gombe →	90	4 38S	31 40 E
Gombi	85	10 12N	12 30 E
Gomel	54	52 28N	31 0 E
Gomera	80	28 7N	17 14W
Gómez Palacio	120	25 40N	104 0W
Gommern	24	52 5N	11 47 E
Gomogomo	73	6 39S	134 43 E
Gomotartsi	42	44 6N	22 57 E
Gomphoi	44	39 31N	21 27 E
Gonābād	65	34 15N	58 45 E
Gonaïves	121	19 20N	72 42W
Gonâve, G. de la	121	19 29N	72 42W
Gonbab-e Kāvūs	65	37 20N	55 25 E
Gönc	27	48 28N	21 14 E
Gonda	69	27 9N	81 58 E
Gondal	68	21 58N	70 52 E
Gonder	87	12 39N	37 30 E
Gondia	69	21 23N	80 10 E
Gondola	91	19 10S	33 37 E
Gondomar, Port.	30	41 10N	8 35W
Gondomar, Spain	30	42 7N	8 45W
Gondrecourt-le-Château	19	48 26N	5 30 E
Gonghe	75	36 18N	100 32 E
Gongola □	85	8 0N	12 0 E
Gongola →	85	9 30N	12 4 E
Goniadz	28	53 30N	22 44 E
Goniri	85	11 30N	12 15 E
Gonnesa	40	39 17N	8 27 E
Gónnos	44	39 52N	22 29 E
Gonnosfanadiga	40	39 30N	8 39 E
Gonzales, Calif., U.S.A.	119	36 35N	121 30W
Gonzales, Tex., U.S.A.	117	29 30N	97 30W
González Chaves	124	38 02S	60 05W
Good Hope, C. of = Goeie Hoop, K. die	92	34 24S	18 30 E
Goodenough I.	98	9 20S	150 15 E
Gooderham	106	44 54N	78 21W
Goodeve	109	51 4N	103 10W
Gooding	118	43 0N	114 44W
Goodland	116	39 22N	101 44W
Goodnight	117	35 4N	101 13W
Goodooga	99	29 3S	147 28 E
Goodsoil	109	54 24N	109 13W
Goodsprings	119	35 51N	115 30W
Goole	12	53 42N	0 52W
Goolgowi	99	33 58S	145 41 E
Goombalie	99	29 59S	145 26 E
Goonda	91	19 48S	33 57 E
Goondiwindi	97	28 30S	150 21 E
Goor	16	52 13N	6 33 E
Gooray	99	28 25S	150 2 E
Goose →	107	53 20N	60 35W
Goose Bay	107	53 15N	60 20W
Goose L.	118	42 0N	120 30W
Gooty	70	15 7N	77 41 E
Gopalganj, Bangla.	69	23 1N	89 50 E
Gopalganj, India	69	26 28N	84 30 E
Göppingen	25	48 42N	9 40 E
Gor	33	37 23N	2 58W
Góra, Leszno, Poland	28	51 40N	16 31 E
Góra, Płock, Poland	28	52 39N	20 6 E
Góra Kalwaria	28	51 59N	21 14 E
Gorakhpur	69	26 47N	83 23 E
Goražde	42	43 38N	18 58 E
Gorbatov	55	56 12N	43 2 E
Gorbea, Peña	32	43 1N	2 50W
Gorda, Punta	121	14 20N	83 10W
Gordon, Austral.	99	32 7S	138 20 E
Gordon, U.S.A.	116	42 49N	102 12W
Gordon →	99	42 27S	145 30 E
Gordon Downs	96	18 48S	128 33 E
Gordon L., Alta., Can.	109	56 30N	110 25W
Gordon L., N.W.T., Can.	108	63 5N	113 11W
Gordonia	92	28 13S	21 10 E
Gordonvale	98	17 5S	145 50 E
Gore	99	28 17S	151 30 E
Goré	81	7 59N	16 31 E
Gore, Ethiopia	87	8 12N	35 32 E
Gore, N.Z.	101	46 5S	168 58 E
Gore Bay	106	45 57N	82 28W
Gorey	15	52 41N	6 18W
Gorgān	65	36 55N	54 30 E
Gorgona	38	43 27N	9 52 E
Gorgona, I.	126	3 0N	78 10W
Gorgora	87	12 15N	37 17 E
Gorham	113	44 23N	71 10W
Gori	57	42 0N	44 7 E
Gorinchem	16	51 50N	4 59 E
Goritsy	55	57 4N	36 43 E
Gorizia	39	45 56N	13 37 E
Górka	28	51 39N	16 58 E
Gorki	54	54 17N	30 59 E

Gorki Grindsted

Gorki = Gorkiy 55 56 20N 44 0 E
Gorkiy 55 56 20N 44 0 E
Gorkovskoye Vdkhr. 55 57 2N 43 4 E
Gørlev 49 55 30N 11 15 E
Gorlice 27 49 35N 21 11 E
Görlitz 24 51 10N 14 59 E
Gorlovka 56 48 19N 38 5 E
Gorman 117 32 15N 98 43W
Gorna Oryakhovitsa 43 43 7N 25 40 E
Gornja Radgona 39 46 40N 16 2 E
Gornja Tuzla 42 44 35N 18 46 E
Gornji Grad 39 46 20N 14 52 E
Gornji Milanovac 42 44 00N 20 29 E
Gornji Vakuf 42 43 57N 17 34 E
Gorno Ablanovo 43 43 37N 25 43 E
Gorno-Altaysk 58 51 50N 86 5 E
Gorno Slinkino 58 60 5N 70 0 E
Gornyatski 52 67 32N 64 3 E
Gornyy 55 51 50N 48 30 E
Gorodenka 56 48 41N 25 29 E
Gorodets 55 56 38N 43 28 E
Gorodische 55 53 13N 45 40 E
Gorodishche 56 49 17N 31 27 E
Gorodnitsa 54 50 46N 27 19 E
Gorodnya 54 51 55N 31 33 E
Gorodok, Byelorussia, U.S.S.R. 54 55 30N 30 3 E
Gorodok, Ukraine, U.S.S.R. 54 49 46N 23 32 E
Goroka 98 6 7 S 145 25 E
Gorokhov 54 50 30N 24 45 E
Gorokhovets 55 56 13N 42 39 E
Gorom Gorom 85 14 26N 0 14W
Goromonzi 91 17 52 S 31 22 E
Gorong, Kepulauan 73 4 5 S 131 25 E
Gorongosa, Sa. da 91 18 27 S 34 2 E
Gorongose → 93 20 30 S 34 40 E
Gorontalo 73 0 35N 123 5 E
Goronyo 85 13 29N 5 39 E
Górowo Iławeckie 28 54 17N 20 30 E
Gorron 18 48 25N 0 50W
Gort 15 53 4N 8 50W
Gorumahisani 69 22 20N 86 24 E
Gorzkowice 28 51 13N 19 36 E
Gorzno 28 53 12N 19 38 E
Gorzów Śląski 28 51 3N 18 22 E
Gorzów Wielkopolski 28 52 43N 15 15 E
Gorzów Wielkopolski □ 28 52 45N 15 30 E
Gosford 99 33 23 S 151 18 E
Goshen, S. Afr. 92 25 50 S 25 0 E
Goshen, Ind., U.S.A. 114 41 36N 85 46W
Goshen, N.Y., U.S.A. 113 41 23N 74 21W
Goslar 24 51 55N 10 23 E
Gospič 39 44 35N 15 23 E
Gosport 13 50 48N 1 8W
Gostivar 42 41 48N 20 57 E
Gostyń 28 51 50N 17 3 E
Gostynin 28 52 26N 19 29 E
Göta älv → 49 57 42N 11 54 E
Göteborg 49 57 43N 11 59 E
Götene 49 58 32N 13 30 E
Gotha 24 50 56N 10 42 E
Gothenburg 116 40 58N 100 8W
Gotland 49 57 30N 18 33 E
Gotō-Rettō 74 32 55N 129 5 E
Gotse Delchev (Nevrokop) 43 41 43N 23 46 E
Göttingen 24 51 31N 9 55 E
Gottwaldov (Zlin) 27 49 14N 17 40 E
Goubangzi 76 41 20N 121 52 E
Gouda 16 52 1N 4 42 E
Goudiry 84 14 15N 12 45W
Gough I. 7 40 10 S 9 45W
Gouin Rés. 106 48 35N 74 40W
Gouitafla 84 7 30N 5 53W
Goula Touila 82 21 50N 1 57W
Goulburn 97 34 44 S 149 44 E
Goulburn → 100 36 6 S 144 55 E
Goulburn Is. 96 11 40 S 133 20 E
Goulia 84 10 1N 7 11W
Goulimine 82 28 56N 10 0W
Goulmina 82 31 41N 4 57W
Gouménissa 44 40 56N 22 37 E
Gounou-Gaya 81 9 38N 15 31 E
Goûra 45 37 56N 22 20 E
Gourara 82 29 0N 0 30 E
Gouraya 82 36 31N 1 56 E
Gourdon 20 44 44N 1 23 E
Gouré 85 14 0N 10 10 E
Gouri 81 19 36N 19 36 E
Gourits → 92 34 21 S 21 52 E
Gourma Rharous 85 16 55N 1 50W
Gournay-en-Bray 19 49 29N 1 44 E
Gourock Ra. 99 36 0 S 149 25 E
Goursi 84 12 42N 2 37W
Gouverneur 113 44 18N 75 30W
Gouzon 20 46 12N 2 14 E
Govan 109 51 20N 105 0W
Gove 97 12 25 S 136 55 E
Governador Valadares 127 18 15 S 41 57W
Gowan Ra. 98 25 0 S 145 0 E
Gowanda 114 42 29N 78 58W
Gowd-e Zirreh 65 29 45N 62 0 E
Gower, The 13 51 35N 4 10W
Gowna, L. 15 53 52N 7 35W
Gowrie, Carse of 14 56 30N 3 10W
Goya 124 29 10 S 59 10W
Goyllarisquisga 126 10 31 S 76 24W
Goz Beîda 81 12 10N 21 20 E
Goz Regeb 87 16 3N 35 33 E
Gozdnica 28 51 28N 15 4 E
Gozo (Ghawdex) 36 36 0N 14 13 E
Graaff-Reinet 92 32 13 S 24 32 E
Grabow 24 53 17N 11 31 E
Grabów 28 51 31N 18 7 E
Gračac 39 44 18N 15 57 E
Gračanica 42 44 43N 18 18 E
Graçay 19 47 10N 1 50 E
Grace 118 42 38N 111 46W
Graceville 116 45 36N 96 23W
Gracias a Dios, C. 121 15 0N 83 10W
Gradačac 42 44 52N 18 26 E
Gradeška Planina 42 41 30N 22 15 E
Gradets 43 42 46N 26 30 E
Grado, Italy 39 45 40N 13 20 E
Grado, Spain 30 43 23N 6 4W
Gradule 99 28 32 S 149 15 E
Grady 117 34 52N 103 15W
Graeca, Lacul 46 44 5N 26 10 E
Grænalon, L. 50 64 10N 17 20W
Grafenau 25 48 51N 13 24 E
Gräfenberg 25 49 39N 11 15 E
Grafton, Austral. 97 29 38 S 152 58 E
Grafton, U.S.A. 116 48 30N 97 25W
Grafton, C. 97 16 51 S 146 0 E
Gragnano 41 40 42N 14 30 E
Graham, Can. 106 49 20N 90 30W
Graham, N.C., U.S.A. 115 36 5N 79 22W
Graham, Tex., U.S.A. 117 33 7N 98 38W
Graham → 108 56 31N 122 17W
Graham Bell, Os. 58 80 5N 70 0 E
Graham I. 108 53 40N 132 30W
Graham Land 5 65 0 S 64 0W
Graham Mt. 119 32 46N 109 58W
Grahamdale 109 51 23N 98 30W
Grahamstown 92 33 19 S 26 31 E
Grahovo 42 42 40N 18 40 E
Graïba 83 34 30N 10 13 E
Graie, Alpi 38 45 30N 7 10 E
Grain Coast 84 4 20N 10 0W
Grajaú 127 5 50 S 46 4W
Grajaú → 127 3 41 S 44 48W
Grajewo 28 53 39N 22 30 E
Gral. Martin Miguel de Güemes 124 24 50 S 65 0W
Gramada 42 43 49N 22 39 E
Gramat 20 44 48N 1 43 E
Grammichele 41 37 12N 14 37 E
Grámmos, Óros 44 40 18N 20 47 E
Grampian □ 14 57 0N 3 0W
Grampian Mts. 14 56 50N 4 0W
Grampians, Mts. 99 37 0 S 142 20 E
Gran Canaria 80 27 55N 15 35W
Gran Chaco 124 25 0 S 61 0W
Gran Paradiso 38 45 33N 7 17 E
Gran Sasso d'Italia 39 42 25N 13 30 E
Granada, Nic. 121 11 58N 86 0W
Granada, Spain 33 37 10N 3 35W
Granada, U.S.A. 117 38 5N 102 20W
Granada □ 31 37 18N 3 0W
Granard 15 53 47N 7 30W
Granbury 117 32 28N 97 48W
Granby 106 45 25N 72 45W
Grand →, Mo., U.S.A. 116 39 23N 93 6W
Grand →, Mo., U.S.A. 116 39 23N 93 6W
Grand →, S.D., U.S.A. 116 45 40N 100 32W
Grand Bahama 121 26 40N 78 30W
Grand Bank 107 47 6N 55 48W
Grand Bassam 84 5 10N 3 49W
Grand Béréby 84 4 38N 6 55W
Grand-Bourge 121 15 53N 61 19W
Grand Canyon 119 36 3N 112 9W
Grand Canyon National Park 119 36 15N 112 20W
Grand Cayman 121 19 20N 81 20W
Grand Cess 84 4 40N 8 12W
Grand-Combe, La 21 44 13N 4 2 E
Grand Coulee 118 47 48N 119 1W
Grand Coulee Dam 118 48 0N 118 50W
Grand Erg Occidental 82 30 20N 1 0 E
Grand Erg Oriental 83 30 0N 6 30 E
Grand Falls 107 48 56N 55 40W
Grand Forks, Can. 108 49 0N 118 30W
Grand Forks, U.S.A. 116 48 0N 97 3W
Grand-Fougeray 18 47 44N 1 43W
Grand Haven 114 43 3N 86 13W
Grand I. 106 46 30N 86 40W
Grand Island 116 40 59N 98 25W
Grand Isle 117 29 15N 89 58W
Grand Junction 119 39 0N 108 30W
Grand L., N.B., Can. 107 45 57N 66 7W
Grand L., Newf., Can. 107 53 40N 60 30W
Grand L., Newf., Can. 107 49 0N 57 30W
Grand L., U.S.A. 117 29 55N 92 45W
Grand Lac Victoria 106 47 35N 77 35W
Grand Lahou 84 5 10N 5 0W
Grand Lake 118 40 20N 105 54W
Grand-Lieu, Lac de 18 47 6N 1 40W
Grand-Luce, Le 18 47 52N 0 28 E
Grand Manan I. 107 44 45N 66 52W
Grand Marais, Can. 116 47 45N 90 25W
Grand Marais, U.S.A. 114 46 39N 85 59W
Grand Mère 106 46 36N 72 40W
Grand Popo 85 6 15N 1 57 E
Grand Portage 106 47 58N 89 41W
Grand-Pressigny, Le 18 46 55N 0 48 E
Grand Rapids, Can. 109 53 12N 99 19W
Grand Rapids, Mich., U.S.A. 114 42 57N 86 40W
Grand Rapids, Minn., U.S.A. 116 47 15N 93 29W
Grand St.-Bernard, Col. du 25 45 53N 7 11 E
Grand Teton 118 43 54N 111 50W
Grand Valley 118 39 30N 108 2W
Grand View 109 51 10N 100 42W
Grandas de Salime 30 43 13N 6 53W
Grande →, Jujuy, Argent. 124 24 20 S 65 2W
Grande →, Mendoza, Argent. 124 36 52 S 69 45W
Grande →, Boliv. 126 15 51 S 64 39W
Grande →, Bahia, Brazil 127 11 30 S 44 30W
Grande →, Minas Gerais, Brazil 127 20 6 S 51 4W
Grande →, Spain 33 39 6N 0 48W
Grande →, U.S.A. 117 25 57N 97 9W
Grande, B. 128 50 30 S 68 20W
Grande Baie 107 48 19N 70 52W
Grande Baleine → 106 55 20N 77 50W
Grande Cache 108 53 53N 119 8W
Grande, Coxilha 125 28 18 S 51 30W
Grande de Santiago → 120 21 20N 105 50W
Grande-Entrée 107 47 30N 61 40W
Grande, La 118 45 15N 118 0W
Grande-Motte, La 21 43 23N 4 3 E
Grande Prairie 108 55 10N 118 50W
Grande-Rivière 107 48 26N 64 30W
Grande-Saulde → 19 47 22N 1 55 E
Grande-Vallée 107 49 14N 65 8W
Grandes-Bergeronnes 107 48 16N 69 35W
Grandfalls 117 31 21N 102 51W
Grandoe Mines 108 56 29N 129 54W
Grândola 31 38 12N 8 35W
Grandpré 19 49 20N 4 50 E
Grandview 118 46 13N 119 58W
Grandvilliers 19 49 40N 1 57 E
Graneros 124 34 5 S 70 45W
Grange, La, Ga., U.S.A. 115 33 4N 85 0W
Grange, La, Ky., U.S.A. 114 38 20N 85 20W
Grange, La, Tex., U.S.A. 117 29 54N 96 52W
Grangemouth 14 56 1N 3 43W
Granger, U.S.A. 118 46 25N 120 5W
Granger, Wyo., U.S.A. 118 41 35N 109 58W
Grängesberg 48 60 6N 15 1 E
Grangeville 118 45 57N 116 4W
Granite City 116 38 45N 90 3W
Granite Falls 116 44 45N 95 35W
Granite Pk. 118 45 8N 109 52W
Granity 101 41 39 S 171 51 E
Granja 127 3 7 S 40 50W
Granja de Moreruela 30 41 48N 5 44W
Granja de Torrehermosa 31 38 19N 5 35W
Gränna 49 58 1N 14 28 E
Granollers 32 41 39N 2 18 E
Gransee 24 53 0N 13 10 E
Grant 116 40 53N 101 42W
Grant City 116 40 30N 94 25W
Grant, Mt. 118 38 34N 118 48W
Grant, Pt. 100 38 32 S 145 6 E
Grant Range Mts. 119 38 30N 115 30W
Grantham 12 52 55N 0 39W
Grantown-on-Spey 14 57 19N 3 36W
Grants 119 35 14N 107 51W
Grants Pass 118 42 30N 123 22W
Grantsburg 116 45 46N 92 44W
Grantsville 118 40 35N 112 32W
Granville, France 18 48 50N 1 35W
Granville, N.D., U.S.A. 116 48 18N 100 48W
Granville, N.Y., U.S.A. 114 43 24N 73 16W
Granville L. 109 56 18N 100 30W
Grao de Gandía 33 39 0N 0 7W
Grapeland 117 31 30N 95 31W
Gras, L. de 104 64 30N 110 30W
Graskop 93 24 56 S 30 49 E
Gräsö 48 60 28N 18 35 E
Grass → 109 56 3N 96 33W
Grass Range 118 47 0N 109 0W
Grass River Prov. Park 109 54 40N 100 50W
Grass Valley, Calif., U.S.A. 118 39 18N 121 0W
Grass Valley, Oreg., U.S.A. 118 45 22N 120 48W
Grassano 41 40 38N 16 17 E
Grasse 21 43 38N 6 56 E
Graubünden (Grisons) □ 25 46 45N 9 30 E
Graulhet 20 43 45N 1 58 E
Graus 32 42 11N 0 20 E
Grave, Pte. de 20 45 34N 1 4W
Gravelbourg 109 49 50N 106 35W
Gravelines 19 51 0N 2 10 E
's-Gravenhage 16 52 7N 4 17 E
Gravenhurst 112 44 52N 79 20W
Gravesend, Austral. 99 29 35 S 150 20 E
Gravesend, U.K. 13 51 25N 0 22 E
Gravina di Púglia 41 40 48N 16 25 E
Gravois, Pointe-à- 121 16 15N 73 56W
Gravone → 21 41 58N 8 45 E
Gray 19 47 27N 5 35 E
Grayling 114 44 40N 84 42W
Grayling → 108 59 21N 125 0W
Grays Harbor 118 46 55N 124 8W
Grays L. 118 43 8N 111 30W
Grayson 109 50 45N 102 40W
Graz 26 47 4N 15 27 E
Grazalema 31 36 46N 5 23W
Grdelica 42 42 55N 22 3 E
Greasy L. 108 62 55N 122 12W
Great Abaco I. 121 26 25N 77 10W
Great Australia Basin 97 26 0 S 140 0 E
Great Australian Bight 96 33 30 S 130 0 E
Great Bahama Bank 121 23 15N 78 0W
Great Barrier I. 101 36 11 S 175 25 E
Great Barrier Reef 97 18 0 S 146 50 E
Great Barrington 113 42 11N 73 22W
Great Basin 118 40 0N 116 30W
Great Bear → 104 65 0N 124 0W
Great Bear L. 104 65 30N 120 0W
Great Bena 113 41 57N 75 45W
Great Bend 116 38 25N 98 55W
Great Blasket I. 15 52 5N 10 30W
Great Britain 8 54 0N 2 15W
Great Bushman Land 92 29 20 S 19 20 E
Great Central 108 49 20N 125 10W
Great Divide, The 100 35 0 S 149 17 E
Great Dividing Ra. 97 23 0 S 146 0 E
Great Exuma I. 121 23 30N 75 50W
Great Falls, Can. 109 50 27N 96 1W
Great Falls, U.S.A. 118 47 27N 111 12W
Great Fish →, C. Prov., S. Afr. 92 31 30 S 20 16 E
Great Fish →, C. Prov., S. Afr. 92 33 28 S 27 5 E
Great Guana Cay 121 24 0N 76 20W
Great Harbour Deep 107 50 25N 56 32W
Great I. 109 58 53N 96 35W
Great Inagua I. 121 21 0N 73 20W
Great Indian Desert = Thar Desert 68 28 0N 72 0 E
Great Lake 97 41 50 S 146 40 E
Great Orme's Head 12 53 20N 3 52W
Great Ouse → 12 52 47N 0 22 E
Great Palm I. 98 18 45 S 146 40 E
Great Plains 102 47 0N 105 0W
Great Ruaha → 90 7 56 S 37 52 E
Great Salt Lake 102 41 0N 112 30W
Great Salt Lake Desert 118 40 20N 113 50W
Great Salt Plains Res. 117 36 40N 98 15W
Great Sandy Desert 96 21 0 S 124 0 E
Great Scarcies → 84 9 0N 13 0W
Great Slave L. 108 61 23N 115 38W
Great Smoky Mt. Nat. Park 115 35 39N 83 30W
Great Stour → 13 51 15N 1 20 E
Great Victoria Des. 96 29 30 S 126 30 E
Great Wall 76 38 30N 109 30 E
Great Whernside 12 54 9N 1 59W
Great Winterhoek 92 33 07 S 19 10 E
Great Yarmouth 12 52 40N 1 45 E
Greater Antilles 121 17 40N 74 0W
Greater London □ 13 51 30N 0 5W
Greater Manchester □ 12 53 30N 2 15W
Greater Sunda Is. 72 7 0 S 112 0 E
Grebbestad 49 58 42N 11 15 E
Grebenka 54 50 9N 32 22 E
Greco, Mte. 40 41 48N 14 0 E
Gredos, Sierra de 30 40 20N 5 0W
Greece ■ 44 40 0N 23 0 E
Greeley, Colo., U.S.A. 116 40 30N 104 40W
Greeley, Nebr., U.S.A. 116 41 36N 98 32W
Green →, Ky., U.S.A. 114 37 54N 87 30W
Green →, Utah, U.S.A. 119 38 11N 109 53W
Green B. 114 45 0N 87 30W
Green Bay 114 44 30N 88 0W
Green C. 99 37 13 S 150 1 E
Green Cove Springs 115 29 59N 81 40W
Green Is. 98 4 35 S 154 10 E
Green Island 101 45 55 S 170 26 E
Green River 119 38 59N 110 10W
Greenbush, Mich., U.S.A. 112 44 35N 83 19W
Greenbush, Minn., U.S.A. 116 48 46N 96 10W
Greencastle 114 39 40N 86 48W
Greene 113 42 20N 75 45W
Greenfield, Ind., U.S.A. 114 39 47N 85 51W
Greenfield, Iowa, U.S.A. 116 41 18N 94 28W
Greenfield, Mass., U.S.A. 114 42 38N 72 38W
Greenfield, Miss., U.S.A. 117 37 28N 93 50W
Greenfield Park 113 45 29N 73 29W
Greenland □ 4 66 0N 45 0W
Greenland Sea 4 73 0N 10 0W
Greenock 14 55 57N 4 46W
Greenore 15 54 2N 6 8W
Greenore Pt. 15 52 15N 6 20W
Greenport 113 41 5N 72 23W
Greensboro, Ga., U.S.A. 115 33 34N 83 12W
Greensboro, N.C., U.S.A. 115 36 7N 79 46W
Greensburg, Ind., U.S.A. 114 39 20N 85 30W
Greensburg, Kans., U.S.A. 117 37 38N 99 20W
Greensburg, Pa., U.S.A. 114 40 18N 79 31W
Greenville, Liberia 84 5 1N 9 6W
Greenville, Ala., U.S.A. 115 31 50N 86 37W
Greenville, Calif., U.S.A. 118 40 8N 121 0W
Greenville, Ill., U.S.A. 116 38 53N 89 22W
Greenville, Me., U.S.A. 107 45 30N 69 32W
Greenville, Mich., U.S.A. 114 43 12N 85 14W
Greenville, Miss., U.S.A. 117 33 25N 91 0W
Greenville, N.C., U.S.A. 115 35 37N 77 26W
Greenville, Ohio, U.S.A. 114 40 5N 84 38W
Greenville, Pa., U.S.A. 114 41 23N 80 22W
Greenville, S.C., U.S.A. 115 34 54N 82 24W
Greenville, Tenn., U.S.A. 115 36 13N 82 51W
Greenville, Tex., U.S.A. 117 33 5N 96 5W
Greenwater Lake Prov. Park 109 52 32N 103 30W
Greenwich, U.K. 13 51 28N 0 0
Greenwich, Conn., U.S.A. 113 41 1N 73 38W
Greenwich, N.Y., U.S.A. 113 43 2N 73 36W
Greenwich, Ohio, U.S.A. 112 41 1N 82 32W
Greenwood, Can. 108 49 10N 118 40W
Greenwood, Miss., U.S.A. 117 33 30N 90 4W
Greenwood, S.C., U.S.A. 115 34 13N 82 13W
Gregory 116 43 14N 99 20W
Gregory → 98 17 53 S 139 17 E
Gregory Downs 98 18 35 S 138 45 E
Gregory, L. 97 28 55 S 139 0 E
Gregory Lake 96 20 10 S 127 30 E
Gregory Ra. 97 19 30 S 143 40 E
Greiffenberg 24 53 6N 13 57 E
Greifswald 24 54 6N 13 23 E
Greifswalder Bodden 24 54 12N 13 35 E
Greifswalder Oie 24 54 15N 13 55 E
Grein 26 48 14N 14 51 E
Greiner Wald 26 48 30N 15 0 E
Greiz 24 50 39N 12 12 E
Gremikha 52 67 50N 39 40 E
Grenå 49 56 25N 10 53 E
Grenada 117 33 45N 89 50W
Grenada ■ 121 12 10N 61 40W
Grenade 20 43 47N 1 17 E
Grenadines 121 12 40N 61 20W
Grenen 49 57 44N 10 40 E
Grenfell, Austral. 99 33 52 S 148 8 E
Grenfell, Can. 109 50 30N 102 56W
Grenoble 21 45 12N 5 42 E
Grenora 116 48 38N 103 54W
Grenville, C. 97 12 0 S 143 13 E
Grenville Chan. 108 53 40N 129 46W
Gréoux-les-Bains 21 43 45N 5 52 E
Gresham 118 45 30N 122 25W
Gresik 73 7 13 S 112 38 E
Gréssoney St. Jean 38 45 49N 7 47 E
Gretna Green 14 55 0N 3 3W
Greven 24 52 7N 7 36 E
Grevená 44 40 4N 21 25 E
Grevená □ 44 40 2N 21 25 E
Grevenbroich 24 51 6N 6 32 E
Grevenmacher 16 49 41N 6 26 E
Grevesmühlen 24 53 51N 11 10 E
Grevie 49 56 22N 12 46 E
Grey → 101 42 27 S 171 12 E
Grey, C. 97 13 0 S 136 35 E
Grey Range 97 27 0 S 143 30 E
Grey Res. 107 48 20N 56 30W
Greybull 118 44 30N 108 3W
Greytown, N.Z. 101 41 5 S 175 29 E
Greytown, S. Afr. 93 29 1 S 30 36 E
Gribanovskiy 55 51 28N 41 50 E
Gribbell I. 108 53 23N 129 0W
Gridley 118 39 27N 121 47W
Griekwastad 92 28 49 S 23 15 E
Griffin 115 33 17N 84 14W
Griffith 97 34 18 S 146 2 E
Grillby 48 59 38N 17 15 E
Grim, C. 97 40 45 S 144 45 E
Grimari 88 5 43N 20 6 E
Grimaylov 54 49 20N 26 5 E
Grimma 24 51 14N 12 44 E
Grimmen 24 54 6N 13 2 E
Grimsby 112 43 12N 79 34W
Grimsby, Greater 12 53 35N 0 5W
Grimsey 50 66 33N 18 0W
Grimshaw 108 56 10N 117 40W
Grimstad 47 58 22N 8 35 E
Grindelwald 25 46 38N 8 2 E
Grindsted 49 55 46N 8 55 E

Grindu Haifeng

Grindu 46 44 44N 26 50 E
Grinnell 116 41 45N 92 43W
Griñón 30 40 13N 3 51W
Grintavec 39 46 22N 14 32 E
Grip 47 63 16N 7 37 E
Griqualand East 93 30 30S 29 0 E
Griqualand West 92 28 40S 23 30 E
Grisolles 20 43 49N 1 19 E
Grisslehamn 48 60 5N 18 49 E
Griz Nez, C. 19 50 50N 1 35 E
Grmeč Planina 39 44 43N 16 16 E
Groais I. 107 50 55N 55 35W
Groblersdal 93 25 15S 29 25 E
Grobming 26 47 27N 13 54 E
Grocka 42 44 40N 20 42 E
Gródek 28 53 6N 23 40 E
Grodkow 28 50 43N 17 21 E
Grodno 54 53 42N 23 52 E
Grodzisk Mázowiecki 28 52 7N 20 37 E
Grodzisk Wielkopolski 28 52 15N 16 22 E
Grodzyanka 54 53 31N 28 42 E
Groesbeck 117 31 32N 96 34W
Groix 18 47 38N 3 29W
Groix, I. de 18 47 38N 3 28W
Grójec 28 51 50N 20 58 E
Gronau, Niedersachsen, Ger. 24 52 5N 9 47 E
Gronau, Nordrhein-Westfalen, Ger. 24 52 13N 7 2 E
Grong 50 64 25N 12 8 E
Groningen 16 53 15N 6 35 E
Groningen □ 16 53 16N 6 40 E
Grönskåra 49 57 5N 15 43 E
Groom 117 35 12N 100 59W
Groot → 92 33 45S 24 36 E
Groot Berg → 92 32 47S 18 8 E
Groot-Brakrivier 92 34 2S 22 18 E
Groot Karoo 92 32 35S 23 0 E
Groote Eylandt 97 14 0S 136 40 E
Grootfontein 92 19 31S 18 6 E
Grootlaagte → 92 20 55S 21 27 E
Gros C. 108 61 59N 113 32W
Grosa, P. 33 39 6N 1 36 E
Grósio 38 46 18N 10 17 E
Grosne → 21 46 42N 4 56 E
Gross Glockner 26 47 5N 12 40 E
Gross Ottersleben 24 52 5N 11 33 E
Grossenbrode 24 54 21N 11 4 E
Grossenhain 24 51 17N 13 32 E
Grosseto 38 42 45N 11 7 E
Grossgerungs 26 48 34N 14 57 E
Groswater B. 107 54 20N 57 40W
Groton, Conn., U.S.A. 113 41 22N 72 12W
Groton, S.D., U.S.A. 116 45 27N 98 6W
Grottáglie 41 40 32N 17 25 E
Grottaminarda 41 41 5N 15 4 E
Grottammare 39 42 59N 13 52 E
Grouard Mission 108 55 33N 116 9W
Grouin, Pointe du 18 48 43N 1 51W
Groundhog → 106 48 45N 82 58W
Grouse Creek 118 41 44N 113 57W
Grove City 112 41 10N 80 5W
Groveton, N.H., U.S.A. 114 44 34N 71 30W
Groveton, Tex., U.S.A. 117 31 5N 95 4W
Groznjan 39 45 22N 13 43 E
Groznyy 57 43 20N 45 45 E
Grubišno Polje 42 45 44N 17 12 E
Grudovo 43 42 21N 27 10 E
Grudusk 28 53 3N 20 38 E
Grudziądz 28 53 30N 18 47 E
Gruissan 20 43 8N 3 7 E
Grumo Áppula 41 41 2N 16 43 E
Grums 48 59 22N 13 5 E
Grünberg 24 50 37N 8 55 E
Grundy Center 116 42 22N 92 45W
Grungedal 47 59 44N 7 43 E
Gruver 117 36 19N 101 20W
Gruyères 25 46 35N 7 4 E
Gruža 42 43 54N 20 46 E
Gryazi 55 52 30N 39 58 E
Gryazovets 55 58 50N 40 10 E
Grybów 27 49 36N 20 55 E
Grycksbo 48 60 40N 15 29 E
Gryfice 28 53 55N 15 13 E
Gryfino 28 53 16N 14 29 E
Gryfow Sl. 28 51 2N 15 24 E
Grythyttan 48 59 41N 14 32 E
Grytviken 5 53 50S 37 10W
Gstaad 25 46 28N 7 18 E
Guacanayabo, G. de 121 20 40N 77 20W
Guachípas → 124 25 40S 65 30W
Guadajoz → 31 37 50N 4 51W
Guadalajara, Mexico 120 20 40N 103 20W
Guadalajara, Spain 32 40 37N 3 12W
Guadalajara □ 32 40 47N 3 0W
Guadalcanal, Solomon Is. 94 9 32S 160 12 E
Guadalcanal, Spain 31 38 5N 5 52W
Guadalén → 31 38 5N 3 32W
Guadales 124 34 30S 67 55W
Guadalete → 31 36 35N 6 13W
Guadalhorce → 31 36 41N 4 27W
Guadalimar → 33 38 5N 3 28W
Guadalmena → 33 38 19N 2 56W
Guadalmez → 31 38 46N 5 4W
Guadalope → 32 41 15N 0 3W
Guadalquivir → 31 36 47N 6 22W
Guadalupe, Spain 31 39 27N 5 17W
Guadalupe, U.S.A. 119 34 59N 120 33W
Guadalupe → 117 28 30N 96 53W
Guadalupe Bravos 120 31 20N 106 10W
Guadalupe I. 95 21 20N 118 50W
Guadalupe Pk. 119 31 50N 105 30W
Guadalupe, Sierra de 31 39 28N 5 30W
Guadarrama, Sierra de 30 41 0N 4 0W
Guadeloupe 121 16 20N 61 40W
Guadeloupe Passage 121 16 50N 62 15W
Guadiamar → 31 36 55N 6 24W
Guadiana → 31 37 14N 7 22W
Guadiana Menor → 33 37 56N 3 15W
Guadiaro → 31 36 17N 5 17W
Guadiato → 31 37 48N 5 5W
Guadiela → 32 40 22N 2 49W
Guadix 33 37 18N 3 11W
Guafo, Boca del 128 43 35S 74 0W
Guaíra 125 24 5S 54 10W
Guaira, La 126 10 36N 66 56W
Guaitecas, Islas 128 44 0S 74 30W
Guajará-Mirim 126 10 50S 65 20W
Guajira, Pen. de la 126 12 0N 72 0W
Gualdo Tadino 39 43 14N 12 46 E
Gualeguay 124 33 10S 59 14W
Gualeguaychú 124 33 3S 59 31W
Guam 94 13 27N 144 45 E
Guaminí 124 37 1S 62 28W
Guamúchil 120 25 25N 108 3W
Guan Xian 75 31 2N 103 38 E
Guanabacoa 121 23 8N 82 18W
Guanacaste, Cordillera del 121 10 40N 85 4W
Guanaceví 120 25 40N 106 0W
Guanahani = San Salvador, I. 121 24 0N 74 40W
Guanajay 121 22 56N 82 42W
Guanajuato 120 21 0N 101 20W
Guanajuato □ 120 20 40N 101 20W
Guanare 126 8 42N 69 12W
Guandacol 124 29 30S 68 40W
Guane 121 22 10N 84 7W
Guang'an 77 30 28N 106 35 E
Guangde 77 30 54N 119 25 E
Guangdong □ 75 23 0N 113 0 E
Guanghua 75 32 22N 111 38 E
Guangshun 77 26 8N 106 21 E
Guangxi Zhuangzu Zizhiqu □ 75 24 0N 109 0 E
Guangyuan 77 32 26N 105 51 E
Guangze 77 27 30N 117 12 E
Guangzhou 75 23 5N 113 10 E
Guanipa → 126 9 56N 62 26W
Guantánamo 121 20 10N 75 14W
Guantao 76 36 42N 115 25 E
Guanyun 77 34 20N 119 18 E
Guápiles 121 10 10N 83 46W
Guaporé → 126 11 55S 65 4W
Guaqui 126 16 41S 68 54W
Guara, Sierra de 32 42 19N 0 15W
Guarapari 125 20 40S 40 30W
Guarapuava 125 25 20S 51 30W
Guaratinguetá 125 22 49S 45 9W
Guaratuba 125 25 53S 48 38W
Guarda 30 40 32N 7 20W
Guarda □ 30 40 40N 7 20W
Guardafui, C. = Asir, Ras 63 11 55N 51 16 E
Guardamar del Segura 33 38 5N 0 39W
Guardavalle 41 38 31N 16 30 E
Guardia, La 30 41 56N 8 52W
Guardiagrele 39 42 11N 14 11 E
Guardo 30 42 47N 4 50W
Guareña 31 38 51N 6 6W
Guareña → 30 41 29N 5 23W
Guaria □ 124 25 45S 56 30W
Guarujá 125 24 2S 46 25W
Guarus 125 21 44S 41 20W
Guasdualito 126 7 15N 70 44W
Guasipati 126 7 28N 61 54W
Guastalla 38 44 55N 10 40 E
Guatemala 120 14 40N 90 22W
Guatemala ■ 120 15 40N 90 30W
Guatire 126 10 28N 66 32W
Guaviare → 126 4 3N 67 44W
Guaxupé 125 21 10S 47 5W
Guayama 121 17 59N 66 7W
Guayaquil 126 2 15S 79 52W
Guayaquil, G. de 126 3 10S 81 0W
Guaymas 120 27 59N 110 54W
Guazhou 77 32 17N 119 21 E
Guba 91 10 38S 26 27 E
Gûbâl 86 27 30N 34 0 E
Gúbbio 39 43 20N 12 34 E
Gubin 28 51 57N 14 43 E
Gubio 85 12 30N 12 42 E
Gubkin 55 51 17N 37 32 E
Guča 42 43 46N 20 15 E
Guchil 71 5 35N 102 10 E
Gudalur 70 11 30N 76 29 E
Gudata 57 43 7N 40 10 E
Gudená 49 56 27N 9 40 E
Gudermes 57 43 24N 46 5 E
Gudhjem 49 55 12N 14 58 E
Gudiña, La 30 42 4N 7 8W
Gudivada 70 16 30N 81 3 E
Gudiyatam 70 12 57N 78 55 E
Gudur 70 14 12N 79 55 E
Guebwiller 19 47 55N 7 12 E
Guecho 32 43 21N 2 59W
Guékédou 84 8 40N 10 5W
Guelma 83 36 25N 7 29 E
Guelph 106 43 35N 80 20W
Guelt es Stel 82 35 12N 3 1 E
Gueltara 82 29 23N 2 10W
Guemar 83 33 30N 6 49 E
Guémené-Penfao 18 47 38N 1 50W
Guémené-sur-Scorff 18 48 4N 3 13W
Guéné 85 11 44N 3 16 E
Guer 18 47 54N 2 8W
Güera, La 80 20 51N 17 0W
Guérande 18 47 20N 2 26W
Guerche, La 18 47 57N 1 16W
Guerche-sur-l'Aubois, La 19 46 58N 2 56 E
Guercif 82 34 14N 3 21W
Guéréda 81 14 31N 22 5 E
Guéret 20 46 11N 1 51 E
Guérigny 19 47 6N 3 10 E
Guernica 32 43 19N 2 40W
Guernsey, Chan. Is. 18 49 30N 2 35W
Guernsey, U.S.A. 116 42 19N 104 45W
Guerrara, Oasis, Alg. 83 32 51N 4 22 E
Guerrara, Saoura, Alg. 82 28 5N 0 8W
Guerrero □ 120 17 30N 100 0W
Guerzim 82 29 39N 1 40W
Guest I. 5 76 18S 148 0W
Gueugnon 21 46 36N 4 4 E
Gueydan 117 30 3N 92 30W
Guglionesi 41 41 55N 14 54 E
Gui Jiang → 77 23 30N 111 15 E
Gui Xian 77 23 8N 109 35 E
Guia Lopes da Laguna 125 21 26S 56 7W
Guichi 77 30 39N 117 27 E
Guider 85 9 56N 13 57 E
Guidimouni 85 13 42N 9 31 E
Guidong 77 26 7N 113 57 E
Guiglo 84 6 45N 7 30W
Guijo de Coria 30 40 6N 6 28W
Guildford 13 51 14N 0 34W
Guilford 107 45 12N 69 25W
Guilin 75 25 18N 110 15 E
Guillaumes 21 44 5N 6 52 E
Guillestre 21 44 39N 6 40 E
Guilvinec 18 47 48N 4 17W
Guimarães, Braz. 127 2 9S 44 42W
Guimarães, Port. 30 41 28N 8 24W
Guimaras 73 10 35N 122 37 E
Guinea ■ 84 10 20N 10 0W
Guinea-Bissau ■ 84 12 0N 15 0W
Guinea, Gulf of 85 3 0N 2 30 E
Güines 121 22 50N 82 0W
Guingamp 18 48 34N 3 10W
Guipavas 18 48 26N 4 29W
Guiping 75 23 21N 110 2 E
Guipúzcoa □ 32 43 12N 2 15W
Guir, O. → 82 31 29N 2 17W
Güiria 126 10 32N 62 18W
Guiscard 19 49 40N 3 0 E
Guise 19 49 52N 3 35 E
Guitiriz 30 43 11N 7 50W
Guiuan 73 11 5N 125 55 E
Guixi 77 28 16N 117 15 E
Guiyang, Guizhou, China 75 26 32N 106 40 E
Guiyang, Hunan, China 77 25 46N 112 42 E
Guizhou □ 75 27 0N 107 0 E
Gujan-Mestras 20 44 38N 1 4W
Gujarat □ 68 23 20N 71 0 E
Gujranwala 68 32 10N 74 12 E
Gujrat 68 32 40N 74 2 E
Gukovo 57 48 1N 39 58 E
Gulargambone 100 31 20S 148 30 E
Gulbarga 70 17 20N 76 50 E
Gulbene 54 57 8N 26 52 E
Guledgud 70 16 3N 75 48 E
Gulf Basin 96 15 20S 129 0 E
Gulfport 117 30 21N 89 3W
Gulgong 99 32 20S 149 49 E
Gulistan 68 30 30N 66 35 E
Gull Lake 109 50 10N 108 29W
Gullringen 49 57 48N 15 44 E
Gulma 85 12 40N 4 23 E
Gülpinar 44 39 32N 26 10 E
Gulshad 58 46 45N 74 25 E
Gulsvik 47 60 24N 9 38 E
Gulu 90 2 48N 32 17 E
Gulwe 90 6 30S 36 25 E
Gulyaypole 56 47 45N 36 21 E
Gum Lake 99 32 42S 143 9 E
Gumal → 68 31 40N 71 50 E
Gumbaz 68 30 2N 69 0 E
Gumel 85 12 39N 9 22 E
Gumiel de Hizán 32 41 46N 3 41W
Gumlu 98 19 53S 147 41 E
Gumma □ 74 36 30N 138 20 E
Gummersbach 24 51 2N 7 32 E
Gummi 85 12 4N 5 9 E
Gümüsane 64 40 30N 39 30 E
Gümüşhaciköy 56 40 50N 35 18 E
Gumzai 73 5 28S 134 42 E
Guna 68 24 40N 77 19 E
Guna Mt. 87 11 50N 37 40 E
Gundagai 99 35 3S 148 6 E
Gundelfingen 25 48 33N 10 22 E
Gundih 73 7 10S 110 56 E
Gundlakamma → 70 15 30N 80 15 E
Gungu 88 5 43S 19 20 E
Gunisao → 109 53 56N 97 53W
Gunisao L. 109 53 33N 96 15W
Gunnedah 97 30 59S 150 15 E
Gunning 100 34 47S 149 14 E
Gunnison, Colo., U.S.A. 119 38 32N 106 56W
Gunnison, Utah, U.S.A. 118 39 11N 111 48W
Gunnison → 119 39 3N 108 30W
Guntakal 70 15 11N 77 27 E
Guntersville 115 34 18N 86 16W
Guntur 70 16 23N 80 30 E
Gunung-Sitoli 72 1 15N 97 30 E
Gunungapi 73 6 45S 126 30 E
Gunupur 70 19 5N 83 50 E
Günz → 25 48 27N 10 16 E
Gunza 88 10 50S 13 50 E
Günzburg 25 48 27N 10 16 E
Gunzenhausen 25 49 6N 10 45 E
Guo He → 77 32 59N 117 10 E
Guoyang 77 33 32N 116 12 E
Gupis 69 36 15N 73 20 E
Gura 68 25 12N 71 39 E
Gura Humorului 46 47 35N 25 53 E
Gura-Teghii 46 45 30N 26 25 E
Gurag 87 8 20N 38 20 E
Gürchañ 64 34 55N 49 25 E
Gurdaspur 68 32 5N 75 31 E
Gurdon 117 33 55N 93 10W
Gurdzhaani 57 41 43N 45 52 E
Gurgaon 68 28 27N 77 1 E
Gurghiu, Munţii 46 46 41N 25 15 E
Gurk → 26 46 35N 14 31 E
Gurkha 69 28 5N 84 40 E
Gurley 99 29 45S 149 48 E
Gurun 71 5 49N 100 27 E
Gurupá 127 1 25S 51 35W
Gurupá, I. Grande de 127 1 25S 51 45W
Gurupi → 127 1 13S 46 6W
Guryev 57 47 5N 52 0 E
Gus-Khrustalnyy 55 55 42N 40 44 E
Gusau 85 12 12N 6 40 E
Gusev 54 54 35N 22 10 E
Gushan 76 39 50N 123 35 E
Gushi 77 32 11N 115 41 E
Gushiago 85 9 55N 0 15W
Gusinje 42 42 35N 19 50 E
Gúspini 40 39 32N 8 38 E
Gusselby 48 59 38N 15 14 E
Güssing 27 47 3N 16 20 E
Gustanj 39 46 36N 14 49 E
Gustine 119 37 14N 121 0 E
Güstrow 24 53 47N 12 12 E
Gusum 49 58 16N 16 30 E
Guta = Kalárovo 27 47 54N 18 0 E
Gütersloh 24 51 54N 8 25 E
Guthalongra 98 19 52S 147 50 E
Guthega Dam 100 36 20S 148 27 E
Guthrie 117 35 55N 97 30W
Guttenberg 116 42 46N 91 10W
Guyana ■ 126 5 0N 59 0W
Guyang 76 41 0N 110 5 E
Guyenne 20 44 30N 0 40 E
Guymon 117 36 45N 101 30W
Guyra 99 30 15S 151 40 E
Guyuan 76 36 0N 106 20 E
Guzhen 77 33 22N 117 18 E
Guzmán, Laguna de 120 31 25N 107 25W
Gwa 67 17 36N 94 34 E
Gwaai 91 19 15S 27 45 E
Gwabegar 99 30 31S 149 0 E
Gwadabawa 85 13 28N 5 15 E
Gwādar 66 25 10N 62 18 E
Gwagwada 85 10 15N 7 15 E
Gwalior 68 26 12N 78 10 E
Gwanda 91 20 55S 29 0 E
Gwandu 85 12 30N 4 41 E
Gwane 90 4 45N 25 48 E
Gwaram 85 10 15N 10 25 E
Gwarzo 85 12 20N 8 55 E
Gwda → 28 53 3N 16 44 E
Gweebarra B. 15 54 52N 8 21W
Gweedore 15 55 4N 8 15W
* Gwelo 91 19 28S 29 45 E
Gwent □ 13 51 45N 2 55W
Gwi 85 9 0N 7 10 E
Gwinn 114 46 15N 87 29W
Gwio Kura 85 12 40N 11 2 E
Gwol 84 10 58N 1 59W
Gwoza 85 11 5N 13 40 E
Gwydir → 97 29 27S 149 48 E
Gwynedd □ 12 53 0N 4 0W
Gyaring Hu 75 34 50N 97 40 E
Gydanskiy P-ov. 58 70 0N 78 0 E
Gyland 47 58 24N 6 45 E
Gympie 97 26 11S 152 38 E
Gyoda 74 36 10N 139 30 E
Gyoma 27 46 56N 20 50 E
Gyöngyös 27 47 48N 20 0 E
Györ 27 47 41N 17 40 E
Györ-Sopron □ 27 47 40N 17 20 E
Gypsum Pt. 108 61 53N 114 35W
Gypsumville 109 51 45N 98 40W
Gyttorp 48 59 31N 14 58 E
Gyula 27 46 38N 21 17 E
Gzhatsk = Gagarin 54 55 30N 35 0 E

H

Ha 'Arava 62 30 50N 35 20 E
Haag 25 48 11N 12 12 E
Haapamäki 50 62 18N 24 28 E
Haapsalu 54 58 56N 23 30 E
Haarlem 16 52 23N 4 39 E
Haast → 101 43 50S 169 2 E
Hab Nadi Chauki 66 25 0N 66 50 E
Habana, La 121 23 8N 82 22W
Habaswein 90 1 2N 39 30 E
Habay 108 58 50N 118 44W
Habiganj 69 24 24N 91 30 E
Hablingbo 49 57 12N 18 16 E
Habo 49 57 55N 14 6 E
Hachenburg 24 50 40N 7 49 E
Hachijō-Jima 74 33 5N 139 45 E
Hachinohe 74 40 30N 141 29 E
Hachiōji 74 35 40N 139 20 E
Hadali 68 32 16N 72 11 E
Hadarba, Ras 86 22 4N 36 51 E
Hadd, Ras al 65 22 35N 59 50 E
Haddington 14 55 57N 2 48W
Hadejia 85 12 30N 10 5 E
Hadejia → 85 12 50N 10 51 E
Haden 99 27 13S 151 54 E
Hadera 62 32 27N 34 55 E
Hadera, N. → 62 32 28N 34 52 E
Haderslev 49 55 15N 9 30 E
Hadhra 86 20 10N 41 5 E
Hadhramaut = Haḍramawt 63 15 30N 49 30 E
Hadibu 63 12 35N 54 2 E
Hadjeb El Aïoun 83 35 21N 9 32 E
Haḍramawt 63 15 30N 49 30 E
Hadrians Wall 12 55 0N 2 30W
Hadsten 49 56 19N 10 3 E
Hadsund 49 56 44N 10 8 E
Haeju 76 38 3N 125 45 E
Haerhpin = Harbin 76 45 48N 126 40 E
Ḥafar al Baṭin 64 28 25N 46 0 E
Hafizabad 68 32 5N 73 40 E
Haflong 67 25 10N 93 5 E
Hafnarfjörður 50 64 4N 21 57W
Haft-Gel 64 31 30N 49 32 E
Hafun, Ras 63 10 29N 51 30 E
Hagalil 62 32 53N 35 18 E
Hagari → 70 15 40N 77 0 E
Hagen 24 51 21N 7 29 E
Hagenow 24 53 25N 11 10 E
Hagerman 117 33 5N 104 22W
Hagerstown 114 39 39N 77 46W
Hagetmau 20 43 39N 0 37W
Hagfors 48 60 3N 13 45 E
Häggenås 48 63 24N 14 55 E
Hagi, Iceland 50 65 28N 23 25W
Hagi, Japan 74 34 30N 131 22 E
Hagolan 62 33 0N 35 45 E
Hags Hd. 15 52 57N 9 30W
Hague, C. de la 18 49 44N 1 56W
Hague, The = s'-Gravenhage 16 52 7N 4 17 E
Haguenau 19 48 49N 7 47 E
Hai □ 90 3 10S 37 10 E
Haicheng 76 40 50N 122 45 E
Haifeng 77 22 58N 115 10 E

* *Renamed Gweru*

Haiger Håverud

Haiger 24 50 44N 8 12 E
Haikang 77 20 52N 110 8 E
Haikou 75 20 1N 110 16 E
Ḩā'il 64 27 28N 41 45 E
Hailar 75 49 10N 119 38 E
Hailar He → 76 49 30N 117 50 E
Hailey 118 43 30N 114 15W
Haileybury 106 47 30N 79 38W
Hailin 76 44 37N 129 30 E
Hailing Dao 77 21 35N 111 47 E
Hailong 76 42 32N 125 40 E
Hailun 75 47 28N 126 50 E
Hailuoto 50 65 3N 24 45 E
Haimen 77 31 52N 121 10 E
Hainan 77 19 0N 110 0 E
Hainan Dao 75 19 0N 109 30 E
Hainaut □ 16 50 30N 4 0 E
Hainburg 27 48 9N 16 56 E
Haines 118 44 51N 117 59W
Haines City 115 28 6N 81 35W
Haines Junction 108 60 45N 137 30W
Hainfeld 26 48 3N 15 48 E
Haining 77 30 28N 120 40 E
Haiphong 71 20 47N 106 41 E
Haiti ■ 121 19 0N 72 30W
Haiya Junction 86 18 20N 36 21 E
Haiyan 77 30 28N 120 58 E
Haiyang 76 36 47N 121 9 E
Haiyuan 76 36 35N 105 52 E
Haja 73 3 19 S 129 37 E
Hajar Bangar 81 10 40N 22 45 E
Hajar, Jabal 64 26 5N 39 10 E
Hajdú-Bihar □ 27 47 30N 21 30 E
Hajdúböszörmény 27 47 40N 21 30 E
Hajdúdurog 27 47 48N 21 30 E
Hajdúhadház 27 47 40N 21 40 E
Hajdúnánás 27 47 50N 21 26 E
Hajdúsámson 27 47 37N 21 42 E
Hajdúszoboszló 27 47 27N 21 22 E
Hajipur 69 25 45N 85 13 E
Hajówka 28 52 47N 23 35 E
Hajr 65 24 0N 56 34 E
Hakansson, Mts. 91 8 40 S 25 45 E
Håkantorp 49 58 18N 12 55 E
Hakken-Zan 74 34 10N 135 54 E
Hakodate 74 41 45N 140 44 E
Ḩalab = Aleppo 64 36 10N 37 15 E
Ḩalabjah 64 35 10N 45 58 E
Halaib 86 22 12N 36 30 E
Halbe 86 19 40N 42 15 E
Halberstadt 24 51 53N 11 2 E
Halcombe 101 40 8 S 175 30 E
Halcyon, Mt. 73 13 0N 121 30 E
Halden 47 59 9N 11 23 E
Haldensleben 24 52 17N 11 30 E
Haldia 67 22 5N 88 3 E
Haldwani-cum-Kathgodam 69 29 31N 79 30 E
Haleakala Crater 110 20 43N 156 12W
Haleyville 115 34 15N 87 40W
Half Assini 84 5 1N 2 50W
Halfway 118 44 56N 117 8W
Halfway → 108 56 12N 121 32W
Ḩalḩul 62 31 35N 35 7 E
Hali, Si. Arab. 86 18 40N 41 15 E
Hali, Yemen 63 18 30N 41 30 E
Haliburton 106 45 3N 78 30W
Halicarnassus 45 37 3N 27 30 E
Halifax, Austral. 98 18 32 S 146 22 E
Halifax, Can. 107 44 38N 63 35W
Halifax, U.K. 12 53 43N 1 51W
Halifax B. 97 18 50 S 147 0 E
Halifax I. 92 26 38 S 15 4 E
Halīl Rūd → 65 27 40N 58 30 E
Hall 26 47 17N 11 30 E
Hall Beach 105 68 46N 81 12W
Hallabro 49 56 22N 15 5 E
Hallands län □ 49 56 50N 12 50 E
Hallands Väderö 49 56 27N 12 34 E
Hallandsås 49 56 22N 13 0 E
Halle, Belg. 16 50 44N 4 13 E
Halle, Halle, Ger. 24 51 29N 12 0 E
Halle, Nordrhein-Westfalen, Ger. 24 52 4N 8 20 E
Halle □ 24 51 28N 11 58 E
Hällefors 48 59 47N 14 31 E
Hallefors 49 59 46N 14 30 E
Hallein 26 47 40N 13 5 E
Hällekis 49 58 38N 13 27 E
Hallett 99 33 25 S 138 55 E
Hallettsville 117 29 28N 96 57W
Hällevadsholm 49 58 35N 11 33 E
Halley Bay 5 75 31 S 26 36W
Hallia → 70 16 55N 79 20 E
Halliday 116 47 20N 102 25W
Halliday L. 109 61 21N 108 56W
Hallingskeid 47 60 40N 7 17 E
Hällnäs 50 64 19N 19 36 E
Hallock 109 48 47N 97 0W
Halls Creek 96 18 16 S 127 38 E
Hallsberg 48 59 5N 15 7 E
Hallstahammar 48 59 38N 16 15 E
Hallstatt 26 47 33N 13 38 E
Hallstavik 48 60 5N 18 37 E
Hallstead 113 41 56N 75 45W
Halmahera 73 0 40N 128 0 E
Halmeu 46 47 57N 23 2 E
Halmstad 49 56 41N 12 52 E
Halq el Oued 83 36 53N 10 18 E
Hals 49 56 59N 10 18 E
Halsa 47 63 3N 8 14 E
Halsafjorden 47 63 5N 8 10 E
Hälsingborg = Helsingborg 49 56 3N 12 42 E
Halstad 116 47 21N 96 50W
Haltdalen 47 62 56N 11 8 E
Haltern 24 51 44N 7 10 E
Halul 65 25 40N 52 40 E
Ham 19 49 45N 3 4 E
Hamab 92 28 7 S 19 16 E
Hamad 87 15 20N 33 32 E
Hamada 74 34 56N 132 4 E
Hamadān 64 34 52N 48 32 E
Hamadān □ 64 35 0N 49 0 E
Hamadia 82 35 28N 1 57 E
Hamāh 64 35 5N 36 40 E
Hamamatsu 74 34 45N 137 45 E
Hamar 47 60 48N 11 7 E
Hamarøy 50 68 5N 15 38 E
Hamâta, Gebel 86 24 17N 35 0 E
Hamber Prov. Park 108 52 20N 118 0W
Hamburg, Ger. 24 53 32N 9 59 E
Hamburg, Ark., U.S.A. 117 33 15N 91 47W
Hamburg, Iowa, U.S.A. 116 40 37N 95 38W
Hamburg, N.Y., U.S.A. 112 42 44N 78 50W
Hamburg, Pa., U.S.A. 113 40 33N 76 0W
Hamburg □ 24 53 30N 10 0 E
Hamden 113 41 21N 72 56W
Hamdh, W. → 86 24 55N 36 20 E
Hämeen lääni □ 51 61 24N 24 10 E
Hämeenlinna 50 61 0N 24 28 E
Hamélé 84 10 56N 2 45W
Hameln 24 52 7N 9 24 E
Hamer Koke 87 5 15N 36 45 E
Hamersley Ra. 96 22 0 S 117 45 E
Hamhung 76 39 54N 127 30 E
Hami 75 42 55N 93 25 E
Hamilton, Austral. 97 37 45 S 142 2 E
Hamilton, Berm. 121 32 15N 64 45W
Hamilton, Can. 106 43 15N 79 50W
Hamilton, N.Z. 101 37 47 S 175 19 E
Hamilton, U.K. 14 55 47N 4 2W
Hamilton, Mo., U.S.A. 116 39 45N 93 59W
Hamilton, Mont., U.S.A. 118 46 20N 114 6W
Hamilton, N.Y., U.S.A. 114 42 49N 75 31W
Hamilton, Ohio, U.S.A. 114 39 20N 84 35W
Hamilton, Tex., U.S.A. 117 31 40N 98 5W
Hamilton → 98 23 30 S 139 47 E
Hamilton Hotel 98 22 45 S 140 40 E
Hamilton Inlet 107 54 0N 57 30W
Hamiota 109 50 11N 100 38W
Hamlet 115 34 56N 79 40W
Hamley Bridge 99 34 17 S 138 35 E
Hamlin, N.Y., U.S.A. 112 43 17N 77 55W
Hamlin, Tex., U.S.A. 117 32 58N 100 8W
Hamm 24 51 40N 7 49 E
Hammam Bouhadjar 82 35 23N 0 58W
Hammamet 83 36 24N 10 38 E
Hammamet, G. de 83 36 10N 10 48 E
Hammarstrand 48 63 7N 16 20 E
Hammel 49 56 16N 9 52 E
Hammelburg 25 50 7N 9 54 E
Hammeren 49 55 18N 14 47 E
Hammerfest 50 70 39N 23 41 E
Hammond, Ind., U.S.A. 114 41 40N 87 30W
Hammond, La., U.S.A. 117 30 32N 90 30W
Hammonton 114 39 40N 74 47W
Hamneda 49 56 41N 13 51 E
Hamoyet, Jebel 86 17 33N 38 2 E
Hampden 101 45 18 S 170 50 E
Hampshire □ 13 51 3N 1 20W
Hampshire Downs 13 51 10N 1 10W
Hampton, Ark., U.S.A. 117 33 35N 92 29W
Hampton, Iowa, U.S.A. 116 42 42N 93 12W
Hampton, N.H., U.S.A. 113 42 56N 70 48W
Hampton, S.C., U.S.A. 115 32 52N 81 2W
Hampton, Va., U.S.A. 114 37 4N 76 18W
Hampton Harbour 96 20 30 S 116 30 E
Hampton Tableland 96 32 0 S 127 0 E
Hamrat esh Sheykh 87 14 38N 27 55 E
Han Jiang → 77 23 25N 116 40 E
Han Shui → 77 30 35N 114 18 E
Hana 110 20 45N 155 59W
Hanak 86 25 32N 37 0 E
Hanang 90 4 30 S 35 25 E
Hanau 25 50 8N 8 56 E
Hancheng 76 35 31N 110 25 E
Hancock, Mich., U.S.A. 116 47 10N 88 40W
Hancock, Minn., U.S.A. 116 45 26N 95 46W
Hancock, Pa., U.S.A. 113 41 57N 75 19W
Handa, Japan 74 34 53N 137 0 E
Handa, Somalia 63 10 37N 51 2 E
Handan 76 36 35N 114 28 E
Handen 48 59 12N 18 12 E
Handeni 90 5 25 S 38 2 E
Handeni □ 90 5 30 S 38 0 E
Handlová 27 48 45N 18 35 E
Handub 86 19 15N 37 16 E
Hanegev 62 30 50N 35 0 E
Haney 108 49 12N 122 40W
Hanford 119 36 23N 119 39W
Hangang → 76 37 50N 126 30 E
Hangayn Nuruu 75 47 30N 100 0 E
Hangchou = Hangzhou 75 30 18N 120 11 E
Hanggin Houqi 76 40 58N 107 4 E
Hangklip, K. 92 34 26 S 18 48 E
Hangö 51 59 50N 22 57 E
Hangu 76 39 18N 117 53 E
Hangzhou 75 30 18N 120 11 E
Hangzhou Wan 75 30 15N 120 45 E
Ḩanish J. 63 13 45N 42 46 E
Haniska 27 48 37N 21 15 E
Hanita 62 33 5N 35 10 E
Hankinson 116 46 9N 96 58W
Hanko 51 59 59N 22 57 E
Hankou 77 30 35N 114 30 E
Hanksville 119 38 19N 110 45W
Hanmer 101 42 32 S 172 50 E
Hann, Mt. 96 16 0 S 126 0 E
Hanna 108 51 40N 111 54W
Hannaford 116 47 23N 98 11W
Hannah 116 48 58N 98 42W
Hannah B. 106 51 40N 80 0W
Hannibal 116 39 42N 91 22W
Hannik 86 18 12N 32 20 E
Hannover 24 52 23N 9 43 E
Hanö 49 56 2N 14 50 E
Hanöbukten 49 55 35N 14 30 E
Hanoi 71 21 5N 105 55 E
Hanover, Can. 112 44 9N 81 2W
Hanover, S. Afr. 92 31 4 S 24 29 E
Hanover, N.H., U.S.A. 113 43 43N 72 17W
Hanover, Ohio, U.S.A. 112 40 5N 82 17W
Hanover, Pa., U.S.A. 114 39 46N 76 59W
Hanover = Hannover 24 52 23N 9 43 E
Hanover, I. 128 51 0 S 74 50W
Hansi 68 29 10N 75 57 E
Hansjö 48 61 10N 14 40 E
Hanson Range 96 27 0 S 136 30 E
Hanwood 100 34 22 S 146 2 E
Hanyang 77 30 35N 114 2 E
Hanyin 77 32 54N 108 28 E
Hanzhong 75 33 10N 107 1 E
Hanzhuang 77 34 33N 117 23 E
Haparanda 50 65 52N 24 8 E
Happy 117 34 47N 101 50W
Happy Camp 118 41 52N 123 22W
Happy Valley 107 53 15N 60 20W
Hapur 68 28 45N 77 45 E
Ḩaql 86 29 10N 35 0 E
Har 73 5 16 S 133 14 E
Har Hu 75 38 20N 97 38 E
Har Us Nuur 75 48 0N 92 0 E
Har Yehuda 62 31 35N 34 57 E
Ḩaraḑ 64 24 22N 49 0 E
Haraisan Plateau 64 23 0N 47 40 E
Haramsøya 47 62 39N 6 12 E
Harardera 63 4 33N 47 38 E
Harat 87 16 5N 39 26 E
Harazé, Chad 81 14 20N 19 12 E
Harazé, Chad 81 9 57N 20 48 E
Harbin 76 45 48N 126 40 E
Harboør 49 56 38N 8 10 E
Harbor Beach 114 43 50N 82 38W
Harbor Springs 114 45 28N 85 0W
Harbour Breton 107 47 29N 55 50W
Harbour Grace 107 47 40N 53 22W
Harburg 24 53 27N 9 58 E
Hårby 49 55 13N 10 7 E
Harcourt 98 24 17 S 149 55 E
Harda 68 22 27N 77 5 E
Hardangerfjorden 47 60 15N 6 0 E
Hardangerjøkulen 47 60 30N 7 0 E
Hardangervidda 47 60 20N 7 20 E
Hardap Dam 92 24 32 S 17 50 E
Hardenberg 16 52 34N 6 37 E
Harderwijk 16 52 21N 5 38 E
Hardin 118 45 44N 107 33W
Harding 93 30 35 S 29 55 E
Hardisty 108 52 40N 111 18W
Hardman 118 45 12N 119 40W
Hardoi 69 27 26N 80 6 E
Hardwar 68 29 58N 78 9 E
Hardwick 113 44 30N 72 20W
Hardy 117 36 20N 91 30W
Hardy, Pen. 128 55 30 S 68 20W
Hare B. 107 51 15N 55 45W
Hare Gilboa 62 32 31N 35 25 E
Hare Meron 62 32 59N 35 24 E
Haren 24 52 47N 7 18 E
Harer 87 9 20N 42 8 E
Harer □ 87 7 12N 42 0 E
Hareto 87 9 23N 37 6 E
Harfleur 18 49 30N 0 10 E
Hargeisa 63 9 30N 44 2 E
Harghita □ 46 46 30N 25 30 E
Harghita, Mţii 46 46 25N 25 35 E
Hargshamn 48 60 12N 18 30 E
Hari → 72 1 16 S 104 5 E
Haricha, Hamada el 82 22 40N 3 15W
Harihar 70 14 32N 75 44 E
Haringhata → 69 22 0N 89 58 E
Haripad 70 9 14N 76 28 E
Harīrūd 65 35 0N 61 0 E
Harīrūd → 65 34 20N 62 30 E
Harkat 86 20 25N 39 40 E
Harlan, Iowa, U.S.A. 116 41 37N 95 20W
Harlan, Tenn., U.S.A. 115 36 50N 83 20W
Harlech 12 52 52N 4 7W
Harlem 118 48 29N 108 47W
Harlingen, Neth. 16 53 11N 5 25 E
Harlingen, U.S.A. 117 26 20N 97 50W
Harlowton 118 46 30N 109 54W
Harmånger 48 61 55N 17 20 E
Harmil 87 16 30N 40 10 E
Harney Basin 118 43 30N 119 0W
Harney L. 118 43 0N 119 0W
Harney Pk. 116 43 52N 103 33W
Härnön 48 62 36N 18 0 E
Härnösand 48 62 38N 18 0 E
Haro 32 42 35N 2 55W
Haro, C. 120 27 50N 110 55W
Harp L. 107 55 5N 61 50W
Harpanahalli 70 14 47N 76 2 E
Harpe, La 116 40 30N 91 0W
Harper 84 4 25N 7 43W
Harplinge 49 56 45N 12 45 E
Harrand 68 29 28N 70 3 E
Ḩarrat al Kishb 64 22 30N 40 15 E
Ḩarrat al 'Uwairidh 64 26 50N 38 0 E
Harrat Khaibar 86 25 45N 40 0 E
Harrat Nawāsīf 86 21 30N 42 0 E
Harriman 115 36 0N 84 35W
Harrington Harbour 107 50 31N 59 30W
Harris 14 57 50N 6 55W
Harris L. 96 31 10 S 135 10 E
Harris, Sd. of 14 57 44N 7 6W
Harrisburg, Ill., U.S.A. 117 37 42N 88 30W
Harrisburg, Nebr., U.S.A. 116 41 36N 103 46W
Harrisburg, Oreg., U.S.A. 118 44 16N 123 10W
Harrisburg, Pa., U.S.A. 114 40 18N 76 52W
Harrismith 93 28 15 S 29 8 E
Harrison, Ark., U.S.A. 117 36 10N 93 4W
Harrison, Idaho, U.S.A. 118 47 30N 116 51W
Harrison, Nebr., U.S.A. 116 42 42N 103 52W
Harrison B. 104 70 25N 151 30W
Harrison, C. 107 54 55N 57 55W
Harrison L. 108 49 33N 121 50W
Harrisonburg 114 38 28N 78 52W
Harrisonville 116 38 39N 94 21W
Harriston 106 43 57N 80 53W
Harrisville 106 44 40N 83 19W
Harrogate 12 53 59N 1 32W
Harrow, Can. 112 42 2N 82 55W
Harrow, U.K. 13 51 35N 0 15W
Harsefeld 24 53 26N 9 31 E
Harstad 50 68 48N 16 30 E
Hart 114 43 42N 86 21W
Hartbees → 92 28 45 S 20 32 E
Hartberg 26 47 17N 15 58 E
Hartford, Conn., U.S.A. 114 41 47N 72 41W
Hartford, Ky., U.S.A. 114 37 26N 86 50W
Hartford, S.D., U.S.A. 116 43 40N 96 58W
Hartford, Wis., U.S.A. 116 43 18N 88 25W
Hartford City 114 40 22N 85 20W
Hartland 107 46 20N 67 32W
Hartland Pt. 13 51 2N 4 32W
Hartlepool 12 54 42N 1 11W
Hartley 91 18 10 S 30 14 E
Hartley Bay 108 53 25N 129 15W
Hartmannberge 92 17 0 S 13 0 E
Hartney 109 49 30N 100 35W
Hartselle 115 34 25N 86 55W
Hartshorne 117 34 51N 95 30W
Hartsville 115 34 23N 80 2W
Hartwell 115 34 21N 82 52W
Harunabad 68 29 35N 73 8 E
Harur 70 12 3N 78 29 E
Harvey, Ill., U.S.A. 114 41 40N 87 40W
Harvey, N.D., U.S.A. 116 47 50N 99 58W
Harwich 13 51 56N 1 18 E
Haryana □ 68 29 0N 76 10 E
Harz 24 51 40N 10 40 E
Harzgerode 24 51 38N 11 8 E
Hasa 64 26 0N 49 0 E
Hasaheisa 87 14 44N 33 20 E
Hasani 86 25 0N 37 8 E
Hasanpur 68 28 43N 78 17 E
Haselünne 24 52 40N 7 30 E
Hasharon 62 32 12N 34 49 E
Hashefela 62 31 30N 34 43 E
Håsjö 48 63 1N 16 5 E
Haskell, Okla., U.S.A. 117 35 51N 95 40W
Haskell, Tex., U.S.A. 117 33 10N 99 45W
Haslach 25 48 16N 8 7 E
Hasle 49 55 11N 14 44 E
Haslev 49 55 18N 11 57 E
Hasparren 20 43 24N 1 18W
Hasselt 16 50 56N 5 21 E
Hassene, Ad. 82 21 0N 4 0 E
Hassfurt 25 50 2N 10 30 E
Hassi Berrekrem 83 33 45N 5 16 E
Hassi bou Khelala 82 30 17N 0 18W
Hassi Daoula 83 33 4N 5 38 E
Hassi Djafou 82 30 55N 3 35 E
Hassi el Abiod 82 31 47N 3 37 E
Hassi el Biod 83 28 30N 6 0 E
Hassi el Gassi 83 30 52N 6 5 E
Hassi el Hadjar 83 31 28N 4 45 E
Hassi er Rmel 82 32 56N 3 17 E
Hassi Imoulaye 83 29 54N 9 10 E
Hassi Inifel 82 29 50N 3 41 E
Hassi Marroket 82 30 10N 3 0 E
Hassi Messaoud 83 31 43N 6 8 E
Hassi Rhénami 83 31 50N 5 58 E
Hassi Tartrat 83 30 5N 6 28 E
Hassi Zerzour 82 30 51N 3 56W
Hastings, Can. 112 44 18N 77 57W
Hastings, N.Z. 101 39 39 S 176 52 E
Hastings, U.K. 13 50 51N 0 36 E
Hastings, Mich., U.S.A. 114 42 40N 85 20W
Hastings, Minn., U.S.A. 116 44 41N 92 51W
Hastings, Nebr., U.S.A. 116 40 34N 98 22W
Hastings Ra. 99 31 15 S 152 14 E
Hästveda 49 56 17N 13 55 E
Hat Nhao 71 14 46N 106 32 E
Hatch 119 32 45N 107 8W
Hatches Creek 96 20 56 S 135 12 E
Hatchet L. 109 58 36N 103 40W
Haţeg 46 45 36N 22 55 E
Haţeg, Mţii. 46 45 25N 23 0 E
Hatfield P.O. 99 33 54 S 143 49 E
Hatgal 75 50 26N 100 9 E
Hathras 68 27 36N 78 6 E
Hattah 99 34 48 S 142 17 E
Hatteras, C. 115 35 10N 75 30W
Hattiesburg 117 31 20N 89 20W
Hatvan 27 47 40N 19 45 E
Hau Bon = Cheo Reo 71 13 25N 108 28 E
Haug 47 60 23N 10 26 E
Haugastøl 47 60 30N 7 50 E
Haugesund 47 59 23N 5 13 E
Haultain → 109 55 51N 106 46W
Hauraki Gulf 101 36 35 S 175 5 E
Hauran 62 32 50N 36 15 E
Hausruck 26 48 6N 13 30 E
Haut Atlas 82 32 30N 5 0W
Haut-Rhin □ 19 48 0N 7 15 E
Haut Zaïre □ 90 2 20N 26 0 E
Hautah, Wahāt al 64 23 40N 47 0 E
Haute-Corse □ 21 42 30N 9 30 E
Haute-Garonne □ 20 43 28N 1 30 E
Haute-Loire □ 20 45 5N 3 50 E
Haute-Marne □ 19 48 10N 5 20 E
Haute-Saône □ 19 47 45N 6 10 E
Haute-Savoie □ 21 46 0N 6 20 E
Haute-Vienne □ 20 45 50N 1 10 E
Hauterive 107 49 10N 68 16W
Hautes-Alpes □ 21 44 42N 6 20 E
Hautes-Pyrénées □ 20 43 0N 0 10 E
Hauteville 21 45 58N 5 36 E
Hautmont 19 50 15N 3 55 E
Hauts-de-Seine □ 19 48 52N 2 15 E
Hauts Plateaux 82 34 14N 1 0 E
Hauzenberg 25 48 39N 13 38 E
Havana 116 40 19N 90 3W
Havana = La Habana 121 23 8N 82 22W
Havasu, L. 119 34 18N 114 28W
Havdhem 49 57 10N 18 20 E
Havelange 16 50 23N 5 15 E
Havelock, N.B., Can. 107 46 2N 65 24W
Havelock, Ont., Can. 106 44 26N 77 53W
Havelock, N.Z. 101 41 17 S 173 48 E
Havelock I. 71 11 55N 93 2 E
Haverfordwest 13 51 48N 4 59W
Haverhill 114 42 50N 71 2W
Haveri 70 14 53N 75 24 E
Havering 13 51 33N 0 20 E
Haverstraw 113 41 12N 73 58W
Håverud 49 58 50N 12 28 E

Havîrna Hogansville

Havîrna 46 48 4N 26 43 E
Havlíčkův Brod 26 49 36N 15 33 E
Havneby 49 55 5N 8 34 E
Havre 118 48 34N 109 40W
Havre-St.-Pierre 107 50 18N 63 33W
Havre-Aubert 107 47 12N 61 56W
Havre, Le 18 49 30N 0 5 E
Havza 64 41 0N 35 35 E
Haw → 115 35 36N 79 3W
Hawaii □ 110 20 30N 157 0W
Hawaii 110 20 0N 155 0W
Hawaiian Is. 110 20 30N 156 0W
Hawaiian Ridge 95 24 0N 165 0W
Hawarden, Can. 109 51 25N 106 36W
Hawarden, U.S.A. 116 43 2N 96 28W
Hawea Lake 101 44 28 S 169 19 E
Hawera 101 39 35 S 174 19 E
Hawick 14 55 25N 2 48W
Hawk Junction 106 48 5N 84 38W
Hawke B. 101 39 25 S 177 20 E
Hawke, C. 100 32 13 S 152 34 E
Hawker 97 31 59 S 138 22 E
Hawke's Bay □ 101 39 45 S 176 35 E
Hawkesbury 106 45 37N 74 37W
Hawkesbury → 97 33 30 S 151 10 E
Hawkesbury I. 108 53 37N 129 3W
Hawkinsville 115 32 17N 83 30W
Hawkwood 99 25 45 S 150 50 E
Hawley 116 46 58N 96 20W
Hawrān 62 32 45N 36 15 E
Hawthorne 118 38 31N 118 37W
Hawzen 87 13 58N 39 28 E
Haxtun 116 40 40N 102 39W
Hay, Austral. 97 34 30 S 144 51 E
Hay, U.K. 13 52 4N 3 9W
Hay →, Austral. 97 25 14 S 138 0 E
Hay →, Can. 108 60 50N 116 26W
Hay L. 108 58 50N 118 50W
Hay Lakes 108 53 12N 113 2W
Hay River 108 60 51N 115 44W
Hay Springs 116 42 40N 102 38W
Hayange 19 49 20N 6 2 E
Hayden, Ariz., U.S.A. 119 33 2N 110 48W
Hayden, Colo., U.S.A. 118 40 30N 107 22W
Haydon 98 18 0 S 141 30 E
Haye-Descartes, La 18 46 58N 0 42 E
Haye-du-Puits, La 18 49 17N 1 33W
Hayes 116 44 22N 101 1W
Hayes → 109 57 3N 92 12W
Haynesville 117 33 0N 93 7W
Hays, Can. 108 50 6N 111 48W
Hays, U.S.A. 116 38 55N 99 25W
Hayward 116 46 2N 91 30W
Hayward's Heath 13 51 0N 0 5W
Hazard 114 37 18N 83 10W
Hazaribagh 69 23 58N 85 26 E
Hazaribagh Road 69 24 12N 85 57 E
Hazebrouck 19 50 42N 2 31 E
Hazelton, Can. 108 55 20N 127 42W
Hazelton, U.S.A. 116 46 30N 100 15W
Hazen, N.D., U.S.A. 116 47 18N 101 38W
Hazen, Nev., U.S.A. 118 39 37N 119 2W
Hazlehurst, Ga., U.S.A. 115 31 50N 82 35W
Hazlehurst, Miss., U.S.A. 117 31 52N 90 24W
Hazleton 114 40 58N 76 0W
Ḥazor 62 33 2N 35 32 E
He Xian 77 24 27N 111 30 E
Head of Bight 96 31 30 S 131 25 E
Headlands 91 18 15 S 32 2 E
Healdsburg 118 38 33N 122 51W
Healdton 117 34 16N 97 31W
Healesville 99 37 35 S 145 30 E
Heanor 12 53 1N 1 20W
Heard I. 3 53 0 S 74 0 E
Hearne 117 30 54N 96 35W
Hearne B. 109 60 10N 99 10W
Hearne L. 108 62 20N 113 10W
Hearst 106 49 40N 83 41W
Heart → 116 46 40N 100 51W
Heart's Content 107 47 54N 53 27W
Heath Pt. 107 49 8N 61 40W
Heath Steele 107 47 17N 66 5W
Heavener 117 34 54N 94 36W
Hebbronville 117 27 20N 98 40W
Hebei □ 76 39 0N 116 0 E
Hebel 99 28 58 S 147 47 E
Heber Springs 117 35 29N 91 59W
Hebert 109 50 30N 107 10W
Hebgen, L. 118 44 50N 111 15W
Hebi 76 35 57N 114 7 E
Hebrides 14 57 30N 7 0W
Hebrides, Inner Is. 14 57 20N 6 40W
Hebrides, Outer Is. 14 57 30N 7 40W
Hebron, Can. 105 58 5N 62 30W
Hebron, N.D., U.S.A. 116 46 56N 102 2W
Hebron, Nebr., U.S.A. 116 40 15N 97 33W
Hebron = Al Khalil 62 31 32N 35 6 E
Heby 48 59 56N 16 53 E
Hecate Str. 108 53 10N 130 30W
Hechi 75 24 40N 108 2 E
Hechingen 25 48 20N 8 58 E
Hechuan 75 30 2N 106 12 E
Hecla 116 45 56N 98 8W
Hecla I. 109 51 10N 96 43W
Heddal 47 59 36N 9 9 E
Hédé 18 48 18N 1 49W
Hede 48 62 23N 13 30 E
Hedemora 48 60 18N 15 58 E
Hedley 117 34 53N 100 39W
Hedmark fylke □ 47 61 17N 11 40 E
Hedrum 47 59 7N 10 5 E
Heemstede 16 52 22N 4 37 E
Heerde 16 52 24N 6 2 E
Heerenveen 16 52 57N 5 55 E
Heerlen 16 50 55N 6 0 E
Hefa 62 32 46N 35 0 E
Hefei 75 31 52N 117 18 E
Hegang 75 47 20N 130 19 E
Hegyalja 27 48 25N 21 25 E
Heide 24 54 10N 9 7 E
Heidelberg, Ger. 25 49 23N 8 41 E
Heidelberg, C. Prov., S. Afr. 92 34 6 S 20 59 E
Heidelberg, Trans., S. Afr. 93 26 30 S 28 23 E
Heidenheim 25 48 40N 10 10 E
Heilbron 93 27 16 S 27 59 E
Heilbronn 25 49 8N 9 13 E
Heiligenblut 26 47 2N 12 51 E
Heiligenhafen 24 54 21N 10 58 E
Heiligenstadt 24 51 22N 10 9 E
Heilongjiang □ 75 48 0N 126 0 E
Heilunkiang = Heilongjiang □ 75 48 0N 126 0 E
Heim 47 63 26N 9 5 E
Heinola 51 61 13N 26 2 E
Heinze Is. 71 14 25N 97 45 E
Hejaz = Ḥijāz 64 26 0N 37 30 E
Hejian 76 38 25N 116 5 E
Hejiang 77 28 43N 105 46 E
Hekimhan 64 38 50N 38 0 E
Hekla 50 63 56N 19 35W
Hekou 75 22 30N 103 59 E
Hel 28 54 37N 18 47 E
Helagsfjället 48 62 54N 12 25 E
Helan Shan 76 39 0N 105 55 E
Helechosa 31 39 22N 4 53W
Helena, Ark., U.S.A. 117 34 30N 90 35W
Helena, Mont., U.S.A. 118 46 40N 112 0W
Helensburgh, Austral. 100 34 11 S 151 1 E
Helensburgh, U.K. 14 56 0N 4 44W
Helensville 101 36 41 S 174 29 E
Helez 62 31 36N 34 39 E
Helgasjön 49 57 0N 14 50 E
Helgeroa 47 59 0N 9 45 E
Helgoland 24 54 10N 7 51 E
Heligoland = Helgoland 24 54 10N 7 51 E
Heliopolis 86 30 6N 31 17 E
Hell-Ville 93 13 25 S 48 16 E
Hellebæk 49 56 4N 12 32 E
Helleland 47 58 33N 6 7 E
Hellendoorn 16 52 24N 6 27 E
Hellevoetsluis 16 51 50N 4 8 E
Hellin 33 38 31N 1 40W
Helmand □ 65 31 20N 64 0 E
Helmand → 66 31 12N 61 34 E
Helmand, Hamun 65 31 15N 61 15 E
Helme → 24 51 40N 11 20 E
Helmond 16 51 29N 5 41 E
Helmsdale 14 58 7N 3 40W
Helmstedt 24 52 16N 11 0 E
Helnæs 49 55 9N 10 0 E
Helper 118 39 44N 110 56W
Helsingborg 49 56 3N 12 42 E
Helsinge 49 56 2N 12 12 E
Helsingfors 51 60 15N 25 3 E
Helsingør 49 56 2N 12 35 E
Helsinki 51 60 15N 25 3 E
Helska, Mierzeja 28 54 45N 18 40 E
Helston 13 50 7N 5 17W
Helvellyn 12 54 31N 3 1W
Helwân 86 29 50N 31 20 E
Hemavati → 70 12 30N 76 20 E
Hemet 119 33 45N 116 59W
Hemingford 116 42 21N 103 4W
Hemphill 117 31 21N 93 49W
Hempstead 117 30 5N 96 5W
Hemse 49 57 15N 18 22 E
Hemsö 48 62 43N 18 5 E
Henan □ 75 34 0N 114 0 E
Henares → 32 40 24N 3 30W
Hendaye 20 43 23N 1 47W
Henderson, Argent. 124 36 18 S 61 43W
Henderson, Ky., U.S.A. 114 37 50N 87 38W
Henderson, N.C., U.S.A. 115 36 20N 78 25W
Henderson, Nev., U.S.A. 119 36 2N 115 0W
Henderson, Pa., U.S.A. 115 35 25N 88 40W
Henderson, Tex., U.S.A. 117 32 5N 94 49W
Hendersonville 115 35 21N 82 28W
Hendon 99 28 5 S 151 50 E
Hendorf 46 46 4N 24 55 E
Heng Xian 77 22 40N 109 17 E
Hengdaohezi 76 44 52N 129 0 E
Hengelo 16 52 3N 6 19 E
Hengshan, Hunan, China 77 27 16N 112 45 E
Hengshan, Shaanxi, China 76 37 58N 109 5 E
Hengshui 76 37 41N 115 40 E
Hengyang 75 26 52N 112 33 E
Hénin-Beaumont 19 50 25N 2 58 E
Henlopen, C. 114 38 48N 75 5W
Hennan, L. 48 62 3N 55 46 E
Hennebont 18 47 49N 3 19W
Hennenman 92 27 59 S 27 1 E
Hennessy 117 36 8N 97 53W
Hennigsdorf 24 52 38N 13 13 E
Henrichemont 19 47 20N 2 30 E
Henrietta 117 33 50N 98 15W
Henrietta Maria C. 106 55 9N 82 20W
Henrietta, Ostrov 59 77 6N 156 30 E
Henry 116 41 5N 89 20W
Henryetta 117 35 30N 96 0W
Hensall 112 43 26N 81 30W
Hentiyn Nuruu 75 48 30N 108 30 E
Henty 99 35 30 S 147 0 E
Henzada 67 17 38N 95 26 E
Hephaestia 44 39 55N 25 14 E
Heping 77 24 29N 115 0 E
Heppner 118 45 21N 119 34W
Hepu 77 21 40N 109 12 E
Hepworth 112 44 37N 81 9W
Herad 47 58 8N 6 47 E
Héraðsflói 50 65 42N 14 12W
Héraðsvötn → 50 65 45N 19 25W
Herāt 65 34 20N 62 7 E
Herāt □ 65 35 0N 62 0 E
Hérault □ 20 43 34N 3 15 E
Hérault → 20 43 17N 3 26 E
Herbault 18 47 36N 1 8 E
Herbert → 98 18 31 S 146 17 E
Herbert Downs 98 23 7 S 139 9 E
Herberton 98 17 20 S 145 25 E
Herbiers, Les 18 46 52N 1 0W
Herbignac 18 47 27N 2 18W
Herborn 24 50 40N 8 19 E
Herby 28 50 45N 18 50 E
Hercegnovi 42 42 30N 18 33 E
Herðubreið 50 65 11N 16 21W
Hereford, U.K. 13 52 4N 2 42W
Hereford, U.S.A. 117 34 50N 102 28W
Hereford and Worcester □ 13 52 10N 2 30W
Herefoss 47 58 32N 8 23 E
Herentals 16 51 12N 4 51 E
Herfølge 49 55 26N 12 9 E
Herford 24 52 7N 8 40 E
Héricourt 19 47 32N 6 45 E
Herington 116 38 43N 97 0W
Herisau 25 47 22N 9 17 E
Hérisson 20 46 32N 2 42 E
Herkimer 114 43 0N 74 59W
Herm 18 49 30N 2 28W
Hermagor 26 46 38N 13 23 E
Herman 116 45 51N 96 8W
Hermann 116 38 40N 91 25W
Hermannsburg 24 52 49N 10 6 E
Hermanus 92 34 27 S 19 12 E
Herment 20 45 45N 2 24 E
Hermidale 99 31 30 S 146 42 E
Hermiston 118 45 50N 119 16W
Hermitage 101 43 44 S 170 5 E
Hermite, I. 128 55 50 S 68 0W
Hermon, Mt. = Ash Shaykh, J. 64 33 20N 35 51 E
Hermosillo 120 29 10N 111 0W
Hernad → 27 47 56N 21 8 E
Hernandarias 125 25 20 S 54 40W
Hernando, Argent. 124 32 28 S 63 40W
Hernando, U.S.A. 117 34 50N 89 59W
Herne 24 51 33N 7 12 E
Herne Bay 13 51 22N 1 8 E
Herning 49 56 8N 8 58 E
Heroica Nogales = Nogales 120 31 20N 110 56W
Heron Bay 106 48 40N 86 25W
Herowābād 64 38 37N 48 32 E
Herreid 116 45 53N 100 5W
Herrera 31 37 26N 4 55W
Herrera de Alcántar 31 39 39N 7 25W
Herrera de Pisuerga 30 42 35N 4 20W
Herrera del Duque 31 39 10N 5 3W
Herrick 99 41 5 S 147 55 E
Herrin 117 37 50N 89 0W
Herrljunga 49 58 5N 13 1 E
Hersbruck 25 49 30N 11 25 E
Herstal 16 50 40N 5 38 E
Hersvik 47 61 10N 4 53 E
Hertford 13 51 47N 0 4W
Hertford □ 13 51 51N 0 5W
's-Hertogenbosch 16 51 42N 5 17 E
Hertzogville 92 28 9 S 25 30 E
Hervás 30 40 16N 5 52W
Hervey B. 97 25 0 S 152 52 E
• Hervey Is. 95 19 30 S 159 0W
Herzberg, Cottbus, Ger. 24 51 40N 13 13 E
Herzberg, Niedersachsen, Ger. 24 51 38N 10 20 E
Herzliyya 62 32 10N 34 50 E
Herzogenburg 26 48 17N 15 41 E
Hesdin 19 50 21N 2 0 E
Hesel 24 53 18N 7 36 E
Heskestad 47 58 28N 6 22 E
Hespeler 112 43 26N 80 19W
Hesse = Hessen 24 50 40N 9 20 E
Hessen □ 24 50 40N 9 20 E
Hettinger 116 46 0N 102 38W
Hettstedt 24 51 39N 11 30 E
Hève, C. de la 18 49 30N 0 5 E
Heves □ 27 47 50N 20 0 E
Hevron → 62 31 12N 34 42 E
Hewett, C. 105 70 16N 67 45W
Hex River 92 33 30 S 19 35 E
Hexham 12 54 58N 2 7W
Hexigten Qi 76 43 18N 117 30 E
Heyfield 100 37 59 S 146 47 E
Heysham 12 54 5N 2 53W
Heywood 99 38 8 S 141 37 E
Hi-no-Misaki 74 35 26N 132 38 E
Hialeach 115 25 49N 80 17W
Hiawatha, Kans., U.S.A. 116 39 55N 95 33W
Hiawatha, Utah, U.S.A. 118 39 29N 111 1W
Hibbing 116 47 30N 93 0W
Hickman 117 36 35N 89 8W
Hickory 115 35 46N 81 17W
Hicks Pt. 97 37 49 S 149 17 E
Hicksville 113 40 46N 73 30W
Hida 46 47 10N 23 19 E
Hida-Sammyaku 74 36 30N 137 40 E
Hidalgo 120 24 15N 99 26W
Hidalgo del Parral 120 26 58N 105 40W
Hidalgo, Presa M. 120 26 30N 108 35W
Hiddensee 24 54 30N 13 6 E
Hieflau 26 47 36N 14 46 E
Hiendelaencina 32 41 5N 3 0W
Hierro 80 27 44N 18 0 E
Higashiōsaka 74 34 40N 135 37 E
Higgins 117 36 9N 100 1W
High Atlas = Haut Atlas 82 32 30N 5 0W
High I. 107 56 40N 61 10W
High Island 117 29 32N 94 22W
High Level 108 58 31N 117 8W
High Point 115 35 57N 79 58W
High Prairie 108 55 30N 116 30W
High River 108 50 30N 113 50W
High Springs 115 29 50N 82 40W
High Tatra 27 49 30N 20 00 E
High Wycombe 13 51 37N 0 45W
Highbury 98 16 25 S 143 9 E
Highland □ 14 57 30N 5 0W
Highland Park 114 42 10N 87 50W
Highmore 116 44 35N 99 26W
Highrock L. 109 57 5N 105 32W
Higley 119 33 27N 111 46W
Hihya 86 30 40N 31 36 E
Hiiumaa 54 58 50N 22 45 E
Híjar 32 41 10N 0 27W
Ḥijārah, Ṣaḥrā' al 64 30 25N 44 30 E
Hiko 119 37 30N 115 13W
Hikone 74 35 15N 136 10 E
Hildburghhausen 25 50 24N 10 43 E
Hildesheim 24 52 9N 9 55 E
Hill City, Idaho, U.S.A. 118 43 20N 115 2W
Hill City, Kans., U.S.A. 116 39 25N 99 51W
Hill City, Minn., U.S.A. 116 46 57N 93 35W
Hill City, S.D., U.S.A. 116 43 58N 103 35W
Hill Island L. 109 60 30N 109 50W
Hillared 49 57 37N 13 10 E
Hillegom 16 52 18N 4 35 E
Hillerød 49 55 56N 12 19 E
Hillerstorp 49 57 20N 13 52 E
Hillingdon 13 51 33N 0 29W
Hillman 114 45 5N 83 52W
Hillmond 109 53 26N 109 41W
Hillsboro, Kans., U.S.A. 116 38 22N 97 10W
Hillsboro, N. Mex., U.S.A. 119 33 0N 107 35W
Hillsboro, N.D., U.S.A. 116 47 23N 97 9W
Hillsboro, N.H., U.S.A. 114 43 8N 71 56W
Hillsboro, Oreg., U.S.A. 118 45 31N 123 0W
Hillsboro, Tex., U.S.A. 117 32 0N 97 10W
Hillsdale, Mich., U.S.A. 114 41 55N 84 40W
Hillsdale, N.Y., U.S.A. 113 42 11N 73 30W
Hillsport 106 49 27N 85 34W
Hillston 97 33 30 S 145 31 E
Hilo 110 19 44N 155 5W
Hilonghilong 73 9 10N 125 45 E
Hilton 112 43 16N 77 48W
Hilversum 16 52 14N 5 10 E
Himachal Pradesh □ 68 31 30N 77 0 E
Himalaya 67 29 0N 84 0 E
Himara 44 40 8N 19 43 E
Himeji 74 34 50N 134 40 E
Himi 74 36 50N 137 0 E
Himmerland 49 56 45N 9 30 E
Ḥimş 64 34 40N 36 45 E
Hinako, Kepulauan 72 0 50N 97 20 E
Hinchinbrook I. 97 18 20 S 146 15 E
Hinckley, U.K. 13 52 33N 1 21W
Hinckley, U.S.A. 118 39 18N 112 41W
Hindås 49 57 42N 12 27 E
Hindaun 68 26 44N 77 5 E
Hindmarsh L. 99 36 5 S 141 55 E
Hindol 69 20 40N 85 10 E
Hindsholm 49 55 30N 10 40 E
Hindu Bagh 68 30 56N 67 50 E
Hindu Kush 65 36 0N 71 0 E
Hindupur 70 13 49N 77 32 E
Hines Creek 108 56 20N 118 40W
Hinganghat 68 20 30N 78 52 E
Hingham 118 48 34N 110 29W
Hingoli 70 19 41N 77 15 E
Hinlopenstretet 4 79 35N 18 40 E
Hinna 85 10 25N 11 35 E
Hinojosa del Duque 31 38 30N 5 9W
Hinsdale 118 48 26N 107 2W
Hinterrhein → 25 46 40N 9 25 E
Hinton, Can. 108 53 26N 117 34W
Hinton, U.S.A. 114 37 40N 80 51W
Hippolytushoef 16 52 54N 4 58 E
Hirakud 69 21 32N 83 51 E
Hirakud Dam 69 21 32N 83 45 E
Hiratsuka 74 35 19N 139 21 E
Hirhafok 83 23 49N 5 45 E
Hîrlău 46 47 23N 27 0 E
Hirosaki 74 40 34N 140 28 E
Hiroshima 74 34 24N 132 30 E
Hiroshima □ 74 34 50N 133 0 E
Hirsoholmene 49 57 30N 10 36 E
Hirson 19 49 55N 4 4 E
Hîrşova 46 44 40N 27 59 E
Hirtshals 49 57 36N 9 57 E
Ḥiṣn Dibā 65 25 45N 56 16 E
Hispaniola 121 19 0N 71 0W
Hissar 68 29 12N 75 45 E
Hita 74 33 20N 130 58 E
Hitachi 74 36 36N 140 39 E
Hitchin 13 51 57N 0 16W
Hitoyoshi 74 32 13N 130 45 E
Hitra 47 63 30N 8 45 E
Hitzacker 24 53 9N 11 1 E
Ḥiyyon, N. → 62 30 25N 35 10 E
Hjalmar L. 109 61 33N 109 25W
Hjälmare kanal 48 59 20N 15 59 E
Hjälmaren 48 59 18N 15 40 E
Hjartdal 47 59 37N 8 41 E
Hjerkinn 47 62 13N 9 33 E
Hjørring 49 57 29N 9 59 E
Hjorted 49 57 37N 16 19 E
Hjortkvarn 49 58 54N 15 26 E
Hlinsko 26 49 45N 15 54 E
Hlohovec 27 48 26N 17 49 E
Hnák 4 70 40N 52 10W
Ho 85 6 37N 0 27 E
Ho Chi Minh, Phanh Bho 71 10 58N 106 40 E
Hoa Binh 71 20 50N 105 20 E
Hoai Nhon (Bon Son) 71 14 28N 109 1 E
Hoare B. 105 65 17N 62 30W
Hobart, Austral. 97 42 50 S 147 21 E
Hobart, U.S.A. 117 35 0N 99 5W
Hobbs 117 32 40N 103 3W
Hobbs Coast 5 74 50 S 131 0W
Hoboken, Belg. 16 51 11N 4 21 E
Hoboken, U.S.A. 113 40 45N 74 4W
Hobro 49 56 39N 9 46 E
Hoburgen 49 56 55N 18 7 E
Hochatown 117 34 11N 94 39W
Hochschwab 26 47 35N 15 0 E
Höchst 25 50 6N 8 33 E
Höchstadt 25 49 42N 10 48 E
Hockenheim 25 49 18N 8 33 E
Hodgson 109 51 13N 97 36W
Hódmezővásárhely 27 46 28N 20 22 E
Hodna, Chott el 83 35 30N 5 0 E
Hodna, Monts du 83 35 52N 4 42 E
Hodonín 27 48 50N 17 10 E
Hoëdic 18 47 21N 2 52W
Hoek van Holland 16 52 0N 4 7 E
Hoëveld 93 26 30 S 30 0 E
Hof, Ger. 25 50 18N 11 55 E
Hof, Iceland 50 64 33N 14 40W
Höfðakaupstaður 50 65 50N 20 19W
Hofgeismar 24 51 29N 9 23 E
Hofors 48 60 31N 16 15 E
Hofsjökull 50 64 49N 18 48W
Hofsós 50 65 53N 19 26W
Höfu 74 34 3N 131 34 E
Hogansville 115 33 14N 84 50W

• *Renamed Manuae*

Hogeland **Hunterville**

Hogeland **118** 48 51N 108 40W
Hogenakai Falls **70** 12 6N 77 50 E
Högfors **48** 59 58N 15 3 E
Högsäter **49** 58 38N 12 5 E
Högsby **49** 57 10N 16 1 E
Högsjö **48** 59 4N 15 44 E
Hoh Xil Shan **75** 35 0N 89 0 E
Hohe Rhön **25** 50 24N 9 58 E
Hohe Tauern **26** 47 11N 12 40 E
Hohe Venn **16** 50 30N 6 5 E
Hohenau **27** 48 36N 16 55 E
Hohenems **26** 47 22N 9 42 E
Hohenstein Ernstthal **24** 50 48N 12 43 E
Hohenwald **115** 35 35N 87 30W
Hohenwestedt **24** 54 6N 9 30 E
Hohhot **76** 40 52N 111 40 E
Hohoe **85** 7 8N 0 32 E
Hoi An **71** 15 30N 108 19 E
Hoi Xuan **71** 20 25N 105 9 E
Hoisington **116** 38 33N 98 50W
Højer **49** 54 58N 8 42 E
Hok **49** 57 31N 14 16 E
Hökensås **49** 58 0N 14 5 E
Hökerum **49** 57 51N 13 16 E
Hokianga Harbour **101** 35 31 S 173 22 E
Hokitika **101** 42 42 S 171 0 E
Hokkaidō □ **74** 43 30N 143 0 E
Hokksund **47** 59 44N 9 59 E
Hol-Hol **87** 11 20N 42 50 E
Holbæk **49** 55 43N 11 43 E
Holbrook, Austral. **99** 35 42 S 147 18 E
Holbrook, U.S.A. **119** 35 54N 110 10W
Holden, Can. **108** 53 13N 112 11W
Holden, U.S.A. **118** 39 0N 112 26W
Holdenville **117** 35 5N 96 25W
Holderness **12** 53 45N 0 5W
Holdfast **109** 50 58N 105 25W
Holdrege **116** 40 26N 99 22W
Hole **47** 60 6N 10 12 E
Hole-Narsipur **70** 12 48N 76 16 E
Holešov **27** 49 20N 17 35 E
Holguín **121** 20 50N 76 20W
Holíč **27** 48 49N 17 10 E
Hollabrunn **26** 48 34N 16 5 E
Hollams Bird I. **92** 24 40 S 14 30 E
Holland **114** 42 47N 86 7W
Hollandia = Jayapura **73** 2 28 S 140 38 E
Höllen **47** 58 6N 7 49 E
Hollfeld **25** 49 56N 11 18 E
Hollick Kenyon Plateau **5** 82 0 S 110 0W
Hollidaysburg **114** 40 26N 78 25W
Hollis **117** 34 45N 99 55W
Hollister, Calif., U.S.A. **119** 36 51N 121 24W
Hollister, Idaho, U.S.A. **118** 42 21N 114 40W
Holly **116** 38 7N 102 7W
Holly Hill **115** 29 15N 81 3W
Holly Springs **117** 34 45N 89 25W
Hollywood, Calif., U.S.A. **110** 34 7N 118 25W
Hollywood, Fla., U.S.A. **115** 26 0N 80 9W
Holm **48** 62 40N 16 40 E
Holman Island **104** 70 42N 117 41W
Hólmavík **50** 65 42N 21 40W
Holmedal **47** 61 22N 5 11 E
Holmegil **48** 59 10N 11 44 E
Holmestrand **47** 59 31N 10 14 E
Holmsbu **47** 59 32N 10 27 E
Holmsjön **48** 62 26N 15 20 E
Holmsland Klit **49** 56 0N 8 5 E
Holmsund **50** 63 41N 20 20 E
Holod **46** 46 49N 22 8 E
Holon **62** 32 2N 34 47 E
Holroyd → **97** 14 10 S 141 36 E
Holstebro **49** 56 22N 8 37 E
Holsworthy **13** 50 48N 4 21W
Holt **50** 63 33N 19 48W
Holte **49** 55 50N 12 29 E
Holton, Can. **107** 54 31N 57 12W
Holton, U.S.A. **116** 39 28N 95 44W
Holtville **119** 32 50N 115 27W
Holum **47** 58 6N 7 32 E
Holwerd **16** 53 22N 5 54 E
Holy Cross **104** 62 10N 159 52W
Holy I., England, U.K. **12** 55 42N 1 48W
Holy I., Wales, U.K. **12** 53 17N 4 37W
Holyhead **12** 53 18N 4 38W
Holyoke, Colo., U.S.A. **116** 40 39N 102 18W
Holyoke, Mass., U.S.A. **114** 42 14N 72 37W
Holyrood **107** 47 27N 53 8W
Holzkirchen **25** 47 53N 11 42 E
Holzminden **24** 51 49N 9 31 E
Homa Bay **90** 0 36 S 34 30 E
* Homa Bay □ **90** 0 50 S 34 30 E
Homalin **67** 24 55N 95 0 E
Homberg **24** 51 2N 9 20 E
Hombori **85** 15 20N 1 38W
Homburg **25** 49 19N 7 21 E
Home B. **105** 68 40N 67 10W
Home Hill **97** 19 43 S 147 25 E
Homedale **118** 43 42N 116 59W
Homer, Alaska, U.S.A. **104** 59 40N 151 35W
Homer, La., U.S.A. **117** 32 50N 93 4W
Homestead, Austral. **98** 20 20 S 145 40 E
Homestead, Fla., U.S.A. **115** 25 29N 80 27W
Homestead, Oreg., U.S.A. **118** 45 5N 116 57W
Hominy **117** 36 26N 96 24W
Homnabad **70** 17 45N 77 11 E
Homoine **93** 23 55 S 35 8 E
Homoljske Planina **42** 44 10N 21 45 E
Homorod **46** 46 5N 25 15 E
Homs = Ḩimş **64** 34 40N 36 45 E
Hon Chong **71** 10 25N 104 30 E
Honan = Henan □ **75** 34 0N 114 0 E
Honda **126** 5 12N 74 45W
Hondeklipbaai **92** 30 19 S 17 17 E
Hondo **117** 29 22N 99 6W
Hondo → **120** 18 25N 88 21W
Honduras ■ **121** 14 40N 86 30W
Honduras, Golfo de **120** 16 50N 87 0W
Honesdale **113** 41 34N 75 17W
Honey L. **118** 40 13N 120 14W
Honfleur **18** 49 25N 0 13 E
Hong Kong ■ **75** 22 11N 114 14 E
Hong'an **77** 31 20N 114 40 E
Hongha → **71** 22 0N 104 0 E
Honghai Wan **77** 22 40N 115 0 E
Honghu **77** 29 50N 113 30 E
Hongjiang **75** 27 7N 109 59 E
Hongshui He → **75** 23 48N 109 30 E
Hongtong **76** 36 16N 111 40 E
Honguedo, Détroit d' **107** 49 15N 64 0W
Hongze Hu **75** 33 15N 118 35 E
Honiara **94** 9 27 S 159 57 E
Honiton **13** 50 48N 3 11W
Honkorâb, Ras **86** 24 35N 35 10 E
Honolulu **110** 21 19N 157 52W
Honshū **74** 36 0N 138 0 E
Hontoria del Pinar **32** 41 50N 3 10W
Hood Mt. **118** 45 24N 121 41W
Hood, Pt. **96** 34 23 S 119 34 E
Hood River **118** 45 45N 121 31W
Hoodsport **118** 47 24N 123 7W
Hooge **24** 54 31N 8 36 E
Hoogeveen **16** 52 44N 6 30 E
Hoogezand **16** 53 11N 6 45 E
Hooghly → **69** 21 56N 88 4 E
Hooghly-Chinsura **69** 22 53N 88 27 E
Hook Hd. **15** 52 8N 6 57W
Hook I. **98** 20 4 S 149 0 E
Hook of Holland = Hoek van Holland **16** 52 0N 4 7 E
Hooker **117** 36 55N 101 10W
Hoopeston **114** 40 30N 87 40W
Hoopstad **92** 27 50 S 25 55 E
Hoorn **16** 52 38N 5 4 E
Hoover Dam **119** 36 0N 114 45W
Hooversville **112** 40 8N 78 57W
Hop Bottom **113** 41 41N 75 47W
Hopà **57** 41 28N 41 30 E
Hope, Can. **108** 49 25N 121 25 E
Hope, Ark., U.S.A. **117** 33 40N 93 36W
Hope, N.D., U.S.A. **116** 47 21N 97 42W
Hope Bay **5** 65 0 S 55 0W
Hope, L. **99** 28 24 S 139 18 E
Hope Pt. **104** 68 20N 166 50W
Hope Town **121** 26 35N 76 57W
Hopedale **107** 55 28N 60 13W
Hopefield **92** 33 3 S 18 22 E
Hopei = Hebei □ **76** 39 0N 116 0 E
Hopelchén **120** 19 46N 89 50W
Hopen **47** 63 27N 8 2 E
Hopetoun, Vic., Austral. **99** 35 42 S 142 22 E
Hopetoun, W. Australia, Austral. **100** 33 57 S 120 7 E
Hopetown **92** 29 34 S 24 3 E
Hopkins **116** 40 31N 94 45W
Hopkins → **100** 38 25 S 142 30 E
Hopkinsville **115** 36 52N 87 26W
Hopland **118** 39 0N 123 7W
Hoptrup **49** 55 11N 9 28 E
Hoquiam **118** 46 50N 123 55W
Horazdovice **26** 49 19N 13 42 E
Horcajo de Santiago **32** 39 50N 3 1W
Hordaland fylke □ **47** 60 25N 6 15 E
Horden Hills **96** 20 40 S 130 20 E
Horezu **46** 45 6N 24 0 E
Horgen **25** 47 15N 8 35 E
Horgoš **42** 46 10N 20 0 E
Horice **26** 50 21N 15 39 E
Horlick Mts. **5** 84 0 S 102 0W
Hormoz **65** 27 35N 55 0 E
Hormoz, Jaz. ye **65** 27 8N 56 28 E
Hormuz Str. **65** 26 30N 56 30 E
Horn, Austria **26** 48 39N 15 40 E
Horn, Ísafjarðarsýsla, Iceland **50** 66 28N 22 28W
Horn, Suður-Múlasýsla, Iceland **50** 65 10N 13 31W
Horn → **108** 61 30N 118 1W
Horn, Cape = Hornos, Cabo de **128** 55 50 S 67 30W
Horn Head **15** 55 13N 8 0W
Horn, I. **115** 30 17N 88 40W
Horn Mts. **108** 62 15N 119 15W
Hornachuelos **31** 37 50N 5 14W
Hornavan **50** 66 15N 17 30 E
Hornbæk **49** 56 5N 12 26 E
Hornbeck **117** 31 22N 93 20W
Hornbrook **118** 41 58N 122 37W
Hornburg **24** 52 2N 10 36 E
Horncastle **12** 53 13N 0 8W
Horndal **48** 60 18N 16 23 E
Hornell **114** 42 23N 77 41W
Hornell L. **108** 62 20N 119 25W
Hornepayne **106** 49 14N 84 48W
Hornindal **47** 61 58N 6 30 E
Hornnes **47** 58 34N 7 45 E
Hornos, Cabo de **128** 55 50 S 67 30W
Hornoy **19** 49 50N 1 54 E
Hornsby **99** 33 42 S 151 2 E
Hornsea **12** 53 55N 0 10W
Hornslandet **48** 61 35N 17 37 E
Hornslet **49** 56 18N 10 19 E
Hörnum **24** 54 44N 8 18 E
Horovice **26** 49 48N 13 53 E
Horqin Youyi Qianqi **75** 46 5N 122 3 E
Horqueta **124** 23 15 S 56 55W
Horra, La **30** 41 44N 3 53W
Horred **49** 57 22N 12 28 E
Horse Cr. → **116** 41 57N 103 58W
Horse Is. **107** 50 15N 55 50W
Horsefly L. **108** 52 25N 121 0W
Horsens **49** 55 52N 9 51 E
Horsens Fjord **49** 55 50N 10 0 E
Horseshoe Dam **119** 33 45N 111 35W
Horsham, Austral. **97** 36 44 S 142 13 E
Horsham, U.K. **13** 51 4N 0 20W
Horšovský Týn **26** 49 31N 12 58 E
Horten **47** 59 25N 10 32 E
Hortobágy → **27** 47 30N 21 6 E
Horton **116** 39 42N 95 30W
Horton → **104** 69 56N 126 52W
Hörvik **49** 56 2N 14 45 E
Horwood, L. **106** 48 5N 82 20W
Hosaina **87** 7 30N 37 47 E
Hosdurga **70** 13 49N 76 17 E
Hose, Pegunungan **72** 2 5N 114 6 E
Hoshangabad **68** 22 45N 77 45 E
Hoshiarpur **68** 31 30N 75 58 E
Hosmer **116** 45 36N 99 29W
Hospet **70** 15 15N 76 20 E
Hospitalet de Llobregat **32** 41 21N 2 6 E
Hospitalet, L' **20** 42 36N 1 47 E
Hoste, I. **128** 55 0 S 69 0W
Hostens **20** 44 30N 0 40W
Hot **71** 18 8N 98 29 E
Hot Creek Ra. **118** 39 0N 116 0W
Hot Springs, Ari., U.S.A. **117** 34 30N 93 0W
Hot Springs, S.D., U.S.A. **116** 43 25N 103 30W
Hotagen **50** 63 50N 14 30 E
Hotan **75** 37 25N 79 55 E
Hotazel **92** 27 17 S 23 00 E
Hotchkiss **119** 38 47N 107 47W
Hoting **50** 64 8N 16 15 E
Hotolishti **44** 41 10N 20 25 E
Hottentotsbaai **92** 26 8 S 14 59 E
Houat **18** 47 24N 2 58W
Houck **119** 35 15N 109 15W
Houdan **19** 48 48N 1 35 E
Houffalize **16** 50 8N 5 48 E
Houghton **116** 47 9N 88 39W
Houghton L. **114** 44 20N 84 40W
Houghton-le-Spring **12** 54 51N 1 28W
Houhora **101** 34 49 S 173 9 E
Houlton **107** 46 5N 67 50W
Houma **117** 29 35N 90 44W
Houndé **84** 11 34N 3 31W
Hourtin **20** 45 11N 1 4W
Hourtin, Étang d' **20** 45 10N 1 6W
Houston, Can. **108** 54 25N 126 39W
Houston, Mo., U.S.A. **117** 37 20N 92 0W
Houston, Tex., U.S.A. **117** 29 50N 95 20W
Houtman Abrolhos **96** 28 43 S 113 48 E
Hov **49** 55 55N 10 15 E
Hova **49** 58 53N 14 14 E
Høvåg **47** 58 10N 8 16 E
Hovd (Jargalant) **75** 48 2N 91 37 E
Hovden **47** 59 33N 7 22 E
Hove **13** 50 50N 0 10W
Hovmantorp **49** 56 47N 15 7 E
Hövsgöl Nuur **75** 51 0N 100 30 E
Hovsta **48** 59 22N 15 15 E
Howakil **87** 15 10N 40 16 E
Howar, Wadi → **87** 17 30N 27 8 E
Howard, Austral. **99** 25 16 S 152 32 E
Howard, Kans., U.S.A. **117** 37 30N 96 16W
Howard, Pa., U.S.A. **112** 41 0N 77 40W
Howard, S.D., U.S.A. **116** 44 2N 97 30W
Howard L. **109** 62 15N 105 57W
Howe **118** 43 48N 113 0W
Howe, C. **97** 37 30 S 150 0 E
Howell **114** 42 38N 83 56W
Howick, Can. **113** 45 11N 73 51W
Howick, S. Afr. **93** 29 28 S 30 14 E
Howick Group **98** 14 20 S 145 30 E
Howitt, L. **99** 27 40 S 138 40 E
Howley **107** 49 12N 57 2W
Howrah **69** 22 37N 88 20 E
Howth Hd. **15** 53 21N 6 0W
Höxter **24** 51 45N 9 26 E
Hoy I. **14** 58 50N 3 15W
Hoya **24** 52 47N 9 10 E
Hoyerswerda **24** 51 26N 14 14 E
Hoyos **30** 40 9N 6 45W
Hpungan Pass **67** 27 30N 96 55 E
Hrádec Králové **26** 50 15N 15 50 E
Hrádek **27** 48 46N 16 16 E
Hranice **27** 49 34N 17 45 E
Hron → **27** 47 49N 18 45 E
Hrubieszów **28** 50 49N 23 51 E
Hrubý Nizký Jeseník **27** 50 7N 17 10 E
Hrvatska **39** 45 20N 16 0 E
Hrvatska □ **42** 45 20N 18 0 E
Hsenwi **67** 23 22N 97 55 E
Hsiamen = Xiamen **75** 24 25N 118 4 E
Hsian = Xi'an **77** 34 15N 109 0 E
Hsinhailien = Lianyungang **77** 34 40N 119 11 E
Hsüchou = Xuzhou **77** 34 18N 117 18 E
Hua Hin **71** 12 34N 99 58 E
Hua Xian, Henan, China **77** 35 30N 114 30 E
Hua Xian, Shaanxi, China **77** 34 30N 109 48 E
Huacheng **77** 24 4N 115 37 E
Huacho **126** 11 10 S 77 35W
Huachón **126** 10 35 S 76 0W
Huachuan **76** 46 50N 130 21 E
Huade **76** 41 55N 113 59 E
Huadian **76** 43 0N 126 40 E
Huai He → **75** 33 0N 118 30 E
Huai'an **77** 33 30N 119 10 E
Huaide **76** 43 30N 124 40 E
Huainan **75** 32 38N 116 58 E
Huaiyang **77** 33 40N 114 52 E
Huaiyuan **77** 24 31N 108 22 E
Huajianzi **76** 41 23N 125 20 E
Huajuapan de Leon **120** 17 50N 97 48W
Hualian **77** 23 59N 121 37 E
Huallaga → **126** 5 0 S 75 30W
Hualpai Pk. **119** 35 8N 113 58W
Huambo **89** 12 42 S 15 54 E
Huan Jiang → **76** 34 28N 109 0 E
Huan Xian **76** 36 33N 107 7 E
Huancabamba **126** 5 10 S 79 15W
Huancane **126** 15 10 S 69 44W
Huancapi **126** 13 40 S 74 0W
Huancavelica **126** 12 50 S 75 5W
Huancayo **126** 12 5 S 75 12W
Huang He **75** 37 55N 118 50 E
Huangchuan **77** 32 15N 115 10 E
Huangliu **75** 18 20N 108 50 E
Huanglong **76** 35 30N 109 59 E
Huangshi **75** 30 10N 115 3 E
Huangyan **77** 28 38N 121 19 E
Huánuco **126** 9 55 S 76 15W
Huaraz **126** 9 30 S 77 32W
Huarmey **126** 10 5 S 78 5W
Huascarán **126** 9 8 S 77 36W
Huasco **124** 28 30 S 71 15W
Huasco → **124** 28 27 S 71 13W
Huatabampo **120** 26 50N 109 50W
Huay Namota **120** 21 56N 104 30W
Huayllay **126** 11 03 S 76 21W
Hubbard **117** 31 50N 96 50W
Hubbart Pt. **109** 59 21N 94 41W
Hubei □ **75** 31 0N 112 0 E
Hubli **70** 15 22N 75 15 E
Hückelhoven-Ratheim **24** 51 6N 6 13 E
Huczwa → **28** 50 49N 23 58 E
Huddersfield **12** 53 38N 1 49W
Hudi **86** 17 43N 34 18 E
Hudiksvall **48** 61 43N 17 10 E
Hudson, Can. **109** 50 6N 92 09W
Hudson, Mass., U.S.A. **113** 42 23N 71 35W
Hudson, Mich., U.S.A. **114** 41 50N 84 20W
Hudson, N.Y., U.S.A. **114** 42 15N 73 46W
Hudson, Wis., U.S.A. **116** 44 57N 92 45W
Hudson, Wyo., U.S.A. **118** 42 54N 108 37W
Hudson → **114** 40 42N 74 2W
Hudson Bay, Can. **105** 60 0N 86 0W
Hudson Bay, Sask., Can. **109** 52 51N 102 23W
Hudson Falls **114** 43 18N 73 34W
Hudson Hope **108** 56 0N 121 54W
Hudson Mts. **5** 74 32 S 99 20W
Hudson Str. **105** 62 0N 70 0W
Hue **71** 16 30N 107 35 E
Huebra → **30** 41 2N 6 48W
Huedin **46** 46 52N 23 2 E
Huelgoat **18** 48 22N 3 46W
Huelma **33** 37 39N 3 28W
Huelva **31** 37 18N 6 57W
Huelva □ **31** 37 40N 7 0W
Huelva → **31** 37 27N 6 0W
Huentelauquén **124** 31 38 S 71 33W
Huércal Overa **33** 37 23N 1 57W
Huerta, Sa. de la **124** 31 10 S 67 30W
Huertas, C. de las **33** 38 21N 0 24W
Huerva → **32** 41 39N 0 52W
Huesca **32** 42 8N 0 25W
Huesca □ **32** 42 20N 0 1 E
Huéscar **33** 37 44N 2 35W
Huetamo **120** 18 36N 100 54W
Huete **32** 40 10N 2 43W
Hugh → **96** 25 1 S 134 1 E
Hughenden **97** 20 52 S 144 10 E
Hughes **104** 66 0N 154 20W
Hugo **116** 39 12N 103 27W
Hugoton **117** 37 11N 101 22W
Hui Xian **76** 35 27N 113 12 E
Hui'an **77** 25 1N 118 43 E
Huichang **77** 25 32N 115 45 E
Huichapán **120** 20 24N 99 40W
Huihe **76** 48 12N 119 17 E
Huila, Nevado del **126** 3 0N 76 0W
Huilai **77** 23 0N 116 18 E
Huimin **76** 37 27N 117 28 E
Huinan **76** 42 40N 126 2 E
Huinca Renancó **124** 34 51 S 64 22W
Huining **76** 35 38N 105 0 E
Huinong **76** 39 5N 106 35 E
Huisne → **18** 47 59N 0 11 E
Huize **75** 26 24N 103 15 E
Huizhou **77** 23 0N 114 23 E
Hukawng Valley **67** 26 30N 96 30 E
Hukou **77** 29 45N 116 21 E
Hukuntsi **92** 23 58 S 21 45 E
Hula **87** 6 33N 38 30 E
Hulan **75** 46 1N 126 37 E
Ḩulayfā' **64** 25 58N 40 45 E
Huld **75** 45 5N 105 30 E
Ḩulda **62** 31 50N 34 51 E
Hulin **76** 45 48N 132 59 E
Hull, Can. **106** 45 25N 75 44W
Hull, U.K. **12** 53 45N 0 20W
Hull → **12** 53 43N 0 25W
Hulst **16** 51 17N 4 2 E
Hultsfred **49** 57 30N 15 52 E
Hulun Nur **75** 49 0N 117 30 E
Huma **76** 51 43N 126 38 E
Huma He → **76** 51 42N 126 42 E
Humahuaca **124** 23 10 S 65 25W
Humaitá, Brazil **126** 7 35 S 63 1W
Humaitá, Parag. **124** 27 2 S 58 31W
Humansdorp **92** 34 2 S 24 46 E
Humbe **92** 16 40 S 14 55 E
Humber → **12** 53 40N 0 10W
Humberside □ **12** 53 50N 0 30W
Humble **117** 29 59N 93 18W
Humboldt, Can. **109** 52 15N 105 9W
Humboldt, Iowa, U.S.A. **116** 42 42N 94 15W
Humboldt, Tenn., U.S.A. **117** 35 50N 88 55W
Humboldt → **118** 40 2N 118 31W
Humboldt Gletscher **4** 79 30N 62 0W
Hume, L. **97** 36 0 S 147 0 E
Humenné **27** 48 55N 21 50 E
Humphreys Pk. **119** 35 24N 111 38W
Humpolec **26** 49 31N 15 20 E
Hūn **83** 29 2N 16 0 E
Húnaflói **50** 65 50N 20 50W
Hunan □ **75** 27 30N 112 0 E
Hunchun **76** 42 52N 130 28 E
Hundested **49** 55 58N 11 52 E
Hundred Mile House **108** 51 38N 121 18W
Hunedoara **46** 45 40N 22 50 E
Hunedoara □ **46** 45 50N 22 54 E
Hünfeld **24** 50 40N 9 47 E
Hungary ■ **27** 47 20N 19 20 E
Hungary, Plain of **9** 47 0N 20 0 E
Hungerford **99** 28 58 S 144 24 E
Hŭngnam **76** 39 49N 127 45 E
Huni Valley **84** 5 33N 1 56W
Hunsberge **92** 27 45 S 17 12 E
Hunsrück **25** 49 30N 7 0 E
Hunstanton **12** 52 57N 0 30 E
Hunsur **70** 12 16N 76 16 E
Hunte → **24** 52 30N 8 19 E
Hunter, N.D., U.S.A. **116** 47 12N 97 17W
Hunter, N.Y., U.S.A. **113** 42 13N 74 13W
Hunter → **100** 32 52 S 151 46 E
Hunter I., Austral. **97** 40 30 S 144 45 E
Hunter I., Can. **108** 51 55N 128 0W
Hunter Ra. **99** 32 45 S 150 15 E
Hunters Road **91** 19 9 S 29 49 E
Hunterton **99** 26 12 S 148 30 E
Hunterville **101** 39 56 S 175 35 E

* *Renamed South Nyanza*

Huntingburg Inthanon, Doi

Huntingburg 114 38 20N 86 58W
Huntingdon, Can. 106 45 6N 74 10W
Huntingdon, U.K. 13 52 20N 0 11W
Huntingdon, U.S.A. 114 40 28N 78 1W
Huntington, Ind., U.S.A. 114 40 52N 85 30W
Huntington, N.Y., U.S.A. 113 40 52N 73 25W
Huntington, Oreg., U.S.A. 118 44 22N 117 21W
Huntington, Ut., U.S.A. 118 39 24N 111 1W
Huntington, W. Va., U.S.A. 114 38 20N 82 30W
Huntington Beach 119 33 40N 118 0W
Huntington Park 119 33 58N 118 15W
Huntly, N.Z. 101 37 34S 175 11 E
Huntly, U.K. 14 57 27N 2 48W
Huntsville, Can. 106 45 20N 79 14W
Huntsville, Ala., U.S.A. 115 34 45N 86 35W
Huntsville, Tex., U.S.A. 117 30 45N 95 35W
Hunyani → 91 15 57S 30 39 E
Huo Xian 76 36 36N 111 42 E
Huon, G. 98 7 0S 147 30 E
Huonville 97 43 0S 147 5 E
Huoqiu 77 32 20N 116 12 E
Huoshao Dao 77 22 40N 121 30 E
Hupeh □ = Hubei □ 75 31 0N 112 0 E
Hurbanovo 27 47 51N 18 11 E
Hure Qi 76 42 45N 121 45 E
Hurezani 46 44 49N 23 40 E
Hurghada 86 27 15N 33 50 E
Hurley, N. Mex., U.S.A. 119 32 45N 108 7W
Hurley, Wis., U.S.A. 116 46 26N 90 10W
Huron, Ohio, U.S.A. 112 41 22N 82 34W
Huron, S.D., U.S.A. 116 44 22N 98 12W
Huron, L. 112 45 0N 83 0W
Hurricane 119 37 10N 113 12W
Hurso 87 9 35N 41 33 E
Hurum, Buskerud, Norway 47 59 36N 10 23 E
Hurum, Oppland, Norway 47 61 9N 8 46 E
Hurunui → 101 42 54S 173 18 E
Hurup 49 56 46N 8 25 E
Húsavík 50 66 3N 17 21W
Huşi 46 46 41N 28 7 E
Huskvarna 49 57 47N 14 15 E
Husøy 47 61 3N 4 44 E
Hussar 108 51 3N 112 41W
Hustopéce 27 48 57N 16 43 E
Husum, Ger. 24 54 27N 9 3 E
Husum, Sweden 48 63 21N 19 12 E
Hutchinson, Kans., U.S.A. 117 38 3N 97 59W
Hutchinson, Minn., U.S.A. 116 44 50N 94 22W
Hutou 76 45 58N 133 38 E
Huttenberg 26 46 56N 14 33 E
Hüttental 24 50 52N 8 1 E
Huttig 117 33 5N 92 10W
Hutton, Mt. 99 25 51S 148 20 E
Huwun 87 4 23N 40 6 E
Ḥuwwārah 62 32 9N 35 15 E
Huy 16 50 31N 5 15 E
Hvaler 47 59 4N 11 1 E
Hvammur 50 65 13N 21 49W
Hvar 39 43 11N 16 28 E
Hvarski Kanal 39 43 15N 16 35 E
Hvítá 50 64 40N 21 5W
Hvítá → 50 64 0N 20 58W
Hvítárvatn 50 64 37N 19 50W
Hvitsten 47 59 35N 10 42 E
Hwang Ho = Huang He → 76 37 50N 118 50 E
Hyannis 116 42 0N 101 45W
Hyargas Nuur 75 49 0N 93 0 E
Hyatts 114 38 59N 76 55W
Hybo 48 61 49N 16 15 E
Hyderabad, India 70 17 22N 78 29 E
Hyderabad, Pak. 68 25 23N 68 24 E
* Hyderabad □ 68 25 3N 68 24 E
Hyères 21 43 8N 6 9 E
Hyères, Îles d' 21 43 0N 6 28 E
Hyesan 76 41 20N 128 10 E
Hyland → 108 59 52N 128 12W
Hylestad 47 59 6N 7 29 E
Hyltebruk 49 56 59N 13 15 E
Hyndman Pk. 118 43 50N 114 10W
Hyōgo □ 74 35 15N 135 0 E
Hyrum 118 41 35N 111 56W
Hysham 118 46 21N 107 11W
Hythe 13 51 4N 1 5 E
Hyvinkää 51 60 38N 24 50 E

I

I-n-Azaoua 83 20 45N 7 31 E
I-n-Échaï 82 20 10N 2 5W
I-n-Gall 85 16 51N 7 1 E
I-n-Tabedog 82 19 48N 1 11 E
Iabès, Erg 82 27 30N 2 2W
Iaco → 126 9 3S 68 34W
Iacobeni 46 47 25N 25 20 E
Iakora 93 23 6S 46 40 E
Ialomiţa □ 46 44 30N 27 30 E
Ialomiţa → 46 44 42N 27 51 E
Ianca 46 45 6N 27 29 E
Iara 46 46 31N 23 35 E
Iaşi 46 47 20N 27 0 E
Iba 73 15 22N 120 0 E
Ibadan 85 7 22N 3 58 E
Ibagué 126 4 20N 75 20W
Iballja 44 42 12N 20 0 E
Ibăneşti 46 46 45N 24 50 E
Ibar → 42 43 43N 20 45 E
Ibaraki □ 74 36 10N 140 10 E
Ibarra 126 0 21N 78 7W
Ibba 87 4 49N 29 2 E
Ibba, Bahr el 87 5 30N 28 55 E
Ibbenbüren 24 52 16N 7 41 E
Ibembo 90 2 35N 23 35 E
Ibera, Laguna 124 28 30S 57 9W
Iberian Peninsula 8 40 0N 5 0W
Iberville 106 45 19N 73 17W
Iberville, Lac d' 106 55 55N 73 15W
Ibi 85 8 15N 9 44 E
Ibiá 127 19 30S 46 30W
Ibicuy 124 33 55S 59 10W
Ibioapaba, Sa. da 127 4 0S 41 30W
Ibiza 33 38 54N 1 26 E
Íblei, Monti 41 37 15N 14 45 E
Ibo 91 12 22S 40 40 E
Ibonma 73 3 29S 133 31 E
Ibotirama 127 12 13S 43 12W
Ibriktepe 44 41 2N 26 33 E
Ibshawâi 86 29 21N 30 40 E
Ibu 73 1 35N 127 33 E
Iburg 24 52 10N 8 3 E
Icá 126 14 0S 75 48W
Içá → 126 2 55S 67 58W
Içana 126 0 21N 67 19W
Iceland ■ 50 65 0N 19 0W
Icha 59 55 30N 156 0 E
Ich'ang = Yichang 75 30 40N 111 20 E
Ichchapuram 70 19 10N 84 40 E
Ichihara 74 35 28N 140 5 E
Ichihawa 74 35 44N 139 55 E
Ichilo → 126 15 57S 64 50W
Ichinomiya 74 35 18N 136 48 E
Ichnya 54 50 52N 32 24 E
Icht 82 29 6N 8 54W
Icy Str. 108 58 20N 135 30W
Ida Grove 116 42 20N 95 25W
Idabel 117 33 53N 94 50W
Idaga Hamus 87 14 13N 39 48 E
Idah 85 7 5N 6 40 E
Idaho □ 118 44 10N 114 0W
Idaho City 118 43 50N 115 52W
Idaho Falls 118 43 30N 112 1W
Idaho Springs 118 39 49N 105 30W
Idanha-a-Nova 30 39 50N 7 15W
Idar-Oberstein 25 49 43N 7 19 E
Idd el Ghanam 81 11 30N 24 19 E
Iddan 63 6 10N 48 55 E
Idehan 83 27 10N 11 30 E
Idehan Marzūq 83 24 50N 13 51 E
Idelès 83 23 50N 5 53 E
Idfû 86 25 0N 32 49 E
Ídhi Óros 45 35 15N 24 45 E
Ídhra 45 37 20N 23 28 E
Idi 72 5 2N 97 37 E
Idi Amin Dada, L. = Edward, L. 90 0 25S 29 40 E
Idiofa 88 4 55S 19 42 E
Idkerberget 48 60 22N 15 15 E
Idku, Bahra el 86 31 18N 30 18 E
Idlip 64 35 55N 36 38 E
Idna 62 31 34N 34 58 E
Idrija 39 46 0N 14 5 E
Idritsa 54 56 25N 28 30 E
Idstein 25 50 13N 8 17 E
Idutywa 93 32 8S 28 18 E
Ieper 16 50 51N 2 53 E
Ierápetra 45 35 0N 25 44 E
Ierissós 44 40 22N 23 52 E
Ierissóu Kólpos 44 40 27N 23 57 E
Ierzu 40 39 48N 9 32 E
Iesi 39 43 32N 13 12 E
Ifach, Punta 33 38 38N 0 5 E
Ifanadiana 93 21 19S 47 39 E
Ife 85 7 30N 4 31 E
Iférouâne 85 19 5N 8 24 E
Iffley 98 18 53S 141 12 E
Ifni 82 29 29N 10 12W
Ifon 85 6 58N 5 40 E
Iforas, Adrar des 85 19 40N 1 40 E
Ifrane 82 33 33N 5 7W
Iganga 90 0 37N 33 28 E
Igarapava 127 20 3S 47 47W
Igarapé Açu 127 1 4S 47 33W
Igarka 59 67 30N 86 33 E
Igatimi 125 24 5S 55 40W
Igatpuri 70 19 40N 73 35 E
Igbetti 85 8 44N 4 8 E
Igbo-Ora 85 7 29N 3 15 E
Igboho 85 8 53N 3 50 E
Iggesund 48 61 39N 17 10 E
Ighil Izane 82 35 44N 0 31 E
Iglene 82 22 57N 4 58 E
Iglésias 40 39 19N 8 27 E
Igli 82 30 25N 2 19W
Igloolik 105 69 20N 81 49W
Igma 82 29 9N 6 24W
Igma, Gebel el 86 28 55N 34 0 E
Ignace 106 49 30N 91 40W
Igoshevo 55 59 25N 42 35 E
Igoumenítsa 44 39 32N 20 18 E
Iguaçu → 125 25 36S 54 36W
Iguaçu, Cat. del 125 25 41S 54 26W
Iguala 120 18 20N 99 40W
Igualada 32 41 37N 1 37 E
Iguassu = Iguaçu 125 25 41N 54 26W
Iguatu 127 6 20S 39 18W
Iguéla 88 2 0S 9 16 E
Igunga □ 90 4 20S 33 45 E
Ihiala 85 5 51N 6 55 E
Ihosy 93 22 24S 46 8 E
Ihotry, L. 93 21 56S 43 41 E
Ii 50 65 19N 25 22 E
Iida 74 35 35N 137 50 E
Iijoki → 50 65 20N 25 20 E
Iisalmi 50 63 32N 27 10 E
Iizuka 74 33 38N 130 42 E
Ijebu-Igbo 85 6 56N 4 1 E
Ijebu-Ode 85 6 47N 3 58 E
IJmuiden 16 52 28N 4 35 E
IJssel → 16 52 35N 5 50 E
IJsselmeer 16 52 45N 5 20 E
Ijuí → 125 27 58S 55 20W
Ikale 85 7 40N 5 37 E
Ikare 85 7 32N 5 40 E
Ikaría 45 37 35N 26 10 E
Ikast 49 56 8N 9 10 E
Ikeja 85 6 36N 3 23 E
Ikela 88 1 6S 23 6 E
Ikerre-Ekiti 85 7 25N 5 19 E
Ikhtiman 43 42 27N 23 48 E
Iki 74 33 45N 129 42 E
Ikimba L. 90 1 30S 31 20 E
Ikire 85 7 23N 4 15 E
Ikom 85 6 0N 8 42 E
Ikopa → 93 16 45S 46 40 E
Ikot Ekpene 85 5 12N 7 40 E
Ikungu 90 1 33S 33 42 E
Ikurun 85 7 54N 4 40 E
Ila 85 8 0N 4 39 E
Ilagan 73 17 7N 121 53 E
Ilam 69 26 58N 87 58 E
Ilanskiy 59 56 14N 96 3 E
Ilaro 85 6 53N 3 3 E
Iława 28 53 36N 19 34 E
Ilayangudi 70 9 34N 78 37 E
Ilbilbie 98 21 45S 149 20 E
Île-à-la Crosse 109 55 27N 107 53W
Île-à-la-Crosse, Lac 109 55 40N 107 45W
Île-Bouchard, L' 18 47 7N 0 26 E
Île-de-France 19 49 0N 2 20 E
Île-sur-le-Doubs, L' 19 47 26N 6 34 E
Ilebo 88 4 17S 20 55 E
Ileje □ 91 9 30S 33 25 E
Ilek 58 51 32N 53 21 E
Ilek → 52 51 30N 53 22 E
Ilero 85 8 0N 3 20 E
Ilesha, Oyo, Nigeria 85 7 37N 4 40 E
Ilesha, Oyo, Nigeria 85 8 57N 3 28 E
Ilford 109 56 4N 95 35W
Ilfov □ 46 44 20N 26 0 E
Ilfracombe, Austral. 97 23 30S 144 30 E
Ilfracombe, U.K. 13 51 13N 4 8W
Ílhavo 30 40 33N 8 43W
Ilhéus 127 14 49S 39 2W
Ilia 46 45 57N 22 40 E
Ilia □ 45 37 45N 21 35 E
Ilich 58 40 50N 68 27 E
Iliff 116 40 50N 103 3W
Iligan 73 8 12N 124 13 E
Ilíki, L. 45 38 24N 23 15 E
Iliodhrómia 44 39 12N 23 50 E
Ilion 114 43 0N 75 3W
Ilirska-Bistrica 39 45 34N 14 14 E
Ilkal 70 15 57N 76 8 E
Ilkeston 12 52 59N 1 19W
Illana B. 73 7 35N 123 45 E
Illapel 124 32 0S 71 10W
'Illār 62 32 23N 35 7 E
Ille 20 42 40N 2 37 E
Ille-et-Vilaine □ 18 48 10N 1 30W
Iller → 25 48 23N 9 58 E
Illescas 30 40 8N 3 51W
Illiers 18 48 18N 1 15 E
Illimani 126 16 30S 67 50W
Illinois □ 111 40 15N 89 30W
Illinois → 111 38 55N 90 28W
Illium = Troy 44 39 57N 26 12 E
Illizi 83 26 31N 8 32 E
Illora 31 37 17N 3 53W
Ilm → 24 51 7N 11 45 E
Ilmen, Oz. 54 58 15N 31 10 E
Ilmenau 24 50 41N 10 55 E
Ilo 126 17 40S 71 20W
Ilobu 85 7 45N 4 25 E
Iloilo 73 10 45N 122 33 E
Ilok 42 45 15N 19 20 E
Ilora 85 7 45N 3 50 E
Ilorin 85 8 30N 4 35 E
Iloulya 57 49 15N 44 2 E
Ilovatka 55 50 30N 45 50 E
Ilovlya → 57 49 14N 43 54 E
Iłowa 28 51 30N 15 10 E
Ilubabor □ 87 7 25N 35 0 E
Ilukste 54 55 55N 26 20 E
Ilva Mică 46 47 17N 24 40 E
Ilwaki 73 7 55S 126 30 E
Ilyichevsk 56 46 10N 30 35 E
Iłża 28 51 10N 21 15 E
Iłżanka → 28 51 14N 21 48 E
Imabari 74 34 4N 133 0 E
Imaloto → 93 23 27S 45 13 E
Imandra, Oz. 52 67 30N 33 0 E
Imari 74 33 15N 129 52 E
Imasa 86 18 0N 36 12 E
Imathía □ 44 40 30N 22 15 E
Imbâbah 86 30 5N 31 12 E
Imbler 118 45 31N 118 0W
Imdahane 82 32 8N 7 0W
imeni 26 Bakinskikh Komissarov (Neft-chala) 53 39 19N 49 12 E
imeni 26 Bakinskikh Komissarov (Vyshzha) 53 39 22N 54 10 E
Imeni Poliny Osipenko 59 52 30N 136 29 E
Imeri, Serra 126 0 50N 65 25W
Imerimandroso 93 17 26S 48 35 E
Imi (Hinna) 87 6 28N 42 10 E
Imishly 57 39 49N 48 4 E
Imitek 82 29 43N 8 10W
Imlay 118 40 45N 118 9W
Imlay City 112 43 0N 83 2W
Immenstadt 25 47 34N 10 13 E
Immingham 12 53 37N 0 12W
Immokalee 115 26 25N 81 26W
Imo □ 85 5 15N 7 20 E
Imola 39 44 20N 11 42 E
Imotski 42 43 27N 17 12 E
Imperatriz 127 5 30S 47 29W
Impéria 38 43 52N 8 0 E
Imperial, Can. 109 51 21N 105 28W
Imperial, Calif., U.S.A. 119 32 52N 115 34W
Imperial, Nebr., U.S.A. 116 40 38N 101 39W
Imperial Dam 119 32 50N 114 30W
Impfondo 88 1 40N 18 0 E
Imphal 67 24 48N 93 56 E
Imphy 19 46 56N 3 15 E
İmroz = Gökçeada 44 40 10N 25 50 E
Imst 26 47 15N 10 44 E
Imuruan B. 73 10 40N 119 10 E
In Belbel 82 27 55N 1 12 E
In Delimane 85 15 52N 1 31 E
In Rhar 82 27 10N 1 59 E
In Salah 82 27 10N 2 32 E
In Tallak 85 16 19N 3 15 E
Ina 74 35 50N 138 0 E
Ina-Bonchi 74 35 45N 137 58 E
Inangahua Junc. 101 41 52S 171 59 E
Inanwatan 73 2 10S 132 14 E
Iñapari 126 11 0S 69 40W
Inari 50 68 54N 27 5 E
Inarijärvi 50 69 0N 28 0 E
Inawashiro-Ko 74 37 29N 140 6 E
Inca 32 39 43N 2 54 E
Incaguasi 124 29 12S 71 5W
İnce-Burnu 56 42 7N 34 56 E
Inchon 76 37 27N 126 40 E
Incio 30 42 39N 7 21W
Incomáti → 93 25 46S 32 43 E
Incudine, L' 21 41 50N 9 12 E
Inda Silase 87 14 10N 38 15 E
Indalsälven → 48 62 36N 17 30 E
Indaw 67 24 15N 96 5 E
Indbir 87 8 7N 37 52 E
Independence, Calif., U.S.A. 119 36 51N 118 14W
Independence, Iowa, U.S.A. 116 42 27N 91 52W
Independence, Kans., U.S.A. 117 37 10N 95 43W
Independence, Mo., U.S.A. 116 39 3N 94 25W
Independence, Oreg., U.S.A. 118 44 53N 123 12W
Independence Fjord 4 82 10N 29 0W
Independence Mts. 118 41 30N 116 2W
Independenţa 46 45 25N 27 42 E
Inderborskiy 57 48 30N 51 42 E
India ■ 3 20 0N 78 0 E
Indian → 115 27 59N 80 34W
Indian-Antarctic Ridge 94 49 0S 120 0 E
Indian Cabins 108 59 52N 117 40W
Indian Harbour 107 54 27N 57 13W
Indian Head 109 50 30N 103 41W
Indian Ocean 3 5 0S 75 0 E
Indiana 114 40 38N 79 9W
Indiana □ 114 40 0N 86 0W
Indianapolis 114 39 42N 86 10W
Indianola, Iowa, U.S.A. 116 41 20N 93 32W
Indianola, Miss., U.S.A. 117 33 27N 90 40W
Indiga 52 67 50N 48 50 E
Indigirka → 59 70 48N 148 54 E
Indija 42 45 6N 20 7 E
Indio 119 33 46N 116 15W
Indonesia ■ 72 5 0S 115 0 E
Indore 68 22 42N 75 53 E
Indramayu 73 6 21S 108 20 E
Indramayu, Tg. 73 6 20S 108 20 E
Indravati → 70 19 20N 80 20 E
Indre □ 19 46 50N 1 39 E
Indre → 18 47 16N 0 19 E
Indre-et-Loire □ 18 47 12N 0 40 E
Indus → 68 24 20N 67 47 E
Indus, Mouth of the 68 24 00N 68 00 E
İnebolu 64 41 55N 33 40 E
İnegöl 64 40 5N 29 31 E
Ineu 42 46 26N 21 51 E
Inezgane 82 30 25N 9 29W
Infante, Kaap 92 34 27S 20 51 E
Infantes 33 38 43N 3 1W
Infiernillo, Presa del 120 18 9N 102 0W
Infiesto 30 43 21N 5 21W
Ingende 88 0 12S 18 57 E
Ingenio Santa Ana 124 27 25S 65 40W
Ingersoll 112 43 4N 80 55W
Ingham 97 18 43S 146 10 E
Ingleborough 12 54 11N 2 23W
Inglewood, Queensland, Austral. 99 28 25S 151 2 E
Inglewood, Vic., Austral. 99 36 29S 143 53 E
Inglewood, N.Z. 101 39 9S 174 14 E
Inglewood, U.S.A. 119 33 58N 118 21W
Ingólfshöfði 50 63 48N 16 39W
Ingolstadt 25 48 45N 11 26 E
Ingomar 118 46 35N 107 21W
Ingonish 107 46 42N 60 18W
Ingore 84 12 24N 15 48W
Ingrid Christensen Coast 5 69 30S 76 00 E
Ingul → 56 46 50N 32 15 E
Ingulec 56 47 42N 33 14 E
Ingulets → 56 46 41N 32 48 E
Inguri →, U.S.S.R. 57 42 38N 41 35 E
Inguri →, U.S.S.R. 57 42 15N 41 48 E
Inhaca, I. 93 26 1S 32 57 E
Inhafenga 93 20 36S 33 53 E
Inhambane 93 23 54S 35 30 E
Inhambane □ 93 22 30S 34 20 E
Inhaminga 91 18 26S 35 0 E
Inharrime 93 24 30S 35 0 E
Inharrime → 93 24 30S 35 0 E
Iniesta 33 39 27N 1 45W
Ining = Yining 75 43 58N 81 10 E
Inirida → 126 3 55N 67 52W
Inishbofin 15 53 35N 10 12W
Inishmore 15 53 8N 9 45W
Inishowen 15 55 14N 7 15W
Injune 97 25 53S 148 32 E
Inklin 108 58 56N 133 5W
Inklin → 108 58 50N 133 10W
Inkom 118 42 51N 112 15W
Inle L. 67 20 30N 96 58 E
Inn → 25 48 35N 13 28 E
Innamincka 99 27 44S 140 46 E
Inner Hebrides 14 57 0N 6 30W
Inner Mongolia = Nei Monggol Zizhiqu □ 76 42 0N 112 0 E
Inner Sound 14 57 30N 5 55W
Innerkip 112 43 13N 80 42W
Innerste → 24 52 45N 9 40 E
Innetalling I. 106 56 0N 79 0W
Innisfail, Austral. 97 17 33S 146 5 E
Innisfail, Can. 108 52 0N 113 57W
Innsbruck 26 47 16N 11 23 E
Inny → 15 53 30N 7 50W
Inongo 88 1 55S 18 30 E
Inoucdjouac (Port Harrison) 105 58 25N 78 15W
Inowrocław 28 52 50N 18 12 E
Inquisivi 126 16 50S 67 10W
Insein 67 16 50N 96 5 E
Însurăţei 46 44 50N 27 40 E
Inta 52 66 5N 60 8 E
Intendente Alvear 124 35 12S 63 32W
Interior 116 43 46N 101 59W
Interlaken 25 46 41N 7 50 E
International Falls 116 48 36N 93 25W
Interview I. 71 12 55N 92 43 E
Inthanon, Doi 71 18 35N 98 29 E

* *Now part of Sind* □

Intiyaco Janikowo

Intiyaco 124 28 43 S 60 5W
Inútil, B. 128 53 30 S 70 15W
Inuvik 104 68 16N 133 40W
Inveraray 14 56 13N 5 5W
Inverbervie 14 56 50N 2 17W
Invercargill 101 46 24 S 168 24 E
Inverell 97 29 45 S 151 8 E
Invergordon 14 57 41N 4 10W
Invermere 108 50 30N 116 2W
Inverness, Can. 107 46 15N 61 19W
Inverness, U.K. 14 57 29N 4 12W
Inverness, U.S.A. 115 28 50N 82 20W
Inverurie 14 57 15N 2 21W
Investigator Group 96 34 45 S 134 20 E
Investigator Str. 97 35 30 S 137 0 E
Invona 112 40 46N 78 35W
Inya 58 50 28N 86 37 E
Inyanga 91 18 12 S 32 40 E
Inyangani 91 18 5 S 32 50 E
Inyantue 91 18 30 S 26 40 E
Inyazura 91 18 40 S 32 16 E
Inyo Range 119 37 0N 118 0W
Inyokern 119 35 38N 117 48W
Inza 55 53 55N 46 25 E
Inzhavino 55 52 22N 42 30 E
Ioánnina 44 39 42N 20 47 E
Ioánnina (Janinà) □ 44 39 39N 20 57 E
Iola 117 38 0N 95 20W
Ion Corvin 46 44 7N 27 50 E
Iona 14 56 20N 6 25W
Ione, Calif., U.S.A. 118 38 20N 120 56W
Ione, Wash., U.S.A. 118 48 44N 117 29W
Ionia 114 42 59N 85 7W
Ionian Is. = Iónioi Nísoi 45 38 40N 20 0 E
Ionian Sea 35 37 30N 17 30 E
Iónioi Nísoi 45 38 40N 20 0 E
Iori → 57 41 3N 46 17 E
Íos 45 36 41N 25 20 E
Iowa □ 116 42 18N 93 30W
Iowa City 116 41 40N 91 35W
Iowa Falls 116 42 30N 93 15W
Ipala 90 4 30 S 32 52 E
Ipameri 127 17 44 S 48 9W
Ipáti 45 38 52N 22 14 E
Ipatovo 57 45 45N 42 50 E
Ipel → 27 48 10N 19 35 E
Ipiales 126 0 50N 77 37W
Ipin = Yibin 75 28 45N 104 32 E
Ipiros □ 44 39 30N 20 30 E
Ipixuna 126 7 0 S 71 40W
Ipoh 71 4 35N 101 5 E
Ippy 88 6 5N 21 7 E
Ipsala 44 40 55N 26 23 E
Ipsárion Óros 44 40 40N 24 40 E
Ipswich, Austral. 97 27 35 S 152 40 E
Ipswich, U.K. 13 52 4N 1 9 E
Ipswich, Mass., U.S.A. 113 42 40N 70 50W
Ipswich, S.D., U.S.A. 116 45 28N 99 1W
Ipu 127 4 23 S 40 44W
Iput → 54 52 26N 31 2 E
Iquique 126 20 19 S 70 5W
Iquitos 126 3 45 S 73 10W
Iracoubo 127 5 30N 53 10W
Iráklia 45 36 50N 25 28 E
Iráklion 45 35 20N 25 12 E
Iráklion □ 45 35 10N 25 10 E
Irala 125 25 55 S 54 35W
Iramba □ 90 4 30 S 34 30 E
Iran ■ 65 33 0N 53 0 E
Iran, Pegunungan 72 2 20N 114 50 E
Iranamadu Tank 70 9 23N 80 29 E
Īrānshahr 65 27 15N 60 40 E
Irapuato 120 20 40N 101 30W
Iraq ■ 64 33 0N 44 0 E
Irarrar, O. → 82 20 0N 1 30 E
Irati 125 25 25 S 50 38W
Irbid 62 32 35N 35 48 E
Irebu 88 0 40 S 17 46 E
Iregua → 32 42 27N 2 24 E
Ireland ■ 15 53 0N 8 0W
Ireland I. 121 32 16N 64 50W
Ireland's Eye 15 53 25N 6 4W
Irele 85 7 40N 5 40 E
Iret 59 60 3N 154 20 E
Irgiz, Bol. 55 52 10N 49 10 E
Irhârharene 83 27 37N 7 30 E
Irharrhar, O. → 83 28 3N 6 15 E
Irherm 82 30 7N 8 18W
Irhil Mgoun 82 31 30N 6 28W
Irian Jaya □ 73 4 0 S 137 0 E
Irié 84 8 15N 9 10W
Iringa 90 7 48 S 35 43 E
Iringa □ 90 7 48 S 35 43 E
Irinjalakuda 70 10 21N 76 14 E
Iriri → 127 3 52 S 52 37W
Irish Sea 12 54 0N 5 0W
Irkineyeva 59 58 30N 96 49 E
Irkutsk 59 52 18N 104 20 E
Irma 109 52 55N 111 14W
Iroise, Mer d' 18 48 15N 4 45W
Iron Baron 99 32 58 S 137 11 E
Iron Gate = Portile de Fier 46 44 42N 22 30 E
Iron Knob 97 32 46 S 137 8 E
Iron Mountain 114 45 49N 88 4W
Iron River 116 46 6N 88 40W
Ironbridge 13 52 38N 2 29W
Ironstone Kopje 92 25 17 S 24 5 E
Ironton, Mo., U.S.A. 117 37 40N 90 40W
Ironton, Ohio, U.S.A. 114 38 35N 82 40W
Ironwood 116 46 30N 90 10W
Iroquois Falls 106 48 46N 80 41W
Irpen 54 50 30N 30 15 E
Irrara Cr. → 99 29 35 S 145 31 E
Irrawaddy □ 67 17 0N 95 0 E
Irrawaddy → 67 15 50N 95 6 E
Irsina 41 40 45N 16 15 E
Irtysh → 58 61 4N 68 52 E
Irumu 90 1 32N 29 53 E
Irún 32 43 20N 1 52W
Irurzun 32 42 55N 1 50W
Irvine, Can. 109 49 57N 110 16W
Irvine, U.K. 14 55 37N 4 40W
Irvine, U.S.A. 114 37 42N 83 58W
Irvinestown 15 54 28N 7 38W
Irymple 99 34 14 S 142 8 E
Is-sur-Tille 19 47 30N 5 10 E
Isa 85 13 14N 6 24 E
Isaac → 97 22 55 S 149 20 E
Isabel 116 45 27N 101 22W
Isabela, I. 120 21 51N 105 55W
Isabella, Cord. 121 13 30N 85 25W
Ísafjarðardjúp 50 66 10N 23 0W
Ísafjörður 50 66 5N 23 9W
Isagarh 68 24 48N 77 51 E
Isaka 90 3 56 S 32 59 E
Isangi 88 0 52N 24 10 E
Isar → 25 48 49N 12 58 E
Isarco → 39 46 57N 11 18 E
Ísari 45 37 22N 22 0 E
Isbergues 19 50 36N 2 24 E
Isbiceni 46 43 45N 24 40 E
Íschia 40 40 45N 13 51 E
Ise 74 34 25N 136 45 E
Ise-Wan 74 34 43N 136 43 E
Isefjord 49 55 53N 11 50 E
Iseo 38 45 40N 10 3 E
Iseo, L. d' 38 45 45N 10 3 E
Iseramagazi 90 4 37 S 32 10 E
Isère □ 21 45 15N 5 40 E
Isère → 21 44 59N 4 51 E
Iserlohn 24 51 22N 7 40 E
Isérnia 41 41 35N 14 12 E
Iseyin 85 8 0N 3 36 E
Ishikari-Wan (Otaru-Wan) 74 43 25N 141 1 E
Ishikawa □ 74 36 30N 136 30 E
Ishim 58 56 10N 69 30 E
Ishim → 58 57 45N 71 10 E
Ishinomaki 74 38 32N 141 20 E
Ishmi 44 41 33N 19 34 E
Ishpeming 114 46 30N 87 40W
Isigny-sur-Mer 18 49 19N 1 6W
Isil Kul 58 54 55N 71 16 E
Isiolo 90 0 24N 37 33 E
Isiolo □ 90 2 30N 37 30 E
Isipingo Beach 93 30 00 S 30 57 E
Isiro 90 2 53N 27 40 E
Isisford 98 24 15 S 144 21 E
İskenderun 64 36 32N 36 10 E
İskilip 56 40 50N 34 20 E
Iskŭr → 43 43 45N 24 25 E
Iskŭr, Yazovir 43 42 23N 23 30 E
Iskut → 108 56 45N 131 49W
Isla → 14 56 32N 3 20W
Isla Cristina 31 37 13N 7 17W
Islamabad 66 33 40N 73 10 E
Islamkot 68 24 42N 70 13 E
Islampur 70 17 2N 74 20 E
Island → 108 60 25N 121 12W
Island Falls, Can. 106 49 35N 81 20W
Island Falls, U.S.A. 107 46 0N 68 16W
Island L. 109 53 47N 94 25W
Island Pond 114 44 50N 71 50W
Islands, B. of, Can. 107 49 11N 58 15W
Islands, B. of, N.Z. 101 35 20 S 174 20 E
Islay 14 55 46N 6 10W
Isle → 20 44 55N 0 15W
Isle-Adam, L' 19 49 6N 2 14 E
Isle aux Morts 107 47 35N 59 0W
Isle-Jourdain, L', Gers, France 20 43 36N 1 5 E
Isle-Jourdain, L', Vienne, France 20 46 13N 0 31 E
Isle of Wight □ 13 50 40N 1 20W
Isle Royale 116 48 0N 88 50W
Isleta 119 34 58N 106 46W
Ismail 56 45 22N 28 46 E
Ismâ'ilîya 86 30 37N 32 18 E
Ismaning 25 48 14N 11 41 E
Ismay 116 46 33N 104 44W
Isna 86 25 17N 32 30 E
Isola del Gran Sasso d'Italia 39 42 30N 13 40 E
Ísola del Liri 40 41 39N 13 32 E
Ísola della Scala 38 45 16N 11 0 E
Ísola di Capo Rizzuto 41 38 56N 17 5 E
İsparta 64 37 47N 30 30 E
Isperikh 43 43 43N 26 50 E
İspica 41 36 47N 14 53 E
İspir 57 40 40N 40 50 E
Israel ■ 62 32 0N 34 50 E
Issia 84 6 33N 6 33W
Issoire 20 45 32N 3 15 E
Issoudun 19 46 57N 2 0 E
Issyk-Kul, Ozero 58 42 25N 77 15 E
Ist 39 44 17N 14 47 E
İstanbul 64 41 0N 29 0 E
Istiaia 45 38 57N 23 9 E
Istok 42 42 45N 20 24 E
Istokpoga, L. 115 27 22N 81 14W
Istra, U.S.S.R. 55 55 55N 36 50 E
Istra, Yugo. 39 45 10N 14 0 E
Istranca Dağları 43 41 48N 27 30 E
Istres 21 43 31N 4 59 E
Istria = Istra 39 45 10N 14 0 E
Itá 124 25 29 S 57 21W
Itabaiana 127 7 18 S 35 19W
Itaberaba 127 12 32 S 40 18W
Itabira 127 19 37 S 43 13W
Itabirito 125 20 15 S 43 48W
Itabuna 127 14 48 S 39 16W
Itaituba 127 4 10 S 55 50W
Itajaí 125 27 50 S 48 39W
Itajubá 125 22 24 S 45 30W
Itaka 91 8 50 S 32 49 E
Italy ■ 36 42 0N 13 0 E
Itampolo 93 24 41 S 43 57 E
Itapecuru-Mirim 127 3 24 S 44 20W
Itaperuna 127 21 10 S 41 54W
Itapetininga 125 23 36 S 48 7W
Itapeva 125 23 59 S 48 59W
Itapicuru →, Bahia, Brazil 127 11 47 S 37 32W
Itapicuru →, Maranhão, Brazil 127 2 52 S 44 12W
Itapuá □ 125 26 40 S 55 40W
Itaquari 125 20 20 S 40 25W
Itaquatiara 126 2 58 S 58 30W
Itaquí 124 29 8 S 56 30W
Itararé 125 24 6 S 49 23W
Itarsi 68 22 36N 77 51 E
Itatí 124 27 16 S 58 15W
Itatuba 126 5 46 S 63 20W
Itchen → 13 50 57N 1 20W
Itéa 45 38 25N 22 25 E
Ithaca 114 42 25N 76 30W
Ithaca = Itháki 45 38 25N 20 43 E
Itháki 45 38 25N 20 40 E
Ito 74 34 58N 139 5 E
Itoman 77 26 7N 127 40 E
Iton → 18 49 9N 1 12 E
Itonamas → 126 12 28 S 64 24W
Itsa 86 29 15N 30 47 E
Íttiri 40 40 38N 8 32 E
Itu, Brazil 125 23 17 S 47 15W
Itu, Nigeria 85 5 10N 7 58 E
Ituaçu 127 13 50 S 41 18W
Ituiutaba 127 19 0 S 49 25W
Itumbiara 127 18 20 S 49 10W
Ituna 109 51 10N 103 24W
Itunge Port 91 9 40 S 33 55 E
Iturbe 124 23 0 S 65 25W
Ituri → 90 1 40N 27 1 E
Iturup, Ostrov 59 45 0N 148 0 E
Ituyuro → 124 22 40 S 63 50W
Itzehoe 24 53 56N 9 31 E
Ivaí → 125 23 18 S 53 42W
Ivalo 50 68 38N 27 35 E
Ivalojoki → 50 68 40N 27 40 E
Ivangorod 54 59 37N 28 40 E
Ivangrad 42 42 51N 19 52 E
Ivanhoe 97 32 56 S 144 20 E
Ivanhoe L. 109 60 25N 106 30W
Ivanić Grad 39 45 41N 16 25 E
Ivanjica 42 43 35N 20 12 E
Ivanjšcice 39 46 12N 16 13 E
Ivankoyskoye Vdkhr. 55 56 37N 36 32 E
Ivano-Frankovsk 56 48 56N 24 43 E
Ivano-Frankovsk (Stanislav) 54 48 40N 24 40 E
Ivanovo, Byelorussia, U.S.S.R. 54 52 7N 25 29 E
Ivanovo, R.S.F.S.R., U.S.S.R. 55 57 5N 41 0 E
Ivato 93 20 37 S 47 10 E
Ivaylovgrad 43 41 32N 26 8 E
Ivdel 52 60 42N 60 24 E
Ivinheima → 125 23 14 S 53 42W
Iviza = Ibiza 33 39 0N 1 30 E
Ivohibe 93 22 31 S 46 57 E
Ivory Coast ■ 84 7 30N 5 0W
Ivösjön 49 56 8N 14 25 E
Ivrea 38 45 30N 7 52 E
Ivugivik, (N.D. d'Ivugivic) 105 62 24N 77 55W
Iwahig 72 8 35N 117 32 E
Iwaki 74 37 3N 140 55 E
Iwakuni 74 34 15N 132 8 E
Iwata 74 34 42N 137 51 E
Iwate □ 74 39 30N 141 30 E
Iwate-San 74 39 51N 141 0 E
Iwo 85 7 39N 4 9 E
IwoniczZdrój 27 49 37N 21 47 E
Ixiamas 126 13 50 S 68 5W
Ixopo 93 30 11 S 30 5 E
Ixtepec 120 16 32N 95 10W
Ixtlán de Juárez 120 17 23N 96 28W
Ixtlán del Río 120 21 5N 104 21W
Izabel, L. de 120 15 30N 89 10W
Izamal 120 20 56N 89 1W
Izberbash 57 42 35N 47 52 E
Izbica 28 50 53N 23 10 E
Izbica Kujawska 28 52 25N 18 30 E
Izegem 16 50 55N 3 12 E
Izgrev 43 43 36N 26 58 E
Izhevsk 52 56 51N 53 14 E
İzmir (Smyrna) 53 38 25N 27 8 E
İzmit 64 40 45N 29 50 E
Iznajar 31 37 15N 4 19W
Iznalloz 33 37 24N 3 30W
Izobil'nyy 57 45 25N 41 44 E
Izola 39 45 32N 13 39 E
Izra 62 32 51N 36 15 E
Izra' 62 32 52N 36 5 E
Iztochni Rodopi 43 41 45N 25 30 E
Izumi-sano 74 34 23N 135 18 E
Izumo 74 35 20N 132 46 E
Izyaslav 54 50 5N 26 50 E
Izyum 56 49 12N 37 19 E

J

Jaba 87 6 20N 35 7 E
Jaba' 62 32 20N 35 13 E
Jabal el Awlîya 87 15 10N 32 31 E
Jabalón → 31 38 53N 4 5W
Jabalpur 69 23 9N 79 58 E
Jabālyah 62 31 32N 34 27 E
Jablah 64 35 20N 36 0 E
Jablanac 39 44 42N 14 56 E
Jablonec 26 50 43N 15 10 E
Jablonica 27 48 37N 17 26 E
Jabłonowo 28 53 23N 19 10 E
Jaboticabal 125 21 15 S 48 17W
Jabukovac 42 44 22N 22 21 E
Jaburu 126 5 30 S 64 0W
Jaca 32 42 35N 0 33W
Jacareí 125 23 20 S 46 0W
Jacarèzinho 125 23 5 S 50 0W
Jáchymov 26 50 22N 12 55 E
Jackman 107 45 35N 70 17W
Jacksboro 117 33 14N 98 15W
Jackson, Austral. 99 26 39 S 149 39 E
Jackson, Ala., U.S.A. 115 31 32N 87 53W
Jackson, Calif., U.S.A. 118 38 19N 120 47W
Jackson, Ky., U.S.A. 114 37 35N 83 22W
Jackson, Mich., U.S.A. 114 42 18N 84 25W
Jackson, Minn., U.S.A. 116 43 35N 95 0W
Jackson, Miss., U.S.A. 117 32 20N 90 10W
Jackson, Mo., U.S.A. 117 37 25N 89 42W
Jackson, Ohio, U.S.A. 114 39 0N 82 40W
Jackson, Tenn., U.S.A. 115 35 40N 88 50W
Jackson, Wyo., U.S.A. 118 43 30N 110 49W
Jackson Bay 101 43 58 S 168 42 E
Jackson, L. 118 43 55N 110 40W
Jacksons 101 42 46 S 171 32 E
Jacksonville, Ala., U.S.A. 115 33 49N 85 45W
Jacksonville, Fla., U.S.A. 115 30 15N 81 38W
Jacksonville, Ill., U.S.A. 116 39 42N 90 15W
Jacksonville, N.C., U.S.A. 115 34 50N 77 29W
Jacksonville, Oreg., U.S.A. 118 42 19N 122 56W
Jacksonville, Tex., U.S.A. 117 31 58N 95 19W
Jacksonville Beach 115 30 19N 81 26W
Jacmel 121 18 14N 72 32W
Jacob Lake 119 36 45N 112 12W
Jacobabad 68 28 20N 68 29 E
Jacobina 127 11 11 S 40 30W
Jacob's Well 62 32 13N 35 13 E
Jacques-Cartier, Mt. 107 48 57N 66 0W
Jacqueville 84 5 12N 4 25W
Jacuí → 125 30 2 S 51 15W
Jacundá → 127 1 57 S 50 26W
Jade 24 53 22N 8 14 E
Jadebusen 24 53 30N 8 15 E
Jadotville = Likasi 91 10 55 S 26 48 E
Jadovnik 42 43 20N 19 45 E
Jadów 28 52 28N 21 38 E
Jadraque 32 40 55N 2 55W
Jādū 83 32 0N 12 0 E
Jaén, Peru 126 5 25 S 78 40W
Jaén, Spain 31 37 44N 3 43W
Jaén □ 31 37 50N 3 30W
Jaerens Rev 47 58 45N 5 45 E
Jafène 82 20 35N 5 30W
Jaffa = Tel Aviv-Yafo 62 32 4N 34 48 E
Jaffa, C. 99 36 58 S 139 40 E
Jaffna 70 9 45N 80 2 E
Jagadhri 68 30 10N 77 20 E
Jagadishpur 69 25 30N 84 21 E
Jagdalpur 70 19 3N 82 0 E
Jagersfontein 92 29 44 S 25 27 E
Jagst → 25 49 14N 9 11 E
Jagtial 70 18 50N 79 0 E
Jaguariaiva 125 24 10 S 49 50W
Jaguaribe → 127 4 25 S 37 45W
Jagüey Grande 121 22 35N 81 7W
Jahangirabad 68 28 19N 78 4 E
Jahrom 65 28 30N 53 31 E
Jailolo 73 1 5N 127 30 E
Jailolo, Selat 73 0 5N 129 5 E
Jainti 69 26 45N 89 40 E
Jaipur 68 27 0N 75 50 E
Jajce 42 44 19N 17 17 E
Jajpur 69 20 53N 86 22 E
Jakarta 73 6 9 S 106 49 E
Jakobstad (Pietarsaari) 50 63 40N 22 43 E
Jakupica 42 41 45N 21 22 E
Jal 117 32 8N 103 8W
Jalai Nur 76 49 27N 117 42 E
Jalalabad, Afghan. 66 34 30N 70 29 E
Jalalabad, India 69 27 41N 79 42 E
Jalalpur Jattan 68 32 38N 74 11 E
Jalapa, Guat. 120 14 39N 89 59W
Jalapa, Mexico 120 19 30N 96 56W
Jalas, Jabal al 64 27 30N 36 30 E
Jalaun 69 26 8N 79 25 E
Jaleswar 69 26 38N 85 48 E
Jalgaon, Maharashtra, India 68 21 0N 75 42 E
Jalgaon, Maharashtra, India 68 21 2N 76 31 E
Jalingo 85 8 55N 11 25 E
Jalisco □ 120 20 0N 104 0W
Jallas → 30 42 54N 9 8W
Jalna 70 19 48N 75 38 E
Jalón → 32 41 47N 1 4W
Jalpa 120 21 38N 102 58W
Jalpaiguri 69 26 32N 88 46 E
Jalq 65 27 35N 62 46 E
Jaluit I. 94 6 0N 169 30 E
Jamaari 85 11 44N 9 53 E
Jamaica ■ 121 18 10N 77 30W
Jamalpur, Bangla. 69 24 52N 89 56 E
Jamalpur, India 69 25 18N 86 28 E
Jamalpurganj 69 23 2N 88 1 E
Jamanxim → 127 4 43 S 56 18W
Jambe 73 1 15 S 132 10 E
Jambi 72 1 38 S 103 30 E
Jambi □ 72 1 30 S 102 30 E
Jambusar 68 22 3N 72 51 E
James → 116 42 52N 97 18W
James B. 106 51 30N 80 0W
James Range 96 24 10 S 132 30 E
James Ross I. 5 63 58 S 57 50W
Jamestown, Austral. 97 33 10 S 138 32 E
Jamestown, S. Afr. 92 31 6 S 26 45 E
Jamestown, Ky., U.S.A. 114 37 0N 85 5W
Jamestown, N.D., U.S.A. 116 46 54N 98 42W
Jamestown, N.Y., U.S.A. 114 42 5N 79 18W
Jamestown, Pa., U.S.A. 112 41 32N 80 27W
Jamestown, Tenn., U.S.A. 115 36 25N 85 0W
Jamkhandi 70 16 30N 75 15 E
Jammā'īn 62 32 8N 35 12 E
Jammalamadugu 70 14 51N 78 25 E
Jammerbugt 49 57 15N 9 20 E
Jammu 68 32 43N 74 54 E
Jammu & Kashmir □ 66 34 25N 77 0 E
Jamnagar 68 22 30N 70 6 E
Jamner 68 20 45N 75 52 E
Jampur 68 29 39N 70 40 E
Jamrud Fort 66 33 59N 71 24 E
Jamshedpur 69 22 44N 86 12 E
Jamtara 69 23 59N 86 49 E
Jämtlands län □ 48 62 40N 13 50 E
Jan Kemp 92 27 55 S 24 51 E
Jan L. 109 54 56N 102 55W
Jan Mayen Is. 4 71 0N 9 0W
Jand 66 33 30N 72 6 E
Janda, Laguna de la 31 36 15N 5 45W
Jandaq 65 34 3N 54 22 E
Jandola 68 32 20N 70 9 E
Jandowae 99 26 45 S 151 7 E
Jándula → 31 38 3N 4 6W
Janesville 116 42 39N 89 1W
Janga 85 10 5N 1 0W
Jangaon 70 17 44N 79 5 E
Jangeru 72 2 20 S 116 29 E
Janikowo 28 52 45N 18 7 E

Janīn Jyväskylä

Name	Page	Lat.	Long.
Janīn	**62**	32 28N	35 18 E
Janja	**42**	44 40N	19 17 E
Janjevo	**42**	42 35N	21 19 E
Janjina	**42**	42 58N	17 25 E
Jánoshalma	**27**	46 18N	19 21 E
Jánosháza	**27**	47 8N	17 12 E
Jánossomorja	**27**	47 47N	17 11 E
Janów	**28**	50 44N	19 27 E
Janów Lubelski	**28**	50 48N	22 23 E
Janów Podlaski	**28**	52 11N	23 11 E
Janowiec Wielkopolski	**28**	52 45N	17 30 E
Januária	**127**	15 25 S	44 25W
Janub Dârfûr □	**87**	11 0N	25 0 E
Janub Kordofân □	**87**	12 0N	30 0 E
Janville	**19**	48 10N	1 50 E
Janzé	**18**	47 55N	1 28W
Jaora	**68**	23 40N	75 10 E
Japan ■	**74**	36 0N	136 0 E
Japan, Sea of	**74**	40 0N	135 0 E
Japan Trench	**94**	32 0N	142 0 E
Japara	**73**	6 30 S	110 40 E
Japen = Yapen	**73**	1 50 S	136 0 E
Japurá →	**126**	3 8 S	64 46W
Jaque	**126**	7 27N	78 8W
Jara, La	**119**	37 16N	106 0W
Jaraicejo	**31**	39 40N	5 49W
Jaraiz	**30**	40 4N	5 45W
Jarales	**119**	34 39N	106 51W
Jarama →	**32**	40 2N	3 39W
Jarandilla	**30**	40 8N	5 39W
Jaranwala	**68**	31 15N	73 26 E
Jarash	**62**	32 17N	35 54 E
Jarbidge	**118**	41 56N	115 27W
Jardim	**124**	21 28 S	56 2W
Jardín →	**33**	38 50N	2 10W
Jardines de la Reina, Is.	**121**	20 50N	78 50W
Jargalant (Kobdo)	**75**	48 2N	91 37 E
Jargeau	**19**	47 50N	2 1 E
Jarmen	**24**	53 56N	13 20 E
Jarnac	**20**	45 40N	0 11W
Jarny	**19**	49 9N	5 53 E
Jarocin	**28**	51 59N	17 29 E
Jaroměr	**26**	50 22N	15 52 E
Jarosław	**27**	50 2N	22 42 E
Järpås	**49**	58 23N	12 57 E
Järpen	**48**	63 21N	13 26 E
Jarso	**87**	5 15N	37 30 E
Jarvis	**112**	42 53N	80 6W
Jarvis I.	**95**	0 15 S	159 55W
Jarvornik	**27**	50 23N	17 2 E
Jarwa	**69**	27 38N	82 30 E
Jaša Tomić	**42**	45 26N	20 50 E
Jasien	**28**	51 46N	15 0 E
Jasin	**71**	2 20N	102 26 E
Jäsk	**65**	25 38N	57 45 E
Jasło	**27**	49 45N	21 30 E
Jasper, Alta., Can.	**108**	52 55N	118 5W
Jasper, Ont., Can.	**113**	44 52N	75 57W
Jasper, Ala., U.S.A.	**115**	33 48N	87 16W
Jasper, Fla., U.S.A.	**115**	30 31N	82 58W
Jasper, Minn., U.S.A.	**116**	43 52N	96 22W
Jasper, Tex., U.S.A.	**117**	30 59N	93 58W
Jasper Nat. Park	**108**	52 50N	118 8W
Jassy = Iaşi	**46**	47 10N	27 40 E
Jastrebarsko	**39**	45 41N	15 39 E
Jastrowie	**28**	53 26N	16 49 E
Jastrzębie Zdrój	**27**	49 57N	18 35 E
Jászapáti	**27**	47 32N	20 10 E
Jászárokszállás	**27**	47 39N	20 1 E
Jászberény	**27**	47 30N	19 55 E
Jászkiser	**27**	47 27N	20 20 E
Jászladány	**27**	47 23N	20 10 E
Jataí	**127**	17 58 S	51 48W
Jati	**68**	24 20N	68 19 E
Jatibarang	**73**	6 28 S	108 18 E
Jatinegara	**73**	6 13 S	106 52 E
Játiva	**33**	39 0N	0 32W
Jatobal	**127**	4 35 S	49 33W
Jatt	**62**	32 24N	35 2 E
Jaú	**125**	22 10 S	48 30W
Jauja	**126**	11 45 S	75 15W
Jaunjelgava	**54**	56 35N	25 0 E
Jaunpur	**69**	25 46N	82 44 E
Java = Jawa	**73**	7 0 S	110 0 E
Java Sea	**72**	4 35 S	107 15 E
Java Trench	**94**	10 0 S	110 0W
Javadi Hills	**70**	12 40N	78 40 E
Jávea	**33**	38 48N	0 10 E
Javhlant = Ulyasutay	**75**	47 56N	97 28 E
Javla	**70**	17 18N	75 9 E
Javron	**18**	48 25N	0 25W
Jawa	**73**	7 0 S	110 0 E
Jawor	**28**	51 4N	16 11 E
Jaworzno	**27**	50 13N	19 11 E
Jay	**117**	36 25N	94 46W
Jaya, Puncak	**73**	3 57 S	137 17 E
Jayapura	**73**	2 28 S	140 38 E
Jayawijaya, Pegunungan	**73**	5 0 S	139 0 E
Jayton	**117**	33 17N	100 35W
Jean	**119**	35 47N	115 20W
Jean Marie River	**104**	61 32N	120 38W
Jean Rabel	**121**	19 50N	73 5W
Jeanerette	**117**	29 52N	91 38W
Jeanette, Ostrov	**59**	76 43N	158 0 E
Jeannette	**112**	40 20N	79 36W
Jebba, Moroc.	**82**	35 11N	4 43W
Jebba, Nigeria	**85**	9 9N	4 48 E
Jebel, Bahr el →	**81**	15 38N	32 31 E
Jebel Qerri	**87**	16 16N	32 50 E
Jedburgh	**14**	55 28N	2 33W
Jedlicze	**27**	49 43N	21 40 E
Jedlnia-Letnisko	**28**	51 25N	21 19 E
Jędrzejów	**28**	50 35N	20 15 E
Jedwabne	**28**	53 17N	22 18 E
Jedway	**108**	52 17N	131 14W
Jeetze →	**24**	53 9N	11 6 E
Jefferson, Iowa, U.S.A.	**116**	42 3N	94 25W
Jefferson, Ohio, U.S.A.	**112**	41 40N	80 46W
Jefferson, Tex., U.S.A.	**117**	32 45N	94 23W
Jefferson, Wis., U.S.A.	**116**	43 0N	88 49W
Jefferson City, Mo., U.S.A.	**116**	38 34N	92 10W
Jefferson City, Tenn., U.S.A.	**115**	36 8N	83 30W
Jefferson, Mt., Nev., U.S.A.	**118**	38 51N	117 0W
Jefferson, Mt., Oreg., U.S.A.	**118**	44 45N	121 50W
Jeffersonville	**114**	38 20N	85 42W
Jega	**85**	12 15N	4 23 E
Jekabpils	**54**	56 29N	25 57 E
Jelenia Góra	**28**	50 50N	15 45 E
Jelenia Góra □	**28**	51 0N	15 30 E
Jelgava	**54**	56 41N	23 49 E
Jelica	**42**	43 50N	20 17 E
Jelli	**87**	5 25N	31 45 E
Jellicoe	**106**	49 40N	87 30W
Jelšava	**27**	48 37N	20 15 E
Jemaja	**72**	3 5N	105 45 E
Jember	**73**	8 11 S	113 41 E
Jembongan	**72**	6 45N	117 20 E
Jemeppe	**16**	50 37N	5 30 E
Jemnice	**26**	49 1N	15 34 E
Jena, Ger.	**24**	50 56N	11 33 E
Jena, U.S.A.	**117**	31 41N	92 7W
Jenbach	**26**	47 24N	11 47 E
Jendouba	**83**	36 29N	8 47 E
Jenkins	**114**	37 13N	82 41W
Jennings	**117**	30 10N	92 45W
Jennings →	**108**	59 38N	132 5W
Jenny	**49**	57 47N	16 35 E
Jeparit	**99**	36 8 S	142 1 E
Jequié	**127**	13 51 S	40 5W
Jequitinhonha	**127**	16 30 S	41 0W
Jequitinhonha →	**127**	15 51 S	38 53W
Jerada	**82**	34 17N	2 10W
Jerantut	**71**	3 56N	102 22 E
Jérémie	**121**	18 40N	74 10W
Jerez de García Salinas	**120**	22 39N	103 0W
Jerez de la Frontera	**31**	36 41N	6 7W
Jerez de los Caballeros	**31**	38 20N	6 45W
Jerez, Punta	**120**	22 58N	97 40W
Jericho	**98**	23 38 S	146 6 E
Jericho = El Arīhā	**62**	31 52N	35 27 E
Jerichow	**24**	52 30N	12 2 E
Jerilderie	**99**	35 20 S	145 41 E
Jermyn	**113**	41 31N	75 31W
Jerome	**119**	34 50N	112 0W
Jerrobert	**109**	51 56N	109 8W
Jersey City	**114**	40 41N	74 8W
Jersey, I.	**18**	49 13N	2 7W
Jersey Shore	**114**	41 17N	77 18W
Jerseyville	**116**	39 5N	90 20W
Jerusalem	**62**	31 47N	35 10 E
Jervis B.	**97**	35 8 S	150 46 E
Jesenice	**39**	46 28N	14 3 E
Jeseník	**27**	50 0N	17 8 E
Jesenske	**27**	48 20N	20 10 E
Jesselton = Kota Kinabalu	**72**	6 0N	116 4 E
Jessnitz	**24**	51 42N	12 19 E
Jessore	**69**	23 10N	89 10 E
Jesup	**115**	31 36N	81 54W
Jesús María	**124**	30 59 S	64 5W
Jetmore	**117**	38 10N	99 57W
Jetpur	**68**	21 45N	70 10 E
Jevnaker	**47**	60 15N	10 26 E
Jewett, Ohio, U.S.A.	**112**	40 22N	81 2W
Jewett, Tex., U.S.A.	**117**	31 20N	96 8W
Jewett City	**113**	41 36N	72 0W
Jeypore	**70**	18 50N	82 38 E
Jeziorak, Jezioro	**28**	53 40N	19 35 E
Jeziorany	**28**	53 58N	20 46 E
Jeziorka →	**28**	51 59N	20 57 E
Jhajjar	**68**	28 37N	76 42 E
Jhal Jhao	**66**	26 20N	65 35 E
Jhalawar	**68**	24 40N	76 10 E
Jhang Maghiana	**68**	31 15N	72 22 E
Jhansi	**68**	25 30N	78 36 E
Jharia	**69**	23 45N	86 26 E
Jharsuguda	**69**	21 56N	84 5 E
Jhelum	**68**	33 0N	73 45 E
Jhelum →	**68**	31 20N	72 10 E
Jhunjhunu	**68**	28 10N	75 30 E
Ji Xian	**76**	36 7N	110 40 E
Jia Xian	**76**	38 12N	110 28 E
Jiamusi	**75**	46 40N	130 26 E
Ji'an	**75**	27 6N	114 59 E
Jianchuan	**75**	26 38N	99 55 E
Jiande	**77**	29 23N	119 15 E
Jiangbei	**77**	29 40N	106 34 E
Jiange	**77**	32 4N	105 32 E
Jiangjin	**77**	29 14N	106 14 E
Jiangling	**75**	30 25N	112 12 E
Jiangmen	**75**	22 32N	113 0 E
Jiangshan	**77**	28 40N	118 37 E
Jiangsu □	**75**	33 0N	120 0 E
Jiangxi □	**75**	27 30N	116 0 E
Jiangyin	**77**	31 54N	120 17 E
Jiangyong	**77**	25 20N	111 22 E
Jiangyou	**77**	31 44N	104 43 E
Jianning	**77**	26 50N	116 50 E
Jian'ou	**75**	27 3N	118 17 E
Jianshi	**77**	30 37N	109 38 E
Jianshui	**75**	23 36N	102 43 E
Jianyang	**77**	27 20N	118 5 E
Jiao Xian	**76**	36 18N	120 1 E
Jiaohe	**76**	38 2N	116 20 E
Jiaozhou Wan	**76**	36 5N	120 10 E
Jiaozuo	**77**	35 16N	113 12 E
Jiawang	**77**	34 28N	117 26 E
Jiaxing	**75**	30 49N	120 45 E
Jiayi	**75**	23 30N	120 24 E
Jibāl	**63**	22 10N	56 8 E
Jibiya	**85**	13 5N	7 12 E
Jibou	**46**	47 15N	23 17 E
Jibuti = Djibouti ■	**63**	12 0N	43 0 E
Jičín	**26**	50 25N	15 28 E
Jiddah	**64**	21 29N	39 10 E
Jido	**67**	29 2N	94 58 E
Jifnā	**62**	31 58N	35 13 E
Jihlava	**26**	49 28N	15 35 E
Jihlava →	**26**	48 55N	16 36 E
Jihočeský □	**26**	49 8N	14 35 E
Jihomoravský □	**27**	49 5N	16 30 E
Jijel	**83**	36 52N	5 50 E
Jijiga	**63**	9 20N	42 50 E
Jijona	**33**	38 34N	0 30W
Jikamshi	**85**	12 12N	7 45 E
Jilin	**76**	43 44N	126 30 E
Jilin □	**76**	44 0N	124 0 E
Jiloca →	**32**	41 21N	1 39W
Jilong	**75**	25 8N	121 42 E
Jílové	**26**	49 52N	14 29 E
Jima	**87**	7 40N	36 47 E
Jimbolia	**42**	45 47N	20 43 E
Jimena de la Frontera	**31**	36 27N	5 24W
Jiménez	**120**	27 10N	104 54W
Jimo	**76**	36 23N	120 30 E
Jin Xian	**76**	38 55N	121 42 E
Jinan	**76**	36 38N	117 1 E
Jincheng	**76**	35 29N	112 50 E
Jind	**68**	29 19N	76 22 E
Jindabyne	**99**	36 25 S	148 35 E
Jindabyne L.	**100**	36 20 S	148 38 E
Jindrichuv Hradeç	**26**	49 10N	15 2 E
Jing He →	**77**	34 27N	109 4 E
Jing Xian	**77**	26 33N	109 40 E
Jingchuan	**76**	35 20N	107 20 E
Jingdezhen	**75**	29 20N	117 11 E
Jinggu	**75**	23 35N	100 41 E
Jinghai	**76**	38 55N	116 55 E
Jingle	**76**	38 20N	111 55 E
Jingmen	**77**	31 0N	112 10 E
Jingning	**76**	35 30N	105 43 E
Jingshan	**77**	31 1N	113 7 E
Jingtai	**76**	37 10N	104 6 E
Jingxi	**75**	23 8N	106 27 E
Jingyu	**76**	42 25N	126 45 E
Jingyuan	**76**	36 30N	104 40 E
Jingziguan	**77**	33 15N	111 0 E
Jinhe	**76**	51 18N	121 32 E
Jinhua	**75**	29 8N	119 38 E
Jining, Nei Mongol Zizhiqu, China	**76**	41 5N	113 0 E
Jining, Shandong, China	**77**	35 22N	116 34 E
Jinja	**90**	0 25N	33 12 E
Jinjini	**84**	7 26N	3 42W
Jinmen Dao	**77**	24 25N	118 25 E
Jinnah Barrage	**65**	32 58N	71 33 E
Jinotega	**121**	13 6N	85 59W
Jinotepe	**121**	11 50N	86 10W
Jinshi	**75**	29 40N	111 50 E
Jinxiang	**77**	35 5N	116 22 E
Jinzhou	**76**	41 5N	121 3 E
Jiparaná (Machado) →	**126**	8 3 S	62 52W
Jipijapa	**126**	1 0 S	80 40W
Jiquilpan	**120**	19 57N	102 42W
Jishou	**77**	28 21N	109 43 E
Jisr al Ḩusayn (Allenby) Br.	**62**	31 53N	35 33 E
Jisr ash Shughūr	**64**	35 49N	36 18 E
Jitra	**71**	6 16N	100 25 E
Jiu →	**46**	44 40N	23 25 E
Jiudengkou	**76**	39 56N	106 40 E
Jiujiang	**75**	29 42N	115 58 E
Jiuling Shan	**77**	28 40N	114 40 E
Jiuquan	**75**	39 50N	98 20 E
Jixi	**76**	45 20N	130 50 E
Jizera →	**26**	50 10N	14 43 E
Jizl Wadi	**64**	25 30N	38 30 E
Joaçaba	**125**	27 5 S	51 31W
João Pessoa	**127**	7 10 S	34 52W
Joaquín V. González	**124**	25 10 S	64 0W
Jobourg, Nez de	**18**	49 41N	1 57W
Jödar	**33**	37 50N	3 21W
Jodhpur	**68**	26 23N	73 8 E
Joensuu	**52**	62 37N	29 49 E
Jœuf	**19**	49 12N	6 1 E
Joggins	**107**	45 42N	64 27W
Jogjakarta = Yogyakarta	**73**	7 49 S	110 22 E
Johannesburg	**93**	26 10 S	28 2 E
Johansfors	**49**	56 42N	15 32 E
John Day	**118**	44 25N	118 57W
John Day →	**118**	45 44N	120 39W
John H. Kerr Res.	**115**	36 20N	78 30W
John o' Groats	**14**	58 39N	3 3W
Johnson	**117**	37 35N	101 48W
Johnson City, N.Y., U.S.A.	**114**	42 7N	75 57W
Johnson City, Tenn., U.S.A.	**115**	36 18N	82 21W
Johnson City, Tex., U.S.A.	**117**	30 15N	98 24W
Johnsonburg	**112**	41 30N	78 40W
Johnson's Crossing	**108**	60 29N	133 18W
Johnston Falls = Mambilima Falls	**91**	10 31 S	28 45 E
Johnston I.	**95**	17 10N	169 8W
Johnstone Str.	**108**	50 28N	126 0W
Johnstown, N.Y., U.S.A.	**114**	43 1N	74 20W
Johnstown, Pa., U.S.A.	**114**	40 19N	78 53W
Johor □	**71**	2 5N	103 20 E
Joigny	**19**	48 0N	3 20 E
Joinvile	**125**	26 15 S	48 55 E
Joinville	**19**	48 27N	5 10 E
Joinville I.	**5**	65 0 S	55 30W
Jokkmokk	**50**	66 35N	19 50 E
Jökulsá á Brú →	**50**	65 40N	14 16W
Jökulsá Fjöllum →	**50**	66 10N	16 30W
Joliet	**114**	41 30N	88 0W
Joliette	**106**	46 3N	73 24W
Jolo	**73**	6 0N	121 0 E
Jombang	**73**	7 33 S	112 14 E
Jome	**73**	1 16 S	127 30 E
Jomfruland	**49**	58 52N	9 36 E
Jönåker	**49**	58 44N	16 40 E
Jonava	**54**	55 8N	24 12 E
Jones Sound	**4**	76 0N	85 0W
Jonesboro, Ark., U.S.A.	**117**	35 50N	90 45W
Jonesboro, Ill., U.S.A.	**117**	37 26N	89 18W
Jonesboro, La., U.S.A.	**117**	32 15N	92 41W
Jonesport	**107**	44 32N	67 38W
Jonglei	**87**	6 25N	30 50 E
Joniskis	**54**	56 13N	23 35 E
Jönköping	**49**	57 45N	14 10 E
Jönköpings län □	**49**	57 30N	14 30 E
Jonquière	**107**	48 27N	71 14W
Jonsberg	**49**	58 30N	16 48 E
Jonsered	**49**	57 45N	12 10 E
Jonzac	**20**	45 27N	0 28W
Joplin	**117**	37 0N	94 31W
Jordan, Phil.	**73**	10 41N	122 38 E
Jordan, U.S.A.	**118**	47 25N	106 58W
Jordan ■	**64**	31 0N	36 0 E
Jordan →	**62**	31 48N	35 32 E
Jordan Valley	**118**	43 0N	117 2W
Jordanów	**27**	49 41N	19 49 E
Jorhat	**67**	26 45N	94 12 E
Jorm	**65**	36 50N	70 52 E
Jörn	**50**	65 4N	20 1 E
Jørpeland	**47**	59 3N	6 1 E
Jorquera →	**124**	28 3 S	69 58W
Jos	**85**	9 53N	8 51 E
Jošanička Banja	**42**	43 24N	20 47 E
José Batlle y Ordóñez	**125**	33 20 S	55 10W
Joseni	**46**	46 42N	25 29 E
Joseph	**118**	45 27N	117 13W
Joseph Bonaparte G.	**96**	14 35 S	128 50 E
Joseph City	**119**	35 0N	110 16W
Joseph, L., Newf., Can.	**107**	52 45N	65 18W
Joseph, L., Ont., Can.	**112**	45 10N	79 44W
Josselin	**18**	47 57N	2 33W
Jostedal	**47**	61 35N	7 15 E
Jotunheimen	**47**	61 35N	8 25 E
Jourdanton	**117**	28 54N	98 32W
Joussard	**108**	55 22N	115 50W
Jovellanos	**121**	22 40N	81 10W
Jowzjān □	**65**	36 10N	66 0 E
Joyeuse	**21**	44 29N	4 16 E
Józefów	**28**	52 10N	21 11 E
Ju Xian	**77**	36 35N	118 20 E
Juan Aldama	**120**	24 20N	103 23W
Juan Bautista	**119**	36 55N	121 33W
Juan Bautista Alberdi	**124**	34 26 S	61 48W
Juan de Fuca Str.	**118**	48 15N	124 0W
Juan de Nova	**93**	17 3 S	43 45 E
Juan Fernández, Arch. de	**95**	33 50 S	80 0W
Juan José Castelli	**124**	25 27 S	60 57W
Juan L. Lacaze	**124**	34 26 S	57 25W
Juárez	**124**	37 40 S	59 43W
Juárez, Sierra de	**120**	32 0N	116 0W
Juàzeiro	**127**	9 30 S	40 30W
Juàzeiro do Norte	**127**	7 10 S	39 18W
Jubbulpore = Jabalpur	**69**	23 9N	79 58 E
Jübek	**24**	54 31N	9 24 E
Jubga	**57**	44 19N	38 48 E
Juby, C.	**80**	28 0N	12 59W
Júcar →	**33**	39 5N	0 10W
Juchitán	**120**	16 27N	95 5W
Judaea = Yehuda	**62**	31 35N	34 57 E
Judenburg	**26**	47 12N	14 38 E
Judith →	**118**	47 44N	109 38W
Judith Gap	**118**	46 40N	109 46W
Judith Pt.	**113**	41 20N	71 30W
Jugoslavia = Yugoslavia ■	**37**	44 0N	20 0 E
Juigalpa	**121**	12 6N	85 26W
Juillac	**20**	45 20N	1 19 E
Juist	**24**	53 40N	7 0 E
Juiz de Fora	**127**	21 43 S	43 19W
Jujuy □	**124**	23 20 S	65 40W
Julesberg	**116**	41 0N	102 20W
Juli	**126**	16 10 S	69 25W
Julia Cr. →	**98**	20 0 S	141 11 E
Julia Creek	**97**	20 39 S	141 44 E
Juliaca	**126**	15 25 S	70 10W
Julian	**119**	33 4N	116 38W
Julian Alps = Julijske Alpe	**39**	46 15N	14 1 E
Julianehåb	**4**	60 43N	46 0W
Jülich	**24**	50 55N	6 20 E
Julijske Alpe	**39**	46 15N	14 1 E
Jullundur	**68**	31 20N	75 40 E
Julu	**76**	37 15N	115 2 E
Jumbo	**91**	17 30 S	30 58 E
Jumentos Cays	**121**	23 0N	75 40 E
Jumet	**16**	50 27N	4 25 E
Jumilla	**33**	38 28N	1 19W
Jumla	**69**	29 15N	82 13 E
Jumna = Yamuna →	**68**	25 30N	81 53 E
Junagadh	**68**	21 30N	70 30 E
Junction, Tex., U.S.A.	**117**	30 29N	99 48W
Junction, Utah, U.S.A.	**119**	38 10N	112 15W
Junction B.	**96**	11 52 S	133 55 E
Junction City, Kans., U.S.A.	**116**	39 4N	96 55W
Junction City, Oreg., U.S.A.	**118**	44 14N	123 12W
Jundah	**97**	24 46 S	143 2 E
Jundiaí	**125**	24 30 S	47 0W
Juneau	**104**	58 20N	134 20W
Junee	**97**	34 53 S	147 35 E
Jungfrau	**25**	46 32N	7 58 E
Junggar Pendi	**75**	44 30N	86 0 E
Jungshahi	**68**	24 52N	67 44 E
Juniata →	**112**	40 30N	77 40W
Junín	**124**	34 33 S	60 57W
Junín de los Andes	**128**	39 45 S	71 0W
Jūniyah	**64**	33 59N	35 38 E
Junnar	**70**	19 12N	73 58 E
Junquera, La	**32**	42 25N	2 53 E
Junta, La	**117**	38 0N	103 30W
Juntura	**118**	43 44N	118 4W
Jupiter →	**107**	49 29N	63 37W
Jur, Nahr el →	**87**	8 45N	29 15 E
Jura, France	**19**	46 35N	6 5 E
Jura, U.K.	**14**	56 0N	5 50W
Jura □	**19**	46 47N	5 45 E
Jura, Sd. of	**14**	55 57N	5 45W
Jura Suisse	**25**	47 10N	7 0 E
Jurado	**126**	7 7N	77 46W
Jurien B.	**96**	30 17 S	115 0 E
Jurilovca	**46**	44 46N	28 52 E
Juruá →	**126**	2 37 S	65 44W
Juruena →	**126**	7 20 S	58 3W
Juruti	**127**	2 9 S	56 4W
Jussey	**19**	47 50N	5 55 E
Justo Daract	**124**	33 52 S	65 12W
Jüterbog	**24**	52 0N	13 6 E
Juticalpa	**121**	14 40N	86 12W
Jutland = Jylland	**8**	56 25N	9 30 E
Juvigny-sous-Andaine	**18**	48 32N	0 30W
Juvisy	**19**	48 43N	2 23 E
Juwain	**65**	31 45N	61 30 E
Juzennecourt	**19**	48 10N	4 48 E
Jylland	**8**	56 25N	9 30 E
Jyväskylä	**72**	62 14N	25 50 E

K2 Kaputir

K

Name	Page	Lat.	Long.
K2	66	35 58N	76 32 E
Kaalasin	71	16 26N	103 30 E
Kaap die Goeie Hoop	92	34 24 S	18 30 E
Kaap Plato	92	28 30 S	24 0 E
Kaapkruis	92	21 43 S	14 0 E
Kaapstad = Cape Town	92	33 55 S	18 22 E
Kabaena	73	5 15 S	122 0 E
Kabala	84	9 38N	11 37W
Kabale	90	1 15 S	30 0 E
Kabalo	90	6 0 S	27 0 E
Kabambare	90	4 41 S	27 39 E
Kabango	91	8 35 S	28 30 E
Kabanjahe	72	3 6N	98 30 E
Kabara	84	16 40N	2 50W
Kabardinka	56	44 40N	37 57 E
Kabardino-Balkar-A.S.S.R. □	57	43 30N	43 30 E
Kabare	73	0 4 S	130 58 E
Kabarega Falls	90	2 15N	31 30 E
Kabasalan	73	7 47N	122 44 E
Kabba	85	7 50N	6 3 E
Kabi	85	13 30N	12 35 E
Kabinakagami L.	106	48 54N	84 25W
Kabīr Kūh	64	33 0N	47 30 E
Kabīr, Zab al	64	36 0N	43 0 E
Kabkabīyah	81	13 50N	24 0 E
Kabna	86	19 6N	32 40 E
Kabompo	91	13 36 S	24 14 E
Kabompo →	89	14 10 S	23 11 E
Kabondo	91	8 58 S	25 40 E
Kabongo	90	7 22 S	25 33 E
Kabou	85	9 28N	0 55 E
Kaboudia, Rass	83	35 13N	11 10 E
Kabra	98	23 25 S	150 25 E
Kabūd Gonbad	65	37 5N	59 45 E
Kabul	64	34 28N	69 11 E
Kabúl □	65	34 30N	69 0 E
Kabul →	66	33 55N	72 14 E
Kabunga	90	1 38 S	28 3 E
Kaburuang	73	3 50N	126 30 E
Kabushiya	87	16 54N	33 41 E
Kabwe	91	14 30 S	28 29 E
Kačanik	42	42 13N	21 12 E
Kachanovo	54	57 25N	27 38 E
Kachebera	91	13 50 S	32 50 E
Kachin □	67	26 0N	97 30 E
Kachira, L.	90	0 40 S	31 7 E
Kachiry	58	53 10N	75 50 E
Kachisi	87	9 40N	37 50 E
Kackar	57	40 45N	41 10 E
Kadan Kyun	72	12 30N	98 20 E
Kadarkút	27	46 13N	17 39 E
Kadayanallur	70	9 3N	77 22 E
Kade	85	6 7N	0 56W
Kadi	68	23 18N	72 23 E
Kadina	97	34 0 S	137 43 E
Kadiri	70	14 12N	78 13 E
Kadirli	64	37 23N	36 5 E
Kadiyevka	57	48 35N	38 40 E
Kadoka	116	43 50N	101 31W
Kadom	55	54 37N	42 30 E
Kâdugli	81	11 0N	29 45 E
Kaduna	85	10 30N	7 21 E
Kaduna □	85	11 0N	7 30 E
Kaédi	84	16 9N	13 28W
Kaelé	85	10 7N	14 27 E
Kaesŏng	76	37 58N	126 35 E
Kāf	64	31 25N	37 29 E
Kafakumba	88	9 38 S	23 46 E
Kafan	53	39 18N	46 15 E
Kafanchan	85	9 40N	8 20 E
Kafareti	85	10 25N	11 12 E
Kaffrine	84	14 8N	15 36W
Kafia Kingi	81	9 20N	24 25 E
Kafinda	91	12 32 S	30 20 E
Kafirévs, Ákra	45	38 9N	24 38 E
Kafr 'Ayn	62	32 3N	35 7 E
Kafr el Dauwâr	86	31 8N	30 8 E
Kafr el Sheikh	86	31 15N	30 50 E
Kafr Kammā	62	32 44N	35 26 E
Kafr Kannā	62	32 45N	35 20 E
Kafr Mālik	62	32 0N	35 18 E
Kafr Mandā	62	32 49N	35 15 E
Kafr Quaddūm	62	32 14N	35 7 E
Kafr Rā'ī	62	32 23N	35 9 E
Kafr Şīr	62	33 19N	35 23 E
Kafr Yāsīf	62	32 58N	35 10 E
Kafue	91	15 46 S	28 9 E
Kafue Flats	91	15 40 S	27 25 E
Kafulwe	91	9 0 S	29 1 E
Kaga Bandoro	88	7 0N	19 10 E
Kagan	58	39 43N	64 33 E
Kagawa □	74	34 15N	134 0 E
Kagera →	90	0 57 S	31 47 E
Kağizman	64	40 5N	43 10 E
Kagoshima	74	31 35N	130 33 E
Kagoshima □	74	31 30N	130 30 E
Kagoshima-Wan	74	31 25N	130 40 E
Kagul	56	45 50N	28 15 E
Kahajan →	72	3 40 S	114 0 E
Kahama	90	4 8 S	32 30 E
Kahama □	90	3 50 S	32 0 E
Kahe	90	3 30 S	37 25 E
Kahemba	88	7 18 S	18 55 E
Kahil, Djebel bou	83	34 26N	4 0 E
Kahniah →	108	58 15N	120 55W
Kahnūj	65	27 55N	57 40 E
Kahoka	116	40 25N	91 42W
Kahoolawe	110	20 33N	156 35W
Kai Besar	73	5 35 S	133 0 E
Kai Kai	92	19 52 S	21 15 E
Kai, Kepulauan	73	5 55 S	132 45W
Kai-Ketjil	73	5 45 S	132 40 E
Kaiama	85	9 36N	4 1 E
Kaiapoi	101	42 24 S	172 40 E
Kaieteur Falls	126	5 1N	59 10W
Kaifeng	77	34 48N	114 21 E
Kaihua	77	29 12N	118 20 E
Kaiingveld	92	30 0 S	22 0 E
Kaikohe	101	35 25 S	173 49 E
Kaikoura	101	42 25 S	173 43 E
Kaikoura Pen.	101	42 25 S	173 43 E
Kaikoura Ra.	101	41 59 S	173 41 E
Kailahun	84	8 18N	10 39W
Kaili	77	26 33N	107 59 E
Kailu	76	43 38N	121 18 E
Kailua	110	19 39N	156 0W
Kaimana	73	3 39 S	133 45 E
Kaimanawa Mts.	101	39 15 S	175 56 E
Kaimganj	69	27 33N	79 24 E
Kaimur Hill	69	24 30N	82 0 E
Kainantu	98	6 18 S	145 52 E
Kaingaroa Forest	101	38 24 S	176 30 E
Kainji Res.	85	10 1N	4 40 E
Kaipara Harbour	101	36 25 S	174 14 E
Kaiping	77	22 23N	112 42 E
Kaipokok B.	107	54 54N	59 47W
Kairana	68	29 24N	77 15 E
Kaironi	73	0 47 S	133 40 E
Kairouan	83	35 45N	10 5 E
Kairuku	98	8 51 S	146 35 E
Kaiserslautern	25	49 30N	7 43 E
Kaitaia	101	35 8 S	173 17 E
Kaitangata	101	46 17 S	169 51 E
Kaithal	68	29 48N	76 26 E
Kaiwi Channel	110	21 13N	157 30W
Kaiyuan	76	42 28N	124 1 E
Kajaani	50	64 17N	27 46 E
Kajabbi	97	20 0 S	140 1 E
Kajan →	72	2 55N	117 35 E
Kajang	71	2 59N	101 48 E
Kajiado	90	1 53 S	36 48 E
Kajiado □	90	2 0 S	36 30 E
Kajo Kaji	87	3 58N	31 40 E
Kajoa	73	0 1N	127 28 E
Kaka	81	10 38N	32 10 E
Kakabeka Falls	106	48 24N	89 37W
Kakamega	90	0 20N	34 46 E
Kakamega □	90	0 20N	34 46 E
Kakanj	42	44 9N	18 7 E
Kakanui Mts.	101	45 10 S	170 30 E
Kakegawa	74	34 45N	138 1 E
Kakhib	57	42 28N	46 34 E
Kakhovka	56	46 40N	33 15 E
Kakhovskoye Vdkhr.	56	47 5N	34 16 E
Kakinada (Cocanada)	70	16 57N	82 11 E
Kakisa →	108	61 3N	118 10W
Kakisa L.	108	60 56N	117 43W
Kakwa →	108	54 37N	118 28W
Kala	85	12 2N	14 40 E
Kala Oya →	70	8 20N	79 45 E
Kalaa-Kebira	83	35 59N	10 32 E
Kalabagh	68	33 0N	71 28 E
Kalabahi	73	8 13 S	124 31 E
Kalabáka	44	39 42N	21 39 E
Kalabo	89	14 58 S	22 40 E
Kalach	55	50 22N	41 0 E
Kalach na Donu	57	48 43N	43 32 E
Kaladan →	67	20 20N	93 5 E
Kaladar	112	44 37N	77 5W
Kalahari	92	24 0 S	21 30 E
Kalahari Gemsbok Nat. Park	92	25 30 S	20 30 E
Kalahasti	70	13 45N	79 44 E
Kalakamati	93	20 40 S	27 25 E
Kalakan	59	55 15N	116 45 E
Kalama, U.S.A.	118	46 0N	122 55W
Kalama, Zaïre	90	2 52 S	28 35 E
Kalamariá	44	40 33N	22 55 E
Kalamata	45	37 3N	22 10 E
Kalamazoo	114	42 20N	85 35W
Kalamazoo →	114	42 40N	86 12W
Kalamb	70	18 3N	74 48 E
Kalambo Falls	91	8 37 S	31 35 E
Kálamos, Greece	45	38 37N	20 55 E
Kálamos, Greece	45	38 17N	23 52 E
Kalamoti	45	38 15N	26 4 E
Kalan	64	39 7N	39 32 E
Kalao	73	7 21 S	121 0 E
Kalaotoa	73	7 20 S	121 50 E
Kälarne	48	62 59N	16 8 E
Kalárovo	27	47 54N	18 0 E
Kalasin	71	16 26N	103 30 E
Kalat	66	29 8N	66 31 E
* Kalat □	68	27 30N	66 0 E
Kálathos (Calato)	45	36 9N	28 8 E
Kalaus →	57	45 40N	44 7 E
Kalávrita	45	38 3N	22 8 E
Kalecik	56	40 4N	33 26 E
Kalegauk Kyun	67	15 33N	97 35 E
Kalehe	90	2 6 S	28 50 E
Kalema	90	1 12 S	31 55 E
Kalemie	90	5 55 S	29 9 E
Kalety	28	50 35N	18 52 E
Kalewa	67	23 10N	94 15 E
Kálfafellsstaður	50	64 11N	15 53W
Kalgan = Zhangjiakou	76	40 48N	114 55 E
Kalgoorlie	96	30 40 S	121 22 E
Kaliakra, Nos	43	43 21N	28 30 E
Kalianda	72	5 50 S	105 45 E
Kalibo	73	11 43N	122 22 E
Kaliganj Town	69	22 25N	89 8 E
Kalima	90	2 33 S	26 32 E
Kalimantan Barat □	72	0 0	110 30 E
Kalimantan Selatan □	72	2 30 S	115 30 E
Kalimantan Tengah □	72	2 0 S	113 30 E
Kalimantan Timur □	72	1 30N	116 30 E
Kálimnos	45	37 0N	27 0 E
Kalimpong	69	27 4N	88 35 E
Kalinadi →	70	14 50N	74 7 E
Kalinin	55	56 55N	35 55 E
Kaliningrad	54	54 42N	20 32 E
Kalinkovichi	54	52 12N	29 20 E
Kalinovik	42	43 31N	18 29 E
Kalipetrovo (Stančevo)	43	44 5N	27 14 E
Kaliro	90	0 56N	33 30 E
Kalirrákhi	44	40 40N	24 35 E
Kalispell	118	48 10N	114 22W
Kalisz	28	51 45N	18 8 E
Kalisz □	28	51 30N	18 0 E
Kalisz Pomorski	28	53 17N	15 55 E
Kaliua	90	5 5 S	31 48 E
Kaliveli Tank	70	12 5N	79 50 E
Kalix, →	50	65 50N	23 11 E
Kalka	68	30 46N	76 57 E
Kalkaska	106	44 44N	85 11W
Kalkfeld	92	20 57 S	16 14 E
Kalkfontein	92	22 4 S	20 57 E
Kalkrand	92	24 1 S	17 35 E
Kallakurichi	70	11 44N	79 1 E
Kållandsö	49	58 40N	13 5 E
Kallia	62	31 46N	35 30 E
Kallidaikurichi	70	8 38N	77 31 E
Kallinge	49	56 15N	15 18 E
Kallithéa	45	37 55N	23 41 E
Kallmeti	44	41 51N	19 41 E
Kallonís, Kólpos	45	39 10N	26 10 E
Kallsjön	50	63 38N	13 0 E
Kalmalo	85	13 40N	5 20 E
Kalmar	49	56 40N	16 20 E
Kalmar län □	49	57 25N	16 0 E
Kalmar sund	49	56 40N	16 25 E
Kalmyk A.S.S.R. □	57	46 5N	46 1 E
Kalmykovo	57	49 0N	51 47 E
Kalna	69	23 13N	88 25 E
Kalo	98	10 1 S	147 48 E
Kalocsa	27	46 32N	19 0 E
Kalofer	43	42 37N	24 59 E
Kaloko	90	6 47 S	25 48 E
Kalol, Gujarat, India	68	23 15N	72 33 E
Kalol, Gujarat, India	68	22 37N	73 31 E
Kalolimnos	45	37 4N	27 8 E
Kalomo	91	17 0 S	26 30 E
Kaloneron	45	37 20N	21 38 E
Kalpi	69	26 8N	79 47 E
Kalrayan Hills	70	11 45N	78 40 E
Kalsubai	70	19 35N	73 45 E
Kaltungo	85	9 48N	11 19 E
Kalu	68	25 5N	67 39 E
Kaluga	55	54 35N	36 10 E
Kalulushi	91	12 50 S	28 3 E
Kalundborg	49	55 41N	11 5 E
Kalush	54	49 3N	24 23 E
Kałuszyn	28	52 13N	21 52 E
Kalutara	70	6 35N	80 0 E
Kalwaria	27	49 53N	19 41 E
Kalya	52	60 15N	59 59 E
Kalyan	68	20 30N	74 3 E
Kalyazin	55	57 15N	37 55 E
Kam Keut	71	18 20N	104 48 E
Kama	90	3 30 S	27 5 E
Kama →	52	55 45N	52 0 E
Kamachumu	90	1 37 S	31 37 E
Kamaishi	74	39 20N	142 0 E
Kamalia	68	30 44N	72 42 E
Kamandorskiye Ostrava	59	55 0N	167 0 E
Kamapanda	91	12 5 S	24 0 E
Kamaran	63	15 21N	42 35 E
Kamativi	91	18 15 S	27 27 E
Kamba	85	11 50N	3 45 E
Kambam	70	9 45N	77 16 E
Kambar	68	27 37N	68 1 E
Kambarka	52	56 15N	54 11 E
Kambia	84	9 3N	12 53W
Kambolé	91	8 47 S	30 48 E
Kambove	91	10 51 S	26 33 E
Kamchatka, P-ov.	59	57 0N	160 0 E
Kamen	58	53 50N	81 30 E
Kamen Kashirskiy	54	51 39N	24 56 E
Kamenica, Srbija, Yugo.	42	44 25N	19 40 E
Kamenica, Srbija, Yugo.	42	43 27N	22 27 E
Kamenice	26	49 18N	15 2 E
Kamenjak, Rt	39	44 47N	13 55 E
Kamenka, R.S.F.S.R., U.S.S.R.	52	65 58N	44 0 E
Kamenka, R.S.F.S.R., U.S.S.R.	55	50 47N	39 20 E
Kamenka, R.S.F.S.R., U.S.S.R.	55	53 10N	44 5 E
Kamenka, Ukraine S.S.R., U.S.S.R.	56	49 3N	32 6 E
Kamenka Bugskaya	54	50 8N	24 16 E
Kamenka Dneprovskaya	56	47 29N	34 14 E
Kameno	43	42 34N	27 18 E
Kamenolomini	57	47 40N	40 14 E
Kamensk-Shakhtinskiy	57	48 23N	40 20 E
Kamensk Uralskiy	58	56 25N	62 2 E
Kamenskiy, R.S.F.S.R., U.S.S.R.	55	50 48N	45 25 E
Kamenskiy, R.S.F.S.R., U.S.S.R.	57	49 20N	41 15 E
Kamenskoye	59	62 45N	165 30 E
Kamenyak	43	43 24N	26 57 E
Kamenz	24	51 17N	14 7 E
Kami	44	42 17N	20 18 E
Kamiah	118	46 12N	116 2W
Kamień Krajeński	28	53 32N	17 32 E
Kamień Pomorski	28	53 57N	14 43 E
Kamienna →	28	51 6N	21 47 E
Kamienna Góra	28	50 47N	16 2 E
Kamiensk	28	51 12N	19 29 E
Kamilukuak, L.	109	62 22N	101 40W
Kamina	91	8 45 S	25 0 E
Kaminak L.	109	62 10N	95 0W
Kamituga	90	3 2 S	28 10 E
Kamloops	108	50 40N	120 20W
Kamloops L.	108	50 45N	120 40W
Kamnik	39	46 14N	14 37 E
Kamo	57	40 21N	45 7 E
Kamoke	68	32 4N	74 4 E
Kamp →	26	48 23N	15 42 E
Kampala	90	0 20N	32 30 E
Kampar	71	4 18N	101 9 E
Kampar →	72	0 30N	103 8 E
Kampen	16	52 33N	5 53 E
Kampolombo, L.	91	11 37 S	29 42 E
Kampot	71	10 36N	104 10 E
Kamptee	68	21 9N	79 19 E
Kampti	84	10 7N	3 25W
Kampuchea = Cambodia ■	71	13 0N	105 0 E
Kampung →	73	5 44 S	138 24 E
Kampungbaru = Tolitoli	73	1 5N	120 50 E
Kamrau, Teluk	73	3 30 S	133 36 E
Kamsack	109	51 34N	101 54W
Kamskoye Ustye	55	55 10N	49 20 E
Kamskoye Vdkhr.	52	58 0N	56 0 E
Kamuchawie L.	109	56 18N	101 59W
Kamyshin	55	50 10N	45 24 E
Kamyzyak	57	46 4N	48 10 E
Kanaaupscow	106	54 2N	76 30W
Kanab	119	37 3N	112 29W
Kanab Creek	119	37 0N	112 40W
Kanagawa □	74	35 20N	139 20 E
Kanairiktok →	107	55 2N	60 18W
Kanakapura	70	12 33N	77 28 E
Kanália	44	39 30N	22 53 E
Kananga	88	5 55 S	22 18 E
Kanarraville	119	37 34N	113 12W
Kanash	55	55 30N	47 32 E
Kanastraíon, Ákra	44	39 57N	23 45 E
Kanawha →	114	38 50N	82 8W
Kanazawa	74	36 30N	136 38 E
Kanchanaburi	71	14 2N	99 31 E
Kanchenjunga	69	27 50N	88 10 E
Kanchipuram (Conjeeveram)	70	12 52N	79 45 E
Kańczuga	27	49 59N	22 25 E
Kanda Kanda	88	6 52 S	23 48 E
Kandahar	65	31 32N	65 30 E
Kandalaksha	52	67 9N	32 30 E
Kandalakshkiy Zaliv	52	66 0N	35 0 E
Kandangan	72	2 50 S	115 20 E
Kandanos	45	35 19N	23 44 E
Kandhíla	45	37 46N	22 22 E
Kandhkot	68	28 16N	69 8 E
Kandhla	68	29 18N	77 19 E
Kandi, Benin	85	11 7N	2 55 E
Kandi, India	69	23 58N	88 5 E
Kandla	68	23 0N	70 10 E
Kandos	99	32 45 S	149 58 E
Kandukur	70	15 12N	79 57 E
Kandy	70	7 18N	80 43 E
Kane	114	41 39N	78 53W
Kane Bassin	4	79 30N	68 0W
Kanevskaya	57	46 3N	39 3 E
Kanfanar	39	45 7N	13 50 E
Kangaba	84	11 56N	8 25W
Kangar	71	6 27N	100 12 E
Kangaroo I.	97	35 45 S	137 0 E
Kangaroo Mts.	98	23 25 S	142 0 E
Kangavar	64	34 40N	48 0 E
Kangean, Kepulauan	72	6 55 S	115 23 E
Kangerdlugsuak	4	68 10N	32 20W
Kanggyee	76	41 0N	126 35 E
Kangnŭng	76	37 45N	128 54 E
Kango	88	0 11N	10 5 E
Kangto	67	27 50N	92 35 E
Kanhangad	70	12 21N	74 58 E
Kanheri	70	19 13N	72 50 E
Kani	84	8 29N	6 36W
Kaniama	90	7 30 S	24 12 E
Kaniapiskau →	107	56 40N	69 30W
Kaniapiskau L.	107	54 10N	69 55W
Kanin Nos, Mys	52	68 45N	43 20 E
Kanin, P-ov.	52	68 0N	45 0 E
Kanina	44	40 23N	19 30 E
Kaniva	99	36 22 S	141 18 E
Kanjiža	42	46 3N	20 4 E
Kankakee	114	41 6N	87 50W
Kankakee →	114	41 23N	88 16W
Kankan	84	10 23N	9 15W
Kanker	70	20 10N	81 40 E
Kankunskiy	59	57 37N	126 8 E
Kannapolis	115	35 32N	80 37W
Kannauj	69	27 3N	79 56 E
Kano	85	12 2N	8 30 E
Kano □	85	11 45N	9 0 E
Kanoroba	84	9 7N	6 8W
Kanowit	72	2 14N	112 20 E
Kanowna	96	30 32 S	121 31 E
Kanoya	74	31 25N	130 50 E
Kanpetlet	67	21 10N	93 59 E
Kanpur	69	26 28N	80 20 E
Kansas □	116	38 40N	98 0W
Kansas →	116	39 7N	94 36W
Kansas City, Kans., U.S.A.	116	39 0N	94 40W
Kansas City, Mo., U.S.A.	116	39 3N	94 30W
Kansenia	91	10 20 S	26 0 E
Kansk	59	56 20N	95 37 E
Kansu = Gansu □	75	37 0N	103 0 E
Kantang	71	7 25N	99 31 E
Kantché	85	13 31N	8 30 E
Kanté	85	9 57N	1 3 E
Kantemirovka	57	49 43N	39 55 E
Kanturk	15	52 10N	8 55W
Kanuma	74	36 34N	139 42 E
Kanus	92	27 50 S	18 39 E
Kanye	92	25 0 S	25 28 E
Kanyu	92	20 7 S	24 37 E
Kanzenze	91	10 30 S	25 12 E
Kanzi, Ras	90	7 1 S	39 33 E
Kaohsiung = Gaoxiong	75	22 38N	120 18 E
Kaokoveld	92	18 20 S	13 37 E
Kaolack	84	14 5N	16 8W
Kapadvanj	68	23 5N	73 0 E
Kapanga	88	8 30 S	22 40 E
Kapchagai	58	43 50N	77 10 E
Kapéllo, Ákra	45	36 9N	23 3 E
Kapema	91	10 45 S	28 22 E
Kapfenberg	26	47 26N	15 18 E
Kapiri Mposhi	91	13 59 S	28 43 E
Kapisa □	65	35 0N	69 20 E
Kapiskau →	106	52 47N	81 55W
Kapit	72	2 0N	112 55 E
Kapiti I.	101	40 50 S	174 56 E
Kaplice	26	48 42N	14 30 E
Kapoeta	87	4 50N	33 35 E
Kápolnásnyék	27	47 16N	18 41 E
Kapos →	27	46 44N	18 30 E
Kaposvár	27	46 25N	17 47 E
Kappeln	24	54 37N	9 56 E
Kapps	92	22 32 S	17 18 E
Kaprije	39	43 42N	15 43 E
Kapsukas	54	54 33N	23 19 E
Kapuas →	72	0 25 S	109 20 E
Kapuas Hulu, Pegunungan	72	1 30N	113 30 E
Kapulo	91	8 18 S	29 15 E
Kapunda	99	34 20 S	138 56 E
Kapurthala	68	31 23N	75 25 E
Kapuskasing	106	49 25N	82 30W
Kapuskasing →	106	49 49N	82 0W
Kapustin Yar	57	48 37N	45 40 E
Kaputir	90	2 5N	35 28 E

* *Now part of Baluchistan* □

Kapuvár Kent

Kapuvár 27 47 36N 17 1 E
Kara, Turkey 45 36 58N 27 30 E
Kara, U.S.S.R. 58 69 10N 65 0 E
Kara Bogaz Gol, Zaliv 53 41 0N 53 30 E
Kara Burun 45 38 41N 26 28 E
Kara Kalpak A.S.S.R. □ 58 43 0N 60 0 E
Kara Sea 58 75 0N 70 0 E
Kara, Wadi 86 20 0N 41 25 E
Karabük 64 41 12N 32 37 E
Karaburuni 44 40 25N 19 20 E
Karabutak 58 49 59N 60 14 E
Karachala 57 39 45N 48 53 E
Karachayevsk 57 43 50N 42 0 E
Karachev 54 53 10N 35 5 E
Karachi 68 24 53N 67 0 E
Karachi □ 68 25 30N 67 0 E
Karád 27 46 41N 17 51 E
Karad 70 17 15N 74 10 E
Karadeniz Boğazı 64 41 10N 29 10 E
Karaga 85 9 58N 0 28W
Karaganda 58 49 50N 73 10 E
Karagayly 58 49 26N 76 0 E
Karaginskiy, Ostrov 59 58 45N 164 0 E
Karagiye Depression 53 43 27N 51 45 E
Karagwe □ 90 2 0S 31 0 E
Karaikkudi 70 10 0N 78 45 E
Karaitivu I. 70 9 45N 79 52 E
Karaitivu, I. 70 8 22N 79 47 E
Karaj 65 35 48N 51 0 E
Karakas 58 48 20N 83 30 E
Karakitang 73 3 14N 125 28 E
Karakoram Pass 66 35 33N 77 50 E
Karakoram Ra. 66 35 30N 77 0 E
Karakum, Peski 58 39 30N 60 0 E
Karalon 59 57 5N 115 50 E
Karaman 64 37 14N 33 13 E
Karamay 75 45 30N 84 58 E
Karambu 72 3 53S 116 6 E
Karamea Bight 101 41 22S 171 40 E
Karamoja □ 90 3 0N 34 15 E
Karamsad 68 22 35N 72 50 E
Karanganjar 73 7 38S 109 37 E
Karanja 68 20 29N 77 31 E
Karasburg 92 28 0S 18 44 E
Karasino 58 66 50N 86 50 E
Karasjok 50 69 27N 25 30 E
Karasuk 58 53 44N 78 2 E
Karatau 58 43 10N 70 28 E
Karatau, Khrebet 58 43 30N 69 30 E
Karauli 68 26 30N 77 4 E
Karávi 45 36 49N 23 37 E
Karawanken 26 46 30N 14 40 E
Karazhal 58 48 2N 70 49 E
Karbalā 64 32 36N 44 3 E
Kårböle 48 61 59N 15 22 E
Karcag 27 47 19N 20 57 E
Karda 59 55 0N 103 16 E
Kardhámila 45 38 35N 26 5 E
Kardhítsa 44 39 23N 21 54 E
Kardhítsa □ 44 39 15N 21 50 E
Kärdla 54 58 50N 22 40 E
Kareeberge 92 30 50S 22 0 E
Kareima 86 18 30N 31 49 E
Karelian A.S.S.R. □ 52 65 30N 32 30 E
Karen 71 12 49N 92 53 E
Kargānrūd 64 37 55N 49 0 E
Kargasok 58 59 3N 80 53 E
Kargat 58 55 10N 80 15 E
Kargı 56 41 11N 34 30 E
Kargil 69 34 32N 76 12 E
Kargopol 52 61 30N 38 58 E
Kargowa 28 52 5N 15 51 E
Karguéri 85 13 27N 10 30 E
Karia ba Mohammed 82 34 22N 5 12W
Kariaí 44 40 14N 24 19 E
Kariba 91 16 28S 28 50 E
Kariba Gorge 91 16 30S 28 50 E
Kariba Lake 91 16 40S 28 25 E
Karibib 92 21 0S 15 56 E
Karikal 70 10 59N 79 50 E
Karimata, Kepulauan 72 1 25S 109 0 E
Karimata, Selat 72 2 0S 108 40 E
Karimnagar 70 18 26N 79 10 E
Karimunjawa, Kepulauan 72 5 50S 110 30 E
Karin 63 10 50N 45 52 E
Káristos 45 38 1N 24 29 E
Kariya 74 34 58N 137 1 E
Karkal 70 13 15N 74 56 E
Karkar I. 98 4 40S 146 0 E
Karkaralinsk 58 49 26N 75 30 E
Karkinitskiy Zaliv 56 45 56N 33 0 E
Karkur 62 32 29N 34 57 E
Karkur Tohl 86 22 5N 25 5 E
Karl Libknekht 54 51 40N 35 35 E
Karl-Marx-Stadt 24 50 50N 12 55 E
Karl-Marx-Stadt □ 24 50 45N 13 0 E
Karla, L. = Voiviïs, L. 44 39 30N 22 45 E
Karlino 28 54 3N 15 53 E
Karlobag 39 44 32N 15 5 E
Karlovac 39 45 31N 15 36 E
Karlovka 56 49 29N 35 8 E
Karlovy Vary 26 50 13N 12 51 E
Karlsborg 49 58 33N 14 33 E
Karlshamn 49 56 10N 14 51 E
Karlskoga 48 59 22N 14 33 E
Karlskrona 49 56 10N 15 35 E
Karlsruhe 25 49 3N 8 23 E
Karlstad, Sweden 48 59 23N 13 30 E
Karlstad, U.S.A. 116 48 38N 96 30W
Karlstadt 25 49 57N 9 46 E
Karmøy 47 59 15N 5 15 E
Karnal 68 29 42N 77 2 E
Karnali → 69 29 0N 83 20 E
Karnaphuli Res. 67 22 40N 92 20 E
Karnataka □ 70 14 15N 76 0 E
Karnes City 117 28 53N 97 53W
Karnische Alpen 26 46 36N 13 0 E
Kärnten □ 26 46 52N 13 30 E
Karo 84 12 16N 3 18W
Karoi 91 16 48S 29 45 E
Karonga 91 9 57S 33 55 E
Karoonda 99 35 1S 139 59 E
Káros 45 36 54N 25 40 E
Karousádhes 44 39 47N 19 45 E
Kárpathos 45 35 37N 27 10 E
Karpáthos, Stenón 45 36 0N 27 30 E
Karpinsk 52 59 45N 60 1 E
Karpogory 52 63 59N 44 27 E
Karrebæk 49 55 12N 11 39 E
Kars, Turkey 64 40 40N 43 5 E
Kars, U.S.S.R. 56 40 36N 43 5 E
Karsakpay 58 47 55N 66 40 E
Karsha 57 49 45N 51 35 E
Karshi 58 38 53N 65 48 E
Karst 39 45 35N 14 0 E
Karsun 55 54 14N 46 57 E
Kartál Óros 44 41 15N 25 13 E
Kartaly 58 53 3N 60 40 E
Kartapur 68 31 27N 75 32 E
Karthaus 112 41 8N 78 9W
Kartuzy 28 54 22N 18 10 E
Karufa 73 3 50S 133 20 E
Karumba 98 17 31S 140 50 E
Karumo 90 2 25S 32 50 E
Karumwa 90 3 12S 32 38 E
Karungu 90 0 50S 34 10 E
Karup 49 56 19N 9 10 E
Karur 70 10 59N 78 2 E
Karviná 27 49 53N 18 25 E
Karwi 69 25 12N 80 57 E
Kas Kong 71 11 27N 102 12 E
Kasache 91 13 25S 34 20 E
Kasai → 88 3 30S 16 10 E
Kasai Oriental □ 90 5 0S 24 30 E
Kasaji 91 10 25S 23 27 E
Kasama 91 10 16S 31 9 E
Kasane 92 17 34S 24 50 E
Kasanga 91 8 30S 31 10 E
Kasangulu 88 4 33S 15 15 E
Kasaragod 70 12 30N 74 58 E
Kasba L. 109 60 20N 102 10W
Kasba Tadla 82 32 36N 6 17W
Kasempa 91 13 30S 25 44 E
Kasenga 91 10 20S 28 45 E
Kasese 90 0 13N 30 3 E
Kasewa 91 14 28S 28 53 E
Kasganj 68 27 48N 78 42 E
Kashabowie 106 48 40N 90 26W
Kāshān 65 34 5N 51 30 E
Kashi 75 39 30N 76 2 E
Kashimbo 91 11 12S 26 19 E
Kashin 55 57 20N 37 36 E
Kashipur, Orissa, India 70 19 16N 83 3 E
Kashipur, Ut. P., India 68 29 15N 79 0 E
Kashira 55 54 45N 38 10 E
Kāshmar 65 35 16N 58 26 E
Kashmir 69 34 0N 76 0 E
Kashmor 68 28 28N 69 32 E
Kashpirovka 55 53 0N 48 30 E
Kashun Noerh = Gaxun Nur 75 42 22N 100 30 E
Kasimov 55 54 55N 41 20 E
Kasinge 90 6 15S 26 58 E
Kasiruta 73 0 25S 127 12 E
Kaskaskia → 116 37 58N 89 57W
Kaskattama → 109 57 3N 90 4W
Kaskinen 50 62 22N 21 15 E
Kaskö 50 62 22N 21 15 E
Kaslo 108 49 55N 116 55W
Kasmere L. 109 59 34N 101 10W
Kasongo 90 4 30S 26 33 E
Kasongo Lunda 88 6 35S 16 49 E
Kásos 45 35 20N 26 55 E
Kasos, Stenón 45 35 30N 26 30 E
Kaspi 57 41 54N 44 17 E
Kaspichan 43 43 18N 27 11 E
Kaspiysk 57 42 52N 47 40 E
Kaspiyskiy 57 45 22N 47 23 E
Kassab ed Doleib 87 13 30N 33 35 E
Kassaba 86 22 40N 29 55 E
Kassala 87 16 0N 36 0 E
Kassalâ □ 87 15 20N 36 26 E
Kassándra 44 40 0N 23 30 E
Kassel 24 51 19N 9 32 E
Kassinga 89 15 5S 16 4 E
Kassinger 86 18 46N 31 51 E
Kassue 73 6 58S 139 21 E
Kastamonu 64 41 25N 33 43 E
Kastav 39 45 22N 14 20 E
Kastélli 45 35 29N 23 38 E
Kastéllion 45 35 12N 25 20 E
Kastellorizon = Megiste 35 36 8N 29 34 E
Kastellou, Akra 45 35 30N 27 15 E
Kastlösa 49 56 26N 16 25 E
Kastóri 45 37 10N 22 17 E
Kastoría 44 40 30N 21 19 E
Kastoría □ 44 40 30N 21 15 E
Kastorías, L. 44 40 30N 21 20 E
Kastornoye 55 51 55N 38 2 E
Kastós 45 38 35N 20 55 E
Kástron 44 39 50N 25 2 E
Kastrosikiá 45 39 6N 20 36 E
Kasulu 90 4 37S 30 5 E
Kasulu □ 90 4 37S 30 5 E
Kasumkent 57 41 47N 48 15 E
Kasungu 91 13 0S 33 29 E
Kasur 68 31 5N 74 25 E
Kata 59 58 46N 102 40 E
Kataba 91 16 5S 25 10 E
Katako Kombe 90 3 25S 24 20 E
Katákolon 45 37 38N 21 19 E
Katale 90 4 52S 31 7 E
Katamatite 99 36 6S 145 41 E
Katanda, Zaïre 90 0 55S 29 21 E
Katanda, Zaïre 90 7 52S 24 13 E
Katangi 69 21 56N 79 50 E
Katangli 59 51 42N 143 14 E
Katanning 96 33 40S 117 33 E
Katastári 45 37 50N 20 45 E
Katavi Swamp 90 6 50S 31 10 E
Kateríni 44 40 18N 22 37 E
Katha 67 24 10N 96 30 E
Katherîna, Gebel 86 28 30N 33 57 E
Katherine 96 14 27S 132 20 E
Kathiawar 68 22 20N 71 0 E
Kati 84 12 41N 8 4W
Katiet 72 2 21S 99 54 E
Katihar 69 25 34N 87 36 E
Katima Mulilo 92 17 28S 24 13 E
Katimbira 91 12 40S 34 0 E
Katiola 84 8 10N 5 10W
Katkopberg 92 30 0S 20 0 E
Katlanovo 42 41 52N 21 40 E
Katmandu 69 27 45N 85 20 E
Kato Akhaïa 45 38 8N 21 33 E
Káto Stavros 44 40 39N 23 43 E
Katol 68 21 17N 78 38 E
Katompe 90 6 2S 26 23 E
Katonga → 90 0 34N 31 50 E
Katoomba 97 33 41S 150 19 E
Katowice 28 50 17N 19 5 E
Katowice □ 28 50 10N 19 0 E
Katrine, L. 14 56 15N 4 30W
Katrineholm 48 59 9N 16 12 E
Katsepe 93 15 45S 46 15 E
Katsina Ala → 85 7 10N 9 20 E
Katsuura 74 35 10N 140 20 E
Kattawaz-Urgun □ 65 32 10N 68 20 E
Kattegatt 49 57 0N 11 20 E
Katumba 90 7 40S 25 17 E
Katungu 90 2 55S 40 3 E
Katwa 69 23 30N 88 5 E
Katwijk-aan-Zee 16 52 12N 4 24 E
Katy 28 51 2N 16 45 E
Kauai 110 22 0N 159 30W
Kauai Chan. 110 21 45N 158 50W
Kaub 25 50 5N 7 46 E
Kaufbeuren 25 47 50N 10 37 E
Kaufman 117 32 35N 96 20W
Kaukauna 114 44 20N 88 13W
Kaukauveld 92 20 0S 20 15 E
Kaukonen 50 67 31N 24 53 E
Kauliranta 50 66 27N 23 41 E
Kaunas 54 54 54N 23 54 E
Kaura Namoda 85 12 37N 6 33 E
Kautokeino 50 69 0N 23 4 E
Kavacha 59 60 16N 169 51 E
Kavadarci 42 41 26N 22 3 E
Kavaja 44 41 11N 19 33 E
Kavali 70 14 55N 80 1 E
Kavála 44 40 57N 24 28 E
Kavála □ 44 41 5N 24 30 E
Kavála Kólpos 44 40 50N 24 25 E
Kavarna 43 43 26N 28 22 E
Kavieng 98 2 36S 150 51 E
Kavkaz, Bolshoi 57 42 50N 44 0 E
Kavoúsi 45 35 7N 25 51 E
Kaw = Caux 127 4 30N 52 15W
Kawa 87 13 42N 32 34 E
Kawagama L. 112 45 18N 78 45W
Kawagoe 74 35 55N 139 29 E
Kawaguchi 74 35 52N 139 45 E
Kawaihae 110 20 3N 155 50W
Kawambwa 91 9 48S 29 3 E
Kawardha 69 22 0N 81 17 E
Kawasaki 74 35 35N 139 42 E
Kawene 106 48 45N 91 15W
Kawerau 101 38 7S 176 42 E
Kawhia Harbour 101 38 5S 174 51 E
Kawio, Kepulauan 73 4 30N 125 30 E
Kawnro 67 22 48N 99 8 E
Kawthaung 71 10 5N 98 36 E
Kawthoolei □ = Kawthule 67 18 0N 97 30 E
Kawthule □ 67 18 0N 97 30 E
Kaya 85 13 4N 1 10W
Kayah □ 67 19 15N 97 15 E
Kayangulam 70 9 10N 76 33 E
Kaycee 118 43 45N 106 46W
Kayeli 73 3 20S 127 10 E
Kayenta 119 36 46N 110 15W
Kayes 84 14 25N 11 30W
Kayima 84 8 54N 11 15W
Kayomba 91 13 11S 24 2 E
Kayoro 85 11 0N 1 28W
Kayrunnera 99 30 40S 142 30 E
Kaysatskoye 57 49 47N 46 49 E
Kayseri 64 38 45N 35 30 E
Kaysville 118 41 2N 111 58W
Kayuagung 72 3 24S 104 50 E
Kazachinskoye 59 56 16N 107 36 E
Kazachye 59 70 52N 135 58 E
Kazakh S.S.R. □ 58 50 0N 70 0 E
Kazan 55 55 48N 49 3 E
Kazanlúk 43 42 38N 25 20 E
Kazanskaya 57 49 50N 41 10 E
Kazatin 56 49 45N 28 50 E
Kazbek 57 42 42N 44 30 E
Kāzerūn 65 29 38N 51 40 E
Kazi Magomed 57 40 3N 49 0 E
Kazimierz Dolny 28 51 19N 21 57 E
Kazimierza Wielka 28 50 15N 20 30 E
Kazincbarcika 27 48 17N 20 36 E
Kaztalovka 57 49 47N 48 43 E
Kazumba 88 6 25S 22 5 E
Kazym → 58 63 54N 65 50 E
Kcynia 28 53 0N 17 30 E
Ké-Macina 84 13 58N 5 22W
Kéa 45 37 35N 24 22 E
Kea 45 37 30N 24 22 E
Keams Canyon 119 35 53N 110 9W
Kearney 116 40 45N 99 3W
Keban 64 38 50N 38 50 E
Kébi 84 9 18N 6 37W
Kebili 83 33 47N 9 0 E
Kebnekaise 50 67 53N 18 33 E
Kebri Dehar 63 6 45N 44 17 E
Kebumen 73 7 42S 109 40 E
Kecel 27 46 31N 19 16 E
Kechika → 108 59 41N 127 12W
Kecskemét 27 46 57N 19 42 E
Kedada 87 5 25N 35 58 E
Kedah □ 71 5 50N 100 40 E
Kedainiai 54 55 15N 24 2 E
Kedgwick 107 47 40N 67 20W
Kedia Hill 92 21 28S 24 37 E
Kediri 73 7 51S 112 1 E
Kédougou 84 12 35N 12 10W
Kedzierzyn 28 50 20N 18 12 E
Keefers 108 50 0N 121 40W
Keeley L. 109 54 54N 108 8W
Keeling Is. = Cocos Is. 94 12 12S 96 55 E
Keene 114 42 57N 72 17W
Keeper Hill 15 52 46N 8 17W
Keer-Weer, C. 97 14 0S 141 32 E
Keeseville 113 44 29N 73 30W
Keetmanshoop 92 26 35S 18 8 E
Keewatin 116 47 23N 93 0W
Keewatin □ 109 63 20N 95 0W
Keewatin → 109 56 29N 100 46W
Kefa □ 87 6 55N 36 30 E
Kefallinía 45 38 20N 20 30 E
Kefamenanu 73 9 28S 124 29 E
Kefar 'Eqron 62 31 52N 34 49 E
Kefar Hasīdim 62 32 47N 35 5 E
Kefar Naḥum 62 32 54N 35 34 E
Kefar Sava 62 32 11N 34 54 E
Kefar Szold 62 33 11N 35 39 E
Kefar Vitkin 62 32 22N 34 53 E
Kefar Yehezqel 62 32 34N 35 22 E
Kefar Yona 62 32 20N 34 54 E
Kefar Zekharya 62 31 43N 34 57 E
Kefar Zetim 62 32 48N 35 27 E
Keffi 85 8 55N 7 43 E
Keflavík 50 64 2N 22 35W
Keg River 108 57 54N 117 55W
Kegahka 107 50 9N 61 18W
Kegalla 70 7 15N 80 21 E
Kehl 25 48 34N 7 50 E
Keighley 12 53 52N 1 54W
Keimoes 92 28 41S 21 0 E
Keita 85 14 46N 5 56 E
Keith, Austral. 99 36 6S 140 20 E
Keith, U.K. 14 57 33N 2 58W
Keith Arm 104 64 20N 122 15W
Kekri 68 26 0N 75 10 E
Kël 59 69 30N 124 10 E
Kelamet 87 16 0N 38 30 E
Kelan 76 38 43N 111 31 E
Kelang 71 3 2N 101 26 E
Kelani Ganga → 70 6 58N 79 50 E
Kelantan □ 71 5 10N 102 0 E
Kelantan → 71 6 13N 102 14 E
Këlcyra 44 40 22N 20 12 E
Kelheim 25 48 58N 11 57 E
Kelibia 83 36 50N 11 3 E
Kellé 88 0 8S 14 38 E
Keller 118 48 2N 118 44W
Kellerberrin 96 31 36S 117 38 E
Kellett C. 4 72 0N 126 0W
Kelleys I. 112 41 35N 82 42W
Kellogg 118 47 30N 116 5W
Kelloselkä 50 66 56N 28 53 E
Kells = Ceanannus Mor 15 53 42N 6 53W
Kélo 81 9 10N 15 45 E
Kelowna 108 49 50N 119 25W
Kelsey Bay 108 50 25N 126 0W
Kelso, N.Z. 101 45 54S 169 15 E
Kelso, U.K. 14 55 36N 2 27W
Kelso, U.S.A. 118 46 10N 122 57W
Keluang 71 2 3N 103 18 E
Kelvington 109 52 10N 103 30W
Kem 52 65 0N 34 38 E
Kem → 52 64 57N 34 41 E
Kem-Kem 82 30 40N 4 30W
Kema 73 1 22N 125 8 E
Kemah 64 39 32N 39 5 E
Kemano 108 53 35N 128 0W
Kembolcha 87 11 2N 39 42 E
Kemenets-Podolskiy 56 48 40N 26 40 E
Kemerovo 58 55 20N 86 5 E
Kemi 50 65 44N 24 34 E
Kemi älv = Kemijoki → 50 65 47N 24 32 E
Kemijärvi 50 66 43N 27 22 E
Kemijoki → 50 65 47N 24 32 E
Kemmerer 118 41 52N 110 30W
Kemp Coast 5 69 0S 55 0 E
Kemp L. 117 33 45N 99 15W
Kempsey 97 31 1S 152 50 E
Kempt, L. 106 47 25N 74 22W
Kempten 25 47 42N 10 18 E
Kemptville 106 45 0N 75 38W
Kenadsa 82 31 48N 2 26W
Kendal, Indon. 72 6 56S 110 14 E
Kendal, U.K. 12 54 19N 2 44W
Kendall 99 31 35S 152 44 E
Kendall → 98 14 4S 141 35 E
Kendallville 114 41 25N 85 15W
Kendari 73 3 50S 122 30 E
Kendawangan 72 2 32S 110 17 E
Kende 85 11 30N 4 12 E
Kendervicës, m. e. 44 40 15N 19 52 E
Kendrapara 69 20 35N 86 30 E
Kendrick 118 46 43N 116 41W
Kenedy 117 28 49N 97 51W
Kenema 84 7 50N 11 14W
Keng Tung 67 21 0N 99 30 E
Kenge 88 4 50S 17 4 E
Kengeja 90 5 26S 39 45 E
Kenhardt 92 29 19S 21 12 E
Kénitra (Port Lyautey) 82 34 15N 6 40W
Kenmare, Ireland 15 51 52N 9 35W
Kenmare, U.S.A. 116 48 40N 102 4W
Kenmare → 15 51 40N 10 0W
Kenmore 100 34 44S 149 45 E
Kenn Reef 97 21 12S 155 46 E
Kennebec 116 43 56N 99 54W
Kennedy 91 18 52S 27 10 E
Kennedy Taungdeik 67 23 15N 93 45 E
Kennet → 13 51 24N 0 58W
Kennett 117 36 7N 90 0W
Kennewick 118 46 11N 119 2W
Kénogami 107 48 25N 71 15W
Kenogami → 106 51 6N 84 28W
Kenora 109 49 47N 94 29W
Kenosha 114 42 33N 87 48W
Kensington, Can. 107 46 28N 63 34W
Kensington, U.S.A. 116 39 48N 99 2W
Kensington Downs 98 22 31S 144 19 E
Kent, Ohio, U.S.A. 114 41 8N 81 20W

Kent — Kiparissía

Kent, Oreg., U.S.A. 118 45 11N 120 45W
Kent, Tex., U.S.A. 117 31 5N 104 12W
Kent □ 13 51 12N 0 40 E
Kent Group 99 39 30 S 147 20 E
Kent Pen. 104 68 30N 107 0W
Kentau 58 43 32N 68 36 E
Kentland 114 40 45N 87 25W
Kenton 114 40 40N 83 35W
Kentucky □ 114 37 20N 85 0W
Kentucky → 114 38 41N 85 11W
Kentucky Dam 114 37 2N 88 15W
Kentucky L. 115 36 25N 88 0W
Kentville 107 45 6N 64 29W
Kentwood 117 31 0N 90 30W
Kenya ■ 90 1 0N 38 0 E
Kenya, Mt. 90 0 10 S 37 18 E
Keokuk 116 40 25N 91 24W
Kep-i-Gjuhës 44 40 28N 19 15 E
Kepi 73 6 32 S 139 19 E
Kepice 28 54 16N 16 51 E
Kępno 28 51 18N 17 58 E
Keppel B. 97 23 21 S 150 55 E
Kepsut 64 39 40N 28 9 E
Kerala □ 70 11 0N 76 15 E
Kerang 97 35 40 S 143 55 E
Keratéa 45 37 48N 23 58 E
Keraudren, C. 99 19 58 S 119 45 E
Keray 65 26 15N 57 30 E
Kerch 56 45 20N 36 20 E
Kerchenskiy Proliv 56 45 10N 36 30 E
Kerchoual 85 17 12N 0 20 E
Kerem Maharal 62 32 39N 34 59 E
Kerema 98 7 58 S 145 50 E
Keren 87 15 45N 38 28 E
Kerewan 84 13 29N 16 10W
Kerguelen 3 48 15 S 69 10 E
Keri 45 37 40N 20 49 E
Keri Kera 87 12 21N 32 42 E
Kericho 90 0 22 S 35 15 E
Kericho □ 90 0 30 S 35 15 E
Kerinci 72 1 40 S 101 15 E
Kerkenna, Iles 83 34 48N 11 11 E
Kerki 58 37 50N 65 12 E
Kerkinitis, Límni 44 41 12N 23 10 E
Kérkira 44 39 38N 19 50 E
Kerkrade 16 50 53N 6 4 E
Kerma 86 19 33N 30 32 E
Kermadec Is. 94 30 0 S 178 15W
Kermadec Trench 94 30 30 S 176 0W
Kermān 65 30 15N 57 1 E
Kermān □ 65 30 0N 57 0 E
Kermānshāh 64 34 23N 47 0 E
Kermānshāhān □ 64 34 0N 46 30 E
Kerme Körfezi 45 36 55N 27 50 E
Kermen 43 42 30N 26 16 E
Kermit 117 31 56N 103 3W
Kern → 119 35 16N 119 18W
Kerrobert 109 52 0N 109 11W
Kerrville 117 30 1N 99 8W
Kerry □ 15 52 7N 9 35W
Kerry Hd. 15 52 26N 9 56W
Kersa 87 9 28N 41 48 E
Kerteminde 49 55 28N 10 39 E
Kertosono 73 7 38 S 112 9 E
Kerulen → 75 48 48N 117 0 E
Kerzaz 82 29 29N 1 37W
Kesagami → 106 51 40N 79 45W
Kesagami L. 106 50 23N 80 15W
Keşan 44 40 49N 26 38 E
Keski-Suomen lääni □ 50 62 0N 25 30 E
Kestell 93 28 17 S 28 42 E
Kestenga 52 66 0N 31 50 E
Keswick 12 54 35N 3 9W
Keszthely 27 46 50N 17 15 E
Ket → 58 58 55N 81 32 E
Keta 85 5 49N 1 0 E
Ketapang 72 1 55 S 110 0 E
Ketchikan 104 55 25N 131 40W
Ketchum 118 43 41N 114 27W
Kete Krachi 85 7 46N 0 1W
Ketef, Khalîg Umm el 86 23 40N 35 35 E
Keti Bandar 68 24 8N 67 27 E
Ketri 68 28 1N 75 50 E
Kętrzyn 28 54 7N 21 22 E
Kettering 13 52 24N 0 44W
Kettle → 109 56 40N 89 34W
Kettle Falls 118 48 41N 118 2W
Kety 27 49 51N 19 16 E
Kevin 118 48 45N 111 58W
Kewanee 116 41 18N 89 55W
Kewaunee 114 44 27N 87 30W
Keweenaw B. 114 46 56N 88 23W
Keweenaw Pen. 114 47 30N 88 0W
Keweenaw Pt. 114 47 26N 87 40W
Key Harbour 106 45 50N 80 45W
Key West 121 24 33N 82 0W
Keyport 113 40 26N 74 12W
Keyser 114 39 26N 79 0W
Keystone, S.D., U.S.A. 116 43 54N 103 27W
Keystone, W. Va., U.S.A. 114 37 30N 81 30W
Kezhma 59 58 59N 101 9 E
Kežmarok 27 49 10N 20 28 E
Khabarovo 58 69 30N 60 30 E
Khabarovsk 59 48 30N 135 5 E
Khābūr → 64 35 0N 40 30 E
Khachmas 57 41 31N 48 42 E
Khachraud 68 23 25N 75 20 E
Khadari, W. el → 87 10 29N 27 15 E
Khadro 68 26 11N 68 50 E
Khadyzhensk 57 44 26N 39 32 E
Khagaria 69 25 30N 86 32 E
Khaibar 86 25 49N 39 16 E
Khaipur, Bahawalpur, Pak. 68 29 34N 72 17 E
Khaipur, Hyderabad, Pak. 68 27 32N 68 49 E
Khair 68 27 57N 77 46 E
Khairabad 69 27 33N 80 47 E
Khairagarh Raj 69 21 27N 81 2 E
* Khairpur □ 68 27 20N 69 8 E
Khakhea 92 24 48 S 23 22 E
Khalfallah 82 34 20N 0 16 E
Khalij-e-Fars □ 65 28 20N 51 45 E
Khalilabad 69 26 48N 83 5 E
Khálki 44 39 36N 22 30 E
Khalkidhikí □ 44 40 25N 23 20 E
Khalkís 45 38 27N 23 42 E
Khalmer-Sede = Tazovskiy 58 67 30N 78 30 E
Khalmer Yu 58 67 58N 65 1 E
Khalturin 55 58 40N 48 50 E
Khamaria 69 23 10N 80 52 E
Khamas Country 92 21 45 S 26 30 E
Khambhalia 68 22 14N 69 41 E
Khamgaon 68 20 42N 76 37 E
Khamilonísion 45 35 50N 26 15 E
Khamir 63 16 0N 44 0 E
Khammam 70 17 11N 80 6 E
Khān Yūnis 62 31 21N 34 18 E
Khānābād 65 36 45N 69 5 E
Khānaqīn 64 34 23N 45 25 E
Khandrá 45 35 3N 26 8 E
Khandwa 68 21 49N 76 22 E
Khandyga 59 62 42N 135 35 E
Khanewal 68 30 20N 71 55 E
* Khanh Hung 71 9 37N 105 50 E
Khaniá 45 35 30N 24 4 E
Khaniá □ 45 35 30N 24 0 E
Khanion Kólpos 45 35 33N 23 55 E
Khanka, Oz. 59 45 0N 132 30 E
Khanna 68 30 42N 76 16 E
Khanpur 68 28 42N 70 35 E
Khanty-Mansiysk 58 61 0N 69 0 E
Khapcheranga 59 49 42N 112 24 E
Kharagpur 69 22 20N 87 25 E
Kharaij 86 21 25N 41 0 E
Kharan Kalat 66 28 34N 65 21 E
Kharānaq 65 32 20N 54 45 E
Kharda 70 18 40N 75 34 E
Khârga, El Wâhât el 86 25 10N 30 35 E
Khargon 68 21 45N 75 40 E
Kharit, Wadi el → 86 24 26N 33 3 E
Khārk, Jazireh 64 29 15N 50 28 E
Kharkov 56 49 58N 36 20 E
Kharmanli 43 41 55N 25 55 E
Kharovsk 55 59 56N 40 13 E
Kharsāniya 64 27 10N 49 10 E
Khartoum = El Khartûm 87 15 31N 32 35 E
Khasab 65 26 14N 56 15 E
Khasavyurt 57 43 16N 46 40 E
Khasebake 92 20 42 S 24 29 E
Khāsh 65 28 15N 61 15 E
Khashm el Girba 87 14 59N 35 58 E
Khashuri 57 41 58N 43 35 E
Khasi Hills 69 25 30N 91 30 E
Khaskovo 43 41 56N 25 30 E
Khatanga 59 72 0N 102 20 E
Khatanga → 59 72 55N 106 0 E
Khatangskiy, Saliv 4 66 0N 112 0 E
Khatauli 68 29 17N 77 43 E
Khatyrka 59 62 3N 175 15 E
Khavār □ 64 37 20N 47 0 E
Khaybar, Harrat 64 25 45N 40 0 E
Khazzân Jabal el Awliyâ 87 15 24N 32 20 E
Khed, Maharashtra, India 70 17 43N 73 27 E
Khed, Maharashtra, India 70 18 51N 73 56 E
Khekra 68 28 52N 77 20 E
Khemelnik 56 49 33N 27 58 E
Khemis Miliana 82 36 11N 2 14 E
Khemissèt 82 33 50N 6 1W
Khemmarat 71 16 10N 105 15 E
Khenchela 83 35 28N 7 11 E
Khenifra 82 32 58N 5 46W
Kherrata 83 36 27N 5 13 E
Khérson 44 41 5N 22 47 E
Kherson 56 46 35N 32 35 E
Khersónisos Akrotíri 45 35 30N 24 10 E
Kheta → 59 71 54N 102 6 E
Khiliomódhion 45 37 48N 22 51 E
Khilok 59 51 30N 110 45 E
Khimki 55 55 50N 37 20 E
Khíos 45 38 27N 26 9 E
Khisar-Momina Banya 43 42 30N 24 44 E
Khiuma = Hiiumaa 54 58 50N 22 45 E
Khiva 58 41 30N 60 18 E
Khíyāv 64 38 30N 47 45 E
Khlebarovo 43 43 37N 26 15 E
Khlong → 71 15 30N 98 50 E
Khmelnitskiy 56 49 23N 27 0 E
Khmer Rep. = Cambodia ■ 71 12 15N 105 0 E
Khojak P. 65 30 55N 66 30 E
Khokholskiy 55 51 35N 38 40 E
Kholm, Afghan. 65 36 45N 67 40 E
Kholm, U.S.S.R. 54 57 10N 31 15 E
Kholmsk 59 47 40N 142 5 E
Khomas Hochland 92 22 40 S 16 0 E
Khomeyn 64 33 40N 50 7 E
Khomo 92 21 7 S 24 35 E
Khon Kaen 71 16 30N 102 47 E
Khong 71 14 5N 105 56 E
Khong → 71 15 0N 106 50 E
Khonu 59 66 30N 143 12 E
Khoper → 57 49 30N 42 20 E
Khor el 'Atash 87 13 20N 34 15 E
Khóra 45 37 3N 21 42 E
Khóra Sfakion 45 35 15N 24 9 E
Khorāsān □ 65 34 0N 58 0 E
Khorat = Nakhon Ratchasima 71 14 59N 102 12 E
Khorat, Cao Nguyen 71 15 30N 102 50 E
Khorb el Ethel 82 28 30N 6 17W
Khorixas 92 20 16 S 14 59 E
Khorog 58 37 30N 71 36 E
Khorol 56 49 48N 33 15 E
Khorramābād 64 33 30N 48 25 E
Khorramshahr 64 30 29N 48 15 E
Khotin 56 48 31N 26 27 E
Khouribga 82 32 58N 6 57W
Khowai 67 24 5N 91 40 E
Khoyniki 54 51 54N 29 55 E
Khrami → 57 41 30N 45 0 E
Khrenovoye 55 51 4N 40 16 E
Khristianá 45 36 14N 25 13 E
Khtapodhiá 45 37 24N 25 34 E
Khu Khan 71 14 42N 104 12 E
Khulna 69 22 45N 89 34 E
Khulo 57 41 33N 42 19 E
Khumago 92 20 26 S 24 32 E
Khunzakh 57 42 35N 46 42 E
Khūr 65 32 55N 58 18 E
Khurai 68 24 3N 78 23 E
Khurayş 64 24 55N 48 5 E
Khurja 68 28 15N 77 58 E
Khūryān Mūryān, Jazā 'ir 63 17 30N 55 58 E
Khushab 68 32 20N 72 20 E
Khuzdar 66 27 52N 66 30 E
Khūzestān □ 64 31 0N 50 0 E
Khvalynsk 55 52 30N 48 2 E
Khvatovka 55 52 24N 46 32 E
Khvor 65 33 45N 55 0 E
Khvormūj 65 28 40N 51 30 E
Khvoy 64 38 35N 45 0 E
Khvoynaya 54 58 58N 34 28 E
Khyber Pass 66 34 10N 71 8 E
Kiabukwa 91 8 40 S 24 48 E
Kiadho → 70 19 37N 77 40 E
Kiama 99 34 40 S 150 50 E
Kiamba 73 6 2N 124 46 E
Kiambi 90 7 15 S 28 0 E
Kiambu 90 1 8 S 36 50 E
Kiangsi = Jiangxi □ 75 27 30N 116 0 E
Kiangsu = Jiangsu □ 75 33 0N 120 0 E
Kiáton 45 38 2N 22 43 E
Kibæk 49 56 2N 8 51 E
Kibanga Port 90 0 10N 32 58 E
Kibangou 88 3 26 S 12 22 E
Kibara 90 2 8 S 33 30 E
Kibare, Mts. 90 8 25 S 27 10 E
Kibombo 90 3 57 S 25 53 E
Kibondo 90 3 35 S 30 45 E
Kibondo □ 90 4 0 S 30 55 E
Kibumbu 90 3 32 S 29 45 E
Kibungu 90 2 10 S 30 32 E
Kibuye, Burundi 90 3 39 S 29 59 E
Kibuye, Rwanda 90 2 3 S 29 21 E
Kibwesa 90 6 30 S 29 58 E
Kibwezi 90 2 27 S 37 57 E
Kičevo 42 41 34N 20 59 E
Kichiga 59 59 50N 163 5 E
Kicking Horse Pass 108 51 28N 116 16W
Kidal 85 18 26N 1 22 E
Kidderminster 13 52 24N 2 13W
Kidete 90 6 25 S 37 17 E
Kidira 84 14 28N 12 13W
Kidnappers, C. 101 39 38 S 177 5 E
Kidston 98 18 52 S 144 8 E
Kidugallo 90 6 49 S 38 15 E
Kiel 24 54 16N 10 8 E
Kiel Kanal = Nord-Ostee-Kanal 24 54 15N 9 40 E
Kielce 28 50 52N 20 42 E
Kielce □ 28 50 40N 20 40 E
Kieler Bucht 24 54 30N 10 30 E
Kienge 91 10 30 S 27 30 E
Kiessé 85 13 29N 4 1 E
Kiev = Kiyev 54 50 30N 30 28 E
Kifār 'Aşyūn 62 31 39N 35 7 E
Kiffa 84 16 37N 11 24W
Kifisiá 45 38 4N 23 49 E
Kifissós → 45 38 35N 23 20 E
Kifrī 64 34 45N 45 0 E
Kigali 90 1 59 S 30 4 E
Kigarama 90 1 1 S 31 50 E
Kigoma □ 90 5 0 S 30 0 E
Kigoma-Ujiji 90 4 55 S 29 36 E
Kigomasha, Ras 90 4 58 S 38 58 E
Kihee 99 27 23 S 142 37 E
Kii-Suidō 74 33 40N 135 0 E
Kikinda 42 45 50N 20 30 E
Kikládhes 45 37 20N 24 30 E
Kikládhes □ 45 37 0N 25 0 E
Kikori 98 7 25 S 144 15 E
Kikori → 98 7 38 S 144 20 E
Kikwit 88 5 5 S 18 45 E
Kilafors 48 61 14N 16 36 E
Kilakarai 70 9 12N 78 47 E
Kilalki 45 36 15N 27 35 E
Kilauea Crater 110 19 24N 155 17W
Kilcoy 99 26 59 S 152 30 E
Kildare 15 53 10N 6 50W
Kildare □ 15 53 10N 6 50W
Kilgore 117 32 22N 94 55W
Kilifi 90 3 40 S 39 48 E
Kilifi □ 90 3 30 S 39 40 E
Kilimanjaro 90 3 7 S 37 20 E
Kilimanjaro □ 90 4 0 S 38 0 E
Kilindini 90 4 4 S 39 40 E
Kilis 64 36 50N 37 10 E
Kiliya 56 45 28N 29 16 E
Kilju 76 40 57N 129 25 E
Kilkee 15 52 41N 9 40W
Kilkenny 15 52 40N 7 17W
Kilkenny □ 15 52 35N 7 15W
Kilkieran B. 15 53 18N 9 45W
Kilkis 44 40 58N 22 57 E
Kilkis □ 44 41 5N 22 50 E
Killala 15 54 13N 9 12W
Killala B. 15 54 20N 9 12W
Killaloe 15 52 48N 8 28W
Killaloe Sta. 112 45 33N 77 25W
Killam 108 52 47N 111 51W
Killarney, Can. 106 45 55N 81 30W
Killarney, Ireland 15 52 2N 9 30W
Killarney, Lakes of 15 52 0N 9 30W
Killary Harbour 15 53 38N 9 52W
Killdeer, Can. 109 49 6N 106 22W
Killdeer, U.S.A. 116 47 26N 102 48W
Killeen 117 31 7N 97 45W
Killiecrankie, Pass of 14 56 44N 3 46W
Killin 14 56 28N 4 20W
Killíni, Ilía, Greece 45 37 55N 21 8 E
Killíni, Korinthía, Greece 45 37 54N 22 25 E
Killybegs 15 54 38N 8 26W
Kilmarnock 14 55 36N 4 30W
Kilmez 55 56 58N 50 55 E
Kilmez → 55 56 58N 50 28 E
Kilmore 99 37 25 S 144 53 E
Kilondo 91 9 45 S 34 20 E
Kilosa 90 6 48 S 37 0 E
Kilosa □ 90 6 48 S 37 0 E
Kilrush 15 52 39N 9 30W
Kilsmo 48 59 6N 15 35 E
Kilwa □ 91 9 0 S 39 0 E
Kilwa Kisiwani 91 8 58 S 39 32 E
Kilwa Kivinje 91 8 45 S 39 25 E
Kilwa Masoko 91 8 55 S 39 30 E
Kim 117 37 18N 103 20W
Kimaam 73 7 58 S 138 53 E
Kimamba 90 6 45 S 37 10 E
Kimba 97 33 8 S 136 23 E
Kimball, Nebr., U.S.A. 116 41 17N 103 40W
Kimball, S.D., U.S.A. 116 43 47N 98 57W
Kimbe 98 5 33 S 150 11 E
Kimbe B. 98 5 15 S 150 30 E
Kimberley, Austral. 96 16 20 S 127 0 E
Kimberley, Can. 108 49 40N 115 59W
Kimberley, S. Afr. 92 28 43 S 24 46 E
Kimberly 118 42 33N 114 25W
Kimchaek 76 40 40N 129 10 E
Kimchŏn 76 36 11N 128 4 E
Kimi 45 38 38N 24 6 E
Kimolos 45 36 48N 24 37 E
Kimovsk 55 54 0N 38 29 E
Kimparana 84 12 48N 5 0W
Kimry 55 56 55N 37 15 E
Kimsquit 108 52 45N 126 57W
Kimstad 49 58 35N 15 58 E
Kinabalu 72 6 0N 116 0 E
Kinaros 45 36 59N 26 15 E
Kinaskan L. 108 57 38N 130 8W
Kincaid 109 49 40N 107 0W
Kincardine 106 44 10N 81 40W
Kinda 91 9 18 S 25 4 E
Kindersley 109 51 30N 109 10W
Kindia 84 10 0N 12 52W
Kindu 90 2 55 S 25 50 E
Kinel 55 53 15N 50 40 E
Kineshma 55 57 30N 42 5 E
Kinesi 90 1 25 S 33 50 E
King City 119 36 11N 121 8W
King Cr. → 98 24 35 S 139 30 E
King Frederick VI Land = Kong Frederik VI.s. Kyst 4 63 0N 43 0W
King George B. 128 51 30 S 60 30W
King George I. 5 60 0 S 60 0W
King George Is. 105 57 20N 80 30W
King George Sd. 96 35 5 S 118 0 E
King I., Austral. 97 39 50 S 144 0 E
King I., Can. 108 52 10N 127 40W
King I. = Kadah Kyun 71 12 30N 98 20 E
King Leopold Ranges 96 17 30 S 125 45 E
King, Mt. 99 25 10 S 147 30 E
King Sd. 96 16 50 S 123 20 E
King William I. 104 69 10N 97 25W
King William's Town 92 32 51 S 27 22 E
Kingaroy 97 26 32 S 151 51 E
Kingfisher 117 35 50N 97 55W
Kingisepp 54 59 25N 28 40 E
Kingisepp (Kuressaare) 54 58 15N 22 30 E
Kingman, Ariz., U.S.A. 119 35 12N 114 2W
Kingman, Kans., U.S.A. 117 37 41N 98 9W
Kings → 119 36 10N 119 50W
Kings Canyon National Park 119 37 0N 118 35W
King's Lynn 12 52 45N 0 25 E
Kings Mountain 115 35 13N 81 20W
King's Peak 118 40 46N 110 27W
Kingsbridge 13 50 17N 3 46W
Kingsburg 119 36 35N 119 36W
Kingscote 99 35 40 S 137 38 E
Kingscourt 15 53 55N 6 48W
Kingsley 116 42 37N 95 58W
Kingsley Dam 116 41 20N 101 40W
Kingsport 115 36 33N 82 36W
Kingston, Can. 106 44 14N 76 30W
Kingston, Jamaica 121 18 0N 76 50W
Kingston, N.Z. 101 45 20 S 168 43 E
Kingston, N.Y., U.S.A. 114 41 55N 74 0W
Kingston, Pa., U.S.A. 114 41 19N 75 58W
Kingston, R.I., U.S.A. 113 41 29N 71 30W
Kingston South East 97 36 51 S 139 55 E
Kingston-upon-Thames 13 51 23N 0 20W
Kingstown 121 13 10N 61 10W
Kingstree 115 33 40N 79 48W
Kingsville, Can. 106 42 2N 82 45W
Kingsville, U.S.A. 117 27 30N 97 53W
Kingussie 14 57 5N 4 2W
Kinistino 109 52 57N 105 2W
Kinkala 88 4 18 S 14 49 E
Kinleith 101 38 20 S 175 56 E
Kinmount 112 44 48N 78 45W
Kinn 47 61 34N 4 45 E
Kinna 49 57 32N 12 42 E
Kinnaird 108 49 17N 117 39W
Kinnairds Hd. 14 57 40N 2 0W
Kinnared 49 57 2N 13 7 E
Kinneret 62 32 44N 35 34 E
Kinneret, Yam 62 32 45N 35 35 E
Kinoje → 106 52 8N 81 25W
Kinoni 90 0 41 S 30 28 E
Kinross 14 56 13N 3 25W
Kinsale 15 51 42N 8 31W
Kinsale, Old Hd. of 15 51 37N 8 32W
Kinsarvik 47 60 22N 6 43 E
Kinshasa 88 4 20 S 15 15 E
Kinsley 117 37 57N 99 30W
Kinston 115 35 18N 77 35W
Kintampo 85 8 5N 1 41W
Kintap 72 3 51 S 115 13 E
Kintyre 14 55 30N 5 35W
Kintyre, Mull of 14 55 17N 5 55W
Kinushseo → 106 55 15N 83 45W
Kinuso 108 55 20N 115 25W
Kinyangiri 90 4 25 S 34 37 E
Kinzig → 25 48 37N 7 49 E
Kinzua 118 41 52N 78 58W
Kinzua Dam 112 41 53N 79 0W
Kióni 45 38 27N 20 41 E
Kiosk 106 46 6N 78 53W
Kiowa, Kans., U.S.A. 117 37 3N 98 30W
Kiowa, Okla., U.S.A. 117 34 45N 95 50W
Kipahigan L. 109 55 20N 101 55W
Kipanga 90 6 15 S 35 20 E
Kiparissía 45 37 15N 21 40 E

* Now part of Sind □

* Renamed Soc Trang

Kiparissiakós Kólpos Kopliku

Kiparissiakós Kólpos 45 37 25N 21 25 E
Kipembawe 90 7 38S 33 27 E
Kipengere Ra. 91 9 12S 34 15 E
Kipili 90 7 28S 30 32 E
Kipini 90 2 30S 40 32 E
Kipling 109 50 6N 102 38W
Kippure 15 53 11N 6 23W
Kipushi 91 11 48S 27 12 E
Kirandul 70 18 33N 81 10 E
Kiratpur 68 29 32N 78 12 E
Kirchhain 24 50 49N 8 54 E
Kirchheim 25 48 38N 9 20 E
Kirchheim-Bolanden 25 49 40N 8 0 E
Kirchschlag 27 47 30N 16 19 E
Kirensk 59 57 50N 107 55 E
Kirgiz S.S.R. □ 58 42 0N 75 0 E
Kirgiziya Steppe 53 50 0N 55 0 E
Kiri 88 1 29S 19 0 E
Kiribati ■ 94 1 0N 176 0 E
Kiriburu 69 22 0N 85 0 E
Kırıkkale 64 39 51N 33 32 E
Kirillov 55 59 51N 38 14 E
Kirin = Jilin 76 43 55N 126 30 E
Kirin = Jilin □ 76 44 0N 126 0 E
Kirindi → 70 6 15N 81 20 E
Kirishi 54 59 28N 31 59 E
Kirkcaldy 14 56 7N 3 10W
Kirkcudbright 14 54 50N 4 3W
Kirkee 70 18 34N 73 56 E
Kirkenær 47 60 27N 12 3 E
Kirkenes 50 69 40N 30 5 E
Kirkintilloch 14 55 57N 4 10W
Kirkjubæjarklaustur 50 63 47N 18 4W
Kirkland 119 34 29N 112 46W
Kirkland Lake 106 48 9N 80 2W
Kırklareli 43 41 44N 27 15 E
Kirksville 116 40 8N 92 35W
Kirkūk 64 35 30N 44 21 E
Kirkwall 14 58 59N 2 59W
Kirkwood 92 33 22S 25 15 E
Kirlampudi 70 17 12N 82 12 E
Kirn 25 49 46N 7 29 E
Kirov, R.S.F.S.R., U.S.S.R. 54 54 3N 34 20 E
Kirov, R.S.F.S.R., U.S.S.R. 58 58 35N 49 40 E
Kirovabad 57 40 45N 46 20 E
Kirovakan 57 40 48N 44 30 E
Kirovo-Chepetsk 55 58 28N 50 0 E
Kirovograd 56 48 35N 32 20 E
Kirovsk, R.S.F.S.R., U.S.S.R. 52 67 48N 33 50 E
Kirovsk, Turkmen S.S.R., U.S.S.R. 58 37 42N 60 23 E
Kirovsk, Ukraine S.S.R., U.S.S.R. 57 48 35N 38 30 E
Kirovski 57 45 51N 48 11 E
Kirovskiy 59 54 27N 155 42 E
Kirriemuir, Can. 109 51 56N 110 20W
Kirriemuir, U.K. 14 56 41N 3 0W
Kirsanov 55 52 35N 42 40 E
Kırşehir 64 39 14N 34 5 E
Kirstonia 92 25 30S 23 45 E
Kirtachi 85 12 52N 2 30 E
Kīrteh 65 32 15N 63 0 E
Kirthar Range 68 27 0N 67 0 E
Kiruna 50 67 52N 20 15 E
Kirundu 90 0 50S 25 35 E
Kirya 55 55 5N 46 45 E
Kiryū 74 36 24N 139 20 E
Kisa 49 58 0N 15 39 E
Kisaga 90 4 30S 34 23 E
Kisámou, Kólpos 45 35 30N 23 38 E
Kisanga 90 2 30N 26 35 E
Kisangani 90 0 35N 25 15 E
Kisar 73 8 5S 127 10 E
Kisaran 72 3 0N 99 37 E
Kisarawe 90 6 53S 39 0 E
Kisarawe □ 90 7 3S 39 0 E
Kisarazu 74 35 23N 139 55 E
Kisbér 27 47 30N 18 0 E
Kiselevsk 58 54 5N 86 39 E
Kishanganj 69 26 3N 88 14 E
Kishangarh 68 27 50N 70 30 E
Kishi 85 9 1N 3 52 E
Kishinev 56 47 0N 28 50 E
Kishiwada 74 34 28N 135 22 E
Kishon 62 32 49N 35 2 E
Kishorganj 69 24 26N 90 40 E
Kishtwar 69 33 20N 75 48 E
Kisii 90 0 40S 34 45 E
Kisii □ 90 0 40S 34 45 E
Kisiju 90 7 23S 39 19 E
Kısır, Dağ 57 41 0N 43 5 E
Kisizi 90 1 0S 29 58 E
Kiska I. 104 52 0N 177 30 E
Kiskatinaw → 108 56 8N 120 10W
Kiskittogisu L. 109 54 13N 98 20W
Kiskomárom = Zalakomár 27 46 33N 17 10 E
Kiskőrös 27 46 37N 19 20 E
Kiskundorozsma 27 46 16N 20 5 E
Kiskunfelégyháza 27 46 42N 19 53 E
Kiskunhalas 27 46 28N 19 37 E
Kiskunmajsa 27 46 30N 19 48 E
Kislovodsk 57 43 50N 42 45 E
Kiso-Sammyaku 74 35 45N 137 45 E
Kisoro 90 1 17S 29 48 E
Kispest 27 47 27N 19 9 E
Kissidougou 84 9 5N 10 0W
Kissimmee 115 28 18N 81 22W
Kissimmee → 115 27 20N 80 55W
Kississing L. 109 55 10N 101 20W
Kistanje 39 43 58N 15 55 E
Kisterenye 27 48 3N 19 50 E
Kisújszállás 27 47 12N 20 50 E
Kisumu 90 0 3S 34 45 E
Kisvárda 27 48 14N 22 4 E
Kiswani 90 4 5S 37 57 E
Kiswere 91 9 27S 39 30 E
Kit Carson 116 38 48N 102 45W
Kita 84 13 5N 9 25W
Kitab 58 39 7N 66 52 E
Kitaibaraki 74 36 50N 140 45 E
Kitakami-Gawa → 74 38 25N 141 19 E
Kitakyūshū 74 33 50N 130 50 E
Kitale 90 1 0N 35 0 E
Kitangiri, L. 90 4 5S 34 20 E
Kitaya 91 10 38S 40 8 E
Kitchener 106 43 27N 80 29W
Kitega = Citega 90 3 30S 29 58 E
Kitengo 90 7 26S 24 8 E
Kiteto □ 90 5 0S 37 0 E
Kitgum 90 3 17N 32 52 E
Kíthira 45 36 9N 23 0 E
Kíthnos 45 37 26N 24 27 E
Kitimat 108 54 3N 128 38W
Kitinen → 50 67 34N 26 40 E
Kitiyab 87 17 13N 33 35 E
Kítros 44 40 22N 22 34 E
Kittakittaooloo, L. 99 28 3S 138 14 E
Kittanning 114 40 49N 79 30W
Kittatinny Mts. 113 41 0N 75 0W
Kittery 114 43 7N 70 42W
Kitui 90 1 17S 38 0 E
Kitui □ 90 1 30S 38 25 E
Kitwe 91 12 54S 28 13 E
Kitzbühel 26 47 27N 12 24 E
Kitzingen 25 49 44N 10 9 E
Kivalo 50 66 18N 26 0 E
Kivarli 68 24 33N 72 46 E
Kivotós 44 40 13N 21 26 E
Kivu □ 90 3 10S 27 0 E
Kivu, L. 90 1 48S 29 0 E
Kiyev 54 50 30N 30 28 E
Kiyevskoye Vdkhr. 54 51 0N 30 0 E
Kizel 52 59 3N 57 40 E
Kiziguru 90 1 46S 30 23 E
Kızıl Irmak → 56 39 15N 36 0 E
Kizil Yurt 57 43 13N 46 54 E
Kızılcahamam 56 40 30N 32 30 E
Kizimkazi 90 6 28S 39 30 E
Kizlyar 57 43 51N 46 40 E
Kizyl-Arvat 58 38 58N 56 15 E
Kjellerup 49 56 17N 9 25 E
Kladanj 42 44 14N 18 42 E
Kladnica 42 43 23N 20 2 E
Kladno 26 50 10N 14 7 E
Kladovo 42 44 36N 22 33 E
Klagenfurt 26 46 38N 14 20 E
Klagshamn 49 55 32N 12 53 E
Klagstorp 49 55 22N 13 23 E
Klaipeda 54 55 43N 21 10 E
Klamath → 118 41 40N 124 4W
Klamath Falls 118 42 20N 121 50W
Klamath Mts. 118 41 20N 123 0W
Klanjec 39 46 3N 15 45 E
Klappan → 108 58 0N 129 43W
Klaten 73 7 43S 110 36 E
Klatovy 26 49 23N 13 18 E
Klawak 108 55 35N 133 0W
Klawer 92 31 44S 18 36 E
Kłecko 28 52 38N 17 25 E
Kleczew 28 52 22N 18 9 E
Kleena Kleene 108 52 0N 124 59W
Klein 118 46 26N 108 31W
Klein-Karas 92 27 33S 18 7 E
Klein Karoo 92 33 45S 21 30 E
Klekovača 39 44 25N 16 32 E
Klemtu 108 52 35N 128 55W
Klenovec, Czech. 27 48 36N 19 54 E
Klenovec, Yugo. 42 41 32N 20 49 E
Klerksdorp 92 26 51S 26 38 E
Kleszczele 28 52 35N 23 19 E
Kletnya 54 53 23N 33 12 E
Kletsk 54 53 5N 26 45 E
Kletskiy 57 49 20N 43 0 E
Kleve 24 51 46N 6 10 E
Klickitat 118 45 50N 121 10W
Klimovichi 54 53 36N 32 0 E
Klin 55 56 20N 36 48 E
Klinaklini → 108 51 21N 125 40W
Klintsey 54 52 50N 32 10 E
Klipplaat 92 33 0S 24 22 E
Klisura 43 42 40N 24 28 E
Klitmøller 49 57 3N 8 30 E
Kljajićevo 42 45 45N 19 17 E
Ključ 39 44 32N 16 48 E
Kłobuck 28 50 55N 18 55 E
Kłodawa 28 52 15N 18 55 E
Kłodzko 28 50 28N 16 38 E
Klondike 104 64 0N 139 26W
Klosi 44 41 28N 20 10 E
Klosterneuburg 27 48 18N 16 19 E
Klosters 25 46 52N 9 52 E
Klötze 24 52 38N 11 9 E
Klouto 85 6 57N 0 44 E
Kluane L. 104 61 15N 138 40W
Kluczbork 28 50 58N 18 12 E
Klyuchevskaya, Guba 59 55 50N 160 30 E
Knaresborough 12 54 1N 1 29W
Knee L., Man., Can. 109 55 3N 94 45W
Knee L., Sask., Can. 109 55 51N 107 0W
Kneïss, I. 83 34 22N 10 18 E
Knezha 43 43 30N 24 5 E
Knić 42 43 53N 20 45 E
Knight Inlet 108 50 45N 125 40W
Knighton 13 52 21N 3 2W
Knight's Landing 118 38 50N 121 43W
Knin 39 44 1N 16 17 E
Knittelfeld 26 47 13N 14 51 E
Knjaževac 42 43 35N 22 18 E
Knob, C. 96 34 32S 119 16 E
Knockmealdown Mts. 15 52 16N 8 0W
Knokke 16 51 20N 3 17 E
Knossos 45 35 16N 25 10 E
Knox 114 41 18N 86 36W
Knox, C. 108 54 11N 133 5W
Knox City 117 33 26N 99 49W
Knox Coast 5 66 30S 108 0 E
Knoxville, Iowa, U.S.A. 116 41 20N 93 5W
Knoxville, Tenn., U.S.A. 115 35 58N 83 57W
Knurów 27 50 13N 18 38 E
Knutshø 47 62 18N 9 41 E
Knysna 92 34 2S 23 2 E
Knyszyn 28 53 20N 22 56 E
Ko Chang 71 12 0N 102 20 E
Ko Kut 71 11 40N 102 32 E
Ko Phra Thong 71 9 6N 98 15 E
Ko Tao 71 10 6N 99 48 E
Koartac (Notre Dame de Koartac) 105 60 55N 69 40W
Koba, Aru, Indon. 73 6 37S 134 37 E
Koba, Bangka, Indon. 72 2 26S 106 14 E
Kobarid 39 46 15N 13 30 E
Kobayashi 74 31 56N 130 59 E
Kobdo = Hovd 75 48 2N 91 37 E
Kōbe 74 34 45N 135 10 E
Kobelyaki 56 49 11N 34 9 E
København 49 55 41N 12 34 E
Koblenz 25 50 21N 7 36 E
Kobo 87 12 2N 39 56 E
Kobrin 54 52 15N 24 22 E
Kobroor, Kepulauan 73 6 10S 134 30 E
Kobuleti 57 41 55N 41 45 E
Kobylin 28 51 43N 17 12 E
Kobyłka 28 52 21N 21 10 E
Kobylkino 55 54 8N 43 56 E
Kobylnik 54 54 58N 26 39 E
Kočane 42 43 12N 21 52 E
Kočani 42 41 55N 22 25 E
Koçarlı 45 37 45N 27 43 E
Koceljevo 42 44 28N 19 50 E
Kočevje 39 45 39N 14 50 E
Kochas 69 25 15N 83 56 E
Kocher → 25 49 14N 9 12 E
Kocheya 59 52 32N 120 42 E
Kōchi 74 33 30N 133 35 E
Kōchi □ 74 33 40N 133 30 E
Kochiu = Gejiu 75 23 20N 103 10 E
Kock 28 51 38N 22 27 E
Koddiyar Bay 70 8 33N 81 15 E
Kodiak 104 57 30N 152 45W
Kodiak I. 104 57 30N 152 45W
Kodiang 71 6 21N 100 18 E
Kodinar 68 20 46N 70 46 E
Kodori → 57 42 47N 41 10 E
Koes 92 26 0S 19 15 E
Kofiau 73 1 11S 129 50 E
Köflach 26 47 4N 15 5 E
Koforidua 85 6 3N 0 17W
Kōfu 74 35 40N 138 30 E
Kogaluk → 107 56 12N 61 44W
Kogin Baba 85 7 55N 11 35 E
Koh-i-Bābā 65 34 30N 67 0 E
Kohat 66 33 40N 71 29 E
Kohima 67 25 35N 94 10 E
Kohler Ra. 5 77 0S 110 0W
Kohtla Järve 54 59 20N 27 20 E
Kojetin 27 49 21N 17 20 E
Koka 86 20 5N 30 35 E
Kokand 58 40 30N 70 57 E
Kokanee Glacier Prov. Park 108 49 47N 117 10W
Kokas 73 2 42S 132 26 E
Kokava 27 48 35N 19 50 E
Kokchetav 58 53 20N 69 25 E
Kokemäenjoki → 51 61 32N 21 44 E
Kokhma 55 56 55N 41 18 E
Kokkola (Gamlakarleby) 50 63 50N 23 8 E
Koko 85 11 28N 4 29 E
Koko Kyunzu 71 14 10N 93 25 E
Kokoda 98 8 54S 147 47 E
Kokolopozo 84 5 8N 6 5W
Kokomo 114 40 30N 86 6W
Kokonau 73 4 43S 136 26 E
Kokopo 98 4 22S 152 19 E
Kokoro 85 14 12N 0 55 E
Koksoak → 105 58 30N 68 10W
Kokstad 93 30 32S 29 29 E
Kokuora 59 71 35N 144 50 E
Kola, Indon. 73 5 35S 134 30 E
Kola, U.S.S.R. 52 68 45N 33 8 E
Kola Pen. = Kolskiy P-ov. 52 67 30N 38 0 E
Kolahun 84 8 15N 10 4W
Kolaka 73 4 3S 121 46 E
Kolar 70 13 12N 78 15 E
Kolar Gold Fields 70 12 58N 78 16 E
Kolari 50 67 20N 23 48 E
Kolarovgrad 43 43 18N 26 55 E
Kolašin 42 42 50N 19 31 E
Kolby Kås 49 55 48N 10 32 E
Kolchugino 55 56 17N 39 22 E
Kolda 84 12 55N 14 57W
Kolding 49 55 30N 9 29 E
Kole 88 3 16S 22 42 E
Koléa 82 36 38N 2 46 E
* Kolepom, Pulau 73 8 0S 138 30 E
Kolguyev, Ostrov 52 69 20N 48 30 E
Kolhapur 70 16 43N 74 15 E
Kolia 84 9 46N 6 28W
Kolín 26 50 2N 15 9 E
Kolind 49 56 21N 10 34 E
Kölleda 24 51 11N 11 14 E
Kollegal 70 12 9N 77 9 E
Kolleru L. 70 16 40N 81 10 E
Kolmanskop 92 26 45S 15 14 E
Köln 24 50 56N 6 58 E
Kolno 28 53 25N 21 56 E
Koło 28 52 14N 18 40 E
Kołobrzeg 28 54 10N 15 35 E
Kologriv 55 58 48N 44 25 E
Kolokani 84 13 35N 7 45W
Kolomna 55 55 8N 38 45 E
Kolomyya 56 48 31N 25 2 E
Kolondiéba 84 11 5N 6 54W
Kolonodale 73 2 3S 121 25 E
Kolosib 67 24 15N 92 45 E
Kolpashevo 58 58 20N 83 5 E
Kolpino 54 59 44N 30 39 E
Kolpny 55 52 12N 37 10 E
Kolskiy Poluostrov 52 67 30N 38 0 E
Kolskiy Zaliv 52 69 23N 34 0 E
Kolubara → 42 44 35N 20 15 E
Kolumna 28 51 36N 19 14 E
Koluszki 28 51 45N 19 46 E
Kolwezi 91 10 40S 25 25 E
Kolyberovo 55 55 15N 38 40 E
Kolyma → 59 69 30N 161 0 E
Kolymskoye, Okhotsko 59 63 0N 157 0 E
Kôm Ombo 86 24 25N 32 52 E
Komárno 27 47 49N 18 5 E
Komárom 27 47 43N 18 7 E
Komárom □ 27 47 35N 18 20 E
Komarovo 54 58 38N 33 40 E
Komatipoort 93 25 25S 31 55 E
Kombissiri 85 12 4N 1 20W
Kombori 84 13 26N 3 56W
Kombóti 45 39 6N 21 5 E
Komen 39 45 49N 13 45 E
Komenda 85 5 4N 1 28W
Komi A.S.S.R. □ 52 64 0N 55 0 E
Komiža 39 43 3N 16 11 E
Komló 27 46 15N 18 16 E
Kommamur Canal 70 16 0N 80 25 E
Kommunarsk 57 48 30N 38 45 E
Kommunizma, Pik 58 39 0N 72 2 E
Komnes 47 59 30N 9 55 E
Komodo 73 8 37S 119 20 E
Komoé 84 5 12N 3 44W
Komono 88 3 10S 13 20 E
Komoran, Pulau 73 8 18S 138 45 E
Komotini 44 41 9N 25 26 E
Komovi 42 42 41N 19 39 E
Kompong Cham 71 12 0N 105 30 E
Kompong Chhnang 71 12 20N 104 35 E
Kompong Speu 71 11 26N 104 32 E
Kompong Thom 71 12 35N 104 51 E
Komrat 56 46 18N 28 40 E
Komsberge 92 32 40S 20 45 E
Komsomolets, Ostrov 59 80 30N 95 0 E
Komsomolsk, R.S.F.S.R., U.S.S.R. 55 57 2N 40 20 E
Komsomolsk, R.S.F.S.R., U.S.S.R. 59 50 30N 137 0 E
Komsomolskaya 5 66 33S 93 1 E
Komsomolskiy 55 53 30N 49 30 E
Konakovo 55 56 52N 36 45 E
Konarhá □ 65 35 30N 71 3 E
Konawa 117 34 59N 96 46W
Kondagaon 70 19 35N 81 35 E
Kondakovo 59 69 36N 152 0 E
Konde 90 4 57S 39 45 E
Kondiá 44 39 49N 25 10 E
Kondoa 90 4 55S 35 50 E
Kondoa □ 90 5 0S 36 0 E
Kondopaga 52 62 12N 34 17 E
Kondratyevo 59 57 22N 98 15 E
Konduga 85 11 35N 13 26 E
Konevo 52 62 8N 39 20 E
Kong 84 8 54N 4 36W
Kong Christian IX.s Land 4 68 0N 36 0W
Kong Christian X.s Land 4 74 0N 29 0W
Kong Franz Joseph Fd. 4 73 20N 24 30W
Kong Frederik IX.s Land 4 67 0N 52 0W
Kong Frederik VI.s Kyst 4 63 0N 43 0W
Kong Frederik VIII.s Land 4 78 30N 26 0W
Kong, Koh 71 11 20N 103 0 E
Kong Oscar Fjord 4 72 20N 24 0W
Konga 49 56 30N 15 6 E
Kongeå 49 55 24N 9 39 E
Kongju 76 36 30N 127 0 E
Konglu 67 27 13N 97 57 E
Kongolo, Kasai Or., Zaïre 90 5 26S 24 49 E
Kongolo, Shaba, Zaïre 90 5 22S 27 0 E
Kongor 81 7 1N 31 27 E
Kongoussi 85 13 19N 1 32W
Kongsberg 47 59 39N 9 39 E
Kongsvinger 47 60 12N 12 2 E
Kongwa 90 6 11S 36 26 E
Koni 91 10 40S 27 11 E
Koni, Mts. 91 10 36S 27 10 E
Koniecpol 28 50 46N 19 40 E
Königsberg = Kaliningrad 54 54 42N 20 32 E
Königshofen 25 50 18N 10 29 E
Königslutter 24 52 14N 10 50 E
Königswusterhausen 24 52 19N 13 38 E
Konin 28 52 12N 18 15 E
Konin □ 28 52 15N 18 30 E
Konispoli 44 39 42N 20 10 E
Kónitsa 44 40 5N 20 48 E
Konjic 42 43 42N 17 58 E
Konjice 39 46 20N 15 28 E
Konkouré → 84 9 50N 13 42W
Könnern 24 51 40N 11 45 E
Konnur 70 16 14N 74 49 E
Kono 84 8 30N 11 5W
Konongo 85 6 40N 1 15W
Konosha 52 61 0N 40 5 E
Konotop 54 51 12N 33 7 E
Konqi He → 75 40 45N 90 10 E
Końskie 28 51 15N 20 23 E
Konsmo 47 58 16N 7 23 E
Konstantinovka 56 48 32N 37 39 E
Konstantinovski 57 47 33N 41 10 E
Konstantynów Łódźki 28 51 45N 19 20 E
Konstanz 25 47 39N 9 10 E
Kontagora 85 10 23N 5 27 E
Kontum 71 14 24N 108 0 E
Konya 64 37 52N 32 35 E
Konya Ovasi 64 38 30N 33 0 E
Konz 25 49 41N 6 36 E
Konza 90 1 45S 37 7 E
Koo-wee-rup 100 38 13S 145 28 E
Koolan I. 96 16 0S 123 45 E
Kooloonong 99 34 48S 143 10 E
Koondrook 99 35 33S 144 8 E
Koorawatha 99 34 2S 148 33 E
Kooskia 118 46 9N 115 59W
Koostatak 109 51 26N 97 26W
Kootenai → 118 49 15N 117 39W
Kootenay L. 108 49 45N 116 50W
Kootenay Nat. Park 108 51 0N 116 0W
Kopanovka 57 47 28N 46 50 E
Kopaonik Planina 42 43 10N 21 50 E
Kopargaon 70 19 51N 74 28 E
Kópavogur 50 64 6N 21 55W
Koper 39 45 31N 13 44 E
Kopervik 47 59 17N 5 17 E
Kopeysk 58 55 7N 61 37 E
Köping 48 59 31N 16 3 E
Kopiste 39 42 48N 16 42 E
Kopliku 44 42 15N 19 25 E

* *Renamed Yos Sudarso, P.*

Köpmanholmen Kulen Vakuf

Köpmanholmen 48 63 10N 18 35 E
Koppal 70 15 23N 76 5 E
Koppang 47 61 34N 11 3 E
Kopparbergs län □ 48 61 20N 14 15 E
Koppeh Dāgh 65 38 0N 58 0 E
Kopperå 47 63 24N 11 50 E
Koppom 48 59 43N 12 10 E
Koprivlen 43 41 36N 23 53 E
Koprivnica 39 46 12N 16 45 E
Koprivshtitsa 43 42 40N 24 19 E
Kopychintsy 54 49 7N 25 58 E
Kopys 54 54 20N 30 17 E
Korab 42 41 44N 20 40 E
Korakiána 44 39 42N 19 45 E
Koraput 70 18 50N 82 40 E
Korba 69 22 20N 82 45 E
Korbach 24 51 17N 8 50 E
Korça 44 40 37N 20 50 E
Korça □ 44 40 40N 20 50 E
Korčula 39 42 57N 17 8 E
Korčulanski Kanal 39 43 3N 16 40 E
Kordestan 64 35 30N 42 0 E
Kordestān □ 64 36 0N 47 0 E
Korea Bay 76 39 0N 124 0 E
Koregaon 70 17 40N 74 10 E
Korenevo 54 51 27N 34 55 E
Korenovsk 57 45 30N 39 22 E
Korets 54 50 40N 27 5 E
Korgus 86 19 16N 33 29 E
Korhogo 84 9 29N 5 28W
Koribundu 84 7 41N 11 46W
Korim 73 0 58 S 136 10 E
Korinthía □ 45 37 50N 22 35 E
Korinthiakós Kólpos 45 38 16N 22 30 E
Kórinthos 45 37 56N 22 55 E
Korioumé 84 16 35N 3 0W
Kōriyama 74 37 24N 140 23 E
Körmend 27 47 5N 16 35 E
Kornat 39 43 50N 15 20 E
Korneshty 56 47 21N 28 1 E
Korneuburg 27 48 20N 16 20 E
Kornsjø 47 58 57N 11 39 E
Kornstad 47 62 59N 7 27 E
Koro, Fiji 101 17 19 S 179 23 E
Koro, Ivory C. 84 8 32N 7 30W
Koro, Mali 84 14 1N 2 58W
Koro Sea 101 17 30 S 179 45W
Korocha 55 50 55N 37 30 E
Korogwe 90 5 5 S 38 25 E
Korogwe □ 90 5 0 S 38 20 E
Koroit 99 38 18 S 142 24 E
Koróni 45 36 48N 21 57 E
Korónia, Limni 44 40 47N 23 37 E
Koronís 45 37 12N 25 35 E
Koronowo 28 53 19N 17 55 E
Koror 73 7 20N 134 28 E
Körös → 27 46 43N 20 12 E
Köröstarcsa 27 46 53N 21 3 E
Korosten 54 50 57N 28 25 E
Korotoyak 55 51 1N 39 2 E
Korraraika, Helodranon' i 93 17 45 S 43 57 E
Korsakov 59 46 36N 142 42 E
Korshunovo 59 58 37N 110 10 E
Korsun Shevchenkovskiy 56 49 26N 31 16 E
Korsze 28 54 11N 21 9 E
Korti 86 18 6N 31 33 E
Kortrijk 16 50 50N 3 17 E
Korwai 68 24 7N 78 5 E
Koryakskiy Khrebet 59 61 0N 171 0 E
Kos 45 36 50N 27 15 E
Kosa 87 7 50N 36 50 E
Kosaya Gora 55 54 10N 37 30 E
Koschagyl 53 46 40N 54 0 E
Kościan 28 52 5N 16 40 E
Kościerzyna 28 54 8N 17 59 E
Kosciusko 117 33 3N 89 34W
Kosciusko I. 108 56 0N 133 40W
Kosciusko, Mt. 97 36 27 S 148 16 E
Kösély → 27 47 25N 21 5 E
Kosgi 70 16 58N 77 43 E
Kosha 86 20 50N 30 30 E
K'oshih = Kashi 75 39 30N 76 2 E
Koshk-e Kohneh 65 34 55N 62 30 E
Kosi 68 27 48N 77 29 E
Kosi-meer 93 27 0 S 32 50 E
Košice 27 48 42N 21 15 E
Kosjerić 42 44 0N 19 55 E
Koslan 52 63 28N 48 52 E
Kosŏng 76 38 40N 128 22 E
Kosovo, Pokrajina 42 42 40N 21 5 E
Kosovo, Soc. Aut. Pokrajina □ 42 42 30N 21 0 E
Kosovska-Mitrovica 42 42 54N 20 52 E
Kostajnica 39 45 17N 16 30 E
Kostamuksa 52 62 34N 32 44 E
Kostanjevica 39 45 51N 15 27 E
Kostelec 27 50 14N 16 35 E
Kostenets 43 42 15N 23 52 E
Koster 92 25 52 S 26 54 E
Kôstî 87 13 8N 32 43 E
Kostolac 42 44 37N 21 15 E
Kostopol 54 50 51N 26 22 E
Kostroma 55 57 50N 40 58 E
Kostromskoye Vdkhr. 55 57 52N 40 49 E
Kostrzyn, Poland 28 52 24N 17 14 E
Kostrzyn, Poland 28 52 35N 14 39 E
Kostyukovichi 54 53 20N 32 4 E
Koszalin 28 53 50N 16 8 E
Koszalin □ 28 53 40N 16 10 E
Kőszeg 27 47 23N 16 33 E
Kot Adu 68 30 30N 71 0 E
Kot Moman 68 32 13N 73 0 E
Kota 68 25 14N 75 49 E
Kota Baharu 71 6 7N 102 14 E
Kota Belud 72 6 21N 116 26 E
Kota Kinabalu 72 6 0N 116 4 E
Kota Tinggi 71 1 44N 103 53 E
Kotaagung 72 5 38 S 104 29 E
Kotabaru 72 3 20 S 116 20 E
Kotabumi 72 4 49 S 104 54 E
Kotagede 73 7 54 S 110 26 E
Kotamobagu 73 0 57N 124 31 E
Kotaneelee → 108 60 11N 123 42W
Kotawaringin 72 2 28 S 111 27 E
Kotcho L. 108 59 7N 121 12W
Kotel 43 42 52N 26 26 E
Kotelnich 55 58 20N 48 10 E
Kotelnikovo 57 47 38N 43 8 E
Kotelnyy, Ostrov 59 75 10N 139 0 E
Kothagudam 70 17 30N 80 40 E
Kothapet 70 19 21N 79 28 E
Köthen 24 51 44N 11 59 E
Kothi 69 24 45N 80 40 E
Kotiro 68 26 17N 67 13 E
Kotka 51 60 28N 26 58 E
Kotlas 52 61 15N 47 0 E
Kotlenska Planina 43 42 56N 26 30 E
Kotli 66 33 30N 73 55 E
Kotonkoro 85 11 3N 5 58 E
Kotor 42 42 25N 18 47 E
Kotor Varoš 42 44 38N 17 22 E
Kotoriba 39 46 23N 16 48 E
Kotovo 55 50 22N 44 45 E
Kotovsk 56 47 45N 29 35 E
Kotputli 68 27 43N 76 12 E
Kotri 68 25 22N 68 22 E
Kotri → 70 19 15N 80 35 E
Kótronas 45 36 38N 22 29 E
Kötschach-Mauthen 26 46 41N 13 1 E
Kottayam 70 9 35N 76 33 E
Kottur 70 10 34N 76 56 E
Kotuy → 59 71 54N 102 6 E
Kotzebue 104 66 50N 162 40W
Kouango 88 5 0N 20 10 E
Koudougou 84 12 10N 2 20W
Koufonisi 45 34 56N 26 8 E
Koufonisia 45 36 57N 25 35 E
Kougaberge 92 33 48 S 23 50 E
Kouibli 84 7 15N 7 14W
Kouilou → 88 4 10 S 12 5 E
Kouki 88 7 22N 17 3 E
Koula Moutou 88 1 15 S 12 25 E
Koulen 71 13 50N 104 40 E
Koulikoro 84 12 40N 7 50W
Koumala 98 21 38 S 149 15 E
Koumankou 84 11 58N 6 6W
Koumbia, Guin. 84 11 48N 13 29W
Koumbia, Upp. Vol. 84 11 10N 3 50W
Koumboum 84 10 25N 13 0W
Koumpenntoum 84 13 59N 14 34W
Koumra 81 8 50N 17 35 E
Koundara 84 12 29N 13 18W
Kounradskiy 58 46 59N 75 0 E
Kountze 117 30 20N 94 22W
Koupéla 85 12 11N 0 21W
Kourizo, Passe de 83 22 28N 15 27 E
Kouroussa 84 10 45N 9 45W
Koussané 84 14 53N 11 14W
Kousseri 81 12 0N 14 55 E
Koutiala 84 12 25N 5 23W
Kouto 84 9 53N 6 25W
Kouvé 85 6 25N 1 25 E
Kovačica 42 45 5N 20 38 E
Kovdor 52 67 34N 30 24 E
Kovel 54 51 10N 24 20 E
Kovilpatti 70 9 10N 77 50 E
Kovin 42 44 44N 20 59 E
Kovrov 55 56 25N 41 25 E
Kovur, Andhra Pradesh, India 70 17 3N 81 39 E
Kovur, Andhra Pradesh, India 70 14 30N 80 1 E
Kowal 28 52 32N 19 7 E
Kowalewo Pomorskie 28 53 10N 18 52 E
Kowkash 106 50 20N 87 12W
Kowloon 75 22 20N 114 15 E
Koyabuti 73 2 36 S 140 37 E
Koyan, Pegunungan 72 3 15N 114 30 E
Koyuk 104 64 55N 161 20W
Koyukuk → 104 64 56N 157 30W
Koyulhisar 56 40 20N 37 52 E
Koza 77 26 19N 127 46 E
Kozan 64 37 35N 35 50 E
Kozáni 44 40 19N 21 47 E
Kozáni □ 44 40 18N 21 45 E
Kozara 39 45 0N 17 0 E
Kozarac 39 44 58N 16 48 E
Kozelsk 54 54 2N 35 48 E
Kozhikode = Calicut 70 11 15N 75 43 E
Kozhva 52 65 10N 57 0 E
Koziegłowy 28 50 37N 19 8 E
Kozienice 28 51 35N 21 34 E
Kozje 39 46 5N 15 35 E
Kozle 28 50 20N 18 8 E
Kozloduy 43 43 45N 23 42 E
Kozlovets 43 43 30N 25 20 E
Koźmin 28 51 48N 17 27 E
Kozmodemyansk 55 56 20N 46 36 E
Kozuchów 28 51 45N 15 31 E
Kpabia 85 9 10N 0 20W
Kpalimé 85 6 57N 0 44 E
Kpandae 85 8 30N 0 2W
Kpessi 85 8 4N 1 16 E
Kra Buri 71 10 22N 98 46 E
Kra, Isthmus of = Kra, Kho Khot 71 10 15N 99 30 E
Kra, Kho Khot 71 10 15N 99 30 E
Kragan 73 6 43 S 111 38 E
Kragerø 47 58 52N 9 25 E
Kragujevac 42 44 2N 20 56 E
Krajenka 28 53 18N 16 59 E
Krakatau = Rakata, Pulau 72 6 10 S 105 20 E
Kraków 27 50 4N 19 57 E
Kraków □ 27 50 0N 20 0 E
Kraksaan 73 7 43 S 113 23 E
Kråkstad 47 59 39N 10 55 E
Králiky 27 50 6N 16 45 E
Kraljevo 42 43 44N 20 41 E
Kralovice 26 49 59N 13 29 E
Královský Chlmec 27 48 27N 22 0 E
Kralupy 26 50 13N 14 20 E
Kramatorsk 56 48 50N 37 30 E
Kramer 119 35 0N 117 38W
Kramfors 48 62 55N 17 48 E
Kramis, C. 82 36 26N 0 45 E
Krångede 48 63 9N 16 10 E
Kraniá 44 39 53N 21 18 E
Kranidhion 45 37 20N 23 10 E
Kranj 39 46 16N 14 22 E
Kranjska Gora 39 46 29N 13 48 E
Krapina 39 46 10N 15 52 E
Krapina → 39 45 50N 15 50 E
Krapivna 55 53 58N 37 10 E
Krapkowice 28 50 29N 17 56 E
Krasavino 52 60 58N 46 29 E
Kraskino 59 42 44N 130 48 E
Kraslice 26 50 19N 12 31 E
Krasnaya Gorbatka 55 55 52N 41 45 E
Krasnaya Polyana 57 43 40N 40 13 E
Kraśnik 28 50 55N 22 5 E
Kraśnik Fabryczny 28 50 58N 22 11 E
Krasnoarmeisk 56 48 18N 37 11 E
Krasnoarmeysk, R.S.F.S.R., U.S.S.R. 55 51 0N 45 42 E
Krasnoarmeysk, R.S.F.S.R., U.S.S.R. 57 48 30N 44 25 E
Krasnodar 57 45 5N 39 0 E
Krasnodon 57 48 17N 39 44 E
Krasnodonetskaya 57 48 5N 40 50 E
Krasnogorskiy 55 56 10N 48 28 E
Krasnograd 56 49 27N 35 27 E
Krasnogvardeyskoye 57 45 52N 41 33 E
Krasnogvardyesk 56 45 32N 34 16 E
Krasnokamsk 52 58 4N 55 48 E
Krasnokutsk 54 50 10N 34 50 E
Krasnoperekopsk 56 46 0N 33 54 E
Krasnoselkupsk 58 65 20N 82 10 E
Krasnoslobodsk, R.S.F.S.R., U.S.S.R. 55 54 25N 43 45 E
Krasnoslobodsk, R.S.F.S.R., U.S.S.R. 57 48 42N 44 33 E
Krasnoturinsk 58 59 46N 60 12 E
Krasnoufimsk 52 56 57N 57 46 E
Krasnouralsk 52 58 21N 60 3 E
Krasnovishersk 52 60 23N 57 3 E
Krasnovodsk 53 40 0N 52 52 E
Krasnoyarsk 59 56 8N 93 0 E
Krasnoye, Kalmyk A.S.S.R., U.S.S.R. 57 46 16N 45 0 E
Krasnoye, R.S.F.S.R., U.S.S.R. 55 59 15N 47 40 E
Krasnoye = Krasnyy 54 54 25N 31 30 E
Krasnozavodsk 55 56 27N 38 25 E
Krasny Liman 56 48 58N 37 50 E
Krasny Sulin 57 47 52N 40 8 E
Krasnystaw 28 50 57N 23 5 E
Krasnyy 54 54 25N 31 30 E
Krasnyy Kholm 55 58 10N 37 10 E
Krasnyy Kut 55 50 50N 47 0 E
Krasnyy Luch 57 48 13N 39 0 E
Krasnyy Profintern 55 57 45N 40 27 E
Krasnyy Yar, Kalmyk A.S.S.R., U.S.S.R. 57 46 43N 48 23 E
Krasnyy Yar, R.S.F.S.R., U.S.S.R. 55 53 30N 50 22 E
Krasnyy Yar, R.S.F.S.R., U.S.S.R. 55 50 42N 44 45 E
Krasnyye Baki 55 57 8N 45 10 E
Krasnyyoskolskoye Vdkhr. 56 49 30N 37 30 E
Kraszna → 27 48 0N 22 20 E
Kratie 71 12 32N 106 10 E
Kratovo 42 42 6N 22 10 E
Krau 73 3 19 S 140 5 E
Kravanh, Chuor Phnum 71 12 0N 103 32 E
Krawang 73 6 19N 107 18 E
Krefeld 24 51 20N 6 32 E
Krémaston, Límni 45 38 52N 21 30 E
Kremenchug 56 49 5N 33 25 E
Kremenchugskoye Vdkhr. 56 49 20N 32 30 E
Kremenets 56 50 8N 25 43 E
Kremenica 42 40 55N 21 25 E
Kremennaya 56 49 1N 38 10 E
Kremges = Svetlovodsk 56 49 5N 33 15 E
Kremikovtsi 43 42 46N 23 28 E
Kremmen 24 52 45N 13 1 E
Kremmling 118 40 10N 106 30W
Kremnica 27 48 45N 18 50 E
Krems 26 48 25N 15 36 E
Kremsmünster 26 48 3N 14 8 E
Kretinga 54 55 53N 21 15 E
Krettamia 82 28 47N 3 27W
Krettsy 54 58 15N 32 30 E
Kreuzberg 25 50 22N 9 58 E
Kribi 88 2 57N 9 56 E
Krichem 43 42 8N 24 28 E
Krichev 54 53 45N 31 50 E
Krim 39 45 53N 14 30 E
Krionéri 45 38 20N 21 35 E
Krishna → 70 15 57N 80 59 E
Krishnagiri 70 12 32N 78 16 E
Krishnanagar 69 23 24N 88 33 E
Krishnaraja Sagara 70 12 20N 76 30 E
Kristiansand 47 58 9N 8 1 E
Kristianstad 49 56 2N 14 9 E
Kristiansund 47 63 7N 7 45 E
Kristiinankaupunki 50 62 16N 21 21 E
Kristinehamn 48 59 18N 14 13 E
Kristinestad 50 62 16N 21 21 E
Kriti 45 35 15N 25 0 E
Kritsá 45 35 10N 25 41 E
Kriva → 42 42 5N 21 47 E
Kriva Palanka 42 42 11N 22 19 E
Krivaja → 42 44 27N 18 9 E
Krivelj 42 44 8N 22 5 E
Krivoy Rog 56 47 51N 33 20 E
Križevci 39 46 3N 16 32 E
Krk 39 45 8N 14 40 E
Krka → 39 45 50N 15 30 E
Krkonoše 26 50 50N 15 35 E
Krnov 27 50 5N 17 40 E
Krobia 28 51 47N 16 59 E
Kročehlavy 26 50 8N 14 9 E
Krøderen 47 60 9N 9 49 E
Krokawo 28 54 47N 18 9 E
Krokeai 45 36 53N 22 32 E
Krokom 48 63 20N 14 30 E
Krolevets 54 51 35N 33 20 E
Kroměříž 27 49 18N 17 21 E
Krompachy 27 48 54N 20 52 E
Kromy 54 52 40N 35 48 E
Kronach 25 50 14N 11 19 E
Kronobergs län □ 49 56 45N 14 30 E
Kronprins Olav Kyst 5 69 0 S 42 0 E
Kronprinsesse Märtha Kyst 5 73 30 S 10 0 E
Kronshtadt 54 60 5N 29 45 E
Kroonstad 92 27 43 S 27 19 E
Kröpelin 24 54 4N 11 48 E
Kropotkin, R.S.F.S.R., U.S.S.R. 57 45 28N 40 28 E
Kropotkin, R.S.F.S.R., U.S.S.R. 59 59 0N 115 30 E
Kropp 24 54 24N 9 32 E
Krościenko 27 49 29N 20 25 E
Krośniewice 28 52 15N 19 11 E
Krosno 27 49 42N 21 46 E
Krosno □ 27 49 35N 22 0 E
Krosno Odrzańskie 28 52 3N 15 7 E
Krotoszyn 28 51 42N 17 23 E
Krraba 44 41 13N 20 0 E
Krško 39 45 57N 15 30 E
Krstača 42 42 57N 20 8 E
Kruger Nat. Park 93 24 0 S 31 40 E
Krugersdorp 93 26 5 S 27 46 E
Kruis, Kaap 92 21 55 S 13 57 E
Kruja 44 41 32N 19 46 E
Krulevshchina 54 55 5N 27 45 E
Kruma 44 42 14N 20 28 E
Krumbach 25 48 15N 10 22 E
Krumovgrad 43 41 29N 25 38 E
Krung Thep 71 13 45N 100 35 E
Krupanj 42 44 25N 19 22 E
Krupina 27 48 22N 19 5 E
Krupinica → 27 48 15N 18 52 E
Kruševac 42 43 35N 21 28 E
Kruševo 42 41 23N 21 19 E
Kruszwica 28 52 40N 18 20 E
Kruzof I. 108 57 10N 135 40W
Krylbo 48 60 7N 16 15 E
Krymsk Abinsk 56 44 50N 38 0 E
Krymskiy P-ov. 56 45 0N 34 0 E
Krynica 27 49 25N 20 57 E
Krynica Morska 28 54 23N 19 28 E
Krynki 28 53 17N 23 43 E
Krzepice 28 50 58N 18 50 E
Krzeszów 28 50 24N 22 21 E
Krzeszowice 27 50 8N 19 37 E
Krzna → 28 51 59N 22 47 E
Krzywiń 28 51 58N 16 50 E
Krzyz 28 52 52N 16 0 E
Ksabi 82 32 51N 4 13W
Ksar Chellala 82 35 13N 2 19 E
Ksar el Boukhari 82 35 51N 2 52 E
Ksar el Kebir 82 35 0N 6 0W
Ksar es Souk = Ar Rachidiya 82 31 58N 4 20W
Ksar Rhilane 83 33 0N 9 39 E
Ksiba, El 82 32 46N 6 0W
Ksour, Mts. des 82 32 45N 0 30W
Kstovo 55 56 12N 44 13 E
Kuala 72 2 55N 105 47 E
Kuala Kangsar 71 4 46N 100 56 E
Kuala Kerai 71 5 30N 102 12 E
Kuala Kubu Baharu 71 3 34N 101 39 E
Kuala Lipis 71 4 10N 102 3 E
Kuala Lumpur 71 3 9N 101 41 E
Kuala Sedili Besar 71 1 55N 104 5 E
Kuala Terengganu 71 5 20N 103 8 E
Kualakapuas 72 2 55 S 114 20 E
Kualakurun 72 1 10 S 113 50 E
Kualapembuang 72 3 14 S 112 38 E
Kualasimpang 72 4 17N 98 3 E
Kuandang 73 0 56N 123 1 E
Kuandian 76 40 45N 124 45 E
Kuangchou = Guangzhou 75 23 5N 113 10 E
Kuantan 71 3 49N 103 20 E
Kuba 57 41 21N 48 32 E
Kubak 66 27 10N 63 10 E
Kuban → 56 45 20N 37 30 E
Kubenskoye, Oz. 55 59 40N 39 25 E
Kuberle 57 47 0N 42 20 E
Kubrat 43 43 49N 26 31 E
Kučevo 42 44 30N 21 40 E
Kuchaman 68 27 13N 74 47 E
Kuchenspitze 26 47 7N 10 12 E
Kuching 72 1 33N 110 25 E
Kuçove = Qytet Stalin 44 40 47N 19 57 E
Kücük Kuyu 44 39 35N 26 27 E
Kudalier → 70 18 35N 79 48 E
Kudat 72 6 55N 116 55 E
Kudremukh, Mt. 70 13 15N 75 20 E
Kudus 73 6 48 S 110 51 E
Kudymkar 58 59 1N 54 39 E
Kueiyang = Guiyang 75 26 32N 106 40 E
Kufrinjah 62 32 20N 35 41 E
Kufstein 26 47 35N 12 11 E
Kugong I. 106 56 18N 79 50W
Kūh-e 'Alijūq 65 31 30N 51 41 E
Kūh-e Dīnār 65 30 40N 51 0 E
Kūh-e-Hazārān 65 29 35N 57 20 E
Kūh-e-Jebāl Bārez 65 29 0N 58 0 E
Kūh-e Sorkh 65 35 30N 58 45 E
Kūh-e Taftān 65 28 40N 61 0 E
Kūhak 65 27 12N 63 10 E
Kūhhā-ye-Bashākerd 65 26 45N 59 0 E
Kūhhā-ye Sabalān 64 38 15N 47 45 E
Kuhnsdorf 26 46 37N 14 38 E
Kūhpāyeh 65 32 44N 52 20 E
Kuile He → 76 49 32N 124 42 E
Kuito 89 12 22 S 16 55 E
Kukavica 42 42 48N 21 57 E
Kukawa 85 12 58N 13 27 E
Kukësi 44 42 5N 20 20 E
Kukësi □ 44 42 25N 20 15 E
Kukmor 55 56 11N 50 54 E
Kukvidze 55 50 40N 43 15 E
Kula, Bulg. 42 43 52N 22 36 E
Kula, Yugo. 42 45 37N 19 32 E
Kulai 71 1 44N 103 35 E
Kulal, Mt. 90 2 42N 36 57 E
Kulaly, O. 57 45 0N 50 0 E
Kulasekharapattanam 70 8 20N 78 0 E
Kuldiga 54 56 58N 21 59 E
Kuldja = Yining 75 43 58N 81 10 E
Kuldu 87 12 50N 28 30 E
Kulebaki 55 55 22N 42 25 E
Kulen Vakuf 39 44 35N 16 2 E

Kuli Lampang

Kuli 57 42 2N 47 12 E
Küllük 45 37 12N 27 36 E
Kulm 116 46 22N 98 58W
Kulmbach 25 50 6N 11 27 E
Kulsary 58 46 59N 54 1 E
Kultay 57 45 5N 51 40 E
Kulti 69 23 43N 86 50 E
Kulunda 58 52 35N 78 57 E
Kulwin 99 35 0 S 142 42 E
Kulyab 58 37 55N 69 50 E
Kum Tekei 58 43 10N 79 30 E
Kuma → 57 44 55N 47 0 E
Kumaganum 85 13 8N 10 38 E
Kumagaya 74 36 9N 139 22 E
Kumai 72 2 44 S 111 43 E
Kumamba, Kepulauan 73 1 36 S 138 45 E
Kumamoto 74 32 45N 130 45 E
Kumamoto □ 74 32 55N 130 55 E
Kumanovo 42 42 9N 21 42 E
Kumara 101 42 37 S 171 12 E
Kumasi 84 6 41N 1 38W
Kumba 88 4 36N 9 24 E
Kumbakonam 70 10 58N 79 25 E
Kumbarilla 99 27 15 S 150 55 E
Kumbo 85 6 15N 10 36 E
Kumbukkan Oya → 70 6 35N 81 40 E
Kumeny 55 58 10N 49 47 E
Kumertau 52 52 46N 55 47 E
Kumi 90 1 30N 33 58 E
Kumkale 44 40 0N 26 13 E
Kumla 48 59 8N 15 10 E
Kummerower See 24 53 47N 12 52 E
Kumo 85 10 1N 11 12 E
Kumon Bum 67 26 30N 97 15 E
Kumta 70 14 29N 74 25 E
Kumtorkala 57 43 2N 46 50 E
Kumylzhenskaya 57 49 51N 42 38 E
Kunágota 27 46 26N 21 3 E
Kunama 99 35 35 S 148 4 E
Kunashir, Ostrov 59 44 0N 146 0 E
Kunch 68 26 0N 79 10 E
Kunda 54 59 30N 26 34 E
Kundiawa 98 6 2 S 145 1 E
Kundla 68 21 21N 71 25 E
Kungala 99 29 58 S 153 7 E
Kungälv 49 57 53N 11 59 E
Kunghit I. 108 52 6N 131 3W
Kungrad 58 43 6N 58 54 E
Kungsbacka 49 57 30N 12 5 E
Kungur 52 57 25N 56 57 E
Kungurri 98 21 3 S 148 46 E
Kunhegyes 27 47 22N 20 36 E
Kuningan 73 6 59 S 108 29 E
Kunlong 67 23 20N 98 50 E
Kunlun Shan 75 36 0N 85 0 E
Kunmadaras 27 47 28N 20 45 E
Kunming 75 25 1N 102 41 E
Kunnamkulam 70 10 38N 76 7 E
Kunsan 76 35 59N 126 45 E
Kunshan 77 31 22N 120 58 E
Kunszentmárton 27 46 50N 20 20 E
Kununurra 96 15 40 S 128 50 E
Kunwarara 98 22 55 S 150 9 E
Kunya-Urgenoh 58 42 19N 59 10 E
Künzelsau 25 49 17N 9 41 E
Kuopio 50 62 53N 27 35 E
Kuopion lääni □ 50 63 25N 27 10 E
Kupa → 39 45 28N 16 24 E
Kupang 73 10 19 S 123 39 E
Kupres 42 44 1N 17 15 E
Kupyansk 56 49 52N 37 35 E
Kupyansk-Uzlovoi 56 49 45N 37 34 E
Kuqa 75 41 35N 82 30 E
Kura → 57 39 50N 49 20 E
Kuranda 98 16 48 S 145 35 E
Kurashiki 74 34 40N 133 50 E
Kurayoshi 74 35 26N 133 50 E
Kurduvadi 70 18 8N 75 29 E
Kŭrdzhali 43 41 38N 25 21 E
Kure 74 34 14N 132 32 E
Kuressaare = Kingisepp 54 58 15N 22 15 E
Kurgaldzhino 58 50 35N 70 20 E
Kurgan 58 55 26N 65 18 E
Kurganinsk 57 44 54N 40 34 E
Kurgannaya = Kurganinsk 57 44 54N 40 34 E
Kuria Maria I. = Khūryān Mūryān, Jazā 'ir 63 17 30N 55 58 E
Kurichchi 70 11 36N 77 35 E
Kuridala P.O 98 21 16 S 140 29 E
Kuril Is. = Kurilskiye Os. 59 45 0N 150 0 E
Kuril Trench 94 44 0N 153 0 E
Kurilsk 59 45 14N 147 53 E
Kurilskiye Ostrova 59 45 0N 150 0 E
Kuring Kuru 92 17 42 S 18 32 E
Kurkur 86 23 50N 32 0 E
Kurkūrah 83 31 30N 20 1 E
Kurla 70 19 5N 72 52 E
Kurlovskiy 55 55 25N 40 40 E
Kurmuk 87 10 33N 34 21 E
Kurnool 70 15 45N 78 0 E
Kurovskoye 55 55 35N 38 55 E
Kurow 101 44 44 S 170 29 E
Kurów 28 51 23N 22 12 E
Kurrajong 99 33 33 S 150 42 E
Kurri Kurri 99 32 50 S 151 28 E
Kursavka 57 44 29N 42 32 E
Kuršenai 54 56 1N 23 3 E
Kurseong 69 26 56N 88 18 E
Kursk 55 51 42N 36 11 E
Kuršumlija 42 43 9N 21 19 E
Kuršumlijska Banja 42 43 3N 21 11 E
Kuru (Chel), Bahr el 87 8 10N 26 50 E
Kuruktag 75 41 0N 89 0 E
Kuruman 92 27 28 S 23 28 E
Kurume 74 33 15N 130 30 E
Kurunegala 70 7 30N 80 23 E
Kurya 59 61 15N 108 10 E
Kuşada Körfezı 45 37 56N 27 0 E
Kuşadası 45 37 52N 27 15 E
Kusawa L. 108 60 20N 136 13W
Kusel 25 49 31N 7 25 E
Kushchevskaya 57 46 33N 39 35 E
Kushiro 74 43 0N 144 25 E
Kushiro → 74 42 59N 144 23 E
Kushka 58 35 20N 62 18 E
Kushtia 69 23 55N 89 5 E
Kushum → 57 49 0N 50 20 E
Kushva 52 58 18N 59 45 E
Kuskokwim → 104 60 17N 162 27W
Kuskokwim Bay 104 59 50N 162 56W
Kussharo-Ko 74 43 38N 144 21 E
Kustanay 58 53 10N 63 35 E
Kütahya 64 39 30N 30 2 E
Kutaisi 57 42 19N 42 40 E
Kutaraja = Banda Aceh 72 5 35N 95 20 E
Kutch, G. of 68 22 50N 69 15 E
Kutch, Rann of 68 24 0N 70 0 E
Kutina 39 45 29N 16 48 E
Kutiyana 68 21 36N 70 2 E
Kutjevo 42 45 23N 17 55 E
Kutkashen 57 40 58N 47 47 E
Kutná Hora 26 49 57N 15 16 E
Kutno 28 52 15N 19 23 E
Kuttabul 98 21 5 S 148 48 E
Kutu 88 2 40 S 18 11 E
Kutum 87 14 10N 24 40 E
Kúty 27 48 40N 17 3 E
Kuvshinovo 54 57 2N 34 11 E
Kuwait = Al Kuwayt 64 29 30N 47 30 E
Kuwait ■ 64 29 30N 47 30 E
Kuwana 74 35 0N 136 43 E
Kuybyshev 58 55 27N 78 19 E
Kuybyshev 58 53 8N 50 6 E
Kuybyshevskoye Vdkhr. 55 55 2N 49 30 E
Kūysanjaq 64 36 5N 44 38 E
Kuyto, Oz. 52 64 40N 31 0 E
Kuyumba 59 60 58N 96 59 E
Kuzey Anadolu Dağlari 64 41 30N 35 0 E
Kuzhithura 70 8 18N 77 11 E
Kuzmin 42 45 2N 19 25 E
Kuznetsk 55 53 12N 46 40 E
Kuzomen 52 66 22N 36 50 E
Kvænangen 50 70 5N 21 15 E
Kvam 47 61 40N 9 42 E
Kvamsøy 47 61 7N 6 28 E
Kvareli 57 41 27N 45 47 E
Kvarner 39 44 50N 14 10 E
Kvarnerič 39 44 43N 14 37 E
Kvernes 47 63 1N 7 44 E
Kvillsfors 49 57 24N 15 29 E
Kvine → 47 58 17N 6 56 E
Kvinesdal 47 58 19N 6 57 E
Kviteseid 47 59 24N 8 29 E
Kwabhaga 93 30 51 S 29 0 E
Kwadacha → 108 57 28N 125 38W
Kwakhanai 92 21 39 S 21 16 E
Kwakoegron 127 5 12N 55 25W
Kwale, Kenya 90 4 15 S 39 31 E
Kwale, Nigeria 85 5 46N 6 26 E
Kwale □ 90 4 15 S 39 10 E
Kwamouth 88 3 9 S 16 12 E
Kwando → 92 18 27 S 23 32 E
Kwangsi-Chuang = Guangxi Zhuangzu □ 75 24 0N 109 0 E
Kwangtung = Guangdong □ 75 23 0N 113 0 E
Kwara □ 85 8 0N 5 0 E
Kwataboahegan → 106 51 9N 80 50W
Kwatisore 73 3 18 S 134 50 E
Kweichow = Guizhou □ 75 27 0N 107 0 E
Kwidzyn 28 53 44N 18 55 E
Kwiguk 104 63 45N 164 35W
Kwimba □ 90 3 0 S 33 0 E
Kwinana 96 32 15 S 115 47 E
Kwisa → 28 51 34N 15 24 E
Kwoka 73 0 31 S 132 27 E
Kyabé 81 9 30N 19 0 E
Kyabra Cr. → 99 25 36 S 142 55 E
Kyabram 99 36 19 S 145 4 E
Kyaikto 71 17 20N 97 3 E
Kyakhta 59 50 30N 106 25 E
Kyangin 67 18 20N 95 20 E
Kyaukpadaung 67 20 52N 95 8 E
Kyaukpyu 67 19 28N 93 30 E
Kyaukse 67 21 36N 96 10 E
Kyenjojo 90 0 40N 30 37 E
Kyle Dam 91 20 15 S 31 0 E
Kyle of Lochalsh 14 57 17N 5 43W
Kyll → 25 49 48N 6 42 E
Kyllburg 25 50 2N 6 35 E
Kyneton 99 37 10 S 144 29 E
Kynuna 98 21 37 S 141 55 E
Kyō-ga-Saki 74 35 45N 135 15 E
Kyoga, L. 90 1 35N 33 0 E
Kyogle 99 28 40 S 153 0 E
Kyongju 76 35 51N 129 14 E
Kyongpyaw 67 17 12N 95 10 E
Kyōto 74 35 0N 135 45 E
Kyōto □ 74 35 15N 135 45 E
Kyren 59 51 45N 101 45 E
Kyrenia 64 35 20N 33 20 E
Kyritz 24 52 57N 12 25 E
Kystatyam 59 67 20N 123 10 E
Kytal Ktakh 59 65 30N 123 40 E
Kyulyunken 59 64 10N 137 5 E
Kyunhla 67 23 25N 95 15 E
Kyuquot 108 50 3N 127 25W
Kyurdamir 57 40 25N 48 3 E
Kyūshū 74 33 0N 131 0 E
Kyūshū-Sanchi 74 32 35N 131 17 E
Kyustendil 42 42 16N 22 41 E
Kyusyur 59 70 39N 127 15 E
Kywong 99 34 58 S 146 44 E
Kyzyl 59 51 50N 94 30 E
Kyzyl-Kiya 58 40 16N 72 8 E
Kyzylkum, Peski 58 42 30N 65 0 E
Kzyl-Orda 58 44 48N 65 28 E

L

Laa 27 48 43N 16 23 E
Laaber → 25 49 0N 12 3 E
Laage 24 53 55N 12 21 E
Laasphe 24 50 56N 8 23 E
Laba → 57 45 11N 39 42 E
Labastide 20 43 28N 2 39 E
Labastide-Murat 20 44 39N 1 33 E
Labbézenga 85 15 2N 0 48 E
Labdah = Leptis Magna 83 32 40N 14 12 E
Labé 84 11 24N 12 16W
Labe = Elbe → 26 50 50N 14 12 E
Laberec → 27 48 37N 21 58 E
Laberge, L. 108 61 11N 135 12W
Labin 39 45 5N 14 8 E
Labinsk 57 44 40N 40 48 E
Labis 71 2 22N 103 2 E
Labiszyn 28 52 57N 17 54 E
Laboe 24 54 25N 10 13 E
Labouheyre 20 44 13N 0 55W
Laboulaye 124 34 10 S 63 30W
Labra, Peña 30 43 3N 4 26W
Labrador City 107 52 57N 66 55W
Labrador, Coast of □ 105 53 20N 61 0W
Lábrea 126 7 15 S 64 51W
Labrède 20 44 41N 0 32W
Labuan 72 5 21N 115 13 E
Labuha 73 0 30 S 127 30 E
Labuhan 73 6 26 S 105 50 E
Labuhanbajo 73 8 28 S 120 1 E
Labuk, Telok 72 6 10N 117 50 E
Labytnangi 58 66 39N 66 21 E
Łabżenica 28 53 18N 17 15 E
Lac Allard 107 50 33N 63 24W
Lac Bouchette 107 48 16N 72 11W
Lac du Flambeau 116 46 1N 89 51W
Lac Édouard 106 47 40N 72 16W
Lac la Biche 108 54 45N 111 58W
Lac la Martre 104 63 8N 117 16W
Lac-Mégantic 107 45 35N 70 53W
Lac Seul 109 50 28N 92 0W
Lacanau, Étang de 20 44 58N 1 7W
Lacanau-Médoc 20 44 59N 1 5W
Lacantúm → 120 16 36N 90 40W
Lacara → 31 38 55N 6 25W
Lacaune 20 43 43N 2 40 E
Lacaune, Mts. de 20 43 43N 2 50 E
Laccadive Is. = Lakshadweep Is. 60 10 0N 72 30 E
Lacepede B. 99 36 40 S 139 40 E
Lacepede Is. 96 16 55 S 122 0 E
Lacerdónia 91 18 3 S 35 35 E
Lachine 106 45 30N 73 40W
Lachlan → 97 34 22 S 143 55 E
Lachmangarh 68 27 50N 75 4 E
Lachute 106 45 39N 74 21W
Lackawanna 114 42 49N 78 50W
Lacolle 113 45 5N 73 22W
Lacombe 108 52 30N 113 44W
Lacona 113 43 37N 76 5W
Láconi 40 39 54N 9 4 E
Laconia 114 43 32N 71 30W
Lacq 20 43 25N 0 35W
Lacrosse 118 46 51N 117 58W
Ladakh Ra. 69 34 0N 78 0 E
Lądekzdrój 28 50 21N 16 53 E
Ládhon → 45 37 40N 21 50 E
Ladik 56 40 57N 35 58 E
Ladismith 92 33 28 S 21 15 E
Lādīz 65 28 55N 61 15 E
Ladnun 68 27 38N 74 25 E
Ladoga, L. = Ladozhskoye Oz. 52 61 15N 30 30 E
Ladon 19 48 0N 2 30 E
Ladozhskoye Ozero 52 61 15N 30 30 E
Lady Grey 92 30 43 S 27 13 E
Ladybrand 92 29 9 S 27 29 E
Ladysmith, Can. 108 49 0N 123 49W
Ladysmith, S. Afr. 93 28 32 S 29 46 E
Ladysmith, U.S.A. 116 45 27N 91 4W
Lae 94 6 40 S 147 2 E
Læsø 49 57 15N 10 53 E
Læsø Rende 49 57 20N 10 45 E
Lafayette, Colo., U.S.A. 116 40 0N 105 2W
Lafayette, Ga., U.S.A. 115 34 44N 85 15W
Lafayette, La., U.S.A. 117 30 18N 92 0W
Lafayette, Tenn., U.S.A. 115 36 35N 86 0W
Laferte → 108 61 53N 117 44W
Lafia 85 8 30N 8 34 E
Lafiagi 85 8 52N 5 20 E
Lafleche 109 49 45N 106 40W
Lafon 87 5 5N 32 29 E
Laforsen 48 61 56N 15 3 E
Lagan →, Sweden 49 56 56N 13 58 E
Lagan →, U.K. 15 54 35N 5 55W
Lagarfljót → 50 65 40N 14 18W
Lage, Ger. 24 52 0N 8 47 E
Lage, Spain 30 43 13N 9 0W
Lågen →, Oppland, Norway 47 61 8N 10 25 E
Lågen →, Vestfold, Norway 47 59 3N 10 5 E
Lägerdorf 24 53 53N 9 35 E
Laggers Pt. 99 30 52 S 153 4 E
Laghán □ 65 34 20N 70 0 E
Laghouat 82 33 50N 2 59 E
Lagnieu 21 45 55N 5 20 E
Lagny 19 48 52N 2 40 E
Lago 41 39 9N 16 8 E
Lagôa 31 37 8N 8 27W
Lagoaça 30 41 11N 6 44W
Lagodekhi 57 41 50N 46 22 E
Lagónegro 41 40 8N 15 45 E
Lagonoy Gulf 73 13 50N 123 50 E
Lagos, Nigeria 85 6 25N 3 27 E
Lagos, Port. 31 37 5N 8 41W
Lagos de Moreno 120 21 21N 101 55W
Lagrange 96 18 45 S 121 43 E
Laguardia 32 42 33N 2 35W
Laguépie 20 44 8N 1 57 E
Laguna, Brazil 125 28 30 S 48 50W
Laguna, U.S.A. 119 35 3N 107 28W
Laguna Beach 119 33 31N 117 52W
Laguna Dam 119 32 55N 114 30W
Laguna de la Janda 31 36 15N 5 45W
Laguna Limpia 124 26 32 S 59 45W
Laguna Madre 120 27 0N 97 20W
Lagunas, Chile 124 21 0 S 69 45W
Lagunas, Peru 126 5 10 S 75 35W
Laha 76 48 12N 124 35 E
Lahad Datu 73 5 0N 118 20 E
Laharpur 69 27 43N 80 56 E
Lahat 72 3 45 S 103 30 E
Lahewa 72 1 22N 97 12 E
Lahijan 64 37 10N 50 6 E
Lahn → 25 50 52N 8 35 E
Laholm 49 56 30N 13 2 E
Laholmsbukten 49 56 30N 12 45 E
Lahontan Res. 118 39 28N 118 58W
Lahore 68 31 32N 74 22 E
Lahore □ 68 31 55N 74 5 E
* Lahr 25 48 20N 7 52 E
Lahti 51 60 58N 25 40 E
Laï 81 9 25N 16 18 E
Lai Chau 71 22 5N 103 3 E
Laibin 75 23 42N 109 14 E
Laidley 99 27 39 S 152 20 E
Laifeng 77 29 27N 109 20 E
Laignes 19 47 50N 4 20 E
Laikipia □ 90 0 30N 36 30 E
Laingsburg 92 33 9 S 20 52 E
Lairg 14 58 1N 4 24W
Lais 72 3 35 S 102 0 E
Laiyang 76 36 59N 120 45 E
Laizhou Wan 76 37 30N 119 30 E
Laja → 120 20 55N 100 46W
Lajere 85 11 58N 11 25 E
Lajes 125 27 48 S 50 20W
Lajkovac 42 44 27N 20 14 E
Lajosmizse 27 47 3N 19 32 E
Lakaband 68 31 2N 69 15 E
Lakar 73 8 15 S 128 17 E
Lake Andes 116 43 10N 98 32W
Lake Anse 114 46 42N 88 25W
Lake Arthur 117 30 8N 92 40W
Lake Cargelligo 97 33 15 S 146 22 E
Lake Charles 117 30 15N 93 10W
Lake City, Colo, U.S.A. 119 38 3N 107 27W
Lake City, Fla., U.S.A. 115 30 10N 82 40W
Lake City, Iowa, U.S.A. 116 42 12N 94 42W
Lake City, Mich., U.S.A. 114 44 20N 85 10W
Lake City, Minn., U.S.A. 116 44 28N 92 21W
Lake City, Pa., U.S.A. 112 42 2N 80 20W
Lake City, S.C., U.S.A. 115 33 51N 79 44W
Lake George 113 43 25N 73 43W
Lake Harbour 105 62 50N 69 50W
Lake Havasu City 119 34 25N 114 29W
Lake Lenore 109 52 24N 104 59W
Lake Louise 108 51 30N 116 10W
Lake Mead Nat. Rec. Area 119 36 0N 114 30W
Lake Mills 116 43 23N 93 33W
Lake Nash 98 20 57 S 138 0 E
Lake Providence 117 32 49N 91 12W
Lake River 106 54 30N 82 31W
Lake Superior Prov. Park 106 47 45N 84 45W
Lake Village 117 33 20N 91 19W
Lake Wales 115 27 55N 81 32W
Lake Worth 115 26 36N 80 3W
Lakefield 106 44 25N 78 16W
Lakeland 115 28 0N 82 0W
Lakemba 101 18 13 S 178 47W
Lakes Entrance 99 37 50 S 148 0 E
Lakeside, Ariz., U.S.A. 119 34 12N 109 59W
Lakeside, Nebr., U.S.A. 116 42 5N 102 24W
Lakeview 118 42 15N 120 22W
Lakewood, N.J., U.S.A. 114 40 5N 74 13W
Lakewood, Ohio, U.S.A. 114 41 28N 81 50W
Lakhaniá 45 35 58N 27 54 E
Lákhi 45 35 24N 23 57 E
Lakhpat 68 23 48N 68 47 E
Laki 50 64 4N 18 14W
Lakin 117 37 58N 101 18W
Lakitusaki → 106 54 21N 82 25W
Lakonía □ 45 36 55N 22 30 E
Lakonikós Kólpos 45 36 40N 22 40 E
Lakota, Ivory C. 84 5 50N 5 30W
Lakota, U.S.A. 116 48 0N 98 22W
Laksefjorden 50 70 45N 26 50 E
Lakselv 50 70 2N 24 56 E
Lakshmi Kantapur 69 22 5N 88 20 E
Lala Ghat 67 24 30N 92 40 E
Lala Musa 68 32 40N 73 57 E
Lalago 90 3 28 S 33 58 E
Lalapanzi 91 19 20 S 30 15 E
Lalganj 69 25 52N 85 13 E
Lalibela 87 12 2N 39 2 E
Lalin 76 45 12N 127 0 E
Lalín 30 42 40N 8 5W
Lalinde 20 44 50N 0 44 E
Lalitpur 68 24 42N 78 28 E
Lama Kara 85 9 30N 1 15 E
Lamaing 67 15 25N 97 53 E
Lamar, Colo., U.S.A. 116 38 9N 102 35W
Lamar, Mo., U.S.A. 117 37 30N 94 20W
Lamas 126 6 28 S 76 31W
Lamastre 21 44 59N 4 35 E
Lambach 26 48 6N 13 51 E
Lamballe 18 48 29N 2 31W
Lambaréné 88 0 41 S 10 12 E
Lambasa 101 16 30 S 179 10 E
Lambay I. 15 53 30N 6 0W
Lambert 116 47 44N 104 39W
Lambert Glacier 5 71 0 S 70 0 E
Lambesc 21 43 39N 5 16 E
Lambi Kyun (Sullivan I.) 71 10 50N 98 20 E
Lámbia 45 37 52N 21 53 E
Lambro → 38 45 8N 9 32 E
Lame 85 45 35N 106 40W
Lame Deer 118 45 45N 106 40W
Lamego 30 41 5N 7 52W
Lamèque 107 47 45N 64 38W
Lameroo 99 35 19 S 140 33 E
Lamesa 117 32 45N 101 57W
Lamía 45 38 55N 22 26 E
† Lamitan 73 6 40N 122 10 E
Lammermuir Hills 14 55 50N 2 40W
Lamoille 118 40 47N 115 31W
Lamon Bay 73 14 30N 122 20 E
Lamont 108 53 46N 112 50W
Lampa 126 15 22 S 70 22W
Lampang, Thai. 71 18 18N 99 31 E
Lampang, Thai. 71 18 16N 99 32 E

* *Now part of Punjab* □

† *Renamed Isabela*

Lampasas Lenora

Lampasas 117 31 5N 98 10W
Lampaul 18 48 28N 5 7W
Lampazos de Naranjo 120 27 2N 100 32W
Lampedusa 36 35 36N 12 40 E
Lampeter 13 52 6N 4 6W
Lampione 83 35 33N 12 20 E
Lampman 109 49 25N 102 50W
Lamprechtshausen 26 48 0N 12 58 E
Lamprey 109 58 33N 94 8W
Lampung □ 72 5 30 S 104 30 E
Lamu 90 2 16 S 40 55 E
Lamu □ 90 2 0 S 40 45 E
Lamut, Tg. 72 3 50 S 105 58 E
Lamy 119 35 30N 105 58W
Lan Xian 76 38 15N 111 35 E
Lan Yu 77 22 5N 121 35 E
Lanai I. 110 20 50N 156 55W
Lanak La 69 34 27N 79 32 E
Lanak'o Shank'ou = Lanak La 69 34 27N 79 32 E
Lanao, L. 73 7 52N 124 15 E
Lanark, Can. 113 45 1N 76 22W
Lanark, U.K. 14 55 40N 3 48W
Lancashire □ 12 53 40N 2 30W
Lancaster, Can. 113 45 10N 74 30W
Lancaster, U.K. 12 54 3N 2 48W
Lancaster, Calif., U.S.A. 119 34 47N 118 8W
Lancaster, Ky., U.S.A. 114 37 40N 84 40W
Lancaster, N.H., U.S.A. 114 44 27N 71 33W
Lancaster, N.Y., U.S.A. 112 42 53N 78 43W
Lancaster, Pa., U.S.A. 114 40 4N 76 19W
Lancaster, S.C., U.S.A. 115 34 45N 80 47W
Lancaster, Wis., U.S.A. 116 42 48N 90 43W
Lancaster Sd. 4 74 13N 84 0W
Lancer 109 50 48N 108 53W
Lanchow = Lanzhou 76 36 1N 103 52 E
Lanciano 39 42 15N 14 22 E
Łancut 27 50 10N 22 13 E
Lándana 88 5 11 S 12 5 E
Landau, Bayern, Ger. 25 48 41N 12 41 E
Landau, Rhld-Pfz., Ger. 25 49 12N 8 7 E
Landeck 26 47 9N 10 34 E
Landen 16 50 45N 5 5 E
Lander 118 42 50N 108 49W
Landerneau 18 48 28N 4 17W
Landeryd 49 57 7N 13 15 E
Landes □ 20 43 57N 0 48W
Landes, Les 20 44 20N 1 0W
Landete 32 39 56N 1 25W
Landi Kotal 66 34 7N 71 6 E
Landivisiau 18 48 31N 4 6W
Landquart 25 46 58N 9 32 E
Landrecies 19 50 7N 3 40 E
Land's End 13 50 4N 5 43W
Landsberg 25 48 3N 10 52 E
Landsborough Cr. → 98 22 28 S 144 35 E
Landsbro 49 57 24N 14 56 E
Landshut 25 48 31N 12 10 E
Landskrona 49 55 53N 12 50 E
Landstuhl 25 49 25N 7 34 E
Landvetter 49 57 41N 12 17 E
Lanesboro 113 41 57N 75 34W
Lanett 115 33 0N 85 15W
Lang Bay 108 49 45N 124 21W
Lang Shan 76 41 0N 106 30 E
Lang Son 71 21 52N 106 42 E
La'nga Co 67 30 45N 81 15 E
Långadhás 44 40 46N 23 2 E
Langádhia 45 37 43N 22 1 E
Långan → 48 63 19N 14 44 E
Langara I. 108 54 14N 133 1W
Langdon 116 48 47N 98 24W
Langeac 20 45 7N 3 29 E
Langeais 18 47 20N 0 24 E
Langeb Baraka → 86 17 28N 36 50 E
Langeberge, C. Prov., S. Afr. 92 33 55 S 21 40 E
Langeberge, C. Prov., S. Afr. 92 28 15 S 22 33 E
Langeland 49 54 56N 10 48 E
Langen 25 49 59N 8 40 E
Langenburg 109 50 51N 101 43W
Langeness 24 54 34N 8 35 E
Langenlois 26 48 29N 15 40 E
Langeoog 24 53 44N 7 33 E
Langeskov 49 55 22N 10 35 E
Langesund 47 59 0N 9 45 E
Länghem 49 57 36N 13 14 E
Langhirano 38 44 39N 10 16 E
Langholm 14 55 9N 2 59W
Langjökull 50 64 39N 20 12W
Langkawi, P. 71 6 25N 99 45 E
Langkon 72 6 30N 116 40 E
Langlade 107 46 50N 56 20W
Langlois 118 42 54N 124 26W
Langnau 25 46 56N 7 47 E
Langogne 20 44 43N 3 50 E
Langon 20 44 33N 0 16W
Langøya 50 68 45N 14 50 E
Langpran, Gunong 72 1 0N 114 23 E
Langres 19 47 52N 5 20 E
Langres, Plateau de 19 47 45N 5 3 E
Langsa 72 4 30N 97 57 E
Långsele 48 63 12N 17 4 E
Långshyttan 48 60 27N 16 2 E
Langtry 117 29 50N 101 33W
Languedoc 20 43 58N 4 0 E
Langxiangzhen 76 39 43N 116 8 E
Langzhong 75 31 38N 105 58 E
Lanigan 109 51 51N 105 2W
Lankao 77 34 48N 114 50 E
Lannemezan 20 43 8N 0 23 E
Lannilis 18 48 35N 4 32W
Lannion 18 48 46N 3 29W
Lanouaille 20 45 24N 1 9 E
Lansdale 113 40 14N 75 18W
Lansdowne, Austral. 99 31 48 S 152 30 E
Lansdowne, Can. 113 44 24N 76 1W
Lansdowne House 106 52 14N 87 53W
Lansford 113 40 48N 75 55W
Lansing 114 42 47N 84 40W
Lanslebourg 21 45 17N 6 52 E
Lant, Pulau 72 4 10 S 116 0 E
Lanus 124 34 44 S 58 27W
Lanusei 40 39 53N 9 31 E
Lanxi 77 29 13N 119 28 E
Lanzarote 80 29 0N 13 40W
Lanzhou 76 36 1N 103 52 E
Lanzo Torinese 38 45 16N 7 29 E
Lao → 41 39 45N 15 45 E
Lao Cai 71 22 30N 103 57 E
Laoag 73 18 7N 120 34 E
Laoang 73 12 32N 125 8 E
Laoha He → 76 43 25N 120 35 E
Laois □ 15 53 0N 7 20W
Laon 19 49 33N 3 35 E
Laona 114 45 32N 88 41W
Laos ■ 71 17 45N 105 0 E
Lapa 125 25 46 S 49 44W
Lapalisse 20 46 15N 3 38 E
Laparan Cap 73 6 0N 120 0 E
Lapeer 114 43 3N 83 20W
Lapi □ 50 67 0N 27 0 E
Lapland = Lappland 50 68 7N 24 0 E
Laporte 113 41 27N 76 30W
Lapovo 42 44 10N 21 2 E
Lappland 50 68 7N 24 0 E
Laprairie 113 45 20N 73 30W
Laprida 124 37 34 S 60 45W
Laptev Sea 59 76 0N 125 0 E
Lapuş, Munţii 46 47 20N 23 50 E
Lapush 118 47 56N 124 33W
Lăpuşul → 46 47 25N 23 40 E
Łapy 28 52 59N 22 52 E
Lâr 65 27 40N 54 14 E
Larabanga 84 9 16N 1 56W
Laracha 30 43 15N 8 35W
Larache 82 35 10N 6 5W
Laragne-Monteglin 21 44 18N 5 49 E
Laramie 116 41 20N 105 38W
Laramie Mts. 116 42 0N 105 30W
Laranjeiras do Sul 125 25 23 S 52 23W
Larantuka 73 8 21 S 122 55 E
Larap 73 14 18N 122 39 E
Larat 73 7 0 S 132 0 E
Lårdal 47 59 25N 8 10 E
Larde 91 16 28 S 39 43 E
Larder Lake 106 48 5N 79 40W
Lárdhos, Ákra 45 36 4N 28 10 E
Laredo, Spain 32 43 26N 3 28W
Laredo, U.S.A. 117 27 34N 99 29W
Laredo Sd. 108 52 30N 128 53W
Largentière 21 44 34N 4 18 E
Largs 14 55 48N 4 51W
Lari 38 43 34N 10 35 E
Lariang 73 1 26 S 119 17 E
Larimore 116 47 55N 97 35W
Larino 41 41 48N 14 54 E
Lárisa 44 39 49N 22 28 E
Lárisa □ 44 39 39N 22 24 E
Larkana 68 27 32N 68 18 E
Larkollen 47 59 20N 10 41 E
Larnaca 64 35 0N 33 35 E
Larne 15 54 52N 5 50W
Larned 116 38 15N 99 10W
Larrimah 96 15 35 S 133 12 E
Larsen Ice Shelf 5 67 0 S 62 0W
Larvik 47 59 4N 10 0 E
Laryak 58 61 15N 80 0 E
Larzac, Causse du 20 44 0N 3 17 E
Las Animas 117 38 8N 103 18W
Las Anod 63 8 26N 47 19 E
Las Blancos 33 37 38N 0 49W
Las Brenãs 124 27 5 S 61 7W
Las Cabezas de San Juan 31 37 0N 5 58W
Las Cascadas 120 9 5N 79 41W
Las Cruces 119 32 18N 106 50W
Las Flores 124 36 10 S 59 7W
Las Heras 124 32 51 S 68 49W
Las Khoreh 63 11 10N 48 20 E
Las Lajas 128 38 30 S 70 25W
Las Lomitas 124 24 43 S 60 35W
Las Marismas 31 37 5N 6 20W
Las Navas de la Concepción 31 37 56N 5 30W
Las Navas de Tolosa 31 38 18N 3 38W
Las Palmas, Argent. 124 27 8 S 58 45W
Las Palmas, Canary Is. 80 28 7N 15 26W
Las Palmas □ 80 28 10N 15 28W
Las Piedras 125 34 44 S 56 14W
Las Pipinas 124 35 30 S 57 19W
Las Plumas 128 43 40 S 67 15W
Las Rosas 124 32 30 S 61 35W
Las Tablas 121 7 49N 80 14W
Las Termas 124 27 29 S 64 52W
Las Varillas 124 31 50 S 62 50W
Las Vegas, N. Mex., U.S.A. 119 35 35N 105 10W
Las Vegas, Nev., U.S.A. 119 36 10N 115 5W
Lascano 125 33 35 S 54 12W
Lascaux 20 45 5N 1 10 E
Lashburn 109 53 10N 109 40W
Lashio 67 22 56N 97 45 E
Lashkar 68 26 10N 78 10 E
Łasin 28 53 30N 19 2 E
Lasíthi □ 45 35 5N 25 50 E
Lask 28 51 34N 19 8 E
Łaskarzew 28 51 48N 21 36 E
Laško 39 46 10N 15 16 E
Lassay 18 48 27N 0 30W
Lassen Pk. 118 40 29N 121 31W
Last Mountain L. 109 51 5N 105 14W
Lastoursville 88 0 55 S 12 38 E
Lastovo 39 42 46N 16 55 E
Lastovski Kanal 39 42 50N 17 0 E
Latacunga 126 0 50 S 78 35W
Latakia = Al Lādhiqīyah 64 35 30N 35 45 E
Latchford 106 47 20N 79 50W
Laterza 41 40 38N 16 47 E
Lathen 24 52 51N 7 21 E
Latiano 41 40 33N 17 43 E
Latina 40 41 26N 12 53 E
Latisana 39 45 47N 13 1 E
Latium = Lazio 39 42 10N 12 30 E
Latorica → 27 48 28N 21 50 E
Latouche Treville, C. 96 18 27 S 121 49 E
Latrobe 112 40 19N 79 21W
Latrônico 41 40 5N 16 0 E
Latrun 62 31 50N 34 58 E
Latur 70 18 25N 76 40 E
Latvian S.S.R. □ 54 56 50N 24 0 E
Lau (Eastern) Group 101 17 0 S 178 30W
Lauchhammer 24 51 35N 13 48 E
Laudal 47 58 15N 7 30 E
Lauenburg 24 53 23N 10 33 E
Lauffen 25 49 4N 9 9 E
Laugarbakki 50 65 20N 20 55W
Laujar 33 37 0N 2 54W
Launceston, Austral. 97 41 24 S 147 8 E
Launceston, U.K. 13 50 38N 4 21W
Laune → 15 52 5N 9 40W
Launglon Bok 71 13 50N 97 54 E
Laupheim 25 48 13N 9 53 E
Laura 97 15 32 S 144 32 E
Laureana di Borrello 41 38 28N 16 5 E
Laurel, Miss., U.S.A. 117 31 41N 89 9W
Laurel, Mont., U.S.A. 118 45 46N 108 49W
Laurencekirk 14 56 50N 2 30W
Laurens 115 34 32N 82 2W
Laurentian Plat. 107 52 0N 70 0W
Laurentides, Parc Prov. des 107 47 45N 71 15W
Lauria 41 40 3N 15 50 E
Laurie I. 5 60 44 S 44 37W
Laurie L. 109 56 35N 101 57W
Laurinburg 115 34 50N 79 25W
Laurium 114 47 14N 88 26W
Lausanne 25 46 32N 6 38 E
Laut, Kepulauan 72 4 45N 108 0 E
Laut Ketil, Kepulauan 72 4 45 S 115 40 E
Lauterbach 24 50 39N 9 23 E
Lauterecken 25 49 38N 7 35 E
Lautoka 101 17 37 S 177 27 E
Lauzon 107 46 48N 71 10W
Lava Hot Springs 118 42 38N 112 1W
Lavadores 30 42 14N 8 41W
Lavagna 38 44 18N 9 22 E
Laval 18 48 4N 0 48W
Lavalle 124 28 15 S 65 15W
Lavandou, Le 21 43 8N 6 22 E
Lávara 44 41 19N 26 22 E
Lavardac 20 44 12N 0 20 E
Lavaur 20 43 30N 1 49 E
Lavaveix 20 46 5N 2 8 E
Lavelanet 20 42 57N 1 51 E
Lavello 41 41 4N 15 47 E
Laverendrye Prov. Park 106 46 15N 17 15W
Laverne 117 36 43N 99 58W
Laverton 96 28 44 S 122 29 E
Lavi 62 32 47N 35 25 E
Lavik 47 61 6N 5 25 E
Lávkos 45 39 9N 23 14 E
Lavos 30 40 6N 8 49W
Lavras 125 21 20 S 45 0W
Lavre 31 38 46N 8 22W
Lavrentiya 59 65 35N 171 0W
Lávrion 45 37 40N 24 4 E
Lavumisa 93 27 20 S 31 55 E
Lawas 72 4 55N 115 25 E
Lawele 73 5 16 S 123 3 E
Lawn Hill 98 18 36 S 138 33 E
Lawng Pit 67 25 30N 97 25 E
Lawra 84 10 39N 2 51W
Lawrence, Kans., U.S.A. 116 39 0N 95 10W
Lawrence, Mass., U.S.A. 114 42 40N 71 9W
Lawrenceburg, Ind., U.S.A. 114 39 5N 84 50W
Lawrenceburg, Tenn., U.S.A. 115 35 12N 87 19W
Lawrenceville 115 33 55N 83 59W
Lawton 117 34 33N 98 25W
Lawu 73 7 40 S 111 13 E
Laxford, L. 14 58 25N 5 10W
Laxmeshwar 70 15 9N 75 28 E
Laylá 64 22 10N 46 40 E
Layon → 18 47 20N 0 45W
Laysan I. 95 25 30N 167 0W
Laytonville 118 39 44N 123 29W
Lazarevac 42 44 23N 20 17 E
Lazio □ 39 42 10N 12 30 E
Łazy 28 50 27N 19 24 E
Lea → 13 51 30N 0 10W
Lead 116 44 20N 103 40W
Leader 109 50 50N 109 30W
Leadhills 14 55 25N 3 47W
Leadville 119 39 17N 106 23W
Leaf → 117 31 0N 88 45W
Leakey 117 29 45N 99 45W
Leamington, Can. 106 42 3N 82 36W
Leamington, U.K. 13 52 18N 1 32W
Leamington, U.S.A. 118 39 37N 112 17W
Leandro Norte Alem 125 27 34 S 55 15W
Learmonth 96 22 13 S 114 10 E
Leask 109 53 5N 106 45W
Leavenworth, Mo., U.S.A. 116 39 25N 95 0W
Leavenworth, Wash., U.S.A. 118 47 44N 120 37W
Łeba 28 54 45N 17 32 E
Łeba → 28 54 46N 17 33 E
Lebak 73 6 32N 124 5 E
Lebane 42 42 56N 21 44 E
Lebanon, Ind., U.S.A. 114 40 3N 86 28W
Lebanon, Kans., U.S.A. 116 39 50N 98 35W
Lebanon, Ky., U.S.A. 114 37 35N 85 15W
Lebanon, Mo., U.S.A. 117 37 40N 92 40W
Lebanon, Oreg., U.S.A. 118 44 31N 122 57W
Lebanon, Pa., U.S.A. 114 40 20N 76 28W
Lebanon, Tenn., U.S.A. 115 36 15N 86 20W
Lebanon ■ 64 34 0N 36 0 E
Lebec 119 34 50N 118 59W
Lebedin 54 50 35N 34 30 E
Lebedyan 55 53 0N 39 10 E
Lebombo-berge 93 24 30 S 32 0 E
Lębork 28 54 33N 17 46 E
Lebrija 31 36 53N 6 5W
Łebsko, Jezioro 28 54 40N 17 25 E
Lebu 124 37 40 S 73 47W
Lecce 41 40 20N 18 10 E
Lecco 38 45 50N 9 27 E
Lecco, L. di. 38 45 51N 9 22 E
Lécera 32 41 13N 0 43W
Lech 26 47 13N 10 9 E
Lech → 25 48 44N 10 56 E
Lechang 77 25 10N 113 20 E
Lechtaler Alpen 26 47 15N 10 30 E
Lectoure 20 43 56N 0 38 E
Łeczna 28 51 18N 22 53 E
Łeczyca 28 52 5N 19 15 E
Ledbury 13 52 3N 2 25W
Ledeč 26 49 41N 15 18 E
Ledesma 30 41 6N 5 59W
Ledong 77 18 41N 109 5 E
Leduc 108 53 15N 113 30W
Ledyczek 28 53 33N 16 59 E
Lee, Mass., U.S.A. 113 42 17N 73 18W
Lee, Nev., U.S.A. 118 40 35N 115 36W
Lee → 15 51 50N 8 30W
Leech L. 116 47 9N 94 23W
Leedey 117 35 53N 99 24W
Leeds, U.K. 12 53 48N 1 34W
Leeds, U.S.A. 115 33 32N 86 30W
Leek 12 53 7N 2 2W
Leer 24 53 13N 7 29 E
Leesburg 115 28 47N 81 52W
Leesville 117 31 12N 93 15W
Leeton 97 34 33 S 146 23 E
Leetonia 112 40 53N 80 45W
Leeuwarden 16 53 15N 5 48 E
Leeuwin, C. 96 34 20 S 115 9 E
Leeward Is., Atl. Oc. 121 16 30N 63 30W
Leeward Is., Pac. Oc. 95 16 0 S 147 0W
Lefors 117 35 30N 100 50W
Lefroy, L. 96 31 21 S 121 40 E
Łeg → 28 50 42N 21 50 E
Legal 108 53 55N 113 35W
Legazpi 73 13 10N 123 45 E
Leghorn = Livorno 38 43 32N 10 18 E
Legion 91 21 25 S 28 30 E
Legionowo 28 52 25N 20 50 E
Legnago 39 45 10N 11 19 E
Legnano 38 45 35N 8 55 E
Legnica 28 51 12N 16 10 E
Legnica □ 28 51 30N 16 0 E
Legrad 39 46 17N 16 51 E
Legume 99 28 20 S 152 19 E
Leh 69 34 9N 77 35 E
Lehi 118 40 20N 111 51W
Lehighton 113 40 50N 75 44W
Lehliu 46 44 29N 26 20 E
Lehrte 24 52 22N 9 58 E
Lehututu 92 23 54 S 21 55 E
Leiah 68 30 58N 70 58 E
Leibnitz 26 46 47N 15 34 E
Leicester 13 52 39N 1 9W
Leicester □ 13 52 40N 1 10W
Leichhardt → 97 17 35 S 139 48 E
Leichhardt Ra. 98 20 46 S 147 40 E
Leiden 16 52 9N 4 30 E
Leie → 16 51 2N 3 45 E
Leigh Creek 97 30 28 S 138 24 E
Leikanger 47 61 10N 6 52 E
Leine → 24 52 20N 9 50 E
Leinster □ 15 53 0N 7 10W
Leinster, Mt. 15 52 38N 6 47W
Leipzig 24 51 20N 12 23 E
Leipzig □ 24 51 20N 12 30 E
Leiria 31 39 46N 8 53W
Leiria □ 31 39 46N 8 53W
Leith 14 55 59N 3 10W
Leith Hill 13 51 10N 0 23W
Leitha → 27 48 0N 16 35 E
Leitrim 15 54 0N 8 5W
Leitrim □ 15 54 8N 8 0W
Leiyang 77 26 27N 112 45 E
Leiza 32 43 5N 1 55W
Leizhou Bandao 77 21 0N 110 0 E
Leizhou Wan 77 20 50N 110 20 E
Lek → 16 52 0N 6 0 E
Lekáni 44 41 10N 24 35 E
Lekhainá 45 37 57N 21 16 E
Leksula 73 3 46 S 126 31 E
Leland 117 33 25N 90 52W
Leland Lakes 109 60 0N 110 59W
Leleque 128 42 28 S 71 0W
Lelystad 16 52 30N 5 25 E
Lema 85 12 58N 4 13 E
Léman, Lac 25 46 26N 6 30 E
Lemera 90 3 0 S 28 55 E
Lemery 73 13 51N 120 56 E
Lemgo 24 52 2N 8 52 E
Lemhi Ra. 118 44 30N 113 30W
Lemmer 16 52 51N 5 43 E
Lemmon 116 45 59N 102 10W
Lemoore 119 36 23N 119 46W
Lempdes 20 45 22N 3 17 E
Lemvig 49 56 33N 8 20 E
Lena → 59 72 52N 126 40 E
Lenartovce 27 48 18N 20 19 E
Lencloître 18 46 50N 0 20 E
Lendinara 39 45 4N 11 37 E
Lengau de Vaca, Pta. 124 30 14 S 71 38W
Lengerich 24 52 12N 7 50 E
Lenggong 71 5 6N 100 58 E
Lenggries 25 47 41N 11 34 E
Lengyeltóti 27 46 40N 17 40 E
Lenhovda 49 57 0N 15 16 E
Lenin 57 48 20N 40 56 E
Leninabad 58 40 17N 69 37 E
Leninakan 57 40 47N 43 50 E
Leningrad 54 59 55N 30 20 E
Lenino 56 45 17N 35 46 E
Leninogorsk 58 50 20N 83 30 E
Leninsk, R.S.F.S.R., U.S.S.R. 57 48 40N 45 15 E
Leninsk, R.S.F.S.R., U.S.S.R. 57 46 10N 43 46 E
Leninsk-Kuznetskiy 58 54 44N 86 10 E
Leninskaya Sloboda 55 56 7N 44 29 E
Leninskoye, R.S.F.S.R., U.S.S.R. 55 58 23N 47 3 E
Leninskoye, R.S.F.S.R., U.S.S.R. 59 47 56N 132 38 E
Lenk 25 46 27N 7 28 E
Lenkoran 53 39 45N 48 50 E
Lenmalu 73 1 45 S 130 15 E
Lenne → 24 51 25N 7 30 E
Lennoxville 113 45 22N 71 51W
Leno 38 45 24N 10 14 E
Lenoir 115 35 55N 81 36W
Lenoir City 115 35 40N 84 20W
Lenora 116 39 39N 100 1W

Lenore L. Liteni

Lenore L. 109 52 30N 104 59W
Lenox 113 42 20N 73 18W
Lens 19 50 26N 2 50 E
Lensk (Mukhtuya) 59 60 48N 114 55 E
Lenskoye 56 45 3N 34 1 E
Lenti 27 46 37N 16 33 E
Lentini 41 37 18N 15 0 E
Lentvaric 54 54 39N 25 3 E
Lenzen 24 53 6N 11 26 E
Léo 84 11 3N 2 2W
Leoben 26 47 22N 15 5 E
Leola 116 45 47N 98 58W
Leominster, U.K. 13 52 15N 2 43W
Leominster, U.S.A. 114 42 32N 71 45W
Léon 20 43 53N 1 18W
León, Mexico 120 21 7N 101 30W
León, Nic. 121 12 20N 86 51W
León, Spain 30 42 38N 5 34W
Leon 116 40 40N 93 40W
León □ 30 42 40N 5 55W
León, Montañas de 30 42 30N 6 18W
Leonardtown 114 38 19N 76 39W
Leonforte 41 37 39N 14 22 E
Leongatha 99 38 30S 145 58 E
Leonídhion 45 37 9N 22 52 E
Leonora 96 28 49S 121 19 E
Léopold II, Lac = Mai-Ndombe 88 2 0S 18 20 E
Leopoldina 125 21 28S 42 40W
Leopoldsburg 16 51 7N 5 13 E
Léopoldville = Kinshasa 88 4 20S 15 15 E
Leoti 116 38 31N 101 19W
Leoville 109 53 39N 107 33W
Lépa, L. do 92 17 0S 19 0 E
Lepe 31 37 15N 7 12W
Lepel 54 54 50N 28 40 E
Lepikha 59 64 45N 125 55 E
Leping 77 28 47N 117 7 E
Lepontino, Alpi 38 46 22N 8 27 E
Lepsény 27 47 0N 18 15 E
Leptis Magna 83 32 40N 14 12 E
Lequeitio 32 43 20N 2 32W
Lercara Friddi 40 37 42N 13 36 E
Léré 81 9 39N 14 13 E
Lere 85 9 43N 9 18 E
Leribe 93 28 51S 28 3 E
Lérici 38 44 4N 9 58 E
Lérida 32 41 37N 0 39 E
Lérida □ 32 42 6N 1 0 E
Lérins, Is. de 21 43 31N 7 3 E
Lerma 30 42 0N 3 47W
Léros 45 37 10N 26 50 E
Lérouville 19 48 50N 5 30 E
Lerwick 14 60 10N 1 10W
Les 46 46 58N 21 50 E
Lesbos, I. = Lésvos 45 39 10N 26 20 E
Leshukonskoye 52 64 54N 45 46 E
Lésina, L. di 39 41 53N 15 25 E
Lesja 47 62 7N 8 51 E
Lesjaverk 47 62 12N 8 34 E
Lesko 27 49 30N 22 23 E
Leskov I. 5 56 0S 28 0W
Leskovac 42 43 0N 21 58 E
Leskoviku 44 40 10N 20 34 E
Leslie 117 35 50N 92 35W
Lesna 28 51 0N 15 15 E
Lesneven 18 48 35N 4 20W
Lešnica 42 44 39N 19 20 E
Lesnoye 54 58 15N 35 18 E
Lesotho ■ 93 29 40S 28 0 E
Lesozavodsk 59 45 30N 133 29 E
Lesparre-Médoc 20 45 18N 0 57W
Lessay 18 49 14N 1 30W
Lesse → 16 50 15N 4 54 E
Lesser Antilles 121 15 0N 61 0W
Lesser Slave L. 108 55 30N 115 25W
Lessines 16 50 42N 3 50 E
Lestock 109 51 19N 103 59W
Lésvos 45 39 10N 26 20 E
Leszno 28 51 50N 16 30 E
Leszno □ 28 51 45N 16 30 E
Letchworth 13 51 58N 0 13W
Letea, Ostrov 46 45 18N 29 20 E
Lethbridge 108 49 45N 112 45W
Leti 73 8 10S 127 40 E
Leti, Kepulauan 73 8 10S 128 0 E
Letiahau → 92 21 16S 24 0 E
Leticia 126 4 9S 70 0W
Leting 76 39 23N 118 55 E
Letlhakeng 92 24 0S 24 59 E
Letpadan 67 17 45N 95 45 E
Letpan 67 19 28N 94 10 E
Letsôk-aw Kyun (Domel I.) 71 11 30N 98 25 E
Letterkenny 15 54 57N 7 42W
Leu 46 44 10N 24 0 E
Leucate 20 42 56N 3 3 E
Leucate, Étang de 20 42 50N 3 0 E
Leuk 25 46 19N 7 37 E
Leuser, G. 72 3 46N 97 12 E
Leutkirch 25 47 49N 10 1 E
Leuven (Louvain) 16 50 52N 4 42 E
Leuze, Hainaut, Belg. 16 50 36N 3 37 E
Leuze, Namur, Belg. 16 50 33N 4 54 E
Lev Tolstoy 55 53 13N 39 29 E
Levádhia 45 38 27N 22 54 E
Levan 118 39 37N 111 52W
Levanger 47 63 45N 11 19 E
Levani 44 40 40N 19 28 E
Levant, I. du 21 43 3N 6 28 E
Lévanto 38 44 10N 9 37 E
Levanzo 40 38 0N 12 19 E
Levelland 117 33 38N 102 23W
Leven 14 56 12N 3 0W
Leven, L. 14 56 12N 3 22W
Leven, Toraka 93 12 30S 47 45 E
Levens 21 43 50N 7 12 E
Leveque C. 96 16 20S 123 0 E
Leverano 41 40 16N 18 0 E
Leverkusen 24 51 2N 6 59 E
Levet 19 46 56N 2 22 E
Levice 27 48 13N 18 35 E
Levick, Mt. 5 75 0S 164 0 E
Levico 39 46 0N 11 18 E
Levie 21 41 40N 9 7 E
Levier 19 46 58N 6 8 E
Levin 101 40 37S 175 18 E
Lévis 107 46 48N 71 9W
Levis, L. 108 62 37N 117 58W
Levítha 45 37 0N 26 28 E
Levittown, N.Y., U.S.A. 113 40 41N 73 31W
Levittown, Pa., U.S.A. 113 40 10N 74 51W
Levka 43 41 52N 26 15 E
Lévka 45 35 18N 24 3 E
Levkás 45 38 40N 20 43 E
Levkímmi 44 39 25N 20 3 E
Levkôsia = Nicosia 64 35 10N 33 25 E
Levoča 27 49 2N 20 35 E
Levroux 19 47 0N 1 38 E
Levski 43 43 21N 25 10 E
Levskigrad 43 42 38N 24 47 E
Lewellen 116 41 22N 102 5W
Lewes, U.K. 13 50 53N 0 2 E
Lewes, U.S.A. 114 38 45N 75 8W
Lewin Brzeski 28 50 45N 17 37 E
Lewis 14 58 10N 6 40W
Lewis, Butt of 14 58 30N 6 12W
Lewis Ra. 118 48 0N 113 15W
Lewisburg, Pa., U.S.A. 112 40 57N 76 57W
Lewisburg, Tenn., U.S.A. 115 35 29N 86 46W
Lewisporte 107 49 15N 55 3W
Lewiston, Idaho, U.S.A. 118 46 25N 117 0W
Lewiston, Utah, U.S.A. 118 41 58N 111 56W
Lewistown, Mont., U.S.A. 118 47 0N 109 25W
Lewistown, Pa., U.S.A. 114 40 37N 77 33W
Lexington, Ill., U.S.A. 116 40 37N 88 47W
Lexington, Ky., U.S.A. 114 38 6N 84 30W
Lexington, Miss., U.S.A. 117 33 8N 90 2W
Lexington, Mo., U.S.A. 116 39 7N 93 55W
Lexington, N.C., U.S.A. 115 35 50N 80 13W
Lexington, Nebr., U.S.A. 116 40 48N 99 45W
Lexington, Ohio, U.S.A. 112 40 39N 82 35W
Lexington, Oreg., U.S.A. 118 45 29N 119 46W
Lexington, Tenn., U.S.A. 115 35 38N 88 25W
Lexington Park 114 38 16N 76 27W
Leyre → 20 44 39N 1 1W
Leyte 73 11 0N 125 0 E
Lezajsk 28 50 16N 22 25 E
Lezay 20 46 17N 0 0 E
Lezha 44 41 47N 19 42 E
Lézignan-Corbières 20 43 13N 2 43 E
Lezoux 20 45 49N 3 21 E
Lgov 54 51 42N 35 16 E
Lhasa 75 29 25N 90 58 E
Lhazê 75 29 5N 87 38 E
Lhokseumawe 72 5 10N 97 10 E
Lhuntsi Dzong 67 27 39N 91 10 E
Li Shui → 77 29 24N 112 1 E
Li Xian, Gansu, China 77 34 10N 105 5 E
Li Xian, Hunan, China 77 29 36N 111 42 E
Liádhoi 45 36 50N 26 11 E
Lianga 73 8 38N 126 6 E
Liangdang 77 33 56N 106 18 E
Lianhua 77 27 3N 113 54 E
Lianjiang 77 26 12N 119 27 E
Lianping 77 24 26N 114 30 E
Lianshanguan 76 40 53N 123 43 E
Lianyungang 77 34 40N 119 11 E
Liao He → 76 41 0N 121 50 E
Liaocheng 76 36 28N 115 58 E
Liaodong Bandao 76 40 0N 122 30 E
Liaodong Wan 76 40 20N 121 10 E
Liaoning □ 76 42 0N 122 0 E
Liaoyang 76 41 15N 122 58 E
Liaoyuan 76 42 58N 125 2 E
Liaozhong 76 41 23N 122 50 E
Liapádhes 44 39 42N 19 40 E
Liard → 108 61 51N 121 18W
Libau = Liepaja 54 56 30N 21 0 E
Libby 118 48 20N 115 33W
Libenge 88 3 40N 18 55 E
Liberal, Kans., U.S.A. 117 37 4N 101 0W
Liberal, Mo., U.S.A. 117 37 35N 94 30W
Liberec 26 50 47N 15 7 E
Liberia 121 10 40N 85 30W
Liberia ■ 84 6 30N 9 30W
Liberty, Mo., U.S.A. 116 39 15N 94 24W
Liberty, Tex., U.S.A. 117 30 5N 94 50W
Libiaz 27 50 7N 19 21 E
Libo 77 25 22N 107 53 E
Libobo, Tanjung 73 0 54S 128 28 E
Libohava 44 40 3N 20 10 E
Libonda 89 14 28S 23 12 E
Libourne 20 44 55N 0 14W
Libramont 16 49 55N 5 23 E
Librazhdi 44 41 12N 20 22 E
Libreville 88 0 25N 9 26 E
Libya ■ 81 27 0N 17 0 E
Libyan Plateau = Ed-Déffa 86 30 40N 26 30 E
Licantén 124 35 55S 72 0W
Licata 40 37 6N 13 55 E
Lichfield 12 52 40N 1 50W
Lichinga 91 13 13S 35 11 E
Lichtenburg 92 26 8S 26 8 E
Lichtenfels 25 50 7N 11 4 E
Lichuan 77 30 18N 108 57 E
Licosa, Punta 41 40 15N 14 53 E
Lida, U.S.A. 119 37 30N 117 30W
Lida, U.S.S.R. 54 53 53N 25 15 E
Lidhult 49 56 50N 13 27 E
Lidingö 48 59 22N 18 8 E
Lidköping 49 58 31N 13 14 E
Lido, Italy 39 45 25N 12 23 E
Lido, Niger 85 12 54N 3 44 E
Lido di Ostia 40 41 44N 12 14 E
Lidzbark 28 53 15N 19 49 E
Lidzbark Warminski 28 54 7N 20 34 E
Liebenwalde 24 52 51N 13 23 E
Lieberose 24 51 59N 14 18 E
Liebling 42 45 36N 21 20 E
Liechtenstein ■ 25 47 8N 9 35 E
Liège 16 50 38N 5 35 E
Liège □ 16 50 32N 5 35 E
Liegnitz = Legnica 28 51 12N 16 10 E
Lienart 90 3 3N 25 31 E
Lienyünchiangshih = Lianyungang 77 34 40N 119 11 E
Lienz 26 46 50N 12 46 E
Liepaja 54 56 30N 21 0 E
Lier 16 51 7N 4 34 E
Lieşta 46 45 38N 27 34 E
Liévin 19 50 24N 2 47 E
Lièvre → 106 45 31N 75 26W
Liezen 26 47 34N 14 15 E
Liffey → 15 53 21N 6 20W
Lifford 15 54 50N 7 30W
Liffré 18 48 12N 1 30W
Lifjell 47 59 27N 8 45 E
Lightning Ridge 99 29 22S 148 0 E
Lignano 39 45 42N 13 8 E
Ligny-en-Barrois 19 48 36N 5 20 E
Ligny-le-Châtel 19 47 54N 3 45 E
Ligoúrion 45 37 37N 23 2 E
Ligua, La 124 32 30S 71 16W
Ligueil 18 47 2N 0 49 E
Liguria □ 38 44 30N 9 0 E
Ligurian Sea 38 43 20N 9 0 E
Lihir Group 98 3 0S 152 35 E
Lihou Reefs and Cays 97 17 25S 151 40 E
Lihue 110 21 59N 159 24W
Lijiang 75 26 55N 100 20 E
Likasi 91 10 55S 26 48 E
Likati 88 3 20N 24 0 E
Likhoslavl 54 57 12N 35 30 E
Likhovski 57 48 10N 40 10 E
Likoma I. 91 12 3S 34 45 E
Likumburu 91 9 43S 35 8 E
Liling 77 27 42N 113 29 E
Lille 19 50 38N 3 3 E
Lille Bælt 49 55 20N 9 45 E
Lillebonne 18 49 30N 0 32 E
Lillehammer 47 61 8N 10 30 E
Lillers 19 50 35N 2 28 E
Lillesand 47 58 15N 8 23 E
Lilleshall 13 52 45N 2 22W
Lillestrøm 47 59 58N 11 5 E
Lillo 32 39 45N 3 20W
Lillooet → 108 49 15N 121 57W
Lilongwe 91 14 0S 33 48 E
Liloy 73 8 4N 122 39 E
Lim → 42 43 0N 19 40 E
Lima, Indon. 73 3 37S 128 4 E
Lima, Peru 126 12 0S 77 0W
Lima, Sweden 48 60 55N 13 20 E
Lima, Mont., U.S.A. 118 44 41N 112 38W
Lima, Ohio, U.S.A. 114 40 42N 84 5W
Lima → 30 41 41N 8 50W
Limages 113 45 20N 75 16W
Liman 57 45 45N 47 12 E
Limanowa 27 49 42N 20 22 E
Limassol 64 34 42N 33 1 E
Limavady 15 55 3N 6 58W
Limavady □ 15 55 0N 6 55W
Limay → 128 39 0S 68 0W
Limay Mahuida 124 37 10S 66 45W
Limbang 72 4 42N 115 6 E
Limbara, Monti 40 40 50N 9 10 E
Limbdi 68 22 34N 71 51 E
Limbri 99 31 3S 151 5 E
Limburg 25 50 22N 8 4 E
Limburg □, Belg. 16 51 2N 5 25 E
Limburg □, Neth. 16 51 20N 5 55 E
Limedsforsen 48 60 52N 13 25 E
Limeira 125 22 35S 47 28W
Limenária 44 40 38N 24 32 E
Limerick 15 52 40N 8 38W
Limerick □ 15 52 30N 8 50W
Limestone 112 42 2N 78 39W
Limestone → 109 56 31N 94 7W
Limfjorden 49 56 55N 9 0 E
Limia → 30 41 41N 8 50W
Limmared 49 57 34N 13 20 E
Limmen Bight 96 14 40S 135 35 E
Límni 45 38 43N 23 18 E
Límnos 44 39 50N 25 5 E
Limoeiro do Norte 127 5 5S 38 0W
Limoges 20 45 50N 1 15 E
Limón 121 10 0N 83 2W
Limon, Panama 120 9 17N 79 45W
Limon, U.S.A. 116 39 18N 103 38W
Limon B. 120 9 22N 79 56W
Limone Piemonte 38 44 12N 7 32 E
Limousin 20 46 0N 1 0 E
Limousin, Plateaux du 20 46 0N 1 0 E
Limoux 20 43 4N 2 12 E
Limpopo → 93 25 15S 33 30 E
Limuru 90 1 2S 36 35 E
Linares, Chile 124 35 50S 71 40W
Linares, Mexico 120 24 50N 99 40W
Linares, Spain 33 38 10N 3 40W
Linares □ 124 36 0S 71 0W
Linas Mte. 40 39 25N 8 38 E
Lincheng 76 37 25N 114 30 E
Linchuan 75 27 57N 116 15 E
Lincoln, Argent. 124 34 55S 61 30W
Lincoln, N.Z. 101 43 38S 172 30 E
Lincoln, U.K. 12 53 14N 0 32W
Lincoln, Ill., U.S.A. 116 40 10N 89 20W
Lincoln, Kans., U.S.A. 116 39 6N 98 9W
Lincoln, Maine, U.S.A. 107 45 27N 68 29W
Lincoln, N. Mex., U.S.A. 119 33 30N 105 26W
Lincoln, N.H., U.S.A. 113 44 3N 71 40W
Lincoln, Nebr., U.S.A. 116 40 50N 96 42W
Lincoln □ 12 53 14N 0 32W
Lincoln Sea 4 84 0N 55 0W
Lincoln Wolds 12 53 20N 0 5W
Lincolnton 115 35 30N 81 15W
Lind 118 47 0N 118 33W
Lindås, Norway 47 60 44N 5 9 E
Lindås, Sweden 49 56 38N 15 35 E
Lindau 25 47 33N 9 41 E
Linden, Guyana 126 6 0N 58 10W
Linden, U.S.A. 117 33 0N 94 20W
Linderöd 49 55 56N 13 47 E
Linderödsåsen 49 55 53N 13 53 E
Lindesberg 48 59 36N 15 15 E
Lindesnes 47 57 58N 7 3 E
Lindi 91 9 58S 39 38 E
Lindi □ 91 9 40S 38 30 E
Lindi → 90 0 33N 25 5 E
Lindian 76 47 11N 124 52 E
Lindoso 30 41 52N 8 11W
Lindow 24 52 58N 12 58 E
Lindsay, Can. 106 44 22N 78 43W
Lindsay, Calif., U.S.A. 119 36 14N 119 6W
Lindsay, Okla., U.S.A. 117 34 51N 97 37W
Lindsborg 116 38 35N 97 40W
Línea de la Concepción, La 31 36 15N 5 23W
Linfen 76 36 3N 111 30 E
Ling Xian 76 37 22N 116 30 E
Lingao 77 19 56N 109 42 E
Lingayen 73 16 1N 120 14 E
Lingayen G. 73 16 10N 120 15 E
Lingchuan 77 25 26N 110 21 E
Lingen 24 52 32N 7 21 E
Lingga 72 0 12S 104 37 E
Lingga, Kepulauan 72 0 10S 104 30 E
Linghed 48 60 48N 15 55 E
Lingle 116 42 10N 104 18W
Lingling 77 26 17N 111 37 E
Lingshan 77 22 25N 109 18 E
Lingshi 76 36 48N 111 48 E
Lingshui 77 18 27N 110 0 E
Lingtai 77 35 0N 107 40 E
Linguéré 84 15 25N 15 5W
Lingyuan 76 41 10N 119 15 E
Lingyun 75 25 2N 106 35 E
Linh Cam 71 18 31N 105 31 E
Linhai 75 28 50N 121 8 E
Linhe 76 40 48N 107 20 E
Linjiang 76 41 50N 127 0 E
Linköping 49 58 28N 15 36 E
Linkou 76 45 15N 130 18 E
Linlithgow 14 55 58N 3 38W
Linn, Mt. 118 40 0N 123 0W
Linnhe, L. 14 56 36N 5 25W
Linosa, I. 83 35 51N 12 50 E
Linqing 76 36 50N 115 42 E
Lins 125 21 40S 49 44W
Lintao 76 35 18N 103 52 E
Linth → 25 47 7N 9 7W
Linthal 25 46 54N 9 0 E
Lintlaw 109 52 4N 103 14W
Linton, Can. 107 47 15N 72 16W
Linton, Ind., U.S.A. 114 39 0N 87 10W
Linton, N. Dak., U.S.A. 116 46 21N 100 12W
Linville 99 26 50S 152 11 E
Linwood 112 43 35N 80 43W
Linwu 77 25 19N 112 31 E
Linxe 20 43 56N 1 13W
Linxi 76 43 36N 118 2 E
Linxia 75 35 36N 103 10 E
Linyanti → 92 17 50S 25 5 E
Linyi 77 35 5N 118 21 E
Linz, Austria 26 48 18N 14 18 E
Linz, Ger. 24 50 33N 7 18 E
Lion-d'Angers, Le 18 47 37N 0 43W
Lion, G. du 20 43 0N 4 0 E
Lioni 41 40 52N 15 10 E
Lion's Den 91 17 15S 30 5 E
Lion's Head 106 44 58N 81 15W
Liozno 54 55 0N 30 50 E
Lipali 91 15 50S 35 50 E
Lipari 41 38 26N 14 58 E
Lipari, Is. 41 38 30N 14 50 E
Lipetsk 55 52 37N 39 35 E
Lipiany 28 53 2N 14 58 E
Liping 77 26 15N 109 7 E
Lipkany 56 48 14N 26 48 E
Lipljan 42 42 31N 21 7 E
Lipnik 27 49 32N 17 36 E
Lipno 28 52 49N 19 15 E
Lipova 42 46 8N 21 42 E
Lipovets 56 49 12N 29 1 E
Lippe → 24 51 39N 6 38 E
Lippstadt 24 51 40N 8 19 E
Lipscomb 117 36 16N 100 16W
Lipsko 28 51 9N 21 40 E
Lipsói 45 37 19N 26 50 E
Liptovsky Svaty Milkulaš 27 49 6N 19 35 E
Liptrap C. 99 38 50S 145 55 E
Lira 90 2 17N 32 57 E
Liri → 40 41 25N 13 52 E
Liria 32 39 37N 0 35W
Lisala 88 2 12N 21 38 E
Lisboa 31 38 42N 9 10W
Lisboa □ 31 39 0N 9 12W
Lisbon, N. Dak., U.S.A. 116 46 30N 97 46W
Lisbon, N.H., U.S.A. 113 44 13N 71 52W
Lisbon, Ohio, U.S.A. 112 40 45N 80 42W
Lisbon = Lisboa 31 38 42N 9 10W
Lisburn 15 54 30N 6 9W
Lisburne, C. 104 68 50N 166 0W
Liscannor, B. 15 52 57N 9 24W
Liscia → 40 41 11N 9 9 E
Lishi 76 37 31N 111 8 E
Lishui 75 28 28N 119 54 E
Lisianski I. 94 26 2N 174 0W
Lisichansk 56 48 55N 38 30 E
Lisieux 18 49 10N 0 12 E
Lisle-sur-Tarn 20 43 52N 1 49 E
Lismore, Austral. 97 28 44S 153 21 E
Lismore, Ireland 15 52 8N 7 58W
Lisse 16 52 16N 4 33 E
List 24 55 1N 8 26 E
Lista 47 58 7N 6 39 E
Lister, Mt. 5 78 0S 162 0 E
Liston 99 28 39S 152 6 E
Listowel, Can. 106 43 44N 80 58W
Listowel, Ireland 15 52 27N 9 30W
Lit-et-Mixe 20 44 2N 1 15W
Litang, China 77 23 12N 109 8 E
Litang, Malay. 73 5 27N 118 31 E
Litani →, Leb. 62 33 20N 35 14 E
Litani →, Surinam 127 3 40N 54 0W
Litchfield, Conn., U.S.A. 113 41 44N 73 12W
Litchfield, Ill., U.S.A. 116 39 10N 89 40W
Litchfield, Minn., U.S.A. 116 45 5N 94 31W
Liteni 46 47 32N 26 32 E

Lithgow Low Rocky Pt.

Lithgow **97** 33 25S 150 8E
Líthinon, Ákra **45** 34 55N 24 44E
Lithuanian S.S.R. □ **54** 55 30N 24 0E
Litija **39** 46 3N 14 50E
Litókhoron **44** 40 8N 22 34E
Litoměřice **26** 50 33N 14 10E
Litomysl **27** 49 52N 16 20E
Litschau **26** 48 58N 15 4E
Little Abaco I. **121** 26 50N 77 30W
Little America **5** 79 0S 160 0W
Little Andaman I. **71** 10 40N 92 15E
Little Barrier I. **101** 36 12S 175 8E
Little Belt Mts. **118** 46 50N 111 0W
Little Blue → **116** 39 41N 96 40W
Little Bushman Land **92** 29 10S 18 10E
Little Cadotte → **108** 56 41N 117 6W
Little Churchill → **109** 57 30N 95 22W
Little Colorado → **119** 36 11N 111 48W
Little Current **106** 45 55N 82 0W
Little Current → **106** 50 57N 84 36W
Little Falls, Minn., U.S.A. **116** 45 58N 94 19W
Little Falls, N.Y., U.S.A. **114** 43 3N 74 50W
Little Fork → **116** 48 31N 93 35W
Little Grand Rapids **109** 52 0N 95 29W
Little Humboldt → **118** 41 0N 117 43W
Little Inagua I. **121** 21 40N 73 50W
Little Lake **119** 35 58N 117 58W
Little Marais **116** 47 24N 91 8W
Little Minch **14** 57 35N 6 45W
Little Missouri → **116** 47 30N 102 25W
Little Namaqualand **92** 29 0S 17 9E
Little Ouse → **13** 52 25N 0 50E
Little Rann of Kutch **68** 23 25N 71 25E
Little Red → **117** 35 11N 91 27W
Little River **101** 43 45S 172 49E
Little Rock **117** 34 41N 92 10W
Little Ruaha → **90** 7 57S 37 53E
Little Sable Pt. **114** 43 40N 86 32W
Little Sioux → **116** 41 49N 96 4W
Little Smoky → **108** 54 44N 117 11W
Little Snake → **118** 40 27N 108 26W
Little Valley **112** 42 15N 78 48W
Little Wabash → **114** 37 54N 88 5W
Littlefield **117** 33 57N 102 17W
Littlefork **116** 48 24N 93 35W
Littlehampton **13** 50 48N 0 32W
Littleton **114** 44 19N 71 47W
Liuba **77** 33 38N 106 55E
Liucheng **77** 24 38N 109 14E
Liukang Tenggaja **73** 6 45S 118 50E
Liuli **91** 11 3S 34 38E
Liuwa Plain **89** 14 20S 22 30E
Liuyang **77** 28 10N 113 37E
Liuzhou **75** 24 22N 109 22E
Livada **46** 47 52N 23 5E
Livadherón **44** 40 2N 21 57E
Livarot **18** 49 0N 0 9E
Live Oak **115** 30 17N 83 0W
Livermore, Mt. **117** 30 45N 104 8W
Liverpool, Austral. **97** 33 54S 150 58E
Liverpool, Can. **107** 44 5N 64 41W
Liverpool, U.K. **12** 53 25N 3 0W
Liverpool Plains **97** 31 15S 150 15E
Liverpool Ra. **97** 31 50S 150 30E
Livingston, Guat. **120** 15 50N 88 50W
Livingston, U.S.A. **118** 45 40N 110 40W
Livingstone, U.S.A. **117** 30 44N 94 54W
Livingstone, Zambia **91** 17 46S 25 52E
Livingstone I. **5** 63 0S 60 15W
Livingstone Memorial **91** 12 20S 30 18E
Livingstone Mts. **91** 9 40S 34 20E
Livingstonia **91** 10 38S 34 5E
Livno **42** 43 50N 17 0E
Livny **55** 52 30N 37 30E
Livorno **38** 43 32N 10 18E
Livramento **125** 30 55S 55 30W
Livron-sur-Drôme **21** 44 46N 4 51E
Liwale **91** 9 48S 37 58E
Liwale □ **91** 9 0S 38 0E
Liwiec → **28** 52 36N 21 34E
Lixoúrion **45** 38 14N 20 24E
Lizard I. **98** 14 42S 145 30E
Lizard Pt. **13** 49 57N 5 11W
Lizzano **41** 40 23N 17 25E
Ljig **42** 44 13N 20 18E
Ljubija **39** 44 55N 16 35E
Ljubinje **42** 42 58N 18 5E
Ljubljana **39** 46 4N 14 33E
Ljubno **39** 46 25N 14 46E
Ljubovija **42** 44 11N 19 22E
Ljubuški **42** 43 12N 17 34E
Ljung **49** 58 1N 13 3E
Ljungan → **48** 62 18N 17 23E
Ljungaverk **48** 62 30N 16 5E
Ljungby **49** 56 49N 13 55E
Ljusdal **48** 61 46N 16 3E
Ljusnan → **48** 61 12N 17 8E
Ljusne **48** 61 13N 17 7E
Ljutomer **39** 46 31N 16 11E
Llagostera **32** 41 50N 2 54E
Llancanelo, Salina **124** 35 40S 69 8W
Llandeilo **13** 51 53N 4 0W
Llandovery **13** 51 59N 3 49W
Llandrindod Wells **13** 52 15N 3 23W
Llandudno **12** 53 19N 3 51W
Llanelli **13** 51 41N 4 11W
Llanes **30** 43 25N 4 50W
Llangollen **12** 52 58N 3 10W
Llanidloes **13** 52 28N 3 31W
Llano **117** 30 45N 98 41W
Llano → **117** 30 50N 98 25W
Llano Estacado **117** 34 0N 103 0W
Llanos **126** 5 0N 71 35W
Llera **120** 23 19N 99 1W
Llerena **31** 38 17N 6 0W
Llico **124** 34 46S 72 5W
Llobregat → **32** 41 19N 2 9E
Lloret de Mar **32** 41 41N 2 53E
Lloyd B. **98** 12 45S 143 27E
Lloyd L. **109** 57 22N 108 57W
Lloydminster **109** 53 17N 110 0W
Lluchmayor **33** 39 29N 2 53E
Llullaillaco, volcán **124** 24 43S 68 30W
Loa **119** 38 18N 111 40W
Loa → **124** 21 26S 70 41W
Loano **38** 44 8N 8 14E
Lobatse **92** 25 12S 25 40E
Löbau **24** 51 5N 14 42E
Lobenstein **24** 50 25N 11 39E
Lobería **124** 38 10S 58 40W
Łobez **28** 53 38N 15 39E
Lobito **89** 12 18S 13 35E
Lobón, Canal de **31** 38 50N 6 55W
Lobos **124** 35 10S 59 0W
Lobos, I. **120** 27 15N 110 30W
Lobos, Is. **122** 6 57S 80 45W
Lobstick L. **107** 54 0N 65 0W
Loc Binh **71** 21 46N 106 54E
Loc Ninh **71** 11 50N 106 34E
Locarno **25** 46 10N 8 47E
Lochaber **14** 56 55N 5 0W
Lochcarron **14** 57 25N 5 30W
Loche, La **109** 56 29N 109 26W
Lochem **16** 52 9N 6 26E
Loches **18** 47 7N 1 0E
Lochgelly **14** 56 7N 3 18W
Lochgilphead **14** 56 2N 5 37W
Lochinver **14** 58 9N 5 15W
Lochnagar, Austral. **98** 23 33S 145 38E
Lochnagar, U.K. **14** 56 57N 3 14W
Łochów **28** 52 33N 21 42E
Lochy → **14** 56 52N 5 3W
Lock **99** 33 34S 135 46E
Lock Haven **114** 41 7N 77 31W
Lockeport **107** 43 47N 65 4W
Lockerbie **14** 55 7N 3 21W
Lockhart, Austral. **99** 35 14S 146 40E
Lockhart, U.S.A. **117** 29 55N 97 40W
Lockney **117** 34 7N 101 27W
Lockport **114** 43 12N 78 42W
Locle, Le **25** 47 3N 6 44E
Locminé **18** 47 54N 2 51W
Locri **41** 38 14N 16 14E
Locronan **18** 48 7N 4 15W
Loctudy **18** 47 50N 4 12W
Lod **62** 31 57N 34 54E
Lodalskåpa **47** 61 47N 7 13E
Loddon → **100** 35 31S 143 51E
Lodeinoye Pole **52** 60 44N 33 33E
Lodève **20** 43 44N 3 19E
Lodge Grass **118** 45 21N 107 20W
Lodgepole **116** 41 12N 102 40W
Lodgepole Cr. → **116** 41 20N 104 30W
Lodhran **68** 29 32N 71 30E
Lodi, Italy **38** 45 19N 9 30E
Lodi, U.S.A. **118** 38 12N 121 16W
Lodja **90** 3 30S 23 23E
Lodosa **32** 42 25N 2 4W
Lödöse **49** 58 2N 12 9E
Lodwar **90** 3 10N 35 40E
Łódź **28** 51 45N 19 27E
Łódź □ **28** 51 45N 19 27E
Loengo **90** 4 48S 26 30E
Lofer **26** 47 35N 12 41E
Lofoten **50** 68 30N 15 0E
Lofsdalen **48** 62 10N 13 20E
Lofsen → **48** 62 7N 13 57E
Loftahammar **49** 57 54N 16 41E
Logan, Kans., U.S.A. **116** 39 40N 99 35W
Logan, Ohio, U.S.A. **114** 39 25N 82 22W
Logan, Utah, U.S.A. **118** 41 45N 111 50W
Logan, W. Va., U.S.A. **114** 37 51N 81 59W
Logan, Mt. **104** 60 31N 140 22W
Logan Pass **108** 48 41N 113 44W
Logansport, Ind., U.S.A. **114** 40 45N 86 21W
Logansport, La., U.S.A. **117** 31 58N 93 58W
Logar □ **65** 34 0N 69 0E
Logo **87** 5 20N 30 18E
Logroño **32** 42 28N 2 27W
* Logroño □ **32** 42 28N 2 27W
Logrosán **31** 39 20N 5 32W
Løgstør **49** 56 58N 9 14E
Lohardaga **69** 23 27N 84 45E
Lohja **51** 60 12N 24 5E
Lohr **25** 50 0N 9 35E
Loi-kaw **67** 19 40N 97 17E
Loimaa **51** 60 50N 23 5E
Loir → **18** 47 33N 0 32W
Loir-et-Cher □ **18** 47 40N 1 20E
Loire □ **21** 45 40N 4 5E
Loire → **18** 47 16N 2 10W
Loire-Atlantique □ **18** 47 25N 1 40W
Loiret □ **19** 47 58N 2 10E
Loitz **24** 53 58N 13 8E
Loja, Ecuador **126** 3 59S 79 16W
Loja, Spain **31** 37 10N 4 10W
Loji **73** 1 38S 127 28E
Loka **87** 4 13N 31 0E
Lokandu **90** 2 30S 25 45E
Løken **47** 59 48N 11 29E
Lokeren **16** 51 6N 3 59E
Lokhvitsa **54** 50 25N 33 18E
Lokichokio **90** 4 19N 34 13E
Lokitaung **90** 4 12N 35 48E
Lokka **50** 67 49N 27 45E
Løkken **49** 57 22N 9 41E
Løkkenverk **47** 63 8N 9 45E
Loknya **54** 56 49N 30 4E
Lokoja **85** 7 47N 6 45E
Lokolama **88** 2 35S 19 50E
Lokwei **77** 19 5N 110 31E
Lol → **87** 9 13N 26 30E
Lola **84** 7 52N 8 29W
Lolibai, Gebel **87** 3 50N 33 0E
Lolimi **87** 4 35N 34 0E
Loliondo **90** 2 2S 35 39E
Lolland **49** 54 45N 11 30E
Lollar **24** 50 39N 8 43E
Lolo **118** 46 50N 114 8W
Lolodorf **85** 3 16N 10 49E
Lom **43** 43 48N 23 12E
Lom → **42** 43 45N 23 15E
Loma **118** 47 59N 110 29W
Lomami → **90** 0 46N 24 16E
Lomas de Zamóra **124** 34 45S 58 25W
Lombard **118** 46 7N 111 28W
Lombardia □ **38** 45 35N 9 45E
Lombardy = Lombardia **38** 45 35N 9 45E
Lombez **20** 43 29N 0 55E
Lomblen **73** 8 30S 123 32E
Lombok **72** 8 45S 116 30E
Lomé **85** 6 9N 1 20E
Lomela **88** 2 19S 23 15E
Lomela → **88** 1 30S 22 50E
Lomello **38** 45 5N 8 46E
Lometa **117** 31 15N 98 25W
Lomié **88** 3 13N 13 38E
Lomma **49** 55 43N 13 6E
Lomond **108** 50 24N 112 36W
Lomond, L. **14** 56 8N 4 38W
Lomonosov **54** 59 57N 29 53E
Lompobatang **73** 5 24S 119 56E
Lompoc **119** 34 41N 120 32W
Lomsegga **47** 61 49N 8 21E
Łomza **28** 53 10N 22 2E
Łomza □ **28** 53 0N 22 30E
Lonavla **70** 18 46N 73 29E
Loncoche **128** 39 20S 72 50W
Londa **70** 15 30N 74 30E
Londe, La **21** 43 8N 6 14E
Londiani **90** 0 10S 35 33E
Londinières **18** 49 50N 1 25E
London, Can. **106** 42 59N 81 15W
London, U.K. **13** 51 30N 0 5W
London, Ky., U.S.A. **114** 37 11N 84 5W
London, Ohio, U.S.A. **114** 39 54N 83 28W
London, Greater □ **13** 51 30N 0 5W
Londonderry **15** 55 0N 7 20W
Londonderry □ **15** 55 0N 7 20W
Londonderry, C. **96** 13 45S 126 55E
Londonderry, I. **128** 55 0S 71 0W
Londrina **125** 23 18S 51 10W
Lone Pine **119** 36 35N 118 2W
Long Beach, Calif., U.S.A. **119** 33 46N 118 12W
Long Beach, N.Y., U.S.A. **113** 40 35N 73 40W
Long Beach, Wash., U.S.A. **118** 46 20N 124 1W
Long Branch **114** 40 19N 74 0W
Long Creek **118** 44 43N 119 6W
Long Eaton **12** 52 54N 1 16W
Long I., Austral. **98** 22 8S 149 53E
Long I., Bahamas **121** 23 20N 75 10W
Long I., P.N.G. **98** 5 20S 147 5E
Long I., U.S.A. **114** 40 50N 73 20W
Long I. Sd. **113** 41 10N 73 0W
Long L. **106** 49 30N 86 50W
Long Lake **113** 43 57N 74 25W
Long Pine **116** 42 33N 99 41W
Long Pt., Newf., Can. **107** 48 47N 58 46W
Long Pt., Ont., Can. **112** 42 35N 80 2W
Long Point B. **112** 42 40N 80 10W
Long Range Mts. **107** 49 30N 57 30W
Long Str. **4** 70 0N 175 0E
Long Xian **77** 34 55N 106 55E
Long Xuyen **71** 10 19N 105 28E
Longá **45** 36 53N 21 55E
Long'an **77** 23 10N 107 40E
Longarone **39** 46 15N 12 18E
Longchuan **77** 24 5N 115 17E
Longde **76** 35 30N 106 20E
Longeau **19** 47 47N 5 20E
Longford, Austral. **99** 41 32S 147 3E
Longford, Ireland **15** 53 43N 7 50W
Longford □ **15** 53 42N 7 45W
Longhua **76** 41 18N 117 45E
Longido **90** 2 43S 36 42E
Longiram **72** 0 5S 115 45E
Longjiang **76** 47 20N 123 12E
Longkou **76** 37 40N 120 18E
Longlac **106** 49 45N 86 25W
Longlin **77** 24 47N 105 20E
Longmen **77** 23 40N 114 18E
Longmont **116** 40 10N 105 4W
Longnan **77** 24 55N 114 47E
Longnawan **72** 1 51N 114 55E
Longobucco **41** 39 27N 16 37E
Longone → **81** 10 0N 15 40E
Longquan **77** 28 7N 119 10E
Longreach **97** 23 28S 144 14E
Longs Peak **118** 40 20N 105 37W
Longshan **77** 29 29N 109 25E
Longsheng **77** 25 48N 110 0E
Longton **98** 20 58S 145 55E
Longtown **13** 51 58N 2 59W
Longué **18** 47 22N 0 8W
Longueau **19** 49 52N 2 21E
Longueuil **113** 45 32N 73 28W
Longuyon **19** 49 27N 5 35E
Longview, Can. **108** 50 32N 114 10W
Longview, Tex., U.S.A. **117** 32 30N 94 45W
Longview, Wash., U.S.A. **118** 46 9N 122 58W
Longwy **19** 49 30N 5 45E
Longxi **76** 34 53N 104 40E
Longzhou **77** 22 22N 106 50E
Lonigo **39** 45 23N 11 22E
Löningen **24** 52 43N 7 44E
Lonja → **39** 45 30N 16 40E
Lonoke **117** 34 48N 91 57W
Lons-le-Saunier **19** 46 40N 5 31E
Lønstrup **49** 57 29N 9 47E
Looc **73** 12 20N 112 5E
Lookout, C., Can. **106** 55 18N 83 56W
Lookout, C., U.S.A. **115** 34 30N 76 30W
Loolmalasin **90** 3 0S 35 53E
Loon →, Alta., Can. **108** 57 8N 115 3W
Loon →, Man., Can. **109** 55 53N 101 59W
Loon Lake **109** 54 2N 109 10W
Loop Hd. **15** 52 34N 9 55W
Lop Nor = Lop Nur **75** 40 20N 90 10E
Lop Nur **75** 40 20N 90 10E
Lopare **42** 44 39N 18 46E
Lopatin **57** 43 50N 47 35E
Lopatina, G. **59** 50 47N 143 10E
Lopaye **87** 6 37N 33 40E
Lopera **31** 37 56N 4 14W
Lopez, C. **88** 0 47S 8 40E
Lopphavet **50** 70 27N 21 15E
Lora →, Afghan. **65** 32 0N 67 15E
Lora →, Norway **47** 62 8N 8 42E
Lora del Río **31** 37 39N 5 33W
Lora, Hamun-i- **66** 29 38N 64 58E
Lora, La **30** 42 45N 4 0W
Lorain **114** 41 28N 82 55W
Loralai **68** 30 20N 68 41E
Lorca **33** 37 41N 1 42W
Lord Howe I. **94** 31 33S 159 6E
Lord Howe Ridge **94** 30 0S 162 30E
Lordsburg **119** 32 22N 108 45W
Lorengau **98** 2 1S 147 15E
Loreto, Brazil **127** 7 5S 45 10W
Loreto, Italy **39** 43 26N 13 36E
Loreto Aprutina **39** 42 24N 13 59E
Lorgues **21** 43 28N 6 22E
Lorient **18** 47 45N 3 23W
Loristān □ **64** 33 20N 47 0E
Lorn **14** 56 26N 5 10W
Lorn, Firth of **14** 56 20N 5 40W
Lorne **99** 38 33S 143 59E
Lörrach **25** 47 36N 7 38E
Lorraine **19** 49 0N 6 0E
Lorrainville **106** 47 21N 79 23W
Los Alamos **119** 35 57N 106 17W
Los Andes **124** 32 50S 70 40W
Los Angeles, Chile **124** 37 28S 72 23W
Los Angeles, U.S.A. **119** 34 0N 118 10W
Los Angeles Aqueduct **119** 35 25N 118 0W
Los Banos **119** 37 8N 120 56W
Los Barrios **31** 36 11N 5 30W
Los Blancos **124** 23 40S 62 30W
Los Gatos **119** 37 15N 121 59W
Los Hermanos **126** 11 45N 84 25W
Los, Îles de **84** 9 30N 13 50W
Los Lamentos **120** 30 36N 105 50W
Los Lunas **119** 34 48N 106 47W
Los Mochis **120** 25 45N 109 5W
Los Monegros **32** 41 29N 0 13W
Los Olivos **119** 34 40N 120 7W
Los Palacios y Villafranca **31** 37 10N 5 55W
Los Roques **126** 11 50N 66 45W
Los Santos de Maimona **31** 38 27N 6 22W
Los Testigos **126** 11 23N 63 6W
Los Vilos **124** 32 10S 71 30W
Los Yébenes **31** 39 36N 3 55W
Loshkalakh **59** 62 45N 147 20E
Łosice **28** 52 13N 22 43E
Lošinj **39** 44 30N 14 30E
Lossiemouth **14** 57 43N 3 17W
Losuia **98** 8 30S 151 4E
Lot □ **20** 44 39N 1 40E
Lot → **20** 44 18N 0 20E
Lot-et-Garonne □ **20** 44 22N 0 30E
Lota **124** 37 5S 73 10W
Løten **47** 60 51N 11 21E
Lothian □ **14** 55 50N 3 0W
Lothiers **19** 46 42N 1 33E
Lotschbergtunnel **25** 46 26N 7 43E
Lottefors **48** 61 25N 16 24E
Loubomo **88** 4 9S 12 47E
Loudéac **18** 48 11N 2 47W
Loudon **115** 35 35N 84 22W
Loudonville **112** 40 40N 82 15W
Loudun **18** 47 0N 0 5E
Loué **18** 47 59N 0 9W
Loue → **19** 47 1N 5 27E
Louga **84** 15 45N 16 5W
Loughborough **12** 52 46N 1 11W
Loughrea **15** 53 11N 8 33W
Loughros More B. **15** 54 48N 8 30W
Louhans **21** 46 38N 5 12E
Louis Trichardt **93** 23 0S 29 43E
Louis XIV, Pte. **106** 54 37N 79 45W
Louisa **114** 38 5N 82 40W
Louisbourg **107** 45 55N 60 0W
Louise I. **108** 52 55N 131 50W
Louiseville **106** 46 20N 72 56W
Louisiade Arch. **94** 11 10S 153 0E
Louisiana **116** 39 25N 91 0W
Louisiana □ **117** 30 50N 92 0W
Louisville, Ky., U.S.A. **114** 38 15N 85 45W
Louisville, Miss., U.S.A. **117** 33 7N 89 3W
Loulay **20** 46 3N 0 30W
Loulé **31** 37 9N 8 0W
Lount L. **109** 50 10N 94 20W
Louny **26** 50 20N 13 48E
Loup City **116** 41 19N 98 57W
Loupe, La **18** 48 29N 1 1E
Lourdes **20** 43 6N 0 3W
Lourdes-du-Blanc-Sablon **107** 51 24N 57 12W
Lourenço-Marques = Maputo **93** 25 58S 32 32E
Loures **31** 38 50N 9 9W
Lourinhã **31** 39 14N 9 17W
Louroux-Béconnais, Le **18** 47 30N 0 55W
Lousã **30** 40 7N 8 14W
Louth, Austral. **99** 30 30S 145 8E
Louth, Ireland **15** 53 47N 6 33W
Louth, U.K. **12** 53 23N 0 0W
Louth □ **15** 53 55N 6 30W
Loutrá Aidhipsoú **45** 38 54N 23 2E
Loutráki **45** 38 0N 22 57E
Louvière, La **16** 50 27N 4 10E
Louviers **18** 49 12N 1 10E
Lovat → **54** 58 14N 30 28E
Lovćen **42** 42 23N 18 51E
Love **109** 53 29N 104 10W
Lovech **43** 43 8N 24 42E
Loveland **116** 40 27N 105 4W
Lovell **118** 44 51N 108 20W
Lovelock **118** 40 17N 118 25W
Lóvere **38** 45 50N 10 4E
Loviisa **51** 60 28N 26 12E
Loving **117** 32 17N 104 4W
Lovington **117** 33 0N 103 20W
Lovios **30** 41 55N 8 4W
Lovisa **51** 60 28N 26 12E
Lovosice **26** 50 30N 14 2E
Lovran **39** 45 18N 14 15E
Lovrin **42** 45 58N 20 48E
Lövstabukten **48** 60 35N 17 45E
Low Rocky Pt. **97** 42 59S 145 29E

* Renamed La Rioja □

Lowa McLure

Lowa **90** 1 25 S 25 47 E
Lowa → **90** 1 24 S 25 51 E
Lowell **114** 42 38N 71 19W
Lower Arrow L. **108** 49 40N 118 5W
Lower Austria = Niederösterreich □ **26** 48 25N 15 40 E
Lower Hutt **101** 41 10 S 174 55 E
Lower L. **118** 41 17N 120 3W
Lower Lake **118** 38 56N 122 36W
Lower Neguac **107** 47 20N 65 10W
Lower Post **108** 59 58N 128 30W
Lower Red L. **116** 47 58N 95 0W
Lower Saxony = Niedersachsen □ **24** 52 45N 9 0 E
Lowestoft **13** 52 29N 1 44 E
Łowicz **28** 52 6N 19 55 E
Lowville **114** 43 48N 75 30W
Loxton **97** 34 28 S 140 31 E
Loyalty Is. = Loyauté, Is. **94** 21 0 S 167 30 E
Loyang = Luoyang **77** 34 40N 112 26 E
Loyev, U.S.S.R. **54** 51 55N 30 40 E
Loyev, U.S.S.R. **54** 51 56N 30 46 E
Loyoro **90** 3 22N 34 14 E
Lož **39** 45 43N 30 14 E
Lozère □ **20** 44 35N 3 30 E
Loznica **42** 44 32N 19 14 E
Lozovaya **56** 49 0N 36 20 E
Luachimo **88** 7 23 S 20 48 E
Luacono **88** 11 15 S 21 37 E
Lualaba → **90** 0 26N 25 20 E
Luampa **91** 15 4 S 24 20 E
Lu'an **77** 31 45N 116 29 E
Luan Chau **71** 21 38N 103 24 E
Luan Xian **76** 39 40N 118 40 E
Luanda **88** 8 50 S 13 15 E
Luang Prabang **71** 19 52N 102 10 E
Luangwa Valley **91** 13 30 S 31 30 E
Luanping **76** 40 53N 117 23 E
Luanshya **91** 13 3 S 28 28 E
Luapula □ **91** 11 0 S 29 0 E
Luapula → **91** 9 26 S 28 33 E
Luarca **30** 43 32N 6 32W
Luashi **91** 10 50 S 23 36 E
Luau **88** 10 40 S 22 10 E
Lubaczów **28** 50 10N 23 8 E
Lubalo **88** 9 10 S 19 15 E
Lubań **28** 51 5N 15 15 E
Lubana, Ozero **54** 56 45N 27 0 E
Lubang Is. **73** 13 50N 120 12 E
Lubartów **28** 51 28N 22 42 E
Lubawa **28** 53 30N 19 48 E
Lübben **24** 51 56N 13 54 E
Lübbenau **24** 51 49N 13 59 E
Lubbock **117** 33 40N 101 53W
Lübeck **24** 53 52N 10 41 E
Lübecker Bucht **24** 54 3N 11 0 E
Lubefu **90** 4 47 S 24 27 E
Lubefu → **90** 4 10 S 23 0 E
Lubero = Luofu **90** 0 1 S 29 15 E
Lubicon L. **108** 56 23N 115 56W
Lubień Kujawski **28** 52 23N 19 9 E
Lubin **28** 51 24N 16 11 E
Lublin **28** 51 12N 22 38 E
Lublin □ **28** 51 5N 22 30 E
Lubliniec **28** 50 43N 18 45 E
Lubny **54** 50 3N 32 58 E
Lubok Antu **72** 1 3N 111 50 E
Lubon **28** 52 21N 16 51 E
Lubongola **90** 2 35 S 27 50 E
Lubotin **27** 49 17N 20 53 E
Lubran **64** 34 0N 36 0 E
Lubraniec **28** 52 33N 18 50 E
Lubsko **28** 51 45N 14 57 E
Lübtheen **24** 53 18N 11 4 E
Lubuagan **73** 17 21N 121 10 E
Lubudi → **91** 9 0 S 25 35 E
Lubuklinggau **72** 3 15 S 102 55 E
Lubuksikaping **72** 0 10N 100 15 E
Lubumbashi **91** 11 40 S 27 28 E
Lubunda **90** 5 12 S 26 41 E
Lubungu **91** 14 35 S 26 24 E
Lubutu **90** 0 45 S 26 30 E
Luc-en-Diois **21** 44 36N 5 28 E
Luc, Le **21** 43 23N 6 21 E
Lucan **112** 43 11N 81 24W
Lucca **38** 43 50N 10 30 E
Luce Bay **14** 54 45N 4 48W
Lucea **121** 18 25N 78 10W
Lucedale **115** 30 55N 88 34W
Lucena, Phil. **73** 13 56N 121 37 E
Lucena, Spain **31** 37 27N 4 31W
Lucena del Cid **32** 40 9N 0 17W
Lučenec **27** 48 18N 19 42 E
Lucera **41** 41 30N 15 20 E
Lucerne = Luzern **25** 47 3N 8 18 E
Luchena → **33** 37 44N 1 50W
Lucheringo → **91** 11 43 S 36 17 E
Lüchow **24** 52 58N 11 8 E
Lucira **89** 14 0 S 12 35 E
Luckau **24** 51 50N 13 43 E
Luckenwalde **24** 52 5N 13 11 E
Lucknow **69** 26 50N 81 0 E
Luçon **20** 46 28N 1 10W
Lüda **76** 38 50N 121 40 E
Luda Kamchiya → **43** 43 3N 27 29 E
Ludbreg **39** 46 15N 16 38 E
Lüdenscheid **24** 51 13N 7 37 E
Lüderitz **92** 26 41 S 15 8 E
Ludewe □ **91** 10 0 S 34 50 E
Ludhiana **68** 30 57N 75 56 E
Lüdinghausen **24** 51 46N 7 28 E
Ludington **114** 43 58N 86 27W
Ludlow, U.K. **13** 52 23N 2 42W
Ludlow, Calif., U.S.A. **119** 34 43N 116 10W
Ludlow, Vt., U.S.A. **113** 43 25N 72 40W
Ludus **46** 46 29N 24 5 E
Ludvika **48** 60 8N 15 14 E
Ludwigsburg **25** 48 53N 9 11 E
Ludwigshafen **25** 49 27N 8 27 E
Ludwigslust **24** 53 19N 11 28 E
Ludza **54** 56 32N 27 43 E
Luebo **88** 5 21 S 21 23 E
Lueki **90** 3 20 S 25 48 E
Luena, Zaïre **91** 9 28 S 25 43 E
Luena, Zambia **91** 10 40 S 30 25 E
Lüeyang **77** 33 22N 106 10 E
Lufeng **77** 22 57N 115 38 E
Lufkin **117** 31 25N 94 40W
Lufupa **91** 10 37 S 24 56 E
Luga **54** 58 40N 29 55 E
Luga → **54** 59 40N 28 18 E
Lugang **77** 24 4N 120 23 E
Lugano **25** 46 0N 8 57 E
Lugano, L. di **25** 46 0N 9 0 E
Lugansk = Voroshilovgrad **57** 48 35N 39 20 E
Lugard's Falls **90** 3 6 S 38 41 E
Lugela **91** 16 25 S 36 43 E
Lugenda → **91** 11 25 S 38 33 E
Lugh Ganana **63** 3 48N 42 34 E
Lugnaquilla **15** 52 58N 6 28W
Lugnvik **48** 62 56N 17 55 E
Lugo, Italy **39** 44 25N 11 53 E
Lugo, Spain **30** 43 2N 7 35W
Lugo □ **30** 43 0N 7 30W
Lugoj **42** 45 42N 21 57 E
Lugones **30** 43 26N 5 50W
Lugovoy **58** 42 54N 72 45 E
Luhe → **24** 53 18N 10 11 E
Luiana **92** 17 25 S 22 59 E
Luino **38** 46 0N 8 42 E
Luís Correia **127** 3 0 S 41 35W
Luitpold Coast **5** 78 30 S 32 0W
Luize **88** 7 40 S 22 30 E
Luizi **90** 6 0 S 27 25 E
Luján **124** 34 45 S 59 5W
Lukanga Swamps **91** 14 30 S 27 40 E
Lukenie → **88** 3 0 S 18 50 E
Lukhisaral **69** 25 11N 86 5 E
Lūki **43** 41 50N 24 43 E
Lukolela, Equateur, Zaïre **88** 1 10 S 17 12 E
Lukolela, Kasai Or., Zaïre **90** 5 23 S 24 32 E
Lukosi **91** 18 30 S 26 30 E
Lukovit **43** 43 13N 24 11 E
Łuków **28** 51 55N 22 23 E
Lukoyanov **55** 55 2N 44 29 E
Lule älv → **50** 65 35N 22 10 E
Luleå **50** 65 35N 22 10 E
Lüleburgaz **43** 41 23N 27 22 E
Luling **117** 29 45N 97 40W
Lulong **76** 39 53N 118 51 E
Lulonga → **88** 1 0N 19 0 E
Lulua → **88** 6 30 S 22 50 E
Luluabourg = Kananga **88** 5 55 S 22 26 E
Lumai **89** 13 13 S 21 25 E
Lumajang **73** 8 8 S 113 16 E
Lumbala **89** 14 18 S 21 18 E
Lumberton, Miss., U.S.A. **117** 31 4N 89 28W
Lumberton, N. Mex., U.S.A. **119** 36 58N 106 57W
Lumberton, N.C., U.S.A. **115** 34 37N 78 59W
Lumbres **19** 50 40N 2 5 E
Lumbwa **90** 0 12 S 35 28 E
Lumby **108** 50 10N 118 50W
Lumsden **101** 45 44 S 168 27 E
Lumut **71** 4 13N 100 37 E
Lunavada **68** 23 8N 73 37 E
Lunca **46** 47 22N 25 1 E
Lund, Sweden **49** 55 44N 13 12 E
Lund, U.S.A. **118** 38 53N 115 0W
Lundazi **91** 12 20 S 33 7 E
Lunde **47** 59 17N 9 5 E
Lunderskov **49** 55 29N 9 19 E
Lundi → **91** 21 43 S 32 34 E
Lundu **72** 1 40N 109 50 E
Lundy **13** 51 10N 4 41W
Lune → **12** 54 0N 2 51W
Lüneburg **24** 53 15N 10 23 E
Lüneburg Heath = Lüneburger Heide **24** 53 0N 10 0 E
Lüneburger Heide **24** 53 0N 10 0 E
Lunel **21** 43 39N 4 9 E
Lünen **24** 51 36N 7 31 E
Lunenburg **107** 44 22N 64 18W
Lunéville **19** 48 36N 6 30 E
Lunga → **91** 14 34 S 26 25 E
Lungi Airport **84** 8 40N 13 17W
Lungleh **67** 22 55N 92 45 E
Luni **68** 26 0N 73 6 E
Luni → **68** 24 41N 71 14 E
Luninets **54** 52 15N 26 50 E
Luning **118** 38 30N 118 10W
Lunino **55** 53 35N 45 6 E
Lunner **47** 60 19N 10 35 E
Lunsemfwa → **91** 14 54 S 30 12 E
Lunsemfwa Falls **91** 14 30 S 29 6 E
Luo He → **77** 34 35N 110 20 E
Luobei **76** 47 35N 130 50 E
Luocheng **77** 24 48N 108 53 E
Luochuan **76** 35 45N 109 26 E
Luoding **77** 22 45N 111 40 E
Luodong **77** 24 41N 121 46 E
Luofu **90** 0 10 S 29 15 E
Luoning **77** 34 35N 111 40 E
Luoyang **77** 34 40N 112 26 E
Luoyuan **77** 26 28N 119 30 E
Luozi **88** 4 54 S 14 0 E
Lupeni **46** 45 21N 23 13 E
Łupków **27** 49 15N 22 4 E
Luque, Parag. **124** 25 19 S 57 25W
Luque, Spain **31** 37 35N 4 16W
Luray **114** 38 39N 78 26W
Lure **19** 47 40N 6 30 E
Luremo **88** 8 30 S 17 50 E
Lurgan **15** 54 28N 6 20W
Lusaka **91** 15 28 S 28 16 E
Lusambo **90** 4 58 S 23 28 E
Lusangaye **90** 4 54 S 26 0 E
Luseland **109** 52 5N 109 24W
Lushan **77** 33 45N 112 55 E
Lushih **77** 34 3N 111 3 E
Lushnja **44** 40 55N 19 41 E
Lushoto **90** 4 47 S 38 20 E
Lushoto □ **90** 4 45 S 38 20 E
Lüshun **76** 38 45N 121 15 E
Lusignan **20** 46 26N 0 8 E
Lusigny-sur-Barse **19** 48 16N 4 15 E
Lusk **116** 42 47N 104 27W
Lussac-les-Châteaux **20** 46 24N 0 43 E
Luta = Lüda **76** 38 50N 121 40 E
Luton **13** 51 53N 0 24W
Lutong **72** 4 30N 114 0 E
Lutsk **54** 50 50N 25 15 E
Lützow Holmbukta **5** 69 10 S 37 30 E
Luverne **116** 43 35N 96 12W
Luvua **91** 8 48 S 25 17 E
Luwegu → **91** 8 31 S 37 23 E
Luwuk **73** 0 56 S 122 47 E
Luxembourg **16** 49 37N 6 9 E
Luxembourg ■ **16** 50 0N 6 0 E
Luxembourg □ **16** 49 58N 5 30 E
Luxeuil-les-Bains **19** 47 49N 6 24 E
Luxi **77** 28 20N 110 7 E
Luxor = El Uqsur **86** 25 41N 32 38 E
Luy → **20** 43 39N 1 9W
Luy-de-Béarn → **20** 43 39N 0 48W
Luy-de-France → **20** 43 39N 0 48W
Luz-St-Sauveur **20** 42 53N 0 1 E
Luza **52** 60 39N 47 10 E
Luzern **25** 47 3N 8 18 E
Luzern □ **25** 47 2N 7 55 E
Luzhai **77** 24 29N 109 42 E
Luzhou **75** 28 52N 105 20 E
Luziânia **127** 16 20 S 48 0W
Luzon **73** 16 0N 121 0 E
Luzy **19** 46 47N 3 58 E
Luzzi **41** 39 28N 16 17 E
Lvov **54** 49 50N 24 0 E
Lwówek **28** 52 28N 16 10 E
Lwówek Śląski **28** 51 7N 15 38 E
Lyakhovichi **54** 53 2N 26 32 E
Lyakhovskiye, Ostrova **59** 73 40N 141 0 E
Lyaki **57** 40 34N 47 22 E
Lyallpur = Faisalabad **68** 31 30N 73 5 E
Lyaskovets **43** 43 6N 25 44 E
Lychen **24** 53 13N 13 20 E
Lyckeby **49** 56 12N 15 37 E
Lycksele **50** 64 38N 18 40 E
Lycosura **45** 37 20N 22 3 E
Lydda = Lod **62** 31 57N 34 54 E
Lydenburg **93** 25 10 S 30 29 E
Lyell **101** 41 48 S 172 4 E
Lyell I. **108** 52 40N 131 35W
Lyell Range **101** 41 38 S 172 20 E
Lygnern **49** 57 30N 12 15 E
Lykling **47** 59 42N 5 12 E
Lyman **118** 41 24N 110 15W
Lyme Regis **13** 50 44N 2 57W
Lymington **13** 50 46N 1 32W
Łyna → **28** 54 37N 21 14 E
Lynchburg **114** 37 23N 79 10W
Lynd → **98** 16 28 S 143 18 E
Lynd Ra. **99** 25 30 S 149 20 E
Lynden, Can. **112** 43 14N 80 9W
Lynden, U.S.A. **118** 48 56N 122 32W
Lyndhurst **99** 30 15 S 138 18 E
Lyndonville, N.Y., U.S.A. **112** 43 19N 78 25W
Lyndonville, Vt., U.S.A. **113** 44 32N 72 1W
Lyngdal, Aust-Agder, Norway **47** 58 8N 7 7 E
Lyngdal, Buskerud, Norway **47** 59 54N 9 32 E
Lynn **114** 42 28N 70 57W
Lynn Canal **108** 58 50N 135 20W
Lynn Lake **109** 56 51N 101 3W
Lynton **13** 51 14N 3 50W
Lyntupy **54** 55 4N 26 23 E
Lynx L. **109** 62 25N 106 15W
Lyø **49** 55 3N 10 9 E
Lyon **21** 45 46N 4 50 E
Lyonnais **21** 45 45N 4 15 E
Lyons, Colo., U.S.A. **116** 40 17N 105 15W
Lyons, Ga., U.S.A. **115** 32 10N 82 15W
Lyons, Kans., U.S.A. **116** 38 24N 98 13W
Lyons, N.Y., U.S.A. **114** 43 3N 77 0W
Lyons = Lyon **21** 45 46N 4 50 E
Lyrestad **49** 58 48N 14 4 E
Lys → **19** 50 39N 2 24 E
Lysá **26** 50 11N 14 51 E
Lysekil **49** 58 17N 11 26 E
Lyskovo **55** 56 0N 45 3 E
Lysva **52** 58 07N 57 49 E
Lysvik **48** 60 1N 13 9 E
Lytle **117** 29 14N 98 46W
Lyttelton **101** 43 35 S 172 44 E
Lytton **108** 50 13N 121 31W
Lyuban **54** 59 16N 31 18 E
Lyubcha **54** 53 46N 26 1 E
Lyubertsy **55** 55 39N 37 50 E
Lyubim **55** 58 20N 40 39 E
Lyubimets **43** 41 50N 26 5 E
Lyuboml, U.S.S.R. **54** 51 10N 24 2 E
Lyuboml, U.S.S.R. **54** 51 11N 24 4 E
Lyubotin **56** 50 0N 36 0 E
Lyubytino **54** 58 50N 33 16 E
Lyudinovo **54** 53 52N 34 28 E

M

Ma'ad **62** 32 37N 35 36 E
Ma'alah **64** 26 31N 47 20 E
Maamba **92** 17 17 S 26 28 E
Ma'ânn **64** 30 12N 35 44 E
Ma'anshan **77** 31 44N 118 29 E
Ma'arrat un Nu'man **64** 35 38N 36 40 E
Maas → **16** 51 45N 4 32 E
Maaseik **16** 51 6N 5 45 E
Maassluis **16** 51 56N 4 16 E
Maastricht **16** 50 50N 5 40 E
Maave **93** 21 4 S 34 47 E
Mabel L. **108** 50 35N 118 43W
Mabenge **90** 4 15N 24 12 E
Mablethorpe **12** 53 21N 0 14 E
Maboma **90** 2 30N 28 10 E
Mabrouk **85** 19 29N 1 15W
Mabton **118** 46 15N 120 12W
Mac Nutt **109** 51 5N 101 36W
Mac Tier **112** 45 9N 79 46W
Macachin **124** 37 10 S 63 43W
Macaé **125** 22 20 S 41 43W
McAlester **117** 34 57N 95 46W
McAllen **117** 26 12N 98 15W
Macallister → **100** 38 2 S 146 59 E
Macamic **106** 48 45N 79 0W
Macão **31** 39 35N 7 59W
Macao = Macau ■ **75** 22 16N 113 35 E
Macapá **127** 0 5N 51 4W
McArthur → **97** 15 54 S 136 40 E
McArthur River **97** 16 27 S 136 7 E
Macau **127** 5 0 S 36 40W
Macau ■ **75** 22 16N 113 35 E
McBride **108** 53 20N 120 19W
McCall **118** 44 55N 116 6W
McCamey **117** 31 8N 102 15W
McCammon **118** 42 41N 112 11W
McCauley I. **108** 53 40N 130 15W
Macclesfield **12** 53 16N 2 9W
McClintock **109** 57 50N 94 10W
McCloud **118** 41 14N 122 5W
McClure **112** 40 42N 77 20W
McClure Str. **4** 75 0N 119 0W
McClusky **116** 47 30N 100 31W
McComb **117** 31 13N 90 30W
McCook **116** 40 15N 100 35W
McCusker → **109** 55 32N 108 39W
McDame **108** 59 44N 128 59W
McDermitt **118** 42 0N 117 45W
Macdonald → **100** 33 22 S 151 0 E
McDonald Is. **3** 54 0 S 73 0 E
Macdonald L. **96** 23 30 S 129 0 E
Macdonnell Ranges **96** 23 40 S 133 0 E
Macdougall L. **104** 66 0N 98 27W
MacDowell L. **106** 52 15N 92 45W
Macduff **14** 57 40N 2 30W
Maceda **30** 42 16N 7 39W
* Macedo de Cavaleiros **88** 11 25 S 16 45 E
Macedonia = Makedhonia **44** 40 39N 22 0 E
Macedonia = Makedonija **42** 41 53N 21 40 E
Maceió **127** 9 40 S 35 41W
Maceira **31** 39 41N 8 55W
Macenta **84** 8 35N 9 32W
Macerata **39** 43 19N 13 28 E
McFarlane → **109** 59 12N 107 58W
Macfarlane, L. **97** 32 0 S 136 40 E
McGehee **117** 33 40N 91 25W
McGill **118** 39 27N 114 50W
Macgillycuddy's Reeks **15** 52 2N 9 45W
MacGregor **109** 49 57N 98 48W
McGregor, Iowa, U.S.A. **116** 42 58N 91 15W
McGregor, Minn., U.S.A. **116** 46 37N 93 17W
McGregor → **108** 55 10N 122 0W
McGregor Ra. **99** 27 0 S 142 45 E
Mach **66** 29 50N 67 20 E
Machado = Jiparana → **126** 8 3 S 62 52W
Machagai **124** 26 56 S 60 2W
Machakos **90** 1 30 S 37 15 E
Machakos □ **90** 1 30 S 37 15 E
Machala **126** 3 20 S 79 57W
Machanga **93** 20 59 S 35 0 E
Machattie, L. **97** 24 50 S 139 48 E
Machava **93** 25 54 S 32 28 E
Machece **91** 19 15 S 35 32 E
Machecoul **18** 47 0N 1 49W
Macheng **77** 31 12N 115 2 E
Machevna **59** 61 20N 172 20 E
Machezo **31** 39 21N 4 20W
Machias **107** 44 40N 67 28W
Machichaco, Cabo **32** 43 28N 2 47W
Machichi → **109** 57 3N 92 6W
Machilipatnam **70** 16 12N 81 8 E
Machine, La **19** 46 54N 3 27 E
Machiques **126** 10 4N 72 34W
Machupicchu **126** 13 8 S 72 30W
Machynlleth **13** 52 36N 3 51W
** Macias Nguema Biyoga **85** 3 30N 8 40 E
Maciejowice **28** 51 36N 21 26 E
McIlwraith Ra. **97** 13 50 S 143 20 E
Măcin **46** 45 16N 28 8 E
Macina **84** 14 50N 5 0W
McIntosh **116** 45 57N 101 20W
McIntosh L. **109** 55 45N 105 0W
Macintyre → **97** 28 37 S 150 47 E
Macizo Galaico **30** 42 30N 7 30W
Mackay, Austral. **97** 21 8 S 149 11 E
Mackay, U.S.A. **118** 43 58N 113 37W
Mackay → **108** 57 10N 111 38W
Mackay, L. **96** 22 30 S 129 0 E
McKees Rock **112** 40 27N 80 3W
McKeesport **114** 40 21N 79 50W
Mackenzie **108** 55 20N 123 05W
McKenzie **115** 36 10N 88 31W
† Mackenzie □ **104** 61 30N 115 0W
Mackenzie →, Austral. **97** 23 38 S 149 46 E
Mackenzie →, Can. **104** 69 10N 134 20W
McKenzie → **118** 44 2N 123 6W
Mackenzie City = Linden **126** 6 0N 58 10W
Mackenzie Highway **108** 58 0N 117 15W
Mackenzie Mts. **104** 64 0N 130 0W
Mackinaw City **114** 45 47N 84 44W
McKinlay **98** 21 16 S 141 18 E
McKinlay → **98** 20 50 S 141 28 E
McKinley, Mt. **104** 63 2N 151 0W
McKinley Sea **4** 84 0N 10 0W
McKinney **117** 33 10N 96 40W
Mackinnon Road **90** 3 40 S 39 1 E
McKittrick **119** 35 18N 119 39W
Macksville **99** 30 40 S 152 56 E
McLaughlin **116** 45 50N 100 50W
Maclean **97** 29 26 S 153 16 E
McLean **117** 35 15N 100 35W
McLeansboro **116** 38 5N 88 30W
Maclear **93** 31 2 S 28 23 E
Macleay → **97** 30 56 S 153 0 E
McLennan **108** 55 42N 116 50W
MacLeod, B. **109** 62 53N 110 0W
McLeod L. **96** 24 9 S 113 47 E
MacLeod Lake **108** 54 58N 123 0W
M'Clintock Chan. **104** 72 0N 102 0W
McLoughlin, Mt. **118** 42 10N 122 19W
McLure **108** 51 2N 120 13W

* *Renamed Andulo*
** *Renamed Bioko*
† *Now part of Fort Smith and Inuvik* □

McMechen Mamahatun

Place	Page	Lat.	Long.
McMechen	112	39 57N	80 44W
McMillan L.	117	32 40N	104 20W
McMinnville, Oreg., U.S.A.	118	45 16N	123 11W
McMinnville, Tenn., U.S.A.	115	35 43N	85 45W
McMorran	109	51 19N	108 42W
McMurdo Sd.	5	77 0S	170 0E
McMurray = Fort McMurray	108	56 45N	111 27W
McNary	119	34 4N	109 53W
McNaughton L.	108	52 0N	118 10W
Macodoene	93	23 32S	35 5E
Macomb	116	40 25N	90 40W
Macomer	40	40 16N	8 48E
Mâcon	21	46 19N	4 50E
Macon, Ga., U.S.A.	115	32 50N	83 37W
Macon, Miss., U.S.A.	115	33 7N	88 31W
Macon, Mo., U.S.A.	116	39 40N	92 26W
Macondo	89	12 37S	23 46E
Macossa	91	17 55S	33 56E
Macoun L.	109	56 32N	103 40W
Macovane	93	21 30S	35 0E
McPherson	116	38 25N	97 40W
Macpherson Ra.	99	28 15S	153 15E
Macquarie →	97	30 5S	147 30E
Macquarie Harbour	97	42 15S	145 23E
Macquarie Is.	94	54 36S	158 55E
Macquarie, L.	100	33 4S	151 36E
MacRobertson Coast	5	68 30S	63 0E
Macroom	15	51 54N	8 57W
Macubela	91	16 53S	37 49E
Macugnaga	38	45 57N	7 58E
Macuiza	91	18 7S	34 29E
Macuse	91	17 45S	37 10E
Macuspana	120	17 46N	92 36W
Macusse	92	17 48S	20 23E
Mácuzari, Presa	120	27 10N	109 10W
McVille	116	47 46N	98 11W
Madā 'in Salih	86	26 51N	37 58E
Madagali	85	10 56N	13 33E
Madagascar ■	93	20 0S	47 0E
Madā'in Sālih	64	26 46N	37 57E
Madama	83	22 0N	13 40E
Madame I.	107	45 30N	60 58W
Madan	43	41 30N	24 57E
Madanapalle	70	13 33N	78 28E
Madang	94	5 12S	145 49E
Madaoua	85	14 5N	6 27E
Madara	85	11 45N	10 35E
Madaripur	69	23 19N	90 15E
Madauk	67	17 56N	96 52E
Madawaska	112	45 30N	77 55W
Madawaska →	106	45 27N	76 21W
Madaya	67	22 12N	96 10E
Madbar	87	6 17N	30 45E
Maddalena	40	41 15N	9 23E
Maddalena, La	40	41 13N	9 25E
Maddaloni	41	41 4N	14 23E
Madden Dam	120	9 13N	79 37W
Madden Lake	120	9 20N	79 37W
Madeira	80	32 50N	17 0W
Madeira →	126	3 22S	58 45W
Madeleine, Îs. de la	107	47 30N	61 40W
Madera	119	37 0N	120 1W
Madha	70	18 0N	75 30E
Madhubani	69	26 21N	86 7E
Madhya Pradesh □	68	21 50N	81 0E
Madill	117	34 5N	96 49W
Madimba	88	5 0S	15 0E
Madīnat ash Sha'b	63	12 50N	45 0E
Madingou	88	4 10S	13 33E
Madirovalo	93	16 26S	46 32E
Madison, Fla., U.S.A.	115	30 29N	83 39W
Madison, Ind., U.S.A.	114	38 42N	85 20W
Madison, Nebr., U.S.A.	116	41 53N	97 25W
Madison, Ohio, U.S.A.	112	41 45N	81 4W
Madison, S.D., U.S.A.	116	44 0N	97 8W
Madison, Wis., U.S.A.	116	43 5N	89 25W
Madison →	118	45 56N	111 30W
Madison Junc.	118	44 42N	110 56W
Madisonville, Ky., U.S.A.	114	37 20N	87 30W
Madisonville, Tex., U.S.A.	117	30 57N	95 55W
Madista	92	21 15S	25 6E
Madiun	73	7 38S	111 32E
Madley	13	52 3N	2 51W
Madol	87	9 3N	27 45E
Madon →	19	48 36N	6 6E
Madona	54	56 53N	26 5E
Madonie, Le	40	37 50N	13 50E
Madras, India	70	13 8N	80 19E
Madras, U.S.A.	118	44 40N	121 10W
Madras = Tamil Nadu □	70	11 0N	77 0E
Madre de Dios →	126	10 59S	66 8W
Madre de Dios, I.	128	50 20S	75 10W
Madre del Sur, Sierra	120	17 30N	100 0W
Madre, Laguna, Mexico	120	25 0N	97 30W
Madre, Laguna, U.S.A.	117	25 0N	97 40W
Madre Occidental, Sierra	120	27 0N	107 0W
Madre Oriental, Sierra	120	25 0N	100 0W
Madre, Sierra, Mexico	120	16 0N	93 0W
Madre, Sierra, Phil.	73	17 0N	122 0E
Madri	68	24 16N	73 32E
Madrid	30	40 25N	3 45W
Madrid □	30	40 30N	3 45W
Madridejos	31	39 28N	3 33W
Madrigal de las Altas Torres	30	41 5N	5 0W
Madrona, Sierra	31	38 27N	4 16W
Madroñera	31	39 26N	5 42W
Madu	87	14 37N	26 4E
Madura, Selat	73	7 30S	113 20E
Madurai	70	9 55N	78 10E
Madurantakam	70	12 30N	79 50E
Madzhalis	57	42 9N	47 47E
Mae Hong Son	71	19 16N	98 1E
Mae Sot	71	16 43N	98 34E
Maebashi	74	36 24N	139 4E
Maella	32	41 8N	0 7E
Măeruş	46	45 53N	25 31E
Maesteg	13	51 36N	3 40W
Maestra, Sierra	121	20 15N	77 0W
Maestrazgo, Mts. del	32	40 30N	0 25W
Maevatanana	93	16 56N	46 49E
Ma'fan	83	25 56N	14 29E
Mafeking, Can.	109	52 40N	101 10W
* Mafeking, S. Afr.	92	25 50S	25 38E
Maféré	84	5 30N	3 2W
Mafeteng	92	29 51S	27 15E
Maffra	99	37 53S	146 58E
Mafia	90	7 45S	39 50E
Mafra, Brazil	125	26 10S	50 0W
Mafra, Port.	31	38 55N	9 20W
Mafungabusi Plateau	91	18 30S	29 8E
Magadan	59	59 38N	150 50E
Magadi	90	1 54S	36 19E
Magadi, L.	90	1 54S	36 19E
Magaliesburg	93	26 1S	27 32E
Magallanes, Estrecho de	128	52 30S	75 0W
Magangué	126	9 14N	74 45W
Magaria	85	13 4N	9 5E
Magburaka	84	8 47N	12 0W
Magdalena, Argent.	124	35 5S	57 30W
Magdalena, Boliv.	126	13 13S	63 57W
Magdalena, Malay.	72	4 25N	117 55E
Magdalena, Mexico	120	30 50N	112 0W
Magdalena, U.S.A.	119	34 10N	107 20W
Magdalena →, Colomb.	126	11 6N	74 51W
Magdalena →, Mexico	120	30 40N	112 25W
Magdalena, B.	120	24 30N	112 10W
Magdalena, I.	120	24 40N	112 15W
Magdalena, Llano de la	120	25 0N	111 30W
Magdeburg	24	52 8N	11 36E
Magdeburg □	24	52 20N	11 30E
Magdi'el	62	32 10N	34 54E
Magdub	87	13 42N	25 5E
Magee	117	31 53N	89 45W
Magee, I.	15	54 48N	5 44W
Magelang	73	7 29S	110 13E
Magellan's Str. = Magallanes, Est. de	128	52 30S	75 0W
Magenta	38	45 28N	8 53E
Maggia →	25	46 18N	8 36E
Maggiorasca, Mte.	38	44 33N	9 29E
Maggiore, L.	38	46 0N	8 35E
Maghama	84	15 32N	12 57W
Maghâr	62	32 54N	35 24E
Magherafelt	15	54 44N	6 37W
Maghnia	82	34 50N	1 43W
Magione	39	43 10N	12 12E
Maglaj	42	44 33N	18 7E
Magliano in Toscana	39	42 36N	11 18E
Máglie	41	40 8N	18 17E
Magnac-Laval	20	46 13N	1 11E
Magnetic Pole, 1976 (North)	4	76 12N	100 12W
Magnetic Pole, 1976 (South)	5	68 48S	139 30E
Magnisia □	44	39 15N	22 45E
Magnitogorsk	52	53 27N	59 4E
Magnolia, Ark., U.S.A.	117	33 18N	93 12W
Magnolia, Miss., U.S.A.	117	31 8N	90 28W
Magnor	47	59 56N	12 15E
Magny-en-Vexin	19	49 9N	1 47E
Magog	107	45 18N	72 9W
Magoro	90	1 45N	34 12E
Magosa = Famagusta	64	35 8N	33 55E
Magoye	91	16 1S	27 30E
Magpie L.	107	51 0N	64 41W
Magrath	108	49 25N	112 50W
Magro →	33	39 11N	0 25W
Magrur, Wadi →	87	16 5N	26 30E
Magu □	90	2 31S	33 28E
Maguarinho, C.	127	0 15S	48 30W
Maguse L.	109	61 40N	95 10W
Maguse Pt.	109	61 20N	93 50W
Magwe	67	20 10N	95 0E
Mahābād	64	36 50N	45 45E
Mahabaleshwar	70	17 58N	73 43E
Mahabharat Lekh	69	28 30N	82 0E
Mahabo	93	20 23S	44 40E
Mahad	70	18 6N	73 29E
Mahadeo Hills	68	22 20N	78 30E
Mahadeopur	70	18 48N	80 0E
Mahagi	90	2 20N	31 0E
Mahajamba →	93	15 33S	47 8E
Mahajamba, Helodranon' i	93	15 24S	47 5E
Mahajan	68	28 48N	73 56E
Mahajanga □	93	17 0S	47 0E
Mahajilo →	93	19 42S	45 22E
Mahakam →	72	0 35S	117 17E
Mahalapye	92	23 1S	26 51E
Maḥallāt	65	33 55N	50 30E
Mahanadi →	69	20 20N	86 25E
Mahanoro	93	19 54S	48 48E
Mahanoy City	113	40 48N	76 10W
Maharashtra □	70	20 30N	75 30E
Maharès	83	34 32N	10 29E
Mahari Mts.	90	6 20S	30 0E
Mahasolo	93	19 7S	46 22E
Mahaweli → Ganga	70	8 30N	81 15E
Mahboobabad	70	17 42N	80 2E
Mahbubnagar	70	16 45N	77 59E
Mahdia	83	35 28N	11 0E
Mahé	70	11 42N	75 34E
Mahendra Giri	70	8 20N	77 30E
Mahenge	91	8 45S	36 41E
Maheno	101	45 10S	170 50E
Mahia Pen.	101	39 9S	177 55E
Mahirija	82	34 0N	3 16W
Mahmiya	87	17 12N	33 43E
Mahmud Kot	68	30 16N	71 0E
Mahmudia	46	45 5N	29 5E
Mahnomen	116	47 22N	95 57W
Mahoba	69	25 15N	79 55E
Mahón	32	39 53N	4 16E
Mahone Bay	107	44 39N	64 20W
Mahuta	85	11 32N	4 58E
Mai-Ndombe, L.	88	2 0S	18 20E
Maîche	19	47 16N	6 48E
Maicurú →	127	2 14S	54 17W
Máida	41	38 51N	16 21E
Maidenhead	13	51 31N	0 42W
Maidi	87	16 20N	42 45E
Maidstone, Can.	109	53 5N	109 20W
Maidstone, U.K.	13	51 16N	0 31E
Maiduguri	85	12 0N	13 20E
Maignelay	19	49 32N	2 30E
Maigudo	87	7 30N	37 8E
Maijdi	69	22 48N	91 10E
Maikala Ra.	69	22 0N	81 0E
Mailly-le-Camp	19	48 41N	4 12E
Mailsi	68	29 48N	72 15E
Main →, Ger.	25	50 0N	8 18E
Main →, U.K.	15	54 49N	6 20W
Main Centre	109	50 35N	107 21W
Mainburg	25	48 37N	11 49E
Maine	18	48 0N	0 0E
Maine □	107	45 20N	69 0W
Maine →	15	52 10N	9 40W
Maine-et-Loire □	18	47 31N	0 30W
Maine-Soroa	85	13 13N	12 2E
Maingkwan	67	26 15N	96 37E
Mainit, L.	73	9 31N	125 30E
Mainland, Orkney, U.K.	14	59 0N	3 10W
Mainland, Shetland, U.K.	14	60 15N	1 22W
Mainpuri	68	27 18N	79 4E
Maintenon	19	48 35N	1 35E
Maintirano	93	18 3S	44 1E
Mainz	25	50 0N	8 17E
Maipú	124	36 52S	57 50W
Maiquetía	126	10 36N	66 57W
Maira →	38	44 49N	7 38E
Mairabari	67	26 30N	92 22E
Maisi, Pta. de	121	20 10N	74 10W
Maisse	19	48 24N	2 21E
Maitland, N.S.W., Austral.	97	32 33S	151 36E
Maitland, S. Australia, Austral.	99	34 23S	137 40E
Maitland →	112	43 45N	81 33W
Maiyema	85	12 5N	4 25E
Maizuru	74	35 25N	135 22E
Majalengka	73	6 55S	108 14E
Majd el Kurūm	62	32 56N	35 15E
Majene	73	3 38S	118 57E
Majevica Planina	42	44 45N	18 50E
Maji	87	6 12N	35 30E
Major	109	51 52N	109 37W
Majorca, I. = Mallorca	32	39 30N	3 0E
Maka	84	13 40N	14 10W
Makak	85	3 36N	11 0E
Makale	73	3 6S	119 51E
Makamba	90	4 8S	29 49E
Makari	88	12 35N	14 28E
Makarikari = Makgadikgadi Salt Pans	92	20 40S	25 45E
Makarovo	59	57 40N	107 45E
Makarska	42	43 20N	17 2E
Makaryev	55	57 52N	43 50E
Makasar = Ujung Pandang	73	5 10S	119 20E
Makasar, Selat	73	1 0S	118 20E
Makat	58	47 39N	53 19E
Makedhonia □	44	40 39N	22 0E
Makedonija □	42	41 53N	21 40E
Makena	110	20 39N	156 27W
Makeni	84	8 55N	12 5W
Makeyevka	56	48 0N	38 0E
Makgadikgadi Salt Pans	92	20 40S	25 45E
Makhachkala	57	43 0N	47 30E
Makhambet, U.S.S.R.	57	47 43N	51 40E
Makhambet, U.S.S.R.	57	47 40N	51 35E
Makharadze	57	41 55N	42 2E
Makian	73	0 20N	127 20E
** Makin	94	3 30N	174 0E
Makindu	90	2 18S	37 50E
Makinsk	58	52 37N	70 26E
Makkah	86	21 30N	39 54E
Makkovik	107	55 10N	59 10W
† Maklakovo	59	58 16N	92 29E
Makó	27	46 14N	20 33E
Makokou	88	0 40N	12 50E
Makongo	90	3 25N	26 17E
Makoro	90	3 10N	29 59E
Makoua	88	0 5S	15 50E
Maków Mazowiecki	28	52 52N	21 6E
Maków Podhal	27	49 43N	19 45E
Makrá	45	36 15N	25 54E
Makran	65	26 13N	61 30E
Makran Coast Range	66	25 40N	64 0E
Makrana	68	27 2N	74 46E
Mákri	44	40 52N	25 40E
Maksimkin Yar	58	58 42N	86 50E
Maktar	83	35 48N	9 12E
Mākū	64	39 15N	44 31E
Makumbi	88	5 50S	20 43E
Makunda	92	22 30S	20 7E
Makurazaki	74	31 15N	130 20E
Makurdi	85	7 43N	8 35E
Makwassie	92	27 17S	26 0E
Mal B.	15	52 50N	9 30W
Mal i Gjalicës së Lumës	44	42 2N	20 25E
Mal i Gribës	44	40 17N	19 45E
Mal i Nemërçkës	44	40 15N	20 15E
Mal i Tomorit	44	40 42N	20 11E
Mala Kapela	39	44 45N	15 30E
Mala, Pta.	121	7 28N	80 2W
Malabang	73	7 36N	124 3E
Malabar Coast	70	11 0N	75 0E
Malacca, Str. of	71	3 0N	101 0E
Malacky	27	48 27N	17 0E
Malad City	118	42 10N	112 20E
Málaga	31	36 43N	4 23W
Malaga	117	32 12N	104 2W
Málaga □	31	36 38N	4 58W
Malagarasi	90	5 5S	30 50E
Malagarasi →	90	5 12S	29 47E
Malagón	31	39 11N	3 52W
Malagón →	31	37 35N	7 29W
Malaimbandy	93	20 20S	45 36E
Malakâl	87	9 33N	31 40E
Malakand	66	34 40N	71 55E
Malakoff	117	32 10N	95 55W
Malamyzh	59	50 0N	136 50E
Malang	73	7 59S	112 45E
Malanje	88	9 36S	16 17E
Mälaren	48	59 30N	17 10E
Malargüe	124	35 32S	69 30W
Malartic	106	48 9N	78 9W
Malatya	64	38 25N	38 20E
Malawi ■	91	13 0S	34 0E
Malawi, L.	91	12 30S	34 30E
Malay Pen.	71	7 25N	100 0E
* Malaya □	71	4 0N	102 0E
Malaya Belozërka	56	47 12N	34 56E
Malaya Vishera	54	58 55N	32 25E
Malaya Viska	56	48 39N	31 36E
Malaybalay	73	8 5N	125 7E
Malāyer	64	34 19N	48 51E
Malaysia ■	72	5 0N	110 0E
Malazgirt	64	39 10N	42 33E
Malbaie, La	107	47 40N	70 10W
Malbon	98	21 5S	140 17E
Malbork	28	54 3N	19 1E
Malcésine	38	45 46N	10 48E
Malchin	24	53 43N	12 44E
Malchow	24	53 29N	12 25E
Malcolm	96	28 51S	121 25E
Malczyce	28	51 14N	16 29E
Maldegem	16	51 14N	3 26E
Malden, Mass., U.S.A.	113	42 26N	71 5W
Malden, Mo., U.S.A.	117	36 35N	90 0W
Malden I.	95	4 3S	155 1W
Maldives ■	60	7 0N	73 0E
Maldonado	125	35 0S	55 0W
Maldonado, Punta	120	16 19N	98 35W
Malé	38	46 20N	10 55E
Malé Karpaty	27	48 30N	17 20E
Maléa, Akra	45	36 28N	23 7E
Malegaon	68	20 30N	74 38E
Malei	91	17 12S	36 58E
Malela	90	4 22S	26 8E
Målerås	49	56 54N	15 34E
Malerkotla	68	30 32N	75 58E
Máles	45	35 6N	25 35E
Malesherbes	19	48 15N	2 24E
Maleshevska Planina	42	41 38N	23 7E
Malestroit	18	47 49N	2 25W
Malfa	41	38 35N	14 50E
Malgobek	57	43 30N	44 34E
Malgomaj	50	64 40N	16 30E
Malgrat	32	41 39N	2 46E
Malha	81	15 8N	25 10E
Malheur →	118	44 3N	116 59W
Malheur L.	118	43 19N	118 42W
Mali	84	12 10N	12 20W
Mali ■	85	15 0N	2 0W
Mali →	67	25 40N	97 40E
Mali Kanal	42	45 36N	19 24E
Mali Kyun	71	13 0N	98 20E
Malih →	62	32 20N	35 34E
Malik	73	0 39S	123 16E
Malili	73	2 42S	121 6E
Malimba, Mts.	90	7 30S	29 30E
Malin	54	50 46N	29 3E
Malin Hd.	15	55 18N	7 24W
Malinau	72	3 35N	116 40E
Malindi	90	3 12S	40 5E
Maling	73	1 0N	121 0E
Malingping	73	6 45S	106 2E
Malinyi	91	8 56S	36 0E
Maliqi	44	40 45N	20 48E
Malita	73	6 19N	125 39E
Maljenik	42	43 59N	21 55E
Malkapur, Maharashtra, India	68	20 53N	73 58E
Malkapur, Maharashtra, India	70	16 57N	73 58E
Małkinia Górna	28	52 42N	22 5E
Malko Tŭrnovo	43	41 59N	27 31E
Mallacoota	100	37 40S	149 40E
Mallacoota Inlet	97	37 34S	149 40E
Mallaig	14	57 0N	5 50W
Mallawan	69	27 4N	80 12E
Mallawi	86	27 44N	30 44E
Mallemort	21	43 44N	5 11E
Málles Venosta	38	46 42N	10 32E
Mállia	45	35 17N	25 27E
Mallorca	32	39 30N	3 0E
Mallorytown	113	44 29N	75 53W
Mallow	15	52 8N	8 40W
Malmbäck	49	57 34N	14 28E
Malmberget	50	67 11N	20 40E
Malmédy	16	50 25N	6 2E
Malmesbury	92	33 28S	18 41E
Malmö	49	55 36N	12 59E
Malmöhus län □	49	55 45N	13 30E
Malmslätt	49	58 27N	15 33E
Malmyzh	55	56 35N	50 41E
Malnaş	46	46 2N	25 49E
Malo Konare	43	42 12N	24 24E
Maloarkhangelsk	55	52 28N	36 30E
Malolos	73	14 50N	120 49E
Malombe L.	91	14 40S	35 15E
Malomir	43	42 16N	26 30E
Malone	114	44 50N	74 19W
Malorad	43	43 28N	23 41E
Malorita	54	51 50N	24 3E
Maloyaroslovets	55	55 2N	36 20E
Malozemelskaya Tundra	52	67 0N	50 0E
Malpartida	31	39 26N	6 30W
Malpelo	126	4 3N	81 35W
Malpica	30	43 19N	8 50W
Malprabha →	70	16 20N	76 5E
Malta, Idaho, U.S.A.	118	42 15N	113 30W
Malta, Mont., U.S.A.	118	48 20N	107 55W
Malta ■	36	35 50N	14 30E
Malta Channel	40	36 40N	14 0E
Malton, Can.	112	43 42N	79 38W
Malton, U.K.	12	54 9N	0 48W
Maluku	73	1 0S	127 0E
Maluku □	73	3 0S	128 0E
Maluku, Kepulauan	73	3 0S	128 0E
Malumfashi	85	11 48N	7 39E
Malung	48	60 42N	13 44E
Malvalli	70	12 28N	77 8E
Malvan	70	16 2N	73 30E
Malvern, U.K.	13	52 7N	2 19W
Malvern, U.S.A.	117	34 22N	92 50W
Malvern Hills	13	52 0N	2 19W
Malvérnia	93	22 6S	31 42E
Malvik	47	63 25N	10 40E
Malvinas, Is. = Falkland Is.	128	51 30S	59 0W
Malya	90	3 5S	33 38E
Malyy Lyakhovskiy, Ostrov	59	74 7N	140 36E
Mama	59	58 18N	112 54E
Mamadysh	55	55 44N	51 23E
Mamahatun	64	39 50N	40 23E

* Renamed Mafikeng

* Renamed Peninsular Malaysia

† Renamed Lesosibirsk

** Renamed Butaritari

Markham Mbulu

Markham **112** 43 52N 79 16W
Markham → **98** 6 41S 147 2 E
Markham I. **4** 84 0N 0 45W
Markham L. **109** 62 30N 102 35W
Markham Mt. **5** 83 0S 164 0 E
Marki **28** 52 20N 21 2 E
Markoupoulon **45** 37 53N 23 57 E
Markovac **42** 44 14N 21 7 E
Markovo **59** 64 40N 169 40 E
Markoye **85** 14 39N 0 2 E
Marks **55** 51 45N 46 50 E
Marksville **117** 31 10N 92 2W
Markt Schwaben **25** 48 14N 11 49 E
Marktredwitz **25** 50 1N 12 2 E
Marlboro **113** 42 19N 71 33W
Marlborough **98** 22 46S 149 52 E
Marlborough □ **101** 41 45S 173 33 E
Marlborough Downs **13** 51 25N 1 55W
Marle **19** 49 43N 3 47 E
Marlin **117** 31 25N 96 50W
Marlow, Ger. **24** 54 8N 12 34 E
Marlow, U.S.A. **117** 34 40N 97 58W
Marmagao **70** 15 25N 73 56 E
Marmande **20** 44 30N 0 10 E
Marmara **56** 40 35N 27 38 E
Marmara Denizi **64** 40 45N 28 15 E
Marmara, Sea of = Marmara Denizi **64** 40 45N 28 15 E
Marmaris **64** 36 50N 28 14 E
Marmarth **116** 46 21N 103 52W
Marmion L. **106** 48 55N 91 20W
Marmolada, Mte. **39** 46 25N 11 55 E
Marmolejo **31** 38 3N 4 13W
Marmora **106** 44 28N 77 41W
Marnay **19** 47 20N 5 48 E
Marne **24** 53 57N 9 1 E
Marne □ **19** 49 0N 4 10 E
Marne → **19** 8 23N 18 36 E
Marnoo **100** 36 40S 142 54 E
Marnueli **57** 41 30N 44 48 E
Maroala **93** 15 23S 47 59 E
Maroantsetra **93** 15 26S 49 44 E
Maromandia **93** 14 13S 48 5 E
Maroni → **127** 4 0N 52 0W
Marónia **44** 40 53N 25 24 E
Maroochydore **99** 26 29S 153 5 E
Maroona **99** 37 27S 142 54 E
Maros → **27** 46 15N 20 13 E
Marosakoa **93** 15 26S 46 38 E
Marostica **39** 45 44N 11 40 E
Maroua **85** 10 40N 14 20 E
Marovoay **93** 16 6S 46 39 E
Marquard **92** 28 40S 27 28 E
Marqueira **31** 38 41N 9 9W
Marquesas Is. **95** 9 30S 140 0W
Marquette **114** 46 30N 87 21W
Marquise **19** 50 50N 1 40 E
Marra, Gebel **87** 7 20N 27 35 E
Marradi **39** 44 5N 11 37 E
Marrakech **82** 31 9N 8 0W
Marrawah **99** 40 55S 144 42 E
Marree **97** 29 39S 138 1 E
Marrimane **93** 22 58S 33 34 E
Marronne → **20** 45 4N 1 56 E
Marroqui, Punta **31** 36 0N 5 37W
Marrowie Creek **99** 33 23S 145 40 E
Marrubane **91** 18 0S 37 0 E
Marrupa **91** 13 8S 37 30 E
Mars, Le **116** 43 0N 96 0W
Marsa Brega **83** 30 24N 19 37 E
Marsá Susah **81** 32 52N 21 59 E
Marsabit **90** 2 18N 38 0 E
Marsabit □ **90** 2 45N 37 45 E
Marsala **40** 37 48N 12 25 E
Marsaxlokk (Medport) **36** 35 47N 14 32 E
Marsciano **39** 42 54N 12 20 E
Marsden **99** 33 47S 147 32 E
Marseillan **20** 43 23N 3 31 E
Marseille **21** 43 18N 5 23 E
Marseilles = Marseille **21** 43 18N 5 23 E
Marsh I. **117** 29 35N 91 50W
Marsh L. **116** 45 5N 96 0W
Marshall, Liberia **84** 6 8N 10 22W
Marshall, Ark., U.S.A. **117** 35 58N 92 40W
Marshall, Mich., U.S.A. **114** 42 17N 84 59W
Marshall, Minn., U.S.A. **116** 44 25N 95 45W
Marshall, Mo., U.S.A. **116** 39 8N 93 15W
Marshall, Tex., U.S.A. **117** 32 29N 94 20W
Marshall Is. **94** 9 0N 171 0 E
Marshalltown **116** 42 5N 92 56W
Marshfield, Mo., U.S.A. **117** 37 20N 92 58W
Marshfield, Wis., U.S.A. **116** 44 42N 90 10W
Mársico Nuovo **41** 40 26N 15 43 E
Märsta **48** 59 37N 17 52 E
Marstal **49** 54 51N 10 30 E
Marstrand **49** 57 53N 11 35 E
Mart **117** 31 34N 96 51W
Marta → **39** 42 14N 11 42 E
Martaban **67** 16 30N 97 35 E
Martaban, G. of **67** 16 5N 96 30 E
Martagne **18** 46 59N 0 57W
Martano **41** 40 14N 18 18 E
Martapura, Kalimantan, Indon. **72** 3 22S 114 47 E
Martapura, Sumatera, Indon. **72** 4 19S 104 22 E
Marte **85** 12 23N 13 46 E
Martel **20** 44 57N 1 37 E
Martelange **16** 49 49N 5 43 E
Martés, Sierra **33** 39 20N 1 0W
Marthaguy Creek → **99** 30 16S 147 35 E
Martha's Vineyard **114** 41 25N 70 35W
Martigné-Ferchaud **18** 47 50N 1 20W
Martigny **25** 46 6N 7 3 E
Martigues **21** 43 24N 5 4 E
Martil **82** 35 36N 5 15W
Martin, Czech. **27** 49 6N 18 48 E
Martin, S.D., U.S.A. **116** 43 11N 101 45W
Martin, Tenn., U.S.A. **117** 36 23N 88 51W
Martin → **32** 41 18N 0 19W
Martin, L. **115** 32 45N 85 50W
Martina Franca **41** 40 42N 17 20 E
Martinborough **101** 41 14S 175 29 E
Martinique **121** 14 40N 61 0W
Martinique Passage **121** 15 15N 61 0W
Martinon **45** 38 35N 23 15 E
Martinópolis **125** 22 11S 51 12W
Martins Ferry **113** 40 5N 80 46W
Martinsberg **26** 48 22N 15 9 E
Martinsburg, Pa., U.S.A. **112** 40 18N 78 21W
Martinsburg, W. Va., U.S.A. **114** 39 30N 77 57W
Martinsville, Ind., U.S.A. **114** 39 29N 86 23W
Martinsville, Va., U.S.A. **115** 36 41N 79 52W
Marton **101** 40 4S 175 23 E
Martorell **32** 41 28N 1 56 E
Martos **31** 37 44N 3 58W
Martuni **57** 40 9N 45 10 E
Maru **85** 12 22N 6 22 E
Marudi **72** 4 10N 114 19 E
Ma'ruf **65** 31 30N 67 6 E
Marugame **74** 34 15N 133 40 E
Marúggio **41** 40 20N 17 33 E
Marulan **99** 34 43S 150 3 E
Marunga **92** 17 28S 20 2 E
Marungu, Mts. **90** 7 30S 30 0 E
Mårvatn **47** 60 8N 8 14 E
Marvejols **20** 44 33N 3 19 E
Marwar **68** 25 43N 73 45 E
Mary **58** 37 40N 61 50 E
Mary Frances L. **109** 63 19N 106 13W
Mary Kathleen **97** 20 44S 139 48 E
Maryborough, Queens., Austral. **97** 25 31S 152 37 E
Maryborough, Vic., Austral. **97** 37 0S 143 44 E
Maryfield **109** 49 50N 101 35W
Maryland □ **114** 39 10N 76 40W
Maryland Jc. **91** 17 45S 30 31 E
Maryport **12** 54 43N 3 30W
Mary's Harbour **107** 52 18N 55 51W
Marystown **107** 47 10N 55 10W
Marysvale **119** 38 25N 112 17W
Marysville, Can. **108** 49 35N 116 0W
Marysville, Calif., U.S.A. **118** 39 14N 121 40W
Marysville, Kans., U.S.A. **116** 39 50N 96 49W
Marysville, Mich., U.S.A. **112** 42 55N 82 29W
Marysville, Ohio, U.S.A. **114** 40 15N 83 20W
Maryvale **99** 28 4S 152 12 E
Maryville **115** 35 50N 84 0W
Marzūq **83** 25 53N 13 57 E
Masada = Mesada **62** 31 20N 35 19 E
Masahunga **90** 2 6S 33 18 E
Masai Steppe **90** 4 30S 36 30 E
Masaka **90** 0 21S 31 45 E
Masalembo, Kepulauan **72** 5 35S 114 30 E
Masalima, Kepulauan **72** 5 4S 117 5 E
Masamba **73** 2 30S 120 15 E
Masan **76** 35 11N 128 32 E
Masanasa **33** 39 25N 0 25W
Masandam, Ras **65** 26 30N 56 30 E
Masasi **91** 10 45S 38 52 E
Masasi □ **91** 10 45S 38 50 E
Masaya **121** 12 0N 86 7W
Masba **85** 10 35N 13 1 E
Masbate **73** 12 21N 123 36 E
Mascara **82** 35 26N 0 6 E
Mascota **120** 20 30N 104 50W
Masela **73** 8 9S 129 51 E
Maseru **92** 29 18S 27 30 E
Mashaba **91** 20 2S 30 29 E
Mashābih **64** 25 35N 36 30 E
Mashan **77** 23 40N 108 11 E
Mashhad **65** 36 20N 59 35 E
Mashi **85** 13 0N 7 54 E
Mashike **74** 43 31N 141 30 E
Mashkel, Hamun-i- **66** 28 30N 63 0 E
Mashki Chah **66** 29 5N 62 30 E
Mashtaga **57** 40 35N 50 0 E
Masi **50** 69 26N 23 40 E
Masi Manimba **88** 4 40S 17 54 E
Masindi **90** 1 40N 31 43 E
Masindi Port **90** 1 43N 32 2 E
Masisea **126** 8 35S 74 22W
Masisi **90** 1 23S 28 49 E
Masjed Soleyman **64** 31 55N 49 18 E
Mask, L. **15** 53 36N 9 24W
Maski **70** 15 56N 76 46 E
Maslen Nos **43** 42 18N 27 48 E
Maslinica **39** 43 24N 16 13 E
Masnou **32** 41 28N 2 20 E
Masoala, Tanjon' i **93** 15 59S 50 13 E
Masoarivo **93** 19 3S 44 19 E
Masohi **73** 3 2S 128 15 E
Masomeloka **93** 20 17S 48 37 E
Mason, S.D., U.S.A. **116** 45 12N 103 27W
Mason, Tex., U.S.A. **117** 30 45N 99 15W
Mason City, Iowa, U.S.A. **116** 43 9N 93 12W
Mason City, Wash., U.S.A. **118** 48 0N 119 0W
Masqat **65** 23 37N 58 36 E
Massa **38** 44 2N 10 7 E
Massa Maríttima **38** 43 3N 10 52 E
Massa, O. → **82** 30 2N 9 40W
Massachusetts □ **114** 42 25N 72 0W
Massachusetts B. **113** 42 30N 70 0W
Massada **62** 33 41N 35 36 E
Massafra **41** 40 35N 17 8 E
Massaguet **81** 12 28N 15 26 E
Massakory **81** 13 0N 15 49 E
Massangena **93** 21 34S 33 0 E
Massarosa **38** 43 53N 10 17 E
Massat **20** 42 53N 1 21 E
Massawa = Mitsiwa **87** 15 35N 39 25 E
Massena **114** 44 52N 74 55W
Massénya **81** 11 21N 16 9 E
Masset **108** 54 2N 132 10W
Massiac **20** 45 15N 3 11 E
Massif Central **20** 45 30N 2 21 E
Massillon **114** 40 47N 81 30W
Massinga **93** 23 46S 32 4 E
Masson **113** 45 32N 75 25W
Masson I. **5** 66 10S 93 20 E
Mastaba **86** 20 52N 39 30 E
Mastanli = Momchilgrad **43** 41 33N 25 23 E
Masterton **101** 40 56S 175 39 E
Mástikho, Ákra **45** 38 10N 26 2 E
Mastuj **69** 36 20N 72 36 E
Mastung **66** 29 50N 66 56 E
Mastura **86** 23 7N 38 52 E
Masuda **74** 34 40N 131 51 E
Maswa □ **90** 3 30S 34 0 E
Matabeleland North □ **91** 19 0S 28 0 E
Matabeleland South □ **91** 21 0S 29 0 E
Mataboor **73** 1 41S 138 3 E
Matachel → **31** 38 50N 6 17W
Matachewan **106** 47 56N 80 39W
Matad **75** 47 11N 115 27 E
Matadi **88** 5 52S 13 31 E
Matagalpa **121** 13 0N 85 58W
Matagami **106** 49 45N 77 34W
Matagami, L. **106** 49 50N 77 40W
Matagorda **117** 28 43N 96 0W
Matagorda B. **117** 28 30N 96 15W
Matagorda I. **117** 28 10N 96 40W
Matak, P. **72** 3 18N 106 16 E
Matakana **99** 32 59S 145 54 E
Matale **70** 7 30N 80 37 E
Matam **84** 15 34N 13 17W
Matameye **85** 13 26N 8 28 E
Matamoros, Coahuila, Mexico **120** 25 33N 103 15W
Matamoros, Puebla, Mexico **120** 18 2N 98 17W
Matamoros, Tamaulipas, Mexico **120** 25 50N 97 30W
Ma'ṭan as Sarra **81** 21 45N 22 0 E
Matandu → **91** 8 45S 34 19 E
Matane **107** 48 50N 67 33W
Matankari **85** 13 46N 4 1 E
Matanuska **104** 61 39N 149 19W
Matanzas **121** 23 0N 81 40W
Matapan, C. = Taínaron, Akra **45** 36 22N 22 27 E
Matapédia **107** 48 0N 66 59W
Matara **70** 5 58N 80 30 E
Mataram **72** 8 41S 116 10 E
Matarani **126** 77 0S 72 10W
Mataranka **96** 14 55S 133 4 E
Mataró **32** 41 32N 2 29 E
Matarraña → **32** 41 14N 0 22 E
Mataruška Banja **42** 43 40N 20 45 E
Matatiele **93** 30 20S 28 49 E
Mataura **101** 46 11S 168 51 E
Matehuala **120** 23 40N 100 40W
Mateke Hills **91** 21 48S 31 0 E
Matélica **39** 43 15N 13 0 E
Matera **41** 40 40N 16 37 E
Mátészalka **27** 47 58N 22 20 E
Matetsi **91** 18 12S 26 0 E
Mateur **83** 37 0N 9 40 E
Matfors **48** 62 21N 17 2 E
Matha **20** 45 52N 0 20W
Matheson Island **109** 51 45N 96 56W
Mathis **117** 28 4N 97 48W
Mathura **68** 27 30N 77 40 E
Mati **73** 6 55N 126 15 E
Mati → **44** 41 40N 20 0 E
Matías Romero **120** 16 53N 95 2W
Matibane **91** 14 49S 40 45 E
Matima **92** 20 15S 24 26 E
Matlock **12** 53 8N 1 32W
Matmata **83** 33 37N 9 59 E
Matna **87** 13 49N 35 10 E
Mato Grosso □ **127** 14 0S 55 0W
Mato Grosso, Planalto do **127** 15 0S 59 57W
Matochkin Shar **58** 73 10N 56 40 E
Matopo Hills **91** 20 36S 28 20 E
Matopos **91** 20 20S 28 29 E
Matosinhos **30** 41 11N 8 42W
Matour **21** 46 19N 4 29 E
Matrah **65** 23 37N 58 30 E
Matrûh **86** 31 19N 27 9 E
Matsena **85** 13 5N 10 5 E
Matsesta **57** 43 34N 39 51 E
Matsue **74** 35 25N 133 10 E
Matsumoto **74** 36 15N 138 0 E
Matsuyama **74** 33 45N 132 45 E
Mattagami → **106** 50 43N 81 29W
Mattancheri **70** 9 50N 76 15 E
Mattawa **106** 46 20N 78 45W
Mattawamkeag **107** 45 30N 68 21W
Matterhorn **25** 45 58N 7 39 E
Mattersburg **27** 47 44N 16 24 E
Matthew Town **121** 20 57N 73 40W
Matthew's Ridge **126** 7 37N 60 10W
Mattice **106** 49 40N 83 20W
Mattituck **113** 40 58N 72 32W
Mattmar **48** 63 18N 13 45 E
Mattua **72** 2 58S 110 46 E
Matuba **93** 24 28S 32 49 E
Matucana **126** 11 55S 76 25W
Matun **66** 33 22N 69 58 E
Maturín **126** 9 45N 63 11W
Matveyev Kurgan **57** 47 35N 38 47 E
Mau-é-ele **93** 24 18S 34 2 E
Mau Escarpment **90** 0 40S 36 0 E
Mau Ranipur **68** 25 16N 79 8 E
Maubeuge **19** 50 17N 3 57 E
Maubourguet **20** 43 29N 0 1 E
Maude **99** 34 29S 144 18 E
Maudheim **5** 71 5S 11 0W
Maudin Sun **67** 16 0N 94 30 E
Maués **126** 3 20S 57 45W
Maui **110** 20 45N 156 20 E
Mauke **101** 20 09S 157 20W
Maule □ **124** 36 5S 72 30W
Mauléon-Licharre **20** 43 14N 0 54W
Maumee **114** 41 35N 83 40W
Maumee → **114** 41 42N 83 28W
Maumere **73** 8 38S 122 13 E
Maun **92** 20 0S 23 26 E
Mauna Kea **110** 19 50N 155 28W
Mauna Loa **110** 21 8N 157 10W
Maunath Bhanjan **69** 25 56N 83 33 E
Maungmagan Kyunzu **71** 14 0N 97 48 E
Maupin **118** 45 12N 121 9W
Maure-de-Bretagne **18** 47 53N 2 0W
Maurepas L. **117** 30 18N 90 35W
Maures **21** 43 15N 6 15 E
Mauriac **20** 45 13N 2 19 E
Maurice L. **96** 29 30S 131 0 E
Mauritania ■ **80** 20 50N 10 0W
Mauritius ■ **3** 20 0S 57 0 E
Mauron **18** 48 9N 2 18W
Maurs **20** 44 43N 2 12 E
Mauston **116** 43 48N 90 5W
Mauterndorf **26** 47 9N 13 40 E
Mauvezin **20** 43 44N 0 53 E
Mauzé-sur-le-Mignon **20** 46 12N 0 41W
Mavelikara **70** 9 14N 76 32 E
Mavinga **89** 15 50S 20 21 E
Mavli **68** 24 45N 73 55 E
Mavqi'im **62** 31 38N 34 32 E
Mavrova **44** 40 26N 19 32 E
Mavuradonha Mts. **91** 16 30S 31 30 E
Mawa **90** 2 45N 26 40 E
Mawana **68** 29 6N 77 58 E
Mawand **68** 29 33N 68 38 E
Mawk Mai **67** 20 14N 97 37 E
Mawson Base **5** 67 30S 62 53 E
Max **116** 47 50N 101 20W
Maxcanú **120** 20 40N 92 0W
Maxhamish L. **108** 59 50N 123 17W
Maxixe **93** 23 54S 35 17 E
Maxville **113** 45 17N 74 51W
Maxwelton **98** 20 43S 142 41 E
May Downs **98** 22 38S 148 55 E
May Glacier Tongue **5** 66 08S 130 35 E
May Pen **121** 17 58N 77 15W
Maya **32** 43 12N 1 29W
Maya → **59** 54 31N 134 41 E
Maya Mts. **120** 16 30N 89 0W
Mayaguana **121** 22 30N 72 44W
Mayagüez **121** 18 12N 67 9W
Mayahi **85** 13 58N 7 40 E
Mayals **32** 41 22N 0 30 E
Mayarí **121** 20 40N 75 41W
Mayavaram = Mayuram **70** 11 3N 79 42 E
Maybell **118** 40 30N 108 4W
Maychew **87** 12 50N 39 31 E
Maydena **99** 42 45S 146 30 E
Maydos **44** 40 13N 26 20 E
Mayen **25** 50 18N 7 10 E
Mayenne **18** 48 20N 0 38W
Mayenne □ **18** 48 10N 0 40W
Mayenne → **18** 47 30N 0 32W
Mayer **119** 34 28N 112 17W
Mayerthorpe **108** 53 57N 115 8W
Mayfield **115** 36 45N 88 40W
Mayhill **119** 32 58N 105 30W
Maykop **57** 44 35N 40 25 E
Maymyo **71** 22 2N 96 28 E
Maynooth **15** 53 22N 6 38W
Mayo **104** 63 38N 135 57W
Mayo □ **15** 53 47N 9 7W
Mayo → **120** 26 45N 109 47W
Mayo L. **104** 63 45N 135 0W
Mayon, Mt. **73** 13 15N 123 42 E
Mayor I. **101** 37 16S 176 17 E
Mayorga **30** 42 10N 5 16W
Mayskiy **57** 43 47N 44 2 E
Mayson L. **109** 57 55N 107 10W
Maysville **114** 38 39N 83 46W
Maythalūn **62** 32 21N 35 16 E
Mayu **73** 1 30N 126 30 E
Mayuram **70** 11 3N 79 42 E
Mayville, N.D., U.S.A. **116** 47 30N 97 23W
Mayville, N.Y., U.S.A. **112** 42 14N 79 31W
Mayya **59** 61 44N 130 18 E
Mazabuka **91** 15 52S 27 44 E
Mazagán = El Jadida **82** 33 11N 8 17W
Mazagão **127** 0 7S 51 16W
Mazamet **20** 43 30N 2 20 E
Mazán **126** 3 30S 73 0W
Mazan Deran □ **65** 36 30N 52 0 E
Mazar-e Shariff **65** 36 41N 67 0 E
Mazar, O. → **82** 31 50N 1 36 E
Mazara del Vallo **40** 37 40N 12 34 E
Mazarredo **128** 47 10S 66 50W
Mazarrón **33** 37 38N 1 19W
Mazarrón, Golfo de **33** 37 27N 1 19W
Mazaruni → **126** 6 25N 58 35W
Mazatenango **120** 14 35N 91 30W
Mazatlán **120** 23 10N 106 30W
Mažeikiai **54** 56 20N 22 20 E
Māzhān **65** 32 30N 59 0 E
Mazīnān **65** 36 19N 56 56 E
Mazoe, Mozam. **91** 16 42S 33 7 E
Mazoe, Zimb. **91** 17 28S 30 58 E
Mazrûb **87** 14 0N 29 20 E
Mazu Dao **77** 26 10N 119 55 E
Mazurian Lakes = Mazurski, Pojezierze **28** 53 50N 21 0 E
Mazurski, Pojezierze **28** 53 50N 21 0 E
Mazzarino **41** 37 19N 14 12 E
Mbaba **84** 14 59N 16 44W
Mbabane **93** 26 18S 31 6 E
Mbagne **84** 16 6N 14 47W
M'bahiakro **84** 7 33N 4 19W
Mbaïki **88** 3 53N 18 1 E
Mbala **91** 8 46S 31 24 E
Mbale **90** 1 8N 34 12 E
Mbalmayo **88** 3 33N 11 33 E
Mbamba Bay **91** 11 13S 34 49 E
Mbandaka **88** 0 1N 18 18 E
Mbanga **85** 4 30N 9 33 E
Mbanza Congo **88** 6 18S 14 16 E
Mbanza Ngungu **88** 5 12S 14 53 E
Mbarara **90** 0 35S 30 40 E
Mbatto **84** 6 28N 4 22W
Mbenkuru → **91** 9 25S 39 50 E
Mberubu **85** 6 10N 7 38 E
Mbesuma **91** 10 0S 32 2 E
Mbeya **91** 8 54S 33 29 E
Mbeya □ **90** 8 15S 33 30 E
Mbinga **91** 10 50S 35 0 E
Mbinga □ **91** 10 50S 35 0 E
Mbini = Rio Muni □ **88** 1 30N 10 0 E
Mboki **87** 5 19N 25 58 E
Mboro **84** 15 9N 16 54W
Mboune **84** 14 42N 13 34W
Mbour **84** 14 22N 16 54W
Mbout **84** 16 1N 12 38W
Mbozi □ **91** 9 0S 32 50 E
Mbuji-Mayi **90** 6 9S 23 40 E
Mbulu **90** 3 45S 35 30 E
Mbulu □ **90** 3 52S 35 33 E

Mburucuyá 124 28 1 S 58 14W
Mcherrah 82 27 0N 4 30W
Mchinja 91 9 44 S 39 45 E
Mchinji 91 13 47 S 32 58 E
Mdennah 82 24 37N 6 0W
Mdina 36 35 51N 14 25 E
Mead, L. 119 36 1N 114 44W
Meade 117 37 18N 100 25W
Meadow Lake 109 54 10N 108 26W
Meadow Lake Prov. Park 109 54 27N 109 0W
Meadow Valley Wash → 119 36 39N 114 35W
Meadville 114 41 39N 80 9W
Meaford 106 44 36N 80 35W
Mealhada 30 40 22N 8 27W
Mealy Mts. 107 53 10N 58 0W
Meander River 108 59 2N 117 42W
Meares, C. 118 45 37N 124 0W
Mearim → 127 3 4 S 44 35W
Meath □ 15 53 32N 6 40W
Meath Park 109 53 27N 105 22W
Meaulne 20 46 36N 2 36 E
Meaux 19 48 58N 2 50 E
Mecanhelas 91 15 12 S 35 54 E
Mecca 119 33 37N 116 3W
Mecca = Makkah 86 21 30N 39 54 E
Mechanicsburg 112 40 12N 77 0W
Mechanicville 113 42 54N 73 41W
Mechara 87 8 36N 40 20 E
Mechelen 16 51 2N 4 29 E
Mecheria 82 33 35N 0 18W
Mechernich 24 50 35N 6 39 E
Mechetinskaya 57 46 45N 40 32 E
Mechra Benâbbou 82 32 39N 7 48W
Mecidiye 44 40 38N 26 32 E
Mecitözü 56 40 32N 35 17 E
Meconta 91 14 59 S 39 50 E
Meda 30 40 57N 7 18W
Meda → 96 17 20 S 123 50 E
Medak 70 18 1N 78 15 E
Medan 72 3 40N 98 38 E
Medanosa, Pta. 128 48 8 S 66 0W
Medawachchiya 70 8 30N 80 30 E
Medéa 82 36 12N 2 50 E
Mededa 42 43 44N 19 15 E
Medellín 126 6 15N 75 35W
Medemblik 16 52 46N 5 8 E
Médenine 83 33 21N 10 30 E
Mederdra 84 17 0N 15 38W
Medford, Oreg., U.S.A. 118 42 20N 122 52W
Medford, Wis., U.S.A. 116 45 9N 90 21W
Medgidia 46 44 15N 28 19 E
Medi 87 5 4N 30 42 E
Media Agua 124 31 58 S 68 25W
Media Luna 124 34 45 S 66 44W
Mediaş 46 46 9N 24 22 E
Medical Lake 118 47 35N 117 42W
Medicina 39 44 29N 11 38 E
Medicine Bow 118 41 56N 106 11W
Medicine Bow Pk. 118 41 21N 106 19W
Medicine Bow Ra. 118 41 10N 106 25W
Medicine Hat 109 50 0N 110 45W
Medicine Lake 116 48 30N 104 30W
Medicine Lodge 117 37 20N 98 37W
Medina, N.D., U.S.A. 116 46 57N 99 20W
Medina, N.Y., U.S.A. 114 43 15N 78 27W
Medina, Ohio, U.S.A. 114 41 9N 81 50W
Medina = Al Madīnah 64 24 35N 39 35 E
Medina → 117 29 10N 98 20W
Medina de Ríoseco 30 41 53N 5 3W
Medina del Campo 30 41 18N 4 55W
Medina L. 117 29 35N 98 58W
Medina-Sidonia 31 36 28N 5 57W
Medinaceli 32 41 12N 2 30W
Mediterranean Sea 34 35 0N 15 0 E
Medjerda, O. → 83 37 7N 10 13 E
Medley 109 54 25N 110 16W
Médoc 20 45 10N 0 56W
Medstead 109 53 19N 108 5W
Medulin 39 44 49N 13 55 E
Medveda 42 42 50N 21 32 E
Medveditsa →, R.S.F.S.R., U.S.S.R. 55 49 35N 42 41 E
Medveditsa →, R.S.F.S.R., U.S.S.R. 55 57 5N 37 30 E
Medvedok 55 57 20N 50 1 E
Medvezhi, Ostrava 59 71 0N 161 0 E
Medvezhyegorsk 52 63 0N 34 25 E
Medway → 13 51 28N 0 45 E
Medyn 55 54 58N 35 52 E
Medzev 27 48 43N 20 55 E
Medzilaborce 27 49 17N 21 52 E
Meekatharra 96 26 32 S 118 29 E
Meeker 118 40 1N 107 58W
Meerane 24 50 51N 12 30 E
Meersburg 25 47 42N 9 16 E
Meerut 68 29 1N 77 42 E
Meeteetse 118 44 10N 108 56W
Mega 87 3 57N 38 19 E
Megálo Khorío 45 36 27N 27 24 E
Megálo Petalí 45 38 0N 24 15 E
Megalópolis 45 37 25N 22 7 E
Meganísi 45 38 39N 20 48 E
Mégara 45 37 58N 23 22 E
Megarine 83 33 14N 6 2 E
Megdhova → 45 39 10N 21 45 E
Mégève 21 45 51N 6 37 E
Meghezez, Mt. 87 9 18N 39 26 E
Meghna → 69 22 50N 90 50 E
Megiddo 62 32 36N 35 11 E
Mégiscane, L. 106 48 35N 75 55W
Megiste 35 36 8N 29 34 E
Mehadia 46 44 56N 22 23 E
Mehaïguene, O. → 82 32 15N 2 59 E
Meharry, Mt. 96 22 59 S 118 35 E
Mehedinţi □ 46 44 40N 22 45 E
Meheisa 86 19 38N 32 57 E
Mehndawal 69 26 58N 83 5 E
Mehsana 68 23 39N 72 26 E
Mehun-sur-Yèvre 19 47 10N 2 13 E
Mei Jiang → 77 24 25N 116 35 E
Mei Xian 75 24 16N 116 6 E
Meiganga 88 6 30N 14 25 E
Meiktila 67 20 53N 95 54 E
Meiningen 24 50 32N 10 25 E
Me'ir Shefeya 62 32 35N 34 58 E
Meira, Sierra de 30 43 15N 7 15W
Meiringen 25 46 43N 8 12 E
Meissen 24 51 10N 13 29 E
Meissner 24 51 13N 9 51 E
Meitan 77 27 45N 107 29 E
Méjean, Causse 20 44 15N 3 30 E
Mejillones 124 23 10 S 70 30W
Mékambo 88 1 2N 13 50 E
Mekdela 87 11 24N 39 10 E
Mekele 87 13 33N 39 30 E
Meklong = Samut Songkhram 71 13 24N 100 1 E
Meknès 82 33 57N 5 33W
Meko 85 7 27N 2 52 E
Mekong → 71 9 30N 106 15 E
Mekongga 73 3 39 S 121 15 E
Melagiri Hills 70 12 20N 77 30 E
Melah, Sebkhet el 82 29 20N 1 30W
Melaka 71 2 15N 102 15 E
Melaka □ 71 2 20N 102 15 E
Melalap 72 5 10N 116 5 E
Mélambes 45 35 8N 24 40 E
Melanesia 94 4 0 S 155 0 E
Melapalaiyam 70 8 39N 77 44 E
Melbourne, Austral. 97 37 50 S 145 0 E
Melbourne, U.S.A. 115 28 4N 80 35W
Melchor Múzquiz 120 27 50N 101 30W
Melchor Ocampo (San Pedro Ocampo) 120 24 52N 101 40W
Méldola 39 44 7N 12 3 E
Meldorf 24 54 5N 9 5 E
Mêle-sur-Sarthe, Le 18 48 31N 0 22 E
Melegnano 38 45 21N 9 20 E
Melenci 42 45 32N 20 20 E
Melenki 55 55 20N 41 37 E
Mélèzes → 105 57 30N 71 0W
Melfi, Chad 81 11 0N 17 59 E
Melfi, Italy 41 41 0N 15 33 E
Melfort, Can. 109 52 50N 104 37W
Melfort, Zimb. 91 18 0 S 31 25 E
Melgaço 30 42 7N 8 15W
Melgar de Fernamental 30 42 27N 4 17W
Melhus 47 63 17N 10 18 E
Meligalá 45 37 15N 21 59 E
Melilla 82 35 21N 2 57W
Melilot 62 31 22N 34 37 E
Melipilla 124 33 42 S 71 15W
Mélissa Óros 45 37 32N 26 4 E
Melita 109 49 15N 101 0W
Mélito di Porto Salvo 41 37 55N 15 47 E
Melitopol 56 46 50N 35 22 E
Melk 26 48 13N 15 20 E
Mellan-Fryken 48 59 45N 13 10 E
Mellansel 50 63 25N 18 17 E
Melle, France 20 46 14N 0 10W
Melle, Ger. 24 52 12N 8 20 E
Mellégue, O. → 83 36 32N 8 51 E
Mellen 116 46 19N 90 36W
Mellerud 49 58 41N 12 28 E
Mellette 116 45 11N 98 29W
Mellid 30 42 55N 8 1W
Mellish Reef 97 17 25 S 155 50 E
Mellit 87 14 7N 25 34 E
Mellrichstadt 25 50 26N 10 19 E
Melnik 43 41 30N 23 25 E
Mělník 26 50 22N 14 23 E
Melo 125 32 20 S 54 10W
Melolo 73 9 53 S 120 40 E
Melovoye 57 49 25N 40 5 E
Melrhir, Chott 83 34 25N 6 24 E
Melrose, Austral. 99 32 42 S 146 57 E
Melrose, U.K. 14 53 35N 2 44W
Melrose, U.S.A. 117 34 27N 103 33W
Melstone 118 46 36N 107 50W
Melsungen 24 51 8N 9 34 E
Melton Mowbray 12 52 46N 0 52W
Melun 19 48 32N 2 39 E
Melur 70 10 2N 78 23 E
Melut 87 10 30N 32 13 E
Melville 109 50 55N 102 50W
Melville B. 97 12 0 S 136 45 E
Melville, C. 97 14 11 S 144 30 E
Melville I., Austral. 96 11 30 S 131 0 E
Melville I., Can. 4 75 30N 112 0W
Melville, L. 107 53 30N 60 0W
Melville Pen. 105 68 0N 84 0W
Melvin → 108 59 11N 117 31W
Mélykút 27 46 11N 19 25 E
Memaliaj 44 40 25N 19 58 E
Memba 91 14 11 S 40 30 E
Memboro 73 9 30 S 119 30 E
Membrilla 33 38 59N 3 21W
Memel 93 27 38 S 29 36 E
Memel = Klaipeda 54 55 43N 21 10 E
Memmingen 25 47 59N 10 12 E
Memphis, Tenn., U.S.A. 117 35 7N 90 0W
Memphis, Tex., U.S.A. 117 34 45N 100 30W
Mena 117 34 40N 94 15W
Mena → 87 5 40N 40 50 E
Menai Strait 12 53 14N 4 10W
Ménaka 85 15 59N 2 18 E
Menan = Chao Phraya → 71 13 32N 100 36 E
Menarandra → 93 25 17 S 44 30 E
Menard 117 30 57N 99 48W
Menasha 114 44 13N 88 27W
Menate 72 0 12 S 113 3 E
Mendawai → 72 3 17 S 113 21 E
Mende 20 44 31N 3 30 E
Mendebo Mts. 87 7 0N 39 22 E
Menderes → 64 37 25N 28 45 E
Mendi, Ethiopia 87 9 47N 35 4 E
Mendi, P.N.G. 98 6 11 S 143 39 E
Mendip Hills 13 51 17N 2 40W
Mendocino 118 39 26N 123 50W
Mendocino Seascarp 95 41 0N 140 0W
Mendota, Calif., U.S.A. 119 36 46N 120 24W
Mendota, Ill., U.S.A. 116 41 35N 89 5W
Mendoza 124 32 50 S 68 52W
Mendoza □ 124 33 0 S 69 0W
Mene Grande 126 9 49N 70 56W
Menemen 64 38 34N 27 3 E
Menen 16 50 47N 3 7 E
Menfi 40 37 36N 12 57 E
Mengcheng 77 33 18N 116 31 E
Mengeš 39 46 24N 14 35 E
Menggala 72 4 30 S 105 15 E
Mengíbar 31 37 58N 3 48W
Mengoub 82 29 49N 5 26W
Mengshan 77 24 14N 110 55 E
Mengzi 75 23 20N 103 22 E
Menihek L. 107 54 0N 67 0W
Menin = Menen 16 50 47N 3 7 E
Menindee 97 32 20 S 142 25 E
Menindee, L. 99 32 20 S 142 25 E
Meningie 99 35 35 S 139 0 E
Menominee 114 45 9N 87 39W
Menominee → 114 45 5N 87 36W
Menomonie 116 44 50N 91 54W
Menongue 89 14 48 S 17 52 E
Menorca 32 40 0N 4 0 E
Mentawai, Kepulauan 72 2 0 S 99 0 E
Menton 21 43 50N 7 29 E
Mentor 112 41 40N 81 21W
Menzel-Bourguiba 83 39 9N 9 49 E
Menzel Chaker 83 35 0N 10 26 E
Menzel-Temime 83 36 46N 11 0 E
Menzelinsk 52 55 53N 53 1 E
Menzies 96 29 40 S 120 58 E
Me'ona (Tarshiha) 62 33 1N 35 15 E
Mepaco 91 15 57 S 30 48 E
Meppel 16 52 42N 6 12 E
Meppen 24 52 41N 7 20 E
Mequinenza 32 41 22N 0 17 E
Mer Rouge 117 32 47N 91 48W
Merabéllou, Kólpos 45 35 10N 25 50 E
Merak 73 5 56 S 106 0 E
Meran = Merano 39 46 40N 11 10 E
Merano 39 46 40N 11 10 E
Merate 38 45 42N 9 23 E
Merauke 73 8 29 S 140 24 E
Merbabu 73 7 30 S 110 40 E
Merbein 99 34 10 S 142 2 E
Merca 63 1 48N 44 50 E
Mercadal 32 39 59N 4 5 E
Mercara 70 12 30N 75 45 E
Mercato Saraceno 39 43 57N 12 11 E
Merced 119 37 18N 120 30W
Mercedes, Buenos Aires, Argent. 124 34 40 S 59 30W
Mercedes, Corrientes, Argent. 124 29 10 S 58 5W
Mercedes, San Luis, Argent. 124 33 40 S 65 21W
Mercedes, Uruguay 124 33 12 S 58 0W
Merceditas 124 28 20 S 70 35W
Mercer, N.Z. 101 37 16 S 175 5 E
Mercer, U.S.A. 112 41 14N 80 13W
Mercy C. 105 65 0N 63 30W
Merdrignac 18 48 11N 2 27W
Meredith C. 128 52 15 S 60 40W
Meredith, L. 117 35 30N 101 35W
Merei 46 45 7N 26 43 E
Méréville 19 48 20N 2 5 E
Mergenevsky 57 49 59N 51 15 E
Mergui Arch. = Myeik Kyunzu 71 11 30N 97 30 E
Mérida, Mexico 120 20 9N 89 40W
Mérida, Spain 31 38 55N 6 25W
Mérida, Venez. 126 8 24N 71 8W
Meriden 114 41 33N 72 47W
Meridian, Idaho, U.S.A. 118 43 41N 116 25W
Meridian, Miss., U.S.A. 115 32 20N 88 42W
Meridian, Tex., U.S.A. 117 31 55N 97 37W
Mering 25 48 15N 11 0 E
Meringur 100 34 20 S 141 19 E
Meriruma 127 1 15N 54 50W
Merkel 117 32 30N 100 0W
Merksem 16 51 16N 4 25 E
Merlebach 19 49 5N 6 52 E
Merlerault, Le 18 48 41N 0 16 E
Mern 49 55 3N 12 3 E
Merowe 86 18 29N 31 46 E
Merredin 96 31 28 S 118 18 E
Merrick 14 55 8N 4 30W
Merrickville 113 44 55N 75 50W
Merrill, Oregon, U.S.A. 118 42 2N 121 37W
Merrill, Wis., U.S.A. 116 45 11N 89 41W
Merriman 116 42 55N 101 42W
Merritt 108 50 10N 120 45W
Merriwa 99 32 6 S 150 22 E
Merriwagga 99 33 47 S 145 43 E
Merry I. 106 55 29N 77 31W
Merrygoen 99 31 51 S 149 12 E
Merryville 117 30 47N 93 31W
Mersa Fatma 87 14 57N 40 17 E
Mersch 16 49 44N 6 7 E
Merseburg 24 51 20N 12 0 E
Mersey → 12 53 20N 2 56W
Merseyside □ 12 53 25N 2 55W
Mersin 64 36 51N 34 36 E
Mersing 71 2 25N 103 50 E
Merta 68 26 39N 74 4 E
Merthyr Tydfil 13 51 45N 3 23W
Mértola 31 37 40N 7 40 E
Mertzon 117 31 17N 100 48W
Méru 19 49 13N 2 8 E
Meru, Kenya 90 0 3N 37 40 E
Meru, Tanz. 90 3 15 S 36 46 E
Meru □ 90 0 3N 37 46 E
Merville 19 50 38N 2 38 E
Méry-sur-Seine 19 48 31N 3 54 E
Merzifon 56 40 53N 35 32 E
Merzig 25 49 26N 6 37 E
Merzouga, Erg Tin 83 24 0N 11 4 E
Mesa 119 33 20N 111 56W
Mesa, La, Calif., U.S.A. 119 32 48N 117 5W
Mesa, La, N. Mex., U.S.A. 119 32 6N 106 48W
Mesach Mellet 83 24 30N 11 30 E
Mesada 62 31 20N 35 19 E
Mesagne 41 40 34N 17 48 E
Mesaras, Kólpos 45 35 6N 24 47 E
Meschede 24 51 20N 8 17 E
Mesfinto 87 13 20N 37 22 E
Mesgouez, L. 106 51 20N 75 0W
Meshchovsk 54 54 22N 35 17 E
Meshed = Mashhad 65 36 20N 59 35 E
Meshoppen 113 41 36N 76 3W
Meshra er Req 81 8 25N 29 18 E
Mesick 114 44 24N 85 42W
Mesilinka → 108 56 6N 124 30W
Mesilla 119 32 20N 106 50W
Meslay-du-Maine 18 47 58N 0 33W
Mesocco 25 46 23N 9 12 E
Mesolóngion 43 38 21N 21 28 E
Mesopotamia = Al Jazirah 64 33 30N 44 0 E
Mesoraca 41 39 5N 16 47 E
Mésou Volímais 45 37 53N 20 35 E
Mess Cr. → 108 57 55N 131 14W
Messac 18 47 49N 1 50W
Messad 82 34 8N 3 30 E
Messalo → 91 12 25 S 39 15 E
Méssaména 85 3 48N 12 49 E
Messeix 20 45 37N 2 33 E
Messeue 45 37 12N 21 58 E
Messina, Italy 41 38 10N 15 32 E
Messina, S. Afr. 93 22 20 S 30 0 E
Messina, Str. di 41 38 5N 15 35 E
Messíni 45 37 4N 22 1 E
Messínia □ 45 37 10N 22 0 E
Messiniakós, Kólpos 45 36 45N 22 5 E
Messkirch 25 47 59N 9 7 E
Mesta → 43 41 30N 24 0 E
Mestà, Ákra 45 38 16N 25 53 E
Mestanza 31 38 35N 4 4W
Město Teplá 26 49 59N 12 52 E
Mestre 39 45 30N 12 13 E
Městys Zelezná Ruda 26 49 8N 13 15 E
Meta → 126 6 12N 67 28W
Metairie 117 29 59N 90 9W
Metalici, Munţii 42 46 15N 22 50 E
Metaline Falls 118 48 52N 117 22W
Metán 124 25 30 S 65 0W
Metauro → 39 43 50N 13 3 E
Metema 87 12 56N 36 13 E
Metengobalame 91 14 49 S 34 30 E
Méthana 45 37 35N 23 23 E
Methóni 45 36 49N 21 42 E
Methven 101 43 38 S 171 40 E
Methy L. 109 56 28N 109 30W
Metkovets 43 43 37N 23 10 E
Metković 42 43 6N 17 39 E
Metlakatla 108 55 10N 131 33W
Metlaoui 83 34 24N 8 24 E
Metlika 39 45 40N 15 20 E
Metropolis 117 37 10N 88 47W
Métsovon 44 39 48N 21 12 E
Mettuppalaiyam 70 11 18N 76 59 E
Mettur 70 11 48N 77 47 E
Mettur Dam 70 11 45N 77 45 E
Metulla 62 33 17N 35 34 E
Metz 19 49 8N 6 10 E
Meulaboh 72 4 11N 96 3 E
Meulan 19 49 0N 1 52 E
Meung-sur-Loire 19 47 50N 1 40 E
Meureudu 72 5 19N 96 10 E
Meurthe → 19 48 47N 6 9 E
Meurthe-et-Moselle □ 19 48 52N 6 0 E
Meuse □ 19 49 8N 5 25 E
Meuse → 16 50 45N 5 41 E
Meuselwitz 24 51 3N 12 18 E
Mexborough 12 53 29N 1 18W
Mexia 117 31 38N 96 32W
Mexiana, I. 127 0 0 49 30W
Mexicali 120 32 40N 115 30W
México 120 19 20N 99 10W
Mexico, Me., U.S.A. 113 44 35N 70 30W
Mexico, Mo., U.S.A. 116 39 10N 91 55W
Mexico ■ 120 20 0N 100 0W
México □ 120 19 20N 99 10W
Mexico, G. of 120 25 0N 90 0W
Meyenburg 24 53 19N 12 15 E
Meymac 20 45 32N 2 10 E
Meymaneh 65 35 53N 64 38 E
Meyrargues 21 43 38N 5 32 E
Meyrueis 20 44 12N 3 27 E
Meyssac 20 45 3N 1 40 E
Mezdra 43 43 12N 23 42 E
Mèze 20 43 27N 3 36 E
Mezen 52 65 50N 44 20 E
Mézenc 21 44 55N 4 11 E
Mezeş, Munţii 46 47 5N 23 5 E
Mezha → 54 55 50N 31 45 E
Mézidon 18 49 5N 0 1W
Mézilhac 21 44 49N 4 21 E
Mézin 20 44 4N 0 16 E
Mezöberény 27 46 49N 21 3 E
Mezöfalva 27 46 55N 18 49 E
Mezöhegyes 27 46 19N 20 49 E
Mezökövácsháza 27 46 25N 20 57 E
Mezökövesd 27 47 49N 20 35 E
Mézos 20 44 5N 1 10W
Mezötúr 27 47 0N 20 41 E
Mezquital 120 23 29N 104 23W
Mezzolombardo 38 46 13N 11 5 E
Mgeta 91 8 22 S 36 6 E
Mglin 54 53 2N 32 50 E
Mhlaba Hills 91 18 30 S 30 30 E
Mhow 68 22 33N 75 50 E
Miahuatlán 120 16 21N 96 36W
Miajadas 31 39 9N 5 54W
Mialar 68 26 15N 70 20 E
Miallo 98 16 28 S 145 22 E
Miami, Ariz., U.S.A. 119 33 25N 110 54W
Miami, Fla., U.S.A. 115 25 45N 80 15W
Miami, Tex., U.S.A. 117 35 44N 100 38W
Miami → 114 39 20N 84 40W
Miami Beach 115 25 49N 80 6W
Miamisburg 114 39 40N 84 11W
Mian Xian 77 33 10N 106 32 E
Mianchi 77 34 48N 111 48 E
Mīāndow āb 64 37 0N 46 5 E
Miandrivazo 93 19 31 S 45 29 E
Mīāneh 64 37 30N 47 40 E
Mianwali 68 32 38N 71 28 E
Mianyang, Hubei, China 77 30 25N 113 25 E
Mianyang, Sichuan, China 77 31 22N 104 47 E
Miaoli 75 24 37N 120 49 E
Miarinarivo 93 18 57 S 46 55 E

Miass · Mobutu Sese Seko, L.

Miass 52 54 59N 60 6 E
Miasteczko Kraj 28 53 7N 17 1 E
Miastko 28 54 0N 16 58 E
Micăsasa 46 46 7N 24 7 E
Michalovce 27 48 47N 21 58 E
Michelstadt 25 49 40N 9 0 E
Michigan □ 111 44 40N 85 40W
Michigan City 114 41 42N 86 56W
Michigan, L. 114 44 0N 87 0W
Michipicoten 106 47 55N 84 55W
Michipicoten I. 106 47 40N 85 40W
Michoacan □ 120 19 0N 102 0W
Michurin 43 42 9N 27 51 E
Michurinsk 55 52 58N 40 27 E
Miclere 98 22 34 S 147 32 E
Mico, Pta. 121 12 0N 83 30W
Micronesia 94 11 0N 160 0 E
Mid Glamorgan □ 13 51 40N 3 25W
Mid-Indian Ridge 94 40 0S 75 0 E
Mid-Oceanic Ridge 94 42 0S 90 0 E
Midai, P. 72 3 0N 107 47 E
Midale 109 49 25N 103 20W
Midas 118 41 14N 116 48W
Middagsfjället 48 63 27N 12 19 E
Middelburg, Neth. 16 51 30N 3 36 E
Middelburg, C. Prov., S. Afr. 92 31 30 S 25 0 E
Middelburg, Trans., S. Afr. 93 25 49 S 29 28 E
Middelfart 49 55 30N 9 43 E
Middle Alkali L. 118 41 30N 120 3W
Middle Andaman I. 71 12 30N 92 30 E
Middle Loup → 116 41 17N 98 23W
Middleboro 113 41 56N 70 52W
Middleburg, N.Y., U.S.A. 113 42 36N 74 19W
Middleburg, Pa., U.S.A. 112 40 46N 77 5W
Middlebury 113 44 0N 73 9W
Middleport 114 39 0N 82 5W
Middlesboro 115 36 36N 83 43W
Middlesbrough 12 54 35N 1 14W
Middlesex 113 40 36N 74 30W
Middleton 107 44 57N 65 4W
Middleton Cr. → 98 22 35 S 141 51 E
Middleton P.O. 98 22 22 S 141 32 E
Middletown, Conn., U.S.A. 114 41 37N 72 40W
Middletown, N.Y., U.S.A. 114 41 28N 74 28W
Middletown, Ohio, U.S.A. 114 39 29N 84 25W
Middletown, Pa., U.S.A. 113 40 12N 76 44W
Midelt 82 32 46N 4 44W
Midi, Canal du 20 43 45N 1 21 E
Midi d'Ossau 32 42 50N 0 25W
Midland, Austral. 96 31 54 S 115 59 E
Midland, Can. 106 44 45N 79 50W
Midland, Mich., U.S.A. 114 43 37N 84 17W
Midland, Pa., U.S.A. 112 40 39N 80 27W
Midland, Tex., U.S.A. 117 32 0N 102 3W
Midlands □ 91 19 40 S 29 0 E
Midleton 15 51 52N 8 12W
Midlothian 117 32 30N 97 0W
Midnapore 69 22 25N 87 21 E
Midongy Atsimo 93 23 35 S 47 1 E
Midongy, Tangorombohitr' i 93 23 30 S 47 0 E
Midour → 20 43 54N 0 30W
Midouze → 20 43 48N 0 51W
Midvale 118 40 39N 111 58W
Midway Is. 94 28 13N 177 22W
Midwest 118 43 27N 106 19W
Midyat 64 37 25N 41 23 E
Midzur 42 43 24N 22 40 E
Mie □ 74 34 30N 136 10 E
Miechów 28 50 21N 20 5 E
Miedwie, Jezioro 28 53 17N 14 54 E
Międzybód 28 51 25N 17 34 E
Międzychód 28 52 35N 15 53 E
Międzylesie 28 50 8N 16 40 E
Międzyrzec Podlaski 28 51 58N 22 45 E
Międzyrzecz 28 52 26N 15 35 E
Międzyzdroje 28 53 56N 14 26 E
Miejska 28 51 39N 16 58 E
Miélan 20 43 27N 0 19 E
Mielec 28 50 15N 21 25 E
Mienga 92 17 12 S 19 48 E
Miercurea Ciuc 46 46 21N 25 48 E
Mieres 30 43 18N 5 48W
Mieroszów 28 50 40N 16 11 E
Mieso 87 9 15N 40 43 E
Mieszkowice 28 52 47N 14 30 E
Migdāl 62 32 51N 35 30 E
Migdal Afeq 62 32 5N 34 58 E
Migennes 19 47 58N 3 31 E
Migliarino 39 44 45N 11 56 E
Miguel Alemán, Presa 120 18 15N 96 40W
Miguel Alves 127 4 11 S 42 55W
Mihara 74 34 24N 133 5 E
Mijares → 32 39 55N 0 1W
Mijas 31 36 36N 4 40W
Mikese 90 6 48 S 37 55 E
Mikha-Tskhakaya 57 42 15N 42 7 E
Mikhailovka 56 47 36N 35 16 E
Mikhaylov 55 54 14N 39 0 E
Mikhaylovgrad 43 43 27N 23 16 E
Mikhaylovka, Azerbaijan, U.S.S.R. 57 41 31N 48 52 E
Mikhaylovka, R.S.F.S.R., U.S.S.R. 55 50 3N 43 5 E
Mikhnevo 55 55 4N 37 59 E
Mikínai 45 37 43N 22 46 E
Mikindani 91 10 15 S 40 2 E
Mikkeli 51 61 43N 27 15 E
Mikkeli □ 50 62 0N 28 0 E
Mikkwa → 108 58 25N 114 46W
Mikniya 87 17 0N 33 45 E
Mikołajki 28 53 49N 21 37 E
Mikołów 27 50 10N 18 50 E
Míkonos 45 37 30N 25 25 E
Mikrí Préspa, Límni 44 40 47N 21 3 E
Mikrón Dhérion 44 41 19N 26 6 E
Mikstat 28 51 32N 17 59 E
Mikulov 27 48 48N 16 39 E
Mikumi 90 7 26 S 37 0 E
Mikun 52 62 20N 50 0 E
Mikura-Jima 74 33 52N 139 36 E
Milaca 116 45 45N 93 40W
Milagro 126 2 11 S 79 36W
Milan, Mo., U.S.A. 116 40 10N 93 5W
Milan, Tenn., U.S.A. 115 35 55N 88 45W
Milan = Milano 38 45 28N 9 10 E
Milange 91 16 3 S 35 45 E
Milano 38 45 28N 9 10 E
Milâs 64 37 20N 27 50 E
Milazzo 41 38 13N 15 13 E
Milbank 116 45 17N 96 38W
Milden 109 51 29N 107 32W
Mildmay 112 44 3N 81 7W
Mildura 97 34 13 S 142 9 E
Miléai 44 39 20N 23 9 E
Miles, Austral. 97 26 40 S 150 9 E
Miles, U.S.A. 117 31 39N 100 11W
Miles City 116 46 24N 105 50W
Milestone 109 49 59N 104 31W
Mileto 41 38 37N 16 3 E
Miletto, Mte. 41 41 26N 14 23 E
Miletus 45 37 20N 27 33 E
Milevsko 26 49 27N 14 21 E
Milford, Conn., U.S.A. 113 41 13N 73 4W
Milford, Del., U.S.A. 114 38 52N 75 27W
Milford, Mass., U.S.A. 113 42 8N 71 30W
Milford, Pa., U.S.A. 113 41 20N 74 47W
Milford, Utah, U.S.A. 119 38 20N 113 0W
Milford Haven 13 51 43N 5 2W
Milford Haven, B. 13 51 40N 5 10W
Milford Sd. 101 44 41 S 167 47 E
Milḥ, Baḥr al 64 32 40N 43 35 E
Milḥ, Ras al 81 31 54N 25 6 E
Miliana, Aïn Salah, Alg. 82 27 20N 2 32 E
Miliana, Médéa, Alg. 82 36 20N 2 15 E
Milicz 28 51 31N 17 19 E
Militello in Val di Catánia 41 37 16N 14 46 E
Milk → 118 48 5N 106 15W
Milk River 108 49 10N 112 5W
Milk, Wadi el → 86 17 55N 30 20 E
Mill City 118 44 45N 122 28W
Mill I. 5 66 0S 101 30 E
Millau 20 44 8N 3 4 E
Millbridge 112 44 41N 77 36W
Millbrook 112 44 10N 78 29W
Mille 115 33 7N 83 15W
Mille Lacs, L. 116 46 10N 93 30W
Mille Lacs, L. des 106 48 45N 90 35W
Millen 115 32 50N 81 57W
Miller 116 44 35N 98 59W
Millerovo 57 48 57N 40 28 E
Millersburg, Ohio, U.S.A. 112 40 32N 81 52W
Millersburg, Pa., U.S.A. 112 40 32N 76 58W
Millerton 113 41 57N 73 32W
Millevaches, Plateau de 20 45 45N 2 0 E
Millicent 97 37 34 S 140 21 E
Millinocket 107 45 45N 68 45W
Millmerran 99 27 53 S 151 16 E
Mills L. 108 61 30N 118 20W
Millsboro 112 40 0N 80 0W
Milltown Malbay 15 52 51N 9 25W
Millville 114 39 22N 75 0W
Millwood Res. 117 33 45N 94 0W
Milly 19 48 24N 2 28 E
Milna 39 43 20N 16 28 E
Milne Inlet 105 72 30N 80 0W
Milnor 116 46 19N 97 29W
Milo 108 50 34N 112 53W
Mílos 45 36 44N 24 25 E
Miloševo 42 45 42N 20 20 E
Miłosław 28 52 12N 17 32 E
Milparinka P.O. 99 29 46 S 141 57 E
Miltenberg 25 49 41N 9 13 E
Milton, Can. 112 43 33N 79 53W
Milton, N.Z. 101 46 7S 169 59 E
Milton, U.K. 14 57 18N 4 32W
Milton, Fla., U.S.A. 115 30 38N 87 0W
Milton, Pa., U.S.A. 114 41 0N 76 53W
Milton-Freewater 118 45 57N 118 24W
Milton Keynes 13 52 3N 0 42W
Miltou 81 10 14N 17 26 E
Milverton 112 43 34N 80 55W
Milwaukee 114 43 9N 87 58W
Milwaukie 118 45 27N 122 39W
Mim 84 6 57N 2 33W
Mimizan 20 44 12N 1 13W
Mimon 26 50 38N 14 43 E
Min Jiang →, Fujian, China 75 26 0N 119 35 E
Min Jiang →, Sichuan, China 75 28 45N 104 40 E
Min Xian 77 34 25N 104 0 E
Mina 119 38 21N 118 9W
Mina Pirquitas 124 22 40 S 66 30W
Mīnā Su'ud 64 28 45N 48 28 E
Mīnā'al Aḥmadī 64 29 5N 48 10 E
Mīnāb 65 27 10N 57 1 E
Minago → 109 54 33N 98 59W
Minaki 109 49 59N 94 40W
Minamata 74 32 10N 130 30 E
Minas 125 34 20 S 55 10W
Minas Basin 107 45 20N 64 12W
Minas de Rio Tinto 31 37 42N 6 35W
Minas de San Quintín 31 38 49N 4 23W
Minas Gerais □ 127 18 50 S 46 0W
Minas, Sierra de las 120 15 9N 89 31W
Minatitlán 120 17 58N 94 35W
Minbu 67 20 10N 94 52 E
Mincio → 38 45 4N 10 59 E
Mindanao 73 8 0N 125 0 E
• Mindanao Sea 73 9 0N 124 0 E
Mindanao Trench 73 8 0N 128 0 E
Mindel → 25 48 31N 10 23 E
Mindelheim 25 48 4N 10 30 E
Minden, Can. 112 44 55N 78 43W
Minden, Ger. 24 52 18N 8 45 E
Minden, U.S.A. 117 32 40N 93 20W
Mindiptana 73 5 55 S 140 22 E
Mindona, L. 100 33 6 S 142 6 E
Mindoro 73 13 0N 121 0 E
Mindoro Strait 73 12 30N 120 30 E
Mindouli 88 4 12 S 14 28 E
Minehead 13 51 12N 3 29W
Mineola 117 32 40N 95 30W
Mineral Wells 117 32 50N 98 5W
Mineralnyye Vody 57 44 2N 43 8 E

• *Renamed Bohol Sea*

Minersville, Pa., U.S.A. 113 40 11N 76 17W
Minersville, Utah, U.S.A. 119 38 14N 112 58W
Minerva 112 40 43N 81 8W
Minervino Murge 41 41 6N 16 4 E
Minetto 113 43 24N 76 28W
Mingan 107 50 20N 64 0W
Mingechaur 57 40 45N 47 0 E
Mingechaurskoye Vdkhr. 57 40 56N 47 20 E
Mingela 98 19 52 S 146 38 E
Mingera Cr. → 98 20 38 S 138 10 E
Minggang 77 32 24N 114 3 E
Mingin 67 22 50N 94 30 E
Minglanilla 32 39 34N 1 38W
Mingorria 30 40 45N 4 40W
Mingxi 77 26 18N 117 12 E
Minićevo 42 43 42N 22 18 E
Minidoka 118 42 47N 113 34W
Minigwal L. 96 29 31 S 123 14 E
Minipi, L. 107 52 25N 60 45W
Mink L. 108 61 54N 117 40W
Minna 85 9 37N 6 30 E
Minneapolis, Kans., U.S.A. 116 39 11N 97 40W
Minneapolis, Minn., U.S.A. 116 44 58N 93 20W
Minnedosa 109 50 14N 99 50W
Minnesota □ 116 46 40N 94 0W
Minnesund 47 60 23N 11 14 E
Minnitaki L. 106 49 57N 92 10W
Miño → 30 41 52N 8 40W
Minoa 45 35 6N 25 45 E
Minorca = Menorca 32 40 0N 4 0 E
Minore 99 32 14 S 148 27 E
Minot 116 48 10N 101 15W
Minqing 77 26 15N 118 50 E
Minquiers, Les 18 48 58N 2 8W
Minsen 24 53 43N 7 58 E
Minsk 54 53 52N 27 30 E
Mińsk Mazowiecki 28 52 10N 21 33 E
Mintaka Pass 69 37 0N 74 58 E
Minto 104 64 55N 149 20W
Minton 109 49 10N 104 35W
Minturn 118 39 35N 106 25W
Minturno 40 41 15N 13 43 E
Minûf 86 30 26N 30 52 E
Minusinsk 59 53 50N 91 20 E
Minutang 67 28 15N 96 30 E
Minvoul 88 2 9N 12 8 E
Minya el Qamh 86 30 31N 31 21 E
Mionica 42 44 14N 20 6 E
Mir 85 14 5N 11 59 E
Mir-Bashir 57 40 20N 46 58 E
Mira, Italy 39 45 26N 12 9 E
Mira, Port. 30 40 26N 8 44W
Mira → 31 37 43N 8 47W
Mirabella Eclano 41 41 3N 14 59 E
Miraflores Locks 120 8 59N 79 36W
Miraj 70 16 50N 74 45 E
Miram 98 21 15 S 148 55 E
Miramar, Argent. 124 38 15 S 57 50W
Miramar, Mozam. 93 23 50 S 35 35 E
Miramas 21 43 33N 4 59 E
Mirambeau 20 45 23N 0 35W
Miramichi B. 107 47 15N 65 0W
Miramont-de-Guyenne 20 44 37N 0 21 E
Miranda 127 20 10 S 56 15W
Miranda de Ebro 32 42 41N 2 57W
Miranda do Corvo 30 40 6N 8 20W
Miranda do Douro 30 41 30N 6 16W
Mirande 20 43 31N 0 25 E
Mirandela 30 41 32N 7 10W
Mirando City 117 27 28N 98 59W
Mirandola 38 44 53N 11 2 E
Mirandópolis 125 21 9 S 51 6W
Mirango 91 13 32 S 34 58 E
Mirano 39 45 29N 12 6 E
Mirassol 125 20 46 S 49 28W
Mirbāṭ 63 17 0N 54 45 E
Mirear 86 23 15N 35 41 E
Mirebeau, Côte-d'or, France 19 47 25N 5 20 E
Mirebeau, Vienne, France 18 46 49N 0 10 E
Mirecourt 19 48 20N 6 10 E
Mirgorod 54 49 58N 33 37 E
Miri 72 4 18N 114 0 E
Miriam Vale 98 24 20 S 151 33 E
Mirim, Lagoa 125 32 45 S 52 50W
Mirnyy, Antarct. 5 66 33 S 93 1 E
Mirnyy, U.S.S.R. 59 62 33N 113 53 E
Miroč 42 44 32N 22 16 E
Mirond L. 109 55 6N 102 47W
Mirosławiec 28 53 20N 16 5 E
Mirpur Bibiwari 68 28 33N 67 44 E
Mirpur Khas 68 25 30N 69 0 E
Mirpur Sakro 68 24 33N 67 41 E
Mirria 85 13 43N 9 7 E
Mirror 108 52 30N 113 7W
Mirşani 46 44 1N 23 59 E
Mirsk 28 50 58N 15 23 E
Miryang 76 35 31N 128 44 E
Mirzaani 57 41 24N 46 5 E
Mirzapur-cum-Vindhyachal 69 25 10N 82 34 E
Miscou I. 107 47 57N 64 31W
Mish'āb, Ra'as al 64 28 15N 48 43 E
Mishan 75 45 37N 131 48 E
Mishawaka 114 41 40N 86 8W
Mishbih, Gebel 86 22 38N 34 44 E
Mishima 74 35 10N 138 52 E
Mishmar Ayyalon 62 31 52N 34 57 E
Mishmar Ha' Emeq 62 32 37N 35 7 E
Mishmar Ha Negev 62 31 22N 34 48 E
Mishmar Ha Yarden 62 33 0N 35 36 E
Misilmeri 40 38 2N 13 25 E
Misima I. 98 10 40 S 152 45 E
Misiones □, Argent. 125 27 0S 55 0W
Misiones □, Parag. 124 27 0S 56 0W
Miskīn 65 23 44N 56 52 E
Miskitos, Cayos 121 14 26N 82 50W
Miskolc 27 48 7N 20 50 E
Misoke 90 0 42 S 28 2 E
Misool 73 1 52 S 130 10 E
Misrātah 83 32 24N 15 3 E
Misrātah □ 83 29 0N 16 0 E
Misriç 64 37 55N 41 40 E
Missanabie 106 48 20N 84 6W
Missinaibi → 106 50 43N 81 29W
Missinaibi L. 106 48 23N 83 40W
Mission, S.D., U.S.A. 116 43 0N 100 36W
Mission, Tex., U.S.A. 117 26 15N 98 20W
Mission City 108 49 10N 122 15W
Missisa L. 106 52 20N 85 7W
Mississagi → 106 46 15N 83 9W
Mississippi → 117 29 0N 89 15W
Mississippi, Delta of the 117 29 15N 90 30W
Mississippi L. 113 45 5N 76 10W
Mississippi □ 117 33 25N 89 0W
Missoula 118 46 52N 114 0W
Missouri □ 116 38 25N 92 30W
Missouri → 116 38 50N 90 8W
Missouri Valley 116 41 33N 95 53W
Mistake B. 109 62 8N 93 0W
Mistassini → 107 48 42N 72 20W
Mistassini L. 106 51 0N 73 30W
Mistastin L. 107 55 57N 63 20W
Mistatim 109 52 52N 103 22W
Mistelbach 27 48 34N 16 34 E
Misterbianco 41 37 32N 15 0 E
Mistretta 41 37 56N 14 20 E
Misty L. 109 58 53N 101 40W
Mît Ghamr 86 30 42N 31 12 E
Mitatib 87 15 59N 36 12 E
Mitchell, Austral. 97 26 29 S 147 58 E
Mitchell, Can. 112 43 28N 81 12W
Mitchell, Ind., U.S.A. 114 38 42N 86 25W
Mitchell, Nebr., U.S.A. 116 41 58N 103 45W
Mitchell, Oreg., U.S.A. 118 44 31N 120 8W
Mitchell, S.D., U.S.A. 116 43 40N 98 0W
Mitchell → 97 15 12 S 141 35 E
Mitchell, Mt. 115 35 40N 82 20W
Mitchelstown 15 52 16N 8 18W
Mitha Tiwana 68 32 13N 72 6 E
Míthimna 44 39 20N 26 12 E
Mitiaro, I. 101 19 49 S 157 43W
Mitilini 45 39 6N 26 35 E
Mitilinoí 45 37 42N 26 56 E
Mitla 120 16 55N 96 24W
Mito 74 36 20N 140 30 E
Mitsinjo 93 16 1 S 45 52 E
Mitsiwa 87 15 35N 39 25 E
Mitsiwa Channel 87 15 30N 40 0 E
Mitta Mitta → 100 36 14 S 147 10 E
Mittagong 99 34 28 S 150 29 E
Mittelland Kanal 24 52 23N 7 45 E
Mittenwalde 24 52 16N 13 33 E
Mitterteich 25 49 57N 12 15 E
Mittweida 24 50 59N 13 0 E
Mitú 126 1 8N 70 3W
Mitumba 90 7 8 S 31 2 E
Mitumba, Chaîne des 90 6 0S 29 0 E
Mitwaba 91 8 2 S 27 17 E
Mityana 90 0 23N 32 2 E
Mitzic 88 0 45N 11 40 E
Mixteco → 120 18 11N 98 30W
Miyagi □ 74 38 15N 140 45 E
Miyâh, W. el → 86 25 0N 33 23 E
Miyake-Jima 74 34 0N 139 30 E
Miyako 74 39 40N 141 59 E
Miyakonojō 74 31 40N 131 5 E
Miyazaki 74 31 56N 131 30 E
Miyazaki □ 74 32 30N 131 30 E
Miyazu 74 35 35N 135 10 E
Miyet, Bahr el 64 31 30N 35 30 E
Miyun 76 40 28N 116 50 E
Mizal 64 23 59N 45 11 E
Mizamis = Ozamiz 73 8 15N 123 50 E
Mizdah 83 31 30N 13 0 E
Mizen Hd., Cork, Ireland 15 51 27N 9 50W
Mizen Hd., Wicklow, Ireland 15 52 52N 6 4W
Mizhi 76 37 47N 110 12 E
Mizil 46 44 59N 26 29 E
Mizoram □ 67 23 30N 92 40 E
Mizpe Ramon 62 30 34N 34 49 E
Mjöbäck 49 57 28N 12 53 E
Mjölby 49 58 20N 15 10 E
Mjømna 47 60 55N 4 55 E
Mjörn 49 57 55N 12 25 E
Mjøsa 47 60 48N 11 0 E
Mkata 90 5 45 S 38 20 E
Mkokotoni 90 5 55 S 39 15 E
Mkomazi 90 4 40 S 38 7 E
Mkulwe 91 8 37 S 32 20 E
Mkumbi, Ras 90 7 38 S 39 55 E
Mkushi 91 14 25 S 29 15 E
Mkushi River 91 13 32 S 29 45 E
Mkuze → 93 27 45 S 32 30 E
Mladá Boleslav 26 50 27N 14 53 E
Mladenovac 42 44 28N 20 44 E
Mlala Hills 90 6 50 S 31 40 E
Mlange 91 16 2 S 35 33 E
Mlava → 42 44 45N 21 13 E
Mława 28 53 9N 20 25 E
Mlinište 39 44 15N 16 50 E
Mljet 42 42 43N 17 30 E
Mljetski Kanal 42 42 48N 17 35 E
Młynąry 28 54 12N 19 46 E
Mlynary 28 54 12N 19 43 E
Mme 85 6 18N 10 14 E
Mo 47 59 28N 7 50 E
Mo i Rana 50 66 15N 14 7 E
Moa 73 8 0S 128 0 E
Moa → 84 6 59N 11 36 E
Moab 119 38 40N 109 35W
Moabi 88 2 24 S 10 59 E
Moala 101 18 36 S 179 53 E
Moalie Park 99 29 42 S 143 3 E
Moaña 30 42 18N 8 43W
Moapa 119 36 45N 114 37W
Moba 90 7 0S 29 48 E
Mobaye 88 4 25N 21 5 E
Mobayi 88 4 15N 21 8 E
Moberley 116 39 25N 92 25W
Moberly → 108 56 12N 120 55W
Mobile 115 30 41N 88 3W
Mobile B. 115 30 30N 88 0W
Mobile, Pt. 115 30 15N 88 0W
Mobridge 116 45 31N 100 28W
Mobutu Sese Seko, L. 90 1 30N 31 0 E

Place	Page	Lat.	Long.
Mocabe Kasari	91	9 58S	26 12 E
Moçambique	91	15 3S	40 42 E
Moçambique □	91	14 45S	38 30 E
• Moçâmedes	89	15 7S	12 11 E
• Moçâmedes □	92	16 35S	12 30 E
Mochudi	92	24 27S	26 7 E
Mocimboa da Praia	91	11 25S	40 20 E
Mociu	46	46 46N	24 3 E
Möckeln	49	56 40N	14 15 E
Moclips	118	47 14N	124 10W
Mocoa	126	1 7N	76 35W
Mococa	125	21 28S	47 0W
Mocorito	120	25 30N	107 53W
Moctezuma	120	29 50N	109 0W
Moctezuma →	120	21 59N	98 34W
Mocuba	91	16 54S	36 57 E
Modalen	47	60 49N	5 48 E
Modane	21	45 12N	6 40 E
Modasa	68	23 30N	73 21 E
Modder →	92	29 2S	24 37 E
Modderrivier	92	29 2S	24 38 E
Módena	38	44 39N	10 55 E
Modena	119	37 55N	113 56W
Modesto	119	37 43N	121 0W
Módica	41	36 52N	14 45 E
Modigliana	39	44 9N	11 48 E
Modlin	28	52 24N	20 41 E
Mödling	27	48 5N	16 17 E
Modo	87	5 31N	30 33 E
Modra	27	48 19N	17 20 E
Modriča	42	44 57N	18 17 E
Moe	97	38 12S	146 19 E
Moebase	91	17 3S	38 41 E
Moei →	71	17 25N	98 10 E
Moëlan-sur-Mer	18	47 49N	3 38W
Moengo	127	5 45N	54 20W
Moffat	14	55 20N	3 27W
Moga	68	30 48N	75 8 E
Mogadishu = Muqdisho	63	2 2N	45 25 E
Mogador = Essaouira	82	31 32N	9 48W
Mogadouro	30	41 22N	6 47W
Mogami →	74	38 45N	140 0 E
Mogaung	67	25 20N	97 0 E
Møgeltønder	49	54 57N	8 48 E
Mogente	33	38 52N	0 45W
Mogho	87	4 54N	40 16 E
Mogi das Cruzes	125	23 31S	46 11W
Mogi-Guaçu →	125	20 53S	48 10W
Mogi-Mirim	125	22 29S	47 0W
Mogielnica	28	51 42N	20 41 E
Mogilev	54	53 55N	30 18 E
Mogilev-Podolskiy	56	48 20N	27 40 E
Mogilno	28	52 39N	17 55 E
Mogincual	91	15 35S	40 25 E
Mogliano Véneto	39	45 33N	12 15 E
Mogocha	59	53 40N	119 50 E
Mogoi	73	1 55S	133 10 E
Mogok	67	23 0N	96 40 E
Mogollon	119	33 25N	108 48W
Mogollon Mesa	119	35 0N	111 0W
Moguer	31	37 15N	6 52W
Mohács	27	45 58N	18 41 E
Mohall	116	48 46N	101 30W
Moḥammadābād	65	37 52N	59 5 E
Mohammadia	82	35 33N	0 3 E
Mohammedia	82	33 44N	7 21W
Mohawk	119	32 45N	113 50W
Mohawk →	113	42 47N	73 42W
Mohe	76	53 28N	122 17 E
Moheda	49	57 1N	14 35 E
Möhne →	24	51 29N	7 57 E
Moholm	49	58 37N	14 5 E
Mohon	19	49 45N	4 44 E
Mohoro	90	8 6S	39 8 E
Moia	87	5 3N	28 2 E
Moidart, L.	14	56 47N	5 40W
Moinabad	70	17 44N	77 16 E
Moineşti	46	46 28N	26 31 E
Mointy	58	47 10N	73 18 E
Moirans	21	45 20N	5 33 E
Moirans-en-Montagne	21	46 26N	5 43 E
Moires	45	35 4N	24 56 E
Moisakula	54	58 3N	25 12 E
Moisie	107	50 12N	66 1W
Moisie →	107	50 14N	66 5W
Moissac	20	44 7N	1 5 E
Moïssala	81	8 21N	17 46 E
Moita	31	38 38N	8 58W
Mojácar	33	37 6N	1 55W
Mojados	30	41 26N	4 40W
Mojave	119	35 8N	118 8W
Mojave Desert	119	35 0N	116 30W
Mojo, Boliv.	124	21 48S	65 33W
Mojo, Ethiopia	87	8 35N	39 5 E
Mojo, Indon.	72	8 10S	117 40 E
Mojokerto	73	7 29S	112 25 E
Mokai	101	38 32S	175 56 E
Mokambo	91	12 25S	28 20 E
Mokameh	69	25 24N	85 55 E
Mokhós	45	35 16N	25 27 E
Mokhotlong	93	29 22S	29 2 E
Moknine	83	35 35N	10 58 E
Mokokchung	67	26 15N	94 30 E
Mokra Gora	42	42 50N	20 30 E
Mokronog	39	45 57N	15 9 E
Moksha →	55	54 45N	41 53 E
Mokshan	55	53 25N	44 35 E
Mol	16	51 11N	5 5 E
Mola, C. de la	32	39 40N	4 20 E
Mola di Bari	41	41 3N	17 5 E
Moláoi	45	36 49N	22 56 E
Molat	39	44 15N	14 50 E
Molchanovo	58	57 40N	83 50 E
Mold	12	53 10N	3 10W
Moldava nad Bodvou	27	48 38N	21 0 E
Moldavia = Moldova	46	46 30N	27 0 E
Moldavian S.S.R. □	56	47 0N	28 0 E
Molde	47	62 45N	7 9 E
Moldova	46	46 30N	27 0 E
Moldova Nouă	42	44 45N	21 41 E
Moldoveanu	43	45 36N	24 45 E
Molepolole	92	24 28S	25 28 E
Molfetta	41	41 12N	16 35 E
Molina de Aragón	32	40 46N	1 52W
Moline	116	41 30N	90 30W
Molinella	39	44 38N	11 40 E
Molinos	124	25 28S	66 15W
Moliro	90	8 12S	30 30 E
Molise □	39	41 45N	14 30 E
Moliterno	41	40 14N	15 50 E
Mollahat	69	22 56N	89 48 E
Mölle	49	56 17N	12 31 E
Molledo	30	43 8N	4 6W
Mollendo	126	17 0S	72 0W
Mollerusa	32	41 37N	0 54 E
Mollina	31	37 8N	4 38W
Mölln	24	53 37N	10 41 E
Mölltorp	49	58 30N	14 26 E
Mölndal	49	57 40N	12 3 E
Molochansk	56	47 15N	35 35 E
Molochnaya →	56	47 0N	35 30 E
Molodechno	54	54 20N	26 50 E
Molokai	110	21 8N	157 0W
Moloma →	55	58 20N	48 15 E
Molong	99	33 5S	148 54 E
Molopo →	92	28 30S	20 13 E
Mólos	45	38 47N	22 37 E
Moloundou	88	2 8N	15 15 E
Molsheim	19	48 33N	7 29 E
Molson L.	109	54 22N	96 40W
Molteno	92	31 22S	26 22 E
Molu	73	6 45S	131 40 E
Molucca Sea	73	4 0S	124 0 E
Moluccas = Maluku	73	1 0S	127 0 E
Molusi	92	20 21S	24 29 E
Moma, Mozam.	91	16 47S	39 4 E
Moma, Zaïre	90	1 35S	23 52 E
Momanga	92	18 7S	21 41 E
Mombasa	90	4 2S	39 43 E
Mombuey	30	42 3N	6 20W
Momchilgrad	43	41 33N	25 23 E
Momi	90	1 42S	27 0 E
Mompós	126	9 14N	74 26W
Møn	49	54 57N	12 15 E
Mon →	67	20 25N	94 30 E
Mona, Canal de la	121	18 30N	67 45W
Mona, I.	121	18 5N	67 54W
Mona, Pta.	121	9 37N	82 36W
Mona, Punta	31	36 43N	3 45W
Monach Is.	14	57 32N	7 40W
Monaco ■	21	43 46N	7 23 E
Monadhliath Mts.	14	57 10N	4 4W
Monaghan	15	54 15N	6 58W
Monaghan □	15	54 10N	7 0W
Monahans	117	31 35N	102 50W
Monapo	91	14 56S	40 19 E
Monarch Mt.	108	51 55N	125 57W
Monastier-sur-Gazeille, Le	20	44 57N	3 59 E
Monastir	83	35 50N	10 49 E
Monastyriska	54	49 8N	25 14 E
Moncada	32	39 30N	0 24W
Moncalieri	38	45 0N	7 40 E
Moncalvo	38	45 3N	8 15 E
Moncão	30	42 4N	8 27W
Moncarapacho	31	37 5N	7 46W
Moncayo, Sierra del	32	41 48N	1 50W
Mönchengladbach	24	51 12N	6 23 E
Monchique	31	37 19N	8 38W
Monclova	120	26 50N	101 30W
Moncontour	18	48 22N	2 38W
Moncoutant	18	46 43N	0 35W
Moncton	107	46 7N	64 51W
Mondego →	30	40 9N	8 52W
Mondego, Cabo	30	40 11N	8 54W
Mondeodo	73	3 34S	122 9 E
Mondolfo	39	43 45N	13 8 E
Mondoñedo	30	43 25N	7 23W
Mondovì	38	44 23N	7 49 E
Mondovi	116	44 37N	91 40W
Mondragon	21	44 13N	4 44 E
Mondragone	40	41 8N	13 52 E
Monduli □	90	3 0S	36 0 E
Monemvasia	45	36 41N	23 3 E
Monessen	114	40 9N	79 50W
Monesterio	31	38 6N	6 15W
Monestier-de-Clermont	21	44 55N	5 38 E
Monêtier-les-Bains, Le	21	44 58N	6 30 E
Monett	117	36 55N	93 56W
Monfalcone	39	45 49N	13 32 E
Monflanquin	20	44 32N	0 47 E
Monforte	31	39 6N	7 25W
Monforte de Lemos	30	42 31N	7 33W
Mong Cai	71	21 27N	107 54 E
Mong Hsu	67	21 54N	98 30 E
Mong Kung	67	21 35N	97 35 E
Mong Lang	71	21 29N	97 52 E
Mong Nai	67	20 32N	97 46 E
Mong Pawk	67	22 4N	99 16 E
Mong Ton	67	20 17N	98 45 E
Mong Wa	67	21 26N	100 27 E
Mong Yai	67	22 21N	98 3 E
Mongalla	87	5 8N	31 42 E
Mongers, L.	96	29 25S	117 5 E
Monghyr	69	25 23N	86 30 E
Mongla	69	22 8N	89 35 E
Mongo	81	12 14N	18 43 E
Mongolia ■	75	47 0N	103 0 E
Mongonu	85	12 40N	13 32 E
Mongororo	81	12 3N	22 26 E
Mongu	89	15 16S	23 12 E
Môngua	92	16 43S	15 20 E
Monistrol	20	45 57N	3 38 E
Monistrol-St-Loire	21	45 17N	4 11 E
Monkey Bay	91	14 7S	35 1 E
Mońki	28	53 23N	22 48 E
Monkira	98	24 46S	140 30 E
Monkoto	88	1 38S	20 35 E
Monmouth, U.K.	13	51 48N	2 43W
Monmouth, U.S.A.	116	40 50N	90 40W
Mono, L.	119	38 0N	119 9W
Monongahela	112	40 12N	79 56W
Monópoli	41	40 57N	17 18 E
Monor	27	47 21N	19 27 E
Monóvar	33	38 28N	0 53W
Monqoumba	88	3 33N	18 40 E
Monreal del Campo	32	40 47N	1 20W
Monreale	40	38 6N	13 16 E
Monroe, Ga., U.S.A.	115	33 47N	83 43W
Monroe, La., U.S.A.	117	32 32N	92 4W
Monroe, Mich., U.S.A.	114	41 55N	83 26W
Monroe, N.C., U.S.A.	115	35 2N	80 37W
Monroe, N.Y., U.S.A.	113	41 19N	74 11W
Monroe, Utah, U.S.A.	119	38 45N	112 5W
Monroe, Wis., U.S.A.	116	42 38N	89 40W
Monroe City	116	39 40N	91 40W
Monroeville	115	31 33N	87 15W
Monrovia, Liberia	84	6 18N	10 47W
Monrovia, U.S.A.	119	34 7N	118 1W
Mons	16	50 27N	3 58 E
Monsaraz	31	38 28N	7 22W
Monse	73	4 0S	123 10 E
Monségur	20	44 38N	0 4 E
Monsélice	39	45 16N	11 46 E
Mont-de-Marsan	20	43 54N	0 31W
Mont d'Or, Tunnel	19	46 45N	6 18 E
Mont-Dore, Le	20	45 35N	2 50 E
Mont-Joli	107	48 37N	68 10W
Mont Laurier	106	46 35N	75 30W
Mont-sous-Vaudrey	19	46 58N	5 36 E
Mont-St-Michel, Le	18	48 40N	1 30W
Mont Tremblant Prov. Park	106	46 30N	74 30W
Montabaur	24	50 26N	7 49 E
Montagnac	20	43 29N	3 28 E
Montagnana	39	45 13N	11 29 E
Montagu	92	33 45S	20 8 E
Montagu I.	5	58 25S	26 20W
Montague, Can.	107	46 10N	62 39W
Montague, Calif., U.S.A.	118	41 47N	122 30W
Montague, Mass., U.S.A.	113	42 31N	72 33W
Montague, I.	120	31 40N	114 56W
Montague I.	104	60 0N	147 0W
Montague Sd.	96	14 28S	125 20 E
Montaigu	18	46 59N	1 18W
Montalbán	32	40 50N	0 45W
Montalbano di Elicona	41	38 1N	15 0 E
Montalbano Iónico	41	40 17N	16 33 E
Montalbo	32	39 53N	2 42W
Montalcino	39	43 4N	11 30 E
Montalegre	30	41 49N	7 47W
Montalto di Castro	39	42 20N	11 36 E
Montalto Uffugo	41	39 25N	16 9 E
Montamarta	30	41 39N	5 49W
Montaña	126	6 0S	73 0W
Montana □	110	47 0N	110 0W
Montánchez	31	39 15N	6 8W
Montargis	19	48 0N	2 43 E
Montauban	20	44 0N	1 21 E
Montauk	114	41 3N	71 57W
Montauk Pt.	113	41 4N	71 52W
Montbard	19	47 38N	4 20 E
Montbéliard	19	47 31N	6 48 E
Montblanch	32	41 23N	1 4 E
Montbrison	21	45 36N	4 3 E
Montcalm, Pic de	20	42 40N	1 25 E
Montceau-les-Mines	19	46 40N	4 23 E
Montchanin	38	46 47N	4 30 E
Montclair	113	40 53N	74 13W
Montcornet	19	49 40N	4 0 E
Montcuq	20	44 21N	1 13 E
Montdidier	19	49 38N	2 35 E
Monte Alegre	127	2 0S	54 0W
Monte Azul	127	15 9S	42 53W
Monte Bello Is.	96	20 30S	115 45 E
Monte-Carlo	21	43 46N	7 23 E
Monte Caseros	124	30 10S	57 50W
Monte Comán	124	34 40S	67 53W
Monte Lindo →	124	23 56S	57 12W
Monte Quemado	124	25 53S	62 41W
Monte Redondo	30	39 53N	8 50W
Monte San Giovanni	40	41 39N	13 33 E
Monte San Savino	39	43 20N	11 42 E
Monte Sant' Ángelo	41	41 42N	15 59 E
Monte Santu, C. di	40	40 5N	9 42 E
Monte Vista	119	37 40N	106 8W
Monteagudo	125	27 14S	54 8W
Montealegre	33	38 48N	1 17W
Montebello	106	45 40N	74 55W
Montebelluna	39	45 47N	12 3 E
Montebourg	18	49 30N	1 20W
Montecastrilli	39	42 40N	12 30 E
Montecatini Terme	38	43 55N	10 48 E
Montecristi	126	1 0S	80 40W
Montecristo	38	42 20N	10 20 E
Montefalco	39	42 53N	12 38 E
Montefiascone	39	42 31N	12 2 E
Montefrío	31	37 20N	4 0W
Montego Bay	121	18 30N	78 0W
Montegranaro	39	43 13N	13 38 E
Montehanin	19	46 46N	4 44 E
Montejicar	33	37 33N	3 30W
Montélimar	21	44 33N	4 45 E
Montella	41	40 50N	15 0 E
Montellano	31	36 59N	5 36W
Montello	116	43 49N	89 21W
Montelupo Fiorentino	38	43 44N	11 2 E
Montemor-o-Novo	31	38 40N	8 12W
Montemor-o-Velho	30	40 11N	8 40W
Montemorelos	120	25 11N	99 42W
Montendre	20	45 16N	0 26W
Montenegro	125	29 39S	51 29W
Montenegro = Crna Gora □	42	42 40N	19 20 E
Montenero di Bisaccia	39	42 0N	14 47 E
Montepuez	91	13 8S	38 59 E
Montepuez →	91	12 32S	40 27 E
Montepulciano	39	43 5N	11 46 E
Montereale	39	42 31N	13 13 E
Montereau	19	48 22N	2 57 E
Monterey	119	36 35N	121 57W
Montería	126	8 46N	75 53W
Monteros	124	27 11S	65 30W
Monterotondo	39	42 3N	12 36 E
Monterrey	120	25 40N	100 30W
Montes Claros	127	16 30S	43 50W
Montesano	118	47 0N	123 39W
Montesárchio	41	41 5N	14 37 E
Montescaglioso	41	40 34N	16 40 E
Montesilvano	39	42 30N	14 8 E
Montevarchi	39	43 30N	11 32 E
Montevideo	125	34 50S	56 11W
Montezuma	116	41 32N	92 35W
Montfaucon, Haute-Loire, France	21	45 11N	4 20 E
Montfaucon, Meuse, France	19	49 16N	5 8 E
Montfort-l'Amaury	19	48 47N	1 49 E
Montfort-sur-Meu	18	48 8N	1 58W
Montgenèvre	21	44 56N	6 42 E
Montgomery, U.K.	13	52 34N	3 9W
Montgomery, Ala., U.S.A.	115	32 20N	86 20W
Montgomery, W. Va., U.S.A.	114	38 9N	81 21W
Montgomery = Sahiwal	68	30 45N	73 8 E
Montguyon	20	45 12N	0 12W
Monthey	25	46 15N	6 56 E
Monticelli d'Ongina	38	45 3N	9 56 E
Monticello, Ark., U.S.A.	117	33 40N	91 48W
Monticello, Fla., U.S.A.	115	30 35N	83 50W
Monticello, Ind., U.S.A.	114	40 40N	86 45W
Monticello, Iowa, U.S.A.	116	42 18N	91 12W
Monticello, Ky., U.S.A.	115	36 52N	84 50W
Monticello, Minn., U.S.A.	116	45 17N	93 52W
Monticello, Miss., U.S.A.	117	31 35N	90 8W
Monticello, N.Y., U.S.A.	113	41 37N	74 42W
Monticello, Utah, U.S.A.	119	37 55N	109 27W
Montichiari	38	45 28N	10 29 E
Montier	19	48 30N	4 45 E
Montignac	20	45 4N	1 10 E
Montigny-les-Metz	19	49 7N	6 10 E
Montigny-sur-Aube	19	47 57N	4 45 E
Montijo	31	38 52N	6 39W
Montijo, Presa de	31	38 55N	6 26W
Montilla	31	37 36N	4 40W
Montivideo	116	44 55N	95 40W
Montlhéry	19	48 39N	2 15 E
Montluçon	20	46 22N	2 36 E
Montmagny	107	46 58N	70 34W
Montmarault	20	46 19N	2 57 E
Montmartre	109	50 14N	103 27W
Montmédy	19	49 30N	5 20 E
Montmélian	21	45 30N	6 4 E
Montmirail	19	48 51N	3 30 E
Montmoreau-St-Cybard	20	45 23N	0 8 E
Montmorency	107	46 53N	71 11W
Montmorillon	20	46 26N	0 50 E
Montmort	19	48 55N	3 49 E
Monto	97	24 52S	151 6 E
Montoire	18	47 45N	0 52 E
Montório al Vomano	39	42 35N	13 38 E
Montoro	31	38 1N	4 27W
Montour Falls	112	42 20N	76 51W
Montpelier, Idaho, U.S.A.	118	42 15N	111 20W
Montpelier, Ohio, U.S.A.	114	41 34N	84 40W
Montpelier, Vt., U.S.A.	114	44 15N	72 38W
Montpellier	20	43 37N	3 52 E
Montpezat-de-Quercy	20	44 15N	1 30 E
Montpon	20	45 2N	0 11 E
Montréal, Can.	106	45 31N	73 34W
Montréal, France	20	43 13N	2 8 E
Montreal L.	109	54 20N	105 45W
Montreal Lake	109	54 3N	105 46W
Montredon-Labessonnié	20	43 45N	2 18 E
Montréjeau	20	43 6N	0 35 E
Montrésor	18	47 10N	1 10 E
Montreuil	19	50 27N	1 45 E
Montreuil-Bellay	18	47 8N	0 9W
Montreux	25	46 26N	6 55 E
Montrevault	18	47 17N	1 2W
Montrevel-en-Bresse	21	46 21N	5 8 E
Montrichard	18	47 20N	1 10 E
Montrose, U.K.	14	56 43N	2 28W
Montrose, Col., U.S.A.	119	38 30N	107 52W
Montrose, Pa., U.S.A.	113	41 50N	75 55W
Monts, Pte des	107	49 20N	67 12W
Monts-sur-Guesnes	18	46 55N	0 13 E
Montsalvy	20	44 41N	2 30 E
Montsant, Sierra de	32	41 17N	1 0 E
Montsauche	19	47 13N	4 0 E
Montsech, Sierra del	32	42 0N	0 45 E
Montseny	32	41 55N	2 25W
Montserrat, Spain	32	41 36N	1 49 E
Montserrat, W. Indies	121	16 40N	62 10W
Montuenga	30	41 3N	4 38W
Montuiri	32	39 34N	2 59 E
Monveda	88	2 52N	21 30 E
Monywa	67	22 7N	95 11 E
Monza	38	45 35N	9 15 E
Monze	91	16 17S	27 29 E
Monze, C.	66	24 47N	66 37 E
Monzón	32	41 52N	0 10 E
Moolawatana	99	29 55S	139 45 E
Moonah →	98	22 3S	138 33 E
Moonbeam	106	49 20N	82 10W
Moonie	99	27 46S	150 20 E
Moonie →	97	29 19S	148 43 E
Moonta	99	34 6S	137 32 E
Mooraberree	99	25 13S	140 54 E
Moorcroft	116	44 17N	104 58W
Moore, L.	96	29 50S	117 35 E
Moorefield	114	39 5N	78 59W
Moores Res.	113	44 45N	71 50W
Mooresville	115	35 36N	80 45W
Moorfoot Hills	14	55 44N	3 8W
Moorhead	116	46 51N	96 44W
Mooroopna	99	36 25S	145 22 E
Moorreesburg	92	33 6S	18 38 E
Moosburg	25	48 28N	11 57 E
Moose →	106	51 20N	80 25W
Moose Factory	106	51 16N	80 32W
Moose I.	109	51 42N	97 10W
Moose Jaw	109	50 24N	105 30W
Moose Jaw Cr. →	109	50 34N	105 18W
Moose Lake, Can.	109	53 43N	100 20W
Moose Lake, U.S.A.	116	46 27N	92 48W
Moose Mountain Cr. →	109	49 13N	102 12W
Moose Mountain Prov. Park	109	49 48N	102 25W
Moose River	106	50 48N	81 17W
Moosehead L.	107	45 34N	69 40W
Moosomin	109	50 9N	101 40W
Moosonee	106	51 17N	80 39W
Moosup	113	41 44N	71 52W

• *Renamed Namibe*

Mopipi Mullsjö

Mopipi 92 21 6S 24 55 E
Mopoi 90 5 6N 26 54 E
Mopti 84 14 30N 4 0W
Moqatta 87 14 38N 35 50 E
Moquegua 126 17 15S 70 46W
Mór 27 47 25N 18 12 E
Móra 31 38 55N 8 10W
Mora, Sweden 48 61 2N 14 38 E
Mora, Minn., U.S.A. 116 45 52N 93 19W
Mora, N. Mex., U.S.A. 119 35 58N 105 21W
Mora de Ebro 32 41 6N 0 38 E
Mora de Rubielos 32 40 15N 0 45W
Mora la Nueva 32 41 7N 0 39 E
Morača → 42 42 20N 19 9 E
Moradabad 68 28 50N 78 50 E
Morafenobe 93 17 50S 44 53 E
Morag 28 53 55N 19 56 E
Moral de Calatrava 33 38 51N 3 33W
Moraleja 30 40 6N 6 43W
Moran, Kans., U.S.A. 117 37 53N 94 35W
Moran, Wyo., U.S.A. 118 43 53N 110 37W
Morano Cálabro 41 39 51N 16 8 E
Morant Cays 121 17 22N 76 0W
Morant Pt. 121 17 55N 76 12W
Morar L. 14 56 57N 5 40W
Moratalla 33 38 14N 1 49W
Moratuwa 70 6 45N 79 55 E
Morava → 27 48 10N 16 59 E
Moravia 116 40 50N 92 50W
Moravian Hts. = Ceskemoravská V. 26 49 30N 15 40 E
Moravica → 42 43 52N 20 8 E
Moravice → 27 49 50N 17 43 E
Moraviţa 42 45 17N 21 14 E
Moravská Třebová 27 49 45N 16 40 E
Moravské Budějovice 26 49 4N 15 49 E
Morawhanna 126 8 30N 59 40W
Moray Firth 14 57 50N 3 30W
Morbach 25 49 48N 7 7 E
Morbegno 38 46 8N 9 34 E
Morbihan □ 18 47 55N 2 50W
Morcenx 20 44 0N 0 55W
Mordelles 18 48 5N 1 52W
Morden 109 49 15N 98 10W
Mordialloc 100 38 1S 145 6 E
Mordovian A.S.S.R. □ 55 54 20N 44 30 E
Mordovo 55 52 6N 40 50 E
Mordy 28 52 13N 22 31 E
Møre og Romsdal fylke □ 47 62 30N 8 0 E
Morea 9 37 45N 22 10 E
Moreau → 116 45 15N 100 43W
Morecambe 12 54 5N 2 52W
Morecambe B. 12 54 7N 3 0W
Moree 97 29 28S 149 54 E
Morehead 114 38 12N 83 22W
Morehead City 115 34 46N 76 44W
Morelia 120 19 40N 101 11W
Morella, Austral. 98 23 0S 143 52 E
Morella, Spain 32 40 35N 0 5W
Morelos □ 120 18 40N 99 10W
Morena, Sierra 31 38 20N 4 0W
Morenci 119 33 7N 109 20W
Moreni 46 44 59N 25 36 E
Moresby I. 108 52 30N 131 40W
Morestel 21 45 40N 5 28 E
Moret 19 48 22N 2 58 E
Moreton 98 12 22S 142 30 E
Moreton B. 97 27 10S 153 10 E
Moreton I. 97 27 10S 153 25 E
Moreuil 19 49 46N 2 30 E
Morez 21 46 31N 6 2 E
Morgan, Austral. 99 34 0S 139 35 E
Morgan, U.S.A. 118 41 3N 111 44W
Morgan City 117 29 40N 91 15W
Morganfield 114 37 40N 87 55W
Morganton 115 35 46N 81 48W
Morgantown 114 39 39N 79 58W
Morganville 99 25 10S 151 50 E
Morgat 18 48 15N 4 32W
Morgenzon 93 26 45S 29 36 E
Morges 25 46 31N 6 29 E
Morhange 19 48 55N 6 38 E
Mori 38 45 51N 10 59 E
Moriarty 119 35 3N 106 2W
Morice L. 108 53 50N 127 40W
Moriki 85 12 52N 6 30 E
Morinville 108 53 49N 113 41W
Morioka 74 39 45N 141 8 E
Morkalla 99 34 23S 141 10 E
Morlaàs 20 43 21N 0 18W
Morlaix 18 48 36N 3 52W
Mormanno 41 39 53N 15 59 E
Mormant 19 48 37N 2 52 E
Mornington 99 38 15S 145 5 E
Mornington I. 97 16 30S 139 30 E
Mornington, I. 128 49 50S 75 30W
Mórnos → 45 38 30N 22 0 E
Moro 87 10 50N 30 9 E
Moro G. 73 6 30N 123 0 E
Morobe 98 7 49S 147 38 E
Morocco ■ 82 32 0N 5 50W
Morococha 126 11 40S 76 5W
Morogoro 90 6 50S 37 40 E
Morogoro □ 90 8 0S 37 0 E
Moroleón 120 20 8N 101 32W
Morombe 93 21 45S 43 22 E
Moron 124 34 39S 58 37W
Morón 121 22 8N 78 39W
Mörön → 75 47 14N 110 37 E
Morón de Almazán 32 41 29N 2 27W
Morón de la Frontera 31 37 6N 5 28W
Morondava 93 20 17S 44 17 E
Morondo 84 8 57N 6 47W
Moronou 84 6 16N 4 59W
Morotai 73 2 10N 128 30 E
Moroto 90 2 28N 34 42 E
Moroto Summit 90 2 30N 34 43 E
Morozov (Bratan) 43 42 30N 25 10 E
Morozovsk 57 48 25N 41 50 E
Morpeth 12 55 11N 1 41W
Morphou 64 35 12N 32 59 E
Morrilton 117 35 10N 92 45W
Morrinhos 127 17 45S 49 10W
Morrinsville 101 37 40S 175 32 E
Morris, Can. 109 49 25N 97 22W
Morris, Ill., U.S.A. 114 41 20N 88 20W
Morris, Minn., U.S.A. 116 45 33N 95 56W
Morrisburg 106 44 55N 75 7W
Morrison 116 41 47N 90 0W
Morristown, Ariz., U.S.A. 119 33 54N 112 35W
Morristown, N.J., U.S.A. 113 40 48N 74 30W
Morristown, S.D., U.S.A. 116 45 57N 101 44W
Morristown, Tenn., U.S.A. 115 36 18N 83 20W
Morro Bay 119 35 27N 120 54W
Morro, Pta. 124 27 6S 71 0W
Morrosquillo, Golfo de 121 9 35N 75 40W
Mörrum 49 56 12N 14 45 E
Mors 49 56 50N 8 45 E
Morshansk 55 53 28N 41 50 E
Mörsil 48 63 19N 13 40 E
Mortagne 20 45 28N 0 49W
Mortagne → 19 48 33N 6 27 E
Mortagne-au-Perche 18 48 31N 0 33 E
Mortain 18 48 40N 0 57W
Mortara 38 45 15N 8 43 E
Morteau 19 47 3N 6 35 E
Morteros 124 30 50S 62 0W
Mortes, R. das → 127 11 45S 50 44W
Mortlake 99 38 5S 142 50 E
Morton, Tex., U.S.A. 117 33 39N 102 49W
Morton, Wash., U.S.A. 118 46 33N 122 17W
Morundah 99 34 57S 146 19 E
Moruya 99 35 58S 150 3 E
Morvan, Mts. du 19 47 5N 4 0 E
Morven 99 26 22S 147 5 E
Morvern 14 56 38N 5 44W
Morvi 68 22 50N 70 42 E
Morwell 97 38 10S 146 22 E
Moryn 28 52 51N 14 22 E
Morzhovets, Ostrov 52 66 44N 42 35 E
Mosalsk 54 54 30N 34 55 E
Mosbach 25 49 21N 9 9 E
Mošćenice 39 45 17N 14 16 E
Mosciano Sant' Ángelo 39 42 42N 13 52 E
Moscos Is. 72 14 0N 97 30 E
Moscow 118 46 45N 116 59W
Moscow = Moskva 55 55 45N 37 35 E
Mosel → 16 50 22N 7 36 E
Moselle = Mosel → 16 50 22N 7 36 E
Moselle □ 19 48 59N 6 33 E
Moses Lake 118 47 9N 119 17W
Mosgiel 101 45 53S 170 21 E
Moshi 90 3 22S 37 18 E
Moshi □ 90 3 22S 37 18 E
Moshupa 92 24 46S 25 29 E
Mošina 28 52 15N 16 50 E
Mosjøen 50 65 51N 13 12 E
Moskenesøya 50 67 58N 13 0 E
Moskenstraumen 50 67 47N 12 45 E
Moskva 55 55 45N 37 35 E
Moskva → 55 55 5N 38 51 E
Moslavačka Gora 39 45 40N 16 37 E
Mosomane (Artesia) 92 24 2S 26 19 E
Mosonmagyaróvár 27 47 52N 17 18 E
Mošorin 42 45 19N 20 4 E
Mospino 56 47 52N 38 0 E
Mosquera 126 2 35N 78 24W
Mosquero 117 35 48N 103 57W
Mosqueruela 32 40 21N 0 27W
Mosquitos, Golfo de los 121 9 15N 81 10W
Moss 47 59 27N 10 40 E
Moss Vale 99 34 32S 150 25 E
Mossaka 88 1 15S 16 45 E
Mossbank 109 49 56N 105 56W
Mossburn 101 45 41S 168 15 E
Mosselbaai 92 34 11S 22 8 E
Mossendjo 88 2 55S 12 42 E
Mossgiel 99 33 15S 144 5 E
Mossman 97 16 21S 145 15 E
Mossoró 127 5 10S 37 15W
Møsstrand 47 59 51N 8 4 E
Mossuril 91 14 58S 40 42 E
Mossy → 109 54 5N 102 58W
Most 26 50 31N 13 38 E
Mostaganem 82 35 54N 0 5 E
Mostar 42 43 22N 17 50 E
Mostardas 125 31 2S 50 51W
Mostefa, Rass 83 36 55N 11 3 E
Mosterøy 47 59 5N 5 37 E
Mostiska 54 49 48N 23 4 E
Mosty 54 53 27N 24 38 E
Mosul = Al Mawşil 64 36 20N 43 5 E
Mosvatn 47 59 52N 8 5 E
Mota del Cuervo 32 39 30N 2 52W
Mota del Marqués 30 41 38N 5 11W
Motagua → 120 15 44N 88 14W
Motala 49 58 32N 15 1 E
Mothe-Achard, La 18 46 37N 1 40W
Motherwell 14 55 48N 4 0W
Motihari 69 26 30N 84 55 E
Motilla del Palancar 32 39 34N 1 55W
Motnik 39 46 14N 14 54 E
Motovun 39 45 20N 13 50 E
Motozintla de Mendoza 120 15 21N 92 14W
Motril 33 36 31N 3 37W
Motru → 46 44 44N 22 59 E
Mott 116 46 25N 102 29W
Motte-Chalançon, La 21 44 30N 5 21 E
Motte, La 21 44 20N 6 3 E
Móttola 41 40 38N 17 0 E
Motueka 101 41 7S 173 1 E
Motul 120 21 0N 89 20W
Mouanda 88 1 28S 13 7 E
Mouchalagane → 107 50 56N 68 41W
Moucontant 18 46 43N 0 36W
Moúdhros 44 39 50N 25 18 E
Moudjeria 84 17 50N 12 28W
Moudon 25 46 40N 6 49 E
Mouila 88 1 50S 11 0 E
Moulamein 99 35 3S 144 1 E
Moule 121 16 20N 61 22W
Moulins 20 46 35N 3 19 E
Moulmein 67 16 30N 97 40 E
Moulouya, O. → 82 35 5N 2 25W
Moulton 117 29 35N 97 8W
Moultrie 115 31 11N 83 47W
Moultrie, L. 115 33 25N 80 10W
Mound City, Mo., U.S.A. 116 40 2N 95 25W
Mound City, S.D., U.S.A. 116 45 46N 100 3W
Moúnda, Ákra 45 38 5N 20 45 E
Moundou 81 8 40N 16 10 E
Moundsville 114 39 53N 80 43W
Mount Airy 115 36 31N 80 37W
Mount Albert 112 44 8N 79 19W
Mount Angel 118 45 4N 122 46W
Mount Barker, S.A., Austral. 99 35 5S 138 52 E
Mount Barker, W.A., Austral. 96 34 38S 117 40 E
Mount Carmel, Ill., U.S.A. 114 38 20N 87 48W
Mount Carmel, Pa., U.S.A. 114 40 46N 76 25W
Mount Clemens 106 42 35N 82 50W
Mount Coolon 98 21 25S 147 25 E
Mount Darwin 91 16 45S 31 33 E
Mount Desert I. 107 44 15N 68 25W
Mount Dora 115 28 49N 81 32W
Mount Douglas 98 21 35S 146 50 E
Mount Edgecumbe 108 57 8N 135 22W
Mount Enid 96 21 42S 116 26 E
Mount Forest 106 43 59N 80 43W
Mount Gambier 97 37 50S 140 46 E
Mount Garnet 98 17 37S 145 6 E
Mount Hope 114 37 52N 81 9W
Mount Horeb 116 43 0N 89 42W
Mount Howitt 99 26 31S 142 16 E
Mount Isa 97 20 42S 139 26 E
Mount Larcom 98 23 48S 150 59 E
Mount Lofty Ra. 97 34 35S 139 5 E
Mount McKinley Nat. Park 104 64 0N 150 0W
Mount Magnet 96 28 2S 117 47 E
Mount Margaret 99 26 54S 143 21 E
Mount Maunganui 101 37 40S 176 14 E
Mount Morgan 97 23 40S 150 25 E
Mount Morris 114 42 43N 77 50W
Mount Mulligan 98 16 45S 144 47 E
Mount Nicholas 96 22 54S 120 27 E
Mount Oxide Mine 98 19 30S 139 29 E
Mount Pearl 107 47 31N 52 47W
Mount Perry 99 25 13S 151 42 E
Mount Pleasant, Iowa, U.S.A. 116 41 0N 91 35W
Mount Pleasant, Mich., U.S.A. 114 43 35N 84 47W
Mount Pleasant, Pa., U.S.A. 112 40 9N 79 31W
Mount Pleasant, S.C., U.S.A. 115 32 45N 79 48W
Mount Pleasant, Tenn., U.S.A. 115 35 31N 87 11W
Mount Pleasant, Tex., U.S.A. 117 33 5N 95 0W
Mount Pleasant, Ut., U.S.A. 118 39 40N 111 29W
Mount Pocono 113 41 8N 75 21W
Mount Rainier Nat. Park. 118 46 50N 121 43W
Mount Revelstoke Nat. Park 108 51 5N 118 30W
Mount Robson 108 52 56N 119 15W
Mount Robson Prov. Park 108 53 0N 119 0W
Mount Shasta 118 41 20N 122 18W
Mount Sterling, Ill., U.S.A. 116 40 0N 90 40W
Mount Sterling, Ky., U.S.A. 114 38 0N 84 0W
Mount Surprise 98 18 10S 144 17 E
Mount Union 112 40 22N 77 51W
Mount Vernon, Ind., U.S.A. 116 38 17N 88 57W
Mount Vernon, N.Y., U.S.A. 114 40 57N 73 49W
Mount Vernon, Ohio, U.S.A. 114 40 20N 82 30W
Mount Vernon, Wash., U.S.A. 108 48 25N 122 20W
Mount Whaleback 96 23 18S 119 44 E
Mountain City, Nev., U.S.A. 118 41 54N 116 0W
Mountain City, Tenn., U.S.A. 115 36 30N 81 50W
Mountain Grove 117 37 5N 92 20W
Mountain Home, Ark., U.S.A. 117 36 20N 92 25W
Mountain Home, Idaho, U.S.A. 118 43 11N 115 45W
Mountain Iron 116 47 30N 92 37W
Mountain Park. 108 52 50N 117 15W
Mountain View, Ark., U.S.A. 117 35 52N 92 10W
Mountain View, Calif., U.S.A. 119 37 26N 122 5W
Mountainair 119 34 35N 106 15W
Mountmellick 15 53 7N 7 20W
Moura, Austral. 98 24 35S 149 58 E
Moura, Brazil 126 1 32S 61 38W
Moura, Port. 31 38 7N 7 30W
Mourão 31 38 22N 7 22W
Mourdi Depression 81 18 10N 23 0 E
Mourdiah 84 14 35N 7 25W
Moure, La 116 46 27N 98 17W
Mourenx 20 43 23N 0 36W
Mouri 85 5 6N 1 14W
Mourilyan 98 17 35S 146 3 E
Mourmelon-le-Grand 19 49 8N 4 22 E
Mourne → 15 54 45N 7 39W
Mourne Mts. 15 54 10N 6 0W
Mouscron 16 50 45N 3 12 E
Moussoro 81 13 41N 16 35 E
Mouthe 19 46 44N 6 12 E
Moutier 25 47 16N 7 21 E
Moûtiers 21 45 29N 6 31 E
Moutong 73 0 28N 121 13 E
Mouy 19 49 18N 2 20 E
Mouzáki 44 39 25N 21 37 E
Moville 15 55 11N 7 3W
Moy → 15 54 5N 8 50W
Moyale, Ethiopia 87 3 34N 39 4 E
Moyale, Kenya 90 3 30N 39 0 E
Moyamba 84 8 4N 12 30W
Moyen Atlas 80 32 0N 5 0W
Moyle □ 15 55 10N 6 15W
Moyobamba 126 6 0S 77 0W
Moyyero → 59 68 44N 103 42 E
Mozambique = Moçambique 91 15 3S 40 42 E
Mozambique ■ 91 19 0S 35 0 E
Mozambique Chan. 93 20 0S 39 0 E
Mozdok 57 43 45N 44 48 E
Mozhaysk 55 55 30N 36 2 E
Mozhga 55 56 26N 52 15 E
Mozirje 39 46 22N 14 58 E
Mozyr 54 52 0N 29 15 E
Mpanda 90 6 23S 31 1 E
Mpanda □ 90 6 23S 31 40 E
Mpésoba 84 12 31N 5 39W
Mpika 91 11 51S 31 25 E
Mpulungu 91 8 51S 31 5 E
Mpwapwa 90 6 23S 36 30 E
Mpwapwa □ 90 6 30S 36 20 E
Mrągowo 28 53 52N 21 18 E
Mramor 42 43 20N 21 45 E
Mrimina 82 29 50N 7 9W
Mrkonjić Grad 42 44 26N 17 4 E
Mrkopalj 39 45 21N 14 52 E
Mrocza 28 53 16N 17 35 E
Msab, Oued en → 83 32 25N 5 20 E
Msaken 83 35 49N 10 33 E
Msambansovu 91 15 50S 30 3 E
M'sila 83 35 46N 4 30 E
Msta → 54 58 25N 31 20 E
Mstislavl 54 54 0N 31 50 E
Mszana Dolna 27 49 41N 20 5 E
Mszczonów 28 51 58N 20 33 E
Mtama 91 10 17S 39 21 E
Mtilikwe → 91 21 9S 31 30 E
Mtsensk 55 53 25N 36 30 E
Mtskheta 57 41 52N 44 45 E
Mtwara-Mikindani 91 10 20S 40 20 E
Mu Us Shamo 76 39 0N 109 0 E
Muaná 127 1 25S 49 15W
Muang Chiang Rai 71 19 52N 99 50 E
Muang Lamphun 71 18 40N 99 2 E
Muang Phichit 71 16 29N 100 21 E
Muar 71 2 3N 102 34 E
Muar → 71 2 15N 102 48 E
Muarabungo 72 1 28S 102 52 E
Muaradjuloi 72 0 12S 114 3 E
Muaraenim 72 3 40S 103 50 E
Muarakaman 72 0 2S 116 45 E
Muaratebo 72 1 30S 102 26 E
Muaratembesi 72 1 42S 103 8 E
Muaratewe 72 0 58S 114 52 E
Mubarakpur 69 26 6N 83 18 E
Mubende 90 0 33N 31 22 E
Mubi 85 10 18N 13 16 E
Mücheln 24 51 18N 11 49 E
Muchinga Mts. 91 11 30S 31 30 E
Muchkapskiy 55 51 52N 42 28 E
Muck 14 56 50N 6 15W
Muckadilla 99 26 35S 148 23 E
Mucuri 127 18 0S 39 36W
Mucusso 92 18 1S 21 25 E
Mudanjiang 76 44 38N 129 30 E
Mudanya 56 40 25N 28 50 E
Muddy → 119 38 0N 110 22W
Mudgee 97 32 32S 149 31 E
Mudjatik → 109 56 1N 107 36W
Muecate 91 14 55S 39 40 E
Muêda 91 11 36S 39 28 E
Muela, La 32 41 36N 1 7W
Muerto, Mar 120 16 10N 94 10W
Muertos, Punta de los 33 36 57N 1 54W
Mufindi □ 91 8 30S 35 20 E
Mufulira 91 12 32S 28 15 E
Mufumbiro Range 90 1 25S 29 30 E
Mugardos 30 43 27N 8 15W
Muge 31 39 3N 8 40W
Muge → 31 39 8N 8 44W
Múggia 39 45 36N 13 47 E
Mugia 30 43 3N 9 10W
Mugila, Mts. 90 7 0S 28 50 E
Muğla 64 37 15N 28 22 E
Müglizh 43 42 37N 25 32 E
Mugshin 63 19 35N 54 40 E
Mugu 69 29 45N 82 30 E
Muhammad Qol 86 20 53N 37 9 E
Muhammad Râs 86 27 42N 34 13 E
Muhammadabad 69 26 4N 83 25 E
Muharraqa = Sa'ad 62 31 28N 34 33 E
Muhesi → 90 7 0S 35 20 E
Muheza □ 90 5 0S 39 0 E
Mühldorf 25 48 14N 12 33 E
Mühlhausen 24 51 12N 10 29 E
Mühlig Hofmann fjella 5 72 30S 5 0 E
Muhutwe 90 1 35S 31 45 E
Mui Bai Bung 71 8 35N 104 42 E
Mui Ron 71 18 7N 106 27 E
Muikamachi 74 37 15N 138 50 E
Muine Bheag 15 52 42N 6 57W
Muiños 30 41 58N 7 59W
Mukachevo 54 48 27N 22 45 E
Mukah 72 2 55N 112 5 E
Mukawwa, Geziret 86 23 55N 35 53 E
Mukden = Shenyang 76 41 48N 123 27 E
Mukhtolovo 55 55 29N 43 15 E
Mukishi 91 8 30S 24 44 E
Mukomuko 72 2 30S 101 10 E
Mukomwenze 90 6 49S 27 15 E
Muktsar 68 30 30N 74 30 E
Mukur 66 32 50N 67 42 E
Mukutawa → 109 53 10N 97 24W
Mukwela 91 17 0S 26 40 E
Mula 33 38 3N 1 33W
Mula → 70 18 34N 74 21 E
Mulange 90 3 40S 27 10 E
• Mulatas, Arch. de las 121 9 50N 78 31W
Mulchén 124 37 45S 72 20W
Mulde → 24 51 10N 12 48 E
Mule Creek 116 43 19N 104 8W
Muleba 90 1 50S 31 37 E
Muleba □ 90 2 0S 31 30 E
Muleshoe 117 34 17N 102 42W
Mulgrave 107 45 38N 61 31W
Mulgrave I. 98 10 5S 142 10 E
Mulhacén 33 37 4N 3 20W
Mülheim 24 51 26N 6 53 E
Mulhouse 19 47 40N 7 20 E
Muling He → 76 45 53N 133 30 E
Mull 14 56 27N 6 0W
Mullaittvu 70 9 15N 80 49 E
Mullen 116 42 5N 101 0W
Mullengudgery 99 31 43S 147 23 E
Mullens 114 37 34N 81 22W
Muller, Pegunungan 72 0 30N 113 30 E
Mullet Pen. 15 54 10N 10 2W
Mullewa 96 28 29S 115 30 E
Müllheim 25 47 48N 7 37 E
Mulligan → 98 26 40S 139 0 E
Mullin 117 31 33N 98 38W
Mullingar 15 53 31N 7 20W
Mullins 115 34 12N 79 15W
Mullsjö 49 57 56N 13 55 E

• *Renamed San Blas, Arch. de*

Mullumbimby Nanjeko

Mullumbimby 99 28 30S 153 30 E
Mulobezi 91 16 45S 25 7 E
Mulshi L. 70 18 30N 73 48 E
Multai 68 21 50N 78 21 E
Multan 68 30 15N 71 36 E
* Multan □ 68 30 29N 72 29 E
Multrå 48 63 10N 17 24 E
Mulumbe, Mts. 91 8 40S 27 30 E
Mulungushi Dam 91 14 48S 28 48 E
Mulvane 117 37 30N 97 15W
Mulwad 86 18 45N 30 39 E
Mulwala 100 35 59S 146 0 E
Mumra 57 45 45N 47 41 E
Mun → 71 15 17N 103 0 E
Muna 73 5 0S 122 30 E
Munamagi 54 57 43N 27 4 E
Münchberg 25 50 11N 11 48 E
Muncheberg 24 52 30N 14 9 E
München 25 48 8N 11 33 E
Munchen-Gladbach = Mönchengladbach 24 51 12N 6 23 E
Muncho Lake 108 59 0N 125 50W
Muncie 114 40 10N 85 20W
Mundakayam 70 9 30N 76 50 E
Mundala, Puncak 73 4 30S 141 0 E
Mundare 108 53 35N 112 20W
Munday 117 33 26N 99 39W
Münden 24 51 25N 9 42 E
Mundo → 33 38 30N 2 15W
Mundo Novo 127 11 50S 40 29W
Mundra 68 22 54N 69 48 E
Munera 33 39 2N 2 29W
Muneru → 70 16 45N 80 3 E
Mungallala 99 26 28S 147 34 E
Mungallala Cr. → 99 28 53S 147 5 E
Mungana 98 17 8S 144 27 E
Mungaoli 68 24 24N 78 7 E
Mungari 91 17 12S 33 30 E
Mungbere 90 2 36N 28 28 E
Mungindi 97 28 58S 149 1 E
Munhango 89 12 10S 18 38 E
Munich = München 25 48 8N 11 33 E
Munising 114 46 25N 86 39W
Munjiye 86 18 47N 41 20 E
Munka-Ljungby 49 56 16N 12 58 E
Munkedal 49 58 28N 11 40 E
Munkfors 48 59 50N 13 30 E
Munku-Sardyk 59 51 45N 100 20 E
Münnerstadt 25 50 15N 10 11 E
Muñoz Gamero, Pen. 128 52 30S 73 5 E
Munroe L. 109 59 13N 98 35W
Munster, France 19 48 2N 7 8 E
Munster, Ger. 24 52 59N 10 5 E
Münster 24 51 58N 7 37 E
Munster □ 15 52 20N 8 40W
Muntele Mare 46 46 30N 23 12 E
Muntok 72 2 5S 105 10 E
Munyak 58 43 30N 59 15 E
Munyama 91 16 5S 28 31 E
Muon Pak Beng 71 19 51N 101 4 E
Muonio 50 67 57N 23 40 E
Mupa 89 16 5S 15 50 E
Muping 76 37 22N 121 36 E
Muqaddam, Wadi → 86 18 4N 31 30 E
Muqdisho 63 2 2N 45 25 E
Mur → 26 46 18N 16 53 E
Mur-de-Bretagne 18 48 12N 3 0W
Mura → 39 46 18N 16 53 E
Murallón, Cuerro 128 49 48S 73 30W
Muranda 90 1 52S 29 20 E
Murang'a 90 0 45S 37 9 E
Murashi 55 59 30N 49 0 E
Murat 20 45 7N 2 53 E
Murau 26 47 6N 14 10 E
Muravera 40 39 25N 9 35 E
Murça 30 41 24N 7 28W
Murchison → 96 27 45S 114 0 E
Murchison Falls = Kabarega Falls 90 2 15N 31 38 E
Murchison Ra. 96 20 0S 134 10 E
Murchison Rapids 91 15 55S 34 35 E
Murcia 33 38 20N 1 10W
Murcia □ 33 37 50N 1 30W
Murdo 116 43 56N 100 43W
Murdoch Pt. 98 14 37S 144 55 E
Mure, La 21 44 55N 5 48 E
Mureş □ 46 46 45N 24 40 E
Mureş (Mureşul) → 46 46 15N 20 13 E
Muret 20 43 30N 1 20 E
Murfatlar 46 44 10N 28 26 E
Murfreesboro 115 35 50N 86 21W
Murg → 25 48 55N 8 10 E
Murgab 58 38 10N 74 2 E
Murgeni 46 46 12N 28 1 E
Murgon 97 26 15S 151 54 E
Muriaé 125 21 8S 42 23W
Murias de Paredes 30 42 52N 6 11W
Muriel Mine 91 17 14S 30 40 E
Müritz see 24 53 25N 12 40 E
Murka 90 3 27S 38 0 E
Murmansk 52 68 57N 33 10 E
Murnau 25 47 40N 11 11 E
Muro, France 21 42 34N 8 54 E
Muro, Spain 32 39 44N 3 3 E
Muro, C. de 21 41 44N 8 37 E
Muro Lucano 41 40 45N 15 30 E
Murom 55 55 35N 42 3 E
Muroran 74 42 25N 141 0 E
Muros 30 42 45N 9 5W
Muros y de Noya, Ría de 30 42 45N 9 0W
Muroto-Misaki 74 33 15N 134 10 E
Murowana Goślina 28 52 35N 17 0 E
Murphy 118 43 11N 116 33W
Murphysboro 117 37 50N 89 20W
Murrat 86 18 51N 29 33 E
Murray, Ky., U.S.A. 115 36 40N 88 20W
Murray, Utah, U.S.A. 118 40 41N 111 58W
Murray →, Austral. 97 35 20S 139 22 E
Murray →, Can. 108 56 11N 120 45W
Murray Bridge 97 35 6S 139 14 E
Murray Harbour 107 46 0N 62 28W
Murray, L., P.N.G. 98 7 0S 141 35 E
Murray, L., U.S.A. 115 34 8N 81 30W
Murray Seascarp 95 30 0N 135 0W
Murraysburg 92 31 58S 23 47 E
Murrayville 100 35 16S 141 11 E
Murree 66 33 56N 73 28 E
Murrumbidgee → 97 34 43S 143 12 E
Murrumburrah 99 34 32S 148 22 E
Murrurundi 99 31 42S 150 51 E
Mursala 72 1 41N 98 28 E
Murshid 86 21 40N 31 10 E
Murshidabad 69 24 11N 88 19 E
Murska Sobota 39 46 39N 16 12 E
Murtazapur 68 20 40N 77 25 E
Murtle L. 108 52 8N 119 38W
Murtoa 99 36 35S 142 28 E
Murtosa 30 40 44N 8 40W
Murungu 90 4 12S 31 10 E
Murwara 69 23 46N 80 28 E
Murwillumbah 97 28 18S 153 27 E
Muryo 73 6 36S 110 53 E
Mürz → 26 47 30N 15 25 E
Mürzzuschlag 26 47 36N 15 41 E
Muş 64 38 45N 41 30 E
Musa Khel Bazar 68 30 59N 69 52 E
Mûsá Qal'eh 65 32 20N 64 50 E
Musairik, Wadi → 86 19 30N 43 10 E
Musala 43 42 13N 23 37 E
Musan, Kor., N. 76 42 12N 129 12 E
Musan, Kor., N. 76 42 12N 129 12 E
Musangu 91 10 28S 23 55 E
Musasa 90 3 25S 31 30 E
Musay'īd 65 25 0N 51 33 E
Muscat = Masqat 65 23 37N 58 36 E
Muscat & Oman = Oman ■ 63 23 0N 58 0 E
Muscatine 116 41 25N 91 5W
Musel 30 43 34N 5 42W
Musgrave Ras. 96 26 0S 132 0 E
Mushie 88 2 56S 16 55 E
Mushin 85 6 32N 3 21 E
Musi →, India 70 16 41N 79 40 E
Musi →, Indon. 72 2 20S 104 56 E
Muskeg → 108 60 20N 123 20W
Muskegon 114 43 15N 86 17W
Muskegon → 114 43 25N 86 0W
Muskegon Hts. 114 43 12N 86 17W
Muskogee 117 35 50N 95 25W
Muskwa → 108 58 47N 122 48W
Musmar 86 18 13N 35 40 E
Musofu 91 13 30S 29 0 E
Musoma 90 1 30S 33 48 E
Musoma □ 90 1 50S 34 30 E
Musquaro, L. 107 50 38N 61 5W
Musquodoboit Harbour 107 44 50N 63 9W
Musselburgh 14 55 57N 3 3W
Musselshell → 118 47 21N 107 58W
Mussidan 20 45 2N 0 22 E
Mussomeli 40 37 35N 13 43 E
Mussooree 68 30 27N 78 6 E
Mussuco 92 17 2S 19 3 E
Mustang 69 29 10N 83 55 E
Musters, L. 128 45 20S 69 25W
Muswellbrook 97 32 16S 150 56 E
Muszyna 27 49 22N 20 55 E
Mût 86 25 28N 28 58 E
Mut 64 36 40N 33 28 E
Mutanda, Mozam. 93 21 0S 33 34 E
Mutanda, Zambia 91 12 24S 26 13 E
Mutaray 59 60 56N 101 0 E
Muting 73 7 23S 140 20 E
Mutshatsha 91 10 35S 24 20 E
Muttaburra 97 22 38S 144 29 E
Mutuáli 91 14 55S 37 0 E
Muvatupusha 70 9 53N 76 35 E
Muxima 88 9 33S 13 58 E
Muy, Le 21 43 28N 6 34 E
Muya 59 56 27N 115 50 E
Muyinga 90 3 14S 30 33 E
Muzaffarabad 69 34 25N 73 30 E
Muzaffargarh 68 30 5N 71 14 E
Muzaffarnagar 68 29 26N 77 40 E
Muzaffarpur 69 26 7N 85 23 E
Muzhi 58 65 25N 64 40 E
Muzillac 18 47 35N 2 30W
Muzon C. 108 54 40N 132 40W
Muztag 75 36 20N 87 28 E
Mvôlô 87 6 2N 29 53 E
Mwadui 90 3 26S 33 32 E
Mwambo 91 10 30S 40 22 E
Mwandi 91 17 30S 24 51 E
Mwanza, Tanz. 90 2 30S 32 58 E
Mwanza, Zaïre 90 7 55S 26 43 E
Mwanza, Zambia 91 16 58S 24 28 E
Mwanza □ 90 2 0S 33 0 E
Mwaya 91 9 32S 33 55 E
Mweelrea 15 53 37N 9 48W
Mweka 88 4 50S 21 34 E
Mwenga 90 3 1S 28 28 E
Mweru, L. 91 9 0S 28 40 E
Mweza Range 91 21 0S 30 0 E
Mwilambwe 90 8 7S 25 0 E
Mwimbi 91 8 38S 31 39 E
Mwinilunga 91 11 43S 24 25 E
My Tho 71 10 29N 106 23 E
Mya, O. → 83 30 46N 4 54 E
Myall → 100 32 30S 152 15 E
Myanaung 67 18 18N 95 22 E
Myaungmya 67 16 30N 94 40 E
Mycenae = Mikinai 45 37 43N 22 46 E
Myeik Kyunzu 71 11 30N 97 30 E
Myerstown 113 40 22N 76 18W
Myitkyina 67 25 24N 97 26 E
Myjava 27 48 41N 17 37 E
Mymensingh 69 24 45N 90 24 E
Myndus 45 37 3N 27 14 E
Mynydd ddu 13 51 45N 3 45W
Myrdal 47 60 43N 7 10 E
Mýrdalsjökull 50 63 40N 19 6W
Myrtle Beach 115 33 43N 78 50W
Myrtle Creek 118 43 0N 123 9W
Myrtle Point 118 43 0N 124 4W
Myrtleford 100 36 34S 146 44 E
Mysen 47 59 33N 11 20 E
Myslenice 27 49 51N 19 57 E
Myślibórz 28 52 55N 14 50 E
Mysłowice 27 50 15N 19 12 E
Mysore 70 12 17N 76 41 E
Mysore □ = Karnataka 70 13 15N 77 0 E
Mystic 113 41 21N 71 58W
Mystishchi 55 55 50N 37 50 E
Myszków 28 50 45N 19 22 E
Myszyniec 28 53 23N 21 21 E
Myton 118 40 10N 110 2W
Mývatn 50 65 36N 17 0W
Mze → 26 49 46N 13 24 E
Mzimba 91 11 55S 33 39 E
Mzimvubu → 93 31 38S 29 33 E
Mzuzu 91 11 30S 33 55 E

N

N' Dioum 84 16 31N 14 39W
Naab → 25 49 1N 12 2 E
Na'am 87 9 42N 28 27 E
Na'an 62 31 53N 34 52 E
Naantali 51 60 29N 22 2 E
Naas 15 53 12N 6 40W
Nababiep 92 29 36S 17 46 E
Nabadwip 69 23 34N 88 20 E
Nabas 73 11 47N 122 6 E
Nabburg 25 49 27N 12 11 E
* Nabereznyje Celny 58 55 42N 52 19 E
Nabeul 83 36 30N 10 44 E
Nabha 68 30 26N 76 14 E
Nabire 73 3 15S 135 26 E
Nabisar 68 25 8N 69 40 E
Nabisipi → 107 50 14N 62 13W
Nabiswera 90 1 27N 32 15 E
Nablus = Nābulus 62 32 14N 35 15 E
Naboomspruit 93 24 32S 28 40 E
Nābulus 62 32 14N 35 15 E
Nacala-Velha 91 14 32S 40 34 E
Nacaroa 91 14 22S 39 56 E
Naches 118 46 48N 120 42W
Nachingwea 91 10 23S 38 49 E
Nachingwea □ 91 10 30S 38 30 E
Nachna 68 27 34N 71 41 E
Náchod 27 50 25N 16 8 E
Nacka 48 59 17N 18 12 E
Nackara 99 32 48S 139 12 E
Naco 119 31 24N 109 58W
Nacogdoches 117 31 33N 94 39W
Nacozari 120 30 24N 109 39W
Nadi 86 18 40N 33 41 E
Nadiad 68 22 41N 72 56 E
Nădlac 42 46 10N 20 50 E
Nador 82 35 14N 2 58W
Nadūshan 65 32 2N 53 35 E
Nadvoitsy 52 63 52N 34 14 E
Nadvornaya 56 48 37N 24 30 E
Nadym 58 65 35N 72 42 E
Nadym → 58 66 12N 72 0 E
Nærbø 47 58 40N 5 39 E
Næstved 49 55 13N 11 44 E
Nafada 85 11 8N 11 20 E
Naft-e Shāh 64 34 0N 45 30 E
Nafūd ad Dahy 64 22 0N 45 0 E
Nafūsah, Jabal 83 32 12N 12 30 E
Nag Hammâdi 86 26 2N 32 18 E
Naga 73 13 38N 123 15 E
Naga, Kreb en 82 24 12N 6 0W
Nagagami → 106 49 40N 84 40W
Nagaland □ 67 26 0N 94 30 E
Nagano 74 36 40N 138 10 E
Nagano □ 74 36 15N 138 0 E
Nagaoka 74 37 27N 138 50 E
Nagappattinam 70 10 46N 79 51 E
Nagar Parkar 68 24 28N 70 46 E
Nagari Hills 70 13 3N 79 45 E
Nagarjuna Sagar 70 16 35N 79 17 E
Nagasaki 74 32 47N 129 50 E
Nagasaki □ 74 32 50N 129 40 E
Nagaur 68 27 15N 73 45 E
Nagbhil 70 20 34N 79 55 E
Nagercoil 70 8 12N 77 26 E
Nagina 68 29 30N 78 30 E
Nagineh 65 34 20N 57 15 E
Nago 77 26 36N 128 0 E
Nagold 25 34 14N 57 2 E
Nagold → 25 48 52N 8 42 E
Nagoorin 98 24 17S 151 15 E
Nagornyy 59 55 58N 124 57 E
Nagorsk 55 59 18N 50 48 E
Nagoya 74 35 10N 136 50 E
Nagpur 68 21 8N 79 10 E
Nagyatád 27 46 14N 17 22 E
Nagyecsed 27 47 53N 22 24 E
Nagykanizsa 27 46 28N 17 0 E
Nagykőrös 27 47 5N 19 48 E
Nagyléta 27 47 23N 21 55 E
Naha 77 26 13N 127 42 E
Nahalal 62 32 41N 35 12 E
Nahanni Butte 108 61 2N 123 31W
Nahanni Nat. Park 108 61 15N 125 0W
Nahariyya 62 33 1N 35 5 E
Nahāvand 64 34 10N 48 22 E
Nahe → 25 49 58N 7 57 E
Nahf 62 32 56N 35 18 E
Nahīya, Wadi → 86 28 55N 31 0 E
Nahlin 108 58 55N 131 38W
Nahud 86 18 12N 41 40 E
Naicam 109 52 30N 104 30W
Nā'ifah 63 19 59N 50 46 E
Naila 25 50 19N 11 43 E
Nain 107 56 34N 61 40W
Nā'īn 65 32 54N 53 0 E
Naini Tal 69 29 30N 79 30 E
Naintré 18 46 46N 0 29 E
Naipu 46 44 12N 25 47 E
Naira 73 4 28S 130 0 E
Nairn 14 57 35N 3 54W
Nairobi 90 1 17S 36 48 E
Naivasha 90 0 40S 36 30 E
Naivasha L. 90 0 48S 36 20 E
Najac 20 44 14N 1 58 E
Najafābād 65 32 40N 51 15 E
Najd 64 26 30N 42 0 E
Nájera 32 42 26N 2 48W
Najerilla → 32 42 32N 2 48W
Najibabad 68 29 40N 78 20 E
Najin 76 42 12N 130 15 E
Nakalagba 90 2 50N 27 58 E
Nakamura 74 33 0N 133 0 E
Nakfa 87 16 40N 38 32 E
Nakhichevan A.S.S.R. □ 53 39 14N 45 30 E
Nakhl 86 29 55N 33 43 E
Nakhodka 59 42 53N 132 54 E
Nakhon Phanom 71 17 23N 104 43 E
Nakhon Ratchasima (Khorat) 71 14 59N 102 12 E
Nakhon Sawan 71 15 35N 100 10 E
Nakhon Si Thammarat 71 8 29N 100 0 E
Nakina, B.C., Can. 108 59 12N 132 52W
Nakina, Ont., Can. 106 50 10N 86 40W
Nakło nad Notecią 28 53 9N 17 38 E
Nakodar 68 31 8N 75 31 E
Nakskov 49 54 50N 11 8 E
Näkten 48 62 48N 14 38 E
Naktong → 76 35 7N 128 57 E
Nakuru 90 0 15S 36 4 E
Nakuru □ 90 0 15S 35 5 E
Nakuru, L. 90 0 23S 36 5 E
Nakusp 108 50 20N 117 45W
Nal → 66 25 20N 65 30 E
Nalchik 57 43 30N 43 33 E
Nälden 48 63 21N 14 14 E
Näldsjön 48 63 25N 14 15 E
Nalerigu 85 10 35N 0 25W
Nalgonda 70 17 6N 79 15 E
Nalhati 69 24 17N 87 52 E
Nallamalai Hills 70 15 30N 78 50 E
Nalón → 30 43 32N 6 4W
Nālūt 83 31 54N 11 0 E
Nam Co 75 30 30N 90 45 E
Nam Dinh 71 20 25N 106 5 E
Nam-Phan 72 10 30N 106 0 E
Nam Phong 71 16 42N 102 52 E
Nam Tha 71 20 58N 101 30 E
Nama unde 92 17 18S 15 50 E
Namak, Daryácheh-ye 65 34 30N 52 0 E
Namak, Kavir-e 65 34 30N 57 30 E
Namakkal 70 11 13N 78 13 E
Namaland 92 24 30S 17 0 E
Namangan 58 41 0N 71 40 E
Namapa 91 13 43S 39 50 E
Namaqualand 92 30 0S 18 0 E
Namasagali 90 1 2N 33 0 E
Namatanai 98 3 40S 152 29 E
Namber 73 1 2S 134 49 E
Nambour 97 26 32S 152 58 E
Nambucca Heads 99 30 37S 153 0 E
Namche Bazar 69 27 51N 86 47 E
Namecunda 91 14 54S 37 37 E
Nameh 72 2 34N 116 21 E
Nameponda 91 15 50S 39 50 E
Náměšť nad Oslavou 27 49 12N 16 10 E
Námestovo 27 49 24N 19 25 E
Nametil 91 15 40S 39 21 E
Namew L. 109 54 14N 101 56W
Namib Desert = Namib Woestyn 92 22 30S 15 0 E
Namib-Woestyn 92 22 30S 15 0 E
Namibia ■ 92 22 0S 18 9 E
Namlea 73 3 18S 127 5 E
Namoi → 99 30 12S 149 30 E
Namous, O. en → 82 31 0N 0 15W
Nampa 118 43 34N 116 34W
Nampula 91 15 6N 39 15 E
Namrole 73 3 46S 126 46 E
Namse Shankou 67 30 0N 82 25 E
Namsen → 50 64 27N 11 42 E
Namsos 50 64 29N 11 30 E
Namtay 59 62 43N 129 37 E
Namtu 67 23 5N 97 28 E
Namtumbo 91 10 30S 36 4 E
Namu 108 51 52N 127 50W
Namucha Shank'ou 69 30 0N 82 28 E
Namur 16 50 27N 4 52 E
Namur □ 16 50 17N 5 0 E
Namutoni 92 18 49S 16 55 E
Namwala 91 15 44S 26 30 E
Namysłów 28 51 6N 17 42 E
Nan 71 18 52N 100 42 E
Nana 46 44 17N 26 34 E
Nanaimo 108 49 10N 124 0W
Nanam 76 41 44N 129 40 E
Nanan 77 24 59N 118 21 E
Nanango 97 26 40S 152 0 E
Nan'ao 77 23 28N 117 5 E
Nanao 74 37 0N 137 0 E
Nanbu 77 31 18N 106 3 E
Nanchang 75 28 42N 115 55 E
Nancheng 77 27 33N 116 35 E
Nanching = Nanjing 75 32 2N 118 47 E
Nanchong 75 30 43N 106 2 E
Nanchuan 77 29 9N 107 6 E
Nancy 19 48 42N 6 12 E
Nanda Devi 69 30 23N 79 59 E
Nandan 77 24 58N 107 29 E
Nander 70 19 10N 77 20 E
Nandewar Ra. 99 30 15S 150 35 E
Nandi 101 17 42S 177 20 E
Nandi □ 90 0 15N 35 0 E
Nandikotkur 70 15 52N 78 18 E
Nandura 68 20 52N 76 25 E
Nandurbar 68 21 20N 74 15 E
Nandyal 70 15 30N 78 30 E
Nanga-Eboko 88 4 41N 12 22 E
Nanga Parbat 69 35 10N 74 35 E
Nangade 91 11 5S 39 36 E
Nangapinoh 72 0 20S 111 44 E
Nangarhár □ 65 34 20N 70 0 E
Nangatayap 72 1 32S 110 34 E
Nangeya Mts. 90 3 30N 33 30 E
Nangis 19 48 33N 3 0 E
Nanjangud 70 12 6N 76 43 E
Nanjeko 91 15 31S 23 30 E

* Now part of Punjab □

* Renamed Brezhnev

Nanjiang Nevis

Nanjiang 77 32 28N 106 51 E
Nanjing 75 32 2N 118 47 E
Nanjirinji 91 9 41 S 39 5 E
Nankana Sahib 68 31 27N 73 38 E
Nankang 77 25 40N 114 45 E
Nanking = Nanjing 75 32 2N 118 47 E
Nannine 96 26 51 S 118 18 E
Nanning 75 22 48N 108 20 E
Nanpara 69 27 52N 81 33 E
Nanpi 76 38 2N 116 45 E
Nanping 75 26 38N 118 10 E
Nanripe 91 13 52 S 38 52 E
Nansei-Shotō 74 26 0N 128 0 E
Nansen Sd. 4 81 0N 91 0W
Nansio 90 2 3 S 33 4 E
Nant 20 44 1N 3 18 E
Nantes 18 47 12N 1 33W
Nanteuil-le-Haudouin 19 49 9N 2 48 E
Nantiat 20 46 1N 1 11 E
Nanticoke 114 41 12N 76 1W
Nanton 108 50 21N 113 46W
Nantong 77 32 1N 120 52 E
Nantua 21 46 10N 5 35 E
Nantucket I. 102 41 16N 70 3W
Nanuque 127 17 50 S 40 21W
Nanxiong 77 25 6N 114 15 E
Nanyang 75 33 11N 112 30 E
Nanyuan 76 39 44N 116 22 E
Nanyuki 90 0 2N 37 4 E
Nanzhang 77 31 45N 111 50 E
Náo, C. de la 33 38 44N 0 14 E
Naococane L. 107 52 50N 70 45W
Naoetsu 74 37 12N 138 10 E
Naogaon 69 24 52N 88 52 E
Naoli He → 76 47 18N 134 9 E
Náousa 44 40 42N 22 9 E
Napa 118 38 18N 122 17W
Napanee 106 44 15N 77 0W
Napanoch 113 41 44N 74 22W
Napier 101 39 30 S 176 56 E
Naples 115 26 10N 81 45W
Naples = Nápoli 41 40 50N 14 17 E
Napo → 126 3 20 S 72 40W
Napoleon, N. Dak., U.S.A. 116 46 32N 99 49W
Napoleon, Ohio, U.S.A. 114 41 24N 84 7W
Nápoli 41 40 50N 14 17 E
Nápoli, G. di 41 40 40N 14 10 E
Napopo 90 4 15N 28 0 E
Nappa Merrie 99 27 36 S 141 7 E
Naqâda 86 25 53N 32 42 E
Nara, Japan 74 34 40N 135 49 E
Nara, Mali 84 15 10N 7 20W
Nara □ 74 34 30N 136 0 E
Nara, Canal 68 24 30N 69 20 E
Nara Visa 117 35 39N 103 10W
Naracoorte 97 36 58 S 140 45 E
Naradhan 99 33 34 S 146 17 E
Narasapur 70 16 26N 81 40 E
Narasaropet 70 16 14N 80 4 E
Narathiwat 71 6 30N 101 48 E
Narayanganj 69 23 40N 90 33 E
Narayanpet 70 16 45N 77 30 E
Narbonne 20 43 11N 3 0 E
Narcea → 30 43 33N 6 44W
Nardò 41 40 10N 18 0 E
Narew 28 52 55N 23 31 E
Narew → 28 52 26N 20 41 E
Nari → 68 29 40N 68 0 E
Narindra, Helodranon' i 93 14 55 S 47 30 E
Narmada → 68 21 38N 72 36 E
Narnaul 68 28 5N 76 11 E
Narni 39 42 30N 12 30 E
Naro, Ghana 84 10 22N 2 27W
Naro, Italy 40 37 18N 13 48 E
Naro Fominsk 55 55 23N 36 43 E
Narodnaya, G. 52 65 5N 60 0 E
Narok 90 1 55 S 33 52 E
Narok □ 90 1 20 S 36 30 E
Narón 30 43 32N 8 9W
Narooma 99 36 14 S 150 4 E
Narowal 68 32 6N 74 52 E
Narrabri 97 30 19 S 149 46 E
Narran → 99 28 37 S 148 12 E
Narrandera 97 34 42 S 146 31 E
Narraway → 108 55 44N 119 55W
Narrogin 96 32 58 S 117 14 E
Narromine 97 32 12 S 148 12 E
Narsampet 70 17 57N 79 58 E
Narsimhapur 68 22 54N 79 14 E
Nartkala 57 43 33N 43 51 E
Narva 54 59 23N 28 12 E
Narva → 54 59 27N 28 2 E
Narvik 50 68 28N 17 26 E
Narvskoye Vdkhr. 54 59 18N 28 14 E
Narwana 68 29 39N 76 6 E
Naryan-Mar 52 68 0N 53 0 E
Naryilco 99 28 37 S 141 53 E
Narym 58 59 0N 81 30 E
Narymskoye 58 49 10N 84 15 E
Naryn 58 41 26N 75 58 E
Nasa 50 66 29N 15 23 E
Nasarawa 85 8 32N 7 41 E
Năsăud 46 47 19N 24 29 E
Naseby 101 45 1 S 170 10 E
Naser, Buheirat en 86 23 0N 32 30 E
Nashua, Iowa, U.S.A. 116 42 55N 92 34W
Nashua, Mont., U.S.A. 118 48 10N 106 25W
Nashua, N.H., U.S.A. 114 42 50N 71 25W
Nashville, Ark., U.S.A. 117 33 56N 93 50W
Nashville, Ga., U.S.A. 115 31 3N 83 15W
Nashville, Tenn., U.S.A. 115 36 12N 86 46W
Našice 42 45 32N 18 4 E
Nasielsk 28 52 35N 20 50 E
Nasik 70 19 58N 73 50 E
Nasirabad 68 26 15N 74 45 E
Naskaupi → 107 53 47N 60 51W
Naso 41 38 8N 14 46 E
Nass → 108 55 0N 129 40W
Nassau, Bahamas 121 25 0N 77 20W
Nassau, U.S.A. 113 42 30N 73 34W
Nassau, Bahía 128 55 20 S 68 0W
Nasser City = Kôm Ombo 86 24 25N 32 52 E
Nasser, L. = Naser, Buheiret en 86 23 0N 32 30 E
Nassian 84 8 28N 3 28W
Nässjö 49 57 39N 14 42 E
Nastopoka Is. 106 57 0N 77 0W
Näsum 49 56 10N 14 29 E
Näsviken 48 61 46N 16 52 E
Nat Kyizin 71 14 57N 97 59 E
Nata 92 20 12 S 26 12 E
Natagaima 126 3 37N 75 6W
Natal, Brazil 127 5 47 S 35 13W
Natal, Can. 108 49 43N 114 51W
Natal, Indon. 72 0 35N 99 7 E
Natal □ 93 28 30 S 30 30 E
Natalinci 42 44 15N 20 49 E
Naṭanz 65 33 30N 51 55 E
Natashquan 107 50 14N 61 46W
Natashquan → 107 50 7N 61 50W
Natchez 117 31 35N 91 25W
Natchitoches 117 31 47N 93 4W
Nathalia 99 36 1 S 145 13 E
Nathdwara 68 24 55N 73 50 E
Natick 113 42 16N 71 19W
Natih 65 22 25N 56 30 E
Natimuk 99 36 42 S 142 0 E
Nation → 108 55 30N 123 32W
National City 119 32 39N 117 7W
Natitingou 85 10 20N 1 26 E
Natividad, I. 120 27 50N 115 10W
Natoma 116 39 14N 99 0W
Natron, L. 90 2 20 S 36 0 E
Natrona 112 40 39N 79 43W
Natrûn, W. el. → 86 30 25N 30 13 E
Natuna Besar, Kepulauan 72 4 0N 108 15 E
Natuna Selatan, Kepulauan 72 2 45N 109 0 E
Natural Bridge 113 44 5N 75 30W
Naturaliste, C. 96 33 32 S 115 0 E
Naturaliste C. 99 40 50 S 148 15 E
Naturaliste Channel 96 25 20 S 113 0 E
Naubinway 106 46 7N 85 27W
Naucelle 20 44 13N 2 20 E
Nauders 26 46 54N 10 30 E
Nauen 24 52 36N 12 52 E
Naugatuck 113 41 28N 73 4W
Naujoji Vilnia 54 54 48N 25 27 E
Naumburg 24 51 10N 11 48 E
Nauru 94 1 0 S 166 0 E
Nauru Is. 94 0 32 S 166 55 E
Nauta 126 4 31 S 73 35W
Nautla 120 20 20N 96 50W
Nava del Rey 30 41 22N 5 6W
Navacerrada, Puerto de 30 40 47N 4 0W
Navahermosa 31 39 41N 4 28W
Navajo Res. 119 36 55N 107 30W
Navalcarnero 30 40 17N 4 5W
Navalmoral de la Mata 30 39 52N 5 33W
Navalvillar de Pela 31 39 9N 5 24W
Navan = An Uaimh 15 53 39N 6 40W
Navare 20 43 20N 1 20W
Navarino, I. 128 55 0 S 67 40W
Navarra □ 32 42 40N 1 40W
Navarre, France 20 43 15N 1 20W
Navarre, U.S.A. 112 40 43N 81 31W
Navarrenx 20 43 20N 0 45W
Navas del Marqués, Las 30 40 36N 4 20W
Navasota 117 30 20N 96 5W
Navassa 121 18 30N 75 0W
Nave 38 45 35N 10 17 E
Naver → 14 58 34N 4 15W
Navia 30 43 35N 6 42W
Navia → 30 43 15N 6 50W
Navia de Suarna 30 42 58N 6 59W
Navidad 124 33 57 S 71 50W
Navlya 54 52 53N 34 30 E
Navoi 58 40 9N 65 22 E
Navojoa 120 27 0N 109 30W
Navolok 52 62 33N 39 57 E
Návpaktos 45 38 23N 21 50 E
Návplion 45 37 33N 22 50 E
Navrongo 85 10 51N 1 3W
Navsari 68 20 57N 72 59 E
Nawa Kot 68 28 21N 71 24 E
Nawabganj, Bangla. 69 24 35N 88 14 E
Nawabganj, India 69 26 56N 81 14 E
Nawabganj, Bareilly 69 28 32N 79 40 E
Nawabshah 68 26 15N 68 25 E
Nawada 69 24 50N 85 33 E
Nawakot 69 27 55N 85 10 E
Nawalgarh 68 27 50N 75 15 E
Nawapara 69 20 46N 82 33 E
Nawāsīf, Harrat 64 21 20N 42 10 E
Nawi 86 18 32N 30 50 E
Náxos 45 37 8N 25 25 E
Nay 20 43 10N 0 18W
Nāy Band 65 27 20N 52 40 E
Nayakhan 59 61 56N 159 0 E
Nayarit □ 120 22 0N 105 0W
Nayé 84 14 28N 12 12W
Nazaré 31 39 36N 9 4W
Nazas 120 25 10N 104 6W
Nazas → 120 25 35N 103 25W
Naze, The 13 51 53N 1 19 E
Nazerat 62 32 42N 35 17 E
Nazir Hat 67 22 35N 91 49 E
Nazko 108 53 1N 123 37W
Nazko → 108 53 7N 123 34W
Nazret 87 8 32N 39 22 E
Nchanga 91 12 30 S 27 49 E
Ncheu 91 14 50 S 34 47 E
Ndala 90 4 45 S 33 15 E
Ndalatando 88 9 12 S 14 48 E
Ndali 85 9 50N 2 46 E
Ndareda 90 4 12 S 35 30 E
Ndélé 81 8 25N 20 36 E
Ndendé 88 2 22 S 11 23 E
Ndjamena 81 12 10N 14 59 E
Ndjolé 88 0 10 S 10 45 E
Ndola 91 13 0 S 28 34 E
Ndoto Mts. 90 2 0N 37 0 E
Nduguti 90 4 18 S 34 41 E
Nea → 47 63 15N 11 0 E
Néa Epidhavros 45 37 40N 23 7 E
Néa Flippiás 44 39 12N 20 53 E
Néa Kallikrátia 44 40 21N 23 1 E
Néa Víssi 44 41 34N 26 33 E
Neagh, Lough 15 54 35N 6 25W
Neah Bay 118 48 25N 124 40W
Neamț □ 46 47 0N 26 20 E
Neápolis, Kozan, Greece 44 40 20N 21 24 E
Neápolis, Lakonía, Greece 45 36 27N 23 8 E
Near Is. 104 53 0N 172 0 E
Neath 13 51 39N 3 49W
Nebbou 85 11 9N 1 51W
Nebine Cr. → 99 29 27 S 146 56 E
Nebit Dag 58 39 30N 54 22 E
Nebolchy, U.S.S.R. 54 59 12N 32 58 E
Nebolchy, U.S.S.R. 54 59 8N 33 18 E
Nebraska □ 116 41 30N 100 0W
Nebraska City 116 40 40N 95 52W
Nébrodi, Monti 40 37 55N 14 50 E
Necedah 116 44 2N 90 7W
Nechako → 108 53 30N 122 44W
Neches → 117 29 55N 93 52W
Neckar → 25 49 31N 8 26 E
Necochea 124 38 30 S 58 50W
Nedelišće 39 46 23N 16 22 E
Nédha → 45 37 25N 21 45 E
Nedroma 82 35 1N 1 45W
Nedstrand 47 59 21N 5 49 E
Needles 119 34 50N 114 35W
Needles, The 13 50 39N 1 35W
Ñeembucú □ 124 27 0 S 58 0W
Neemuch (Nimach) 68 24 30N 74 56 E
Neenah 114 44 10N 88 30W
Neepawa 109 50 15N 99 30W
Nefta 83 33 53N 7 50 E
Neftah Sidi Boubekeur 82 35 1N 0 4 E
Neftegorsk 57 44 25N 39 45 E
Neftyannyye Kamni 53 40 20N 50 55 E
Negapatam = Nagappattinam 70 10 46N 79 50 E
Negaunee 114 46 30N 87 36W
Negba 62 31 40N 34 41 E
Negele 87 5 20N 39 36 E
Negeri Sembilan □ 71 2 50N 102 10 E
Negev = Hanegev 62 30 50N 35 0 E
Negoiu 46 45 35N 24 32 E
Negombo 70 7 12N 79 50 E
Negotin 42 44 16N 22 37 E
Negotino 42 41 29N 22 9 E
Negra, La 124 23 46 S 70 18W
Negra, Peña 30 42 11N 6 30W
Negra Pt. 73 18 40N 120 50 E
Negreira 30 42 54N 8 45W
Negrești 46 46 50N 27 30 E
Négrine 83 34 30N 7 30 E
Negro →, Argent. 128 41 2 S 62 47W
Negro →, Brazil 126 3 0 S 60 0W
Negro →, Uruguay 125 33 24 S 58 22W
Negros 73 10 0N 123 0 E
Negru Vodă 46 43 47N 28 21 E
Nehbandān 65 31 35N 60 5 E
Neheim-Hüsten 24 51 27N 7 58 E
Nehoiașu 46 45 24N 26 20 E
Nei Monggol Zizhiqu □ 76 42 0N 112 0 E
Neidpath 109 50 12N 107 20W
Neihart 118 47 0N 110 44W
Neijiang 75 29 35N 104 55 E
Neilton 118 17 24N 123 52W
Neira de Jusá 30 42 53N 7 14W
Neisse → 24 52 4N 14 46 E
Neiva 126 2 56N 75 18W
Neixiang 77 33 10N 111 52 E
Nejanilini L. 109 59 33N 97 48W
Nejo 87 9 30N 35 28 E
Nekemte 87 9 4N 36 30 E
Nêkheb 86 25 10N 32 48 E
Neksø 49 55 4N 15 8 E
Nelas 30 40 32N 7 52W
Nelaug 47 58 39N 8 40 E
Nelia 98 20 39 S 142 12 E
Nelidovo 54 56 13N 32 49 E
Neligh 116 42 11N 98 2W
Nelkan 59 57 40N 136 4 E
Nellikuppam 70 11 46N 79 43 E
Nellore 70 14 27N 79 59 E
Nelma 59 47 39N 139 0 E
Nelson, Austral. 100 38 3 S 141 2 E
Nelson, Can. 108 49 30N 117 20W
Nelson, N.Z. 101 41 18 S 173 16 E
Nelson, U.K. 12 53 50N 2 14W
Nelson, Ariz., U.S.A. 119 35 35N 113 16W
Nelson, Nev., U.S.A. 119 35 46N 114 48W
Nelson □ 101 42 11 S 172 15 E
Nelson → 109 54 33N 98 2W
Nelson, C., Austral. 99 38 26 S 141 32 E
Nelson, C., P.N.G. 98 9 0 S 149 20 E
Nelson, Estrecho 128 51 30 S 75 0W
Nelson Forks 108 59 30N 124 0W
Nelson House 109 55 47N 98 51W
Nelson L. 109 55 48N 100 7W
Nelspruit 93 25 29 S 30 59 E
Néma 84 16 40N 7 15W
Neman (Nemunas) → 54 55 25N 21 10 E
Neméa 45 37 49N 22 40 E
Nemeiben L. 109 55 20N 105 20W
Nemira 46 46 17N 26 19 E
Nemours 19 48 16N 2 40 E
Nemunas = Neman → 54 55 25N 21 10 E
Nemuro 74 43 20N 145 35 E
Nemuro-Kaikyō 74 43 30N 145 30 E
Nemuy 59 55 40N 136 9 E
Nen Jiang → 76 45 28N 124 30 E
Nenagh 15 52 52N 8 11W
Nenana 104 64 30N 149 20W
Nene → 12 52 38N 0 13 E
Nenjiang 75 49 10N 125 10 E
Neno 91 15 25 S 34 40 E
Nenusa, Kepulauan 73 4 45N 127 1 E
Neodesha 117 37 30N 95 37W
Néon Petrítsi 44 41 16N 23 15 E
Neosho 117 36 56N 94 28W
Neosho → 117 35 59N 95 10W
Nepal ■ 69 28 0N 84 30 E
Nepalganj 69 28 5N 81 40 E
Nephi 118 39 43N 111 52W
Nephin 15 54 1N 9 21W
Nepomuk 26 49 29N 13 35 E
Neptune City 113 40 13N 74 4W
Nera → 42 44 48N 21 25 E
Nérac 20 44 8N 0 21 E
Nerchinsk 59 52 0N 116 39 E
Nerchinskiy Zavod 59 51 20N 119 40 E
Nereju 46 45 43N 26 43 E
Nerekhta 55 57 26N 40 38 E
Néret L. 107 54 45N 70 44W
Neretva → 42 43 1N 17 27 E
Neretvanski Kanal 42 43 7N 17 10 E
Neringa 54 55 30N 21 5 E
Nerja 31 36 43N 3 55W
Nerl → 55 56 11N 40 34 E
Nerokoúrou 45 35 29N 24 3 E
Nerpio 33 38 11N 2 16W
Nerva 31 37 42N 6 30W
Nes 50 65 53N 17 24W
Nes Ziyyona 62 31 56N 34 48W
Nesbyen 47 60 34N 9 35 E
Nesebŭr 43 42 41N 27 46 E
Nesflaten 47 59 38N 6 48 E
Neskaupstaður 50 65 9N 13 42W
Nesland 47 59 31N 7 59 E
Neslandsvatn 47 58 57N 9 10 E
Nesle 19 49 45N 2 53 E
Nesodden 47 59 48N 10 40 E
Nesque → 21 43 59N 4 59 E
Ness, Loch 14 57 15N 4 30W
Nestórion Óros 44 40 24N 21 5 E
Néstos → 44 41 20N 24 35 E
Nesttun 47 60 19N 5 21 E
Nesvizh 54 53 14N 26 38 E
Netanya 62 32 20N 34 51 E
Nète → 16 51 7N 4 14 E
Nether Stowey 13 51 0N 3 10W
Netherbury 13 50 46N 2 45W
Netherdale 97 21 10 S 148 33 E
Netherlands ■ 16 52 0N 5 30 E
Netherlands Antilles □ 121 12 30N 68 0W
Netherlands Guiana = Surinam ■ 127 4 0N 56 0W
Neto → 41 39 13N 17 8 E
Netrakona 69 24 53N 90 47 E
Nettancourt 19 48 51N 4 57 E
Nettilling L. 105 66 30N 71 0W
Nettuno 40 41 29N 12 40 E
Netzahualcoyotl, Presa 120 17 10N 93 30W
Neu-Isenburg 25 50 3N 8 42 E
Neu-Ulm 25 48 23N 10 2 E
Neubrandenburg 24 53 33N 13 17 E
Neubrandenburg □ 24 53 30N 13 20 E
Neubukow 24 54 1N 11 40 E
Neuburg 25 48 43N 11 11 E
Neuchâtel 25 47 0N 6 55 E
Neuchâtel □ 25 47 0N 6 55 E
Neuchâtel, Lac de 25 46 53N 6 50 E
Neudau 26 47 11N 16 6 E
Neuenhaus 24 52 30N 6 55 E
Neuf-Brisach 19 48 0N 7 30 E
Neufahrn 25 48 44N 12 11 E
Neufchâteau, Belg. 16 49 50N 5 25 E
Neufchâteau, France 19 48 21N 5 40 E
Neufchâtel 19 49 43N 1 30 E
Neufchâtel-sur-Aisne 19 49 26N 4 0 E
Neuhaus 24 53 16N 10 54 E
Neuillé-Pont-Pierre 18 47 33N 0 33 E
Neuilly-St-Front 19 49 10N 3 15 E
Neukalen 24 53 49N 12 48 E
Neumarkt 25 49 16N 11 28 E
Neumarkt-Sankt Veit 25 48 22N 12 30 E
Neumünster 24 54 4N 9 58 E
Neung-sur-Beuvron 19 47 30N 1 50 E
Neunkirchen, Austria 26 47 43N 16 4 E
Neunkirchen, Ger. 25 49 23N 7 12 E
Neuquén 128 38 55 S 68 0 E
Neuquén □ 124 38 0 S 69 50W
Neuruppin 24 52 56N 12 48 E
Neuse → 115 35 5N 76 30W
Neusiedl 27 47 57N 16 50 E
Neusiedler See 27 47 50N 16 47 E
Neuss 24 51 12N 6 39 E
Neussargues-Moissac 20 45 9N 3 1 E
Neustadt, Baden-W., Ger. 25 47 54N 8 13 E
Neustadt, Bayern, Ger. 25 50 23N 11 0 E
Neustadt, Bayern, Ger. 25 49 42N 12 10 E
Neustadt, Bayern, Ger. 25 48 48N 11 47 E
Neustadt, Bayern, Ger. 25 49 34N 10 37 E
Neustadt, Gera, Ger. 24 50 45N 11 43 E
Neustadt, Hessen, Ger. 24 50 51N 9 9 E
Neustadt, Niedersachsen, Ger. 24 52 30N 9 30 E
Neustadt, Potsdam, Ger. 24 52 50N 12 27 E
Neustadt, Rhld-Pfz., Ger. 25 49 21N 8 10 E
Neustadt, Schleswig-Holstein, Ger. 24 54 6N 10 49 E
Neustrelitz 24 53 22N 13 4 E
Neuvic 20 45 23N 2 16 E
Neuville, Rhône, France 21 45 52N 4 51 E
Neuville, Vienne, France 18 46 41N 0 15 E
Neuville-aux-Bois 19 48 4N 2 3 E
Neuvy-le-Roi 18 47 36N 0 36 E
Neuvy-St-Sépulchure 20 46 35N 1 48 E
Neuvy-sur-Barangeon 19 47 20N 2 15 E
Neuwerk 24 53 55N 8 30 E
Neuwied 24 50 26N 7 29 E
Neva → 52 59 50N 30 30 E
Nevada 117 37 51N 94 22W
Nevada □ 118 39 20N 117 0W
Nevada City 118 39 20N 121 0W
Nevada de Sta. Marta, Sa. 126 10 55N 73 50W
Nevada, Sierra, Spain 33 37 3N 3 15W
Nevada, Sierra, U.S.A. 118 39 0N 120 30W
Nevado, Cerro 124 35 30 S 68 32W
Nevanka 59 56 31N 98 55 E
Nevasa 70 19 34N 75 0 E
Nevel 54 56 0N 29 55 E
Nevers 19 47 0N 3 9 E
Nevertire 99 31 50 S 147 44 E
Nevesinje 42 43 14N 18 6 E
Neville 109 49 58N 107 39W
Nevinnomyssk 57 44 40N 42 0 E
Nevis 121 17 0N 62 30W

Nevlunghavn **Nootka I.**

Place	Page	Lat.	Long.
Nevlunghavn	**47**	55 58N	9 52 E
Nevrokop = Gotse Delchev	**43**	41 33N	23 46 E
Nevşehir	**64**	38 33N	34 40 E
Nevyansk	**52**	57 30N	60 13 E
New Albany, Ind., U.S.A.	**114**	38 20N	85 50W
New Albany, Miss., U.S.A.	**117**	34 30N	89 0W
New Albany, Pa., U.S.A.	**113**	41 35N	76 28W
New Amsterdam	**126**	6 15N	57 36W
New Bedford	**114**	41 40N	70 52W
New Bern	**115**	35 8N	77 3W
New Bethlehem	**112**	41 0N	79 22W
New Bloomfield	**112**	40 24N	77 12W
New Boston	**117**	33 27N	94 21W
New Braunfels	**117**	29 43N	98 9W
New Brighton, N.Z.	**101**	43 29 S	172 43 E
New Brighton, U.S.A.	**112**	40 42N	80 19W
New Britain, P.N.G.	**94**	5 50 S	150 20 E
New Britain, U.S.A.	**114**	41 41N	72 47W
New Brunswick	**114**	40 30N	74 28W
New Brunswick □	**107**	46 50N	66 30W
New Bussa	**85**	9 53N	4 31 E
New Byrd	**5**	80 0 S	120 0W
New Caledonia = Nouvelle-Calédonie	**94**	21 0 S	165 0 E
New Castile = Castilla La Neuva	**31**	39 45N	3 20W
New Castle, Ind., U.S.A.	**114**	39 55N	85 23W
New Castle, Pa., U.S.A.	**114**	41 0N	80 20W
New City	**113**	41 8N	74 0W
New Cristóbal	**120**	9 22N	79 40W
New Cumberland	**112**	40 30N	80 36W
New Delhi	**68**	28 37N	77 13 E
New Denver	**108**	50 0N	117 25W
New England	**116**	46 36N	102 47W
New England Ra.	**97**	30 20 S	151 45 E
New Forest	**13**	50 53N	1 40W
New Glasgow	**107**	45 35N	62 36W
New Guinea	**94**	4 0 S	136 0 E
New Hamburg	**112**	43 23N	80 42W
New Hampshire □	**114**	43 40N	71 40W
New Hampton	**116**	43 2N	92 20W
New Hanover, P.N.G.	**98**	2 30 S	150 10 E
New Hanover, S. Afr.	**93**	29 22 S	30 31 E
New Haven, Conn., U.S.A.	**114**	41 20N	72 54W
New Haven, Mich., U.S.A.	**112**	42 44N	82 46W
New Hazelton	**108**	55 20N	127 30W
* New Hebrides	**94**	15 0 S	168 0 E
New Iberia	**117**	30 2N	91 54W
New Ireland	**94**	3 20 S	151 50 E
New Jersey □	**114**	40 30N	74 10W
New Kensington	**114**	40 36N	79 43W
New Lexington	**114**	39 40N	82 15W
New Liskeard	**106**	47 31N	79 41W
New London, Conn., U.S.A.	**114**	41 23N	72 8W
New London, Minn., U.S.A.	**116**	45 17N	94 55W
New London, Ohio, U.S.A.	**112**	41 4N	82 25W
New London, Wis., U.S.A.	**116**	44 23N	88 43W
New Madrid	**117**	36 40N	89 30W
New Meadows	**118**	45 0N	116 32W
New Mexico □	**110**	34 30N	106 0W
New Milford, Conn., U.S.A.	**113**	41 35N	73 25W
New Milford, Pa., U.S.A.	**113**	41 50N	75 45W
New Norfolk	**97**	42 46 S	147 2 E
New Orleans	**117**	30 0N	90 5W
New Philadelphia	**114**	40 29N	81 25W
New Plymouth, N.Z.	**101**	39 4 S	174 5 E
New Plymouth, U.S.A.	**118**	43 58N	116 49W
New Providence	**121**	25 25N	78 35W
New Radnor	**13**	52 15N	3 10W
New Richmond	**116**	45 6N	92 34W
New Roads	**117**	30 43N	91 30W
New Rochelle	**113**	40 55N	73 46W
New Rockford	**116**	47 44N	99 7W
New Ross	**15**	52 24N	6 58W
New Salem	**116**	46 51N	101 25W
New Siberian Is. = Novosibirskiye Os.	**59**	75 0N	142 0 E
New Smyrna Beach	**115**	29 0N	80 50W
New South Wales □	**97**	33 0 S	146 0 E
New Town	**116**	47 59N	102 30W
New Ulm	**116**	44 15N	94 30W
New Waterford	**107**	46 13N	60 4W
New Westminster	**108**	49 13N	122 55W
New York □	**114**	42 40N	76 0W
New York City	**114**	40 45N	74 0W
New Zealand ■	**94**	40 0 S	176 0 E
Newala	**91**	10 58 S	39 18 E
Newala □	**91**	10 46 S	39 20 E
Newark, Del., U.S.A.	**114**	39 42N	75 45W
Newark, N.J., U.S.A.	**114**	40 41N	74 12W
Newark, N.Y., U.S.A.	**114**	43 2N	77 10W
Newark, Ohio, U.S.A.	**114**	40 5N	82 24W
Newark-on-Trent	**12**	53 6N	0 48W
Newaygo	**114**	43 25N	85 48W
Newberg	**118**	45 22N	123 0W
Newberry, Mich., U.S.A.	**114**	46 20N	85 32W
Newberry, S.C., U.S.A.	**115**	34 17N	81 37W
Newbrook	**108**	54 24N	112 57W
Newburgh	**114**	41 30N	74 1W
Newbury, U.K.	**13**	51 24N	1 19W
Newbury, U.S.A.	**113**	44 7N	72 6W
Newburyport	**114**	42 48N	70 50W
Newcastle, Austral.	**97**	33 0 S	151 46 E
Newcastle, Can.	**107**	47 1N	65 38W
Newcastle, S. Afr.	**93**	27 45 S	29 58 E
Newcastle, U.K.	**15**	54 13N	5 54W
Newcastle, U.S.A.	**116**	43 50N	104 12W
Newcastle Emlyn	**13**	52 2N	4 29W
Newcastle Ra.	**97**	15 45 S	130 15 E
Newcastle-under-Lyme	**12**	53 2N	2 15W
Newcastle-upon-Tyne	**12**	54 59N	1 37W
Newcastle Waters	**96**	17 30 S	133 28 E
Newdegate	**96**	33 6 S	119 0 E
Newe Etan	**62**	32 30N	35 32 E
Newe Sha'anan	**62**	32 47N	34 59 E
Newe Zohar	**62**	31 9N	35 21 E
Newell	**116**	44 48N	103 25W
Newenham, C.	**104**	58 40N	162 15W
Newfoundland	**107**	48 30N	56 0W
Newfoundland □	**107**	53 0N	58 0W
Newhalem	**108**	48 41N	121 16W
Newham	**13**	51 31N	0 2 E
Newhaven	**13**	50 47N	0 4 E
Newkirk	**117**	36 52N	97 3W
Newman, Mt.	**96**	23 20 S	119 34 E
Newmarket, Can.	**112**	44 3N	79 28W
Newmarket, Ireland	**15**	52 13N	9 0W
Newmarket, U.K.	**13**	52 15N	0 23 E
Newmarket, U.S.A.	**113**	43 4N	70 57W
Newnan	**115**	33 22N	84 48W
Newnes	**99**	33 9 S	150 16 E
Newport, Gwent, U.K.	**13**	51 35N	3 0W
Newport, I. of W., U.K.	**13**	50 42N	1 18W
Newport, Salop, U.K.	**13**	52 47N	2 22W
Newport, Ark., U.S.A.	**117**	35 38N	91 15W
Newport, Ky., U.S.A.	**114**	39 5N	84 23W
Newport, N.H., U.S.A.	**114**	43 23N	72 8W
Newport, Oreg., U.S.A.	**118**	44 41N	124 2W
Newport, Pa., U.S.A.	**112**	40 28N	77 8W
Newport, R.I., U.S.A.	**114**	41 13N	71 19W
Newport, Tenn., U.S.A.	**115**	35 59N	83 12W
Newport, Vt., U.S.A.	**114**	44 57N	72 17W
Newport, Wash., U.S.A.	**118**	48 11N	117 2W
Newport Beach	**119**	33 40N	117 58W
Newport News	**114**	37 2N	76 30W
Newquay	**13**	50 24N	5 6W
Newry	**15**	54 10N	6 20W
Newry & Mourne □	**15**	54 10N	6 15W
Newton, Iowa, U.S.A.	**116**	41 40N	93 3W
Newton, Mass., U.S.A.	**114**	42 21N	71 10W
Newton, Miss., U.S.A.	**117**	32 19N	89 10W
Newton, N.C., U.S.A.	**115**	35 42N	81 10W
Newton, N.J., U.S.A.	**114**	41 3N	74 46W
Newton, Texas, U.S.A.	**117**	30 54N	93 42W
Newton Abbot	**13**	50 32N	3 37W
Newton Boyd	**99**	29 45 S	152 16 E
Newton Stewart	**14**	54 57N	4 30W
Newtonmore	**14**	57 4N	4 7W
Newtown	**13**	52 31N	3 19W
Newtownabbey	**15**	54 40N	5 55W
Newtownabbey □	**15**	54 45N	6 0W
Newtownards	**15**	54 37N	5 40W
Newville	**112**	40 10N	77 24W
Nexon	**20**	45 41N	1 11 E
Neya	**55**	58 21N	43 49 E
Neyrīz	**65**	29 15N	54 19 E
Neyshābūr	**65**	36 10N	58 50 E
Neyyattinkara	**70**	8 26N	77 5 E
Nezhin	**54**	51 5N	31 55 E
Nezperce	**118**	46 13N	116 15W
Ngabang	**72**	0 23N	109 55 E
Ngabordamlu, Tanjung	**73**	6 56 S	134 11 E
Ngambé	**85**	5 48N	11 29 E
Ngami Depression	**92**	20 30 S	22 46 E
Ngamo	**91**	19 3 S	27 32 E
Nganglong Kangri	**67**	33 0N	81 0 E
Nganjuk	**73**	7 32 S	111 55 E
Ngaoundéré	**88**	7 15N	13 35 E
Ngapara	**101**	44 57 S	170 46 E
Ngara	**90**	2 29 S	30 40 E
Ngara □	**90**	2 29 S	30 40 E
Ngau	**101**	18 2 S	179 18 E
Ngawi	**73**	7 24 S	111 26 E
Ngha Lo	**71**	21 33N	104 28 E
Ngiva	**92**	16 48 S	15 50 E
Ngoma	**91**	13 8 S	33 45 E
Ngomahura	**91**	20 26 S	30 43 E
Ngomba	**91**	8 20 S	32 53 E
Ngop	**87**	6 17N	30 9 E
Ngoring Hu	**75**	34 55N	97 5 E
Ngorkou	**84**	15 40N	3 41W
Ngorongoro	**90**	3 11 S	35 32 E
Ngozi	**90**	2 54 S	29 50 E
Ngudu	**90**	2 58 S	33 25 E
Nguigmi	**81**	14 20N	13 20 E
Ngunga	**90**	3 37 S	33 37 E
Ngunza	**88**	11 10 S	13 48 E
Nguru	**85**	12 56N	10 29 E
Nguru Mts.	**90**	6 0 S	37 30 E
Nha Trang	**71**	12 16N	109 10 E
Nhacoongo	**93**	24 18 S	35 14 E
Nhangutazi, L.	**93**	24 0 S	34 30 E
Nhill	**99**	36 18 S	141 40 E
Nia-nia	**90**	1 30N	27 40 E
Niafounké	**84**	16 0N	4 5W
Niagara	**114**	45 45N	88 0W
Niagara Falls, Can.	**106**	43 7N	79 5W
Niagara Falls, U.S.A.	**114**	43 5N	79 0W
Niagara-on-the-Lake	**112**	43 15N	79 4W
Niah	**72**	3 58N	113 46 E
Nialia, L.	**100**	33 20 S	141 42 E
Niamey	**85**	13 27N	2 6 E
Nianforando	**84**	9 37N	10 36W
Nianfors	**48**	61 36N	16 46 E
Niangara	**90**	3 42N	27 50 E
Nianzishan	**76**	47 31N	122 53 E
Nias	**72**	1 0N	97 30 E
Niassa □	**91**	13 30 S	36 0 E
Nibbiano	**38**	44 54N	9 20 E
Nibe	**49**	56 59N	9 38 E
Nibong Tebal	**71**	5 10N	100 29 E
Nicaragua ■	**121**	11 40N	85 30W
Nicaragua, Lago de	**121**	12 0N	85 30W
Nicastro	**41**	39 0N	16 18 E
Nice	**21**	43 42N	7 14 E
Niceville	**115**	30 30N	86 30W
Nichinan	**74**	31 38N	131 23 E
Nicholás, Canal	**121**	23 30N	80 5W
Nicholasville	**114**	37 54N	84 31W
Nichols	**113**	42 1N	76 22W
Nicholson	**113**	41 37N	75 47W
Nicobar Is.	**60**	9 0N	93 0 E
Nicola	**108**	50 12N	120 40W
Nicolet	**106**	46 17N	72 35W
Nicolls Town	**121**	25 8N	78 0W
Nicopolis	**45**	39 2N	20 37 E
Nicosia, Cyprus	**64**	35 10N	33 25 E
Nicosia, Italy	**41**	37 45N	14 22 E
Nicótera	**41**	38 33N	15 57 E
Nicoya, G. de	**121**	10 0N	85 0W
Nicoya, Pen. de	**121**	9 45N	85 40W
Nidd →	**12**	54 1N	1 32W
Nidda	**24**	50 24N	9 2 E
Nidda →	**25**	50 6N	8 34 E
Nidzica	**28**	53 25N	20 28 E
Niebüll	**24**	54 47N	8 49 E
Nied →	**19**	49 23N	6 40 E
Niederaula	**24**	50 48N	9 37 E
Niederbronn	**19**	48 57N	7 39 E
Niedere Tauern	**26**	47 20N	14 0 E
Niedermarsberg	**24**	51 28N	8 52 E
Niederösterreich □	**26**	48 25N	15 40 E
Niedersachsen □	**24**	52 45N	9 0 E
Niellé	**84**	10 5N	5 38W
Niemba	**90**	5 58 S	28 24 E
Niemcza	**28**	50 42N	16 47 E
Niemodlin	**28**	50 38N	17 38 E
Niemur	**100**	35 17 S	144 9 E
Nienburg	**24**	52 38N	9 15 E
Niepołomice	**27**	50 3N	20 13 E
Niers →	**24**	51 45N	5 58 E
Niesky	**24**	51 18N	14 48 E
Nieszawa	**28**	52 52N	18 50 E
Nieuw Amsterdam	**127**	5 53N	55 5W
Nieuw Nickerie	**127**	6 0N	56 59W
Nieuwpoort	**16**	51 8N	2 45 E
Nieves	**30**	42 7N	8 26W
Nièvre □	**19**	47 10N	3 40 E
Niğde	**64**	38 0N	34 40 E
Nigel	**93**	26 27 S	28 25 E
Niger ■	**85**	13 30N	10 0 E
Niger □	**85**	10 0N	5 0 E
Niger →	**85**	5 33N	6 33 E
Nigeria ■	**85**	8 30N	8 0 E
Nightcaps	**101**	45 57 S	168 2 E
Nigríta	**44**	40 56N	23 29 E
Nihtaur	**69**	29 20N	78 23 E
Nii-Jima	**74**	34 20N	139 15 E
Niigata	**74**	37 58N	139 0 E
Niigata □	**74**	37 15N	138 45 E
Niihama	**74**	33 55N	133 16 E
Niihau	**110**	21 55N	160 10W
Níjar	**33**	36 53N	2 15W
Nijkerk	**16**	52 13N	5 30 E
Nijmegen	**16**	51 50N	5 52 E
Nijverdal	**16**	52 22N	6 28 E
Nike	**85**	6 26N	7 29 E
Nikel	**50**	69 24N	30 12 E
Nikiniki	**73**	9 49 S	124 30 E
Nikítas	**44**	40 13N	23 34 E
Nikki	**85**	9 58N	3 12 E
Nikkō	**74**	36 45N	139 35 E
Nikolayev	**56**	46 58N	32 0 E
Nikolayevsk	**55**	50 0N	45 35 E
Nikolayevsk-na-Amur	**59**	53 8N	140 44 E
Nikolsk	**55**	59 30N	45 28 E
Nikolskoye	**59**	55 12N	166 0 E
Nikopol, Bulg.	**43**	43 43N	24 54 E
Nikopol, U.S.S.R.	**56**	47 35N	34 25 E
Niksar	**56**	40 31N	37 2 E
Nīkshahr	**65**	26 15N	60 10 E
Nikšić	**42**	42 50N	18 57 E
Nîl el Abyad →	**87**	15 38N	32 31 E
Nîl el Azraq →	**87**	15 38N	32 31 E
Nîl, Nahr en →	**86**	30 10N	31 6 E
Niland	**119**	33 16N	115 30W
Nile = Nîl, Nahr en →	**86**	30 10N	31 6 E
Nile □	**90**	2 0N	31 30 E
Nile Delta	**86**	31 40N	31 0 E
Niles	**114**	41 8N	80 40W
Nilgiri Hills	**70**	11 30N	76 30 E
Nimach = Neemuch	**68**	24 30N	74 56 E
Nimbahera	**68**	24 37N	74 45 E
Nîmes	**21**	43 50N	4 23 E
Nimfaíon, Ákra-	**44**	40 5N	24 20 E
Nimingarra	**96**	20 31 S	119 55 E
Nimmitabel	**99**	36 29 S	149 15 E
Nimneryskiy	**59**	57 50N	125 10 E
Nimrod Glacier	**5**	82 27 S	161 0 E
Nimule	**87**	3 32N	32 3 E
Nin	**39**	44 16N	15 12 E
Nindigully	**99**	28 21 S	148 50 E
Ninemile	**108**	56 0N	130 7W
Ninety Mile Beach, The	**97**	38 15 S	147 24 E
Nineveh = Nīnawá	**64**	36 25N	43 10 E
Ning'an	**76**	44 22N	129 20 E
Ningbo	**75**	29 51N	121 28 E
Ningde	**75**	26 38N	119 23 E
Ningdu	**77**	26 25N	115 59 E
Ningjin	**76**	37 35N	114 57 E
Ningming	**77**	22 8N	107 4 E
Ningpo = Ningbo	**75**	29 51N	121 28 E
Ningqiang	**77**	32 47N	106 15 E
Ningshan	**77**	33 21N	108 21 E
Ningsia Hui A.R. = Ningxia Huizu Zizhiqu □	**76**	38 0N	106 0 E
Ningwu	**76**	39 0N	112 18 E
Ningxia Huizu Zizhiqu □	**76**	38 0N	106 0 E
Ningxiang	**77**	28 15N	112 30 E
Ningyuan	**77**	25 37N	111 57 E
Ninh Binh	**71**	20 15N	105 55 E
Ninove	**16**	50 51N	4 2 E
Nioaque	**125**	21 5 S	55 50W
Niobrara	**116**	42 48N	97 59W
Niobrara →	**116**	42 45N	98 0W
Niono	**84**	14 15N	6 0W
Nioro du Rip	**84**	13 40N	15 50W
Nioro du Sahel	**84**	15 15N	9 30W
Niort	**20**	46 19N	0 29W
Nipani	**70**	16 20N	74 25 E
Nipawin	**109**	53 20N	104 0W
Nipawin Prov. Park	**109**	54 0N	104 37W
Nipigon	**106**	49 0N	88 17W
Nipigon, L.	**106**	49 50N	88 30W
Nipin →	**109**	55 46N	108 35W
Nipishish L.	**107**	54 12N	60 45W
Nipissing L.	**106**	46 20N	80 0W
Nipomo	**119**	35 4N	120 29W
Niquelândia	**127**	14 33 S	48 23W
Nira →	**70**	17 58N	75 8 E
Nirmal	**70**	19 3N	78 20 E
Nirmali	**69**	26 20N	86 35 E
Niš	**42**	43 19N	21 58 E
Nisa	**31**	39 30N	7 41W
Nişāb	**63**	14 25N	46 29 E
Nišava →	**42**	43 20N	21 46 E
Niscemi	**41**	37 8N	14 21 E
Nishinomiya	**74**	34 45N	135 20 E
Nisiros	**45**	36 35N	27 12 E
Niskibi →	**106**	56 29N	88 9W
Nisko	**28**	50 35N	22 7 E
Nisporeny	**46**	47 4N	28 10 E
Nissafors	**49**	57 25N	13 37 E
Nissan →	**49**	56 40N	12 51 E
Nissedal	**47**	59 10N	8 30 E
Nisser	**47**	59 7N	8 28 E
Nissum Fjord	**49**	56 20N	8 11 E
Nisutlin →	**108**	60 14N	132 34W
Nitā'	**64**	27 15N	48 35 E
Nitchequon	**107**	53 10N	70 58W
Niterói	**125**	22 52 S	43 0W
Nith →	**14**	55 20N	3 5W
Nitra	**27**	48 19N	18 4 E
Nitra →	**27**	47 46N	18 10 E
Nittedal	**47**	60 1N	10 57 E
Nittendau	**25**	49 12N	12 16 E
Niuafo'ou	**101**	15 30 S	175 58W
Niue I. (Savage I.)	**95**	19 2 S	169 54W
Niut	**72**	0 55N	110 6 E
Nivelles	**16**	50 35N	4 20 E
Nivernais	**19**	47 0N	3 40 E
Nixon, Nev., U.S.A.	**118**	39 54N	119 22W
Nixon, Tex., U.S.A.	**117**	29 17N	97 45W
Nizam Sagar	**70**	18 10N	77 58 E
Nizamabad	**70**	18 45N	78 7 E
Nizamghat	**67**	28 20N	95 45 E
Nizhne Kolymsk	**59**	68 34N	160 55 E
Nizhne-Vartovskoye	**58**	60 56N	76 38 E
Nizhneangarsk	**59**	55 47N	109 30 E
Nizhnegorskiy	**56**	45 27N	34 38 E
Nizhneudinsk	**59**	54 54N	99 3 E
Nizhneyansk	**59**	71 26N	136 4 E
Nizhniy Lomov	**55**	53 34N	43 38 E
Nizhniy Novgorod = Gorkiy	**55**	56 20N	44 0 E
Nizhniy Tagil	**52**	57 55N	59 57 E
Nizhnyaya Tunguska →	**59**	64 20N	93 0 E
Nizip	**64**	37 5N	37 50 E
Nízké Tatry	**27**	48 55N	20 0 E
Nizza Monferrato	**38**	44 46N	8 22 E
Njakwa	**91**	11 1 S	33 56 E
Njanji	**91**	14 25 S	31 46 E
Njinjo	**91**	8 48 S	38 54 E
Njombe	**91**	9 20 S	34 50 E
Njombe □	**91**	9 20 S	34 49 E
Njombe →	**90**	6 56 S	35 6 E
Nkambe	**85**	6 35N	10 40 E
Nkana	**91**	12 50 S	28 8 E
Nkawkaw	**85**	6 36N	0 49W
Nkhota Kota	**91**	12 56 S	34 15 E
Nkongsamba	**88**	4 55N	9 55 E
Nkwanta	**84**	6 10N	2 10W
Noatak	**104**	67 32N	162 59W
Nobel	**112**	45 25N	80 6W
Nobeoka	**74**	32 36N	131 41 E
Noblejas	**32**	39 58N	3 26W
Noblesville	**114**	40 1N	85 59W
Noce →	**38**	46 9N	11 4 E
Nocera Inferiore	**41**	40 45N	14 37 E
Nocera Terinese	**41**	39 2N	16 9 E
Nocera Umbra	**39**	43 8N	12 47 E
Noci	**41**	40 47N	17 7 E
Nockatunga	**99**	27 42 S	142 42 E
Nocona	**117**	33 48N	97 45W
Nocrich	**46**	45 55N	24 26 E
Noel	**117**	36 36N	94 29W
Nogales, Mexico	**120**	31 20N	110 56W
Nogales, U.S.A.	**119**	31 33N	110 56W
Nogat →	**28**	54 17N	19 17 E
Nōgata	**74**	33 48N	130 44 E
Nogent-en-Bassigny	**19**	48 0N	5 20 E
Nogent-le-Rotrou	**18**	48 20N	0 50 E
Nogent-sur-Seine	**19**	48 30N	3 30 E
Noginsk, Moskva, U.S.S.R.	**55**	55 50N	38 25 E
Noginsk, Sib., U.S.S.R.	**59**	64 30N	90 50 E
Nogoa →	**97**	23 40 S	147 55 E
Nogoyá	**124**	32 24 S	59 48W
Nógrád □	**27**	48 0N	19 30 E
Nogueira de Ramuin	**30**	42 21N	7 43W
Noguera Pallaresa →	**32**	42 15N	1 0 E
Noguera Ribagorzana →	**32**	41 40N	0 43 E
Nohar	**68**	29 11N	74 49 E
Noi →	**71**	14 50N	100 15 E
Noire, Mt.	**18**	48 11N	3 40W
Noirétable	**20**	45 48N	3 46 E
Noirmoutier	**18**	47 0N	2 15W
Noirmoutier, Î. de	**18**	46 58N	2 10W
Nojane	**92**	23 15 S	20 14 E
Nok Kundi	**66**	28 50N	62 45 E
Nokaneng	**92**	19 40 S	22 17 E
Nokhtuysk	**59**	60 0N	117 45 E
Nokomis	**109**	51 35N	105 0W
Nokomis L.	**109**	57 0N	103 0W
Nol	**49**	57 56N	12 5 E
Nola, C. Afr. Rep.	**88**	3 35N	16 4 E
Nola, Italy	**41**	40 54N	14 29 E
Nolay	**19**	46 58N	4 35 E
Noli, C. di	**38**	44 12N	8 26 E
Nolinsk	**55**	57 28N	49 57 E
Noma Omuramba →	**92**	18 52 S	20 53 E
Noman L.	**109**	62 15N	108 55W
Nome	**104**	64 30N	165 24W
Nonacho L.	**109**	61 42N	109 40W
Nonancourt	**18**	48 47N	1 11 E
Nonant-le-Pin	**18**	48 42N	0 12 E
Nonda	**98**	20 40 S	142 28 E
Nong Khae	**71**	14 29N	100 53 E
Nong Khai	**71**	17 50N	102 46 E
Nong'an	**76**	44 25N	125 5 E
Nonoava	**120**	27 28N	106 44W
Nontron	**20**	45 31N	0 40 E
Noonan	**116**	48 51N	102 59W
Noondoo	**99**	28 35 S	148 30 E
Noord Brabant □	**16**	51 40N	5 0 E
Noord Holland □	**16**	52 30N	4 45 E
Noordbeveland	**16**	51 35N	3 50 E
Noordoostpolder	**16**	52 45N	5 45 E
Noordwijk aan Zee	**16**	52 14N	4 26 E
Nootka	**108**	49 38N	126 38W
Nootka I.	**108**	49 32N	126 42W

* *Renamed Vanuatu ■*

Nóqui Nyköping

Name	Map	Lat.	Long.
Nóqui	88	5 55 S	13 30 E
Nora, Ethiopia	87	16 6N	40 4 E
Nora, Sweden	48	59 32N	15 2 E
Noranda	106	48 20N	79 0W
Norberg	48	60 4N	15 56 E
Nórcia	39	42 50N	13 5 E
Nord □	19	50 15N	3 30 E
Nord-Ostee Kanal	24	54 15N	9 40 E
Nord-Süd Kanal	24	53 0N	10 32 E
Nord-Trøndelag fylke □	50	64 20N	12 0 E
Nordagutu	47	59 25N	9 20 E
Nordaustlandet	4	79 14N	23 0 E
Nordborg	49	55 5N	9 50 E
Nordby, Arhus, Denmark	49	55 58N	10 32 E
Nordby, Ribe, Denmark	49	55 27N	8 24 E
Norddal	47	62 15N	7 14 E
Norddalsfjord	47	61 39N	5 23 E
Norddeich	24	53 37N	7 10 E
Nordegg	108	52 29N	116 5W
Norden	24	53 35N	7 12 E
Nordenham	24	53 29N	8 28 E
Norderhov	47	60 7N	10 17 E
Norderney	24	53 42N	7 15 E
Nordfjord	47	61 55N	5 30 E
Nordfriesische Inseln	24	54 40N	8 20 E
Nordhausen	24	51 29N	10 47 E
Nordhorn	24	52 27N	7 4 E
Nordjyllands Amtskommune □	49	57 0N	10 0 E
Nordkapp, Norway	50	71 10N	25 44 E
Nordkapp, Svalb.	4	80 31N	20 0 E
Nordkinn	9	71 8N	27 40 E
Nordland fylke □	50	65 40N	13 0 E
Nördlingen	25	48 50N	10 30 E
Nordrhein-Westfalen □	24	51 45N	7 30 E
Nordstrand	24	54 27N	8 50 E
Nordvik	59	74 2N	111 32 E
Nore	47	60 10N	9 0 E
Nore →	15	52 40N	7 20W
Norefjell	47	60 16N	9 29 E
Norembega	106	48 59N	80 43W
Noresund	47	60 11N	9 37 E
Norfolk, Nebr., U.S.A.	116	42 3N	97 25W
Norfolk, Va., U.S.A.	114	36 40N	76 15W
Norfolk □	12	52 39N	1 0 E
Norfolk Broads	12	52 30N	1 15 E
Norfolk I.	94	28 58 S	168 3 E
Norfork Res.	117	36 13N	92 15W
Norilsk	59	69 20N	88 6 E
Norley	99	27 45 S	143 48 E
Norma, Mt.	98	20 55 S	140 42 E
Normal	116	40 30N	89 0W
Norman	117	35 12N	97 30W
Norman →	97	17 28 S	140 49 E
Norman Wells	104	65 17N	126 51W
Normanby →	97	14 23 S	144 10 E
Normanby I.	98	10 55 S	151 5 E
Normandie	18	48 45N	0 10 E
Normandie, Collines de	18	48 55N	0 45W
Normandin	106	48 49N	72 31W
Normandy = Normandie	18	48 45N	0 10 E
Normanton	97	17 40 S	141 10 E
Norquay	109	51 53N	102 5W
Norquinco	128	41 51 S	70 55W
Norrahammar	49	57 43N	14 7 E
Norrbotten □	50	66 30N	22 30 E
Norrby	50	64 55N	18 15 E
Nørre Åby	49	55 27N	9 52 E
Nørre Nebel	49	55 47N	8 17 E
Nørresundby	49	57 5N	9 52 E
Norris	118	45 40N	111 40W
Norristown	114	40 9N	75 21W
Norrköping	49	58 37N	16 11 E
Norrland □	50	66 50N	18 0 E
Norrtälje	48	59 46N	18 42 E
Norsholm	49	58 31N	15 59 E
Norsk	59	52 30N	130 0 E
North Adams	114	42 42N	73 6W
North America	102	40 0N	100 0W
North Andaman I.	71	13 15N	92 40 E
North Atlantic Ocean	6	30 0N	50 0W
North Battleford	109	52 50N	108 17W
North Bay	106	46 20N	79 30W
North Belcher Is.	106	56 50N	79 50W
North Bend, Can.	108	49 50N	121 27W
North Bend, Oreg., U.S.A.	118	43 28N	124 14W
North Bend, Pa., U.S.A.	112	41 20N	77 42W
North Berwick, U.K.	14	56 4N	2 44W
North Berwick, U.S.A.	113	43 18N	70 43W
North Buganda □	90	1 0N	32 0 E
North Canadian →	117	35 17N	95 31W
North C., Antarct.	5	71 0 S	166 0 E
North C., Can.	107	47 2N	60 20W
North C., N.Z.	101	34 23 S	173 4 E
North Caribou L.	106	52 50N	90 40W
North Carolina □	115	35 30N	80 0W
North Channel, Br. Is.	14	55 0N	5 30W
North Channel, Can.	106	46 0N	83 0W
North Chicago	114	42 19N	87 50W
North Dakota □	116	47 30N	100 0W
North Down □	15	54 40N	5 45W
North Downs	13	51 17N	0 30 E
North East	112	42 17N	79 50W
North East Frontier Agency = Arunachal Pradesh □	67	28 0N	95 0 E
North East Providence Chan.	121	26 0N	76 0W
North Eastern □	90	1 30N	40 0 E
North Esk →	14	56 44N	2 25W
North European Plain	9	55 0N	20 0 E
North Foreland	13	51 22N	1 28 E
North Frisian Is. = Nordfr'sche Inseln	24	54 50N	8 20 E
North Henik L.	109	61 45N	97 40W
North Horr	90	3 20N	37 8 E
North I., Kenya	90	4 5N	36 5 E
North I., N.Z.	101	38 0 S	175 0 E
North Kingsville	112	41 53N	80 42W
North Knife →	109	58 53N	94 45W
North Koel →	69	24 45N	83 50 E
North Korea ■	76	40 0N	127 0 E
North Lakhimpur	67	27 14N	94 7 E
North Las Vegas	119	36 15N	115 6W
North Loup →	116	41 17N	98 23W
North Mashonaland □	91	16 30 S	30 0 E
North Minch	14	58 5N	5 55W
North Nahanni →	108	62 15N	123 20W
North Ossetian A.S.S.R. □	57	43 30N	44 30 E
North Palisade	119	37 6N	118 32W
North Platte	116	41 10N	100 50W
North Platte →	116	41 15N	100 45W
North Pt.	107	47 5N	64 0W
North Pole	4	90 0N	0 0 E
North Portal	109	49 0N	102 33W
North Powder	118	45 2N	117 59W
North Ronaldsay	14	59 20N	2 30W
North Sea	8	56 0N	4 0 E
North Sentinel I.	71	11 35N	92 15 E
North Sporades = Voríai Sporádhes	45	39 15N	23 30 E
North Stradbroke I.	97	27 35 S	153 28 E
North Sydney	107	46 12N	60 15W
North Thompson →	108	50 40N	120 20W
North Tonawanda	114	43 5N	78 50W
North Troy	113	44 59N	72 24W
North Truchas Pk.	119	36 0N	105 30W
North Twin I.	106	53 20N	80 0W
North Tyne →	12	54 59N	2 7W
North Uist	14	57 40N	7 15W
North Vancouver	108	49 25N	123 3W
North Vernon	114	39 0N	85 35W
North Village	121	32 15N	64 45W
North Wabiskaw L.	108	56 0N	113 55W
North Walsham	12	52 49N	1 22 E
North West Basin	96	25 45 S	115 0 E
North West C.	96	21 45 S	114 9 E
North West Christmas I. Ridge	95	6 30N	165 0W
North West Highlands	14	57 35N	5 2W
North West Providence Channel	121	26 0N	78 0W
North West River	107	53 30N	60 10W
North Western □	91	13 30 S	25 30 E
North York Moors	12	54 25N	0 50W
North Yorkshire □	12	54 15N	1 25W
Northallerton	12	54 20N	1 26W
Northam	96	31 35 S	116 42 E
Northampton, Austral.	96	28 27 S	114 33 E
Northampton, U.K.	13	52 14N	0 54W
Northampton, Mass., U.S.A.	114	42 22N	72 31W
Northampton, Pa., U.S.A.	113	40 38N	75 24W
Northampton □	13	52 16N	0 55W
Northampton Downs	98	24 35 S	145 48 E
Northbridge	113	42 12N	71 40W
Northeim	24	51 42N	10 0 E
Northern □, Malawi	91	11 0 S	34 0 E
Northern □, Uganda	90	3 5N	32 30 E
Northern □, Zambia	91	10 30 S	31 0 E
Northern Circars	70	17 30N	82 30 E
Northern Group	101	10 00 S	160 00W
Northern Indian L.	109	57 20N	97 20W
Northern Ireland □	15	54 45N	7 0W
Northern Light, L.	106	48 15N	90 39W
Northern Province □	84	9 15N	11 30W
Northern Territory □	96	16 0 S	133 0 E
Northfield	116	44 30N	93 10W
Northome	116	47 53N	94 15W
Northport, Ala., U.S.A.	115	33 15N	87 35W
Northport, Mich., U.S.A.	114	45 8N	85 39W
Northport, Wash., U.S.A.	118	48 55N	117 48W
Northumberland □	12	55 12N	2 0W
Northumberland, C.	97	38 5 S	140 40 E
Northumberland Is.	98	21 30 S	149 50 E
Northumberland Str.	107	46 20N	64 0W
Northwest Territories □	104	65 0N	100 0W
Northwich	12	53 16N	2 30W
Northwood, Iowa, U.S.A.	116	43 27N	93 0W
Northwood, N.D., U.S.A.	116	47 44N	97 30W
Norton, U.S.A.	116	39 50N	99 53W
Norton, Zimb.	91	17 52 S	30 40 E
Norton Sd.	104	64 0N	164 0W
Nortorf	24	54 14N	9 47 E
Norwalk, Conn., U.S.A.	114	41 9N	73 25W
Norwalk, Ohio, U.S.A.	114	41 13N	82 38W
Norway	114	45 46N	87 57W
Norway House	109	53 59N	97 50W
Norwegian Dependency	5	66 0 S	15 0 E
Norwegian Sea	6	66 0N	1 0 E
Norwich, Can.	112	42 59N	80 36W
Norwich, U.K.	12	52 38N	1 17 E
Norwich, Conn., U.S.A.	113	41 33N	72 5W
Norwich, N.Y., U.S.A.	114	42 32N	75 30W
Norwood, Can.	112	44 23N	77 59W
Norwood, U.S.A.	113	42 10N	71 10W
Nosok	58	70 10N	82 20 E
Nosovka	54	50 50N	31 37 E
Noşratābād	65	29 55N	60 0 E
Noss Hd.	14	58 29N	3 4W
Nossebro	49	58 12N	12 43 E
Nossob →	92	26 55 S	20 37 E
Nosy Boraha	93	16 50 S	49 55 E
Nosy Varika	93	20 35 S	48 32 E
Noteć →	28	52 44N	15 26 E
Notigi Dam	109	56 40N	99 10W
Notikewin →	108	57 2N	117 38W
Notios Evvoïkos Kólpos	45	38 20N	24 0 E
Noto	41	36 52N	15 4 E
Noto, G. di	41	36 50N	15 10 E
Noto-Hanto	74	37 0N	137 0 E
Notodden	47	59 35N	9 17 E
Notre-Dame	107	46 18N	64 46W
Notre Dame B.	107	49 45N	55 30W
Notre Dame de Koartac	105	60 55N	69 40W
Notsé	85	7 0N	1 17 E
Nottaway →	106	51 22N	78 55W
Nøtterøy	47	59 14N	10 24 E
Nottingham	12	52 57N	1 10W
Nottingham □	12	53 10N	1 0W
Nottoway →	114	36 33N	76 55W
Notwani →	92	23 35 S	26 58 E
Nouâdhibou	80	20 54N	17 0W
Nouâdhibou, Ras	80	20 50N	17 0W
Nouakchott	84	18 9N	15 58W
Noumea	94	22 17 S	166 30 E
Noupoort	92	31 10 S	24 57 E
Nouveau Comptoir (Paint Hills)	106	53 0N	78 49W
Nouvelle Calédonie	94	21 0 S	165 0 E
Nouzonville	19	49 48N	4 44 E
Nová Baňa	27	48 28N	18 39 E
Nová Bystřice	26	49 2N	15 8 E
† Nova Chaves	88	10 31 S	21 15 E
Nova Cruz	127	6 28 S	35 25W
Nova Esperança	125	23 8 S	52 24W
Nova Friburgo	125	22 16 S	42 30W
Nova Gaia	88	10 10 S	17 35 E
Nova Gradiška	42	45 17N	17 28 E
Nova Iguaçu	125	22 45 S	43 28W
Nova Iorque	127	7 0 S	44 5W
Nova Lamego	84	12 19N	14 11W
Nova Lima	125	19 59 S	43 51W
Nova Lisboa = Huambo	89	12 42 S	15 44 E
Nova Lusitânia	91	19 50 S	34 34 E
Nova Mambone	93	21 0 S	35 3 E
Nova Mesto	39	45 47N	15 12 E
Nova Paka	26	50 29N	15 30 E
Nova Scotia □	107	45 10N	63 0W
Nova Sofala	93	20 7 S	34 42 E
Nova Varoš	42	43 29N	19 48 E
Nova Venécia	127	18 45 S	40 24W
Nova Zagora	43	42 32N	25 59 E
Novaci, Romania	46	45 10N	23 42 E
Novaci, Yugo.	42	41 5N	21 29 E
Noval Iorque	127	6 48 S	44 0W
Novaleksandrovskaya	57	45 29N	41 17 E
Novannenskiy	55	50 32N	42 39 E
Novara	38	45 27N	8 36 E
Novaya Kakhovka	56	46 42N	33 27 E
Novaya Ladoga	52	60 7N	32 16 E
Novaya Lyalya	58	59 10N	60 35 E
Novaya Sibir, O.	59	75 10N	150 0 E
Novaya Zemlya	58	75 0N	56 0 E
Nové Město	27	48 45N	17 50 E
Nové Zámky	27	48 0N	18 8 E
Novelda	33	38 24N	0 45W
Novellara	38	44 50N	10 43 E
Noventa Vicentina	39	45 18N	11 30 E
Novgorod	54	58 30N	31 25 E
Novgorod-Severskiy	54	52 2N	33 10 E
Novi Bečej	42	45 36N	20 10 E
Novi Grad	39	45 19N	13 33 E
Novi Kneževa	42	46 4N	20 8 E
* Novi Krichim	43	42 8N	24 31 E
Novi Lígure	38	44 45N	8 47 E
Novi Pazar, Bulg.	43	43 25N	27 15 E
Novi Pazar, Yugo.	42	43 12N	20 28 E
Novi Sad	42	45 18N	19 52 E
Novi Vinodolski	39	45 10N	14 48 E
Novigrad	39	44 10N	15 32 E
Nôvo Hamburgo	125	29 37 S	51 7W
Novo-Zavidovskiy	55	56 32N	36 29 E
Novoakrainka	56	48 25N	31 30 E
Novoaltaysk	58	53 30N	84 0 E
Novoazovsk	56	47 15N	38 4 E
Novobelitsa	54	52 27N	31 2 E
Novobogatinskoye	57	47 20N	51 11 E
Novocherkassk	57	47 27N	40 5 E
Novodevichye	55	53 37N	48 50 E
Novograd-Volynskiy	54	50 34N	27 35 E
Novogrudok	54	53 40N	25 50 E
Novokayakent	57	42 30N	47 52 E
Novokazalinsk	58	45 48N	62 6 E
Novokhopersk	55	51 5N	41 39 E
Novokuybyshevsk	55	53 7N	49 58 E
Novokuznetsk	58	53 45N	87 10 E
Novomirgorod	56	48 45N	31 33 E
Novomoskovsk, R.S.F.S.R., U.S.S.R.	55	54 5N	38 15 E
Novomoskovsk, Ukraine, U.S.S.R.	56	48 33N	35 17 E
Novopolotsk	54	55 32N	28 37 E
Novorossiysk	56	44 43N	37 46 E
Novorybnoye	59	72 50N	105 50 E
Novorzhev	54	57 3N	29 25 E
Novoselitsa	56	48 14N	26 15 E
Novoshakhtinsk	57	47 46N	39 58 E
Novosibirsk	58	55 0N	83 5 E
Novosibirskiye Ostrava	59	75 0N	142 0 E
Novosil	55	52 58N	36 58 E
Novosokolniki	54	56 33N	30 5 E
Novotroitsk	52	51 10N	58 15 E
Novotulskiy	55	54 10N	37 43 E
Novouzensk	55	50 32N	48 17 E
Novovolynsk	54	50 45N	24 4 E
Novovyatsk	55	58 29N	49 44 E
Novozybkov	54	52 30N	32 0 E
Novska	42	45 19N	17 0 E
Novvy Port	58	67 40N	72 30 E
Novy Bug	56	47 34N	32 29 E
Nový Bydzov	26	50 14N	15 29 E
Novy Dwór Mazowiecki	28	52 26N	20 44 E
Nový Jičín	27	49 30N	18 0 E
Novyy Afon	57	43 7N	40 50 E
Novyy Oskol	55	50 44N	37 55 E
Now Shahr	65	36 40N	51 30 E
Nowa Deba	28	50 26N	21 41 E
Nowa Huta	27	50 5N	20 30 E
Nowa Ruda	28	50 35N	16 30 E
Nowa Skalmierzyce	28	51 43N	18 0 E
Nowa Sól	28	51 48N	15 44 E
Nowe	28	53 41N	18 44 E
Nowe Miasteczko	28	51 42N	15 42 E
Nowe Miasto	28	51 38N	20 34 E
Nowe Miasto Lubawskie	28	53 27N	19 33 E
Nowe Warpno	28	53 42N	14 18 E
Nowgong	67	26 20N	92 50 E
Nowingi	100	34 33 S	142 15 E
Nowogard	28	53 41N	15 10 E
Nowogród	28	53 14N	21 53 E
Nowra	97	34 53 S	150 35 E
Nowy Dwór, Białystok, Poland	28	53 40N	23 30 E
Nowy Dwór, Gdansk, Poland	28	54 13N	19 7 E
Nowy Korczyn	28	50 19N	20 48 E
Nowy Sącz	27	49 40N	20 41 E
Nowy Sącz □	27	49 30N	20 30 E
Nowy Staw	28	54 13N	19 2 E
Nowy Tomyśl	28	52 19N	16 10 E
Noxen	113	41 25N	76 4W
Noxon	118	48 0N	115 43W
Noya	30	42 48N	8 53W
Noyant	18	47 30N	0 6 E
Noyers	19	47 40N	4 0 E
Noyes I.	108	55 30N	133 40W
Noyon	19	49 34N	3 0 E
Nozay	18	47 34N	1 38W
Nsa, O. en →	83	32 28N	5 24 E
Nsanje	91	16 55 S	35 12 E
Nsawam	85	5 50N	0 24W
Nsomba	91	10 45 S	29 51 E
Nsukka	85	6 51N	7 29 E
Nuanetsi →	91	22 40 S	31 50 E
Nuba Mts. = Nubah, Jibalan	87	12 0N	31 0 E
Nubah, Jibalan	87	12 0N	31 0 E
Nûbîya, Es Sahrâ En	86	21 30N	33 30 E
Ñuble □	124	37 0 S	72 0W
Nuboai	73	2 10 S	136 30 E
Nueces →	117	27 50N	97 30W
Nueima →	62	31 54N	35 25 E
Nueltin L.	109	60 30N	99 30W
Nueva Gerona	121	21 53N	82 49W
Nueva Imperial	128	38 45 S	72 58W
Nueva Palmira	124	33 52 S	58 20W
Nueva Rosita	120	28 0N	101 11W
Nueva San Salvador	120	13 40N	89 18W
Nuéve de Julio	124	35 30 S	61 0W
Nuevitas	121	21 30N	77 20W
Nuevo, Golfo	128	43 0 S	64 30W
Nuevo Laredo	120	27 30N	99 30W
Nuevo León □	120	25 0N	100 0W
Nugget Pt.	101	46 27 S	169 50 E
Nugrus, Gebel	86	24 47N	34 35 E
Nuhaka	101	39 3 S	177 45 E
Nuits	19	47 44N	4 12 E
Nuits-St-Georges	19	47 10N	4 56 E
Nukheila (Merga)	86	19 1N	26 21 E
Nuku'alofa	101	21 10 S	174 0W
Nukus	58	42 20N	59 7 E
Nulato	104	64 40N	158 10W
Nules	32	39 51N	0 9W
Nullagine	96	21 53 S	120 6 E
Nullarbor Plain	96	30 45 S	129 0 E
Numalla, L.	99	28 43 S	144 20 E
Numan	85	9 29N	12 3 E
Numata	74	36 45N	139 4 E
Numatinna →	87	7 38N	27 20 E
Numazu	74	35 7N	138 51 E
Numfoor	73	1 0 S	134 50 E
Numurkah	99	36 5 S	145 26 E
Nunaksaluk I.	107	55 49N	60 20W
Nuneaton	13	52 32N	1 29W
Nungo	91	13 23 S	37 43 E
Nungwe	90	2 48 S	32 2 E
Nunivak	104	60 0N	166 0W
Nunkun	69	33 57N	76 2 E
Nunspeet	16	52 21N	5 45 E
Nuomin He →	76	46 45N	126 55 E
Nuoro	40	40 20N	9 20 E
Nuqayy, Jabal	83	23 11N	19 30 E
Nure →	38	45 3N	9 49 E
Nuremburg = Nürnberg	25	49 26N	11 5 E
Nuriootpa	99	34 27 S	139 0 E
Nurlat	55	54 29N	50 45 E
Nürnberg	25	49 26N	11 5 E
Nurran, L. = Terewah, L.	99	29 52 S	147 35 E
Nurri	40	39 43N	9 13 E
Nurzec →	28	52 37N	22 25 E
Nusa Barung	73	8 22 S	113 20 E
Nusa Kambangan	73	7 47 S	109 0 E
Nusa Tenggara Barat □	72	8 50 S	117 30 E
Nusa Tenggara Timur □	73	9 30 S	122 0 E
Nushki	66	29 35N	66 0 E
Nutak	105	57 28N	61 59W
Nuwakot	69	28 10N	83 55 E
Nuwara Eliya	70	6 58N	80 48 E
Nuweiba'	86	28 58N	34 40 E
Nuweveldberge	92	32 10 S	21 45 E
Nuyts Arch.	96	32 35 S	133 20 E
Nuyts, Pt.	96	35 4 S	116 38 E
Nuzvid	70	16 47N	80 53 E
Nxau-Nxau	92	18 57 S	21 4 E
Nyaake (Webo)	84	4 52N	7 37W
Nyabing	96	33 30 S	118 7 E
Nyack	113	41 5N	73 57W
Nyadal	48	62 48N	17 59 E
Nyah West	100	35 16 S	143 21 E
Nyahanga	90	2 20 S	33 37 E
Nyahua	90	5 25 S	33 23 E
Nyahururu	90	0 2N	36 27 E
Nyainqentanglha Shan	75	30 0N	90 0 E
Nyakanazi	90	3 2 S	31 10 E
Nyakrom	85	5 40N	0 50W
Nyâlâ	87	12 2N	24 58 E
Nyamandhlovu	91	19 55 S	28 16 E
Nyambiti	90	2 48 S	33 27 E
Nyamwaga	90	1 27 S	34 33 E
Nyandekwa	90	3 57 S	32 32 E
Nyanding →,	87	8 40N	32 41 E
Nyandoma	52	61 40N	40 12 E
Nyangana	92	18 0 S	20 40 E
Nyanguge	90	2 30 S	33 12 E
Nyankpala	85	9 21N	0 58W
Nyanza, Burundi	90	4 21 S	29 36 E
Nyanza, Rwanda	90	2 20 S	29 42 E
Nyanza □	90	0 10 S	34 15 E
Nyarling →	108	60 41N	113 23W
Nyasa, L. = Malawi, L.	91	12 0 S	34 30 E
Nyazepetrovsk	52	56 3N	59 36 E
Nyazwidzi →	91	20 0 S	31 17 E
Nyborg	49	55 18N	10 47 E
Nybro	49	56 44N	15 55 E
Nyda	58	66 40N	72 58 E
Nyeri	90	0 23 S	36 56 E
Nyerol	87	8 41N	32 1 E
Nyhem	48	62 54N	15 37 E
Nyiel	87	6 9N	31 13 E
Nyinahin	84	6 43N	2 3W
Nyirbátor	27	47 49N	22 9 E
Nyíregyháza	27	47 58N	21 47 E
Nykarleby	50	63 22N	22 31 E
Nykøbing, Sjælland, Denmark	49	55 55N	11 40 E
Nykøbing, Storstrøm, Denmark	49	54 56N	11 52 E
Nykøbing, Viborg, Denmark	49	56 48N	8 51 E
Nyköping	49	58 45N	17 0 E

* *Renamed Stamboliyski*

† *Renamed Muconda*

Nykroppa Onehunga

Nykroppa **48** 59 37N 14 18 E
Nykvarn **48** 59 11N 17 25 E
Nyland **48** 63 1N 17 45 E
Nylstroom **93** 24 42 S 28 22 E
Nymagee **99** 32 7 S 146 20 E
Nymburk **26** 50 10N 15 1 E
Nynäshamn **48** 58 54N 17 57 E
Nyngan **99** 31 30 S 147 8 E
Nyon **25** 46 23N 6 14 E
Nyong → **85** 3 17N 9 54 E
Nyons **21** 44 22N 5 10 E
Nyord **49** 55 4N 12 13 E
Nyou **85** 12 42N 2 1W
Nysa **28** 50 30N 17 22 E
Nysa →, Poland/Poland **28** 52 4N 14 46 E
Nysa →, Poland **28** 50 49N 17 40 E
Nyssa **118** 43 56N 117 2W
Nysted **49** 54 40N 11 44 E
Nyunzu **90** 5 57 S 27 58 E
Nyurba **59** 63 17N 118 28 E
Nzega **90** 4 10 S 33 12 E
Nzega □ **90** 4 10 S 33 10 E
N'Zérékoré **84** 7 49N 8 48W
Nzeto **88** 7 10 S 12 52 E
Nzilo, Chutes de **91** 10 18 S 25 27 E
Nzubuka **90** 4 45 S 32 50 E

O

Oacoma **116** 43 50N 99 26W
Oahe **116** 44 33N 100 29W
Oahe Dam **116** 44 28N 100 25W
Oahe Res. **116** 45 30N 100 25W
Oahu **110** 21 30N 158 0W
Oak Creek **118** 40 15N 106 59W
Oak Harb. **118** 48 20N 122 38W
Oak Hill **114** 38 0N 81 7W
Oak Park **114** 41 55N 87 45W
Oak Ridge **115** 36 1N 84 12W
Oakbank **99** 33 4 S 140 33 E
Oakdale, Calif., U.S.A. **119** 46 14N 98 4W
Oakdale, La., U.S.A. **117** 30 50N 92 38W
Oakengates **12** 52 42N 2 29W
Oakes **116** 46 14N 98 4W
Oakesdale **118** 47 11N 117 15W
Oakey **99** 27 25 S 151 43 E
Oakham **12** 52 40N 0 43W
Oakland, Calif., U.S.A. **119** 37 50N 122 18W
Oakland, Oreg., U.S.A. **118** 43 23N 123 18W
Oakland City **114** 38 20N 87 20W
Oakleigh **100** 37 54 S 145 6 E
Oakley, Id., U.S.A. **118** 42 14N 113 55W
Oakley, Kans., U.S.A. **116** 39 8N 100 51W
Oakridge **118** 43 47N 122 31W
Oakwood **117** 31 35N 94 45W
Oamaru **101** 45 5 S 170 59 E
Oates Coast **5** 69 0 S 160 0 E
Oatman **119** 35 1N 114 19W
Oaxaca **120** 17 2N 96 40W
Oaxaca □ **120** 17 0N 97 0W
Ob → **58** 66 45N 69 30 E
Oba **106** 49 4N 84 7W
Obala **85** 4 9N 11 32 E
Oban, N.Z. **101** 46 55 S 168 10 E
Oban, U.K. **14** 56 25N 5 30W
Obbia **63** 5 25N 48 30 E
Obed **108** 53 30N 117 10W
Obera **125** 27 21 S 55 2W
Oberammergau **25** 47 35N 11 3 E
Oberdrauburg **26** 46 44N 12 58 E
Oberengadin **25** 46 35N 9 55 E
Oberhausen **24** 51 28N 6 50 E
Oberkirch **25** 48 31N 8 5 E
Oberlin, Kans., U.S.A. **116** 39 52N 100 31W
Oberlin, La., U.S.A. **117** 30 42N 92 42W
Oberlin, Ohio, U.S.A. **112** 41 15N 82 10W
Obernai **19** 48 28N 7 30 E
Oberndorf **25** 48 17N 8 35 E
Oberon **99** 33 45 S 149 52 E
Oberösterreich □ **26** 48 10N 14 0 E
Oberpfälzer Wald **25** 49 30N 12 25 E
Oberstdorf **25** 47 25N 10 16 E
Obi, Kepulauan **73** 1 23 S 127 45 E
Obiaruku **85** 5 51N 6 9 E
Óbidos, Brazil **127** 1 50 S 55 30W
Óbidos, Port. **31** 39 19N 9 10W
Obihiro **74** 42 56N 143 12 E
Obilatu **73** 1 25 S 127 20 E
Obilnoye **57** 47 32N 44 30 E
Obing **25** 48 0N 12 25 E
Öbisfelde **24** 52 27N 10 57 E
Objat **20** 45 16N 1 24 E
Obluchye **59** 49 1N 131 4 E
Obninsk **55** 55 8N 36 37 E
Obo, C. Afr. Rep. **90** 5 20N 26 32 E
Obo, Ethiopia **87** 3 46N 38 52 E
Oboa, Mt. **90** 1 45N 34 45 E
Obock **87** 12 0N 43 20 E
Oborniki **28** 52 39N 16 50 E
Oborniki Śląskie **28** 51 17N 16 53 E
Oboyan **55** 51 13N 36 37 E
Obrenovac **42** 44 40N 20 11 E
Obrovac **39** 44 11N 15 41 E
Observatory Inlet **108** 55 10N 129 54W
Obshchi Syrt **9** 52 0N 53 0 E
Obskaya Guba **58** 69 0N 73 0 E
Obuasi **85** 6 17N 1 40W
Obubra **85** 6 8N 8 20 E
Obzor **43** 42 50N 27 52 E
Ocala **115** 29 11N 82 5W
Ocampo **120** 28 9N 108 24W
Ocaña **32** 39 55N 3 30W
Oconomowoc **116** 43 7N 88 30W
Ocate **117** 36 12N 104 59W
Occidental, Cordillera **126** 5 0N 76 0W
Ocean City **114** 39 18N 74 34W
Ocean, I. = Banaba **94** 0 52 S 169 35 E
Ocean Park **118** 46 30N 124 2W
Oceanlake **118** 45 0N 124 0W
Oceanport **113** 40 20N 74 3W
Oceanside **119** 33 13N 117 26W
Ochagavia **32** 42 55N 1 5W
Ochamchire **57** 42 46N 41 32 E
Ochil Hills **14** 56 14N 3 40W
Ochre River **109** 51 4N 99 47W
Ochsenfurt **25** 49 38N 10 3 E
Ochsenhausen **25** 48 4N 9 57 E
Ocilla **115** 31 35N 83 12W
Ockelbo **48** 60 54N 16 45 E
Ocmulgee → **115** 31 58N 82 32W
Ocna Mureş **46** 46 23N 23 55 E
Ocna Sibiului **46** 45 52N 24 2 E
Ocnele Mari **46** 45 8N 24 18 E
Oconee → **115** 31 58N 82 32W
Oconto **114** 44 52N 87 53W
Oconto Falls **114** 44 52N 88 10W
Ocotal **121** 13 41N 86 31W
Ocotlán **120** 20 21N 102 42W
Ocreza → **31** 39 32N 7 50W
Ócsa **27** 47 17N 19 15 E
Octave **119** 34 10N 112 43W
Octeville **18** 49 38N 1 40W
Ocumare del Tuy **126** 10 7N 66 46W
Ocussi **73** 9 20 S 124 23 E
Oda **85** 5 50N 0 51W
Oda, Jebel **86** 20 21N 36 39 E
Ódáðahraun **50** 65 5N 17 0W
Ödåkra **49** 56 7N 12 45 E
Odawara **74** 35 20N 139 6 E
Odda **47** 60 3N 6 35 E
Odder **49** 55 58N 10 10 E
Oddur **63** 4 11N 43 52 E
Ödeborg **49** 58 32N 11 58 E
Odei → **109** 56 6N 96 54W
Odemira **31** 37 35N 8 40W
Ödemiş **64** 38 15N 28 0 E
Odendaalsrus **92** 27 48 S 26 45 E
Odense **49** 55 22N 10 23 E
Odenwald **25** 49 40N 9 0 E
Oder → **24** 53 33N 14 38 E
Oderzo **39** 45 47N 12 29 E
Odessa, Can. **113** 44 17N 76 43W
Odessa, Tex., U.S.A. **117** 31 51N 102 23W
Odessa, Wash., U.S.A. **118** 47 19N 118 35W
Odessa, U.S.S.R. **56** 46 30N 30 45 E
Odiakwe **92** 20 12 S 25 17 E
Odiel → **31** 37 10N 6 55W
Odienné **84** 9 30N 7 34W
Odobeşti **46** 45 43N 27 4 E
Odolanów **28** 51 34N 17 40 E
O'Donnell **117** 33 0N 101 48W
Odorheiul Secuiesc **46** 46 21N 25 21 E
Odoyevo **55** 53 56N 36 42 E
Odra →, Poland **28** 53 33N 14 38 E
Odra →, Spain **30** 42 14N 4 17W
Odžaci **42** 45 30N 19 17 E
Odžak **42** 45 3N 18 18 E
Oeiras, Brazil **127** 7 0 S 42 8W
Oeiras, Port. **31** 38 41N 9 18W
Oelrichs **116** 43 11N 103 14W
Oelsnitz **24** 50 24N 12 11 E
Oelwein **116** 42 41N 91 55W
Ofanto → **41** 41 22N 16 13 E
Offa **85** 8 13N 4 42 E
Offaly □ **15** 53 15N 7 30W
Offenbach **25** 50 6N 8 46 E
Offenburg **25** 48 29N 7 56 E
Offerdal **48** 63 28N 14 0 E
Offida **39** 42 56N 13 40 E
Offranville **18** 49 52N 1 0 E
Ofidhousa **45** 36 33N 26 8 E
Ofotfjorden **50** 68 27N 16 40 E
Oga-Hantō **74** 39 58N 139 47 E
Ogahalla **106** 50 6N 85 51W
Ōgaki **74** 35 21N 136 37 E
Ogallala **116** 41 12N 101 40W
Ogbomosho **85** 8 1N 4 11 E
Ogden, Iowa, U.S.A. **116** 42 3N 94 0W
Ogden, Utah, U.S.A. **118** 41 13N 112 1W
Ogdensburg **114** 44 40N 75 27W
Ogeechee → **115** 31 51N 81 6W
Oglio → **38** 45 2N 10 39 E
Ogmore **98** 22 37 S 149 35 E
Ogna **47** 58 31N 5 48 E
Ognon → **19** 47 16N 5 28 E
Ogoja **85** 6 38N 8 39 E
Ogoki → **106** 51 38N 85 57W
Ogoki L. **106** 50 50N 87 10W
Ogoki Res. **106** 50 45N 88 15W
Ogooué → **88** 1 0 S 10 0 E
Ogosta → **43** 43 48N 23 55 E
Ogowe = Ogooué → **88** 1 0 S 10 0 E
Ograżden **42** 41 30N 22 50 E
Ogrein **86** 17 55N 34 50 E
Ogulin **39** 45 16N 15 16 E
Ogun □ **85** 7 0N 3 0 E
Oguta **85** 5 44N 6 44 E
Ogwashi-Uku **85** 6 15N 6 30 E
Ogwe **85** 5 0N 7 14 E
Ohai **101** 44 55 S 168 0 E
Ohakune **101** 39 24 S 175 24 E
Ohau, L. **101** 44 15 S 169 53 E
Ohey **16** 50 26N 5 8 E
O'Higgins □ **124** 34 15 S 70 45W
Ohio □ **114** 40 20N 14 10 E
Ohio → **114** 38 0N 86 0W
Ohře →, Czech. **26** 50 30N 14 10 E
Ohre →, Ger. **24** 52 18N 11 47 E
Ohrid **42** 41 8N 20 52 E
Ohridsko, Jezero **42** 41 8N 20 52 E
Ohrigstad **93** 24 19 S 30 36 E
Öhringen **25** 49 11N 9 31 E
Oil City **114** 41 26N 79 40W
Oinousa **45** 38 33N 26 14 E
Oise □ **19** 49 28N 2 30 E
Oise → **19** 49 0N 2 4 E
Ōita **74** 33 14N 131 36 E
Ōita □ **74** 33 15N 131 30 E
Oiticica **127** 5 3 S 41 5W
Ojai **119** 34 28N 119 16W
Ojinaga **120** 29 34N 104 25W
Ojos del Salado, Cerro **124** 27 0 S 68 40W
Oka → **55** 56 20N 43 59 E
Okaba **73** 8 6 S 139 42 E
Okahandja **92** 22 0 S 16 59 E
Okahukura **94** 38 48 S 175 14 E
Okanagan L. **108** 50 0N 119 30W
Okandja **88** 0 35 S 13 45 E
Okanogan **118** 48 6N 119 43W
Okanogan → **118** 48 6N 119 43W
Okány **27** 46 52N 21 21 E
Okaputa **92** 20 5 S 17 0 E
Okara **68** 30 50N 73 31 E
Okarito **101** 43 15 S 170 9 E
Okavango Swamps **92** 18 45 S 22 45 E
Okaya **74** 36 0N 138 10 E
Okayama **74** 34 40N 133 54 E
Okayama □ **74** 35 0N 133 50 E
Okazaki **74** 34 57N 137 10 E
Oke-Iho **85** 8 1N 3 18 E
Okeechobee **115** 27 16N 80 46W
Okeechobee L. **115** 27 0N 80 50W
Okefenokee Swamp **115** 30 50N 82 15W
Okehampton **13** 50 44N 4 1W
Okene **85** 7 32N 6 11 E
Oker → **24** 52 30N 10 22 E
Okha **59** 53 40N 143 0 E
Ókhi Óros **45** 38 5N 24 25 E
Okhotsk **59** 59 20N 143 10 E
Okhotsk, Sea of **59** 55 0N 145 0 E
Okhotskiy Perevoz **59** 61 52N 135 35 E
Okhotsko Kolymskoye **59** 63 0N 157 0 E
Oki-Shotō **74** 36 5N 133 15 E
Okiep **92** 29 39 S 17 53 E
Okigwi **85** 5 52N 7 20 E
Okija **85** 5 54N 6 55 E
Okinawa □ **77** 26 40N 128 0 E
Okitipupa **85** 6 31N 4 50 E
Oklahoma □ **117** 35 20N 97 30W
Oklahoma City **117** 35 25N 97 30W
Okmulgee **117** 35 38N 96 0W
Oknitsa **56** 48 25N 27 30 E
Okolo **90** 2 37N 31 8 E
Okolona **117** 34 0N 88 45W
Okondeka **92** 21 38 S 15 37 E
Okonek **28** 53 32N 16 51 E
Okrika **85** 4 40N 7 10 E
Oktabrsk **58** 49 28N 57 25 E
Oktyabrsk **55** 53 11N 48 40 E
Oktyabrskiy, Byelorussia, U.S.S.R. **54** 52 38N 28 53 E
Oktyabrskiy, R.S.F.S.R., U.S.S.R. **52** 54 28N 53 28 E
Oktyabrskoy Revolyutsii, Os. **59** 79 30N 97 0 E
Oktyabrskoye **58** 62 28N 66 3 E
Oktyabrskoye = Zhovtnevoye **56** 47 54N 32 2 E
Okulovka **54** 58 25N 33 19 E
Okuru **101** 43 55 S 168 55 E
Okushiri-Tō **74** 42 15N 139 30 E
Okuta **85** 9 14N 3 12 E
Okwa → **92** 22 30 S 23 0 E
Ola **117** 35 2N 93 10W
Ólafsfjörður **50** 66 4N 18 39W
Ólafsvík **50** 64 53N 23 43W
Olancha **119** 36 15N 118 1W
Olanchito **121** 15 30N 86 30W
Öland **49** 56 45N 16 38 E
Olargues **20** 43 34N 2 53 E
Olary **99** 32 18 S 140 19 E
Olascoaga **124** 35 15 S 60 39W
Olathe **116** 38 50N 94 50W
Olavarría **124** 36 55 S 60 20W
Oława **28** 50 57N 17 20 E
Ólbia **40** 40 55N 9 30 E
Ólbia, G. di **40** 40 55N 9 35 E
Old Bahama Chan. = Bahama, Canal Viejo de **121** 22 10N 77 30W
Old Castile = Castilla la Vieja □ **30** 41 55N 4 0W
Old Castle **15** 53 46N 7 10W
Old Cork **98** 22 57 S 141 52 E
Old Crow **104** 67 30N 140 5 E
Old Dongola **86** 18 11N 30 44 E
Old Forge, N.Y., U.S.A. **113** 43 43N 74 58W
Old Forge, Pa., U.S.A. **113** 41 20N 75 46W
Old Fort → **109** 58 36N 110 24W
Old Shinyanga **90** 3 33 S 33 27 E
Old Speckle, Mt. **113** 44 35N 70 57W
Old Town **107** 45 0N 68 41W
Old Wives L. **109** 50 5N 106 0W
Oldbury **13** 51 38N 2 30W
Oldeani **90** 3 22 S 35 35 E
Oldenburg, Niedersachsen, Ger. **24** 53 10N 8 10 E
Oldenburg, Schleswig-Holstein, Ger. **24** 54 16N 10 53 E
Oldenzaal **16** 52 19N 6 53 E
Oldham **12** 53 33N 2 8W
Oldman → **108** 49 57N 111 42W
Olds **108** 51 50N 114 10W
Olean **114** 42 8N 78 25W
Olecko **28** 54 2N 22 31 E
Oléggio **38** 45 36N 8 38 E
Oleiros **30** 39 56N 7 56W
Olekma → **59** 60 22N 120 42 E
Olekminsk **59** 60 25N 120 30 E
Olenegorsk **52** 68 9N 33 18 E
Olenek **59** 68 28N 112 18 E
Olenek → **59** 73 0N 120 10 E
Olenino **54** 56 15N 33 30 E
Oléron, Île d' **20** 45 55N 1 15W
Oleśnica **28** 51 13N 17 22 E
Olesno **28** 50 51N 18 26 E
Olevsk **54** 51 12N 27 39 E
Olga **59** 43 50N 135 14 E
Olga, L. **106** 49 47N 77 15W
Olga, Mt. **96** 25 20 S 130 50 E
Olgastretet **4** 78 35N 25 0 E
Ølgod **49** 55 49N 8 36 E
Olhão **31** 37 3N 7 48W
Olib **39** 44 23N 14 44 E
Olib, I. **39** 44 23N 14 44 E
Oliena **40** 40 18N 9 22 E
Oliete **32** 41 1N 0 41W
Olifants → **93** 24 5 S 31 20 E
Olifantshoek **92** 27 57 S 22 42 E
Ólimbos **45** 35 44N 27 11 E
Ólimbos, Óros **44** 40 6N 22 23 E
Olímpia **125** 20 44 S 48 54W
Olimpo □ **124** 20 30 S 58 45W
Olite **32** 42 29N 1 40W
Oliva, Argent. **124** 32 0 S 63 38W
Oliva, Spain **33** 38 58N 0 9W
Oliva de la Frontera **31** 38 17N 6 54W
Oliva, Punta del **30** 43 37N 5 28W
Olivares **32** 39 46N 2 20W
Oliveira **127** 20 39 S 44 50W
Oliveira de Azemeis **30** 40 49N 8 29W
Olivença **91** 11 47 S 35 13 E
Olivenza **31** 38 41N 7 9W
Oliver **108** 49 13N 119 37W
Oliver L. **109** 56 56N 103 22W
Olkhovka **57** 49 48N 44 32 E
Olkusz **28** 50 18N 19 33 E
Ollagüe **124** 21 15 S 68 10W
Olmedo **30** 41 20N 4 43W
Olney, Ill., U.S.A. **114** 38 40N 88 0W
Olney, Tex., U.S.A. **117** 33 25N 98 45W
Olofström **49** 56 17N 14 32 E
Oloma **85** 3 29N 11 19 E
Olomane → **107** 50 14N 60 37W
Olomouc **27** 49 38N 17 12 E
Olonets **52** 61 10N 33 0 E
Olongapo **73** 14 50N 120 18 E
Oloron, Gave d' **20** 43 33N 1 5W
Oloron-Ste-Marie **20** 43 11N 0 38W
Olot **32** 42 11N 2 30 E
Olovo **42** 44 8N 18 35 E
Olovyannaya **59** 50 58N 115 35 E
Oloy → **59** 66 29N 159 29 E
Olpe **24** 51 2N 7 50 E
Olshanka **56** 48 16N 30 58 E
Olshany **56** 50 3N 35 53 E
Olsztyn **28** 53 48N 20 29 E
Olsztyn □ **28** 54 0N 21 0 E
Olsztynek **28** 53 34N 20 19 E
Olt □ **46** 44 20N 24 30 E
Olt → **46** 43 50N 24 40 E
Olten **25** 47 21N 7 53 E
Olteniţa **46** 44 7N 26 42 E
Olton **117** 34 16N 102 7W
Oltu **64** 40 35N 41 58 E
Olvega **32** 41 47N 2 0W
Olvera **31** 36 55N 5 18W
Olympia, Greece **45** 37 39N 21 39 E
Olympia, U.S.A. **118** 47 0N 122 58W
Olympic Mts. **118** 47 50N 123 45W
Olympic Nat. Park **118** 47 48N 123 30W
Olympus, Mt. **118** 47 52N 123 40W
Olympus, Mt. = Ólimbos, Óros **44** 40 6N 22 23 E
Olyphant **113** 41 27N 75 36W
Om → **58** 54 59N 73 22 E
Om Hajer **87** 14 20N 36 41 E
Ōmachi **74** 36 30N 137 50 E
Omagh **15** 54 36N 7 20W
Omagh □ **15** 54 35N 7 15W
Omaha **116** 41 15N 96 0W
Omak **118** 48 24N 119 31W
Oman ■ **63** 23 0N 58 0 E
Oman, G. of **65** 24 30N 58 30 E
Omaruru **92** 21 26 S 16 0 E
Omaruru → **92** 22 7 S 14 15 E
Omate **126** 16 45 S 71 0W
Ombai, Selat **73** 8 30 S 124 50 E
Ombo **47** 59 18N 6 0 E
Omboué **88** 1 35 S 9 15 E
Ombrone → **38** 42 39N 11 0 E
Omchi **83** 21 22N 17 53 E
Omdurmân **87** 15 40N 32 28 E
Omegna **38** 45 52N 8 23 E
Omeonga **90** 3 40 S 24 22 E
Ometepe, Isla de **121** 11 32N 85 35W
Ometepec **120** 16 39N 98 23W
Omez **62** 32 22N 35 0 E
Omineca → **108** 56 3N 124 16W
Omiš **39** 43 28N 16 40 E
Omisalj **39** 45 13N 14 32 E
Omitara **92** 22 16 S 18 2 E
Ōmiya **74** 35 54N 139 38 E
Omme Å → **49** 55 56N 8 32 E
Ommen **16** 52 31N 6 26 E
Omo → **81** 6 25N 36 10 E
Omolon → **59** 68 42N 158 36 E
Omsk **58** 55 0N 73 12 E
Omsukchan **59** 62 32N 155 48 E
Omul, Vf. **46** 45 27N 25 29 E
Omulew → **28** 53 5N 21 33 E
Ōmura **74** 32 56N 130 0 E
Omurtag **43** 43 8N 26 26 E
Ōmuta **74** 33 0N 130 26 E
Omutninsk **55** 58 45N 52 4 E
Oña **32** 42 43N 3 25W
Onaga **116** 39 32N 96 12W
Onalaska **116** 43 53N 91 14W
Onamia **116** 46 4N 93 38W
Onancock **114** 37 42N 75 49W
Onang **73** 3 2 S 118 49 E
Onaping L. **106** 47 3N 81 30W
Onarheim **47** 59 57N 5 35 E
Oñate **32** 43 3N 2 25W
Onavas **120** 28 28N 109 30W
Onawa **116** 42 2N 96 2W
Onaway **114** 45 21N 84 11W
Oncesti **46** 43 56N 25 52 E
Oncócua **92** 16 30 S 13 25 E
Onda **32** 39 55N 0 17W
Ondangua **92** 17 57 S 16 4 E
Ondárroa **32** 43 19N 2 25W
Ondava → **27** 48 27N 21 48 E
Ondo **85** 7 4N 4 47 E
Ondo □ **85** 7 0N 5 0 E
Öndörhaan **75** 47 19N 110 39 E
Öndverðarnes **50** 64 52N 24 0W
Onega **52** 64 0N 38 10 E
Onega → **52** 63 58N 37 55 E
Onega, G. of = Onezhskaya G. **52** 64 30N 37 0 E
Onega, L. = Onezhskoye Oz. **52** 62 0N 35 30 E
Onehunga **101** 36 55 S 174 48 E

Oneida Ouesso

Oneida 114 43 5N 75 40W
Oneida L. 114 43 12N 76 0W
O'Neill 116 42 30N 98 38W
Onekotan, Ostrov 59 49 25N 154 45 E
Onema 90 4 35 S 24 30 E
Oneonta, Ala., U.S.A. 115 33 58N 86 29W
Oneonta, N.Y., U.S.A. 114 42 26N 75 5W
Onezhskaya Guba 52 64 30N 37 0 E
Onezhskoye Ozero 52 62 0N 35 30 E
Ongarue 101 38 42 S 175 19 E
Ongniud Qi 76 43 0N 118 38 E
Ongoka 90 1 20 S 26 0 E
Ongole 70 15 33N 80 2 E
Onguren 59 53 38N 107 36 E
Oni 57 42 33N 43 26 E
Onida 116 44 42N 100 5W
Onilahy → 93 23 34 S 43 45 E
Onitsha 85 6 6N 6 42 E
Onoda 74 34 2N 131 25 E
Ons, Islas d' 30 42 23N 8 55W
Onsala 49 57 26N 12 0 E
Onslow 96 21 40 S 115 12 E
Onslow B. 115 34 20N 77 20W
Onstwedde 16 53 2N 7 4 E
Ontake-San 74 35 53N 137 29 E
Ontaneda 30 43 12N 3 57W
Ontario, Calif., U.S.A. 119 34 2N 117 40W
Ontario, Oreg., U.S.A. 118 44 1N 117 1W
Ontario □ 106 52 0N 88 10W
Ontario, L. 106 43 40N 78 0W
Onteniente 33 38 50N 0 35W
Ontonagon 116 46 52N 89 19W
Ontur 33 38 38N 1 29W
Oodnadatta 96 27 33 S 135 30 E
Ooldea 96 30 27 S 131 50 E
Oona River 108 53 57N 130 16W
Oorindi 98 20 40 S 141 1 E
Oost-Vlaanderen □ 16 51 5N 3 50 E
Oostende 16 51 15N 2 50 E
Oosterhout 16 51 39N 4 47 E
Oosterschelde 16 51 33N 4 0 E
Ootacamund 70 11 30N 76 44 E
Ootsa L. 108 53 50N 126 2W
Ootsi 92 25 2 S 25 45 E
Opaka 43 43 28N 26 10 E
Opala, U.S.S.R. 59 51 58N 156 30 E
Opala, Zaïre 88 0 40 S 24 20 E
Opalenica 28 52 18N 16 24 E
Opan 43 42 13N 25 41 E
Opanake 70 6 35N 80 40 E
Opasatika 106 49 30N 82 50W
Opasquia 109 53 16N 93 34W
Opatija 39 45 21N 14 17 E
Opatów 28 50 50N 21 27 E
Opava 27 49 57N 17 58 E
Opelousas 117 30 35N 92 7W
Opémisca L. 106 50 0N 75 0W
Opheim 118 48 52N 106 30W
Ophir 104 63 10N 156 40W
Ophthalmia Ra. 96 23 15 S 119 30 E
Opi 85 6 36N 7 28 E
Opinaca → 106 52 15N 78 2W
Opinaca L. 106 52 39N 76 20W
Opiskotish, L. 107 53 10N 67 50W
Opobo 85 4 35N 7 34 E
Opochka 54 56 42N 28 45 E
Opoczno 28 51 22N 20 18 E
Opole 28 50 42N 17 58 E
Opole □ 28 50 40N 17 56 E
Oporto = Porto 30 41 8N 8 40W
Opotiki 101 38 1 S 177 19 E
Opp 115 31 19N 86 13W
Oppegård 47 59 48N 10 48 E
Oppenheim 25 49 50N 8 22 E
Óppido Mamertina 41 38 16N 15 59 E
Oppland fylke □ 47 61 15N 9 40 E
Oppstad 47 60 17N 11 40 E
Oprtalj 39 45 23N 13 50 E
Opua 101 35 19 S 174 9 E
Opunake 101 39 26 S 173 52 E
Opuzen 42 43 1N 17 34 E
Or Yehuda 62 32 2N 34 50 E
Ora, Israel 62 30 55N 35 1 E
Ora, Italy 39 46 20N 11 19 E
Oracle 119 32 36N 110 46W
Oradea 46 47 2N 21 58 E
Öræfajökull 50 64 2N 16 39W
Orahovac 42 42 24N 20 40 E
Orahovica 42 45 35N 17 52 E
Orai 69 25 58N 79 30 E
Oraison 21 43 55N 5 55 E
Oran, Alg. 82 35 45N 0 39W
Oran, Argent. 124 23 10 S 64 20W
Orange, Austral. 97 33 15 S 149 7 E
Orange, France 21 44 8N 4 47 E
Orange, Mass., U.S.A. 113 42 35N 72 15W
Orange, Tex., U.S.A. 117 30 10N 93 50W
Orange, Va., U.S.A. 114 38 17N 78 5W
Orange, C. 127 4 20N 51 30W
Orange Free State = Oranje Vrystaat □ 92 28 30 S 27 0 E
Orange Grove 117 27 57N 97 57W
Orange Walk 120 18 6N 88 33W
Orangeburg 115 33 35N 80 53W
Orangeville 106 43 55N 80 5W
Oranienburg 24 52 45N 13 15 E
Oranje → 92 28 41 S 16 28 E
Oranje Vrystaat □ 92 28 30 S 27 0 E
Oranjemund 92 28 38 S 16 29 E
Or'Aquiva 62 32 30N 34 54 E
Oras 73 12 9N 125 28 E
Orašje 42 45 1N 18 42 E
Orăştie 46 45 50N 23 10 E
Oraşul Stalin = Braşov 46 45 38N 25 35 E
Orava → 27 49 24N 19 20 E
Oravita 42 45 2N 21 43 E
Orb → 20 43 17N 3 17 E
Orba → 38 44 53N 8 37 E
Ørbæk 49 55 17N 10 39 E
Orbe 25 46 43N 6 32 E
Orbec 18 49 1N 0 23 E
Orbetello 39 42 26N 11 11 E
Órbigo → 30 42 5N 5 42W
Orbost 97 37 40 S 148 29 E
Örbyhus 48 60 15N 17 43 E
Orce 33 37 44N 2 28W
Orce → 33 37 44N 2 28W
Orchies 19 50 28N 3 14 E
Orchila, Isla 126 11 48N 66 10W
Orco → 38 45 10N 7 52 E
Ord → 96 15 33 S 138 15 E
Ord, Mt. 96 17 20 S 125 34 E
Ordenes 30 43 5N 8 29W
Orderville 119 37 18N 112 43W
Ordos = Mu Us Shamo 76 39 0N 109 0 E
Ordu 64 40 55N 37 53 E
Orduña, Álava, Spain 32 42 58N 2 58 E
Orduña, Granada, Spain 33 37 20N 3 30W
Ordway 116 38 15N 103 42W
Ordzhonikidze, R.S.F.S.R., U.S.S.R. 57 43 0N 44 43 E
Ordzhonikidze, Ukraine S.S.R., U.S.S.R. 56 47 39N 34 3 E
Ore, Sweden 48 61 8N 15 10 E
Ore, Zaïre 90 3 17N 29 30 E
Ore Mts. = Erzgebirge 24 50 25N 13 0 E
Orebić 42 43 0N 17 11 E
Örebro 48 59 20N 15 18 E
Örebro län □ 48 59 27N 15 0 E
Oregon 116 42 1N 89 20W
Oregon □ 118 44 0N 121 0W
Oregon City 118 45 21N 122 35W
Öregrund 48 60 21N 18 30 E
Öregrundsgrepen 48 60 25N 18 15 E
Orekhov 56 47 30N 35 48 E
Orekhovo-Zuyevo 55 55 50N 38 55 E
Orel 55 52 57N 36 3 E
Orel → 56 48 30N 34 54 E
Orellana, Canal de 31 39 2N 6 0W
Orellana la Vieja 31 39 1N 5 32W
Orellana, Pantano de 31 39 5N 5 10W
Orem 118 40 20N 111 45W
Oren 45 37 3N 27 57 E
Orenburg 52 51 45N 55 6 E
Orense 30 42 19N 7 55W
Orense □ 30 42 15N 7 51W
Orepuki 101 46 19 S 167 46 E
Orestiás 44 41 30N 26 33 E
Øresund 49 55 45N 12 45 E
Orford Ness 13 52 6N 1 31 E
Orgañá 32 42 13N 1 20 E
Orgaz 31 39 39N 3 53W
Orgeyev 56 47 24N 28 50 E
Orgon 21 43 47N 5 3 E
Orgūn 65 32 55N 69 12 E
Orhon Gol → 75 49 30N 106 0 E
Ória 41 40 30N 17 38 E
Orient 99 28 7 S 142 50 E
Oriental, Cordillera 126 6 0N 73 0W
Oriente 124 38 44 S 60 37W
Origny-Ste-Benoîte 19 49 50N 3 30 E
Orihuela 33 38 7N 0 55W
Orihuela del Tremedal 32 40 33N 1 39W
Oriku 44 40 20N 19 30 E
Orinoco → 126 9 15N 61 30W
Orissa □ 69 20 0N 84 0 E
Oristano 40 39 54N 8 35 E
Oristano, Golfo di 40 39 50N 8 22 E
Orizaba 120 18 50N 97 10W
Orizare 43 42 44N 27 39 E
Ørje 47 59 29N 11 39 E
Orjen 42 42 35N 18 34 E
Orjiva 33 36 53N 3 24W
Orkanger 47 63 18N 9 52 E
Orkelljunga 49 56 17N 13 17 E
Örkény 27 47 9N 19 26 E
Orkla → 47 63 18N 9 51 E
Orkney 92 26 58 S 26 40 E
Orkney □ 14 59 0N 3 0W
Orkney Is. 14 59 0N 3 0W
Orla 28 52 42N 23 20 E
Orland 118 39 46N 122 12W
Orlando 115 28 30N 81 25W
Orlando, C. d' 41 38 10N 14 43 E
Orléanais 19 48 0N 2 0 E
Orléans 19 47 54N 1 52 E
Orleans 113 44 49N 72 10W
Orléans, Î. d' 107 46 54N 70 58W
Orlice → 26 50 5N 16 10 E
Orlické Hory 27 50 15N 16 30 E
Orlik 59 52 30N 99 55 E
Orlov 27 49 17N 20 51 E
Orlov Gay 55 50 56N 48 19 E
Orlovat 42 45 14N 20 33 E
Ormara 66 25 16N 64 33 E
Ormea 38 44 9N 7 54 E
Ormília 44 40 16N 23 39 E
Ormoc 73 11 0N 124 37 E
Ormond, N.Z. 101 38 33 S 177 56 E
Ormond, U.S.A. 115 29 13N 81 5W
Ormož 39 46 25N 16 10 E
Ormstown 113 45 8N 74 0W
Ornans 19 47 7N 6 10 E
Orne □ 18 48 40N 0 5 E
Orne → 18 49 18N 0 15W
Orneta 28 54 8N 20 9 E
Ørnhøj 49 56 13N 8 34 E
Ornö 48 59 4N 18 24 E
Örnsköldsvik 48 63 17N 18 40 E
Oro → 120 25 35N 105 2W
Orocué 126 4 48N 71 20W
Orodo 85 5 34N 7 4 E
Orogrande 119 32 20N 106 4W
Orol 30 43 34N 7 39W
Oromocto 107 45 54N 66 29W
Oron 85 4 48N 8 14 E
Orono 112 43 59N 78 37W
Oropesa 30 39 57N 5 10W
Oroqen Zizhiqi 76 50 34N 123 43 E
Oroquieta 73 8 32N 123 44 E
Orós 127 6 15 S 38 55W
Orosei, G. di 40 40 15N 9 40 E
Orosháza 27 46 32N 20 42 E
Orotukan 59 62 16N 151 42 E
Oroville, Calif., U.S.A. 118 39 31N 121 30W
Oroville, Wash., U.S.A. 118 48 58N 119 30W
Orrefors 49 56 50N 15 45 E
Orroroo 99 32 43 S 138 38 E
Orrville 112 40 50N 81 46W
Orsa 48 61 7N 14 37 E
Orsara di Púglia 41 41 17N 15 16 E
Orsasjön 48 61 7N 14 37 E
Orsha 54 54 30N 30 25 E
Orsk 52 51 12N 58 34 E
Ørslev 49 55 3N 11 56 E
Orsogna 39 42 13N 14 17 E
Orşova 46 44 41N 22 25 E
Ørsted 49 56 30N 10 20 E
Orta, L. d' 38 45 48N 8 21 E
Orta Nova 41 41 20N 15 40 E
Orte 39 42 28N 12 23 E
Ortegal, C. 30 43 43N 7 52W
Orthez 20 43 29N 0 48W
Ortigueira 30 43 40N 7 50W
Ortles 38 46 31N 10 33 E
Ortón → 126 10 50 S 67 0W
Ortona 39 42 21N 14 24 E
Orune 40 40 25N 9 20 E
Oruro 126 18 0 S 67 9W
Orust 49 58 10N 11 40 E
Orūzgān □ 65 33 30N 66 0 E
Orvault 18 47 17N 1 38W
Orvieto 39 42 43N 12 8 E
Orwell 112 41 32N 80 52W
Orwell → 13 52 2N 1 12 E
Oryakhovo 43 43 40N 23 57 E
Orzinuovi 38 45 24N 9 55 E
Orzyc → 28 52 46N 21 14 E
Orzysz 28 53 50N 21 58 E
Os 47 60 9N 5 30 E
Osa 52 57 17N 55 26 E
Osa → 28 53 33N 18 46 E
Osa, Pen. de 121 8 0N 84 0W
Osage, Iowa, U.S.A. 116 43 15N 92 50W
Osage, Wyo., U.S.A. 116 43 59N 104 25W
Osage → 116 38 35N 91 57W
Osage City 116 38 43N 95 51W
Ōsaka 74 34 40N 135 30 E
Ōsaka □ 74 34 30N 135 30 E
Osawatomie 116 38 30N 94 55W
Osborne 116 39 30N 98 45W
Osby 49 56 23N 13 59 E
Osceola, Ark., U.S.A. 117 35 40N 90 0W
Osceola, Iowa, U.S.A. 116 41 0N 93 20W
Oschatz 24 51 17N 13 8 E
Oschersleben 24 52 2N 11 13 E
Óschiri 40 40 43N 9 7 E
Oscoda 114 44 26N 83 20W
Oscoda-Au-Sable 112 44 26N 83 20W
Osečina 42 44 23N 19 34 E
Ösel = Saaremaa 54 58 30N 22 30W
Osëry 55 54 52N 38 28 E
Osh 58 40 37N 72 49 E
Oshawa 106 43 50N 78 50W
ŌShima 74 34 44N 139 24 E
Oshkosh, Nebr., U.S.A. 116 41 27N 102 20W
Oshkosh, Wis., U.S.A. 116 44 3N 88 35W
Oshmyany 54 54 26N 25 52 E
Oshogbo 85 7 48N 4 37 E
Oshwe 88 3 25 S 19 28 E
Osica de Jos 46 44 14N 24 20 E
Osieczna 28 51 55N 16 40 E
Osijek 42 45 34N 18 41 E
Ósilo 40 40 45N 8 41 E
Osimo 39 43 28N 13 30 E
Osintorf 54 54 40N 30 39 E
Osipenko = Berdyansk 56 46 45N 36 50 E
Osipovichi 54 53 19N 28 33 E
Oskaloosa 116 41 18N 92 40W
Oskarshamn 49 57 15N 16 27 E
Oskélanéo 106 48 5N 75 15W
Oskol → 55 49 6N 37 25 E
Oslo 47 59 55N 10 45 E
Oslob 73 9 31N 123 26 E
Oslofjorden 47 59 20N 10 35 E
Osmanabad 70 18 5N 76 10 E
Osmancık 56 40 45N 34 47 E
Osmaniye 64 37 5N 36 10 E
Ösmo 48 58 58N 17 55 E
Osnabrück 24 52 16N 8 2 E
Ośno Lubuskie 28 52 28N 14 51 E
Osobláha 27 50 17N 17 44 E
Osogovska Planina 42 42 10N 22 30 E
Osor 38 44 42N 14 24 E
Osorio 125 29 53 S 50 17W
Osorno, Chile 128 40 25 S 73 0W
Osorno, Spain 30 42 24N 4 22W
Osoyoos 108 49 0N 119 30W
Ospika → 108 56 20N 124 0W
Osprey Reef 97 13 52 S 146 36 E
Oss 16 51 46N 5 32 E
Ossa de Montiel 33 38 58N 2 45W
Ossa, Mt. 97 41 52 S 146 3 E
Óssa, Oros 44 39 47N 22 42 E
Ossabaw I. 115 31 45N 81 8W
Osse → 20 44 7N 0 17 E
Ossining 114 41 9N 73 50W
Ossipee 113 43 41N 71 9W
Ossokmanuan L. 107 53 25N 65 0W
Ossora 59 59 20N 163 13 E
Ostashkov 54 57 4N 33 2 E
Oste → 24 53 30N 9 12 E
Ostend = Oostende 16 51 15N 2 50 E
Oster 54 50 57N 30 53 E
Osterburg 24 52 47N 11 44 E
Osterburken 25 49 26N 9 25 E
Österbybruk 48 60 13N 17 55 E
Österbymo 49 57 49N 15 15 E
Östergötlands län □ 49 58 35N 15 45 E
Osterholz-Scharmbeck 24 53 14N 8 48 E
Østerild 49 57 2N 8 51 E
Österkorsberga 49 57 18N 15 6 E
Osterøya 47 60 32N 5 30 E
Östersund 48 63 10N 14 38 E
Østfold fylke □ 47 59 25N 11 25 E
Ostfreisland 24 53 20N 7 30 E
Ostfriesische Inseln 24 53 45N 7 15 E
Óstia, Lido di (Lido di Roma) 40 41 43N 12 17 E
Ostíglia 39 45 4N 11 9 E
Ostra 39 43 40N 13 5 E
Ostrava 27 49 51N 18 18 E
Ostróda 28 53 42N 19 58 E
Ostrog 54 50 20N 26 30 E
Ostrogozhsk 55 50 55N 39 7 E
Ostrogróg Sźamotuły 28 52 37N 16 33 E
Ostrołeka 28 53 4N 21 32 E
Ostrołeka □ 28 53 0N 21 30 E
Ostrov, Bulg. 43 43 40N 24 9 E
Ostrov, Romania 46 44 6N 27 24 E
Ostrov, U.S.S.R. 54 57 25N 28 20 E
Ostrów Lubelski 28 51 29N 22 51 E
Ostrów Mazowiecka 28 52 50N 21 51 E
Ostrów Wielkopolski 28 51 36N 17 44 E
Ostrowiec-Świętokrzyski 28 50 55N 21 22 E
Ostrozac 42 43 43N 17 49 E
Ostrzeszów 28 51 25N 17 52 E
Ostseebad-Külungsborn 24 54 10N 11 40 E
Ostuni 41 40 44N 17 34 E
Osum → 43 43 40N 24 50 E
Osumi → 44 40 40N 20 10 E
Ōsumi-Kaikyō 74 30 55N 131 0 E
Osuna 31 37 14N 5 8W
Oswego 114 43 29N 76 30W
Oswestry 12 52 52N 3 3W
Oświecim 27 50 2N 19 11 E
Otago □ 101 44 44 S 169 10 E
Otago Harb. 101 45 47 S 170 42 E
Ōtake 74 34 12N 132 13 E
Otaki 101 40 45 S 175 10 E
Otaru 74 43 10N 141 0 E
Otava → 26 49 26N 14 12 E
Otavalo 126 0 13N 78 20W
Otavi 92 19 40 S 17 24 E
Otchinjau 92 16 30 S 13 56 E
Otelec 42 45 36N 20 50 E
Otero de Rey 30 43 6N 7 36W
Othello 118 46 53N 119 8W
Othonoí 44 39 52N 19 22 E
Óthris, Óros 45 39 4N 22 42 E
Otira Gorge 101 42 53 S 171 33 E
Otis 116 40 12N 102 58W
Otjiwarongo 92 20 30 S 16 33 E
Otmuchów 28 50 28N 17 10 E
Otočac 39 44 53N 15 12 E
Otorohanga 101 38 12 S 175 14 E
Otoskwin → 106 52 13N 88 6W
Otosquen 109 53 17N 102 1W
Otra → 47 58 8N 8 1 E
Otranto 41 40 9N 18 28 E
Otranto, C. d' 41 40 7N 18 30 E
Otranto, Str. of 41 40 15N 18 40 E
Ōtsu 74 35 0N 135 50 E
Otta 47 61 46N 9 32 E
Otta → 47 61 46N 9 31 E
Ottapalam 70 10 46N 76 23 E
Ottawa, Can. 106 45 27N 75 42W
Ottawa, Ill., U.S.A. 116 41 20N 88 55W
Ottawa, Kans., U.S.A. 116 38 40N 95 6W
Ottawa = Outaouais → 106 45 27N 74 8W
Ottawa Is. 105 59 35N 80 10W
Ottélé 85 3 38N 11 19 E
Ottenby 49 56 15N 16 24 E
Otter L. 109 55 35N 104 39W
Otter Rapids, Ont., Can. 106 50 11N 81 39W
Otter Rapids, Sask., Can. 109 55 38N 104 44W
Otterberg 25 49 30N 7 46 E
Otterndorf 24 53 47N 8 52 E
Ottersheim 26 48 21N 14 12 E
Otterup 49 55 30N 10 22 E
Otterville 112 42 55N 80 36W
Otto Beit Bridge 91 15 59 S 28 56 E
Ottosdal 92 26 46 S 25 59 E
Ottoshoop 92 25 45 S 25 58 E
Ottsjö 48 63 13N 13 2 E
Ottumwa 116 41 0N 92 25W
Otu 85 8 14N 3 22 E
Otukpa (Al Owuho) 85 7 9N 7 41 E
Oturkpo 85 7 16N 8 8 E
Otway, Bahía 128 53 30 S 74 0W
Otway, C. 97 38 52 S 143 30 E
Otwock 28 52 5N 21 20 E
Ötz 26 47 13N 10 53 E
Ötz → 26 47 14N 10 50 E
Ötztaler Alpen 26 46 45N 11 0 E
Ou → 71 20 4N 102 13 E
Ou-Sammyaku 74 39 20N 140 35 E
Ouachita → 117 31 38N 91 49W
Ouachita, L. 117 34 40N 93 25W
Ouachita Mts. 117 34 50N 94 30W
Ouadâne 80 20 50N 11 40W
Ouadda 81 8 15N 22 20 E
Ouagadougou 85 12 25N 1 30W
Ouahigouya 85 13 31N 2 25W
Ouahila 82 27 50N 5 0W
Ouahran = Oran 82 35 49N 0 39W
Oualâta 84 17 20N 6 55W
Ouallene 82 24 41N 1 11 E
Ouanda Djallé 81 8 55N 22 53 E
Ouango 88 4 19N 22 30 E
Ouargla 83 31 59N 5 16 E
Ouarkziz, Djebel 82 28 50N 8 0W
Ouarzazate 82 30 55N 6 50W
Ouatagouna 85 15 11N 0 43 E
Oubangi → 88 1 0N 17 50 E
Oubarakai, O. → 83 27 20N 9 0 E
Ouche → 19 47 6N 5 16 E
Ouddorp 16 51 50N 3 57 E
Oude Rijn → 16 52 12N 4 24 E
Oudenaarde 16 50 50N 3 37 E
Oudon 18 47 22N 1 19W
Oudon → 18 47 38N 1 18 E
Oudtshoorn 92 33 35 S 22 14 E
Oued Zem 82 32 52N 6 34W
Ouellé 84 7 26N 4 1W
Ouenza 83 35 57N 8 4 E
Ouessa 84 11 4N 2 47W
Ouessant, Île d' 18 48 28N 5 6W
Ouesso 88 1 37N 16 5 E

Ouest, Pte. Papua New Guinea

Ouest, Pte. 107 49 52N 64 40W
Ouezzane 82 34 51N 5 35W
Ouidah 85 6 25N 2 0 E
Ouistreham 18 49 17N 0 18W
Oujda 82 34 41N 1 55W
Oujeft 80 20 2N 13 0W
Ould Yenjé 84 15 38N 12 16W
Ouled Djellal 83 34 28N 5 2 E
Ouled Naïl, Mts. des 82 34 30N 3 30 E
Oulmès 82 33 17N 6 0W
Oulu 50 65 1N 25 29 E
Oulu □ 50 65 10N 27 20 E
Oulujärvi 50 64 25N 27 15 E
Oulujoki → 50 65 1N 25 30 E
Oulx 38 45 2N 6 49 E
Oum Chalouba 81 15 48N 20 46 E
Oum-el-Bouaghi 83 35 55N 7 6 E
Oum el Ksi 82 29 4N 6 59W
Oum-er-Rbia, O. → 82 33 19N 8 21W
Oumè 84 6 21N 5 27W
Ounane, Dj. 83 25 4N 7 19 E
Ounguati 92 21 54 S 15 46 E
Ounianga-Kébir 81 19 4N 20 29 E
Ounianga Sérir 81 18 54N 19 51 E
Our → 16 49 55N 6 5 E
Ouray 119 38 3N 107 40W
Ourcq → 19 49 1N 3 1 E
Oureg, Oued el → 82 32 34N 2 10 E
Ouricuri 127 7 53 S 40 5W
Ourinhos 125 23 0 S 49 54W
Ourique 31 37 38N 8 16W
Ouro Fino 125 22 16 S 46 25W
Ouro Prêto 125 20 20 S 43 30W
Ouro Sogui 84 15 36N 13 19W
Oursi 85 14 41N 0 27W
Ourthe → 16 50 29N 5 35 E
Ouse 99 42 38 S 146 42 E
Ouse →, Sussex, U.K. 13 50 43N 0 3 E
Ouse →, Yorks., U.K. 12 54 3N 0 7 E
Oust 20 42 52N 1 13 E
Oust → 18 47 35N 2 6W
Outaouais → 106 45 27N 74 8W
Outardes → 107 49 24N 69 30W
Outat Oulad el Haj 82 33 22N 3 42W
Outer Hebrides 14 57 30N 7 40W
Outer I. 107 51 10N 58 35W
Outes 30 42 52N 8 55W
Outjo 92 20 5S 16 7 E
Outlook, Can. 109 51 30N 107 0W
Outlook, U.S.A. 116 48 53N 104 46W
Outreau 19 50 40N 1 36 E
Ouvèze → 21 43 59N 4 51 E
Ouyen 97 35 1 S 142 22 E
Ouzouer-le-Marché 18 47 54N 1 32 E
Ovada 38 44 39N 8 40 E
Ovalau 101 17 40 S 178 48 E
Ovalle 124 30 33 S 71 18W
Ovar 30 40 51N 8 40W
Ovens → 100 36 2S 146 12 E
Over Flakkee 16 51 45N 4 5 E
Overijssel □ 16 52 25N 6 35 E
Overpelt 16 51 12N 5 20 E
Overton 119 36 32N 114 31W
Övertorneå 50 66 23N 23 38 E
Overum 49 58 0N 16 20 E
Ovid 116 41 0N 102 17W
Ovidiopol 56 46 15N 30 30 E
Oviedo 30 43 25N 5 50W
Oviedo □ 30 43 20N 6 0W
Oviken 48 63 0N 14 23 E
Oviksfjällen 48 63 0N 13 49 E
Ovoro 85 5 26N 7 16 E
Övre Sirdal 47 58 48N 6 43 E
Ovruch 54 51 25N 28 45 E
Owaka 101 46 27 S 169 40 E
Owambo 92 17 20 S 16 30 E
Owase 74 34 7N 136 12 E
Owatonna 116 44 3N 93 10W
Owbeh 65 34 28N 63 10 E
Owego 114 42 6N 76 17W
Owen Falls 90 0 30N 33 5 E
Owen Sound 106 44 35N 80 55W
Owen Stanley Range 98 8 30 S 147 0 E
Owendo 88 0 17N 9 30 E
Owens L. 119 36 20N 118 0W
Owensboro 114 37 40N 87 5W
Owensville 116 38 20N 91 30W
Owerri 85 5 29N 7 0 E
Owl → 109 57 51N 92 44W
Owo 85 7 10N 5 39 E
Owosso 114 43 0N 84 10W
Owyhee 118 42 0N 116 3W
Owyhee → 118 43 46N 117 2W
Owyhee Res. 118 43 40N 117 16W
Ox Mts. 15 54 6N 9 0W
Oxberg 48 61 7N 14 11 E
Oxelösund 49 58 43N 17 15 E
Oxford, N.Z. 101 43 18 S 172 11 E
Oxford, U.K. 13 51 45N 1 15W
Oxford, Miss., U.S.A. 117 34 22N 89 30W
Oxford, N.C., U.S.A. 115 36 19N 78 36W
Oxford, Ohio, U.S.A. 114 39 30N 84 40W
Oxford □ 13 51 45N 1 15W
Oxford L. 109 54 51N 95 37W
Oxia 45 38 16N 21 5 E
Oxilithos 45 38 35N 24 7 E
Oxley 99 34 11 S 144 6 E
Oxnard 119 34 10N 119 14W
Oya 72 2 55N 111 55 E
Oyem 88 1 34N 11 31 E
Oyen 109 51 22N 110 28W
Öyeren 47 59 50N 11 15 E
Oykel → 14 57 55N 4 26W
Oymyakon 59 63 25N 142 44 E
Oyo 85 7 46N 3 56 E
Oyo □ 85 8 0N 3 30 E
Oyonnax 21 46 16N 5 40 E
Oyster B. 113 40 52N 73 32W
Øystese 47 60 22N 6 9 E
Ozamis (Mizamis) 73 8 15N 123 50 E
Ozark, Ala., U.S.A. 115 31 29N 85 39W
Ozark, Ark., U.S.A. 117 35 30N 93 50W
Ozark, Mo., U.S.A. 117 37 0N 93 15W
Ozark Plateau 117 37 20N 91 40W
Ozarks, L. of 116 38 10N 92 40W
Ózd 27 48 14N 20 15 E
Ozieri 40 40 35N 9 0 E
Ozimek 28 50 41N 18 11 E
Ozona 117 30 43N 101 11W
Ozorków 28 51 57N 19 16 E
Ozren 42 43 55N 18 29 E
Ozuluama 120 21 40N 97 50W
Ozun 46 45 47N 25 50 E

P

Pa 84 11 33N 3 19W
Pa-an 67 16 51N 97 40 E
Pa Sak → 71 15 30N 101 0 E
Paar → 25 48 13N 10 59 E
Paarl 92 33 45 S 18 56 E
Paatsi → 50 68 55N 29 0 E
Paauilo 110 20 3N 155 22W
Pab Hills 66 26 30N 66 45 E
Pabianice 28 51 40N 19 20 E
Pabna 69 24 1N 89 18 E
Pabo 90 3 1N 32 10 E
Pacaja → 127 1 56 S 50 50W
Pacaraima, Sierra 126 4 0N 62 30W
Pacasmayo 126 7 20 S 79 35W
Pacaudière, La 20 46 11N 3 52 E
Paceco 40 37 59N 12 32 E
Pachhar 68 24 40N 77 42 E
Pachino 41 36 43N 15 4 E
Pachora 68 20 38N 75 29 E
Pachuca 120 20 10N 98 40W
Pacific 108 54 48N 128 28W
Pacific-Antarctic Basin 95 46 0 S 95 0W
Pacific-Antarctic Ridge 95 43 0 S 115 0W
Pacific Grove 119 36 38N 121 58W
Pacific Ocean 94 10 0N 140 0W
Pacitan 73 8 12 S 111 7 E
Pacofi 108 53 0N 132 30W
Pacov 26 49 27N 15 0 E
Pacsa 27 46 44N 17 2 E
Paczków 28 50 28N 17 0 E
Padaido, Kepulauan 73 1 5 S 138 0 E
Padalarang 73 7 50 S 107 30 E
Padang 72 1 0 S 100 20 E
Padangpanjang 72 0 40 S 100 20 E
Padangsidempuan 72 1 30N 99 15 E
Padborg 49 54 49N 9 21 E
Paddockwood 109 53 30N 105 30W
Paderborn 24 51 42N 8 44 E
Padeşul 46 45 40N 22 22 E
Padina 46 44 50N 27 8 E
Padloping Island 105 67 0N 62 50W
Padmanabhapuram 70 8 16N 77 17 E
Pádova 39 45 24N 11 52 E
Padra 68 22 15N 73 7 E
Padrauna 69 26 54N 83 59 E
Padre I. 117 27 0N 97 20W
Padrón 30 42 41N 8 39W
Padstow 12 50 33N 4 57W
Padua = Pádova 39 45 24N 11 52 E
Paducah, Ky., U.S.A. 114 37 0N 88 40W
Paducah, Tex., U.S.A. 117 34 3N 100 16W
Padul 31 37 1N 3 38W
Padula 41 40 20N 15 40 E
Padwa 70 18 27N 82 47 E
Paeroa 101 37 23 S 175 41 E
Paesana 38 44 40N 7 18 E
Pag 39 44 30N 14 50 E
Paga 85 11 1N 1 8W
Pagadian 73 7 55N 123 30 E
Pagai Selatan 72 3 0 S 100 15W
Pagai Utara 72 2 35 S 100 0 E
Pagalu = Annobón 79 1 25 S 5 36 E
Pagastikós Kólpos 44 39 15N 23 0 E
Pagatan 72 3 33 S 115 59 E
Page, Ariz., U.S.A. 119 36 57N 111 27W
Page, N.D., U.S.A. 116 47 11N 97 37W
Paglieta 39 42 10N 14 30 E
Pagny-sur-Moselle 19 48 59N 6 2 E
Pago Pago 101 14 16 S 170 43W
Pagosa Springs 119 37 16N 107 4W
Pagwa River 106 50 2N 85 14W
Pahala 110 19 12N 155 25W
Pahang □ 71 3 40N 102 20 E
Pahang → 71 3 30N 103 9 E
Pahiatua 101 40 27 S 175 50 E
Pahokee 115 26 50N 80 40W
Pahrump 119 36 15N 116 0W
Paia 110 20 54N 156 22W
Paide 54 58 57N 25 31 E
Paignton 13 50 26N 3 33W
Päijänne, L. 51 61 30N 25 30 E
Pailin 71 12 46N 102 36 E
Paimbœuf 18 47 17N 2 0W
Paimpol 18 48 48N 3 4W
Painan 72 1 21 S 100 34 E
Painesville 114 41 42N 81 18W
Paint I. 109 55 28N 97 57W
Paint Rock 117 31 30N 99 56W
Painted Desert 119 36 0N 111 30W
Paintsville 114 37 50N 82 50W
Paisley, Can. 112 44 18N 81 16W
Paisley, U.K. 14 55 51N 4 27W
Paisley, U.S.A. 118 42 43N 120 40W
Paita 126 5 11 S 81 9W
Paiva → 30 41 4N 8 16W
Pajares 30 43 1N 5 46W
Pajares, Puerto de 30 43 0N 5 46W
Pajeczno 28 51 10N 19 0 E
Pak Lay 71 18 15N 101 27 E
Pakala 70 13 29N 79 8 E
Pakanbaru 72 0 30N 101 15 E
Pakaraima Mts. 126 6 0N 60 0W
Pakistan ■ 66 30 0N 70 0 E
Pakistan, East = Bangladesh ■ 67 24 0N 90 0 E
Pakokku 67 21 20N 95 0 E
Pakosc 28 52 48N 18 6 E
Pakpattan 68 30 25N 73 27 E
Pakrac 42 45 27N 17 12 E
Paks 27 46 38N 18 55 E
Pakse 71 15 5N 105 52 E
Paktiā □ 65 33 0N 69 15 E
Pakwach 90 2 28N 31 27 E
Pala, Chad 81 9 25N 15 5 E
Pala, Zaïre 90 6 45 S 29 30 E
Palabek 90 3 22N 32 33 E
Palacios 117 28 44N 96 12W
Palafrugell 32 41 55N 3 10 E
Palagiano 41 40 35N 17 0 E
Palagonía 41 37 20N 14 43 E
Palagruža 39 42 24N 16 15 E
Palaiokastron 45 35 12N 26 18 E
Palaiokhóra 45 35 16N 23 39 E
Pálairos 45 38 45N 20 51 E
Palais, Le 18 47 20N 3 10W
Palakol 70 16 31N 81 46 E
Palam 70 19 0N 77 0 E
Palamás 44 39 26N 22 4 E
Palamós 32 41 50N 3 10 E
Palampur 68 32 10N 76 30 E
Palana, Austral. 99 39 45 S 147 55 E
Palana, U.S.S.R. 59 59 10N 159 59 E
Palanan 73 17 8N 122 29 E
Palanan Pt. 73 17 17N 122 30 E
Palangkaraya 72 2 16 S 113 56 E
Palanpur 68 24 10N 72 25 E
Palapye 92 22 30 S 27 7 E
Palar → 70 12 27N 80 13 E
Palatka, U.S.A. 115 29 40N 81 40W
Palatka, U.S.S.R. 59 60 6N 150 54 E
* Palau Is. 94 7 30N 134 30 E
Palauig 73 15 26N 119 54 E
Palauk 71 13 10N 98 40 E
Palavas 20 43 32N 3 56 E
Palawan 72 9 30N 118 30 E
Palayancottai 70 8 45N 77 45 E
Palazzo San Gervásio 41 40 53N 15 58 E
Palazzolo Acreide 41 37 4N 14 54 E
Paldiski 54 59 23N 24 9 E
Pale 42 43 50N 18 38 E
Paleleh 73 1 10N 121 50 E
Palembang 72 3 0 S 104 50 E
Palencia 30 42 1N 4 34W
Palencia □ 30 42 31N 4 33W
Palermo, Italy 40 38 8N 13 20 E
Palermo, U.S.A. 118 39 30N 121 37W
Palestine, Asia 62 32 0N 35 0 E
Palestine, U.S.A. 117 31 42N 95 35W
Palestrina 40 41 50N 12 52 E
Paletwa 67 21 10N 92 50 E
Palghat 70 10 46N 76 42 E
Pali 68 25 50N 73 20 E
Palinuro, C. 41 40 1N 15 14 E
Palisade 116 40 21N 101 10W
Palitana 68 21 32N 71 49 E
Palizada 120 18 18N 92 8W
Palizzi 41 37 58N 15 59 E
Palk Bay 70 9 30N 79 15 E
Palk Strait 70 10 0N 79 45 E
Palkonda 70 18 36N 83 48 E
Palkonda Ra. 70 13 50N 79 20 E
Pallanza = Verbánia 38 45 50N 8 55 E
Pallasovka 55 50 4N 47 0 E
Palleru → 70 16 45N 80 2 E
Pallisa 90 1 12N 33 43 E
Pallu 68 28 59N 74 14 E
Palm Beach 115 26 46N 80 0W
Palm Is. 97 18 40 S 146 35 E
Palm Springs 119 33 51N 116 35W
Palma, Canary Is. 8 28 40N 17 50W
Palma, Mozam. 91 10 46 S 40 29 E
Palma → 127 12 33 S 47 52W
Palma, B. de 33 39 30N 2 39 E
Palma de Mallorca 32 39 35N 2 39 E
Palma del Río 31 37 43N 5 17W
Palma di Montechiaro 40 37 12N 13 46 E
Palma, La, Canary Is. 80 28 40N 17 50W
Palma, La, Panama 121 8 15N 78 0W
Palma, La, Spain 31 37 21N 6 38W
Palma Soriano 121 20 15N 76 0W
Palmahim 62 31 56N 34 44 E
Palmanova 39 45 54N 13 18 E
Palmares 127 8 41 S 35 28W
Palmarola 40 40 57N 12 50 E
Palmas 125 26 29 S 52 0W
Palmas, C. 84 4 27N 7 46W
Pálmas, G. di 40 39 0N 8 30 E
Palmdale 119 34 36N 118 7W
Palmeira dos Índios 127 9 25 S 36 37W
Palmeirinhas, Pta. das 88 9 2S 12 57 E
Palmela 31 38 32N 8 57W
Palmer, Alaska, U.S.A. 104 61 35N 149 10W
Palmer, Mass., U.S.A. 113 42 9N 72 21W
Palmer →, N. Terr., Austral. 96 24 46 S 133 25 E
Palmer →, Queens., Austral. 98 15 34 S 142 26 E
Palmer Arch 5 64 15 S 65 0W
Palmer Lake 116 39 10N 104 52W
Palmer Land 5 73 0 S 60 0W
Palmerston 112 43 50N 80 51W
Palmerston, C. 97 21 32 S 149 29 E
Palmerston North 101 40 21 S 175 39 E
Palmerton 113 40 47N 75 36W
Palmetto 115 27 33N 82 33W
Palmi 41 38 21N 15 51 E
Palmira, Argent. 124 32 59 S 68 34W
Palmira, Colomb. 126 3 32N 76 16W
Palms 112 43 37N 82 47W
Palmyra, Mo., U.S.A. 116 39 45N 91 30W
Palmyra, N.Y., U.S.A. 112 42 5N 77 18W
Palmyra = Tudmur 64 34 30N 37 17 E
Palmyra Is. 95 5 52N 162 6W
Palni 70 10 30N 77 30 E
Palni Hills 70 10 14N 77 33 E
Palo Alto 119 37 25N 122 8W
Palo del Colle 41 41 4N 16 43 E
Paloma, La 124 30 35 S 71 0W
Palombara Sabina 39 42 4N 12 45 E
Palopo 73 3 0 S 120 16 E
Palos, Cabo de 33 37 38N 0 40W
Palouse 118 46 59N 117 5W
Palparara 98 24 47 S 141 28 E
Pålsboda 49 59 3N 15 22 E
Palu, Indon. 73 1 0 S 119 52 E
Palu, Turkey 64 38 45N 40 0 E
Paluan 73 13 26N 120 29 E
Palwal 68 28 8N 77 19 E
Pama 85 11 19N 0 44 E
Pamamaroo, L. 100 32 17 S 142 28 E
Pamanukan 73 6 16 S 107 49 E
Pamban I. 70 9 15N 79 20 E
Pamekasan 73 7 10 S 113 29 E
Pameungpeuk 73 7 38 S 107 44 E
Pamiers 20 43 7N 1 39 E
Pamir 58 37 40N 73 0 E
Pamlico → 115 35 25N 76 30W
Pamlico Sd. 115 35 20N 76 0W
Pampa 117 35 35N 100 58W
Pampa de las Salinas 124 32 1 S 66 58W
Pampa, La □ 124 36 50 S 66 0W
Pampanua 73 4 16 S 120 8 E
Pamparato 38 44 16N 7 54 E
Pampas, Argent. 124 35 0 S 63 0W
Pampas, Peru 126 12 20 S 74 50W
Pamplona, Colomb. 126 7 23N 72 39W
Pamplona, Spain 32 42 48N 1 38W
Pampoenpoort 92 31 3 S 22 40 E
Pana 116 39 25N 89 10W
Panaca 119 37 51N 114 23W
Panagyurishte 43 42 30N 24 15 E
Panaitan 73 6 35 S 105 10 E
Panaji (Panjim) 70 15 25N 73 50 E
Panamá 121 9 0N 79 25W
Panama ■ 121 8 48N 79 55W
Panama Canal 121 9 10N 79 37W
Panama City 115 30 10N 85 41W
Panamá, Golfo de 121 8 4N 79 20W
Panamint Mts. 119 36 30N 117 20W
Panão 126 9 55 S 75 55W
Panarea 41 38 38N 15 3 E
Panaro → 38 44 55N 11 25 E
Panarukan 73 7 40 S 113 52 E
Panay 73 11 10N 122 30 E
Panay, G. 73 11 0N 122 30 E
Pancake Ra. 119 38 30N 116 0W
Pančevo 42 44 52N 20 41 E
Panciu 46 45 54N 27 8 E
Panco 73 8 42 S 118 40 E
Pancorbo, Paso 32 42 32N 3 5W
Pandan 73 11 45N 122 10 E
Pandeglang 73 6 25 S 106 0 E
Pandharpur 70 17 41N 75 20 E
Pandhurna 68 21 36N 78 35 E
Pandilla 32 41 32N 3 43W
Pando 125 34 44 S 56 0W
Pando, L. = Hope L. 99 28 24 S 139 18 E
Panevezys 54 55 42N 24 25 E
Panfilov 58 44 10N 80 0 E
Panfilovo 55 50 25N 42 46 E
Pang-Long 67 23 11N 98 45 E
Pang-Yang 67 22 7N 98 48 E
Panga 90 1 52N 26 18 E
Pangaíon Óros 44 40 50N 24 0 E
Pangalanes, Canal des 93 22 48 S 47 50 E
Pangani 90 5 25 S 38 58 E
Pangani □ 90 5 25 S 39 0 E
Pangani → 90 5 26 S 38 58 E
Pangfou = Bengbu 77 32 56N 117 20 E
Pangil 90 3 10 S 26 35 E
Pangkah, Tanjung 73 6 51 S 112 33 E
Pangkalanberandan 72 4 1N 98 20 E
Pangkalanbuun 72 2 41 S 111 37 E
Pangkalansusu 72 4 2N 98 13 E
Pangkoh 72 3 5 S 114 8 E
Pangnirtung 105 66 8N 65 54W
Pangrango 73 6 46 S 107 1 E
Panguitch 119 37 52N 112 30W
Pangutaran Group 73 6 18N 120 34 E
Panhandle 117 35 23N 101 23W
Pani Mines 68 22 29N 73 50 E
Pania-Mutombo 90 5 11 S 23 51 E
Panipat 68 29 25N 77 2 E
Panjal Range 68 32 30N 76 50 E
Panjgur 66 27 0N 64 5 E
Panjim = Panaji 70 15 25N 73 50 E
Panjinad Barrage 65 29 22N 71 15 E
Pankajene 73 4 46 S 119 34 E
Pankalpinang 72 2 0 S 106 0 E
Pankshin 85 9 16N 9 25 E
Panna 69 24 40N 80 15 E
Panna Hills 69 24 40N 81 15 E
Pannuru 70 16 5N 80 34 E
Panorama 125 21 21 S 51 51W
Panruti 70 11 46N 79 35 E
Panshan 76 41 3N 122 2 E
Panshi 76 42 58N 126 5 E
Pantano 119 32 0N 110 32W
Pantar 73 8 28 S 124 10 E
Pantelleria 40 36 52N 12 0 E
Pantón 30 42 31N 7 37W
Pánuco 120 22 0N 98 15W
Panyam 85 9 27N 9 8 E
Panyu 77 22 51N 113 20 E
Páola 41 39 21N 16 2 E
Paola 116 38 36N 94 50W
Paonia 119 38 56N 107 37W
Paoting = Baoding 76 38 50N 115 28 E
Paot'ou = Baotou 76 40 32N 110 2 E
Paoua 88 7 9N 16 20 E
Papá 27 47 22N 17 30 E
Papagayo → 120 16 36N 99 43W
Papagayo, Golfo de 121 10 30N 85 50W
Papagni → 70 15 35N 77 45 E
Papakura 101 37 4 S 174 59 E
Papantla 120 20 30N 97 30W
Papar 72 5 45N 116 0 E
Pápas, Ákra 45 38 13N 21 20 E
Papenburg 24 53 7N 7 25 E
Papigochic → 120 29 9N 109 40W
Paposo 124 25 0 S 70 30W
Papua, Gulf of 98 9 0 S 144 50 E
Papua New Guinea ■ 94 8 0 S 145 0 E

* *Renamed Belau*

Papuča Penne

Papuča 39 44 22N 15 30 E
Papudo 124 32 29S 71 27W
Papuk 42 45 30N 17 30 E
Papun 67 18 0N 97 30 E
Pará = Belém 127 1 20S 48 30W
Pará □ 127 3 20S 52 0W
Parábita 41 40 3N 18 8 E
Paraburdoo 96 23 14S 117 32 E
Paracatu 127 17 10S 46 50W
Parachilna 99 31 10S 138 21 E
Parachinar 66 33 55N 70 5 E
Paraćin 42 43 54N 21 27 E
Paradas 31 37 18N 5 29W
Paradela 30 42 44N 7 37W
Paradip 69 20 15N 86 35 E
Paradise 118 47 27N 114 17W
Paradise → 107 53 27N 57 19W
Paradise Valley 118 41 30N 117 28W
Parado 73 8 42S 118 30 E
Paradyz 28 51 19N 20 2 E
Paragould 117 36 5N 90 30W
Paragua → 126 6 55N 62 55W
Paragua, La 126 6 50N 63 20W
Paraguaçu → 127 12 45S 38 54W
Paraguaçu Paulista 125 22 22S 50 35W
Paraguaná, Pen. de 126 12 0N 70 0W
Paraguarí 124 25 36S 57 0W
Paraguarí □ 124 26 0S 57 10W
Paraguay ■ 124 23 0S 57 0W
Paraguay → 124 27 18S 58 38W
Paraíba = João Pessoa 127 7 10S 35 0W
Paraíba □ 127 7 0S 36 0W
Paraíba do Sul → 125 21 37S 41 3W
Parainen 51 60 18N 22 18 E
Parakhino Paddubye 54 58 26N 33 10 E
Parakou 85 9 25N 2 40 E
Parálion-Astrous 45 37 25N 22 45 E
Paramagudi 70 9 31N 78 39 E
Paramaribo 127 5 50N 55 10W
Paramithiá 44 39 30N 20 35 E
Paramushir, Ostrov 59 50 24N 156 0 E
Paran → 62 30 20N 35 10 E
Paraná 124 31 45S 60 30W
Paranã 127 12 30S 47 48W
Paraná □ 125 24 30S 51 0W
Paraná → 124 33 43S 59 15W
Paranaguá 125 25 30S 48 30W
Paranaíba → 127 20 6S 51 4W
Paranapanema → 125 22 40S 53 9W
Paranapiacaba, Serra do 125 24 31S 48 35W
Paranavaí 125 23 4S 52 56W
Parang, Jolo, Phil. 73 5 55N 120 54 E
Parang, Mindanao, Phil. 73 7 23N 124 16 E
Parapóla 45 36 55N 23 27 E
Paraspóri, Ákra 45 35 55N 27 15 E
Paratinga 127 12 40S 43 10W
Paratoo 99 32 42S 139 40 E
Parattah 99 42 22S 147 23 E
Paray-le-Monial 21 46 27N 4 7 E
Parbati → 68 25 50N 76 30 E
Parbhani 68 19 8N 76 52 E
Parchim 24 53 25N 11 50 E
Parczew 28 51 40N 22 52 E
Pardes Hanna 62 32 28N 34 57 E
Pardilla 30 41 33N 3 43W
Pardo →, Bahia, Brazil 127 15 40S 39 0W
Pardo →, Mato Grosso, Brazil 125 21 46S 52 9W
Pardo →, São Paulo, Brazil 127 20 10S 48 38W
Pardubice 26 50 3N 15 45 E
Pare 73 7 43S 112 12 E
Pare □ 90 4 10S 38 0 E
Pare Mts. 90 4 0S 37 45 E
Parecis, Serra dos 126 13 0S 60 0W
Paredes de Nava 30 42 9N 4 42W
Paren 59 62 30N 163 15 E
Parent 106 47 55N 74 35W
Parent, Lac. 106 48 31N 77 1W
Parentis-en-Born 20 44 21N 1 4W
Parepare 73 4 0S 119 40 E
Parfino 54 57 59N 31 34 E
Parfuri 93 22 28S 31 17 E
Parguba 52 62 20N 34 27 E
Parham 113 44 39N 76 43W
Pariaguán 126 8 51N 64 34W
Pariaman 72 0 47S 100 11 E
Paricutín, Cerro 120 19 28N 102 15W
Parigi, Java, Indon. 73 7 42S 108 29 E
Parigi, Sulawesi, Indon. 73 0 50S 120 5 E
Parika 126 6 50N 58 20W
Parima, Serra 126 2 30N 64 0W
Parinari 126 4 35S 74 25W
Parincea 46 46 27N 27 9 E
Parîng 46 45 20N 23 37 E
Parintins 127 2 40S 56 50W
Pariparit Kyun 67 14 55S 93 45 E
Paris, Can. 106 43 12N 80 25W
Paris, France 19 48 50N 2 20 E
Paris, Idaho, U.S.A. 118 42 13N 111 30W
Paris, Ky., U.S.A. 114 38 12N 84 12W
Paris, Tenn., U.S.A. 115 36 20N 88 20W
Paris, Tex., U.S.A. 117 33 40N 95 30W
Paris, Ville de □ 19 48 50N 2 20 E
Parish 113 43 24N 76 9W
Pariti 73 10 15S 123 45 E
Park City 118 40 42N 111 35W
Park Falls 116 45 58N 90 27W
Park Range 118 40 0N 106 30W
Park Rapids 116 46 56N 95 0W
Park River 116 48 25N 97 43W
Park Rynie 93 30 25S 30 45 E
Park View 119 36 45N 106 37W
Parker, Ariz., U.S.A. 119 34 8N 114 16W
Parker, S.D., U.S.A. 116 43 25N 97 7W
Parker Dam 119 34 13N 114 5W
Parkersburg 114 39 18N 81 31W
Parkerview 109 51 21N 103 18W
Parkes, A.C.T., Austral. 97 35 18S 149 8 E
Parkes, N.S.W., Austral. 97 33 9S 148 11 E
Parkside 109 53 10N 106 33W
Parkston 116 43 25N 98 0W
Parksville 108 49 20N 124 21W
Parlakimedi 70 18 45N 84 5 E
Parma, Italy 38 44 50N 10 20 E
Parma, Idaho, U.S.A. 118 43 49N 116 59W
Parma, Ohio, U.S.A. 112 41 25N 81 42W
Parma → 38 44 56N 10 26 E
Parnaguá 127 10 10S 44 38W
Parnaíba, Piauí, Brazil 127 2 54S 41 47W
Parnaíba, São Paulo, Brazil 127 19 34S 51 14W
Parnaíba → 127 3 0S 41 50W
Parnassós 45 38 35N 22 30 E
Párnis 45 38 14N 23 45 E
Párnon Óros 45 37 15N 22 45 E
Pärnu 54 58 28N 24 33 E
Parola 68 20 47N 75 7 E
Paroo → 97 31 28S 143 32 E
Paroo Chan. 97 30 50S 143 35 E
Páros, Greece 45 37 5N 25 9 E
Páros, Greece 45 37 5N 25 12 E
Parowan 119 37 54N 112 56W
Parpaillon 21 44 30N 6 40 E
Parral 124 36 10S 71 52W
Parramatta 99 33 48S 151 1 E
Parras 120 25 30N 102 20W
Parrett → 13 51 7N 2 58W
Parris I. 115 32 20N 80 30W
Parrsboro 107 45 30N 64 25W
Parry Is. 4 77 0N 110 0W
Parry Sound 106 45 20N 80 0W
Parsberg 25 49 10N 11 43 E
Parseta → 28 54 11N 15 34 E
Parshall 116 47 56N 102 11W
Parsnip → 108 55 10N 123 2W
Parsons 117 37 20N 95 17W
Partabpur 70 20 0N 80 42 E
Partanna 40 37 43N 12 51 E
Partapgarh 68 24 2N 74 40 E
Parthenay 18 46 38N 0 16W
Partinico 40 38 3N 13 6 E
Partur 70 19 40N 76 14 E
Paru → 127 1 33S 52 38W
Parur 70 10 13N 76 14 E
Paruro 126 13 45S 71 50W
Parván □ 65 35 0N 69 0 E
Parvatipuram 70 18 50N 83 25 E
Parys 92 26 52S 27 29 E
Pas-de-Calais □ 19 50 30N 2 30 E
Pasadena, Calif., U.S.A. 119 34 5N 118 9W
Pasadena, Tex., U.S.A. 117 29 45N 95 14W
Pasaje 126 3 23S 79 50W
Pasaje → 124 25 39S 63 56W
Pascagoula 117 30 21N 88 30W
Pascagoula → 117 30 21N 88 35W
Paşcani 46 47 14N 26 45 E
Pasco 118 46 10N 119 0W
Pasco, Cerro de 126 10 45S 76 10W
Pasewalk 24 53 30N 14 0 E
Pasfield L. 109 58 24N 105 20W
Pasha → 54 60 29N 32 55 E
Pashmakli = Smolyan 43 41 36N 24 38 E
Pasing 25 48 9N 11 27 E
Pasir Mas 71 6 2N 102 8 E
Pasir Puteh 71 5 50N 102 24 E
Pasirian 73 8 13S 113 8 E
Pasłeka → 28 54 26N 19 46 E
Pasley, C. 96 33 52S 123 35 E
Pašman 39 43 58N 15 20 E
Pasni 66 25 15N 63 27 E
Paso de Indios 128 43 55S 69 0W
Paso de los Libres 124 29 44S 57 10W
Paso de los Toros 124 32 45S 56 30W
Paso Robles 119 35 40N 120 45W
Paspébiac 107 48 3N 65 17W
Pasrur 68 32 16N 74 43 E
Passage West 15 51 52N 8 20W
Passaic 113 40 50N 74 8W
Passau 25 48 34N 13 27 E
Passero, C. 41 36 42N 15 8 E
Passo Fundo 125 28 10S 52 20W
Passos 127 20 45S 46 37W
Passow 24 53 13N 14 10 E
Passy 21 45 55N 6 41 E
Pastaza → 126 4 50S 76 52W
Pastęk 28 54 3N 19 41 E
Pasto 126 1 13N 77 17W
Pastrana 32 40 27N 2 53W
Pasuruan 73 7 40S 112 44 E
Pasym 28 53 48N 20 49 E
Pásztó 27 47 52N 19 43 E
Patagonia, Argent. 128 45 0S 69 0W
Patagonia, U.S.A. 119 31 35N 110 45W
Patan, Gujarat, India 70 17 22N 73 57 E
Patan, Maharashtra, India 68 23 54N 72 14 E
Patani 73 0 20N 128 50 E
Pataudi 68 28 18N 76 48 E
Patay 19 48 2N 1 40 E
Patchewollock 99 35 22S 142 12 E
Patchogue 114 40 46N 73 1W
Patea 101 39 45S 174 30 E
Pategi 85 8 50N 5 45 E
Patensie 92 33 46S 24 49 E
Paternò 41 37 34N 14 53 E
Paternoster, Kepulauan 72 7 5S 118 15 E
Pateros 118 48 4N 119 58W
Paterson, Austral. 100 32 37S 151 39 E
Paterson, U.S.A. 114 40 55N 74 10W
Pathankot 68 32 18N 75 45 E
Pathfinder Res. 118 42 30N 107 0W
Pati 73 6 45S 111 3 E
Patiala 68 30 23N 76 26 E
Patine Kouka 84 12 45N 13 45W
Patkai Bum 67 27 0N 95 30 E
Pátmos 45 37 21N 26 36 E
Patna 69 25 35N 85 12 E
Patonga 90 2 45N 33 15 E
Patos de Minas 127 18 35S 46 32W
Patos, Lag. dos 125 31 20S 51 0 E
Patosi 44 40 42N 19 38 E
Patquia 124 25 30N 102 11W
Pátrai 45 38 14N 21 47 E
Pátraikós, Kólpos 45 38 17N 21 30 E
Patrocínio 127 18 57S 47 0W
Patta 90 2 10S 41 0 E
Pattada 40 40 35N 9 7 E
Pattanapuram 70 9 6N 76 50 E
Pattani 71 6 48N 101 15 E
Patten 107 45 59N 68 28W
Patterson, Calif., U.S.A. 119 37 30N 121 9W
Patterson, La., U.S.A. 117 29 44N 91 20W
Patti, India 68 31 17N 74 54 E
Patti, Italy 41 38 8N 14 57 E
Pattoki 68 31 5N 73 52 E
Patton 112 40 38N 78 40W
Pattukkottai 70 10 25N 79 20 E
Patuakhali 69 22 20N 90 25 E
Patuca → 121 15 50N 84 18W
Patuca, Punta 121 15 49N 84 14W
Pátzcuaro 120 19 30N 101 40W
Pau 20 43 19N 0 25W
Pau, Gave de 20 43 33N 1 12W
Pauillac 20 45 11N 0 46W
Pauini → 126 1 42S 62 50W
Pauk 67 21 27N 94 30 E
Paul I. 107 56 30N 61 20W
Paulhan 20 43 33N 3 28 E
Paulis = Isiro 90 2 47N 27 37 E
Paulistana 127 8 9S 41 9W
Paullina 116 42 55N 95 40W
Paulo Afonso 127 9 21S 38 15W
Paulpietersburg 93 27 23S 30 50 E
Pauls Valley 117 34 40N 97 17W
Pauni 69 20 48N 79 40 E
Pavelets 55 53 49N 39 14 E
Pavia 38 45 10N 9 10 E
Pavlikeni 43 43 14N 25 20 E
Pavlodar 58 52 33N 77 0 E
Pavlograd 56 48 30N 35 52 E
Pavlovo, Gorkiy, U.S.S.R. 55 55 58N 43 5 E
Pavlovo, Yakut A.S.S.R., U.S.S.R. 59 63 5N 115 25 E
Pavlovsk 55 50 26N 40 5 E
Pavlovskaya 57 46 17N 39 47 E
Pavlovskiy-Posad 55 55 47N 38 42 E
Pavullo nel Frignano 38 44 20N 10 50 E
Pawhuska 117 36 40N 96 25W
Pawling 113 41 35N 73 37W
Pawnee 117 36 24N 96 50W
Pawnee City 116 40 8N 96 10W
Pawtucket 114 41 51N 71 22W
Paximádhia 45 35 0N 24 35 E
Paxoí 44 39 14N 20 12 E
Paxton, Ill., U.S.A. 114 40 25N 88 7W
Paxton, Nebr., U.S.A. 116 41 12N 101 27W
Paya Bakri 71 2 3N 102 44 E
Payakumbah 72 0 20S 100 35 E
Payerne 25 46 49N 6 56 E
Payette 118 44 0N 117 0W
Paymogo 31 37 44N 7 21W
Payne L. 105 59 30N 74 30W
Paynesville, Liberia 84 6 20N 10 45W
Paynesville, U.S.A. 116 45 21N 94 44W
Pays Basque 20 43 15N 1 0W
Paysandú 124 32 19S 58 8W
Payson, Ariz., U.S.A. 119 34 17N 111 15W
Payson, Utah, U.S.A. 118 40 8N 111 41W
Paz → 120 13 44N 90 10W
Paz, Bahía de la 120 24 15N 110 25W
Paz, La, Entre Ríos, Argent. 124 30 50S 59 45W
Paz, La, San Luis, Argent. 124 33 30S 67 20W
Paz, La, Boliv. 126 16 20S 68 10W
Paz, La, Hond. 120 14 20N 87 47W
Paz, La, Mexico 120 24 10N 110 20W
Pazar 64 41 10N 40 50 E
Pazardzhik 43 42 12N 24 20 E
Pazin 39 45 14N 13 56 E
Pčinja → 42 41 50N 21 45 E
Pe Ell 118 46 30N 123 18W
Peabody 113 42 31N 70 56W
Peace → 108 59 0N 111 25W
Peace Point 108 59 7N 112 27W
Peace River 108 56 15N 117 18W
Peach Springs 119 35 36N 113 30W
Peak Downs 98 22 14S 148 0 E
Peak Hill 99 32 47S 148 11 E
Peak Range 97 22 50S 148 20 E
Peak, The 12 53 24N 1 53W
Peake 99 35 25S 140 0 E
Peale Mt. 119 38 25N 109 12W
Pearce 119 31 57N 109 56W
Pearl → 117 30 23N 89 45W
Pearl Banks 70 8 45N 79 45 E
Pearl City 110 21 24N 158 0W
Pearsall 117 28 55N 99 8W
Pearse I. 108 54 52N 130 14W
Peary Land 4 82 40N 33 0W
Pease → 117 34 12N 99 7W
Pebane 91 17 10S 38 8 E
Pebas 126 3 10S 71 46W
Peč 42 42 40N 20 17 E
Péccioli 38 43 32N 10 43 E
Pechea 46 45 36N 27 49 E
Pechenezhin 56 48 30N 24 48 E
Pechenga 52 69 30N 31 25 E
Pechnezhskoye Vdkhr. 55 50 0N 37 10 E
Pechora → 52 68 13N 54 15 E
Pechorskaya Guba 52 68 40N 54 0 E
Pechory 54 57 48N 27 40 E
Pecica 42 46 10N 21 3 E
Pečka 42 44 18N 19 33 E
Pécora, C. 40 39 28N 8 23 E
Pecos 117 31 25N 103 35W
Pecos → 117 29 42N 102 30W
Pécs 27 46 5N 18 15 E
Peddapalli 70 18 40N 79 24 E
Peddapuram 70 17 6N 8 13 E
Pedra Azul 127 16 2S 41 17W
Pedreiras 127 4 32S 44 40W
Pedrera, La 126 1 18S 69 43W
Pedro Afonso 127 9 0S 48 10W
Pedro Cays 121 17 5N 77 48W
Pedro de Valdivia 124 22 55S 69 38W
Pedro Juan Caballero 125 22 30S 55 40W
Pedro Miguel Locks 120 9 1N 79 36W
Pedro Muñoz 33 39 25N 2 56W
Pedrógão Grande 30 39 55N 8 9W
Peduyim 62 31 20N 34 37 E
Peebinga 99 34 52S 140 57 E
Peebles 14 55 40N 3 12W
Peekskill 114 41 18N 73 57W
Peel 12 54 14N 4 40W
Peel →, Austral. 99 30 50S 150 29 E
Peel →, Can. 104 67 0N 135 0W
Peene → 24 54 9N 13 46 E
Peera Peera Poolanna L. 99 26 30S 138 0 E
Peers 108 53 40N 116 0W
Pegasus Bay 101 43 20S 173 10 E
Peggau 26 47 12N 15 21 E
Pegnitz 25 49 45N 11 33 E
Pegnitz → 25 49 29N 10 59 E
Pego 33 38 51N 0 8W
Pegu Yoma 67 19 0N 96 0 E
Pehčevo 42 41 41N 22 55 E
Pehuajó 124 35 45S 62 0W
Peine, Chile 124 23 45S 68 8W
Peine, Ger. 24 52 19N 10 12 E
Peip'ing = Beijing 76 39 55N 116 20 E
Peiss 25 47 58N 11 47 E
Peissenberg 25 47 48N 11 4 E
Peitz 24 51 50N 14 23 E
Peixe 127 12 0S 48 40W
Pek → 42 44 45N 21 29 E
Pekalongan 73 6 53S 109 40 E
Pekan 71 3 30N 103 25 E
Pekin 116 40 35N 89 40W
Peking = Beijing 76 39 55N 116 20 E
Pelabuhan Ratu, Teluk 73 7 5S 106 30 E
Pelabuhanratu 73 7 0S 106 32 E
Pélagos 44 39 17N 24 4 E
Pelaihari 72 3 55S 114 45 E
Pelat, Mont 21 44 16N 6 42 E
Pelczyce 28 53 3N 15 16 E
Peleaga 46 45 22N 22 55 E
Pelee I. 106 41 47N 82 40W
Pelée, Mt. 121 14 48N 61 0W
Pelee, Pt. 106 41 54N 82 31W
Pelekech, mt. 90 3 52N 35 8 E
Peleng 73 1 20S 123 30 E
Pelham 115 31 5N 84 6W
Pelhřimov 26 49 24N 15 12 E
Pelican L. 109 52 28N 100 20W
Pelican Narrows 109 55 10N 102 56W
Pelican Portage 108 55 51N 112 35W
Pelican Rapids 109 52 45N 100 42W
Peljesac 42 42 55N 17 25 E
Pelkosenniemi 50 67 6N 27 28 E
Pella, Greece 44 40 46N 22 23 E
Pella, U.S.A. 116 41 30N 93 0W
Pélla □ 44 40 52N 22 0 E
Pèllaro 41 38 1N 15 40 E
Pellworm 24 54 30N 8 40 E
Pelly → 104 62 47N 137 19W
Pelly Bay 105 68 38N 89 50W
Pelly L. 104 66 0N 102 0W
Peloponnes = Pelóponnisos □ 45 37 10N 22 0 E
Pelopónnisos □ 45 37 10N 22 0 E
Peloritani, Monti 41 38 2N 15 25 E
Peloro, C. 41 38 15N 15 40 E
Pelorus Sound 101 40 59S 173 59 E
Pelotas 125 31 42S 52 23W
Pelòvo 43 43 26N 24 17 E
Pelvoux, Massif de 21 44 52N 6 20 E
Pemalang 73 6 53S 109 23 E
Pematang 72 0 12S 102 4 E
Pematangsiantar 72 2 57N 99 5 E
Pemba, Mozam. 91 12 58S 40 30 E
Pemba, Tanz. 90 5 0S 39 45 E
Pemba, Zambia 91 16 30S 27 28 E
Pemba Channel 90 5 0S 39 37 E
Pemberton, Austral. 96 34 30S 116 0 E
Pemberton, Can. 108 50 25N 122 50W
Pembina 109 48 58N 97 15W
Pembina → 109 49 0N 98 12W
Pembine 114 45 38N 87 59W
Pembino 116 48 58N 97 15W
Pembroke, Can. 106 45 50N 77 7W
Pembroke, U.K. 13 51 41N 4 57W
Pembroke, U.S.A. 115 32 5N 81 32W
Pen-y-Ghent 12 54 10N 2 15W
Peña de Francia, Sierra de 30 40 32N 6 10W
Peña, Sierra de la 32 42 32N 0 45W
Penafiel 30 41 12N 8 17W
Peñafiel 30 41 35N 4 7W
Peñaflor 31 37 43N 5 21W
Peñalara, Pico 30 40 51N 3 57W
Penamacôr 30 40 10N 7 10W
Penang = Pinang 71 5 25N 100 15 E
Penápolis 125 21 30S 50 0W
Peñaranda de Bracamonte 30 40 53N 5 13W
Peñarroya-Pueblonuevo 31 38 19N 5 16W
Peñas, C. de 30 43 42N 5 52W
Peñas de San Pedro 33 38 44N 2 0W
Penas, G. de 128 47 0S 75 0W
Peñausende 30 41 17N 5 52W
Pench'i = Benxi 76 41 20N 123 48 E
Pend Oreille → 118 49 4N 117 37W
Pend Oreille, L. 118 48 0N 116 30W
Pendálofon 44 40 14N 21 12 E
Pendelikón 45 38 10N 23 53 E
Pendembu 84 9 7N 12 14W
Pendleton 118 45 35N 118 50W
Penedo 127 10 15S 36 36W
Penetanguishene 106 44 50N 79 55W
Pengalengan 73 7 9S 107 30 E
Penge, Kasai Oriental, Congo 90 5 30S 24 33 E
Penge, Kivu, Congo 90 4 27S 28 25 E
Penglai 76 37 48N 120 42 E
Pengshui 77 29 17N 108 12 E
Penguin 99 41 8S 146 6 E
Penhalonga 91 18 52S 32 40 E
Peniche 31 39 19N 9 22W
Penicuik 14 55 50N 3 14W
Penida 72 8 45S 115 30 E
Peñíscola 32 40 22N 0 24 E
Penmarch 18 47 49N 4 21W
Penmarch, Pte. de 18 47 48N 4 22W
Pennabilli 39 43 50N 12 17 E
Pennant 109 50 32N 108 14W
Penne 39 42 28N 13 56 E

Pennel Glacier Piorini, L.

Name	Page	Lat.	Long.
Pennel Glacier	**5**	69 20 S	157 27 E
Penner →	**70**	14 35N	80 10 E
Pennine, Alpi	**38**	46 4N	7 30 E
Pennines	**12**	54 50N	2 20W
Pennino, Mte.	**39**	43 6N	12 54 E
Pennsylvania □	**114**	40 50N	78 0W
Penny	**108**	53 51N	121 20W
Pennyan	**114**	42 39N	77 7W
Peno	**54**	57 2N	32 49 E
Penola	**97**	37 25 S	140 21 E
Penong	**96**	31 59 S	133 5 E
Penonomé	**121**	8 31N	80 21W
Penrhyn Is.	**95**	9 0 S	158 30W
Penrith, Austral.	**97**	33 43 S	150 38 E
Penrith, U.K.	**12**	54 40N	2 45W
Pensacola	**115**	30 30N	87 10W
Pensacola Mts.	**5**	84 0 S	40 0W
Pense	**109**	50 25N	104 59W
Penshurst	**99**	37 49 S	142 20 E
Penticton	**108**	49 30N	119 38W
Pentland	**97**	20 32 S	145 25 E
Pentland Firth	**14**	58 43N	3 10W
Pentland Hills	**14**	55 48N	3 25W
Penukonda	**70**	14 5N	77 38 E
Penylan L.	**109**	61 50N	106 20W
Penza	**55**	53 15N	45 5 E
Penzance	**13**	50 7N	5 32W
Penzberg	**25**	47 46N	11 23 E
Penzhino	**59**	63 30N	167 55 E
Penzhinskaya Guba	**59**	61 30N	163 0 E
Penzlin	**24**	53 32N	13 6 E
Peoria, Ariz., U.S.A.	**119**	33 40N	112 15W
Peoria, Ill., U.S.A.	**116**	40 40N	89 40W
Pepperwood	**118**	40 23N	124 0W
Peqini	**44**	41 4N	19 44 E
Pera Hd.	**98**	12 55 S	141 37 E
Perabumilih	**72**	3 27 S	104 15 E
Perak →	**71**	5 10N	101 4 E
Perakhóra	**45**	38 2N	22 56 E
Perales de Alfambra	**32**	40 38N	1 0W
Perales del Puerto	**30**	40 10N	6 40W
Peralta	**32**	42 21N	1 49W
Pérama	**45**	35 20N	24 40 E
Perast	**42**	42 31N	18 47 E
Percé	**107**	48 31N	64 13W
Perche	**18**	48 31N	1 1 E
Perche, Collines du	**18**	48 30N	0 40 E
Percy	**18**	48 55N	1 11W
Percy Is.	**98**	21 39 S	150 16 E
Pereira	**126**	4 49N	75 43W
Perekerten	**99**	34 55 S	143 40 E
Perekop	**56**	46 10N	33 42 E
Pereslavi-Zalesskiy	**55**	56 45N	38 50 E
Pereyaslav Khmelnitskiy	**54**	50 3N	31 28 E
Pérez, I.	**120**	22 24N	89 42W
Perg	**26**	48 15N	14 38 E
Pergamino	**124**	33 52 S	60 30W
Pérgine Valsugano	**39**	46 4N	11 15 E
Pérgola	**39**	43 35N	12 50 E
Perham	**116**	46 36N	95 36W
Perhentian, Kepulauan	**71**	5 54N	102 42 E
Periam	**42**	46 2N	20 59 E
Péribonca →	**107**	48 45N	72 5W
Péribonca, L.	**107**	50 1N	71 10W
Perico	**124**	24 20 S	65 5W
Pericos	**120**	25 3N	107 42W
Périers	**18**	49 11N	1 25W
Périgord	**20**	45 0N	0 40 E
Périgueux	**20**	45 10N	0 42 E
Perijá, Sierra de	**126**	9 30N	73 3W
Peristéra	**45**	39 15N	23 58 E
Periyakulam	**70**	10 5N	77 30 E
Periyar →	**70**	10 15N	76 10 E
Periyar, L.	**70**	9 25N	77 10 E
Perkam, Tg.	**73**	1 35 S	137 50 E
Perković	**39**	43 41N	16 10 E
Perlas, Arch. de las	**121**	8 41N	79 7W
Perlas, Punta de	**121**	12 30N	83 30W
Perleberg	**24**	53 5N	11 50 E
Perlevka	**55**	51 48N	38 57 E
Perlez	**42**	45 11N	20 22 E
Perlis □	**71**	6 30N	100 15 E
Perm (Molotov)	**52**	58 0N	57 10 E
Përmeti	**44**	40 15N	20 21 E
Pernambuco = Recife	**127**	8 0 S	35 0W
Pernambuco □	**127**	8 0 S	37 0W
Pernik	**42**	42 35N	23 2 E
Péronne	**19**	49 55N	2 57 E
Perosa Argentina	**38**	44 57N	7 11 E
Perow	**108**	54 35N	126 10W
Perpendicular Pt.	**99**	31 37 S	152 52 E
Perpignan	**20**	42 42N	2 53 E
Perros-Guirec	**18**	48 49N	3 28W
Perry, Fla., U.S.A.	**115**	30 9N	83 40W
Perry, Ga., U.S.A.	**115**	32 25N	83 41W
Perry, Iowa, U.S.A.	**116**	41 48N	94 5W
Perry, Maine, U.S.A.	**115**	44 59N	67 20W
Perry, Okla., U.S.A.	**117**	36 20N	97 20W
Perryton	**117**	36 28N	100 48W
Perryville	**117**	37 42N	89 50W
Persberg	**48**	59 47N	14 15 E
Persepolis	**65**	29 55N	52 50 E
Persia = Iran ■	**65**	35 0N	50 0 E
Persian Gulf	**65**	27 0N	50 0 E
Perstorp	**49**	56 10N	13 25 E
Perth, Austral.	**96**	31 57 S	115 52 E
Perth, Can.	**106**	44 55N	76 15W
Perth, U.K.	**14**	56 24N	3 27W
Perth Amboy	**114**	40 31N	74 16W
Perthus, Le	**20**	42 30N	2 53 E
Pertuis	**21**	43 42N	5 30 E
Peru, Ill., U.S.A.	**116**	41 18N	89 12W
Peru, Ind., U.S.A.	**114**	40 42N	86 0W
Peru ■	**126**	8 0 S	75 0W
Peru-Chile Trench	**95**	20 0 S	72 0W
Perúgia	**39**	43 6N	12 24 E
Perušić	**39**	44 40N	15 22 E
Pervomaysk, R.S.F.S.R., U.S.S.R.	**55**	54 56N	43 58 E
Pervomaysk, Ukraine S.S.R., U.S.S.R.	**56**	48 10N	30 46 E
Pervouralsk	**52**	56 55N	60 0 E
Pésaro	**39**	43 55N	12 53 E
Pescara	**39**	42 28N	14 13 E
Pescara →	**39**	42 28N	14 13 E
Peschanokopskoye	**57**	46 14N	41 4 E
Péscia	**38**	43 54N	10 40 E
Pescina	**39**	42 0N	13 39 E
Peshawar	**66**	34 2N	71 37 E
* Peshawar □	**66**	33 30N	71 20 E
Peshkopia	**44**	41 41N	20 25 E
Peshtera	**43**	42 2N	24 18 E
Peshtigo	**114**	45 4N	87 46W
Peski	**55**	51 14N	42 29 E
Peskovka	**55**	59 23N	52 20 E
Pêso da Régua	**30**	41 10N	7 47W
Pesqueira	**127**	8 20 S	36 42W
Pesqueria →	**120**	25 54N	99 11W
Pessac	**20**	44 48N	0 37W
Pest □	**27**	47 29N	19 5 E
Pestovo	**54**	58 33N	35 42 E
Pestravka	**55**	52 28N	49 57 E
Péta	**45**	39 10N	21 2 E
Petah Tiqwa	**62**	32 6N	34 53 E
Petalidhion	**45**	36 57N	21 55 E
Petaling Jaya	**71**	3 4N	101 42 E
Petaluma	**118**	38 13N	122 39W
Petange	**16**	49 33N	5 55 E
Petatlán	**120**	17 31N	101 16W
Petauke	**91**	14 14 S	31 20 E
Petawawa	**106**	45 54N	77 17W
Petén Itzá, Lago	**120**	16 58N	89 50W
Peter 1st, I.	**5**	69 0 S	91 0W
Peter Pond L.	**109**	55 55N	108 44W
Peterbell	**106**	48 36N	83 21W
Peterborough, Austral.	**97**	32 58 S	138 51 E
Peterborough, Can.	**112**	44 20N	78 20W
Peterborough, U.K.	**13**	52 35N	0 14W
Peterborough, U.S.A.	**113**	42 55N	71 59W
Peterhead	**14**	57 30N	1 49W
Petersburg, Alas., U.S.A.	**108**	56 50N	133 0W
Petersburg, Ind., U.S.A.	**114**	38 30N	87 15W
Petersburg, Va., U.S.A.	**114**	37 17N	77 26W
Petersburg, W. Va., U.S.A.	**114**	38 59N	79 10W
Petford	**98**	17 20 S	144 58 E
Petília Policastro	**41**	39 7N	16 48 E
Petit Bois I.	**115**	30 16N	88 25W
Petit-Cap	**107**	48 3N	64 30W
Petit Goâve	**121**	18 27N	72 51W
Petit-Quevilly, Le	**18**	49 26N	1 0 E
Petit Saint Bernard, Col du	**38**	45 40N	6 52 E
Petitcodiac	**107**	45 57N	65 11W
Petite Baleine →	**106**	55 50N	77 0W
Petite Saguenay	**107**	48 15N	70 4W
Petitsikapau, L.	**107**	54 37N	66 25W
Petlad	**68**	22 30N	72 45 E
Peto	**120**	20 10N	88 53W
Petone	**101**	41 13 S	174 53 E
Petoskey	**106**	45 22N	84 57W
Petra, Jordan	**62**	30 20N	35 22 E
Petra, Spain	**32**	39 37N	3 6 E
Petra, Ostrova	**4**	76 15N	118 30 E
Petralia	**41**	37 49N	14 4 E
Petrel	**33**	38 30N	0 46W
Petrich	**43**	41 24N	23 13 E
Petrijanec	**39**	46 23N	16 17 E
Petrikov	**54**	52 11N	28 29 E
Petrila	**46**	45 29N	23 29 E
Petrinja	**39**	45 28N	16 18 E
Petrolândia	**127**	9 5 S	38 20W
Petrolia	**106**	42 54N	82 9W
Petrolina	**127**	9 24 S	40 30W
Petromagoúla	**45**	38 31N	23 0 E
Petropavlovsk	**58**	54 53N	69 13 E
Petropavlovsk-Kamchatskiy	**59**	53 3N	158 43 E
Petrópolis	**125**	22 33 S	43 9W
Petroşeni	**46**	45 28N	23 20 E
Petroskey	**114**	45 22N	84 57W
Petrova Gora	**39**	45 15N	15 45 E
Petrovac, Crna Gora, Yugo.	**42**	42 13N	18 57 E
Petrovac, Srbija, Yugo.	**42**	44 22N	21 26 E
Petrovaradin	**42**	45 16N	19 55 E
Petrovsk	**55**	52 22N	45 19 E
Petrovsk-Zabaykalskiy	**59**	51 20N	108 55 E
Petrovskoye = Svetlograd	**57**	45 25N	42 58 E
Petrozavodsk	**52**	61 41N	34 20 E
Petrus Steyn	**93**	27 38 S	28 8 E
Petrusburg	**92**	29 4 S	25 26 E
Petukhovka	**54**	53 42N	30 54 E
Peumo	**124**	34 21 S	71 12W
Peureulak	**72**	4 48N	97 45 E
Pevek	**59**	69 41N	171 19 E
Peveragno	**38**	44 20N	7 37 E
Peyrehorade	**20**	43 34N	1 7W
Peyruis	**21**	44 1N	5 56 E
Pézenas	**20**	43 28N	3 24 E
Pezinok	**27**	48 17N	17 17 E
Pfaffenhofen	**25**	48 31N	11 31 E
Pfarrkirchen	**25**	48 25N	12 57 E
Pfeffenhausen	**25**	48 40N	11 58 E
Pforzheim	**25**	48 53N	8 43 E
Pfullendorf	**25**	47 55N	9 15 E
Pfungstadt	**25**	49 47N	8 36 E
Phala	**92**	23 45 S	26 50 E
Phalodi	**68**	27 12N	72 24 E
Phalsbourg	**19**	48 46N	7 15 E
Phan Rang	**71**	11 34N	109 0 E
Phan Thiet	**71**	11 1N	108 9 E
Phanae	**45**	38 8N	25 87 E
Phangan, Ko	**71**	9 45N	100 0 E
Phangnga	**71**	8 28N	98 30 E
Phanh Bho Ho Chi Minh	**71**	10 58N	106 40 E
Pharenda	**69**	27 5N	83 17 E
Phatthalung	**71**	7 39N	100 6 E
Phelps, N.Y., U.S.A.	**112**	42 57N	77 5W
Phelps, Wis., U.S.A.	**116**	46 2N	89 2W
Phelps L.	**109**	59 15N	103 15W
Phenix City	**115**	32 30N	85 0W
Phetchabun	**71**	16 25N	101 8 E
Phetchabun, Thiu Khao	**71**	16 0N	101 20 E
Phetchaburi	**71**	13 1N	99 55 E
Phichai	**71**	17 22N	100 10 E
Philadelphia, Miss., U.S.A.	**117**	32 47N	89 5W
Philadelphia, N.Y., U.S.A.	**113**	44 9N	75 40W
Philadelphia, Pa., U.S.A.	**114**	40 0N	75 10W
Philip	**116**	44 4N	101 42W
Philippeville	**16**	50 12N	4 33 E
Philippi	**44**	41 1N	24 16 E
Philippi L.	**98**	24 20 S	138 55 E
Philippines ■	**73**	12 0N	123 0 E
Philippolis	**92**	30 15 S	25 16 E
Philippopolis = Plovdiv	**43**	42 8N	24 44 E
Philipsburg, Mont., U.S.A.	**118**	46 20N	113 21W
Philipsburg, Pa., U.S.A.	**112**	40 53N	78 10W
Philipstown	**92**	30 28 S	24 30 E
Phillip	**97**	38 30 S	145 12 E
Phillips, Texas, U.S.A.	**117**	35 48N	101 17W
Phillips, Wis., U.S.A.	**116**	45 41N	90 22W
Phillipsburg, Kans., U.S.A.	**116**	39 48N	99 20W
Phillipsburg, Pa., U.S.A.	**113**	40 43N	75 12W
Phillott	**99**	27 53 S	145 50 E
Philmont	**113**	42 14N	73 37W
Philomath	**118**	44 28N	123 21W
Phitsanulok	**71**	16 50N	100 12 E
Phnom Dangrek	**71**	14 20N	104 0 E
Phnom Penh	**71**	11 33N	104 55 E
Phnom Thbeng	**71**	13 50N	104 56 E
Phoenix, Ariz., U.S.A.	**119**	33 30N	112 10W
Phoenix, N.Y., U.S.A.	**113**	43 13N	76 18W
Phoenix Is.	**94**	3 30 S	172 0W
Phoenixville	**113**	40 12N	75 29W
Phong Saly	**71**	21 42N	102 9 E
Phra Chedi Sam Ong	**71**	15 16N	98 23 E
Phra Nakhon Si Ayutthaya	**71**	14 25N	100 30 E
Phrae	**71**	18 7N	100 9 E
Phrao	**71**	19 23N	99 15 E
Phu Doan	**71**	21 40N	105 10 E
Phu Loi	**71**	20 14N	103 14 E
Phu Ly	**71**	20 35N	105 50 E
Phu Qui	**71**	19 20N	105 20 E
Phuket	**71**	7 52N	98 22 E
Phulera (Phalera)	**68**	26 52N	75 16 E
† Phuoc Le	**71**	10 30N	107 10 E
Piacenza	**38**	45 2N	9 42 E
Piádena	**38**	45 8N	10 22 E
Pialba	**97**	25 20 S	152 45 E
Pian Cr. →	**99**	30 2 S	148 12 E
Piana	**21**	42 15N	8 34 E
Pianella	**39**	42 24N	14 5 E
Pianoro	**39**	44 20N	11 20 E
Pianosa, Puglia, Italy	**39**	42 12N	15 44 E
Pianosa, Toscana, Italy	**38**	42 36N	10 4 E
Piapot	**109**	49 59N	109 8W
Piare →	**39**	45 32N	12 44 E
Pias	**31**	38 1N	7 29W
Piaseczno	**28**	52 5N	21 2 E
Piaski	**28**	51 8N	22 52 E
Piastów	**28**	52 12N	20 48 E
Piatra	**46**	43 51N	25 9 E
Piatra Neamţ	**46**	46 56N	26 21 E
Piatra Olt	**46**	44 22N	24 16 E
Piauí □	**127**	7 0 S	43 0W
Piave →	**39**	45 32N	12 44 E
Piazza Ármerina	**41**	37 21N	14 20 E
Pibor →	**87**	7 35N	33 0 E
Pibor Post	**87**	6 47N	33 3 E
Pica	**126**	20 35 S	69 25W
Picardie	**19**	50 0N	2 15 E
Picardie, Plaine de	**19**	50 0N	2 0 E
Picardy = Picardie	**19**	50 0N	2 15 E
Picayune	**117**	30 31N	89 40W
Picerno	**41**	40 40N	15 37 E
Pichilemu	**124**	34 22 S	72 0W
Pickerel L.	**106**	48 40N	91 25W
Pickle Lake	**106**	51 30N	90 12W
Pico	**8**	38 28N	28 18W
Pico Truncado	**128**	46 40 S	68 0W
Picos Ancares, Sierra de	**30**	42 51N	6 52W
Picquigny	**19**	49 56N	2 10 E
Picton, Austral.	**99**	34 12 S	150 34 E
Picton, Can.	**106**	44 1N	77 9W
Picton, N.Z.	**101**	41 18 S	174 3 E
Pictou	**107**	45 41N	62 42W
Picture Butte	**108**	49 55N	112 45W
Picún Leufú	**128**	39 30 S	69 5W
Pidurutalagala	**70**	7 10N	80 50 E
Piedad, La	**120**	20 20N	102 1W
Piedicavallo	**38**	45 41N	7 57 E
Piedmont	**115**	33 55N	85 39W
Piedmont = Piemonte	**38**	45 0N	7 30 E
Piedmont Plat.	**115**	34 0N	81 30W
Piedmonte d'Alife	**41**	41 22N	14 22 E
Piedra →	**32**	41 18N	1 47W
Piedrabuena	**31**	39 0N	4 10W
Piedrahita	**30**	40 28N	5 23W
Piedras Blancas Pt.	**119**	35 45N	121 18W
Piedras Negras	**120**	28 35N	100 35W
Piedras, R. de las →	**126**	12 30 S	69 15W
Piemonte □	**38**	45 0N	7 30 E
Piensk	**28**	51 16N	15 2 E
Pierce	**118**	46 29N	115 53W
Piercefield	**113**	44 13N	74 35W
Piería □	**44**	40 13N	22 25 E
Pierre, France	**19**	46 54N	5 13 E
Pierre, U.S.A.	**116**	44 23N	100 20W
Pierre Benite, Barrage	**21**	45 42N	4 49 E
Pierrefeu	**21**	43 8N	6 9 E
Pierrefonds	**19**	49 20N	3 0 E
Pierrefontaine	**19**	47 14N	6 32 E
Pierrefort	**20**	44 55N	2 50 E
Pierrelatte	**21**	44 23N	4 43 E
Pieštany	**27**	48 38N	17 55 E
Piesting →	**27**	48 6N	16 40 E
Pieszyce	**28**	50 43N	16 33 E
Piet Retief	**93**	27 1 S	30 50 E
Pietarsaari	**50**	63 40N	22 43 E
Pietermaritzburg	**93**	29 35 S	30 25 E
Pietersburg	**93**	23 54 S	29 25 E
Pietraperzia	**41**	37 26N	14 8 E
Pietrasanta	**38**	43 57N	10 12 E
Pietrosu	**46**	47 12N	25 8 E
Pietrosul	**46**	47 35N	24 43 E
Pieve di Cadore	**39**	46 25N	12 22 E
Pieve di Teco	**38**	44 3N	7 54 E
Pievepélago	**38**	44 12N	10 35 E
Pigádhia	**45**	35 30N	27 12 E
Pigadhítsa	**44**	39 59N	21 23 E
Pigeon	**114**	43 50N	83 17W
Pigeon I.	**70**	14 2N	74 20 E
Piggott	**117**	36 20N	90 10W
Pigna	**38**	43 57N	7 40 E
Pigüe	**124**	37 36 S	62 25W
Pihani	**69**	27 36N	80 15 E
Pikalevo	**54**	59 37N	34 0 E
Pikes Peak	**116**	38 50N	105 10W
Piketberg	**92**	32 55 S	18 40 E
Pikeville	**114**	37 30N	82 30W
Pikwitonei	**109**	55 35N	97 9W
Piła	**28**	53 10N	16 48 E
Pila	**33**	38 16N	1 11W
Piła □	**28**	53 0N	17 0 E
Pilaía	**44**	40 32N	22 59 E
Pilani	**68**	28 22N	75 33 E
Pilar, Brazil	**127**	9 36 S	35 56W
Pilar, Parag.	**124**	26 50 S	58 20W
Pilas	**73**	6 39N	121 37 E
Pilawa	**28**	51 57N	21 32 E
Pilbara	**96**	21 15 S	118 16 E
Pilcomayo →	**124**	25 21 S	57 42W
Píli	**45**	36 50N	27 15 E
Pilibhit	**69**	28 40N	79 50 E
Pilica →	**28**	51 52N	21 17 E
Pilion	**44**	39 27N	23 7 E
Pilis	**27**	47 17N	19 35 E
Pilisvörösvár	**27**	47 38N	18 56 E
Pilkhawa	**68**	28 43N	77 42 E
Pílos	**45**	36 55N	21 42 E
Pilot Mound	**109**	49 15N	98 54W
Pilot Point	**117**	33 26N	97 0W
Pilot Rock	**118**	45 30N	118 50W
Pilsen = Plzen	**26**	49 45N	13 22 E
Pilštanj	**39**	46 8N	15 39 E
Pilzno	**27**	50 0N	21 16 E
Pima	**119**	32 54N	109 50W
Pimba	**97**	31 18 S	136 46 E
Pimenta Bueno	**126**	11 35 S	61 10W
Pimentel	**126**	6 45 S	79 55W
Pina	**32**	41 29N	0 33W
Pinang	**71**	5 25N	100 15 E
Pinar del Río	**121**	22 26N	83 40W
Pinaroo	**97**	35 17 S	140 53 E
Pincehely	**27**	46 41N	18 27 E
Pincher Creek	**108**	49 30N	113 57W
Pinchi L.	**108**	54 38N	124 30W
Pinckneyville	**116**	38 5N	89 20W
Pincota	**42**	46 20N	21 45 E
Pińczów	**28**	50 32N	20 32 E
Pind Dadan Khan	**68**	32 36N	73 7 E
Pindiga	**85**	9 58N	10 53 E
Píndos Óros	**44**	40 0N	21 0 E
Pindus Mts. = Pindos Óros	**44**	40 0N	21 0 E
Pine	**119**	34 27N	111 30W
Pine →	**109**	58 50N	105 38W
Pine Bluff	**117**	34 10N	92 0W
Pine, C.	**107**	46 37N	53 32W
Pine City	**116**	45 46N	93 0W
Pine Creek	**96**	13 50 S	132 10 E
Pine Falls	**109**	50 34N	96 11W
Pine, La	**118**	43 40N	121 30W
Pine Pass	**108**	55 25N	122 42W
Pine Point	**108**	60 50N	114 28W
Pine Ridge	**116**	43 0N	102 35W
Pine River, Can.	**109**	51 45N	100 30W
Pine River, U.S.A.	**116**	46 43N	94 24W
Pinedale	**119**	34 23N	110 16W
Pinega →	**52**	64 8N	46 54 E
Pinehill	**98**	23 38 S	146 57 E
Pinerolo	**38**	44 47N	7 21 E
Pineto	**39**	42 36N	14 4 E
Pinetop	**119**	34 10N	109 57W
Pinetown	**93**	29 48 S	30 54 E
Pinetree	**113**	43 42N	105 52W
Pineville, Ky., U.S.A.	**115**	36 42N	83 42W
Pineville, La., U.S.A.	**117**	31 22N	92 30W
Piney	**19**	48 22N	4 21 E
Ping →	**71**	15 42N	100 9 E
Pingding	**76**	37 47N	113 38 E
Pingdingshan	**77**	33 43N	113 27 E
Pingdong	**77**	22 39N	120 30 E
Pingdu	**76**	36 42N	119 59 E
Pingguo	**77**	23 19N	107 36 E
Pinghe	**77**	24 17N	117 21 E
Pingjiang	**77**	28 45N	113 36 E
Pingle	**77**	24 40N	110 40 E
Pingliang	**76**	35 35N	106 31 E
Pingluo	**76**	38 52N	106 30 E
Pingnan	**77**	23 33N	110 22 E
Pingtan Dao	**77**	25 29N	119 47 E
Pingwu	**75**	32 25N	104 30 E
Pingxiang, Guangxi Zhuangzu, China	**75**	22 6N	106 46 E
Pingxiang, Jiangxi, China	**77**	27 43N	113 48 E
Pingyao	**76**	37 12N	112 10 E
Pinhal	**125**	22 10 S	46 46W
Pinhel	**30**	40 50N	7 1W
Pini	**72**	0 10N	98 40 E
Piniós →, Ilia, Greece	**45**	37 48N	21 20 E
Piniós →, Trikkala, Greece	**44**	39 55N	22 10 E
Pinjarra	**96**	32 37 S	115 52 E
Pink →	**109**	56 50N	103 50W
Pinkafeld	**27**	47 22N	16 9 E
Pinneberg	**24**	53 39N	9 48 E
Pinos	**120**	22 20N	101 40W
Pinos, I. de	**121**	21 40N	82 40W
Pinos Pt.	**119**	36 38N	121 57W
Pinos Puente	**31**	37 15N	3 45W
Pinrang	**73**	3 46 S	119 41 E
Pinsk	**54**	52 10N	26 1 E
Pintados	**126**	20 35 S	69 40W
Pinyang	**77**	27 42N	120 31 E
Pinyug	**52**	60 5N	48 0 E
Pinzolo	**38**	46 9N	10 45 E
Pioche	**119**	38 0N	114 35W
Piombino	**38**	42 54N	10 30 E
Piombino, Canale di	**38**	42 50N	10 25 E
Pioner, Os.	**59**	79 50N	92 0 E
Pionki	**28**	51 29N	21 28 E
Piorini, L.	**126**	3 15 S	62 35W

* *Now part of North West Frontier* □ † *Renamed Ba Ria*

Piotrków Trybunalski Porreras

Piotrków Trybunalski 28 51 23N 19 43 E
Piotrków Trybunalski □ 28 51 30N 19 45 E
Piove di Sacco 39 45 18N 12 1 E
Pīp 65 26 45N 60 10 E
Pipar 68 26 25N 73 31 E
Pipariya 68 22 45N 78 23 E
Pipéri 44 39 20N 24 19 E
Pipestone 116 44 0N 96 20W
Pipestone → 106 52 53N 89 23W
Pipestone Cr. → 109 49 42N 100 45W
Pipmuacan, Rés. 107 49 45N 70 30W
Pipriac 18 47 49N 1 58W
Piqua 114 40 10N 84 10W
Piquiri → 125 24 3 S 54 14W
Piracicaba 125 22 45 S 47 40W
Piracuruca 127 3 50 S 41 50W
Piræus = Piraiévs 45 37 57N 23 42 E
Piraiévs 45 37 57N 23 42 E
Piraiévs □ 45 37 0N 23 30 E
Piráino 41 38 10N 14 52 E
Pirajuí 125 21 59 S 49 29W
Piran (Pirano) 39 45 31N 13 33 E
Pirané 124 25 42 S 59 6W
Pirapora 127 17 20 S 44 56W
Pirdop 43 42 40N 24 10 E
Pirganj 69 25 51N 88 24 E
Pírgos, Ilía, Greece 45 37 40N 21 27 E
Pírgos, Messinia, Greece 45 36 50N 22 16 E
Pirgovo 43 43 44N 25 43 E
Piriac-sur-Mer 18 47 22N 2 33W
Piribebuy 124 25 26 S 57 2W
Pirin Planina 43 41 40N 23 30 E
Pirineos 32 42 40N 1 0 E
Piripiri 127 4 15 S 41 46W
Pirmasens 25 49 12N 7 30 E
Pirna 24 50 57N 13 57 E
Pirojpur 69 22 35N 90 1 E
Pirot 42 43 9N 22 39 E
Pirtleville 119 31 25N 109 35W
Piru 73 3 4 S 128 12 E
Piryatin 54 50 15N 32 25 E
Piryí 45 38 13N 25 59 E
Pisa 38 43 43N 10 23 E
Pisa → 28 53 14N 21 52 E
Pisagua 126 19 40 S 70 15W
Pisarovina 39 45 35N 15 50 E
Pisciotta 41 40 7N 15 12 E
Pisco 126 13 50 S 76 12W
Piscu 46 45 30N 27 43 E
Písek 26 49 19N 14 10 E
Pishan 75 37 30N 78 33 E
Pising 73 5 8 S 121 53 E
Pissos 20 44 19N 0 49W
Pisticci 41 40 24N 16 33 E
Pistóia 38 43 57N 10 53 E
Pistol B. 109 62 25N 92 37W
Pisuerga → 30 41 33N 4 52W
Pisz 28 53 38N 21 49 E
Pitarpunga, L. 99 34 24 S 143 30 E
Pitcairn I. 95 25 5 S 130 5W
Pite älv → 50 65 20N 21 25 E
Piteå 50 65 20N 21 25 E
Piterka 55 50 41N 47 29 E
Piteşti 46 44 52N 24 54 E
Pithapuram 70 17 10N 82 15 E
Píthion 44 41 24N 26 40 E
Pithiviers 19 48 10N 2 13 E
Pitigliano 39 42 38N 11 40 E
Pitlochry 14 56 43N 3 43W
Pitt I. 108 53 30N 129 50W
Pittsburg, Calif., U.S.A. 118 38 1N 121 50W
Pittsburg, Kans., U.S.A. 117 37 21N 94 43W
Pittsburg, Tex., U.S.A. 117 32 59N 94 58W
Pittsburgh 114 40 25N 79 55W
Pittsfield, Ill., U.S.A. 116 39 35N 90 46W
Pittsfield, Mass., U.S.A. 114 42 28N 73 17W
Pittsfield, N.H., U.S.A. 114 43 17N 71 18W
Pittston 114 41 19N 75 50W
Pittsworth 99 27 41 S 151 37 E
Pituri → 98 22 35 S 138 30 E
Piura 126 5 15 S 80 38W
Piva → 42 43 20N 18 50 E
Piwniczna 27 49 27N 20 42 E
Piyai 44 39 17N 21 25 E
Pizzo 41 38 44N 16 10 E
Placentia 107 47 20N 54 0W
Placentia B. 107 47 0N 54 40W
Placerville 118 38 47N 120 51W
Placetas 121 22 15N 79 44W
Plačkovica 42 41 45N 22 30 E
Plain Dealing 117 32 56N 93 41W
Plainfield 114 40 37N 74 28W
Plains, Kans., U.S.A. 117 37 20N 100 35W
Plains, Mont., U.S.A. 118 47 27N 114 57W
Plains, Tex., U.S.A. 117 33 11N 102 50W
Plainview, Nebr., U.S.A. 116 42 25N 97 48W
Plainview, Tex., U.S.A. 117 34 10N 101 40W
Plainville 116 39 18N 99 19W
Plainwell 114 42 28N 85 40W
Plaisance 20 43 36N 0 3 E
Pláka 44 40 0N 25 24 E
Plakenska Planina 42 41 14N 21 2 E
Plakhino 58 67 45N 86 5 E
Planá 26 49 50N 12 44 E
Plancoët 18 48 32N 2 13W
Plandište 42 45 16N 21 10 E
Planina, Slovenija, Yugo. 39 46 10N 15 20 E
Planina, Slovenija, Yugo. 39 45 47N 14 19 E
Plankinton 116 43 45N 98 27W
Plano 117 33 0N 96 45W
Plant City 115 28 0N 82 8W
Plant, La 116 45 11N 100 40W
Plaquemine 117 30 20N 91 15W
Plasencia 30 40 3N 6 8W
Plaški 39 45 4N 15 22 E
Plassen 48 61 9N 12 30 E
Plaster Rock 107 46 53N 67 22W
Plata, La 124 35 0 S 57 55W
Plata, Río de la 124 34 45 S 57 30W
Platani → 40 37 23N 13 16 E
Plateau 5 79 55 S 40 0 E
Plateau □ 85 8 0N 8 30 E
Plateau du Coteau du Missouri 116 47 9N 101 5W
Platí, Ákra- 44 40 27N 24 0 E
Plato 126 9 47N 74 47W
Platte 116 43 28N 98 50W
Platte → 116 39 16N 94 50W
Platteville 116 40 18N 104 47W
Plattling 25 48 46N 12 53 E
Plattsburg 114 44 41N 73 30W
Plattsmouth 116 41 0N 95 50W
Plau 24 53 27N 12 16 E
Plauen 24 50 29N 12 9 E
Plav 42 42 38N 19 57 E
Plavinas 54 56 35N 25 46 E
Plavnica 42 42 20N 19 13 E
Plavsk 55 53 40N 37 18 E
Playgreen L. 109 54 0N 98 15W
Pleasant Bay 107 46 51N 60 48W
Pleasant Hill 116 38 48N 94 14W
Pleasanton 117 29 0N 98 30W
Pleasantville 114 39 25N 74 30W
Pléaux 20 45 8N 2 13 E
Pleiku (Gia Lai) 71 13 57N 108 0 E
Plélan-le-Grand 18 48 0N 2 7W
Plémet 18 48 11N 2 36W
Pléneuf-Val-André 18 48 35N 2 32W
Plenița 46 44 14N 23 10 E
Plenty, Bay of 101 37 45 S 177 0 E
Plentywood 116 48 45N 104 35W
Plesetsk 52 62 40N 40 10 E
Plessisville 107 46 14N 71 47W
Plestin-les-Grèves 18 48 40N 3 39W
Pleszew 28 51 53N 17 47 E
Pleternica 42 45 17N 17 48 E
Pletipi L. 107 51 44N 70 6W
Pleven 43 43 26N 24 37 E
Plevlja 42 43 21N 19 21 E
Ploče 42 43 4N 17 26 E
Płock 28 52 32N 19 40 E
Płock □ 28 52 30N 19 45 E
Plöcken Passo 39 46 37N 12 57 E
Ploëmeur 18 47 44N 3 26W
Ploërmel 18 47 55N 2 26W
Ploieşti 46 44 57N 26 5 E
Plomárion 45 38 58N 26 24 E
Plomb du Cantal 20 45 2N 2 48 E
Plombières 19 47 59N 6 27 E
Plomin 39 45 8N 14 10 E
Plön 24 54 8N 10 22 E
Plöner See 24 45 10N 10 22 E
Plonge, Lac La 109 55 8N 107 20W
Płońsk 28 52 37N 20 21 E
Płoty 28 53 48N 15 18 E
Plouaret 18 48 37N 3 28W
Plouay 18 47 55N 3 21W
Ploučnice → 26 50 46N 14 13 E
Ploudalmézeau 18 48 34N 4 41W
Plougasnou 18 48 42N 3 49W
Plouha 18 48 41N 2 57W
Plouhinec 18 48 0N 4 29W
Plovdiv 43 42 8N 24 44 E
Plum I. 113 41 10N 72 12W
Plummer 118 47 21N 116 59W
Plumtree 91 20 27 S 27 55 E
Plunge 54 55 53N 21 59 E
Pluvigner 18 47 46N 3 1W
Plymouth, U.K. 13 50 23N 4 9W
Plymouth, Ind., U.S.A. 114 41 20N 86 19W
Plymouth, Mass., U.S.A. 113 41 58N 70 40W
Plymouth, N.C., U.S.A. 115 35 54N 76 46W
Plymouth, N.H., U.S.A. 113 43 44N 71 41W
Plymouth, Pa., U.S.A. 113 41 17N 76 0W
Plymouth, Wis., U.S.A. 114 43 42N 87 58W
Plymouth Sd. 13 50 20N 4 10W
Plynlimon = Pumlumon Fawr 13 52 29N 3 47W
Plyussa 54 58 40N 29 20 E
Plyussa → 54 58 40N 29 0 E
Plzen 26 49 45N 13 22 E
Pniewy 28 52 31N 16 16 E
Pô 85 11 14N 1 5W
Po → 38 44 57N 12 4 E
Po, Foci del 39 44 55N 12 30 E
Po Hai = Bo Hai 76 39 0N 120 0 E
Pobé 85 7 0N 2 56 E
Pobeda 59 65 12N 146 12 E
Pobedino 59 49 51N 142 49 E
Pobedy Pik 58 40 45N 79 58 E
Pobiedziska 28 52 29N 17 11 E
Pobla de Lillet, La 32 42 16N 1 59 E
Pobla de Segur 32 42 15N 0 58 E
Pobladura de Valle 30 42 6N 5 44W
Pocahontas, Arkansas, U.S.A. 117 36 18N 91 0W
Pocahontas, Iowa, U.S.A. 116 42 41N 94 42W
Pocatello 118 42 50N 112 25W
Počátky 26 49 15N 15 14 E
Pochep 54 52 58N 33 29 E
Pochinki 55 54 41N 44 59 E
Pochinok 54 54 28N 32 29 E
Pöchlarn 26 48 12N 15 12 E
Pochontas 108 53 10N 117 51W
Pochutla 120 15 50N 96 31W
Pocomoke City 114 38 4N 75 32W
Poços de Caldas 125 21 50 S 46 33W
Poddebice 28 51 54N 18 58 E
Poděbrady 26 50 9N 15 8 E
Podensac 20 44 40N 0 22W
Podgorač 42 45 27N 18 13 E
Podgorica = Titograd 42 42 30N 19 19 E
Podkamennaya Tunguska → 59 61 50N 90 13 E
Podlapac 39 44 37N 15 47 E
Podmokly 26 50 48N 14 10 E
Podoleni 46 46 46N 26 39 E
Podolínec 27 49 16N 20 31 E
Podolsk 55 55 25N 37 30 E
Podor 84 16 40N 15 2W
Podporozhy 52 60 55N 34 2 E
Podravska Slatina 42 45 42N 17 45 E
Podu Turcului 46 46 11N 27 25 E
Podujevo 42 42 54N 21 10 E
Poel 24 54 0N 11 25 E
Pofadder 92 29 10 S 19 22 E
Pogamasing 106 46 55N 81 50W
Poggiardo 41 40 3N 18 21 E
Poggibonsi 39 43 27N 11 8 E
Pogoanele 46 44 55N 27 0 E
Pogorzcla 28 51 50N 17 12 E
Pogradeci 44 40 57N 20 37 E
Poh 73 0 46 S 122 51 E
Pohang 76 36 1N 129 23 E
Pohorelá 27 48 50N 20 2 E
Pohořelice 27 48 59N 16 31 E
Pohorje 39 46 30N 15 20 E
Poiana Mare 46 43 57N 23 5 E
Poiana Ruscăi, Munţii 46 45 45N 22 25 E
Poinsett, C. 5 65 42 S 113 18 E
Point Edward 106 43 0N 82 30W
Point Pedro 70 9 50N 80 15 E
Point Pleasant, U.S.A. 113 40 5N 74 4W
Point Pleasant, W. Va., U.S.A. 114 38 50N 82 7W
Pointe-à-la Hache 117 29 35N 89 55W
Pointe-à-Pitre 121 16 10N 61 30W
Pointe Noire 88 4 48 S 11 53 E
Poirino 38 44 55N 7 50 E
Poissy 19 48 55N 2 0 E
Poitiers 18 46 35N 0 20 E
Poitou, Plaines et Seuil du 20 46 30N 0 1W
Poix 19 49 47N 2 0 E
Poix-Terron 19 49 38N 4 38 E
Pojoaque 119 35 55N 106 0W
Pokataroo 99 29 30 S 148 36 E
Poko, Sudan 87 5 41N 31 55 E
Poko, Zaïre 90 3 7N 26 52 E
Pokrov 55 55 55N 39 7 E
Pokrovsk 59 61 29N 126 12 E
Pol 30 43 9N 7 20W
Pola de Allande 30 43 16N 6 37W
Pola de Gordón, La 30 42 51N 5 41W
Pola de Lena 30 43 10N 5 49W
Pola de Siero 30 43 24N 5 39W
Pola de Somiedo 30 43 5N 6 15W
Polacca 119 35 52N 110 25W
Polan 65 25 30N 61 10 E
Poland ■ 28 52 0N 20 0 E
Polanów 28 54 7N 16 41 E
Polar Sub-Glacial Basin 5 85 0 S 110 0 E
Polcura 124 37 17 S 71 43W
Połczyn Zdrój 28 53 47N 16 5 E
Polden Hills 13 51 7N 2 50W
Polessk 54 54 50N 21 8 E
Polevskoy 52 56 26N 60 11 E
Polewali, Sulawesi, Indon. 73 4 8 S 119 43 E
Polewali, Sulawesi, Indon. 73 3 21 S 119 23 E
Polgar 27 47 54N 21 6 E
Poli 88 8 34N 13 15 E
Poliaigos 45 36 45N 24 38 E
Policastro, Golfo di 41 39 55N 15 35 E
Police 28 53 33N 14 33 E
Polička 27 49 43N 16 15 E
Polignano a Mare 41 41 0N 17 12 E
Poligny 19 46 50N 5 42 E
Políkhnitas 45 39 4N 26 10 E
Polillo Is. 73 14 56N 122 0 E
Polístena 41 38 25N 16 4 E
Políyiros 44 40 23N 23 25 E
Polk 112 41 22N 79 57W
Polkowice 28 51 29N 16 3 E
Polla 41 40 31N 15 27 E
Pollachi 70 10 35N 77 0 E
Pollensa 32 39 54N 3 1 E
Pollensa, B. de 32 39 53N 3 8 E
Póllica 41 40 13N 15 3 E
Pollino, Mte. 41 39 54N 16 13 E
Pollock 116 45 58N 100 18W
Polna 54 58 31N 28 0 E
Polnovat 58 63 50N 65 54 E
Polo 116 42 0N 89 38W
Pologi 56 47 29N 36 15 E
Polonnoye 54 50 6N 27 30 E
Polotsk 54 55 30N 28 50 E
Polski Trŭmbesh 43 43 20N 25 38 E
Polsko Kosovo 43 43 23N 25 38 E
Polson 118 47 45N 114 12W
Poltava 56 49 35N 34 35 E
Polunochnoye 52 60 52N 60 25 E
Polur 70 12 32N 79 11 E
Polyanovgrad 43 42 39N 26 59 E
Polyarny 52 69 8N 33 20 E
Polynesia 95 10 0 S 162 0W
Pomarance 38 43 18N 10 51 E
Pomarico 41 40 31N 16 33 E
Pombal, Brazil 127 6 45 S 37 50W
Pombal, Port. 30 39 55N 8 40W
Pómbia 45 35 0N 24 51 E
Pomeroy, Ohio, U.S.A. 114 39 0N 82 0W
Pomeroy, Wash., U.S.A. 118 46 30N 117 33W
Pomona 119 34 2N 117 49W
Pomorie 43 42 32N 27 41 E
Pomoshnaya 56 48 13N 31 36 E
Pompano Beach 115 26 12N 80 6W
Pompei 41 40 45N 14 30 E
Pompey 19 48 50N 6 2 E
Pompeys Pillar 118 46 0N 108 0W
Ponape 94 6 55N 158 10 E
Ponask, L. 106 54 0N 92 41W
Ponass L. 109 52 16N 103 58W
Ponca 116 42 38N 96 41W
Ponca City 117 36 40N 97 5W
Ponce 121 18 1N 66 37W
Ponchatoula 117 30 27N 90 25W
Poncheville, L. 106 50 10N 76 55W
Poncin 21 46 6N 5 25 E
Pond Inlet 105 72 40N 77 0W
Pondicherry 70 11 59N 79 50 E
Pondoland 93 31 10 S 29 30 E
Ponds, I. of 107 53 27N 55 52W
Ponferrada 30 42 32N 6 35W
Pongo, Wadi → 87 8 42N 27 40 E
Poniatowa 28 51 11N 22 3 E
Poniec 28 51 48N 16 50 E
Ponikva 39 46 16N 15 26 E
Ponnaiyar → 70 11 50N 79 45 E
Ponnani 70 10 45N 75 59 E
Ponneri 70 13 20N 80 15 E
Ponnyadaung 67 22 0N 94 10 E
Ponoi 52 67 0N 41 0 E
Ponoi → 52 66 59N 41 17 E
Ponoka 108 52 42N 113 40W
Ponorogo 73 7 52 S 111 29 E
Pons, France 20 45 35N 0 34W
Pons, Spain 32 41 55N 1 12 E
Ponsul → 31 39 40N 7 31W
Pont-à-Mousson 19 48 54N 6 1 E
Pont-Audemer 18 49 21N 0 30 E
Pont-Aven 18 47 51N 3 47W
Pont Canavese 38 45 24N 7 33 E
Pont-de-Roide 19 47 23N 6 45 E
Pont-de-Salars 20 44 18N 2 44 E
Pont-de-Vaux 19 46 26N 4 56 E
Pont-de-Veyle 21 46 17N 4 53 E
Pont-l'Abbé 18 47 52N 4 15W
Pont-l'Évêque 18 49 18N 0 11 E
Pont-St-Esprit 21 44 16N 4 40 E
Pont-sur-Yonne 19 48 18N 3 10 E
Ponta Grossa 125 25 7 S 50 10W
Ponta Pora 125 22 20 S 55 35W
Pontacq 20 43 11N 0 8W
Pontailler 19 47 18N 5 24 E
Pontarlier 19 46 54N 6 20 E
Pontassieve 39 43 47N 11 25 E
Pontaubault 18 48 40N 1 20W
Pontaumur 20 45 52N 2 40 E
Pontcharra 21 45 26N 6 1 E
Pontchartrain, L. 117 30 12N 90 0W
Pontchâteau 18 47 25N 2 5W
Ponte da Barca 30 41 48N 8 25W
Ponte de Sor 31 39 17N 7 57W
Ponte dell 'Olio 38 44 52N 9 39 E
Ponte di Legno 38 46 15N 10 30 E
Ponte do Lima 30 41 46N 8 35W
Ponte do Pungué 91 19 30 S 34 33 E
Ponte Leccia 21 42 28N 9 13 E
Ponte Macassar 73 9 30 S 123 58 E
Ponte nell' Alpi 39 46 10N 12 18 E
Ponte Nova 125 20 25 S 42 54W
Ponte San Martino 38 45 36N 7 47 E
Ponte San Pietro 38 45 42N 9 35 E
Pontebba 39 46 30N 13 17 E
Pontecorvo 40 41 28N 13 40 E
Pontedera 38 43 40N 10 37 E
Pontefract 12 53 42N 1 19W
Ponteix 109 49 46N 107 29W
Pontelandolfo 41 41 17N 14 41 E
Pontevedra 30 42 26N 8 40W
Pontevedra □ 30 42 25N 8 39W
Pontevedra, R. de → 30 42 22N 8 45W
Pontevico 38 45 16N 10 6 E
Pontiac, Ill., U.S.A. 116 40 50N 88 40W
Pontiac, Mich., U.S.A. 114 42 40N 83 20W
Pontian Kechil 71 1 29N 103 23 E
Pontianak 72 0 3 S 109 15 E
Pontine Is. = Ponziane, Isole 40 40 55N 13 0 E
Pontine Mts. = Karadeniz D. 64 41 30N 35 0 E
Pontínia 40 41 25N 13 2 E
Pontivy 18 48 5N 3 0W
Pontoise 19 49 3N 2 5 E
Ponton → 108 58 27N 116 11W
Pontorson 18 48 34N 1 30W
Pontrémoli 38 44 22N 9 52 E
Pontrieux 18 48 42N 3 10W
Ponts-de-Cé, Les 18 47 25N 0 30W
Pontypool, Can. 112 44 6N 78 38W
Pontypool, U.K. 13 51 42N 3 1W
Pontypridd 13 51 36N 3 21W
Ponza 40 40 55N 12 57 E
Ponziane, Isole 40 40 55N 13 0 E
Poole 13 50 42N 1 58W
Pooley I. 108 52 45N 128 15W
Poona = Pune 70 18 29N 73 57 E
Poonamallee 70 13 3N 80 10 E
Pooncarie 99 33 22 S 142 31 E
Poopelloe, L. 99 31 40 S 144 0 E
Poopó, Lago de 126 18 30 S 67 35W
Popayán 126 2 27N 76 36W
Poperinge 16 50 51N 2 42 E
Popigay 59 72 1N 110 39 E
Popilta, L. 99 33 10 S 141 42 E
Popina 43 44 7N 26 57 E
Popio, L. 99 33 10 S 141 52 E
Poplar 116 48 3N 105 9W
Poplar →, Man., Can. 109 53 0N 97 19W
Poplar →, N.W.T., Can. 108 61 22N 121 52W
Poplar Bluff 117 36 45N 90 22W
Poplarville 117 30 55N 89 30W
Popocatepetl 120 19 10N 98 40W
Popokabaka 88 5 41 S 16 40 E
Pópoli 39 42 12N 13 50 E
Popondetta 98 8 48 S 148 17 E
Popovača 39 45 30N 16 41 E
Popovo 43 43 21N 26 18 E
Poprád 27 49 3N 20 18 E
Poprád → 27 49 38N 20 42 E
Porbandar 68 21 44N 69 43 E
Porcher I. 108 53 50N 130 30W
Porcuna 31 37 52N 4 11W
Porcupine →, Can. 109 59 11N 104 46W
Porcupine →, U.S.A. 104 66 35N 145 15W
Pordenone 39 45 58N 12 40 E
Pordim 43 43 23N 24 51 E
Poreč 39 45 14N 13 36 E
Poretskoye 55 55 9N 46 21 E
Pori 51 61 29N 21 48 E
Porí 45 35 58N 23 13 E
Porjus 50 66 57N 19 50 E
Porkhov 54 57 45N 29 38 E
Porkkala 51 59 59N 24 26 E
Porlamar 126 10 57N 63 51W
Porlezza 38 46 2N 9 8 E
Porma → 30 42 49N 5 28W
Pornic 18 47 7N 2 5W
Poronaysk 59 49 13N 143 0 E
Póros 45 37 30N 23 30 E
Poroshiri-Dake 74 42 41N 142 52 E
Poroszló 27 47 39N 20 40 E
Poroto Mts. 91 9 0 S 33 30 E
Porquerolles, Îles de 21 43 0N 6 13 E
Porrentruy 25 47 25N 7 6 E
Porreras 32 39 31N 3 2 E

Porretta, Passo di 38 44 2N 10 56 E
Porsangen 50 70 40N 25 40 E
Porsgrunn 47 59 10N 9 40 E
Port 19 47 43N 6 4 E
Port Adelaide 99 34 46 S 138 30 E
Port Alberni 108 49 40N 124 50W
Port Albert 98 38 42 S 146 42 E
Port Albert Victor 68 21 0N 71 30 E
Port Alfred, Can. 107 48 18N 70 53W
Port Alfred, S. Afr. 92 33 36 S 26 55 E
Port Alice 108 50 20N 127 25W
Port Allegany 114 41 49N 78 17W
Port Allen 117 30 30N 91 15W
Port Alma 98 23 38 S 150 53 E
Port Angeles 118 48 7N 123 30W
Port Antonio 121 18 10N 76 30W
Port Aransas 117 27 49N 97 4W
Port Arthur, Austral. 97 43 7 S 147 50 E
Port Arthur, U.S.A. 117 30 0N 94 0W
Port au Port B. 107 48 40N 58 50W
Port-au-Prince 121 18 40N 72 20W
Port Augusta 97 32 30 S 137 50 E
Port Augusta West 97 32 29 S 137 29 E
Port Austin 106 44 3N 82 59W
Port Bell 90 0 18N 32 35 E
Port Bergé Vaovao 93 15 33 S 47 40 E
Port Blair 71 11 40N 92 30 E
Port Blandford 107 48 20N 54 10W
Port Bolivar 117 29 20N 94 40W
Port Bou 32 42 25N 3 9 E
Port Bouët 84 5 16N 3 57W
Port Bradshaw 97 12 30 S 137 20 E
Port Broughton 99 33 37 S 137 56 E
Port Burwell 106 42 40N 80 48W
Port-Cartier 107 50 2N 66 50W
Port Chalmers 101 45 49 S 170 30 E
Port Chester 114 41 0N 73 41W
Port Clements 108 53 40N 132 10W
Port Clinton 114 41 30N 82 58W
Port Colborne 106 42 50N 79 10W
Port Coquitlam 108 49 15N 122 45W
Port Credit 112 43 33N 79 35W
Port Dalhousie 112 43 13N 79 16W
Port Darwin, Austral. 96 12 24 S 130 45 E
Port Darwin, Falk. Is. 128 51 50 S 59 0W
Port Davey 97 43 16 S 145 55 E
Port-de-Bouc 21 43 24N 4 59 E
Port-de-Paix 121 19 50N 72 50W
Port Dickson 71 2 30N 101 49 E
Port Douglas 98 16 30 S 145 30 E
Port Dover 112 42 47N 80 12W
Port Edward 108 54 12N 130 10W
Port Elgin 106 44 25N 81 25W
Port Elizabeth 92 33 58 S 25 40 E
Port Ellen 14 55 38N 6 10W
Port-en-Bessin 18 49 21N 0 45W
Port Erin 12 54 5N 4 45W
Port Etienne = Nouâdhibou 80 20 54N 17 0W
Port Fairy 97 38 22 S 142 12 E
Port Fouâd = Bûr Fuad 86 31 15N 32 20 E
Port-Gentil 88 0 40 S 8 50 E
Port Gibson 117 31 57N 91 0W
Port Glasgow 14 55 57N 4 40W
Port Harcourt 85 4 40N 7 10 E
Port Hardy 108 50 41N 127 30W
Port Harrison 105 58 25N 78 15W
Port Hawkesbury 107 45 36N 61 22W
Port Hedland 96 20 25 S 118 35 E
Port Henry 114 44 0N 73 30W
Port Hood 107 46 0N 61 32W
Port Hope 106 43 56N 78 20W
Port Huron 114 43 0N 82 28W
Port Isabel 117 26 4N 97 9W
Port Jackson 97 33 50 S 151 18 E
Port Jefferson 114 40 58N 73 5W
Port Jervis 113 41 22N 74 42W
Port-Joinville 18 46 45N 2 23W
Port Katon 57 46 52N 38 46 E
Port Kelang 71 3 0N 101 23 E
Port Kembla 99 34 52 S 150 49 E
Port-la-Nouvelle 20 43 1N 3 3 E
Port Laoise 15 53 2N 7 20W
Port Lavaca 117 28 38N 96 38W
Port-Leucate-Barcarès 20 42 53N 3 3 E
Port Lincoln 96 34 42 S 135 52 E
Port Loko 84 8 48N 12 46W
Port Louis 18 47 42N 3 22W
Port Lyautey = Kenitra 82 34 15N 6 40W
Port Macdonnell 99 38 0 S 140 48 E
Port Macquarie 97 31 25 S 152 25 E
Port Maria 121 18 25N 77 5W
Port Mellon 108 49 32N 123 31W
Port-Menier 107 49 51N 64 15W
Port Moresby 94 9 24 S 147 8 E
Port Mouton 107 43 58N 64 50W
Port Musgrave 97 11 55 S 141 50 E
Port-Navalo 18 47 34N 2 54W
Port Nelson 109 57 3N 92 36W
Port Nolloth 92 29 17 S 16 52 E
Port Nouveau-Québec (George River) 105 58 30N 65 59W
Port O'Connor 117 28 26N 96 24W
Port of Spain 121 10 40N 61 31W
Port Orchard 118 47 31N 122 38W
Port Oxford 118 42 45N 124 28W
Port Pegasus 101 47 12 S 167 41 E
Port Perry 106 44 6N 78 56W
Port Phillip B. 97 38 10 S 144 50 E
Port Pirie 97 33 10 S 138 1 E
Port Pólnocny 28 54 25N 18 42 E
Port Radium = Echo Bay 104 66 10N 117 40W
Port Renfrew 108 48 30N 124 20W
Port Rowan 106 42 40N 80 30W
Port Safaga = Bûr Safâga 86 26 43N 33 57 E
Port Said = Bûr Sa'îd 86 31 16N 32 18 E
Port St. Joe 115 29 49N 85 20W
Port St. Louis 93 13 7 S 48 48 E
Port-St-Louis-du-Rhône 21 43 23N 4 49 E
Port Sanilac 106 43 26N 82 33W
Port Saunders 107 50 40N 57 18W
Port Severn 112 44 48N 79 43W
Port Shepstone 93 30 44 S 30 28 E
Port Simpson 108 54 30N 130 20W
Port Stanley 106 42 40N 81 10W
Port Stephens 97 32 38 S 152 12 E
Port Sudan = Bûr Sûdân 86 19 32N 37 9 E
Port Talbot 13 51 35N 3 48W
Port Taufiq = Bûr Taufiq 86 29 54N 32 32 E
Port Townsend 118 48 7N 122 50W
Port-Vendres 20 42 32N 3 8 E
Port Vladimir 52 69 25N 33 6 E
Port Washington 114 43 25N 87 52W
Port Weld 71 4 50N 100 38 E
Portachuelo 126 17 10 S 63 20W
Portadown 15 54 27N 6 26W
Portage 116 43 31N 89 25W
Portage La Prairie 109 49 58N 98 18W
Portageville 117 36 25N 89 40W
Portalegre 31 39 19N 7 25W
Portalegre □ 31 39 20N 7 40W
Portales 117 34 12N 103 25W
Portarlington 15 53 10N 7 10W
Porte, La 114 41 36N 86 43W
Portel 31 38 19N 7 41W
Porter L., N.W.T., Can. 109 61 41N 108 5W
Porter L., Sask., Can. 109 56 20N 107 20W
Porterville, S. Afr. 92 33 0 S 18 57 E
Porterville, U.S.A. 119 36 5N 119 0W
Porthcawl 13 51 28N 3 42W
Porthill 118 49 0N 116 30W
Portile de Fier 46 44 42N 22 30 E
Portimão 31 37 8N 8 32W
Portland, N.S.W., Austral. 99 33 20 S 150 0 E
Portland, Victoria, Austral. 97 38 20 S 141 35 E
Portland, Can. 113 44 42N 76 12W
Portland, Conn., U.S.A. 113 41 34N 72 39W
Portland, Me., U.S.A. 107 43 40N 70 15W
Portland, Mich., U.S.A. 114 42 52N 84 58W
Portland, Oreg., U.S.A. 118 45 35N 122 40W
Portland B. 99 38 15 S 141 45 E
Portland, Bill of 13 50 31N 2 27W
Portland, C. 97 40 46 S 148 0 E
Portland, I. of 13 50 32N 2 25W
Portland Prom. 105 58 40N 78 33W
Portneuf 107 46 43N 71 55W
Porto 30 41 8N 8 40W
Porto □ 30 41 8N 8 20W
Pôrto Alegre 125 30 5 S 51 10W
Porto Alexandre 92 15 55 S 11 55 E
Porto Amboim = Gunza 88 10 50 S 13 50 E
Porto Argentera 38 44 15N 7 27 E
Porto Azzurro 38 42 46N 10 24 E
Porto Botte 40 39 3N 8 33 E
Porto Civitanova 39 43 19N 13 44 E
Pôrto de Móz 127 1 41 S 52 13W
Porto Empédocle 40 37 18N 13 30 E
Pôrto Esperança 126 19 37 S 57 29W
Pôrto Franco 127 6 20 S 47 24W
Porto Garibaldi 39 44 41N 12 14 E
Porto, G. de 21 42 17N 8 34 E
Pôrto Lágo 44 40 58N 25 6 E
Porto Mendes 125 24 30 S 54 15W
Pôrto Murtinho 126 21 45 S 57 55W
Pôrto Nacional 127 10 40 S 48 30W
Porto Novo, Benin 85 6 23N 2 42 E
Porto Novo, India 70 11 30N 79 38 E
Porto Recanati 39 43 26N 13 40 E
Porto San Giórgio 39 43 11N 13 49 E
Porto Santo 80 33 45N 16 25W
Porto Santo Stefano 38 42 26N 11 7 E
Pôrto São José 125 22 43 S 53 10W
Pôrto Seguro 127 16 26 S 39 5W
Porto Tolle 39 44 57N 12 20 E
Porto Tórres 40 40 50N 8 23 E
Pôrto União 125 26 10 S 51 10W
Pôrto Válter 126 8 15 S 72 40W
Porto-Vecchio 21 41 35N 9 16 E
Pôrto Velho 126 8 46 S 63 54W
Portoferráio 38 42 50N 10 20 E
Portogruaro 39 45 47N 12 50 E
Portola 118 39 49N 120 28W
Portomaggiore 39 44 41N 11 47 E
Portoscuso 40 39 12N 8 22 E
Portovénere 38 44 2N 9 50 E
Portoviejo 126 1 7 S 80 28W
Portpatrick 14 54 50N 5 7W
Portree 14 57 25N 6 11W
Portrush 15 55 13N 6 40W
Portsall 18 48 37N 4 45W
Portsmouth, Domin. 121 15 34N 61 27W
Portsmouth, U.K. 13 50 48N 1 6W
Portsmouth, N.H., U.S.A. 114 43 5N 70 45W
Portsmouth, Ohio, U.S.A. 114 38 45N 83 0W
Portsmouth, R.I., U.S.A. 113 41 35N 71 15W
Portsmouth, Va., U.S.A. 114 36 50N 76 20W
Portsoy 14 57 41N 2 41W
Porttipahta 50 68 5N 26 40 E
Portugal ■ 30 40 0N 7 0W
Portugalete 32 43 19N 3 4W
Portuguese-Guinea = Guinea-Bissau ■ 84 12 0N 15 0W
Portuguese Timor □ = Timor 73 8 0 S 126 30 E
Portumna 15 53 5N 8 12W
Portville 112 42 3N 78 21W
Porvenir 128 53 10 S 70 16W
Porvoo 51 60 24N 25 40 E
Porzuna 31 39 9N 4 9W
Posada → 40 40 40N 9 45 E
Posadas, Argent. 125 27 30 S 55 50W
Posadas, Spain 31 37 47N 5 11W
Poschiavo 25 46 19N 10 4 E
Posets 32 42 39N 0 25 E
Poshan = Boshan 76 36 28N 117 49 E
Posidhion, Ákra 44 39 57N 23 30 E
Posidium 45 35 30N 27 10 E
Poso 73 1 20 S 120 55 E
Posse 127 14 4 S 46 18W
Possel 88 5 5N 19 10 E
Possession I. 5 72 4 S 172 0 E
Pössneck 24 50 42N 11 34 E
Post 117 33 13N 101 21W
Post Falls 118 47 46N 116 59W
Postavy 54 55 4N 26 50 E
Poste Maurice Cortier (Bidon 5) 82 22 14N 1 2 E
Postmasburg 92 28 18 S 23 5 E
Postojna 39 45 46N 14 12 E
Potamós, Andikíthira, Greece 45 36 18N 22 58 E
Potamós, Kíthira, Greece 45 36 15N 22 58 E
Potchefstroom 92 26 41 S 27 7 E
Potcoava 46 44 30N 24 39 E
Poteau 117 35 5N 94 37W
Poteet 117 29 4N 98 35W
Potelu, Lacul 46 43 44N 24 20 E
Potenza 41 40 40N 15 50 E
Potenza → 39 43 27N 13 38 E
Potenza Picena 39 43 22N 13 37 E
Poteriteri, L. 101 46 5 S 167 10 E
Potes 30 43 15N 4 42W
Potgietersrus 93 24 10 S 28 55 E
Poti 57 42 10N 41 38 E
Potiskum 85 11 39N 11 2 E
Potlogi 46 44 34N 25 34 E
Potomac → 114 38 0N 76 23W
Potosí 126 19 38 S 65 50W
Pototan 73 10 54N 122 38 E
Potrerillos 124 26 30 S 69 30W
Potsdam, Ger. 24 52 23N 13 4 E
Potsdam, U.S.A. 114 44 40N 74 59W
Potsdam □ 24 52 40N 12 50 E
Pottenstein 25 49 46N 11 25 E
Potter 116 41 15N 103 20W
Pottery Hill = Abu Ballas 86 24 26N 27 36 E
Pottstown 114 40 17N 75 40W
Pottsville 114 40 39N 76 12W
Pouancé 18 47 44N 1 10W
Pouce Coupé 108 55 40N 120 10W
Poughkeepsie 114 41 40N 73 57W
Pouilly 19 47 18N 2 57 E
Poulaphouca Res. 15 53 8N 6 30W
Pouldu, Le 18 47 41N 3 36W
Poulsbo 118 47 45N 122 39W
Pourri, Mont 21 45 32N 6 52 E
Pouso Alegre, Mato Grosso, Brazil 127 11 46 S 57 16W
Pouso Alegre, Minas Gerais, Brazil 125 22 14 S 45 57W
Pouzages 20 46 40N 0 50W
Pouzauges 18 46 47N 0 50W
Povenets 52 62 50N 34 50 E
Poverty Bay 101 38 43 S 178 2 E
Povlen 42 44 9N 19 44 E
Póvoa de Lanhosa 30 41 33N 8 15W
Póvoa de Varzim 30 41 25N 8 46W
Povorino 55 51 12N 42 5 E
Powassan 106 46 5N 79 25W
Powder → 116 46 47N 105 12W
Powder River 118 43 5N 107 0W
Powell 118 44 45N 108 45W
Powell Creek 96 18 6 S 133 46 E
Powell, L. 119 37 25N 110 45W
Powell River 108 49 50N 124 35W
Powers, Mich., U.S.A. 114 45 40N 87 32W
Powers, Oreg., U.S.A. 118 42 53N 124 2W
Powers Lake 116 48 37N 102 38W
Powys □ 13 52 20N 3 20W
Poyang Hu 75 29 5N 116 20 E
Poyarkovo 59 49 36N 128 41 E
Poysdorf 27 48 40N 16 37 E
Poza de la Sal 32 42 35N 3 31W
Poza Rica 120 20 33N 97 27W
Požarevac 42 44 35N 21 18 E
Požega 42 43 53N 20 2 E
Poznań 28 52 25N 16 55 E
Poznań □ 28 52 50N 17 0 E
Pozo Alcón 33 37 42N 2 56W
Pozo Almonte 126 20 10 S 69 50W
Pozo Colorado 124 23 30 S 58 45W
Pozoblanco 31 38 23N 4 51W
Pozzallo 41 36 44N 14 52 E
Pozzuoli 41 40 46N 14 6 E
Pra → 85 5 1N 1 37W
Prabuty 28 53 47N 19 15 E
Prača 42 43 47N 18 43 E
Prachatice 26 49 1N 14 0 E
Prachin Buri 71 14 0N 101 25 E
Prachuap Khiri Khan 71 11 49N 99 48 E
Pradelles 20 44 46N 3 52 E
Prades 20 42 38N 2 23 E
Prado 127 17 20 S 39 13W
Prado del Rey 31 36 48N 5 33W
Præstø 49 55 8N 12 2 E
Pragersko 39 46 27N 15 42 E
Prague = Praha 26 50 5N 14 22 E
Praha 26 50 5N 14 22 E
Prahecq 20 46 19N 0 26W
Prahita → 70 19 0N 79 55 E
Prahova □ 46 45 10N 26 0 E
Prahova → 46 44 50N 25 50 E
Prahovo 42 44 18N 22 39 E
Praid 46 46 32N 25 10 E
Prainha, Amazonas, Brazil 126 7 10 S 60 30W
Prainha, Pará, Brazil 127 1 45 S 53 30W
Prairie 98 20 50 S 144 35 E
Prairie → 117 34 30N 99 23W
Prairie City 118 44 27N 118 44W
Prairie du Chien 116 43 1N 91 9W
Praja 72 8 39 S 116 17 E
Pramánda 44 39 32N 21 8 E
Prang 85 8 1N 0 56W
Prapat 72 2 41N 98 58 E
Praszka 28 51 5N 18 31 E
Prata 127 19 25 S 48 54W
Prática di Mare 40 41 40N 12 26 E
Prato 38 43 53N 11 5 E
Prátola Peligna 39 42 7N 13 51 E
Pratovécchio 39 43 44N 11 43 E
Prats-de-Mollo 20 42 25N 2 27 E
Pratt 117 37 40N 98 45W
Prattville 115 32 30N 86 28W
Pravara → 70 19 35N 74 45 E
Pravdinsk 55 56 29N 43 28 E
Pravia 30 43 30N 6 12W
Pré-en-Pail 18 48 28N 0 12W
Pré St. Didier 38 45 45N 7 0 E
Precordillera 124 30 0 S 69 1W
Predáppio 39 44 7N 11 58 E
Predazzo 39 46 19N 11 37 E
Predejane 42 42 51N 22 9 E
Preeceville 109 51 57N 102 40W
Préfailles 18 47 9N 2 11W
Pregrada 39 46 11N 15 45 E
Preko 39 44 7N 15 14 E
Prelate 109 50 51N 109 24W
Prelog 39 46 18N 16 32 E
Premier 108 56 4N 129 56W
Premier Downs 96 30 30 S 126 30 E
Premont 117 27 19N 98 8W
Premuda 39 44 20N 14 36 E
Prenj 42 43 33N 17 53 E
Prenjasi 44 41 6N 20 32 E
Prentice 116 45 31N 90 19W
Prenzlau 24 53 19N 13 51 E
Prepansko Jezero 44 40 55N 21 0 E
Preparis North Channel 71 15 12N 93 40 E
Preparis South Channel 71 14 36N 93 40 E
Přerov 27 49 28N 17 27 E
Presanella 38 46 13N 10 40 E
Prescott, Can. 106 44 45N 75 30W
Prescott, Ariz., U.S.A. 119 34 35N 112 30W
Prescott, Ark., U.S.A. 117 33 49N 93 22W
Preservation Inlet 101 46 8 S 166 35 E
Preševo 42 42 19N 21 39 E
Presho 116 43 56N 100 4W
Presicce 41 39 53N 18 13 E
Presidencia de la Plaza 124 27 0 S 29 50W
Presidencia Roque Saenz Peña 124 26 45 S 60 30W
Presidente Epitácio 127 21 56 S 52 6W
Presidente Hayes □ 124 24 0 S 59 0W
Presidente Hermes 126 11 17 S 61 55W
Presidente Prudente 125 22 5 S 51 25W
Presidio 117 29 30N 104 20W
Preslav 43 43 10N 26 52 E
Preslavska Planina 43 43 10N 26 45 E
Prešov 27 49 0N 21 15 E
Prespa 43 41 44N 24 55 E
Prespa, L. = Prepansko Jezero 44 40 55N 21 0 E
Presque Isle 107 46 40N 68 0W
Presseger See 26 46 37N 13 26 E
Prestbury 13 51 54N 2 2W
Prestea 84 5 22N 2 7W
Presteigne 13 52 17N 3 0W
Přeštice 26 49 34N 13 20 E
Preston, Can. 112 43 23N 80 21W
Preston, U.K. 12 53 46N 2 42W
Preston, Idaho, U.S.A. 118 42 10N 111 55W
Preston, Minn., U.S.A. 116 43 39N 92 3W
Preston, Nev., U.S.A. 118 38 59N 115 2W
Preston, C. 96 20 51 S 116 12 E
Prestonpans 14 55 58N 3 0W
Prestwick 14 55 30N 4 38W
Pretoria 93 25 44 S 28 12 E
Preuilly-sur-Claise 18 46 51N 0 56 E
Préveza 45 38 57N 20 47 E
Préveza □ 44 39 20N 20 40 E
Prey-Veng 71 11 35N 105 29 E
Priazovskoye 56 46 44N 35 40 E
Pribilof Is. 4 56 0N 170 0W
Priboj 42 43 35N 19 32 E
Pribram 26 49 41N 14 2 E
Price 118 39 40N 110 48W
Price I. 108 52 23N 128 41W
Prichalnaya 57 48 57N 44 33 E
Priego 32 40 26N 2 21W
Priego de Córdoba 31 37 27N 4 12W
Priekule 54 57 27N 21 45 E
Prien 25 47 52N 12 20 E
Prieska 92 29 40 S 22 42 E
Priest L. 118 48 30N 116 55W
Priest River 118 48 11N 116 55W
Priestly 108 54 8N 125 20W
Prievidza 27 48 46N 18 36 E
Prijedor 39 44 58N 16 41 E
Prijepolje 42 43 27N 19 40 E
Prikaspiyskaya Nizmennost 57 47 0N 48 0 E
Prikumsk 56 44 50N 44 10 E
Prilep 42 41 21N 21 37 E
Priluki 54 50 30N 32 24 E
Primorsko 43 42 15N 27 44 E
Primorsko-Akhtarsk 56 46 2N 38 10 E
Primorskoye 56 47 10N 37 38 E
Primrose L. 109 54 55N 109 45W
Prince Albert 109 53 15N 105 50W
Prince Albert Mts. 5 76 0 S 161 30 E
Prince Albert Nat. Park 109 54 0N 106 25W
Prince Albert Pen. 104 72 30N 116 0W
Prince Albert Sd. 104 70 25N 115 0W
Prince Alfred C. 4 74 20N 124 40W
Prince Charles I. 105 67 47N 76 12W
Prince Charles Mts. 5 72 0 S 67 0 E
Prince Edward I. □ 107 46 20N 63 20W
Prince Edward Is. 3 45 15 S 39 0 E
Prince George 108 53 55N 122 50W
Prince of Wales I. 104 55 30N 133 0W
Prince of Wales Is. 97 10 40 S 142 10 E
Prince Patrick I. 4 77 0N 120 0W
Prince Regent Inlet 4 73 0N 90 0W
Prince Rupert 108 54 20N 130 20W
Princess Charlotte B. 97 14 25 S 144 0 E
Princess Royal I. 108 53 0N 128 40W
Princeton, Can. 108 49 27N 120 30W
Princeton, Ill., U.S.A. 116 41 25N 89 25W
Princeton, Ind., U.S.A. 114 38 20N 87 35W
Princeton, Ky., U.S.A. 114 37 6N 87 55W
Princeton, Mo., U.S.A. 116 40 23N 93 35W
Princeton, N.J., U.S.A. 114 40 18N 74 40W
Princeton, W. Va., U.S.A. 114 37 21N 81 8W
Principe Chan. 108 53 28N 130 0W
Principe da Beira 126 12 20 S 64 30W
Principe, I. de 79 1 37N 7 27 E
Prineville 118 44 17N 120 50W
Prins Albert 92 33 12 S 22 2 E
Prins Harald Kyst 5 70 0 S 35 1 E
Prinsesse Astrid Kyst 5 70 45 S 12 30 E
Prinsesse Ragnhild Kyst 5 70 15 S 27 30 E
Prior, C. 30 43 34N 8 17W
Priozersk 52 61 2N 30 7 E
Pripet = Pripyat → 54 51 20N 30 9 E
Pripet Marshes = Polesye 54 52 0N 28 10 E

Pripyat Quillabamba

Pripyat → 54 51 20N 30 9 E
Prislop, Pasul 46 47 37N 25 15 E
Pristen 55 51 15N 36 44 E
Priština 42 42 40N 21 13 E
Pritchard 115 30 47N 88 5W
Pritzwalk 24 53 10N 12 11 E
Privas 21 44 45N 4 37 E
Priverno 40 41 29N 13 10 E
Privolzhsk 55 57 23N 41 16 E
Privolzhskaya Vozvyshennost 55 51 0N 46 0 E
Privolzhskiy 55 51 25N 46 3 E
Privolzhye 55 52 52N 48 33 E
Priyutnoye 57 46 12N 43 40 E
Prizren 42 42 13N 20 45 E
Prizzi 40 37 44N 13 24 E
Prnjavor 42 44 52N 17 43 E
Probolinggo 73 7 46 S 113 13 E
Prochowice 28 51 17N 16 20 E
Procida 40 40 46N 14 0 E
Proddatur 70 14 45N 78 30 E
Proença-a-Nova 31 39 45N 7 54W
Progreso 120 21 20N 89 40W
Prokhladnyy 57 43 50N 44 2 E
Prokletije 44 42 30N 19 45 E
Prokopyevsk 58 54 0N 86 45 E
Prokuplje 42 43 16N 21 36 E
Proletarskaya 57 46 42N 41 50 E
Prome = Pyè 67 18 45N 95 30 E
Prophet → 108 58 48N 122 40W
Propriá 127 10 13 S 36 51W
Propriano 21 41 41N 8 52 E
Proserpine 97 20 21 S 148 36 E
Prosna 28 51 1N 18 30 E
Prosser 118 46 11N 119 52W
Prostějov 27 49 30N 17 9 E
Prostki 28 53 42N 22 25 E
Proston 99 26 8 S 151 32 E
Proszowice 27 50 13N 20 16 E
Protection 117 37 16N 99 30W
Próti 45 37 5N 21 32 E
Provadiya 43 43 12N 27 30 E
Provence 21 43 40N 5 46 E
Providence, Ky., U.S.A. 114 37 25N 87 46W
Providence, R.I., U.S.A. 114 41 50N 71 28W
Providence Bay 106 45 41N 82 15W
Providence Mts. 119 35 0N 115 30W
Providencia, I. de 121 13 25N 81 26W
Provideniya 59 64 23N 173 18W
Provins 19 48 33N 3 15 E
Provo 118 40 16N 111 37W
Provost 109 52 25N 110 20W
Prozor 42 43 50N 17 34 E
Prud'homme 109 52 20N 105 54W
Prudnik 28 50 20N 17 38 E
Prüm 25 50 14N 6 22 E
Pruszcz Gd. 28 54 17N 18 40 E
Pruszków 28 52 9N 20 49 E
Prut → 46 46 3N 28 10 E
Pruzhany 54 52 33N 24 28 E
Prvič 39 44 55N 14 47 E
Prydz B. 5 69 0 S 74 0 E
Pryor 117 36 17N 95 20W
Przasnysz 28 53 2N 20 45 E
Przedbórz 28 51 6N 19 53 E
Przedecz 28 52 20N 18 53 E
Przemyśl 27 49 50N 22 45 E
Przeworsk 27 50 6N 22 32 E
Przewóz 28 51 28N 14 57 E
Przhevalsk 58 42 30N 78 20 E
Przysuchla 28 51 22N 20 38 E
Psakhná 45 38 34N 23 35 E
Psará 45 38 37N 25 38 E
Psathoúra 44 39 30N 24 12 E
Psel → 56 49 5N 33 20 E
Pserimos 45 36 56N 27 12 E
Pskov 54 57 50N 28 25 E
Psunj 42 45 25N 17 19 E
Pszczyna 27 49 59N 18 58 E
Pteleón 45 39 3N 22 57 E
Ptich → 54 52 9N 28 52 E
Ptolemaís 44 40 30N 21 43 E
Ptuj 39 46 28N 15 50 E
Ptujska Gora 39 46 23N 15 47 E
Puán 124 37 30 S 62 45W
Pucallpa 126 8 25 S 74 30W
Pucheng 77 27 59N 118 31 E
Pucheni 46 45 12N 25 17 E
Pučišće 39 43 22N 16 43 E
Puck 28 54 45N 18 23 E
Pucka, Zatoka 28 54 30N 18 40 E
Pudozh 52 61 48N 36 32 E
Pudukkottai 70 10 28N 78 47 E
Puebla 120 19 0N 98 10W
Puebla □ 120 18 30N 98 0W
Puebla de Alcocer 31 38 59N 5 14W
Puebla de Cazalla, La 31 37 10N 5 20W
Puebla de Don Fadrique 33 37 58N 2 25W
Puebla de Don Rodrigo 31 39 5N 4 37W
Puebla de Guzmán 31 37 37N 7 15W
Puebla de los Infantes, La 31 37 47N 5 24W
Puebla de Montalbán, La 30 39 52N 4 22W
Puebla de Sanabria 30 42 4N 6 38W
Puebla de Trives 30 42 20N 7 10W
Puebla del Caramiñal 30 42 37N 8 56W
Puebla, La 32 39 46N 3 1 E
Pueblo 116 38 20N 104 40W
Pueblo Bonito 119 36 4N 107 57W
Pueblo Hundido 124 26 20 S 70 5W
Puelches 124 38 5 S 65 51W
Puelén 124 37 32 S 67 38W
Puente Alto 124 33 32 S 70 35W
Puente del Arzobispo 30 39 48N 5 10W
Puente-Genil 31 37 22N 4 47W
Puente la Reina 32 42 40N 1 49W
Puenteareas 30 42 10N 8 28W
Puentedeume 30 43 24N 8 10W
Puentes de Garcia Rodriguez 30 43 27N 7 50W
Puerco → 119 34 22N 107 50W
Puerta, La 33 38 22N 2 45W
Puerto Aisén 128 45 27 S 73 0W
Puerto Armuelles 121 8 20N 82 51W
Puerto Ayacucho 126 5 40N 67 35W
Puerto Barrios 120 15 40N 88 32W
Puerto Bermejo 124 26 55 S 58 34W
Puerto Bermúdez 126 10 20 S 75 0W
Puerto Bolívar 126 3 19 S 79 55W
Puerto Cabello 126 10 28N 68 1W
Puerto Cabezas 121 14 0N 83 30W
Puerto Capaz = Jebba 82 35 11N 4 43W
Puerto Carreño 126 6 12N 67 22W
Puerto Castilla 121 16 0N 86 0W
Puerto Chicama 126 7 45 S 79 20W
Puerto Coig 128 50 54 S 69 15W
Puerto Cortes 121 8 55N 84 0W
Puerto Cortés 120 15 51N 88 0W
Puerto Cumarebo 126 11 29N 69 30W
Puerto de Santa María 31 36 36N 6 13W
Puerto del Rosario 80 28 30N 13 52W
Puerto Deseado 128 47 55 S 66 0W
Puerto Heath 126 12 34 S 68 39W
Puerto Juárez 120 21 11N 86 49W
Puerto La Cruz 126 10 13N 64 38W
Puerto Leguízamo 126 0 12 S 74 46W
Puerto Libertad 120 29 55N 112 41W
Puerto Lobos 128 42 0 S 65 3W
Puerto Lumbreras 33 37 34N 1 48W
Puerto Madryn 128 42 48 S 65 4W
Puerto Maldonado 126 12 30 S 69 10W
Puerto Mazarrón 33 37 34N 1 15W
Puerto Montt 128 41 28 S 73 0W
Puerto Morelos 120 20 49N 86 52W
Puerto Natales 128 51 45 S 72 15W
Puerto Padre 121 21 13N 76 35W
Puerto Páez 126 6 13N 67 28W
Puerto Peñasco 120 31 20N 113 33W
Puerto Pinasco 124 22 36 S 57 50W
Puerto Pirámides 128 42 35 S 64 20W
Puerto Plata 121 19 48N 70 45W
Puerto Princesa 73 9 46N 118 45 E
Puerto Quellón 128 43 7 S 73 37W
Puerto Quepos 121 9 29N 84 6W
Puerto Real 31 36 33N 6 12W
Puerto Rico ■ 121 18 15N 66 45W
Puerto Sastre 124 22 2 S 57 55W
Puerto Suárez 126 18 58 S 57 52W
Puerto Vallarta 120 20 36N 105 15W
Puerto Wilches 126 7 21N 73 54W
Puertollano 31 38 43N 4 7W
Puertomarin 30 42 48N 7 36W
Pueyrredón, L. 128 47 20 S 72 0W
Pugachev 55 52 0N 48 49 E
Puge 90 4 45 S 33 11 E
Puget Sd. 118 47 15N 122 30W
Puget-Théniers 21 43 58N 6 53 E
Púglia □ 41 41 0N 16 30 E
Pugu 90 6 55 S 39 4 E
Pui 46 45 30N 23 4 E
Puiești 46 46 25N 27 33 E
Puig Mayor, Mte. 32 39 48N 2 47 E
Puigcerdá 32 42 24N 1 50 E
Puigmal 32 42 23N 2 7 E
Puisaye, Collines de 19 47 34N 3 18 E
Puiseaux 19 48 11N 2 30 E
Puka 44 42 2N 19 53 E
Pukaki L. 101 44 4 S 170 1 E
Pukatawagan 109 55 45N 101 20W
Pukekohe 101 37 12 S 174 55 E
Pukou 77 32 7N 118 38 E
Pula 40 39 0N 9 0 E
Pula (Pola) 39 44 54N 13 57 E
Pulaski, N.Y., U.S.A. 114 43 32N 76 9W
Pulaski, Tenn., U.S.A. 115 35 10N 87 0W
Pulaski, Va., U.S.A. 114 37 4N 80 49W
Pulawy 28 51 23N 21 59 E
Pulgaon 68 20 44N 78 21 E
Pulicat, L. 70 13 40N 80 15 E
Puliyangudi 70 9 11N 77 24 E
Pullman 118 46 49N 117 10W
Pulog, Mt. 73 16 40N 120 50 E
Puloraja 72 4 55N 95 24 E
Pułtusk 28 52 43N 21 6 E
Pumlumon Fawr 13 52 29N 3 47W
Puna 126 19 45 S 65 28W
Puná, I. 126 2 55 S 80 5W
Punakha 69 27 42N 89 52 E
Punalur 70 9 0N 76 56 E
Punasar 68 27 6N 73 6 E
Punata 126 17 32 S 65 50W
Punch 69 33 48N 74 4 E
Pune 70 18 29N 73 57 E
Pungue, Ponte de 91 19 0 S 34 0 E
Puning 77 23 20N 116 12 E
Punjab □ 68 31 0N 76 0 E
Puno 126 15 55 S 70 3W
Punta Alta 128 38 53 S 62 4W
Punta Arenas 128 53 10 S 71 0W
Punta de Díaz 124 28 0 S 70 45W
Punta Gorda, Belize 120 16 10N 88 45W
Punta Gorda, U.S.A. 115 26 55N 82 0W
Puntarenas 121 10 0N 84 50W
Punto Fijo 126 11 50N 70 13W
Punxsutawney 114 40 56N 79 0W
Puqi 77 29 40N 113 50 E
Puquio 126 14 45 S 74 10W
Pur → 58 67 31N 77 55 E
Purace, Vol. 126 2 21N 76 23W
Puračić 42 44 33N 18 28 E
Purari → 98 7 49 S 145 0 E
Purbeck, Isle of 13 50 40N 2 5W
Purcell 117 35 0N 97 25W
Purchena Tetica 33 37 21N 2 21W
Puri 69 19 50N 85 58 E
Purli 68 18 50N 76 35 E
Purmerend 16 52 30N 4 58 E
Purna → 70 19 6N 77 2 E
Purnea 69 25 45N 87 31 E
Pursat 71 12 34N 103 50 E
Purukcahu 72 0 35 S 114 35 E
Purulia 69 23 17N 86 24 E
Purus → 126 3 42 S 61 28W
Pŭrvomay 43 42 8N 25 17 E
Purwakarta 73 6 35 S 107 29 E
Purwodadi, Jawa, Indon. 73 7 51 S 110 0 E
Purwodadi, Jawa, Indon. 73 7 7 S 110 55 E
Purwokerto 73 7 25 S 109 14 E
Purworedjo 73 7 43 S 110 2 E
Pus → 70 19 55N 77 55 E
Pusad 70 19 56N 77 36 E
Pusan 76 35 5N 129 0 E
Pushchino 59 54 10N 158 0 E
Pushkin 54 59 45N 30 25 E
Pushkino, R.S.F.S.R., U.S.S.R. 55 51 16N 47 0 E
Pushkino, R.S.F.S.R., U.S.S.R. 55 56 2N 37 49 E
Püspökladány 27 47 19N 21 6 E
Pustoshka 54 56 20N 29 30 E
Puszczykowo 28 52 18N 16 49 E
Putahow L. 109 59 54N 100 40W
Putao 67 27 28N 97 30 E
Putaruru 101 38 2 S 175 50 E
Putbus 24 54 19N 13 29 E
Puţeni 46 45 49N 27 42 E
Puthein Myit → 67 15 56N 94 18 E
Putian 77 25 23N 119 0 E
Putignano 41 40 50N 17 5 E
Puting, Tanjung 72 3 31 S 111 46 E
Putlitz 24 53 15N 12 3 E
Putna 46 47 50N 25 33 E
Putna → 46 45 42N 27 26 E
Putnam 113 41 55N 71 55W
Putnok 27 48 18N 20 26 E
Putorana, Gory 59 69 0N 95 0 E
Puttalam Lagoon 70 8 15N 79 45 E
Putten 16 52 16N 5 36 E
Puttgarden 24 54 28N 11 15 E
Puttur 70 12 46N 75 12 E
Putumayo → 126 3 7 S 67 58W
Putussibau 72 0 50N 112 56 E
Puy-de-Dôme 20 45 46N 2 57 E
Puy-de-Dôme □ 20 45 47N 3 0 E
Puy-de-Sancy 20 45 32N 2 48 E
Puy-Guillaume 20 45 57N 3 29 E
Puy, Le 20 45 3N 3 52 E
Puy l'Évêque 20 44 31N 1 9 E
Puyallup 118 47 10N 122 22W
Puyang 76 35 40N 115 1 E
Puylaurens 20 43 35N 2 0 E
Puyôo 20 43 33N 0 56W
Pwani □ 90 7 0 S 39 0 E
Pweto 91 8 25 S 28 51 E
Pwllheli 12 52 54N 4 26W
Pya-ozero 52 66 5N 30 58 E
Pyana → 55 55 30N 46 0 E
Pyapon 67 16 20N 95 40 E
Pyasina → 59 73 30N 87 0 E
Pyatigorsk 57 44 2N 43 6 E
Pyatikhatki 56 48 28N 33 38 E
Pydna 44 40 20N 22 34 E
Pyinmana 67 19 45N 96 12 E
Pyŏngyang 76 39 0N 125 30 E
Pyote 117 31 34N 103 5W
Pyramid L. 118 40 0N 119 30W
Pyramids 86 29 58N 31 9 E
Pyrénées 20 42 45N 0 18 E
Pyrenees = Pyrénées 20 42 45N 0 18 E
Pyrénées-Atlantiques □ 20 43 15N 1 0W
Pyrénées-Orientales □ 20 42 35N 2 26 E
Pyrzyce 28 53 10N 14 55 E
Pyshchug 55 58 57N 45 47 E
Pytalovo 54 57 5N 27 55 E
Pyttegga 47 62 13N 7 42 E
Pyu 67 18 30N 96 28 E
Pyzdry 28 52 11N 17 42 E

Q

Qabalān 62 32 8N 35 17 E
Qabātiyah 62 32 25N 35 16 E
Qaidam Pendi 75 37 0N 95 0 E
Qa'iya 64 24 33N 43 15 E
Qal' at Shajwa 86 25 2N 38 57 E
Qala-i-Jadid (Spin Baldak) 68 31 1N 66 25 E
Qalāt 65 32 15N 66 58 E
Qal'at al Akhḍar 64 28 0N 37 10 E
Qal'at al Mu'azzam 64 27 45N 37 31 E
Qal'at Saura 86 26 10N 38 40 E
Qal'eh-ye Now 65 35 0N 63 5 E
Qalqīlya 62 32 12N 34 58 E
Qalyûb 86 30 12N 31 11 E
Qam 62 32 36N 35 43 E
Qamar, Ghubbat al 63 16 20N 52 30 E
Qamruddin Karez 68 31 45N 68 20 E
Qāna 62 33 12N 35 17 E
Qâra 86 29 38N 26 30 E
Qarachuk 64 37 0N 42 2 E
Qārah 64 29 55N 40 3 E
Qardud 87 10 20N 29 56 E
Qarqan 75 38 5N 85 20 E
Qarqan He → 75 39 30N 88 30 E
Qarrasa 87 14 38N 32 5 E
Qasim 64 26 0N 43 0 E
Qāsim 62 32 59N 36 2 E
Qaṣr Bū Hadi 83 31 1N 16 45 E
Qaṣr-e Qand 65 26 15N 60 45 E
Qasr Farâfra 86 27 0N 28 1 E
Qatar ■ 65 25 30N 51 15 E
Qattâra 86 30 12N 27 3 E
Qattâra Depression = Qattâra, Munkhafed el 86 29 30N 27 30 E
Qattâra, Munkhafed el 86 29 30N 27 30 E
Qāyen 65 33 40N 59 10 E
Qazvin 64 36 15N 50 0 E
Qena 86 26 10N 32 43 E
Qena, Wadi → 86 26 12N 32 44 E
Qeshm 65 26 55N 56 10 E
Qezi'ot 62 30 52N 34 26 E
Qian Xian 77 34 31N 108 15 E
Qianshan 77 30 37N 116 35 E
Qianxi 77 27 3N 106 3 E
Qianyang 77 27 18N 110 10 E
Qijiang 77 28 57N 106 35 E
Qila Safed 66 29 0N 61 30 E
Qila Saifulla 68 30 45N 68 17 E
Qilian Shan 75 38 30N 96 0 E
Qin Ling = Qinling Shandi 77 33 50N 108 10 E
Qin'an 77 34 48N 105 40 E
Qingdao 76 36 5N 120 20 E
Qinghai □ 75 36 0N 98 0 E
Qinghai Hu 75 36 40N 100 10 E
Qingjiang, Jiangsu, China 77 33 30N 119 2 E
Qingjiang, Jiangxi, China 77 28 4N 115 29 E
Qingliu 77 26 11N 116 48 E
Qingshuihe 76 39 55N 111 35 E
Qingyang 76 36 2N 107 55 E
Qingyuan 77 23 40N 112 59 E
Qinhuangdao 76 39 56N 119 30 E
Qinling Shandi 77 33 50N 108 10 E
Qinyang 77 35 7N 112 57 E
Qinyuan 76 36 29N 112 20 E
Qinzhou 75 21 58N 108 38 E
Qionghai 77 19 15N 110 26 E
Qiongshan 77 19 51N 110 26 E
Qiongzhou Haixia 77 20 10N 110 15 E
Qiqihar 75 47 26N 124 0 E
Qiryat 'Anavim 62 31 49N 35 7 E
Qiryat Ata 62 32 47N 35 6 E
Qiryat Bialik 62 32 50N 35 5 E
Qiryat Gat 62 31 32N 34 46 E
Qiryat Ḥayyim 62 32 49N 35 4 E
Qiryat Mal'akhi 62 31 44N 34 44 E
Qiryat Shemona 62 33 13N 35 35 E
Qiryat Yam 62 32 51N 35 4 E
Qishan 77 22 52N 120 25 E
Qishon → 62 32 49N 35 2 E
Qishrān 86 20 14N 40 2 E
Qitai 75 44 2N 89 35 E
Qiyahe 76 53 0N 120 35 E
Qiyang 77 26 35N 111 50 E
Qizan 87 16 57N 42 34 E
Qizān 63 17 0N 42 20 E
Qom 65 34 40N 51 0 E
Qomolangma Feng (Mt. Everest) 75 28 0N 86 45 E
Qondūz 65 36 50N 68 50 E
Qondūz □ 65 36 50N 68 50 E
Qu Jiang → 77 30 1N 106 24 E
Qu Xian, Sichuan, China 77 30 48N 106 58 E
Qu Xian, Zhejiang, China 75 28 57N 118 54 E
Quackenbrück 24 52 40N 7 59 E
Quakertown 113 40 27N 75 20W
Quambatook 99 35 49 S 143 34 E
Quambone 99 30 57 S 147 53 E
Quan Long = Ca Mau 71 9 7N 105 8 E
Quanan 117 34 20N 99 45W
Quandialla 99 34 1 S 147 47 E
Quang Ngai 71 15 13N 108 58 E
Quang Yen 71 20 56N 106 52 E
Quantock Hills 13 51 8N 3 10W
Quanzhou, Fujian, China 75 24 55N 118 34 E
Quanzhou, Guangxi Zhuangzu, China 77 25 57N 111 5 E
Quaraí 124 30 15 S 56 20W
Quarré-les-Tombes 19 47 21N 4 0 E
Quartu Sant' Elena 40 39 15N 9 10 E
Quartzsite 119 33 44N 114 16W
Quatsino 108 50 30N 127 40W
Quatsino Sd. 108 50 25N 127 58W
Qubab = Mishmar Ayyalon 62 31 52N 34 57 E
Qūchān 65 37 10N 58 27 E
† Que Que 91 18 58 S 29 48 E
Queanbeyan 97 35 17 S 149 14 E
Québec 107 46 52N 71 13W
Québec □ 107 50 0N 70 0W
Quedlinburg 24 51 47N 11 9 E
Queen Alexandra Ra. 5 85 0 S 170 0 E
Queen Charlotte 108 53 15N 132 2W
Queen Charlotte Is. 108 53 20N 132 10W
Queen Charlotte Str. 108 51 0N 128 0W
Queen Elizabeth Is. 102 76 0N 95 0W
Queen Elizabeth Nat. Park 90 0 0 S 30 0 E
Queen Mary Coast 5 70 0 S 95 0 E
Queen Maud G. 104 68 15N 102 30W
Queen Maud Ra. 5 86 0 S 160 0W
Queens Chan. 96 15 0 S 129 30 E
Queenscliff 97 38 16 S 144 39 E
Queensland □ 97 22 0 S 142 0 E
Queenstown, Austral. 97 42 4 S 145 35 E
Queenstown, N.Z. 101 45 1 S 168 40 E
Queenstown, S. Afr. 92 31 52 S 26 52 E
Queguay Grande → 124 32 9 S 58 9W
Queimadas 127 11 0 S 39 38W
Quela 88 9 10 S 16 56 E
Quelimane 91 17 53 S 36 58 E
Quelpart = Cheju Do 77 33 29N 126 34 E
Quemado, N. Mex., U.S.A. 119 34 17N 108 28W
Quemado, Tex., U.S.A. 117 28 58N 100 35W
Quemú-Quemú 124 36 3 S 63 36W
Quequén 124 38 30 S 58 30W
Querétaro 120 20 40N 100 23W
Querétaro □ 120 20 30N 100 0W
Querfurt 24 51 22N 11 33 E
Querqueville 18 49 40N 1 42W
Quesada 33 37 51N 3 4W
Queshan 77 32 55N 114 2 E
Quesnel 108 53 0N 122 30W
Quesnel → 108 52 58N 122 29W
Quesnel L. 108 52 30N 121 20W
Quesnoy, Le 19 50 15N 3 38 E
Questa 119 36 45N 105 35W
Questembert 18 47 40N 2 28W
Quetico Prov. Park 106 48 30N 91 45W
Quetta 66 30 15N 66 55 E
* Quetta □ 66 30 15N 66 55 E
Quezaltenango 120 14 50N 91 30W
Quezon City 73 14 38N 121 0 E
Qui Nhon 71 13 40N 109 13 E
Quiaca, La 124 22 5 S 65 35W
Quibaxe 88 8 24 S 14 27 E
Quibdo 126 5 42N 76 40W
Quiberon 18 47 29N 3 9W
Quick 108 54 36N 126 54W
Quickborn 24 53 42N 9 52 E
Quiet L. 108 61 5N 133 5W
Quiindy 124 25 58 S 57 14W
Quilán, C. 128 43 15 S 74 30W
Quilengues 89 14 12 S 14 12 E
Quilimarí 124 32 5 S 71 30W
Quilino 124 30 14 S 64 29W
Quillabamba 126 12 50 S 72 50W

* *Now part of Baluchistan* □

† *Renamed Kwekwe*

Quillagua Red Rock, L.

Quillagua 124 21 40 S 69 40W
Quillaicillo 124 31 17 S 71 40W
Quillan 20 42 53N 2 10 E
Quillebeuf 18 49 28N 0 30 E
Quillota 124 32 54 S 71 16W
Quilmes 124 34 43 S 58 15W
Quilon 70 8 50N 76 38 E
Quilpie 97 26 35 S 144 11 E
Quilpué 124 33 5 S 71 33W
Quilua 91 16 17 S 39 54 E
Quimilí 124 27 40 S 62 30W
Quimper 18 48 0N 4 9W
Quimperlé 18 47 53N 3 33W
Quincy, Calif., U.S.A. 118 39 56N 121 0W
Quincy, Fla., U.S.A. 115 30 34N 84 34W
Quincy, Ill., U.S.A. 116 39 55N 91 20W
Quincy, Mass., U.S.A. 114 42 14N 71 0W
Quincy, Wash., U.S.A. 118 47 22N 119 56W
Quines 124 32 13 S 65 48W
Quinga 91 15 49 S 40 15 E
Quingey 19 47 7N 5 52 E
Quintana de la Serena 31 38 45N 5 40W
Quintana Roo □ 120 19 0N 88 0W
Quintanar de la Orden 32 39 36N 3 5W
Quintanar de la Sierra 32 41 57N 2 55W
Quintanar del Rey 33 39 21N 1 56W
Quintero 124 32 45 S 71 30W
Quintin 18 48 26N 2 56W
Quinto 32 41 25N 0 32W
Quinyambie 99 30 15 S 141 0 E
Quipar → 33 38 15N 1 40W
Quirihue 124 36 15 S 72 35W
Quirindi 99 31 28 S 150 40 E
Quiroga 30 42 28N 7 18W
Quissac 21 43 55N 4 0 E
Quissanga 91 12 24 S 40 28 E
Quitilipi 124 26 50 S 60 13W
Quitman, Ga., U.S.A. 115 30 49N 83 35W
Quitman, Miss., U.S.A. 115 32 2N 88 42W
Quitman, Tex., U.S.A. 117 32 48N 95 25W
Quito 126 0 15 S 78 35W
Quixadá 127 4 55 S 39 0W
Quixaxe 91 15 17 S 40 4 E
Qul'ân, Jazâ'ir 86 24 22N 35 31 E
Qumrān 62 31 43N 35 27 E
Quneitra 62 33 7N 35 48 E
Quoin Pt. 92 34 46 S 19 37 E
Quondong 99 33 6 S 140 18 E
Quorn 97 32 25 S 138 0 E
Qurein 87 13 30N 34 50 E
Qûs 86 25 55N 32 50 E
Quseir 86 26 7N 34 16 E
Qusrah 62 32 5N 35 20 E
Quthing 93 30 25 S 27 36 E
Qytet Stalin (Kuçove) 44 40 47N 19 57 E

R

Råå 49 56 0N 12 45 E
Raab 26 48 21N 13 39 E
Raahe 50 64 40N 24 28 E
Ra'ananna 62 32 12N 34 52 E
Raasay 14 57 25N 6 4W
Raasay, Sd. of 14 57 30N 6 8W
Rab 39 44 45N 14 45 E
Raba 73 8 36 S 118 55 E
Rába → 27 47 38N 17 38 E
Raba → 27 50 8N 20 30 E
Rabaçal → 30 41 30N 7 12W
Rabah 85 13 5N 5 30 E
Rabai 90 3 50 S 39 31 E
Rabastens, Hautes-Pyrénées, France 20 43 25N 0 10 E
Rabastens, Tarn, France 20 43 50N 1 43 E
Rabat, Malta 36 35 53N 14 25 E
Rabat, Moroc. 82 34 2N 6 48W
Rabaul 94 4 24 S 152 18 E
Rabbit → 108 59 41N 127 12W
Rabbit Lake 109 53 8N 107 46W
Rabbitskin → 108 61 47N 120 42W
Râbigh 64 22 50N 39 5 E
Rabka 27 49 37N 19 59 E
Rača 42 44 14N 21 0 E
Răcale 41 39 57N 18 6 E
Racalmuto 40 37 25N 13 41 E
Răcăşdia 42 44 59N 21 36 E
Racconigi 38 44 47N 7 41 E
Race, C. 107 46 40N 53 5W
Rach Gia 71 10 5N 105 5 E
Raciąż 28 52 46N 20 10 E
Racibórz 27 50 7N 18 18 E
Racine 114 42 41N 87 51W
Radama, Nosy 93 14 0 S 47 47 E
Radama, Saikanosy 93 14 16 S 47 53 E
Radan 42 42 59N 21 29 E
Rădăuţi 46 47 50N 25 59 E
Radbuza → 26 49 35N 13 5 E
Råde 47 59 21N 10 53 E
Radeburg 24 51 6N 13 55 E
Radeče 39 46 5N 15 14 E
Radekhov 54 50 25N 24 32 E
Radew → 28 54 2N 15 52 E
Radford 114 37 8N 80 32W
Radhanpur 68 23 50N 71 38 E
Radhwa, Jabal 64 24 34N 38 18 E
Radiska → 42 41 38N 20 37 E
Radisson 109 52 30N 107 20W
Radium Hill 97 32 30 S 140 42 E
Radium Hot Springs 108 50 35N 116 2W
Radja, Kepulauan 73 0 30 S 130 00 E
Radków 28 50 30N 16 24 E
Radlin 27 50 3N 18 29 E
Radna 42 46 7N 21 41 E
Radnevo 43 42 17N 25 58 E
Radnice 26 49 51N 13 35 E
Radnor Forest 13 52 17N 3 10W
Radolfzell 25 47 44N 8 58 E
Radom 28 51 23N 21 12 E
Radom □ 28 51 30N 21 0 E
Radomir 42 42 37N 23 4 E
Radomka → 28 51 31N 21 11 E
Radomsko 28 51 5N 19 28 E
Radomyshl 54 50 30N 29 12 E
Radomysl Wielki 27 50 14N 21 15 E
Radoszyce 28 51 4N 20 15 E
Radoviš 42 41 38N 22 28 E
Radovljica 39 46 22N 14 12 E
Radstadt 26 47 24N 13 28 E
Radstock 13 51 17N 2 25W
Răducăneni 46 46 58N 27 54 E
Raduša 42 42 7N 21 15 E
Radviliškis 54 55 49N 23 33 E
Radville 109 49 30N 104 15W
Radymno 27 49 59N 22 52 E
Radzanów 28 52 56N 20 8 E
Radziejów 28 52 40N 18 30 E
Radzymin 28 52 25N 21 11 E
Radzyń Chełmiński 28 53 23N 18 55 E
Radzyń Podlaski 28 51 47N 22 37 E
Rae 108 62 50N 116 3W
Rae Bareli 69 26 18N 81 20 E
Rae Isthmus 105 66 40N 87 30W
Raeren 16 50 41N 6 7 E
Raeside, L. 96 29 20 S 122 0 E
Raetihi 101 39 25 S 175 17 E
Rafaela 124 31 10 S 61 30W
Rafah 86 31 18N 34 14 E
Rafai 90 4 59N 23 58 E
Raffadali 40 37 23N 13 29 E
Rafḥā 64 29 35N 43 35 E
Rafsanjān 65 30 30N 56 5 E
Ragag 87 10 59N 24 40 E
Raglan, Austral. 98 23 42 S 150 49 E
Raglan, N.Z. 101 37 55 S 174 55 E
Ragunda 48 63 6N 16 23 E
Ragusa 41 36 56N 14 42 E
Raha 73 4 55 S 123 0 E
Rahad al Bardī 81 11 20N 23 40 E
Rahad, Nahr ed → 87 14 28N 33 31 E
Rahden 24 52 26N 8 36 E
Raheita 87 12 46N 43 4 E
Rahimyar Khan 68 28 30N 70 25 E
Raichur 70 16 10N 77 20 E
Raiganj 69 25 37N 88 10 E
Raigarh, Madhya Pradesh, India 69 21 56N 83 25 E
Raigarh, Orissa, India 70 19 51N 82 6 E
Raiis 64 23 33N 38 43 E
Raijua 73 10 37 S 121 36 E
Railton 99 41 25 S 146 28 E
Rainbow Lake 108 58 30N 119 23W
Rainier 118 46 4N 123 0W
Rainier, Mt. 118 46 50N 121 50W
Rainy L. 109 48 42N 93 10W
Rainy River 109 48 43N 94 29W
Raipur 69 21 17N 81 45 E
Raja, Kepulauan 73 0 30 S 129 40 E
Raja, Ujung 72 3 40N 96 25 E
Rajahmundry 70 17 1N 81 48 E
Rajang → 72 2 30N 112 0 E
Rajapalaiyam 70 9 25N 77 35 E
Rajasthan □ 68 26 45N 73 30 E
Rajasthan Canal 68 28 0N 72 0 E
Rajbari 69 23 47N 89 41 E
Rajgarh, Mad. P., India 68 24 2N 76 45 E
Rajgarh, Raj., India 68 28 40N 75 25 E
Rajgród 28 53 42N 22 42 E
Rajhenburg 39 46 1N 15 29 E
Rajkot 68 22 15N 70 56 E
Rajmahal Hills 69 24 30N 87 30 E
Rajnandgaon 69 21 5N 81 5 E
Rajojooseppi 50 68 25N 28 30 E
Rajpipla 68 21 50N 73 30 E
Rajpura 68 30 25N 76 32 E
Rajshahi 69 24 22N 88 39 E
Rajshahi □ 69 25 0N 89 0 E
Rakaia 101 43 45 S 172 1 E
Rakaia → 101 43 36 S 172 15 E
Rakan, Ra's 65 26 10N 51 20 E
Rakaposhi 69 36 10N 74 25 E
Rakha 86 18 25N 41 30 E
Rakhni 68 30 4N 69 56 E
Rakitovo 43 41 59N 24 5 E
Rakkestad 47 59 25N 11 21 E
Rakoniewice 28 52 10N 16 16 E
Rakops 92 21 1 S 24 28 E
Rákospalota 27 47 30N 19 5 E
Rakov 54 53 58N 26 59 E
Rakovica 39 44 59N 15 38 E
Rakovník 26 50 6N 13 42 E
Rakovski 43 42 21N 24 57 E
Rakvere 54 59 30N 26 25 E
Raleigh 115 35 47N 78 39W
Raleigh B. 115 34 50N 76 15W
Ralja 42 44 33N 20 34 E
Ralls 117 33 40N 101 20W
Ram → 108 62 1N 123 41W
Rām Allāh 62 31 55N 35 10 E
Rama 62 32 56N 35 21 E
Ramacca 41 37 24N 14 40 E
Ramachandrapuram 70 16 50N 82 4 E
Ramales de la Victoria 32 43 15N 3 28W
Ramanathapuram 70 9 25N 78 55 E
Ramanetaka, B. de 93 14 13 S 47 52 E
Ramas C. 70 15 5N 73 55 E
Ramat Gan 62 32 4N 34 48 E
Ramat HaSharon 62 32 7N 34 50 E
Ramatlhabama 92 25 37 S 25 33 E
Rambervillers 19 48 20N 6 38 E
Rambipuji 73 8 12 S 113 37 E
Rambla, La 31 37 37N 4 45W
Rambouillet 19 48 40N 1 48 E
Ramdurg 70 15 58N 75 22 E
Rame Hd. 99 37 47 S 149 30 E
Ramea 107 47 28N 57 4W
Ramechhap 69 27 25N 86 10 E
Ramelau 73 8 55 S 126 22 E
Ramenskoye 55 55 32N 38 15 E
Ramgarh, Bihar, India 69 23 40N 85 35 E
Ramgarh, Rajasthan, India 68 27 16N 75 14 E
Ramgarh, Rajasthan, India 68 27 30N 70 36 E
Rāmhormoz 64 31 15N 49 35 E
Ramla 62 31 55N 34 52 E
Ramlat Zalṭan 83 28 30N 19 30 E
Ramlu 87 13 32N 41 40 E
Ramme 49 56 30N 8 11 E
Rammūn 62 31 55N 35 17 E
Ramnad = Ramanathapuram 70 9 25N 78 55 E
Ramnäs 48 59 46N 16 12 E
Ramon 55 51 55N 39 21 E
Ramon, Har 62 30 30N 34 38 E
Ramona 119 33 1N 116 56W
Ramore 106 48 30N 80 25W
Ramos → 120 25 35N 105 3W
Ramoutsa 92 24 50 S 25 52 E
Rampart 104 65 0N 150 15W
Rampur, H.P., India 68 31 26N 77 43 E
Rampur, Mad. P., India 68 23 25N 73 53 E
Rampur, Orissa, India 69 21 48N 83 58 E
Rampur, U.P., India 68 28 50N 79 5 E
Rampura 68 24 30N 75 27 E
Rampurhat 69 24 10N 87 50 E
Ramree Kyun 67 19 0N 94 0 E
Ramsey, Can. 106 47 25N 82 20W
Ramsey, U.K. 12 54 20N 4 21W
Ramsgate 13 51 20N 1 25 E
Ramsjö 48 62 11N 15 37 E
Ramtek 69 21 20N 79 15 E
Ramu → 98 4 0 S 144 41 E
Ramvik 48 62 49N 17 51 E
Ranaghat 69 23 15N 88 35 E
Ranahu 68 25 55N 69 45 E
Ranau 72 6 2N 116 40 E
Rancagua 124 34 10 S 70 50W
Rance → 18 48 34N 1 59W
Rance, Barrage de la 18 48 30N 2 3W
Rancheria → 108 60 13N 129 7W
Ranchester 118 44 57N 107 12W
Ranchi 69 23 19N 85 27 E
Rancu 46 44 32N 24 15 E
Rand 100 35 33 S 146 32 E
Randan 20 46 2N 3 21 E
Randazzo 41 37 53N 14 56 E
Randers 49 56 29N 10 1 E
Randers Fjord 49 56 37N 10 20 E
Randfontein 93 26 8 S 27 45 E
Randolph, Mass., U.S.A. 113 42 10N 71 3W
Randolph, N.Y., U.S.A. 112 42 10N 78 59W
Randolph, Utah, U.S.A. 118 41 43N 111 10W
Randolph, Vt., U.S.A. 113 43 55N 72 39W
Randsburg 119 35 22N 117 44W
Randsfjorden 47 60 15N 10 25 E
Råne älv → 50 65 50N 22 20 E
Rangaunu B. 101 34 51 S 173 15 E
Rångedala 49 57 47N 13 9 E
Rangeley 114 44 58N 70 33W
Rangely 118 40 3N 108 53W
Ranger 117 32 30N 98 42W
Rangia 67 26 28N 91 38 E
Rangiora 101 43 19 S 172 36 E
Rangitaiki → 101 37 54 S 176 49 E
Rangitata → 101 43 45 S 171 15 E
Rangkasbitung 73 6 22 S 106 16 E
Rangon → 67 16 28N 96 40 E
Rangoon 67 16 45N 96 20 E
Ranibennur 70 14 35N 75 30 E
Raniganj 69 23 40N 87 5 E
Ranipet 70 12 56N 79 23 E
Rankin 117 31 16N 101 56W
Rankin Inlet 104 62 30N 93 0W
Rankins Springs 99 33 49 S 146 14 E
Rannoch, L. 14 56 41N 4 20W
Rannoch Moor 14 56 38N 4 48W
Ranobe, Helodranon' i 93 23 3 S 43 33 E
Ranohira 93 22 29 S 45 24 E
Ranomafana, Tamatave, Madag. 93 18 57 S 48 50 E
Ranomafana, Tuléar, Madag. 93 24 34 S 47 0 E
Ranong 71 9 56N 98 40 E
Ransiki 73 1 30 S 134 10 E
Rantau 72 2 56 S 115 9 E
Rantauprapat 72 2 15N 99 50 E
Rantemario 73 3 15 S 119 57 E
Rantīs 62 32 4N 35 3 E
Rantoul 114 40 18N 88 10W
Ranum 49 56 54N 9 14 E
Ranwanlenau 92 19 37 S 22 49 E
Raohe 76 46 47N 134 0 E
Raon l'Étape 19 48 24N 6 50 E
Raoui, Erg er 82 29 0N 2 0W
Rapa Iti 95 27 35 S 144 20W
Rapallo 38 44 21N 9 12 E
Rapang 73 3 45 S 119 55 E
Rāpch 65 25 40N 59 15 E
Rapid → 108 59 15N 129 5W
Rapid City 116 44 0N 103 0W
Rapid River 114 45 55N 87 0W
Rapides des Joachims 106 46 13N 77 43W
Rapla 54 59 1N 24 52 E
Rarotonga 95 21 30 S 160 0W
Ra's al Khaymah 65 25 50N 56 5 E
Ra's al-Unuf 83 30 25N 18 15 E
Ras Bânâs 81 23 57N 35 59 E
Ras Dashen 87 13 8N 38 26 E
Ras el Ma 82 34 26N 0 50W
Ras Mallap 86 29 18N 32 50 E
Ra's Tannūrah 64 26 40N 50 10 E
Râs Timirist 84 19 21N 16 30W
Rasa, Punta 128 40 50 S 62 15W
Raseiniai 54 55 25N 23 5 E
Rashad 87 11 55N 31 0 E
Rashîd 86 31 21N 30 22 E
Rashîd, Masabb 86 31 22N 30 17 E
Rasht 64 37 20N 49 40 E
Rasipuram 70 11 30N 78 15 E
Raška 42 43 19N 20 39 E
Rason, L. 96 28 45 S 124 25 E
Raşova 46 44 15N 27 55 E
Rasovo 43 43 42N 23 17 E
Rasra 69 25 50N 83 50 E
Rass el Oued 83 35 57N 5 2 E
Rasskazovo 55 52 35N 41 50 E
Rastatt 25 48 50N 8 12 E
Rastu 46 43 53N 23 16 E
Raszków 28 51 43N 17 40 E
Rat Buri 71 13 30N 99 54 E
Rat Is. 104 51 50N 178 15 E
Rat River 108 61 7N 112 36W
Ratangarh 68 28 5N 74 35 E
Rath 69 25 36N 79 37 E
Rath Luirc (Charleville) 15 52 21N 8 40W
Rathdrum, Ireland 15 52 57N 6 13W
Rathdrum, U.S.A. 118 47 50N 116 58W
Rathenow 24 52 38N 12 23 E
Rathkeale 15 52 32N 8 57W
Rathlin I. 15 55 18N 6 14W
Rathlin O'Birne I. 15 54 40N 8 50W
Ratibor = Racibórz 27 50 7N 18 18 E
Rätikon 26 47 0N 9 55 E
Ratlam 68 23 20N 75 0 E
Ratnagiri 70 16 57N 73 18 E
Ratnapura 70 6 40N 80 20 E
Raton 117 37 0N 104 30W
Ratten 26 47 28N 15 44 E
Rattray Hd. 14 57 38N 1 50W
Rättvik 48 60 52N 15 7 E
Ratz, Mt. 108 57 23N 132 12W
Ratzeburg 24 53 41N 10 46 E
Raub 71 3 47N 101 52 E
Rauch 124 36 45 S 59 5W
Raufarhöfn 50 66 27N 15 57W
Raufoss 47 60 44N 10 37 E
Raukumara Ra. 101 38 5 S 177 55 E
Rauland 47 59 43N 8 0 E
Rauma 51 61 10N 21 30 E
Rauma → 47 62 34N 7 43 E
Raundal 47 60 40N 6 37 E
Raung 73 8 8 S 114 4 E
Raurkela 69 22 14N 84 50 E
Rava Russkaya 54 50 15N 23 42 E
Ravanusa 40 37 16N 13 58 E
Rāvar 65 31 20N 56 51 E
Ravena 113 42 28N 73 49W
Ravenna, Italy 39 44 28N 12 15 E
Ravenna, Nebr., U.S.A. 116 41 3N 98 58W
Ravenna, Ohio, U.S.A. 112 41 11N 81 15W
Ravensburg 25 47 48N 9 38 E
Ravenshoe 97 17 37 S 145 29 E
Ravensthorpe 96 33 35 S 120 2 E
Ravenswood, Austral. 98 20 6 S 146 54 E
Ravenswood, U.S.A. 114 38 58N 81 47W
Ravi → 68 30 35N 71 49 E
Ravna Gora 39 45 24N 14 50 E
Ravna Reka 42 43 59N 21 35 E
Rawa Mazowiecka 28 51 46N 20 12 E
Rawalpindi 66 33 38N 73 8 E
Rawāndūz 64 36 40N 44 30 E
Rawang 71 3 20N 101 35 E
Rawdon 106 46 3N 73 40W
Rawene 101 35 25 S 173 32 E
Rawicz 28 51 36N 16 52 E
Rawka → 28 52 9N 20 8 E
Rawlinna 96 30 58 S 125 28 E
Rawlins 118 41 50N 107 20W
Rawlinson Range 96 24 40 S 128 30 E
Rawson 128 43 15 S 65 0W
Ray 116 48 21N 103 6W
Ray, C. 107 47 33N 59 15W
Rayachoti 70 14 4N 78 50 E
Rayadrug 70 14 40N 76 50 E
Rayagada 70 19 15N 83 20 E
Raychikhinsk 59 49 46N 129 25 E
Raymond, Can. 108 49 30N 112 35W
Raymond, U.S.A. 118 46 45N 123 48W
Raymondville 117 26 30N 97 50W
Raymore 109 51 25N 104 31W
Rayne 117 30 16N 92 16W
Rayong 71 12 40N 101 20 E
Rayville 117 32 30N 91 45W
Raz, Pte. du 18 48 2N 4 47W
Ražana 42 44 6N 19 55 E
Ražanj 42 43 40N 21 31 E
Razdelna 43 43 13N 27 41 E
Razdel'naya 56 46 50N 30 2 E
Razdolnoye 56 45 46N 33 29 E
Razelm, Lacul 46 44 50N 29 0 E
Razgrad 43 43 33N 26 34 E
Razlog 43 41 53N 23 28 E
Razmak 68 32 45N 69 50 E
Razole 70 16 36N 81 48 E
Ré, Île de 20 46 12N 1 30W
Reading, U.K. 13 51 27N 0 57W
Reading, U.S.A. 114 40 20N 75 53W
Realicó 124 35 0 S 64 15W
Réalmont 20 43 48N 2 10 E
Ream 71 10 34N 103 39 E
Rebais 19 48 50N 3 10 E
Rebi 73 6 23 S 134 7 E
Rebiana 81 24 12N 22 10 E
Rebun-Tō 74 45 23N 141 2 E
Recanati 39 43 24N 13 32 E
Recaş 42 45 46N 21 30 E
Recherche, Arch. of the 96 34 15 S 122 50 E
Rechitsa 54 52 13N 30 15 E
Recife 127 8 0 S 35 0W
Recklinghausen 24 51 36N 7 10 E
Reconquista 124 29 10 S 59 45W
Recreo 124 29 25 S 65 10W
Recz 28 53 16N 15 31 E
Red →, Can. 109 50 24N 96 48W
Red →, Minn., U.S.A. 116 48 10N 97 0W
Red →, Tex., U.S.A. 117 31 0N 91 40W
Red Bank 113 40 21N 74 4W
Red Bay 107 51 44N 56 25W
Red Bluff 118 40 11N 122 11W
Red Bluff L. 117 31 59N 103 58W
Red Cloud 116 40 8N 98 33W
Red Deer 108 52 20N 113 50W
Red Deer →, Alta., Can. 109 50 58N 110 0W
Red Deer →, Man., Can. 109 52 53N 101 1W
Red Deer L. 109 52 55N 101 20W
Red Indian L. 107 48 35N 57 0W
Red Lake 109 51 3N 93 49W
Red Lake Falls 116 47 54N 96 15W
Red Lodge 118 45 10N 109 10W
Red Oak 116 41 0N 95 10W
Red Rock 106 48 55N 88 15W
Red Rock, L. 116 41 30N 93 15W

Red Sea Röbel

Red Sea 63 25 0N 36 0 E
Red Sucker L 109 54 9N 93 40W
Red Tower Pass = Turnu Rosu P. 46 45 33N 24 17 E
Red Wing 116 44 32N 92 35W
Reda 28 54 40N 18 19 E
Redbridge 13 51 35N 0 7 E
Redcar 12 54 37N 1 4W
Redcliff 109 50 10N 110 50W
Redcliffe 99 27 12 S 153 0 E
Reddersburg 92 29 41 S 26 10 E
Redding 118 40 30N 122 25W
Redditch 13 52 18N 1 57W
Redfield 116 45 0N 98 30W
Redknife → 108 61 14N 119 22W
Redlands 119 34 0N 117 11W
Redmond 118 44 19N 121 11W
Redon 18 47 40N 2 6W
Redonda 121 16 58N 62 19W
Redondela 30 42 15N 8 38W
Redondo 31 38 39N 7 37W
Redondo Beach 119 33 52N 118 26W
Redrock Pt. 108 62 11N 115 2W
Redruth 13 50 14N 5 14W
Redvers 109 49 35N 101 40W
Redwater 108 53 55N 113 6W
Redwood 113 44 18N 75 48W
Redwood City 119 37 30N 122 15W
Redwood Falls 116 44 30N 95 2W
Ree, L. 15 53 35N 8 0W
Reed City 114 43 52N 85 30W
Reed, L 109 54 38N 100 30W
Reeder 116 46 7N 102 52W
Reedley 119 36 36N 119 27W
Reedsburg 116 43 34N 90 5W
Reedsport 118 43 45N 124 4W
Reefton 101 42 6 S 171 51 E
Reftele 49 57 11N 13 35 E
Refugio 117 28 18N 97 17W
Rega → 28 54 10N 15 18 E
Regalbuto 41 37 40N 14 38 E
Regavim 62 32 32N 35 2 E
Regen 25 48 58N 13 9 E
Regen → 25 49 2N 12 6 E
Regensburg 25 49 1N 12 7 E
Réggio di Calábria 41 38 7N 15 38 E
Réggio nell' Emilia 38 44 42N 10 38 E
Regina 109 50 27N 104 35W
Registro 125 24 29 S 47 49W
Reguengos de Monsaraz 31 38 25N 7 32W
Rehar → 69 23 55N 82 40 E
Rehoboth 92 23 15 S 17 4 E
Rehovot 62 31 54N 34 48 E
Rei-Bouba 81 8 40N 14 15 E
Reichenbach 24 50 36N 12 19 E
Reid River 98 19 40 S 146 48 E
Reidsville 115 36 21N 79 40W
Reigate 13 51 14N 0 11W
Reillo 32 39 54N 1 53W
Reims 19 49 15N 4 0 E
Reina 62 32 43N 35 18 E
Reina Adelaida, Arch. 128 52 20 S 74 0W
Reinbeck 116 42 18N 92 0W
Reindeer → 109 55 36N 103 11W
Reindeer I. 109 52 30N 98 0W
Reindeer L. 109 57 15N 102 15W
Reine, La 32 48 50N 79 30W
Reinga, C. 101 34 25 S 172 43 E
Reinosa 30 43 2N 4 15W
Reinosa, Paso 30 42 56N 4 10W
Reitz 93 27 48 S 28 29 E
Reivilo 92 27 36 S 24 8 E
Rejmyra 49 58 50N 15 55 E
Rejowiec Fabryczny 28 51 5N 23 17 E
Reka → 39 45 40N 14 0 E
Rekinniki 59 60 51N 163 40 E
Rekovac 42 43 51N 21 3 E
Reliance 109 63 0N 109 20W
Remad, Oued → 82 33 28N 1 20W
Rémalard 18 48 26N 0 47 E
Remanso 127 9 41 S 42 4W
Remarkable, Mt. 99 32 48 S 138 10 E
Rembang 73 6 42 S 111 21 E
Remchi 82 35 2N 1 26W
Remeshk 65 26 55N 58 50 E
Remetea 46 46 45N 25 29 E
Remich 16 49 32N 6 22 E
Remiremont 19 48 0N 6 36 E
Remo 87 6 48N 41 20 E
Remontnoye 57 46 34N 43 37 E
Remoulins 21 43 55N 4 35 E
Remscheid 24 51 11N 7 12 E
Rena 47 61 8N 11 20 E
Rena → 47 61 8N 11 23 E
Rende 41 39 19N 16 11 E
Rendina 45 39 4N 21 58 E
Rendsburg 24 54 18N 9 41 E
Rene 59 66 2N 179 25W
Renfrew, Can. 106 45 30N 76 40W
Renfrew, U.K. 14 55 52N 4 24W
Rengat 72 0 30 S 102 45 E
Rengo 124 34 24 S 70 50W
Renhuai 77 27 48N 106 24 E
Reni 56 45 28N 28 15 E
Renigunta 70 13 38N 79 30 E
Renk 81 11 50N 32 50 E
Renkum 16 51 58N 5 43 E
Renmark 97 34 11 S 140 43 E
Rennell Sd. 108 53 23N 132 35W
Renner Springs T.O. 96 18 20 S 133 47 E
Rennes 18 48 7N 1 41W
Rennes, Bassin de 18 48 12N 1 33W
Rennesøy 47 59 6N 5 43 E
Reno 118 39 30N 119 50W
Reno → 39 44 37N 12 17 E
Renovo 114 41 20N 77 47W
Rensselaer, Ind., U.S.A. 114 40 57N 87 10W
Rensselaer, N.Y., U.S.A. 113 42 38N 73 41W
Rentería 32 43 19N 1 54W
Renton 118 47 30N 122 9W
Réo 84 12 28N 2 35W
Réole, La 20 44 35N 0 1W
Reotipur 69 25 33N 83 45 E
Repalle 70 16 2N 80 45 E
Répcelak 27 47 24N 17 1 E
Republic, Mich., U.S.A. 114 46 25N 87 59W
Republic, Wash., U.S.A. 118 48 38N 118 42W
Republican → 116 39 3N 96 48W
Republican City 116 40 9N 99 20W
Repulse B., Antarct. 5 64 30 S 99 30 E
Repulse B., Austral. 97 20 31 S 148 45 E
Repulse Bay 105 66 30N 86 30W
Requena, Peru 126 5 5 S 73 52W
Requena, Spain 33 39 30N 1 4W
Resele 48 63 20N 17 5 E
Resen 42 41 5N 21 0 E
Reserve, Can. 109 52 28N 102 39W
Reserve, U.S.A. 119 33 50N 108 54W
Resht = Rasht 64 37 20N 49 40 E
Resistencia 124 27 30 S 59 0W
Reşiţa 42 45 18N 21 53 E
Resko 28 53 47N 15 25 E
Resolution I., Can. 105 61 30N 65 0W
Resolution I., N.Z. 101 45 40 S 166 40 E
Ressano Garcia 93 25 25 S 32 0 E
Reston 109 49 33N 101 6W
Reszel 28 54 4N 21 10 E
Retalhuleu 120 14 33N 91 46W
Reteag 46 47 10N 24 0 E
Retenue, Lac de 91 11 0 S 27 0 E
Rethel 19 49 30N 4 20 E
Rethem 24 52 47N 9 25 E
Réthímnon 45 35 18N 24 30 E
Réthímnon □ 45 35 23N 24 28 E
Rétiers 18 47 55N 1 25W
Retortillo 30 40 48N 6 21W
Rétság 27 47 58N 19 10 E
Réunion 3 22 0 S 56 0 E
Reus 32 41 10N 1 5 E
Reuss → 25 47 16N 8 24 E
Reuterstadt Stavenhagen 24 53 41N 12 54 E
Reutlingen 25 48 28N 9 13 E
Reutte 26 47 29N 10 42 E
Reval = Tallinn 54 59 29N 24 58 E
Revda 52 56 48N 59 57 E
Revel 20 43 28N 2 0 E
Revelganj 69 25 50N 84 40 E
Revelstoke 108 51 0N 118 10W
Reventazón 126 6 10 S 81 0W
Revigny 19 48 50N 5 0 E
Revilla Gigedo, Is. 95 18 40N 112 0W
Revillagigedo I. 108 55 50N 131 20W
Revin 19 49 55N 4 39 E
Revuè → 91 19 50 S 34 0 E
Rewa 69 24 33N 81 25 E
Rewari 68 28 15N 76 40 E
Rexburg 118 43 55N 111 50W
Rey Malabo 88 3 45N 8 50 E
Rey, Rio del → 85 4 30N 8 48 E
Reykjahlið 50 65 40N 16 55W
Reykjanes 50 63 48N 22 40W
Reykjavík 50 64 10N 21 57 E
Reynolds 109 49 40N 95 55W
Reynolds Ra. 96 22 30 S 133 0 E
Reynoldsville 112 41 5N 78 58W
Reynosa 120 26 5N 98 18W
Rezā'īyeh 64 37 40N 45 0 E
Rezā'īyeh, Daryācheh-ye 64 37 50N 45 30 E
Rezekne 54 56 30N 27 17 E
Rezovo 43 42 0N 28 0 E
Rgotina 42 44 1N 22 17 E
Rhamnus 45 38 12N 24 3 E
Rharis, O. → 83 26 0N 5 4 E
Rhayader 13 52 19N 3 30W
Rheden 16 52 0N 6 3 E
Rhein 109 51 25N 102 15W
Rhein → 24 51 52N 6 20 E
Rhein-Main-Donau-Kanal 25 49 1N 11 27 E
Rheinbach 24 50 38N 6 54 E
Rheine 24 52 17N 7 25 E
Rheinland-Pfalz □ 25 50 0N 7 0 E
Rheinsberg 24 53 6N 12 52 E
Rheriss ,Oued → 82 30 50N 4 34W
Rheydt 24 51 10N 6 24 E
Rhin = Rhein → 24 51 52N 6 20 E
Rhinau 19 48 19N 7 43 E
Rhine = Rhein → 24 51 52N 6 20 E
Rhinelander 116 45 38N 89 29W
Rhino Camp 90 3 0N 31 22 E
Rhir, Cap 82 30 38N 9 54W
Rho 38 45 31N 9 2 E
Rhode Island □ 114 41 38N 71 37W
Rhodes = Ródhos 45 36 15N 28 10 E
Rhodes' Tomb 91 20 30 S 28 30 E
Rhodesia = Zimbabwe ■ 91 20 0 S 30 0 E
Rhodope Mts. = Rhodopi Planina 43 41 40N 24 20 E
Rhodopi Planina 43 41 40N 24 20 E
Rhondda 13 51 39N 3 30W
Rhône □ 21 45 54N 4 35 E
Rhône → 21 43 28N 4 42 E
Rhum 14 57 0N 6 20W
Rhumney 13 51 32N 3 7W
Rhyl 12 53 19N 3 29W
Ri-Aba 85 3 28N 8 40 E
Riachão 127 7 20 S 46 37W
Riaño 30 42 59N 5 0W
Rians 21 43 37N 5 44 E
Riansares → 32 39 32N 3 18W
Riasi 69 33 10N 74 50 E
Riau □ 72 0 0 102 35 E
Riau, Kepulauan 72 0 30N 104 20 E
Riaza 32 41 18N 3 30W
Riaza → 32 41 42N 3 55W
Riba de Saelices 32 40 55N 2 17W
Ribadavia 30 42 17N 8 8W
Ribadeo 30 43 35N 7 5W
Ribadesella 30 43 30N 5 7W
Ribas 32 42 19N 2 15 E
Ribble → 12 54 13N 2 20W
Ribe 49 55 19N 8 44 E
Ribeauvillé 19 48 10N 7 20 E
Ribécourt 19 49 30N 2 55 E
Ribeira 30 42 36N 8 58W
Ribeirão Prêto 125 21 10 S 47 50W
Ribemont 19 49 47N 3 27 E
Ribera 40 37 30N 13 13 E
Ribérac 20 45 15N 0 20 E
Riberalta 126 11 0 S 66 0W
Ribnica 39 45 45N 14 45 E
Ribnitz-Damgarten 24 54 14N 12 24 E
Ričany 26 50 0N 14 40 E
Riccarton 101 43 32 S 172 37 E
Riccia 41 41 30N 14 50 E
Riccione 39 44 0N 12 39 E
Rice L. 112 44 12N 78 10W
Rice Lake 116 45 30N 91 42W
Riceys, Les 19 47 59N 4 22 E
Rich 82 32 16N 4 30W
Rich Hill 117 38 5N 94 22W
Richards Bay 93 28 48 S 32 6 E
Richards L. 109 59 10N 107 10W
Richardson → 109 58 25N 111 14W
Richardton 116 46 56N 102 22W
Richelieu 18 47 0N 0 20 E
Richey 116 47 42N 105 5W
Richfield, Idaho, U.S.A. 118 43 2N 114 5W
Richfield, Utah, U.S.A. 119 38 50N 112 0W
Richford 113 45 0N 72 40W
Richibucto 107 46 42N 64 54W
Richland, Ga., U.S.A. 115 32 7N 84 40W
Richland, Oreg., U.S.A. 118 44 49N 117 9W
Richland, Wash., U.S.A. 118 46 15N 119 15W
Richland Center 116 43 21N 90 22W
Richlands 114 37 7N 81 49W
Richmond, N.S.W., Austral. 100 33 35 S 150 42 E
Richmond, Queens., Austral. 97 20 43 S 143 8 E
Richmond, N.Z. 101 41 20 S 173 12 E
Richmond, S. Afr. 93 29 51 S 30 18 E
Richmond, N. Yorks., U.K. 12 54 24N 1 43W
Richmond, Surrey, U.K. 13 51 28N 0 18W
Richmond, Calif., U.S.A. 118 37 58N 122 21W
Richmond, Ind., U.S.A. 114 39 50N 84 50W
Richmond, Ky., U.S.A. 114 37 40N 84 20W
Richmond, Mich., U.S.A. 112 42 47N 82 45W
Richmond, Mo., U.S.A. 116 39 15N 93 58W
Richmond, Tex., U.S.A. 117 29 32N 95 42W
Richmond, Utah, U.S.A. 118 41 55N 111 48W
Richmond, Va., U.S.A. 114 37 33N 77 27W
Richmond, Ra. 99 29 0 S 152 45 E
Richton 115 31 23N 88 58W
Richwood 114 38 17N 80 32W
Ricla 32 41 31N 1 24W
Riddarhyttan 48 59 49N 15 33 E
Ridgedale 109 53 0N 104 10W
Ridgeland 115 32 30N 80 58W
Ridgelands 98 23 16 S 150 17 E
Ridgetown 106 42 26N 81 52W
Ridgewood 113 40 59N 74 7W
Ridgway 114 41 25N 78 43W
Riding Mt. Nat. Park 109 50 50N 100 0W
Ried 26 48 14N 13 30 E
Riedlingen 25 48 9N 9 28 E
Rienza → 39 46 49N 11 47 E
Riesa 24 51 19N 13 19 E
Riesi 41 37 16N 14 4 E
Rieti 39 42 23N 12 50 E
Rieupeyroux 20 44 19N 2 12 E
Riez 21 43 49N 6 6 E
Rifle 118 39 40N 107 50W
Rifstangi 50 66 32N 16 12W
Rift Valley □ 90 0 20N 36 0 E
Rig Rig 81 14 13N 14 25 E
Riga 54 56 53N 24 8 E
Riga, G. of = Rīgas Jūras Līcis 54 57 40N 23 45 E
Rīgas Jūras Līcis 54 57 40N 23 45 E
Rigaud 113 45 29N 74 18W
Rigby 118 43 41N 111 58W
Rīgestān □ 65 30 15N 65 0 E
Riggins 118 45 29N 116 26W
Rignac 20 44 25N 2 16 E
Rigolet 107 54 10N 58 23W
Riihimäki 51 60 45N 24 48 E
Riiser-Larsen-halvøya 5 68 0 S 35 0 E
Rijau 85 11 8N 5 17 E
Rijeka 39 45 20N 14 21 E
Rijeka Crnojevica 42 42 24N 19 1 E
Rijn → 16 52 12N 4 21 E
Rijssen 16 52 19N 6 30 E
Rijswijk 16 52 4N 4 22 E
Rike 87 10 50N 39 53 E
Rila 43 42 7N 23 7 E
Rila Planina 42 42 10N 23 0 E
Riley 118 43 35N 119 33W
Rilly 19 49 11N 4 3 E
Rima → 85 13 4N 5 10 E
Rimah, Wadi ar → 64 26 5N 41 30 E
Rimavská Sobota 27 48 22N 20 2 E
Rimbey 108 52 35N 114 15W
Rimbo 48 59 44N 18 21 E
Rimforsa 49 58 6N 15 43 E
Rimi 85 12 58N 7 43 E
Rimini 39 44 3N 12 33 E
Rîmna → 46 45 36N 27 3 E
Rîmnicu Sărat 46 45 26N 27 3 E
Rîmnicu Vîlcea 46 45 9N 24 21 E
Rimouski 107 48 27N 68 30W
Rinca 73 8 45 S 119 35 E
Rinconada 124 22 26 S 66 10W
Rineanna 15 52 42N 85 7W
Ringarum 49 58 21N 16 26 E
Ringe 49 55 13N 10 28 E
Ringim 85 12 13N 9 10 E
Ringkøbing 49 56 5N 8 15 E
Ringling 118 46 16N 110 56W
Ringsaker 47 60 54N 10 45 E
Ringsjön 49 55 55N 13 30 E
Ringsted 49 55 25N 11 46 E
Ringvassøy 50 69 56N 19 15 E
Rinia 45 37 23N 25 13 E
Rinjani 72 8 24 S 116 28 E
Rinteln 24 52 11N 9 3 E
Rio Branco 126 9 58 S 67 49W
Rio Branco 125 32 40 S 53 40W
Rio Brilhante 125 21 48 S 54 33W
Rio Claro, Brazil 125 22 19 S 47 35W
Rio Claro, Trin. 121 10 20N 61 25W
Rio Colorado 128 39 0 S 64 0W
Río Cuarto 124 33 10 S 64 25W
Rio das Pedras 93 23 8 S 35 28 E
Rio de Janeiro 125 23 0 S 43 12W
Rio de Janeiro □ 125 22 50 S 43 0W
Rio do Sul 125 27 13 S 49 37W
Río Gallegos 128 51 35 S 69 15W
Río Grande 128 53 50 S 67 45W
Rio Grande 125 32 0 S 52 20W
Rio Grande → 117 25 57N 97 9W
Rio Grande City 117 26 23N 98 49W
Río Grande del Norte → 110 26 0N 97 0W
Rio Grande do Norte □ 127 5 40 S 36 0W
Rio Grande do Sul □ 125 30 0 S 53 0W
Rio Largo 127 9 28 S 35 50W
Rio Maior 31 39 19N 8 57W
Rio Marina 38 42 48N 10 25 E
Río Mulatos 126 19 40 S 66 50W
Río Muni □ 88 1 30N 10 0 E
Rio Negro 125 26 0 S 50 0W
Rio Pardo 125 30 0 S 52 30W
Río, Punta del 33 36 49N 2 24W
Río Segundo 124 31 40 S 63 59W
Río Tercero 124 32 15 S 64 8W
Rio Tinto 30 41 11N 8 34W
Rio Verde 127 17 50 S 51 0W
Río Verde 120 21 56N 99 59W
Rio Vista 118 38 11N 121 44W
Ríobamba 126 1 50 S 78 45W
Ríohacha 126 11 33N 72 55W
Rioja, La, Argent. 124 29 20 S 67 0W
Rioja, La, Spain 32 42 20N 2 20W
Rioja, La □ 124 29 30 S 67 0W
Riom 20 45 54N 3 7 E
Riom-ès-Montagnes 20 45 17N 2 39 E
Rion-des-Landes 20 43 55N 0 56W
Rionero in Vúlture 41 40 55N 15 40 E
Rioni → 57 42 5N 41 50 E
Rios 30 41 58N 7 16W
Riosucio 126 5 30N 75 40W
Ríosucio 126 7 27N 77 7W
Riou L. 109 59 7N 106 25W
Rioz 19 47 25N 6 04 E
Riparia, Dora → 38 45 7N 7 24 E
Ripatransone 39 43 0N 13 45 E
Ripley, Can. 112 44 4N 81 35W
Ripley, N.Y., U.S.A. 112 42 16N 79 44W
Ripley, Tenn., U.S.A. 117 35 43N 89 34W
Ripoll 32 42 15N 2 13 E
Ripon, U.K. 12 54 8N 1 31W
Ripon, U.S.A. 114 43 51N 88 50W
Riposto 41 37 44N 15 12 E
Risan 42 42 32N 18 42 E
Riscle 20 43 39N 0 5W
Rishiri-Tō, Japan 74 45 11N 141 15 E
Rishiri-Tō, Japan 74 45 11N 141 15 E
Rishon le Ziyyon 62 31 58N 34 48 E
Rishpon 62 32 12N 34 49 E
Risle → 18 49 26N 0 23 E
Rîsnov 46 45 35N 25 27 E
Rison 117 33 57N 92 11W
Risør 47 58 43N 9 13 E
Ritchies Archipelago 71 12 5N 94 0 E
Riti 85 7 57N 9 41 E
Rittman 112 40 57N 81 48W
Ritzville 118 47 10N 118 21W
Riva Bella 18 49 17N 0 18W
Riva del Garda 38 45 53N 10 50 E
Rivadavia, Buenos Aires, Argent. 124 35 29 S 62 59W
Rivadavia, Mendoza, Argent. 124 33 13 S 68 30W
Rivadavia, Salta, Argent. 124 24 5 S 62 54W
Rivadavia, Chile 124 29 57 S 70 35W
Rivarolo Canavese 38 45 20N 7 42 E
Rivas 121 11 30N 85 50W
Rive-de-Gier 21 45 32N 4 37 E
River Cess 84 5 30N 9 32W
Rivera 125 31 0 S 55 50W
Riverdsale 92 34 7 S 21 15 E
Riverhead 114 40 53N 72 40W
Riverhurst 109 50 55N 106 50W
Riverina 97 35 30 S 145 20 E
Rivers 109 50 2N 100 14W
Rivers □ 85 5 0N 6 30 E
Rivers Inl. 108 51 40N 127 20W
Rivers, L. of the 109 49 49N 105 44W
Riverside, Calif., U.S.A. 119 34 0N 117 22W
Riverside, Wyo., U.S.A. 118 41 12N 106 57W
Riversleigh 98 19 5 S 138 40 E
Riverton, Austral. 99 34 10 S 138 46 E
Riverton, Can. 109 51 1N 97 0W
Riverton, N.Z. 101 46 21 S 168 0 E
Riverton, U.S.A. 118 43 1N 108 27W
Rives 21 45 21N 5 31 E
Rivesaltes 20 42 47N 2 50 E
Riviera 38 44 0N 8 30 E
Riviera di Levante 36 44 23N 9 15 E
Riviera di Ponente 36 43 50N 7 58 E
Rivière-à-Pierre 107 46 59N 72 11W
Rivière-au-Renard 107 48 59N 64 23W
Rivière-du-Loup 107 47 50N 69 30W
Rivière-Pentecôte 107 49 57N 67 1W
Rivoli 38 45 3N 7 31 E
Rivoli B. 99 37 32 S 140 3 E
Riyadh = Ar Riyāḍ 64 24 41N 46 42 E
Rize 64 41 0N 40 30 E
Rizhao 77 35 25N 119 30 E
Rizzuto, C. 41 38 54N 17 5 E
Rjukan 47 59 54N 8 33 E
Rjuven 47 59 9N 7 8 E
Roa, Norway 47 60 17N 10 37 E
Roa, Spain 30 41 41N 3 56W
Roag, L. 14 58 10N 6 55W
Roanne 21 46 3N 4 4 E
Roanoke, Ala., U.S.A. 115 33 9N 85 23W
Roanoke, Va., U.S.A. 114 37 19N 79 55W
Roanoke → 115 35 56N 76 43W
Roanoke I. 115 35 55N 75 40W
Roanoke Rapids 115 36 28N 77 42W
Roatán 121 16 18N 86 35W
Robbins I. 99 40 42 S 145 0 E
Robe → 15 53 38N 9 10W
Robe, Mt. 100 31 40 S 141 20 E
Röbel 24 53 24N 12 37 E

Robert Lee Rujen

Robert Lee 117 31 55N 100 26W
Roberts 118 43 44N 112 8W
Robertsganj 69 24 44N 83 4 E
Robertson 92 33 46 S 19 50 E
Robertson I. 5 65 15 S 59 30W
Robertsport 84 6 45N 11 26W
Robertstown 99 33 58 S 139 5 E
Roberval 107 48 32N 72 15W
Robeson Ch. 4 82 0N 61 30W
Robinson Crusoe I. 95 33 38 S 78 52W
Robinson Ranges 96 25 40 S 119 0 E
Robinvale 99 34 40 S 142 45 E
Robla, La 30 42 50N 5 41W
Roblin 109 51 14N 101 21W
Roboré 126 18 10 S 59 45W
Robson, Mt. 108 53 10N 119 10W
Robstown 117 27 47N 97 40W
Roc, Pointe du 18 48 50N 1 37W
Roca, C. da 31 38 40N 9 31W
Rocas, I. 127 4 0 S 34 1W
Rocca d'Aspidé 41 40 27N 15 10 E
Rocca San Casciano 39 44 3N 11 45 E
Roccalbegna 39 42 47N 11 30 E
Roccastrada 39 43 0N 11 10 E
Roccella Iónica 41 38 20N 16 24 E
Rocha 125 34 30 S 54 25W
Rochdale 12 53 36N 2 10W
Roche-Bernard, La 18 47 31N 2 19W
Roche-Canillac, La 20 45 12N 1 57 E
Roche, La 21 46 4N 6 19 E
Roche-sur-Yon, La 18 46 40N 1 25W
Rochechouart 20 45 50N 0 49 E
Rochefort, Belg. 16 50 9N 5 12 E
Rochefort, France 20 45 56N 0 57W
Rochefort-en-Terre 18 47 42N 2 22W
Rochefoucauld, La 20 45 44N 0 24 E
Rochelle 116 41 55N 89 5W
Rochelle, La 20 46 10N 1 9W
Rocher River 108 61 23N 112 44W
Rocheservière 18 46 57N 1 30W
Rochester, Austral. 100 36 22 S 144 41 E
Rochester, Can. 108 54 22N 113 27W
Rochester, U.K. 13 51 22N 0 30 E
Rochester, Ind., U.S.A. 114 41 5N 86 15W
Rochester, Minn., U.S.A. 116 44 1N 92 28W
Rochester, N.H., U.S.A. 114 43 19N 70 57W
Rochester, N.Y., U.S.A. 114 43 10N 77 40W
Rochester, Pa., U.S.A. 112 40 41N 80 17W
Rociana 31 37 19N 6 35W
Rociu 46 44 43N 25 2 E
Rock → 108 60 7N 127 7W
Rock Hill 115 34 55N 81 2W
Rock Island 116 41 30N 90 35W
Rock Port 116 40 26N 95 30W
Rock Rapids 116 43 25N 96 10W
Rock River 118 41 49N 106 0W
Rock Sound 121 24 54N 76 12W
Rock Sprs., Ariz., U.S.A. 119 34 2N 112 11W
Rock Sprs., Mont., U.S.A. 118 46 55N 106 11W
Rock Sprs., Tex., U.S.A. 117 30 2N 100 11W
Rock Sprs., Wyo., U.S.A. 118 41 40N 109 10W
Rock Valley 116 43 10N 96 17W
Rockall 8 57 37N 13 42W
Rockdale 117 30 40N 97 0W
Rockefeller Plat. 5 80 0 S 140 0W
Rockford 116 42 20N 89 0W
Rockglen 109 49 11N 105 57W
Rockhampton 97 23 22 S 150 32 E
Rockingham B. 98 18 5 S 146 10 E
Rockingham Forest 13 52 28N 0 42W
Rocklake 116 48 50N 99 13W
Rockland, Can. 113 45 33N 75 17W
Rockland, Idaho, U.S.A. 118 42 37N 112 57W
Rockland, Me., U.S.A. 107 44 6N 69 6W
Rockland, Mich., U.S.A. 116 46 40N 89 10W
Rocklands Reservoir 100 37 15 S 142 5 E
Rockmart 115 34 1N 85 2W
Rockport 117 28 2N 97 3W
Rockville, Conn., U.S.A. 113 41 51N 72 27W
Rockville, Md., U.S.A. 114 39 7N 77 10W
Rockwall 117 32 55N 96 30W
Rockwell City 116 42 20N 94 35W
Rockwood 115 35 52N 84 40W
Rocky Ford 116 38 7N 103 45W
Rocky Lane 108 58 31N 116 22W
Rocky Mount 115 35 55N 77 48W
Rocky Mountain House 108 52 22N 114 55W
Rocky Mts. 108 55 0N 121 0W
Rocky Pt. 96 33 30 S 123 57 E
Rocky River 112 41 30N 81 40W
Rockyford 108 51 14N 113 10W
Rocroi 19 49 55N 4 30 E
Rod 66 28 10N 63 5 E
Roda, La, Albacete, Spain 33 39 13N 2 15W
Roda, La, Sevilla, Spain 31 37 12N 4 46W
Rødberg 47 60 17N 8 56 E
Rødby 49 54 41N 11 23 E
Rødbyhavn 49 54 39N 11 22 E
Roddickton 107 50 51N 56 8W
Rødding 49 55 23N 9 3 E
Rødekro 49 55 4N 9 20 E
Rødenes 47 59 35N 11 34 E
Rodenkirchen 24 53 24N 8 26 E
Roderick I. 108 52 38N 128 22W
Rodez 20 44 21N 2 33 E
Rodholívas 44 40 55N 24 0 E
Rodhópi □ 44 41 5N 25 30 E
Ródhos 45 36 15N 28 10 E
Rodi Garganico 41 41 55N 15 53 E
Rodna 46 47 25N 24 50 E
Rodnei, Munţii 46 47 35N 24 35 E
Rodney 112 42 34N 81 41W
Rodney, C. 101 36 17 S 174 50 E
Rodniki 55 57 7N 41 47 E
Rodriguez 3 19 45 S 63 20 E
Rodstock, C. 96 33 12 S 134 20 E
Roe → 15 55 10N 6 59W
Roebling 113 40 7N 74 45W
Roebourne 96 20 44 S 117 9 E
Roebuck B. 96 18 5 S 122 20 E
Roermond 16 51 12N 6 0 E
Roes Welcome Sd. 105 65 0N 87 0W
Roeselare 16 50 57N 3 7 E
Rogachev 54 53 8N 30 5 E
Rogaçica 42 44 4N 19 40 E
Rogagua, L. 126 13 43 S 66 50W
Rogaland fylke □ 47 59 12N 6 20 E
Rogaška Slatina 39 46 15N 15 42 E
Rogatec 39 46 15N 15 46 E
Rogatica 42 43 47N 19 0 E
Rogatin 54 49 24N 24 36 E
Rogers 117 36 20N 94 5W
Rogers City 114 45 25N 83 49W
Rogerson 118 42 10N 114 40W
Rogersville 115 36 27N 83 1W
Roggan 106 54 25N 79 32W
Roggeveldberge 92 32 10 S 20 10 E
Roggiano Gravina 41 39 37N 16 9 E
Rogliano, France 21 42 57N 9 30 E
Rogliano, Italy 41 39 11N 16 20 E
Rogoaguado, L. 126 13 0 S 65 30W
Rogowo 28 52 43N 17 38 E
Rogozno 28 52 45N 16 59 E
Rogue → 118 42 30N 124 0W
Rohan 18 48 4N 2 45W
Rohrbach 19 49 3N 7 15 E
Rohri 68 27 45N 68 51 E
Rohri Canal 68 26 15N 68 27 E
Rohtak 68 28 55N 76 43 E
Roi Et 71 16 4N 103 40 E
Roisel 19 49 58N 3 6 E
Rojas 124 34 10 S 60 45W
Rojo, C. 120 21 33N 97 20W
Rokan → 72 2 0N 100 50 E
Rokeby 98 13 39 S 142 40 E
Rokiskis 54 55 55N 25 35 E
Rokitno 54 50 57N 35 56 E
Rokycany 26 49 43N 13 35 E
Rolândia 125 23 18 S 51 23W
Røldal 47 59 47N 6 50 E
Rolette 116 48 42N 99 50W
Rolla, Kansas, U.S.A. 117 37 10N 101 40W
Rolla, Mo., U.S.A. 117 37 56N 91 42W
Rolla, N. Dak., U.S.A. 116 48 50N 99 36W
Rollag 47 60 2N 9 18 E
Rolleston 98 24 28 S 148 35 E
Rollingstone 98 19 2 S 146 24 E
Rom 87 9 54N 32 16 E
Roma, Austral. 97 26 32 S 148 49 E
Roma, Italy 40 41 54N 12 30 E
Roman, Bulg. 43 43 8N 23 54 E
Roman, Romania 46 46 57N 26 55 E
Roman, U.S.S.R. 59 66 4N 112 14 E
Roman-Kosh, Gora 56 44 37N 34 15 E
Romana, La 121 18 27N 68 57W
Romanche → 21 45 5N 5 43 E
Romang 73 7 30 S 127 20 E
Români 86 30 59N 32 38 E
Romania ■ 46 46 0N 25 0 E
Romanija Planina 42 43 50N 18 45 E
Romano, Cayo 121 22 0N 77 30W
Romano di Lombardia 38 45 32N 9 45 E
Romanovka = Bessarabka 56 46 21N 28 58 E
Romans 21 45 3N 5 3 E
Romanshorn 25 47 33N 9 22 E
Romblon 73 12 33N 122 17 E
Rombo □ 90 3 10 S 37 30 E
Rome, Ga., U.S.A. 115 34 20N 85 0W
Rome, N.Y., U.S.A. 114 43 14N 75 29W
Rome = Roma 40 41 54N 12 30 E
Romeleåsen 49 55 34N 13 33 E
Romenay 21 46 30N 5 1 E
Romerike 47 60 7N 11 10 E
Romilly 19 48 31N 3 44 E
Romîni 46 44 59N 24 11 E
Rommani 82 33 31N 6 40W
Romney 114 39 21N 78 45W
Romney Marsh 13 51 0N 1 0 E
Romny 54 50 48N 33 28 E
Rømø 49 55 10N 8 30 E
Romodan 54 50 0N 33 15 E
Romodanovo 55 54 26N 45 23 E
Romont 25 46 42N 6 54 E
Romorantin-Lanthenay 19 47 21N 1 45 E
Romsdalen 47 62 25N 8 0 E
Rona 14 57 33N 6 0W
Ronan 118 47 30N 114 6W
Roncador, Cayos 121 13 32N 80 4W
Roncador, Serra do 127 12 30 S 52 30W
Roncesvalles, Paso 32 43 1N 1 19W
Ronceverte 114 37 45N 80 28W
Ronciglione 39 42 18N 12 12 E
Ronco → 39 44 24N 12 12 E
Ronda 31 36 46N 5 12W
Ronda, Serranía de 31 36 44N 5 3W
Rondane 47 61 57N 9 50 E
Rondônia □ 126 11 0 S 63 0W
Rondonópolis 127 16 28 S 54 38W
Rong, Koh 71 10 45N 103 15 E
Rong Xian 77 29 23N 104 22 E
Rong'an 77 25 14N 109 22 E
Ronge, L. la 109 55 6N 105 17W
Ronge, La 109 55 5N 105 20W
Rongshui 77 25 5N 109 12 E
Ronne Land 5 83 0 S 70 0W
Ronneby 49 56 12N 15 17 E
Ronse 16 50 45N 3 35 E
Roof Butte 119 36 29N 109 5W
Roorkee 68 29 52N 77 59 E
Roosendaal 16 51 32N 4 29 E
Roosevelt, Minn., U.S.A. 116 48 51N 95 2W
Roosevelt, Utah, U.S.A. 118 40 19N 110 1W
Roosevelt I. 5 79 30 S 162 0W
Roosevelt, Mt. 108 58 26N 125 20W
Roosevelt Res. 119 33 46N 111 0W
Ropczyce 27 50 4N 21 38 E
Roper → 96 14 43 S 135 27 E
Ropesville 117 33 25N 102 10W
Roque Pérez 124 35 25 S 59 24W
Roquebrou, La 20 44 58N 2 12 E
Roquefort 20 44 2N 0 20W
Roquefort-sur-Soulzon 20 43 58N 2 59 E
Roquemaure 21 44 3N 4 48 E
Roquetas 32 40 50N 0 30 E
Roquevaire 21 43 20N 5 36 E
Roraima □ 126 2 0N 61 30W
Roraima, Mt. 126 5 10N 60 40W
Rorketon 109 51 24N 99 35W
Røros 47 62 35N 11 23 E
Rorschach 25 47 28N 9 30 E
Rosa 91 9 33 S 31 15 E
Rosa, C. 83 37 0N 8 16 E
Rosa, Monte 25 45 57N 7 53 E
Rosal 30 41 57N 8 51W
Rosal de la Frontera 31 37 59N 7 13W
Rosalia 118 47 14N 117 25W
Rosans 21 44 24N 5 29 E
Rosario 124 33 0 S 60 40W
Rosário 127 3 0 S 44 15W
Rosario, Baja Calif. N., Mexico 120 30 0N 115 50W
Rosario, Durango, Mexico 120 26 30N 105 35W
Rosario, Sinaloa, Mexico 120 23 0N 105 52W
Rosario, Parag. 124 24 30 S 57 35W
Rosario de la Frontera 124 25 50 S 65 0W
Rosario de Lerma 124 24 59 S 65 35W
Rosario del Tala 124 32 20 S 59 10W
Rosário do Sul 125 30 15 S 54 55W
Rosarno 41 38 29N 15 59 E
Rosas 32 42 19N 3 10 E
Roscoe 116 45 27N 99 20W
Roscoff 18 48 44N 4 0W
Roscommon, Ireland 15 53 38N 8 11W
Roscommon, U.S.A. 114 44 27N 84 35W
Roscommon □ 15 53 40N 8 15W
Roscrea 15 52 58N 7 50W
Rose Blanche 107 47 38N 58 45W
Rose Harbour 108 52 15N 131 10W
Rose Pt. 108 54 11N 131 39W
Rose Valley 109 52 19N 103 49W
Roseau, Domin. 121 15 20N 61 24W
Roseau, U.S.A. 116 48 51N 95 46W
Rosebery 99 41 46 S 145 33 E
Rosebud, Austral. 100 38 21 S 144 54 E
Rosebud, U.S.A. 117 31 5N 97 0W
Roseburg 118 43 10N 123 20W
Rosedale, Austral. 98 24 38 S 151 53 E
Rosedale, U.S.A. 117 33 51N 91 0W
Rosemary 108 50 46N 112 5W
Rosenberg 117 29 30N 95 48W
Rosendaël 19 51 3N 2 24 E
Rosenheim 25 47 51N 12 9 E
Roseto degli Abruzzi 39 42 40N 14 2 E
Rosetown 109 51 35N 107 59W
Rosetta = Rashîd 86 31 21N 30 22 E
Roseville 118 38 46N 121 17W
Rosewood 99 27 38 S 152 36 E
Rosh Haniqra, Kefar 62 33 5N 35 5 E
Rosh Pinna 62 32 58N 35 32 E
Rosières 19 49 49N 2 43 E
Rosignano Marittimo 38 43 23N 10 28 E
Rosignol 126 6 15N 57 30W
Roşiori de Vede 46 44 9N 25 0 E
Rositsa 43 43 57N 27 57 E
Rositsa → 43 43 10N 25 30 E
Roskilde 49 55 38N 12 3 E
Roskilde Amtskommune □ 49 55 35N 12 5 E
Roskilde Fjord 49 55 50N 12 2 E
Roslavl 54 53 57N 32 55 E
Roslyn 99 34 29 S 149 37 E
Rosmaninhal 31 39 44N 7 5W
Røsnæs 49 55 44N 10 55 E
Rosolini 41 36 49N 14 58 E
Rosporden 18 47 57N 3 50W
Ross, Austral. 99 42 2 S 147 30 E
Ross, N.Z. 101 42 53 S 170 49 E
Ross Dependency □ 5 70 0 S 170 5W
Ross I. 5 77 30 S 168 0 E
Ross Ice Shelf 5 80 0 S 180 0W
Ross L. 118 48 50N 121 5W
Ross on Wye 13 51 55N 2 34W
Ross Sea 5 74 0 S 178 0 E
Rossan Pt. 15 54 42N 8 47W
Rossano Cálabro 41 39 36N 16 39 E
Rossburn 109 50 40N 100 49W
Rosseau 112 45 16N 79 39W
Rossignol, L., N.S., Can. 107 44 12N 65 10W
Rossignol, L., Qué., Can. 106 52 43N 73 40W
Rossland 108 49 6N 117 50W
Rosslare 15 52 17N 6 23W
Rosslau 24 51 52N 12 15 E
Rosso 84 16 40N 15 45W
Rossosh 57 50 15N 39 28 E
Rossport 106 48 50N 87 30W
Røssvatnet 50 65 45N 14 5 E
Rossville 98 15 48 S 145 15 E
Rosthern 109 52 40N 106 20W
Rostock 24 54 4N 12 9 E
Rostock □ 24 54 10N 12 30 E
Rostov, Don, U.S.S.R. 57 47 15N 39 45 E
Rostov, Moskva, U.S.S.R. 55 57 14N 39 25 E
Rostrenen 18 48 14N 3 21W
Roswell 117 33 26N 104 32W
Rosyth 14 56 2N 3 26W
Rota 31 36 37N 6 20W
Rotälven → 48 61 15N 14 3 E
Rotan 117 32 52N 100 30W
Rotenburg 24 53 6N 9 24 E
Roth 25 49 15N 11 6 E
Rothaargebirge 22 51 0N 8 20 E
Rothenburg ob der Tauber 25 49 21N 10 11 E
Rother → 13 50 59N 0 40 E
Rotherham 12 53 26N 1 21W
Rothes 14 57 31N 3 12W
Rothesay, Can. 107 45 23N 66 0W
Rothesay, U.K. 14 55 50N 5 3W
Roti 73 10 50 S 123 0 E
Roto 97 33 0 S 145 30 E
Rotondella 41 40 10N 16 30 E
Rotoroa, L. 101 41 55 S 172 39 E
Rotorua 101 38 9 S 176 16 E
Rotorua, L. 101 38 5 S 176 18 E
Rott → 25 48 26N 13 26 E
Rottenburg 25 48 28N 8 56 E
Rottenmann 26 47 31N 14 22 E
Rotterdam 16 51 55N 4 30 E
Rottumeroog 16 53 33N 6 34 E
Rottweil 25 48 9N 8 38 E
Rotuma 94 12 25 S 177 5 E
Roubaix 19 50 40N 3 10 E
Roudnice 26 50 25N 14 15 E
Rouen 18 49 27N 1 4 E
Rouillac 20 45 47N 0 4W
Rouleau 109 50 10N 104 56W
Round Mt. 97 30 26 S 152 16 E
Round Mountain 118 38 46N 117 3W
Roundup 118 46 25N 108 35W
Rousay 14 59 10N 3 2W
Rouses Point 113 44 58N 73 22W
Rousse, L'Île 21 42 37N 8 57 E
Roussillon, Isère, France 21 45 24N 4 49 E
Roussillon, Pyrénées-Or., France 20 42 30N 2 35 E
Rouxville 92 30 25 S 26 50 E
Rouyn 106 48 20N 79 0W
Rovaniemi 50 66 29N 25 41 E
Rovato 38 45 34N 10 0 E
Rovenki 57 48 5N 39 21 E
Rovereto 38 45 53N 11 3 E
Rovigo 39 45 4N 11 48 E
Rovinari 46 44 56N 23 10 E
Rovinj 39 45 5N 13 40 E
Rovno 54 50 40N 26 10 E
Rovnoye 55 50 52N 46 3 E
Rovuma → 91 10 29 S 40 28 E
Rowena 99 29 48 S 148 55 E
Rowley Shoals 96 17 30 S 119 0 E
Roxa 84 11 15N 15 45W
Roxas 73 11 36N 122 49 E
Roxboro 115 36 24N 78 59W
Roxborough Downs 98 22 30 S 138 45 E
Roxburgh 101 45 33 S 169 19 E
Roxen 49 58 30N 15 40 E
Roy, Mont., U.S.A. 118 47 17N 109 0W
Roy, N. Mex., U.S.A. 117 35 57N 104 8W
Roy, Le 117 38 8N 95 35W
Roya, Peña 32 40 25N 0 40W
Royal Oak 114 42 30N 83 5W
Royan 20 45 37N 1 2W
Roye 19 49 42N 2 48 E
Røyken 47 59 45N 10 23 E
Rožaj 42 42 50N 20 15 E
Rózan 28 52 52N 21 25 E
Rozay 19 48 40N 2 56 E
Rozhishche 54 50 54N 25 15 E
Rozier, Le 20 44 13N 3 12 E
Rožňava 27 48 37N 20 35 E
Rozogi 28 53 48N 21 9 E
Rozoy-sur-Serre 19 49 40N 4 8 E
Rozwadów 28 50 37N 22 2 E
Rrësheni 44 41 47N 19 49 E
Rrogozhino 44 41 2N 19 50 E
Rtanj 42 43 45N 21 50 E
Rtishchevo 55 55 16N 43 50 E
Rúa 30 42 24N 7 6W
Ruacaná 92 17 20 S 14 12 E
Ruahine Ra. 101 39 55 S 176 2 E
Ruapehu 101 39 17 S 175 35 E
Ruapuke I. 101 46 46 S 168 31 E
Ruaus, Wadi → 83 30 26N 15 24 E
Rubeho Mts. 90 6 50 S 36 25 E
Rubezhnoye 56 49 6N 38 25 E
Rubh a' Mhail 14 55 55N 6 10W
Rubha Hunish 14 57 42N 6 20W
Rubicone → 39 44 8N 12 28 E
Rubino 84 6 4N 4 18W
Rubio 126 7 43N 72 22W
Rubtsovsk 58 51 30N 81 10 E
Ruby 104 64 40N 155 35W
Ruby L. 118 40 10N 115 28W
Ruby Mts. 118 40 30N 115 30W
Rubyvale 98 23 25 S 147 45 E
Rucava 54 56 9N 21 12 E
Ruciane-Nida 28 53 40N 21 32 E
Rud 47 60 1N 10 1 E
Ruda 49 57 6N 16 7 E
Ruda Śląska 28 50 16N 18 50 E
Ruden 24 54 13N 13 47 E
Rüdersdorf 24 52 28N 13 48 E
Rudewa 91 10 7 S 34 40 E
Rudkøbing 49 54 56N 10 41 E
Rudna 28 51 30N 16 17 E
Rudnichnyy 52 59 38N 52 26 E
Rudnik, Bulg. 43 42 36N 27 30 E
Rudnik, Poland 28 50 26N 22 15 E
Rudnik, Yugo. 42 44 8N 20 30 E
Rudnik, Yugo. 43 44 7N 20 35 E
Rudnogorsk 59 57 15N 103 42 E
Rudnya 54 54 55N 31 7 E
Rudnyy 58 52 57N 63 7 E
Rudo 42 43 41N 19 23 E
Rudolf, Ostrov 58 81 45N 58 30 E
Rudolstadt 24 50 44N 11 20 E
Rudozem 43 41 29N 24 51 E
Rudyard 114 46 14N 84 35W
Rue 19 50 15N 1 40 E
Ruelle 20 45 41N 0 14 E
Rufa'a 87 14 44N 33 22 E
Ruffec-Charente 20 46 2N 0 12 E
Rufiji □ 90 8 0 S 38 30 E
Rufiji → 90 7 50 S 39 15 E
Rufino 124 34 20 S 62 50W
Rufisque 84 14 40N 17 15W
Rufunsa 91 15 4 S 29 34 E
Rugao 77 32 23N 120 31 E
Rugby, U.K. 13 52 23N 1 16W
Rugby, U.S.A. 116 48 21N 100 0W
Rügen 24 54 22N 13 25 E
Rugles 18 48 50N 0 40 E
Ruhama 62 31 31N 34 43 E
Ruhengeri 90 1 30 S 29 36 E
Ruhla 24 50 53N 10 21 E
Ruhland 24 51 27N 13 52 E
Ruhr → 24 51 25N 6 44 E
Ruhuhu → 91 10 31 S 34 34 E
Rui'an 77 27 47N 120 40 E
Ruidosa 117 29 59N 104 39W
Ruidoso 119 33 19N 105 39W
Ruj 42 42 52N 22 42 E
Rujen 42 42 9N 22 30 E

Ruk St-Junien

Ruk 68 27 50N 68 42 E
Rukwa □ 90 7 0S 31 30 E
Rukwa L. 90 8 0S 32 20 E
Rum Cay 121 23 40N 74 58W
Rum Jungle 96 13 0S 130 59 E
Ruma 42 45 0N 19 50 E
Rumāḩ 64 25 29N 47 10 E
Rumania = Romania ■ 46 46 0N 25 0 E
Rumbêk 87 6 54N 29 37 E
Rumburk 26 50 57N 14 32 E
Rumford 114 44 30N 70 30W
Rumia 28 54 37N 18 25 E
Rumilly 21 45 53N 5 56 E
Rumoi 74 43 56N 141 39W
Rumonge 90 3 59S 29 26 E
Rumsey 108 51 51N 112 48W
Rumula 98 16 35S 145 20 E
Rumuruti 90 0 17N 36 32 E
Runan 77 33 0N 114 30 E
Runanga 101 42 25S 171 15 E
Runaway, C. 101 37 32S 178 2 E
Runcorn 12 53 20N 2 44W
Rungwa 90 6 55S 33 32 E
Rungwa → 90 7 36S 31 50 E
Rungwe 91 9 11S 33 32 E
Rungwe □ 91 9 25S 33 32 E
Runka 85 12 28N 7 20 E
Runn 48 60 30N 15 40 E
Ruoqiang 75 38 55N 88 10 E
Rupa 67 27 15N 92 21 E
Rupar 68 31 2N 76 38 E
Rupat 72 1 45N 101 40 E
Rupea 46 46 2N 25 13 E
Rupert → 106 51 29N 78 45W
Rupert House = Fort Rupert 106 51 30N 78 40W
Rupsa 69 21 44N 89 30 E
Rur → 24 51 20N 6 0 E
Rurrenabaque 126 14 30S 67 32W
Rus → 33 39 30N 2 30W
Rusambo 91 16 30S 32 4 E
Rusape 91 18 35S 32 8 E
Ruschuk = Ruse 43 43 48N 25 59 E
Ruse 43 43 48N 25 59 E
Ruşeţu 46 44 57N 27 14 E
Rushden 13 52 17N 0 37W
Rushford 116 43 48N 91 46W
Rushville, Ill., U.S.A. 116 40 6N 90 35W
Rushville, Ind., U.S.A. 114 39 38N 85 22W
Rushville, Nebr., U.S.A. 116 42 43N 102 28W
Rushworth 100 36 32S 145 1 E
Rusken 49 57 15N 14 20 E
Russas 127 4 55S 37 50W
Russell, Can. 109 50 50N 101 20W
Russell, N.Z. 101 35 16S 174 10 E
Russell, U.S.A. 116 38 56N 98 55W
Russell L., Man., Can. 109 56 15N 101 30W
Russell L., N.W.T., Can. 108 63 5N 115 44W
Russellkonda 69 19 57N 84 42 E
Russellville, Ala., U.S.A. 115 34 30N 87 44W
Russellville, Ark., U.S.A. 117 35 15N 93 8W
Russellville, Ky., U.S.A. 115 36 50N 86 50W
Russi 39 44 21N 12 1 E
Russian S.F.S.R. □ 59 62 0N 105 0 E
Russkaya Polyana 58 53 47N 73 53 E
Russkoye Ustie 4 71 0N 149 0 E
Rust 27 47 49N 16 42 E
Rustavi 57 41 30N 45 0 E
Rustenburg 92 25 41S 27 14 E
Ruston 117 32 30N 92 58W
Rutana 90 3 55S 30 0 E
Rute 31 37 19N 4 23W
Ruteng 73 8 35S 120 30 E
Ruth, Mich., U.S.A. 112 43 42N 82 45W
Ruth, Nev., U.S.A. 118 39 15N 115 1W
Rutherglen, Austral. 100 36 5S 146 29 E
Rutherglen, U.K. 14 55 50N 4 11W
Rutigliano 41 41 1N 17 0 E
Rutland I. 71 11 25N 92 40 E
Rutland Plains 98 15 38S 141 43 E
Rutledge → 109 61 4N 112 0W
Rutledge L. 109 61 33N 110 47W
Rutshuru 90 1 13S 29 25 E
Ruurlo 16 52 5N 6 24 E
Ruvo di Púglia 41 41 7N 16 27 E
Ruvu 90 6 49S 38 43 E
Ruvu → 90 6 23S 38 52 E
Ruvuma □ 91 10 20S 36 0 E
Ruwenzori 90 0 30N 29 55 E
Ruyigi 90 3 29S 30 15 E
Ruzayevka 55 54 4N 45 0 E
Růzhevo Konare 43 42 23N 24 46 E
Ružomberok 27 49 3N 19 17 E
Rwanda ■ 90 2 0S 30 0 E
Ry 49 56 5N 9 45 E
Ryakhovo 43 44 0N 26 18 E
Ryan, L. 14 55 0N 5 2W
Ryazan 55 54 40N 39 40 E
Ryazhsk 55 53 45N 40 3 E
Rybache 58 46 40N 81 20 E
Rybachiy Poluostrov 52 69 43N 32 0 E
Rybinsk 55 58 5N 38 50 E
Rybinskoye Vdkhr. 55 58 30N 38 25 E
Rybnik 27 50 6N 18 32 E
Rybnitsa 56 47 45N 29 0 E
Rybnoye 55 54 45N 39 30 E
Rychwał 28 52 4N 18 10 E
Ryd 49 56 27N 14 42 E
Ryde 13 50 44N 1 9W
Rydöbruk 49 56 58N 13 7 E
Rydsnäs 49 57 47N 15 9 E
Rydułtowy 27 50 4N 18 23 E
Rydzyna 28 51 47N 16 39 E
Rye 13 50 57N 0 46 E
Rye → 12 54 12N 0 53W
Rye Patch Res. 118 40 38N 118 20W
Ryegate 118 46 21N 109 15W
Ryki 28 51 38N 21 56 E
Rylsk 54 51 36N 34 43 E
Rylstone 99 32 46S 149 58 E
Rymanów 27 49 35N 21 51 E
Ryn 28 53 57N 21 34 E
Rypin 28 53 3N 19 25 E
Ryūkyū Is. = Nansei-Shotō 74 26 0N 128 0 E
Rzepin 28 52 20N 14 49 E
Rzeszów 27 50 5N 21 58 E
Rzeszów □ 27 50 0N 22 0 E
Rzhev 54 56 20N 34 20 E

S

Sa Dec 71 10 20N 105 46 E
Sa'ad (Muharraqa) 62 31 28N 34 33 E
Sa'ādatābād 65 30 10N 53 5 E
Saale → 24 51 57N 11 56 E
Saaler Bodden 24 54 20N 12 25 E
Saalfeld 24 50 39N 11 21 E
Saalfelden 26 47 25N 12 51 E
Saane → 25 46 23N 7 18 E
Saar (Sarre) → 19 49 42N 6 34 E
Saarbrücken 25 49 15N 6 58 E
Saarburg 25 49 36N 6 32 E
Saaremaa 54 58 30N 22 30 E
Saariselkä 50 68 16N 28 15 E
Saarland □ 25 49 15N 7 0 E
Saarlouis 25 49 19N 6 45 E
Saba 121 17 42N 63 26W
Šabac 42 44 48N 19 42 E
Sabadell 32 41 28N 2 7 E
Sabagalet 72 1 36S 98 40 E
Sabah □ 72 6 0N 117 0 E
Sábana de la Mar 121 19 7N 69 24W
Sábanalarga 126 10 38N 74 55W
Sabang 72 5 50N 95 15 E
Sabará 127 19 55S 43 46W
Sabarania 73 2 5S 138 18 E
Sabari → 70 17 35N 81 16 E
Sabastiyah 62 32 17N 35 12 E
Sabattis 113 44 6N 74 40W
Sabáudia 40 41 17N 13 2 E
Sabhah 83 27 9N 14 29 E
Sabhah □ 83 26 0N 14 0 E
Sabie 93 25 10S 30 48 E
Sabinal, Mexico 120 30 58N 107 25W
Sabinal, U.S.A. 117 29 20N 99 27W
Sabinal, Punta del 33 36 43N 2 44W
Sabinas 120 27 50N 101 10W
Sabinas Hidalgo 120 26 33N 100 10W
Sabine 117 29 42N 93 54W
Sabine → 117 30 0N 93 35W
Sabine L. 117 29 50N 93 50W
Sabinov 27 49 6N 21 5 E
Sabirabad 57 40 5N 48 30 E
Sabkhat Tāwurghā' 83 31 48N 15 30 E
Sablayan 73 12 50N 120 50 E
Sable, C., Can. 107 43 29N 65 38W
Sable, C., U.S.A. 121 25 13N 81 0W
Sable I. 107 44 0N 60 0W
Sablé-sur-Sarthe 18 47 50N 0 20W
Sables-d'Olonne, Les 20 46 30N 1 45W
Sabolev 59 54 20N 155 30 E
Sabor → 30 41 10N 7 7W
Sabou 84 12 1N 2 15W
Sabrātah 83 32 47N 12 29 E
Sabria 83 33 22N 8 45 E
Sabrina Coast 5 68 0S 120 0 E
Sabugal 30 40 20N 7 5W
Sabzevār 65 36 15N 57 40 E
Sabzvārān 65 28 45N 57 50 E
Sac City 116 42 26N 95 0W
Sacedón 32 40 29N 2 41W
Sachigo → 106 55 6N 88 58W
Sachigo, L. 106 53 50N 92 12W
Sachkhere 57 42 25N 43 28 E
Sacile 39 45 58N 12 30 E
Sackets Harbor 113 43 56N 76 7W
Säckingen 25 47 34N 7 56 E
Saco, Me., U.S.A. 115 43 30N 70 27W
Saco, Mont., U.S.A. 118 48 28N 107 19W
Sacramento 118 38 33N 121 30 E
Sacramento → 118 38 3N 121 56W
Sacramento Mts. 119 32 30N 105 30W
Sacratif, Cabo 33 36 42N 3 28W
Săcueni 46 47 20N 22 5 E
Sada 30 43 22N 8 15W
Sádaba 32 42 19N 1 12W
Sadani 90 5 58S 38 35 E
Sadao 71 6 38N 100 26 E
Sadasivpet 70 17 38N 77 59 E
Sadd el Aali 86 23 54N 32 54 E
Sade 85 11 22N 10 45 E
Sadimi 91 9 25S 23 32 E
Sado 74 38 0N 138 25 E
Sado → 31 38 29N 8 55W
Sado, Shima 74 38 15N 138 30 E
Sadon, Burma 67 25 28N 98 0 E
Sadon, U.S.S.R. 57 42 52N 43 58 E
Sæby 49 57 21N 10 30 E
Saegerstown 112 41 42N 80 10W
Saelices 32 39 55N 2 49W
Safaga 86 26 42N 34 0 E
Şafaha 86 26 25N 39 0 E
Šafárikovo 27 48 25N 20 20 E
Säffle 48 59 8N 12 55 E
Safford 119 32 50N 109 43W
Saffron Walden 13 52 2N 0 15 E
Safi 82 32 18N 9 20W
Safid Kūh 65 34 45N 63 0 E
Safonovo 54 55 4N 33 16 E
Safranbolu 56 41 15N 32 41 E
Sag Harbor 113 40 59N 72 17W
Saga 73 2 40S 132 55 E
Saga □ 74 33 15N 130 20 E
Sagala 84 14 9N 6 38W
Sagara 70 14 14N 75 6 E
Sagara, L. 90 5 20S 31 0 E
Saghīr, Zab al 64 35 10N 43 20 E
Sagil 75 50 15N 91 15 E
Saginaw 114 43 26N 83 55W
Saginaw B. 106 43 50N 83 40W
Sagleipie 84 7 0N 8 52W
Saglouc (Sugluk) 105 62 10N 74 40W
Sagone 21 42 7N 8 42 E
Sagone, G. de 21 42 4N 8 40 E
Sagra, La 33 37 57N 2 35W
Sagres 31 37 0N 8 58W
Sagua la Grande 121 22 50N 80 10W
Saguache 119 38 10N 106 10W
Saguenay → 107 48 22N 71 0W
Sagunto 32 39 42N 0 18W
Sahaba 86 18 57N 30 25 E
Sahagún 30 42 18N 5 2W
Saham 62 32 42N 35 46 E
Saḩam al Jawlān 62 32 45N 35 55 E
Sahand, Kūh-e 64 37 44N 46 27 E
Sahara 82 23 0N 5 0 E
Saharanpur 68 29 58N 77 33 E
Saharien Atlas 82 33 30N 1 0 E
Sahasinaka 93 21 49S 47 49 E
Sahaswan 68 28 5N 78 45 E
Sahel, Canal du 84 14 20N 6 0W
Sahibganj 69 25 12N 87 40 E
Sahiwal 68 30 45N 73 8 E
Sahtaneh → 108 59 2N 122 28W
Sahuaripa 120 29 0N 109 13W
Sahuarita 119 31 58N 110 59W
Sahuayo 120 20 4N 102 43W
Sahy 27 48 4N 18 55 E
Saibai I. 98 9 25S 142 40 E
Sa'id Bundas 81 8 24N 24 48 E
Saïda 82 34 50N 0 11 E
Saïdābād 65 29 30N 55 45 E
Saïdia 82 35 5N 2 14W
Saidu 69 34 43N 72 24 E
Saignes 20 45 20N 2 31 E
Saigon = Phanh Bho Ho Chi Minh 71 10 46N 106 40 E
Saih-al-Malih 65 23 37N 58 31 E
Saijō 74 33 55N 133 11 E
Saikhoa Ghat 67 27 50N 95 40 E
Saiki 74 32 58N 131 51 E
Saillans 21 44 42N 5 12 E
Sailolof 73 1 7S 130 46 E
St. Abb's Head 14 55 55N 2 10W
St. Aegyd 26 47 52N 15 33 E
St-Affrique 20 43 57N 2 53 E
St-Agrève 21 45 0N 4 23 E
St-Aignan 18 47 16N 1 22 E
St. Alban's 107 47 51N 55 50W
St. Albans, U.K. 13 51 44N 0 19W
St. Albans, Vt., U.S.A. 114 44 49N 73 7W
St. Albans, W. Va., U.S.A. 114 38 21N 81 50W
St. Alban's Head 13 50 34N 2 3W
St. Albert 108 53 37N 113 32W
St-Amand 19 50 25N 3 26 E
St-Amand-en-Puisaye 19 47 32N 3 5 E
St-Amand-Mont-Rond 20 46 43N 2 30 E
St-Amarin 19 47 54N 7 0 E
St-Amour 21 46 26N 5 21 E
St-André-de-Cubzac 20 44 59N 0 26W
St-André-de-l'Eure 18 48 54N 1 16 E
St-André-les-Alpes 21 43 58N 6 30 E
St. André, Tanjona 93 16 11S 44 27 E
St. Andrew's 107 47 45N 59 15W
St. Andrews 14 56 20N 2 48W
St-Anicet 113 45 8N 74 22W
St. Ann B. 107 46 22N 60 25W
St. Anne 18 49 43N 2 11W
St. Anthony, Can. 107 51 22N 55 35W
St. Anthony, U.S.A. 118 44 0N 111 40W
St-Antonin-Noble-Val 20 44 10N 1 45 E
St. Arnaud 99 36 40S 143 16 E
St. Arthur 107 47 33N 67 46W
St. Asaph 12 53 15N 3 27W
St-Astier 20 45 8N 0 31 E
St-Aubin-du-Cormier 18 48 15N 1 26W
St. Augustin 93 23 33S 43 46 E
St-Augustin-Saguenay 107 51 13N 58 38W
St. Augustine 115 29 52N 81 20W
St. Austell 13 50 20N 4 48W
St-Avold 19 49 6N 6 43 E
St.-Barthélemy, I. 121 17 50N 62 50W
St. Bee's Hd. 12 54 30N 3 38 E
St-Benoît-du-Sault 20 46 26N 1 24 E
St. Bernard, Col du Grand 25 45 53N 7 11 E
St. Boniface 109 49 53N 97 5W
St-Bonnet 21 44 40N 6 5 E
St-Brévin-les-Pins 18 47 14N 2 10W
St-Brice-en-Coglès 18 48 25N 1 22W
St. Bride's 107 46 56N 54 10W
St. Bride's B. 13 51 48N 5 15W
St-Brieuc 18 48 30N 2 46W
St-Calais 18 47 55N 0 45 E
St-Cast 18 48 37N 2 18W
St. Catharines 106 43 10N 79 15W
St. Catherines I. 115 31 35N 81 10W
St. Catherine's Pt. 13 50 34N 1 18W
St-Céré 20 44 51N 1 54 E
St.-Cergue 25 46 27N 6 10 E
St-Cernin 20 45 5N 2 25 E
St-Chamond 21 45 28N 4 31 E
St. Charles, Ill., U.S.A. 114 41 55N 88 21W
St. Charles, Mo., U.S.A. 116 38 46N 90 30W
St-Chély-d'Apcher 20 44 48N 3 17 E
St-Chinian 20 43 25N 2 56 E
St. Christopher (St. Kitts) 121 17 20N 62 40W
St-Ciers-sur-Gironde 20 45 17N 0 37W
St. Clair, Mich, U.S.A. 112 42 47N 82 27W
St. Clair, Pa., U.S.A. 113 40 42N 76 12W
St. Clair, L. 106 42 30N 82 45W
St. Clairsville 112 40 5N 80 53W
St-Claud 20 45 54N 0 28 E
St. Claude 109 49 40N 98 20W
St-Claude 21 46 22N 5 52 E
St-Cloud 18 48 51N 2 12 E
St. Cloud, Fla., U.S.A. 115 28 15N 81 15W
St. Cloud, Minn., U.S.A. 116 45 30N 94 11W
St. Coeur de Marie 107 48 39N 71 43W
St. Croix 121 17 45N 64 45W
St. Croix → 116 44 45N 92 50W
St. Croix Falls 116 45 18N 92 22W
St-Cyprien 20 42 37N 3 0 E
St-Cyr 21 43 11N 5 43 E
St. David's, Can. 107 48 12N 58 52W
St. David's, U.K. 13 51 54N 5 16W
St. David's Head 13 51 55N 5 16W
St-Denis 19 48 56N 2 22 E
St-Denis-d'Orques 18 48 2N 0 17W
St-Dié 19 48 17N 6 56 E
St-Dizier 19 48 40N 5 0 E
St-Egrève 21 45 14N 5 41 E
St. Elias, Mt. 104 60 14N 140 50W
St Elias Mts. 108 60 33N 139 28W
St-Éloy-les-Mines 20 46 10N 2 51 E
St-Émilion 20 44 53N 0 9W
St-Étienne 21 45 27N 4 22 E
St-Étienne-de-Tinée 21 44 16N 6 56 E
St. Eugène 113 45 30N 74 28W
St. Eustatius 121 17 20N 63 0W
St-Félicien 106 48 40N 72 25W
St-Florent 21 42 41N 9 18 E
St-Florent-sur-Cher 19 46 59N 2 15 E
St-Florentin 19 48 0N 3 45 E
St-Flour 20 45 2N 3 6 E
St-Fons 21 45 42N 4 52 E
St. Francis 116 39 48N 101 47W
St. Francis → 117 34 38N 90 36W
St. Francis, C. 92 34 14S 24 49 E
St. Francis, L. 113 45 10N 74 22W
St. Francisville 117 30 48N 91 22W
St-Fulgent 18 46 50N 1 10W
St-Gabriel-de-Brandon 106 46 17N 73 24W
St-Gaudens 20 43 6N 0 44 E
St-Gengoux-le-National 21 46 37N 4 40 E
St-Geniez-d'Olt 20 44 27N 2 58 E
St. George, Austral. 97 28 1S 148 30 E
St. George, Berm. 121 32 24N 64 42W
St. George, Can. 107 45 11N 66 50W
St. George, S.C., U.S.A. 115 33 13N 80 37W
St. George, Utah, U.S.A. 119 37 10N 113 35W
St. George, C., Can. 107 48 30N 59 16W
St. George, C., U.S.A. 115 29 36N 85 2W
St-Georges 16 50 37N 5 20 E
St. George's 107 48 26N 58 31W
St. Georges 106 46 42N 72 35W
St-Georges 107 46 8N 70 40W
St. Georges 127 4 0N 52 0W
St. George's 121 12 5N 61 43W
St. George's B. 107 48 24N 58 53W
Saint George's Channel 98 4 10S 152 20 E
St. George's Channel 11 52 0N 6 0W
St-Georges-de-Didonne 20 45 36N 1 0W
St. Georges Head 100 35 12S 150 42 E
St-Germain 19 48 53N 2 5 E
St-Germain-Lembron 20 45 27N 3 14 E
St-Germain-de-Calberte 20 44 13N 3 48 E
St-Germain-des-Fossés 20 46 12N 3 26 E
St-Germain-du-Plain 19 46 42N 4 58 E
St-Germain-Laval 21 45 50N 4 1 E
St-Gers 20 45 18N 0 37W
St-Gervais, Haute Savoie, France 21 45 53N 6 42 E
St-Gervais, Puy de Dôme, France 20 46 4N 2 50 E
St-Gildas, Pte. de 18 47 8N 2 14W
St-Gilles-Croix-de-Vie 18 46 41N 1 55W
St-Gilles-du-Gard 21 43 40N 4 26 E
St-Girons 20 42 59N 1 8 E
St. Goar 25 50 12N 7 43 E
St-Gualtier 18 46 39N 1 26 E
St-Guénolé 18 47 49N 4 23W
St. Helena, Atl. Oc. 7 15 55S 5 44W
St. Helena, U.S.A. 118 38 29N 122 30W
St. Helenabaai 92 32 40S 18 10 E
St. Helens, U.K. 12 53 28N 2 44W
St. Helens, U.S.A. 118 45 55N 122 50W
St. Helier 18 49 11N 2 6W
St-Hilaire 18 48 35N 1 7W
St-Hippolyte 19 47 20N 6 50 E
St-Hippolyte-du-Fort 20 43 58N 3 52 E
St-Honoré 19 46 54N 3 50 E
St-Hubert 16 50 2N 5 23 E
St-Hyacinthe 106 45 40N 72 58W
St. Ignace 114 45 53N 84 43W
St. Ignace I. 106 48 45N 88 0W
St. Ignatius 118 47 19N 114 8W
St-Imier 25 47 9N 6 58 E
St. Ives, Cambs., U.K. 13 52 20N 0 5W
St. Ives, Cornwall, U.K. 13 50 13N 5 29W
St-James 18 48 31N 1 20W
St. James 116 43 57N 94 40W
St. Jean 106 45 20N 73 20W
St-Jean 21 45 30N 5 10 E
St-Jean → 107 50 17N 64 20W
St. Jean Baptiste 109 49 15N 97 20W
St-Jean-d'Angély 20 45 57N 0 31W
St-Jean-de-Maurienne 21 45 16N 6 21 E
St-Jean-de-Luz 20 43 23N 1 39W
St-Jean-de-Monts 18 46 47N 2 4W
St-Jean-du-Gard 20 44 7N 3 52 E
St-Jean-en-Royans 21 45 1N 5 18 E
St-Jean, L. 107 48 40N 72 0W
St-Jean-Port-Joli 107 47 15N 70 13W
St-Jérôme, Qué., Can. 106 45 47N 74 0W
St-Jérôme, Qué., Can. 107 48 26N 71 53W
St. John, Can. 107 45 20N 66 8W
St. John, Kans., U.S.A. 117 37 59N 98 45W
St. John, N.D., U.S.A. 116 48 58N 99 40W
St. John → 107 45 15N 66 4W
St. John, C. 107 50 0N 55 32W
St. John's, Antigua 121 17 6N 61 51W
St. John's, Can. 107 47 35N 52 40W
St. Johns, Ariz., U.S.A. 119 34 31N 109 26W
St. Johns, Mich., U.S.A. 114 43 0N 84 31W
St. John's → 115 30 20N 81 30W
St. Johnsbury 114 44 25N 72 1W
St. Johnsville 113 43 0N 74 43W
St. Joseph, La., U.S.A. 117 31 55N 91 15W
St. Joseph, Mich., U.S.A. 114 42 5N 86 30W
St. Joseph, Mo., U.S.A. 116 39 46N 94 50W
St. Joseph → 114 42 7N 86 30W
St. Joseph, I. 106 46 12N 83 58W
St. Joseph, L. 106 51 10N 90 35W
St-Jovite 106 46 8N 74 38W
St-Juéry 20 43 55N 2 12 E
St-Julien 21 46 8N 5 5 E
St-Julien-Chapteuil 21 45 2N 4 4 E
St-Julien-du-Sault 19 48 1N 3 17 E
St-Junien 20 45 53N 0 55 E

St-Just-en-Chaussée San Constanzo

St-Just-en-Chaussée 19 49 30N 2 25 E
St-Just-en-Chevalet 20 45 55N 3 50 E
St-Justin 20 43 59N 0 14W
St. Kilda, N.Z. 101 45 53 S 170 31 E
St. Kilda, U.K. 8 57 9N 8 34W
St. Kitts-Nevis ■ 121 17 20N 62 40W
St. Laurent 109 50 25N 97 58W
St-Laurent 127 5 29N 54 3W
St-Laurent-du-Pont 21 45 23N 5 45 E
St-Laurent-en-Grandvaux 21 46 35N 5 58 E
St. Lawrence 107 46 54N 55 23W
St. Lawrence → 107 49 30N 66 0W
St. Lawrence, Gulf of 107 48 25N 62 0W
St. Lawrence I. 104 63 0N 170 0W
St. Leonard 107 47 12N 67 58W
St-Léonard-de-Noblat 20 45 49N 1 29 E
St. Lewis → 107 52 26N 56 11W
St-Lô 18 49 7N 1 5W
St-Louis 84 16 8N 16 27W
St. Louis, Mich., U.S.A. 114 43 27N 84 38W
St. Louis, Mo., U.S.A. 116 38 40N 90 12W
St. Louis → 116 47 15N 92 45W
St-Loup-sur-Semouse 19 47 53N 6 16 E
St. Lucia ■ 121 14 0N 60 50W
St. Lucia, C. 93 28 32 S 32 29 E
St. Lucia Channel 121 14 15N 61 0W
St. Lucia, Lake 93 28 5 S 32 30 E
St. Lunaire-Griquet 107 51 31N 55 28W
St. Maarten 121 18 0N 63 5W
St-Maixent-l'École 20 46 24N 0 12W
St-Malo 18 48 39N 2 1W
St-Malo, G. de 18 48 50N 2 30W
St-Mandrier 21 43 4N 5 56 E
St-Marc 121 19 10N 72 41W
St-Marcellin 21 45 9N 5 20 E
St-Marcouf, Îs. 18 49 30N 1 10W
St. Maries 118 47 17N 116 34W
St-Martin, Charente-M., France 20 46 12N 1 22W
St-Martin, Pas-de-Calais, France 19 50 42N 1 38 E
St-Martin, I. 121 18 0N 63 0W
St. Martin L. 109 51 40N 98 30W
St-Martin-Vésubie 21 44 4N 7 15 E
St. Martins 107 45 22N 65 34W
St. Martinsville 117 30 10N 91 50W
St-Martory 20 43 9N 0 56 E
St. Mary B. 107 46 50N 53 50W
St. Mary Is. 70 13 20N 74 35 E
St. Mary Pk. 97 31 32 S 138 34 E
St. Marys, Austral. 97 41 35 S 148 11 E
St. Marys, Can. 112 43 20N 81 10W
St. Mary's, U.K. 13 49 55N 6 17W
St. Mary's, U.S.A. 114 40 33N 84 20W
St. Marys 114 41 27N 78 33W
St. Marys Bay 107 44 25N 66 10W
St. Mary's, C. 107 46 50N 54 12W
St. Mathews I. = Zadetkyi Kyun 71 10 0N 98 25 E
St-Mathieu, Pte. de 18 48 20N 4 45W
St-Maur-des-Fossés 19 48 48N 2 30 E
St-Maurice → 106 46 21N 72 31W
St-Médard-de-Guizières 20 45 1N 0 4W
St-Méen-le-Grand 18 48 11N 2 12W
St. Michaels 119 35 38N 109 5W
St. Michael's Mt. 13 50 7N 5 30W
St-Michel 21 45 15N 6 29 E
St-Mihiel 19 48 54N 5 30 E
St-Nazaire 18 47 17N 2 12W
St. Neots 13 52 14N 0 16W
St-Nicolas-de-Port 19 48 38N 6 18 E
St-Omer 19 50 45N 2 15 E
St. Ouen 19 48 50N 2 20 E
St-Ouen 19 50 2N 2 7 E
St-Pacome 107 47 24N 69 58W
St-Palais 20 45 40N 1 8W
St-Pamphile 107 46 58N 69 48W
St-Pardoux-la-Rivière 20 45 29N 0 45 E
St. Pascal 107 47 32N 69 48W
St. Paul, Can. 108 54 0N 111 17W
St. Paul, Ind. Oc. 3 30 40 S 77 34 E
St. Paul, Minn., U.S.A. 116 44 54N 93 5W
St. Paul, Nebr., U.S.A. 116 41 15N 98 30W
St-Paul-de-Fenouillet 20 42 50N 2 28 E
St. Paul, I. 107 47 12N 60 9W
St-Péray 21 44 57N 4 50 E
St-Père-en-Retz 18 47 11N 2 2W
St. Peter 116 44 21N 93 57W
St. Peter Port 18 49 27N 2 31W
St. Peters, N.S., Can. 107 45 40N 60 53W
St. Peters, P.E.I., Can. 107 46 25N 62 35W
St. Petersburg 115 27 45N 82 40W
St-Philbert-de-Grand-Lieu 18 47 2N 1 39W
St Pierre 107 46 46N 56 12W
St-Pierre-d'Oléron 20 45 57N 1 19W
St-Pierre-Église 18 49 40N 1 24W
St-Pierre-en-Port 18 49 48N 0 30 E
St-Pierre et Miquelon □ 107 46 55N 56 10W
St-Pierre, L. 106 46 12N 72 52W
St-Pierre-le-Moûtier 19 46 47N 3 7 E
St.-Pierre-sur-Dives 18 49 2N 0 1W
St.-Pol 19 50 21N 2 20 E
St-Pol-de-Léon 18 48 41N 4 0W
St-Pol-sur-Mer 19 51 1N 2 20 E
St-Pons 20 43 30N 2 45 E
St-Pourçain-sur-Sioule 20 46 18N 3 18 E
St-Quay-Portrieux 18 48 39N 2 51W
St-Quentin 19 49 50N 3 16 E
St-Rambert-d'Albon 21 45 17N 4 49 E
St-Raphaël 21 43 25N 6 46 E
St. Regis, Mont., U.S.A. 118 47 20N 115 3W
St. Regis, N.Y., U.S.A. 113 44 39N 74 34W
St-Rémy-de-Provence 21 43 48N 4 50 E
St-Renan 18 48 26N 4 37W
St-Saëns 18 49 41N 1 16 E
St-Sauveur-en-Puisaye 19 47 37N 3 12 E
St-Sauveur-le-Vicomte 18 49 23N 1 32W
St-Savin 20 46 34N 0 50 E
St-Savinien 20 45 53N 0 42W
St. Sebastien, Tanjon' i 93 12 26 S 48 44 E
St-Seine-l'Abbaye 19 47 26N 4 47 E
St-Sernin 20 43 54N 2 35 E
St-Servan-sur-Mer 18 48 38N 2 0W
St-Sever 20 43 46N 0 34W
St-Sever-Calvados 18 48 50N 1 3W
St-Siméon 107 47 51N 69 54W
St. Stephen 107 45 16N 67 17W
St-Sulpice-Laurière 20 46 3N 1 29 E
St-Sulpice-la-Pointe 20 43 46N 1 41 E
St-Thégonnec 18 48 31N 3 57W
St. Thomas, Can. 106 42 45N 81 10W
St. Thomas, W. Indies 121 18 21N 64 55W
St-Tite 106 46 45N 72 34W
St-Tropez 21 43 17N 6 38 E
St. Troud = Sint Truiden 16 50 48N 5 10 E
St-Vaast-la-Hougue 18 49 35N 1 17W
St-Valéry 19 50 10N 1 38 E
St-Valéry-en-Caux 18 49 52N 0 43 E
St-Vallier 21 45 11N 4 50 E
St-Vallier-de-Thiey 21 43 42N 6 51 E
St-Varent 18 46 53N 0 13W
St. Vincent 6 18 0N 26 1W
St. Vincent ■ 121 13 10N 61 10W
St-Vincent-de-Tyrosse 20 43 39N 1 18W
St. Vincent, G. 97 35 0 S 138 0 E
St. Vincent Passage 121 13 30N 61 0W
St. Vincent, Tanjona 93 21 58 S 43 20 E
St-Vith 16 50 17N 6 9 E
St-Yrieux-la-Perche 20 45 31N 1 12 E
Ste-Adresse 18 49 31N 0 5 E
Ste-Agathe-des-Monts 106 46 3N 74 17W
Ste Anne de Beaupré 107 47 2N 70 58W
Ste-Anne-des-Monts 107 49 8N 66 30W
Ste-Énimie 20 44 22N 3 26 E
Ste-Foy-la-Grande 20 44 50N 0 13 E
Ste. Genevieve 116 37 59N 90 2W
Ste-Hermine 20 46 32N 1 4W
Ste-Livrade-sur-Lot 20 44 24N 0 36 E
Ste-Marguerite → 107 50 9N 66 36W
Ste Marie 121 14 48N 61 1W
Ste-Marie-aux-Mines 19 48 10N 7 12 E
Ste-Marie de la Madeleine 107 46 26N 71 0W
Ste-Maure-de-Touraine 18 47 7N 0 37 E
Ste-Maxime 21 43 19N 6 39 E
Ste-Menehould 19 49 5N 4 54 E
Ste-Mère-Église 18 49 24N 1 19W
Ste-Rose 121 16 20N 61 45W
Ste.-Rose du lac 109 51 4N 99 30W
Saintes 20 45 45N 0 37W
Saintes, Île des 121 15 50N 61 35W
Saintes-Maries-de-la-Mer 21 43 26N 4 26 E
Saintonge 20 45 40N 0 50W
Sairang 67 23 50N 92 45 E
Sairecábur, Cerro 124 22 43 S 67 54W
Saitama □ 74 36 25N 139 30 E
Sajama 126 18 7 S 69 0W
Sajan 42 45 50N 20 20 E
Sajószentpéter 27 48 12N 20 44 E
Sakai 74 34 30N 135 30 E
Sakākah 64 30 0N 40 8 E
Sakami, L. 106 53 15N 77 0W
Sâkâne, 'Erg i-n 82 20 30N 1 30W
Sakania 91 12 43 S 28 30 E
Sakarya → 56 41 7N 30 39 E
Sakata 74 38 55N 139 50 E
Sakeny → 93 20 0 S 45 25 E
Sakété 85 6 40N 2 45 E
Sakhalin, Ostrov 59 51 0N 143 0 E
Sakhi Gopal 69 19 58N 85 50 E
Sakhnīn 62 32 52N 35 12 E
Saki 56 45 9N 33 34 E
Sakiai 54 54 59N 23 0 E
Sakołow Małopolski 28 50 10N 22 9 E
Sakon Nakhon 71 17 10N 104 9 E
Sakrand 68 26 10N 68 15 E
Sakri 68 21 2N 74 20 E
Sakskøbing 49 54 49N 11 39 E
Sal → 57 47 31N 40 45 E
Šal'a 27 48 10N 17 50 E
Sala 48 59 58N 16 35 E
Sala Consilina 41 40 23N 15 35 E
Sala-y-Gómez 95 26 28 S 105 28W
Salaberry-de-Valleyfield 106 45 15N 74 8W
Saladas 124 28 15 S 58 40W
Saladillo 124 35 40 S 59 55W
Salado →, Buenos Aires, Argent. 124 35 44 S 57 22W
Salado →, La Pampa, Argent. 128 37 30 S 67 0W
Salado →, Santa Fe, Argent. 124 31 40 S 60 41W
Salado →, Mexico 120 26 52N 99 19W
Salaga 85 8 31N 0 31W
Sălaj □ 46 47 15N 23 0 E
Salala, Liberia 84 6 42N 10 7W
Salala, Sudan 86 21 17N 36 16 E
Salālah 63 16 56N 53 59 E
Salamanca, Chile 124 31 46 S 70 59W
Salamanca, Spain 30 40 58N 5 39W
Salamanca, U.S.A. 114 42 10N 78 42W
Salamanca □ 30 40 57N 5 40W
Salamis 45 37 56N 23 30 E
Salar de Atacama 124 23 30 S 68 25W
Salar de Uyuni 126 20 30 S 67 45W
Sälard 46 47 12N 22 3 E
Salas 30 43 25N 6 15W
Salas de los Infantes 32 42 2N 3 17W
Salatiga 73 7 19 S 110 30 E
Salavat 52 53 21N 55 55 E
Salaverry 126 8 15 S 79 0W
Salawati 73 1 7 S 130 52 E
Salayar 73 6 7 S 120 30 E
Salazar → 32 42 40N 1 20W
Salbris 19 47 25N 2 3 E
Salcia 46 43 56N 24 55 E
Salcombe 13 50 14N 3 47W
Saldaña 30 42 32N 4 48W
Saldanha 92 33 0 S 17 58 E
Saldanhabaai 92 33 6 S 18 0 E
Saldus 54 56 38N 22 30 E
Sale 97 38 6 S 147 6 E
Salé 82 34 3N 6 48W
Sale 12 53 26N 2 19W
Salebabu 73 3 55N 126 40 E
Salekhard 58 66 30N 66 35 E
Salem, India 70 11 40N 78 11 E
Salem, Ind., U.S.A. 114 38 38N 86 6W
Salem, Mass., U.S.A. 114 42 29N 70 53W
Salem, Mo., U.S.A. 117 37 40N 91 30W
Salem, N.J., U.S.A. 114 39 34N 75 29W
Salem, Ohio, U.S.A. 114 40 52N 80 50W
Salem, Oreg., U.S.A. 118 45 0N 123 0W
Salem, S.D., U.S.A. 116 43 44N 97 23W
Salem, Va., U.S.A. 114 37 19N 80 8W
Salemi 40 37 49N 12 47 E
Salernes 21 43 34N 6 15 E
Salerno 41 40 40N 14 44 E
Salerno, G. di 41 40 35N 14 45 E
Salfit 62 32 5N 35 11 E
Salford 12 53 30N 2 17W
Salgir → 56 45 38N 35 1 E
Salgótarján 27 48 5N 19 47 E
Salies-de-Béarn 20 43 28N 0 56W
Salina, Italy 41 38 35N 14 50 E
Salina, U.S.A. 116 38 50N 97 40W
Salina Cruz 120 16 10N 95 10W
Salinas, Brazil 127 16 10 S 42 10W
Salinas, Chile 124 23 31 S 69 29W
Salinas, Ecuador 126 2 10 S 80 58W
Salinas, U.S.A. 119 36 40N 121 41W
Salinas →, Mexico 120 16 28N 90 31W
Salinas →, U.S.A. 119 36 45N 121 48W
Salinas Ambargasta 124 29 0 S 65 0W
Salinas, B. de 121 11 4N 85 45W
Salinas, C. de 33 39 16N 3 4 E
Salinas (de Hidalgo) 120 22 30N 101 40W
Salinas Grandes 124 30 0 S 65 0W
Salinas, Pampa de las 124 31 58 S 66 42W
Saline →, Ark., U.S.A. 117 33 10N 92 8W
Saline →, Kans., U.S.A. 116 38 51N 97 30W
Salinópolis 127 0 40 S 47 20W
Salins 19 46 57N 5 53 E
Salins-les-Bains 19 46 58N 5 52 E
Salir 31 37 14N 8 2W
Salisbury, Austral. 99 34 46 S 138 40 E
Salisbury, U.K. 13 51 4N 1 48W
Salisbury, Md., U.S.A. 114 38 20N 75 38W
Salisbury, N.C., U.S.A. 115 35 20N 80 29W
• Salisbury, Zimb. 91 17 43 S 31 2 E
Salisbury Plain 13 51 13N 1 50W
Săliște 46 45 45N 23 56 E
Salka 85 10 20N 4 58 E
Salle, La 116 41 20N 89 6W
Sallent 32 41 49N 1 54 E
Salles-Curan 20 44 11N 2 48 E
Salling 49 56 40N 8 55 E
Sallisaw 117 35 26N 94 45W
Sallom Junction 86 19 17N 37 6 E
Salmerón 32 40 33N 2 29W
Salmo 108 49 10N 117 20W
Salmon 118 45 12N 113 56W
Salmon →, Can. 108 54 3N 122 40W
Salmon →, U.S.A. 118 45 51N 116 46W
Salmon Arm 108 50 40N 119 15W
Salmon Falls 118 42 48N 114 59W
Salmon Res. 107 48 05N 56 00W
Salmon River Mts. 118 45 0N 114 30W
Salo 51 60 22N 23 10 E
Salò 38 45 37N 10 32 E
Salobreña 31 36 44N 3 35W
Salome 119 33 51N 113 37W
Salon-de-Provence 21 43 39N 5 6 E
Salonica = Thessaloníki 44 40 38N 22 58 E
Salonta 46 46 49N 21 42 E
Salop = Shropshire □ 13 52 36N 2 45W
Salor → 31 39 39N 7 3W
Salou, Cabo 32 41 3N 1 10 E
Salsacate 124 31 20 S 65 5W
Salses 20 42 50N 2 55 E
Salsette I. 70 19 5N 72 50 E
Salsk 57 46 28N 41 30 E
Salso → 41 37 6N 13 55 E
Salsomaggiore 38 44 48N 9 59 E
Salt →, Can. 108 60 0N 112 25W
Salt →, U.S.A. 119 33 23N 112 18W
Salt Creek 99 36 8 S 139 38 E
Salt Fork → 117 36 37N 97 7W
Salt Lake City 118 40 45N 111 58W
Salt Range 68 32 30N 72 25 E
Salta 124 24 57 S 65 25W
Salta □ 124 24 48 S 65 30W
Saltcoats 14 55 38N 4 47W
Saltee Is. 15 52 7N 6 37W
Saltfjorden 50 67 15N 14 10 E
Saltholm 49 55 38N 12 43 E
Salthólmavík 50 65 24N 21 57W
Saltillo 120 25 30N 100 57W
Salto, Argent. 124 34 20 S 60 15W
Salto, Uruguay 124 31 27 S 57 50W
Salton Sea 119 33 20N 115 50W
Saltpond 85 5 15N 1 3W
Saltsjöbaden 49 59 15N 18 20 E
Saltspring 108 48 54N 123 37W
Saltville 114 36 53N 81 46W
Saluda → 115 34 0N 81 4W
Salûm 86 31 31N 25 7 E
Salûm, Khâlig el 86 31 30N 25 9 E
Salur 70 18 27N 83 18 E
Saluzzo 38 44 39N 7 29 E
Salvador, Brazil 127 13 0 S 38 30W
Salvador, Can. 109 52 10N 109 32W
Salvador, L. 117 29 46N 90 16W
Salvaterra de Magos 31 39 1N 8 47W
Sálvora, Isla 30 42 30N 8 58W
Salwa 65 24 45N 50 55 E
Salween → 67 16 31N 97 37 E
Salyany 53 39 10N 48 50 E
Salyersville 114 37 45N 83 4W
Salza → 26 47 40N 14 43 E
Salzach → 26 48 12N 12 56 E
Salzburg 26 47 48N 13 2 E
Salzburg □ 26 47 15N 13 0 E
Salzgitter 24 52 13N 10 22 E
Salzwedel 24 52 50N 11 11 E
Sam Neua 71 20 29N 104 0 E
Sam Ngao 71 17 18N 99 0 E
Sam Rayburn Res. 117 31 15N 94 20W
Sama 58 60 12N 60 22 E
Sama de Langreo 30 43 18N 5 40W
Samagaltai 59 50 36N 95 3 E
Samales Group 73 6 0N 122 0 E
Samalkot 70 17 3N 82 13 E
Samâlût 86 28 20N 30 42 E
Samana 68 30 10N 76 13 E
Samanga 91 8 20 S 39 13 E
Samangán □ 65 36 15N 68 3 E
Samangwa 90 4 23 S 24 10 E
Samar 73 12 0N 125 0 E
Samarai 98 10 39 S 150 41 E
Samaria = Shōmrōn 62 32 15N 35 13 E
Samarinda 72 0 30 S 117 9 E
Samarkand 58 39 40N 66 55 E
Sāmarrā" 64 34 16N 43 55 E
Samastipur 69 25 50N 85 50 E
Samatan 20 43 29N 0 55 E
Samba 90 4 38 S 26 22 E
Sambalpur 69 21 28N 84 4 E
Sambar, Tanjung 72 2 59 S 110 19 E
Sambas 72 1 20N 109 20 E
Sambava 93 14 16 S 50 10 E
Sambawizi 91 18 24 S 26 13 E
Sambhal 68 28 35N 78 37 E
Sambhar 68 26 52N 75 6 E
Sambiase 41 38 58N 16 16 E
Sambonifacio 38 45 24N 11 16 E
Sambor, Camb. 71 12 46N 106 0 E
Sambor, U.S.S.R. 54 49 30N 23 10 E
Sambre → 16 50 27N 4 52 E
Sambuca di Sicilia 40 37 39N 13 6 E
Samburu □ 90 1 10N 37 0 E
Samchŏk 76 37 30N 129 10 E
Same 90 4 2 S 37 38 E
Samer 19 50 38N 1 44 E
Samfya 91 11 22 S 29 31 E
Sámi 45 38 15N 20 39 E
Samna 86 25 12N 37 17 E
Samnū 83 27 15N 14 55 E
Samo Alto 124 30 22 S 71 0W
Samobor 39 45 47N 15 44 E
Samoëns 21 46 5N 6 45 E
Samokov 43 42 18N 23 35 E
Samoorombón, Bahía 124 36 5 S 57 20W
Samorogouan 84 11 21N 4 57W
Sámos 45 37 45N 26 50 E
Samos 30 42 44N 7 20W
Samoš 42 45 13N 20 49 E
Samotharáki 44 39 48N 19 31 E
Samothráki 44 40 28N 25 28 E
Samoylovka 55 51 12N 43 43 E
Sampa 84 8 0N 2 36W
Sampacho 124 33 20 S 64 50W
Sampang 73 7 11 S 113 13 E
Samper de Calanda 32 41 11N 0 28W
Sampit 72 2 34 S 113 0 E
Sampit, Teluk 72 3 5 S 113 3 E
Samra 64 25 35N 41 0 E
Samsø 49 55 50N 10 35 E
Samsø Bælt 49 55 45N 10 45 E
Samsun 64 41 15N 36 22 E
Samsun Dağı 45 37 45N 27 10 E
Samtredia 57 42 7N 42 24 E
Samui, Ko 71 9 30N 100 0 E
Samur → 57 41 53N 48 32 E
Samusole 91 10 2 S 24 0 E
Samut Prakan 71 13 32N 100 40 E
Samut Sakhon 71 13 31N 100 13 E
Samut Songkhram (Mekong) 71 13 24N 100 1 E
Samwari 68 28 30N 66 46 E
San 84 13 15N 4 57W
San → 27 50 45N 21 51 E
San Adrián, C. de 30 43 21N 8 50W
San Agustin, C. 73 6 20N 126 13 E
San Agustin de Valle Fértil 124 30 35 S 67 30W
San Ambrosio 95 26 28 S 79 53W
San Andreas 118 38 0N 120 39W
San Andrés, I. de 121 12 42N 81 46W
San Andres Mts. 119 33 0N 106 45W
San Andrés Tuxtla 120 18 30N 95 20W
San Angelo 117 31 30N 100 30W
San Antonio, Chile 124 33 40 S 71 40W
San Antonio, N. Mex., U.S.A. 119 33 58N 106 57W
San Antonio, Tex., U.S.A. 117 29 30N 98 30W
San Antonio → 117 28 30N 96 50W
San Antonio Abad 33 38 59N 1 19 E
San Antonio, C., Argent. 124 36 15 S 56 40W
San Antonio, C., Cuba 121 21 50N 84 57W
San Antonio, C. de 33 38 48N 0 12 E
San Antonio de los Baños 121 22 54N 82 31W
San Antonio de los Cobres 124 24 10 S 66 17W
San Antonio Oeste 128 40 40 S 65 0W
San Augustine 117 31 30N 94 7W
San Bartolomeo in Galdo 41 41 23N 15 2 E
San Benedetto 38 45 2N 10 57 E
San Benedetto del Tronto 39 42 57N 13 52 E
San Benito 117 26 5N 97 39W
San Bernardino 119 34 7N 117 18W
San Bernardino Str. 73 13 0N 125 0 E
San Bernardo 124 33 40 S 70 50W
San Bernardo, I. de 126 9 45N 75 50W
San Blas 120 26 4N 108 46W
San Blas, C. 115 29 40N 85 12W
San Borja 126 14 50 S 66 52W
San Buenaventura 120 27 5N 101 32W
San Carlos, Argent. 124 33 50 S 69 0W
San Carlos, Chile 124 36 10 S 72 0W
San Carlos, Mexico 120 29 0N 100 54W
San Carlos, Nic. 121 11 12N 84 50W
San Carlos, Phil. 73 10 29N 123 25 E
San Carlos, Uruguay 125 34 46 S 54 58W
San Carlos, U.S.A. 119 33 24N 110 27W
San Carlos, Amazonas, Venez. 126 1 55N 67 4W
San Carlos, Cojedes, Venez. 126 9 40N 68 36W
San Carlos = Butuku-Luba 85 3 29N 8 33 E
San Carlos de Bariloche 128 41 10 S 71 25W
San Carlos de la Rápita 32 40 37N 0 35 E
San Carlos del Zulia 126 9 1N 71 55W
San Carlos L. 119 33 15N 110 25W
San Cataldo 40 37 30N 13 58 E
San Celoni 32 41 42N 2 30 E
San Clemente, Chile 124 35 30 S 71 29W
San Clemente, Spain 33 39 24N 2 25W
San Clemente, U.S.A. 119 33 29N 117 36W
San Clemente I. 119 32 53N 118 30W
San Constanzo 39 43 46N 13 5 E

• Renamed Harare

Name		Coordinates
San Cristóbal, Argent.	124	30 20 S 61 10W
San Cristóbal, Dom. Rep.	121	18 25N 70 6W
San Cristóbal, Venez.	126	16 50N 92 40W
San Cristóbal de las Casas	120	16 50N 92 33W
San Damiano d'Asti	38	44 51N 8 4 E
San Daniele del Friuli	39	46 10N 13 0 E
San Demétrio Corone	41	39 34N 16 22 E
San Diego, Calif., U.S.A.	119	32 43N 117 10W
San Diego, Tex., U.S.A.	117	27 47N 98 15W
San Diego, C.	128	54 40 S 65 10W
San Doná di Piave	39	45 38N 12 34 E
San Elpidio a Mare	39	43 16N 13 41 E
San Estanislao	124	24 39 S 56 26W
San Esteban de Gormaz	32	41 34N 3 13W
San Felice sul Panaro	38	44 51N 11 9 E
San Felipe, Chile	124	32 43 S 70 42W
San Felipe, Mexico	120	31 0N 114 52W
San Felipe, Venez.	126	10 20N 68 44W
San Felíu de Guíxols	32	41 45N 3 1 E
San Felíu de Llobregat	32	41 23N 2 2 E
San Félix	95	26 23 S 80 0W
San Fernando, Chile	124	34 30 S 71 0W
San Fernando, Mexico	120	30 0N 115 10W
San Fernando, Luzon, Phil.	73	16 40N 120 23 E
San Fernando, Luzon, Phil.	73	15 5N 120 37 E
San Fernando, Spain	31	36 28N 6 17W
San Fernando, Trin.	121	10 20N 61 30W
San Fernando, U.S.A.	119	34 15N 118 29W
San Fernando ~	120	24 55N 98 10W
San Fernando de Apure	126	7 54N 67 15W
San Fernando de Atabapo	126	4 3N 67 42W
San Fernando di Púglia	41	41 18N 16 5 E
San Francisco, Argent.	124	31 30 S 62 5W
San Francisco, U.S.A.	119	37 47N 122 30W
San Francisco ~	119	32 59N 109 22W
San Francisco de Macorís	121	19 19N 70 15W
San Francisco del Monte de Oro	124	32 36 S 66 8W
San Francisco del Oro	120	26 52N 105 50W
San Francisco Javier	33	38 42N 1 26 E
San Francisco, Paso de	124	27 0 S 68 0W
San Fratello	41	38 1N 14 33 E
San Gavino Monreale	40	39 33N 8 47 E
San Gil	126	6 33N 73 8W
San Gimignano	38	43 28N 11 3 E
San Giórgio di Nogaro	39	45 50N 13 13 E
San Giórgio Iónico	41	40 27N 17 23 E
San Giovanni Bianco	38	45 52N 9 40 E
San Giovanni in Fiore	41	39 16N 16 42 E
San Giovanni in Persiceto	39	44 39N 11 12 E
San Giovanni Rotondo	41	41 41N 15 42 E
San Giovanni Valdarno	39	43 32N 11 30 E
San Giuliano Terme	38	43 45N 10 26 E
San Gottardo, Paso del	25	46 33N 8 33 E
San Grcángelo	40	40 14N 16 14 E
San Gregorio	125	32 37 S 55 40W
San Guiseppe Iato	40	37 57N 13 11 E
San Ignacio, Boliv.	126	16 20 S 60 55W
San Ignacio, Parag.	124	26 52 S 57 3W
San Ignacio, Laguna	120	26 50N 113 11W
San Ildefonso, C.	73	16 0N 122 1 E
San Isidro	124	34 29 S 58 31W
San Javier, Misiones, Argent.	125	27 55 S 55 5W
San Javier, Santa Fe, Argent.	124	30 40 S 59 55W
San Javier, Boliv.	126	16 18 S 62 30W
San Javier, Chile	124	35 40 S 71 45W
San Javier, Spain	33	37 49N 0 50W
San Joaquín ~	119	37 4N 121 51W
San Jorge	124	31 54 S 61 50W
San Jorge, Bahía de	120	31 20N 113 20W
San Jorge, Golfo	128	46 0 S 66 0W
San Jorge, G. de	32	40 50N 0 55W
San José, Boliv.	126	17 53 S 60 50W
San José, C. Rica	121	10 0N 84 2W
San José, Guat.	120	14 0N 90 50W
San José, Mexico	120	25 0N 110 50W
San Jose, Luzon, Phil.	73	15 45N 120 55 E
San Jose, Mindoro, Phil.	73	12 27N 121 4 E
San Jose, Panay, Phil.	73	10 50N 122 5 E
San José	33	38 55N 1 18 E
San Jose, Calif., U.S.A.	119	37 20N 121 53W
San Jose, N. Mex., U.S.A.	119	35 26N 105 30W
San Jose ~	119	34 58N 106 7W
San José de Feliciano	124	30 26 S 58 46W
San José de Jáchal	124	30 15 S 68 46W
San José de Mayo	124	34 27 S 56 40W
San José de Ocune	126	4 15N 70 20W
San José del Cabo	120	23 0N 109 40W
San José del Guaviare	126	2 35N 72 38W
San Juan, Argent.	124	31 30 S 68 30W
San Juan, Dom. Rep.	121	18 45N 71 25W
San Juan, Mexico	120	21 20N 102 50W
San Juan, Phil.	73	8 25N 126 20 E
San Juan, Pto. Rico	121	18 28N 66 8W
San Juan	124	31 9 S 69 0W
San Juan ~, Argent.	124	32 20 S 67 25W
San Juan ~, Nic.	121	10 56N 83 42W
San Juan ~, U.S.A.	119	37 20N 110 20W
San Juan Bautista, Parag.	124	26 37 S 57 6W
San Juan Bautista, Spain	33	39 5N 1 31 E
San Juan, C.	88	1 5N 9 20 E
San Juan Capistrano	119	33 29N 117 40W
San Juan de los Morros	126	9 55N 67 21W
San Juan del Norte, B. de	121	11 0N 83 40W
San Juan del Puerto	31	37 20N 6 50W
San Juan del Río	120	20 25N 100 0W
San Juan del Sur	121	11 20N 85 51W
San Juan Mts.	119	38 30N 108 30W
San Julián	128	49 15 S 67 45W
San Just, Sierra de	32	40 45N 0 49W
San Justo	124	30 47 S 60 30W
San Lázaro, C.	120	24 50N 112 18W
San Lázaro, Sa. de	120	23 25N 110 0W
San Leandro	119	37 40N 122 6W
San Leonardo	32	41 51N 3 5W
San Lorenzo, Argent.	124	32 45 S 60 45W
San Lorenzo, Ecuador	126	1 15N 78 50W
San Lorenzo, Parag.	125	25 20 S 57 32W
San Lorenzo ~	120	24 15N 107 24W
San Lorenzo de la Parrilla	32	39 51N 2 22W
San Lorenzo de Morunys	32	42 8N 1 35 E
San Lorenzo, I., Mexico	120	28 35N 112 50W
San Lorenzo, I., Peru	126	12 7 S 77 15W
San Lorenzo, Mt.	128	47 40 S 72 20W
San Lucas, Boliv.	126	20 5 S 65 7W
San Lucas, Mexico	120	27 10N 112 14W
San Lucas, C. de	120	22 50N 110 0W
San Lúcido	41	39 18N 16 3 E
San Luis, Argent.	124	33 20 S 66 20W
San Luis, U.S.A.	119	37 3N 105 26W
San Luis	124	34 0 S 66 0W
San Luis de la Paz	120	21 19N 100 32W
San Luis, I.	120	29 58N 114 26W
San Luis Obispo	119	35 21N 120 38W
San Luis Potosí	120	22 9N 100 59W
San Luis Potosí	120	22 10N 101 0W
San Luis Río Colorado	120	32 29N 114 58W
San Luis, Sierra de	124	32 30 S 66 10W
San Marco Argentano	41	39 34N 16 8 E
San Marco dei Cavoti	41	41 24N 14 50 E
San Marco in Lámis	41	41 43N 15 38 E
San Marcos, Guat.	120	14 59N 91 52W
San Marcos, Mexico	120	27 13N 112 6W
San Marcos, U.S.A.	117	29 53N 98 0W
San Marino	39	43 56N 12 25 E
San Marino ■	39	43 56N 12 25 E
San Martín	124	33 5 S 68 28W
San Martín de Valdeiglesias	30	40 21N 4 24W
San Martín, L.	128	48 50 S 72 50W
San Martino di Calvi	38	45 57N 9 41 E
San Mateo, Spain	32	40 28N 0 10 E
San Mateo, U.S.A.	119	37 32N 122 19W
San Matías	126	16 25 S 58 20W
San Matías, Golfo	128	41 30 S 64 0W
San Matías, G. of	122	41 30 S 64 0W
San Miguel, El Sal.	120	13 30N 88 12W
San Miguel, Spain	33	39 3N 1 26 E
San Miguel, U.S.A.	119	35 45N 120 42W
San Miguel ~	126	13 52 S 63 56W
San Miguel de Salinas	33	37 59N 0 47W
San Miguel de Tucumán	124	26 50 S 65 20W
San Miguel del Monte	124	35 23 S 58 50W
San Miniato	38	43 40N 10 50 E
San Narciso	73	15 2N 120 3 E
San Nicolás de los Arroyas	124	33 25 S 60 10W
San Nicolas I.	119	33 16N 119 30W
San Pablo	124	21 43 S 66 38W
San Paolo di Civitate	41	41 44N 15 16 E
San Pedro, Buenos Aires, Argent.	125	26 30 S 54 10W
San Pedro, Jujuy, Argent.	124	24 12 S 64 55W
San-Pédro	84	4 50N 6 33W
San Pedro	124	24 0 S 57 0W
San Pedro ~, Chihuahua, Mexico	120	28 20N 106 10W
San Pedro ~, Nayarit, Mexico	120	21 45N 105 30W
San Pedro ~, U.S.A.	119	33 0N 110 50W
San Pedro de Atacama	124	22 55 S 68 15W
San Pedro de Jujuy	124	24 12 S 64 55W
San Pedro de las Colonias	120	25 50N 102 59W
San Pedro de Lloc	126	7 15 S 79 28W
San Pedro de Macorís	121	18 30N 69 18W
San Pedro del Paraná	124	26 43 S 56 13W
San Pedro del Pinatar	33	37 50N 0 50W
San Pedro Mártir, Sierra	120	16 2N 115 30W
San Pedro Mixtepec	120	16 2N 97 7W
San Pedro Ocampo = Melchor Ocampo	120	24 52N 101 40W
San Pedro, Pta.	124	25 30 S 70 38W
San Pedro, Sierra de	31	39 18N 6 40W
San Pedro Sula	120	15 30N 88 0W
San Pedro, Pta.	124	25 30 S 70 38W
San Pietro, I.	40	39 9N 8 17 E
San Pietro Vernótico	41	40 28N 18 0 E
San Quintin	73	16 1N 120 56 E
San Rafael, Argent.	124	34 40 S 68 21W
San Rafael, Calif., U.S.A.	118	37 59N 122 32W
San Rafael, N. Mex., U.S.A.	119	35 6N 107 58W
San Ramón de la Nueva Orán	124	23 10 S 64 20W
San Remo	38	43 48N 7 47 E
San Roque, Argent.	124	28 25 S 58 45W
San Roque, Spain	31	36 17N 5 21W
San Rosendo	124	37 16 S 72 43W
San Saba	117	31 12N 98 45W
San Salvador	120	13 40N 89 10W
San Salvador de Jujuy	124	24 10 S 64 48W
San Salvador I.	121	24 0N 74 32W
San Sebastián, Argent.	128	53 10 S 68 30W
San Sebastián, Spain	32	43 17N 1 58W
San Serverino Marche	39	43 13N 13 10 E
San Simon	119	32 14N 109 16W
San Stéfano di Cadore	39	46 34N 12 33 E
San Valentin, Mte.	128	46 30 S 73 30W
San Vicente de Alcántara	31	39 22N 7 8W
San Vicente de la Barquera	30	43 23N 4 29W
San Vito	38	43 6N 10 29 E
San Vito al Tagliamento	39	45 55N 12 50 E
San Vito, C.	40	38 11N 12 41 E
San Vito Chietino	39	42 19N 14 27 E
San Vito dei Normanni	41	40 40N 17 40 E
San Ygnacio	117	27 6N 99 24W
Sana'	63	15 27N 44 12 E
Sana ~	39	45 3N 16 23 E
Sanaba	30	42 0N 6 30W
Sanabria, La	30	42 0N 6 30W
Sanáfir	86	27 55N 34 37 E
Sanaga ~	88	3 35N 9 38 E
Sanak I.	104	53 30N 162 30W
Sanana	73	2 5 S 125 59 E
Sanand	68	22 59N 72 25 E
Sanandaj	64	35 18N 47 1 E
Sanandita	124	21 40 S 63 45W
Sanary	21	43 7N 5 48 E
Sanawad	68	22 11N 76 5 E
Sancergues	19	47 10N 2 54 E
Sancerre	19	47 20N 2 50 E
Sancerrois, Coll. du	19	47 20N 2 50 E
Sancha He ~	77	26 48N 106 7 E
Sanchor	68	24 45N 71 55 E
Sanco, Pt.	73	8 15N 126 24 E
Sancoins	19	46 47N 2 55 E
Sancti-Spíritus	121	21 52N 79 33W
Sand ~	93	22 25 S 30 5 E
Sand Springs	117	36 12N 96 5W
Sandah	86	20 35N 39 32 E
Sandakan	72	5 53N 118 4 E
Sandan	71	12 46N 106 0 E
Sandanski	43	41 35N 23 16 E
Sandaré	84	14 40N 10 15W
Sanday	14	59 15N 2 30W
Sande, Möre og Romsdal, Norway	47	62 15N 5 27 E
Sande, Sogn og Fjordane, Norway	47	61 20N 5 47 E
Sandefjord	47	59 10N 10 15 E
Sandeid	47	59 33N 5 52 E
Sanders	119	35 12N 109 25W
Sanderson	117	30 5N 102 30W
Sandfly L.	109	55 43N 106 6W
Sandgate	99	27 18 S 153 3 E
Sandia	126	14 10 S 69 30W
Sandıklı	64	38 30N 30 20 E
Sandnes	47	58 50N 5 45 E
Sandness	14	60 18N 1 38W
Sandoa	88	9 41 S 23 0 E
Sandomierz	28	50 40N 21 43 E
Sandover ~	97	21 43 S 136 32 E
Sandoway	67	18 20N 94 30 E
Sandpoint	118	48 20N 116 34W
Sandringham	12	52 50N 0 30 E
Sandslán	48	63 17N 17 49 E
Sandspit	108	53 14N 131 49W
Sandstone	96	27 59 S 119 16 E
Sandusky, Mich., U.S.A.	106	43 26N 82 50W
Sandusky, Ohio, U.S.A.	114	41 25N 82 40W
Sandvig	49	55 18N 14 48 E
Sandviken	48	60 38N 16 46 E
Sandwich B., Can.	107	53 40N 57 15W
Sandwich B., S. Afr.	92	23 25 S 14 20 E
Sandwich, C.	98	18 14 S 146 18 E
Sandwich Group	5	57 0 S 27 0W
Sandwip Chan.	67	22 35N 91 35 E
Sandy C., Queens., Austral.	97	24 42 S 153 15 E
Sandy C., Tas., Austral.	97	41 25 S 144 45 E
Sandy Cr. ~	118	41 15N 109 47W
Sandy L.	106	53 2N 93 0W
Sandy Lake	106	53 0N 93 15W
Sandy Narrows	109	55 5N 103 4W
Sanford, Fla., U.S.A.	115	28 45N 81 20W
Sanford, Me., U.S.A.	113	43 28N 70 47W
Sanford, N.C., U.S.A.	115	35 30N 79 10W
Sanford ~	96	27 22 S 115 53 E
Sanford Mt.	104	62 30N 143 0W
Sanga	91	12 22 S 35 21 E
Sanga ~	88	1 5 S 17 0 E
Sanga-Tolon	59	61 50N 149 40 E
Sangamner	70	19 37N 74 15 E
Sangar	59	64 2N 127 31 E
Sangasanga	72	0 36 S 117 13 E
Sange	90	6 58 S 28 21 E
Sangeang	73	8 12 S 119 6 E
Sanger	119	36 41N 119 35W
Sangerhausen	24	51 28N 11 18 E
Sanggan He ~	76	38 12N 117 15 E
Sanggau	72	0 5N 110 30 E
Sangihe, Kepulauan	73	3 0N 126 0 E
Sangihe, P.	73	3 45N 125 30 E
Sangkapura	72	5 52 S 112 40 E
Sangli	70	16 55N 74 33 E
Sangmélina	88	2 57N 12 1 E
Sangonera ~	33	37 59N 1 4W
Sangre de Cristo Mts.	117	37 0N 105 0W
Sangro ~	39	42 14N 14 32 E
Sangudo	108	53 50N 114 54W
Sangüesa	32	42 37N 1 17W
Sanguinaires, Îs.	21	41 51N 8 36 E
Sangzhi	77	29 25N 110 12 E
Sanhala	84	10 3N 6 51W
Sanish	116	48 0N 102 30W
Sanje	90	0 49 S 31 30 E
Sanjiang	77	25 48N 109 37 E
Sankaranayinarkovil	70	9 10N 77 35 E
Sankeshwar	70	16 23N 74 32 E
Sankt Andra	26	46 46N 14 50 E
Sankt Blasien	25	47 47N 8 7 E
Sankt Gallen	25	47 26N 9 22 E
Sankt Gallen	25	47 25N 9 22 E
Sankt Gotthard P. = San Gottardo, Paso del	25	46 33N 8 33 E
Sankt Ingbert	25	49 16N 7 6 E
Sankt Johann, Salzburg, Austria	26	47 22N 13 12 E
Sankt Johann, Tirol, Austria	26	47 30N 12 25 E
Sankt Moritz	25	46 30N 9 50 E
Sankt Olof	49	55 37N 14 8 E
Sankt Pölten	26	48 12N 15 38 E
Sankt Valentin	26	48 11N 14 33 E
Sankt Veit	26	46 54N 14 22 E
Sankt Wendel	25	49 27N 7 9 E
Sankt Wolfgang	26	47 43N 13 27 E
Sankuru ~	88	4 17 S 20 25 E
Sanlúcar de Barrameda	31	36 46N 6 21W
Sanlúcar la Mayor	31	37 26N 6 18W
Sanluri	40	39 35N 8 55 E
Sanmenxia	77	34 47N 111 12 E
Sannaspos	92	29 6 S 26 34 E
Sannicandro Gargánico	41	41 50N 15 34 E
Sannidal	47	58 55N 9 15 E
Sannieshof	92	26 30 S 25 47 E
Sanok	27	49 35N 22 10 E
Sanquhar	14	55 21N 3 56W
Sansanding Dam	84	13 48N 6 0W
Sansepolcro	39	43 34N 12 8 E
Sanshui	75	23 10N 112 56 E
Sanski Most	39	44 46N 16 40 E
Sant' Ágata di Goti	41	41 6N 14 30 E
Sant' Agata di Militello	41	38 2N 14 8 E
Santa Ana, Boliv.	126	13 50 S 65 40W
Santa Ana, Ecuador	126	1 16 S 80 20W
Santa Ana, El Sal.	120	14 0N 89 31W
Santa Ana, Mexico	120	30 31N 111 8W
Santa Ana, U.S.A.	119	33 48N 117 55W
Sant' Ángelo Lodigiano	38	45 14N 9 25 E
Sant' Antíoco	40	39 2N 8 30 E
Sant' Arcángelo di Romagna	39	44 4N 12 26 E
Santa Bárbara, Mexico	120	26 48N 105 50W
Santa Bárbara, Spain	32	40 42N 0 29 E
Santa Barbara	119	34 25N 119 40W
Santa Bárbara, Mt.	33	37 23N 2 50W
Santa Catalina	120	25 40N 110 50W
Santa Catalina, G. of	119	33 0N 118 0W
Santa Catalina I.	119	33 20N 118 30W
Santa Catarina	125	27 25 S 48 30W
Santa Catarina, I. de	125	27 30 S 48 40W
Santa Caterina Villarmosa	41	37 37N 14 1 E
Santa Cecília	125	26 56 S 50 18W
Santa Clara, Cuba	121	22 20N 80 0W
Santa Clara, Calif., U.S.A.	119	37 21N 122 0W
Santa Clara, Utah, U.S.A.	119	37 10N 113 38W
Santa Clara de Olimar	125	32 50 S 54 54W
Santa Clara Pk.	119	35 58N 106 45W
Santa Clotilde	126	2 33 S 73 45W
Santa Coloma de Farnés	32	41 50N 2 39 E
Santa Coloma de Gramanet	32	41 27N 2 13 E
Santa Comba	30	43 2N 8 49W
Santa Croce Camerina	41	36 50N 14 30 E
Santa Croce di Magliano	41	41 43N 14 59 E
Santa Cruz, Argent.	128	50 0 S 68 32W
Santa Cruz, Boliv.	126	17 43 S 63 10W
Santa Cruz, Chile	124	34 38 S 71 27W
Santa Cruz, C. Rica	121	10 15N 85 35W
Santa Cruz, Phil.	73	14 20N 121 24 E
Santa Cruz, Calif., U.S.A.	119	36 55N 122 1W
Santa Cruz, N. Mexico, U.S.A.	119	35 59N 106 1W
Santa Cruz	126	17 43 S 63 10W
Santa Cruz ~	128	50 10 S 68 20W
Santa Cruz de Mudela	33	38 39N 3 28W
Sta. Cruz de Tenerife	80	28 28N 16 15W
Santa Cruz del Retamar	30	40 8N 4 14W
Santa Cruz del Sur	121	20 44N 78 0W
Santa Cruz do Rio Pardo	125	22 54 S 49 37W
Santa Cruz do Sul	125	29 42 S 52 25W
Santa Cruz I.	119	34 0N 119 45W
Santa Cruz, Is.	94	10 30 S 166 0 E
Santa Domingo, Cay	121	21 25N 75 15W
Santa Elena, Argent.	124	30 58 S 59 47W
Santa Elena, Ecuador	126	2 16 S 80 52W
Santa Elena, C.	121	10 54N 85 56W
Sant' Eufémia, Golfo di	41	38 50N 16 10 E
Santa Eulalia	33	38 59N 1 32 E
Santa Fe, Argent.	124	31 35 S 60 41W
Santa Fe, Spain	31	37 11N 3 43W
Santa Fe, U.S.A.	119	35 40N 106 0W
Santa Fé	124	31 50 S 60 55W
Santa Filomena	127	9 6 S 45 50W
Santa Genoveva	120	23 18N 109 52W
Santa Inês	31	38 32 S 5 37W
Santa Inés, I.	128	54 0 S 73 0W
Santa Isabel, Argent.	124	36 10 S 66 54W
Santa Isabel, Brazil	127	11 45 S 51 30W
Santa Isabel = Rey Malabo	85	3 45N 8 50 E
Santa Isabel, Pico	85	3 35N 8 40 E
Santa Lucía, Corrientes, Argent.	124	28 58 S 59 5W
Santa Lucía, San Juan, Argent.	124	31 30 S 68 30W
Santa Lucía, Spain	33	37 35N 0 58W
Santa Lucia	124	34 27 S 56 24W
Santa Lucia Range	119	36 0N 121 20W
Santa Margarita, Argent.	124	38 28 S 61 35W
Santa Margarita, Mexico	120	24 30N 111 50W
Santa Margherita	38	44 20N 9 11 E
Santa María, Brazil	125	29 40 S 53 48W
Santa María, Spain	32	39 38N 2 47 E
Santa María, U.S.A.	119	34 58N 120 29W
Santa María, Zambia	91	11 5 S 29 58 E
Santa María ~	120	31 0N 107 14W
Santa María, Bahía de	120	25 10N 108 40W
Santa María, Cabo de	31	36 58N 7 53W
Santa Maria Capua Vetere	41	41 3N 14 15 E
Santa María da Vitória	127	13 24 S 44 12W
Santa María del Oro	120	25 58N 105 20W
Santa María di Leuca, C.	41	39 48N 18 20 E
Santa María la Real de Nieva	30	41 4N 4 24W
Santa Marta, Colomb.	126	11 15N 74 13W
Santa Marta, Spain	31	38 37N 6 39W
Santa Marta Grande, C.	125	28 43 S 48 50W
Santa Marta, Ría de	30	43 44N 7 45W
Santa Marta, Sierra Nevada de	126	10 55N 73 50W
Santa Maura = Levkás	45	38 40N 20 43 E
Santa Monica	119	34 0N 118 30W
Santa Olalla, Huelva, Spain	31	37 54N 6 14W
Santa Olalla, Toledo, Spain	30	40 2N 4 25W
Sant' Onofrio	41	38 42N 16 12 E
Santa Paula	119	34 20N 119 2W
Santa Pola	33	38 13N 0 35W
Santa Rita	119	32 50N 108 0W
Santa Rosa, La Pampa, Argent.	124	36 40 S 64 17W
Santa Rosa, San Luis, Argent.	124	32 21 S 65 10W
Santa Rosa, Boliv.	126	10 36 S 67 20W
Santa Rosa, Brazil	125	27 52 S 54 29W
Santa Rosa, Calif., U.S.A.	118	38 26N 122 43W
Santa Rosa, N. Mexico, U.S.A.	117	34 58N 104 40W
Santa Rosa de Copán	120	14 47N 88 46W
Santa Rosa de Río Primero	124	31 8 S 63 20W
Santa Rosa I., Calif., U.S.A.	119	34 0N 120 6W
Santa Rosa I., Fla., U.S.A.	115	30 23N 87 0W
Santa Rosa Mts.	118	41 45N 117 30W
Santa Rosalía	120	27 20N 112 20W
Santa Sofía	39	43 57N 11 55 E
Santa Sylvina	124	27 50 S 61 10W
Santa Tecla = Nueva San Salvador	120	13 40N 89 25W
Santa Teresa	124	33 25 S 60 47W
Santa Teresa di Riva	41	37 58N 15 21 E
Santa Teresa Gallura	40	41 14N 9 12 E
Santa Vitória do Palmar	125	33 32 S 53 25W
Santai	75	31 5N 104 58 E
Santana, Coxilha de	125	30 55 S 55 30W
Santana do Livramento	125	30 55 S 55 30W
Santanayi	33	39 20N 3 5 E
Santander	30	43 27N 3 51W
Santander Jiménez	120	24 11N 98 29W
Santaquin	118	40 0N 111 51W
Santarém, Brazil	127	2 25 S 54 42W
Santarém, Port.	31	39 12N 8 42W
Santaren	31	39 10N 8 40W
Santaren Channel	121	24 0N 79 30W
Santéramo in Colle	41	40 48N 16 45 E

Santerno Scunthorpe

Santerno → **39** 44 10N 11 38 E
Santhia **38** 45 20N 8 10 E
Santiago, Brazil **125** 29 11 S 54 52W
Santiago, Chile **124** 33 24 S 70 40W
Santiago, Panama **121** 8 0N 81 0W
Santiago □ **124** 33 30 S 70 50W
Santiago de Compostela **30** 42 52N 8 37W
Santiago de Cuba **121** 20 0N 75 49W
Santiago de los Cabelleros **121** 19 30N 70 40W
Santiago del Estero **124** 27 50 S 64 15W
Santiago del Estero □ **124** 27 40 S 63 15W
Santiago do Cacém **31** 38 1N 8 42W
Santiago Ixcuintla **120** 21 50N 105 11W
Santiago Papasquiaro **120** 25 0N 105 20W
Santiago, Punta de **85** 3 12N 8 40 E
Santiaguillo, L. de **120** 24 50N 104 50W
Santillana del Mar **30** 43 24N 4 6W
Santipur **69** 23 17N 88 25 E
Santisteban del Puerto **33** 38 17N 3 15W
Santo Amaro **127** 12 30 S 38 43W
Santo Anastácio **125** 21 58 S 51 39W
Santo André **125** 23 39 S 46 29W
Santo Ângelo **125** 28 15 S 54 15W
Santo Antonio **127** 15 50 S 56 0W
Santo Corazón **126** 18 0 S 58 45W
Santo Domingo, Dom. Rep. **121** 18 30N 64 54W
Santo Domingo, Baja Calif. N., Mexico **120** 30 43N 116 2W
Santo Domingo, Baja Calif. S., Mexico **120** 25 32N 112 2W
Santo Domingo, Nic. **121** 12 14N 84 59W
Santo Domingo de la Calzada **32** 42 26N 2 57W
Santo Stéfano di Camastro **41** 38 1N 14 22 E
Santo Stino di Livenza **39** 45 45N 12 40 E
Santo Tirso **30** 41 21N 8 28W
Santo Tomás **126** 14 26 S 72 8W
Santo Tomé **125** 28 40 S 56 5W
Santo Tomé de Guayana **126** 8 22N 62 40W
Santoña **30** 43 29N 3 27W
Santos **125** 24 0 S 46 20W
Santos Dumont **125** 22 55 S 43 10W
Santos, Sierra de los **31** 38 7N 5 12W
Şānūr **62** 32 22N 35 15 E
Sanvignes-les-Mines **19** 46 40N 4 18 E
Sanyuan **77** 34 35N 108 58 E
Sanza Pombo **88** 7 18 S 15 56 E
São Anastácio **125** 22 0 S 51 40W
São Bartolomeu de Messines **31** 37 15N 8 17W
São Borja **125** 28 39 S 56 0W
São Bras d'Alportel **31** 37 8N 7 37W
São Carlos **125** 22 0 S 47 50W
São Cristóvão **127** 11 1 S 37 15W
São Domingos **127** 13 25 S 46 19W
São Francisco **127** 16 0 S 44 50W
São Francisco → **127** 10 30 S 36 24W
São Francisco do Sul **125** 26 15 S 48 36W
São Gabriel **125** 30 20 S 54 20W
São Gonçalo **125** 22 48 S 43 5W
Sao Hill **91** 8 20 S 35 12 E
São João da Boa Vista **125** 22 0 S 46 52W
São João da Pesqueira **30** 41 8N 7 24W
São João del Rei **125** 21 8 S 44 15W
São João do Araguaia **127** 5 23 S 48 46W
São João do Piauí **127** 8 21 S 42 15W
São José do Rio Prêto **125** 20 50 S 49 20W
São José dos Campos **125** 23 7 S 45 52W
São Leopoldo **125** 29 50 S 51 10W
São Lourenço **125** 22 7 S 45 3W
São Lourenço → **127** 17 53 S 57 27W
São Luís Gonzaga **125** 28 25 S 55 0W
São Luís (Maranhão) **127** 2 39 S 44 15W
São Marcos → **127** 18 15 S 47 37W
São Marcos, B. de **127** 2 0 S 44 0W
São Martinho **30** 40 18N 8 8W
São Mateus **127** 18 44 S 39 50W
São Miguel **8** 37 33N 25 27W
São Paulo **125** 23 32 S 46 37W
São Paulo □ **125** 22 0 S 49 0W
Sao Paulo, I. **6** 0 50N 31 40W
São Pedro do Sul **30** 40 46N 8 4W
São Roque, C. de **127** 5 30 S 35 16W
São Sebastião do Paraíso **125** 20 54 S 46 59W
São Sebastião, I. de **125** 23 50 S 45 18W
São Teotónio **31** 37 30N 8 42W
São Tomé **79** 0 10N 6 39 E
São Tomé, C. de **125** 22 0 S 40 59W
São Vicente **125** 23 57 S 46 23W
São Vicente, Cabo de **31** 37 0N 9 0W
Saona, I. **121** 18 10N 68 40W
Saône → **19** 45 44N 4 50 E
Saône-et-Loire □ **19** 46 25N 4 50 E
Saonek **73** 0 22 S 130 55 E
Saoura, O. → **82** 29 0N 0 55W
Sápai **44** 41 2N 25 43 E
Saparua **73** 3 33 S 128 40 E
Sapele **85** 5 50N 5 40 E
Sapelo I. **115** 31 28N 81 15W
Sapiéntza **45** 36 45N 21 43 E
Sapone **85** 12 3N 1 35W
Saposoa **126** 6 55 S 76 45W
Sapozhok **55** 53 59N 40 41 E
Sapphire Mts. **118** 46 20N 113 45W
Sapporo **74** 43 0N 141 21 E
Sapri **41** 40 5N 15 37 E
Sapudi **73** 7 2 S 114 17 E
Sapulpa **117** 36 0N 96 0W
Saqqez **64** 36 15N 46 20 E
Sar-e Pol **65** 36 10N 66 0 E
Sar Planina **42** 42 10N 21 0 E
Sara **84** 11 40N 3 53W
Sarāb **64** 38 0N 47 30 E
Saragossa = Zaragoza **32** 41 39N 0 53W
Saraguro **126** 3 35 S 79 16W
Saraipalli **69** 21 20N 82 59 E
Sarajevo **42** 43 52N 18 26 E
Saralu **46** 44 43N 28 10 E
Saran **86** 19 35N 40 30 E
Saran, G. **72** 0 30 S 111 25 E
Saranac Lake **114** 44 20N 74 10W
Saranda, Alb. **44** 39 52N 19 55 E
Saranda, Tanz. **90** 5 45 S 34 59 E
Sarandí del Yi **125** 33 18 S 55 38W
Sarandí Grande **124** 33 44 S 56 20W
Sarangani B. **73** 6 0N 125 13 E
Sarangani Is. **73** 5 25N 125 25 E
Sarangarh **69** 21 30N 83 5 E
Saransk **55** 54 10N 45 10 E
Sarapul **52** 56 28N 53 48 E
Sarasota **115** 27 20N 82 30W
Saratoga **118** 41 30N 106 48W
Saratoga Springs **114** 43 5N 73 47W
Saratov **55** 51 30N 46 2 E
Saravane **71** 15 43N 106 25 E
Sarawak □ **72** 2 0N 113 0 E
Saraya **84** 12 50N 11 45W
Sarbāz **65** 26 38N 61 19 E
Sarbīsheh **65** 32 30N 59 40 E
Sârbogârd **27** 46 50N 18 40 E
Sarca → **38** 45 52N 10 52 E
Sardalas **83** 25 50N 10 34 E
Sardarshahr **68** 28 30N 74 29 E
Sardegna **40** 39 57N 9 0 E
Sardhana **68** 29 9N 77 39 E
Sardinia = Sardegna **40** 39 57N 9 0 E
Šarengrad **42** 45 14N 19 16 E
Saréyamou **84** 16 7N 3 10W
Sargasso Sea **6** 27 0N 72 0W
Sargent **116** 41 42N 99 24W
Sargodha **68** 32 10N 72 40 E
* Sargodha □ **68** 31 50N 72 0 E
Sarh **81** 9 5N 18 23 E
Sarhro, Djebel **82** 31 6N 5 0W
Sārī **65** 36 30N 53 4 E
Sária **45** 35 54N 27 17 E
Sarida → **62** 32 4N 34 45 E
Sarikamiş **64** 40 22N 42 35 E
Sarikei **72** 2 8N 111 30 E
Sarina **97** 21 22 S 149 13 E
Sariñena **32** 41 47N 0 10W
Sarīr Tibasti **83** 22 50N 18 30 E
Sarita **117** 27 14N 97 49W
Sariyer **43** 41 10N 29 3 E
Sark **18** 49 25N 2 20W
Sarkad **27** 46 47N 21 23 E
Sarlat-la-Canéda **20** 44 54N 1 13 E
Sarles **116** 48 58N 99 0W
Sărmaşu **46** 46 45N 24 13 E
Sarmi **73** 1 49 S 138 44 E
Sarmiento **128** 45 35 S 69 5W
Särna **48** 61 41N 13 8 E
Sarnano **39** 43 2N 13 17 E
Sarnen **25** 46 53N 8 13 E
Sarnia **106** 42 58N 82 23W
Sarno **41** 40 48N 14 35 E
Sarnowa **28** 51 39N 16 53 E
Sarny **54** 51 17N 26 40 E
Särö **49** 57 31N 11 57 E
Sarolangun **72** 2 19 S 102 42 E
Saronikós Kólpos **45** 37 45N 23 45 E
Saronno **38** 45 38N 9 2 E
Saros Körfezi **44** 40 30N 26 15 E
Sárospatak **27** 48 18N 21 33 E
Sarosul Românesc **42** 45 34N 21 43 E
Sarova **55** 54 55N 43 19 E
Sarpsborg **47** 59 16N 11 12 E
Sarracín **32** 42 15N 3 45W
Sarralbe **19** 48 55N 7 1 E
Sarre = Saar → **19** 49 7N 7 4 E
Sarre, La **106** 48 45N 79 15W
Sarre-Union **19** 48 55N 7 4 E
Sarrebourg **19** 48 43N 7 3 E
Sarreguemines **19** 49 1N 7 4 E
Sarriá **30** 42 49N 7 29W
Sarrión **32** 40 9N 0 49W
Sarro **84** 13 40N 5 15W
Sarstedt **24** 52 13N 9 50 E
Sartène **21** 41 38N 8 58 E
Sarthe □ **18** 47 58N 0 10 E
Sarthe → **18** 47 33N 0 31W
Sartilly **18** 48 45N 1 28W
Sartynya **58** 63 22N 63 11 E
Sarum **86** 21 11N 39 10 E
Sarūr **65** 23 17N 58 4 E
Sárvár **27** 47 15N 16 56 E
Sarvestān **65** 29 20N 53 10 E
Särvfjället **48** 62 42N 13 30 E
Sárviz → **27** 46 24N 18 41 E
Sary-Tash **58** 39 44N 73 15 E
Sarych, Mys. **56** 44 25N 33 45 E
Saryshagan **58** 46 12N 73 38 E
Sarzana **38** 44 5N 9 59 E
Sarzeau **18** 47 31N 2 48W
Sasa **62** 33 2N 35 23 E
Sasabeneh **63** 7 59N 44 43 E
Sasaram **69** 24 57N 84 5 E
Sasca Montană **42** 44 50N 21 45 E
Sasebo **74** 33 10N 129 43 E
Saser Mt. **69** 34 50N 77 50 E
Saskatchewan □ **109** 54 40N 106 0W
Saskatchewan → **109** 53 37N 100 40W
Saskatoon **109** 52 10N 106 38W
Saskylakh **59** 71 55N 114 1 E
Sasnovka **55** 56 20N 51 4 E
Sasolburg **93** 26 46 S 27 49 E
Sasovo **55** 54 25N 41 55 E
Sassandra **84** 5 0N 6 8W
Sassandra → **84** 4 58N 6 5W
Sássari **40** 40 44N 8 33 E
Sassnitz **24** 54 29N 13 39 E
Sasso Marconi **39** 44 22N 11 12 E
Sassocorvaro **39** 43 47N 12 30 E
Sassoferrato **39** 43 26N 12 51 E
Sassuolo **38** 44 31N 10 47 E
Sástago **32** 41 19N 0 21W
Sastown **84** 4 45N 8 27W
Sasumua Dam **90** 0 45 S 36 40 E
Sasyk, Ozero **46** 45 45N 30 0 E
Sata-Misaki **74** 30 59N 130 40 E
Satadougou **84** 12 25N 11 25W
Satanta **117** 37 30N 101 0W
Satara **70** 17 44N 73 58 E
Satilla → **115** 30 59N 81 28W
Satka **52** 55 3N 59 1 E
Satkhira **69** 22 43N 89 8 E
Satmala Hills **70** 20 15N 74 40 E
Satna **69** 24 35N 80 50 E
Sator **39** 44 11N 16 37 E
Sátoraljaújhely **27** 48 25N 21 41 E
Satpura Ra. **68** 21 25N 76 10 E
Satrup **24** 54 39N 9 38 E
Sattenapalle **70** 16 25N 80 6 E
Satu Mare **46** 47 46N 22 55 E
Satui **72** 3 50 S 115 27 E
Satumare □ **46** 47 45N 23 0 E
Satun **71** 6 43N 100 2 E
Saturnina → **126** 12 15 S 58 10W
Sauce **124** 30 5 S 58 46W
Saucillo **120** 28 1N 105 17W
Sauda **47** 59 40N 6 20 E
Sauðarkrókur **50** 65 45N 19 40W
Saudi Arabia ■ **64** 26 0N 44 0 E
Sauerland **24** 51 0N 8 0 E
Saugeen → **112** 44 30N 81 22W
Saugerties **114** 42 4N 73 58W
Saugues **20** 44 58N 3 32 E
Sauherad **47** 59 25N 9 15 E
Saujon **20** 45 41N 0 55W
Sauk Center **116** 45 42N 94 56W
Sauk Rapids **116** 45 35N 94 10W
Saulgau **25** 48 4N 9 32 E
Saulieu **19** 47 17N 4 14 E
Sault **21** 44 6N 5 24 E
Sault Ste. Marie, Can. **106** 46 30N 84 20W
Sault Ste. Marie, U.S.A. **114** 46 27N 84 22W
Saumlaki **73** 7 55 S 131 20 E
Saumur **18** 47 15N 0 5W
Saunders C. **101** 45 53 S 170 45 E
Saunders I. **5** 57 48 S 26 28W
Saurbær, Borgarfjarðarsýsla, Iceland **50** 64 24N 21 35W
Saurbær, Eyjafjarðarsýsla, Iceland **50** 65 27N 18 13W
Sauri **85** 11 42N 6 44 E
Saurimo **88** 9 40 S 20 12 E
Sauveterre **20** 43 25N 0 57W
Sauzé-Vaussais **20** 46 8N 0 8 E
Sava **39** 40 28N 17 32 E
Sava → **39** 44 50N 20 26 E
Savage **116** 47 27N 104 20W
Savai'i **101** 13 28 S 172 24W
Savalou **85** 7 57N 1 58 E
Savane **91** 19 37 S 35 8 E
Savanna **116** 42 5N 90 10W
Savanna la Mar **121** 18 10N 78 10W
Savannah, Ga., U.S.A. **115** 32 4N 81 4W
Savannah, Mo., U.S.A. **116** 39 55N 94 46W
Savannah, Tenn., U.S.A. **115** 35 12N 88 18W
Savannah → **115** 32 2N 80 53W
Savannakhet **71** 16 30N 104 49 E
Savant L. **106** 50 16N 90 44W
Savant Lake **106** 50 14N 90 40W
Savantvadi **70** 15 55N 73 54 E
Savanur **70** 14 59N 75 21 E
Savda **68** 21 9N 75 56 E
Savé **85** 8 2N 2 29 E
Save → **20** 43 47N 1 17 E
Sāveh **64** 35 2N 50 20 E
Savelugu **85** 9 38N 0 54W
Savenay **18** 47 20N 1 55W
Saverdun **20** 43 14N 1 34 E
Saverne **19** 48 39N 7 20 E
Savigliano **38** 44 39N 7 40 E
Savigny-sur-Braye **18** 47 53N 0 49 E
Saviñao **30** 42 35N 7 38W
Savio → **39** 44 19N 12 20 E
Šavnik **42** 42 59N 19 10 E
Savoie □ **21** 45 26N 6 35 E
Savona **38** 44 19N 8 29 E
Savonlinna **52** 61 52N 28 53 E
Sävsjö **49** 57 20N 14 40 E
Sävsjøström **49** 57 1N 15 25 E
Sawahlunto **72** 0 40 S 100 52 E
Sawai **73** 3 0 S 129 5 E
Sawai Madhopur **68** 26 0N 76 25 E
Sawara **74** 35 55N 140 30 E
Sawatch Mts. **119** 38 30N 106 30W
Sawdā, Jabal as **83** 28 51N 15 12 E
Sawel, Mt. **15** 54 48N 7 5W
Sawfajjin, W. **83** 31 46N 14 30 E
Sawknah **81** 29 4N 15 47 E
Sawmills **91** 19 30 S 28 2 E
Sawu **73** 10 35 S 121 50 E
Sawu Sea **73** 9 30 S 121 50 E
Sawyerville **113** 45 20N 71 34W
Saxby → **98** 18 25 S 140 53 E
Saxony, Lower = Niedersachsen □ **24** 52 45N 9 0 E
Saxton **112** 40 12N 78 18W
Say **85** 13 8N 2 22 E
Saya **85** 9 30N 3 18 E
Sayabec **107** 48 35N 67 41W
Sayán **126** 11 8 S 77 12W
Sayan, Vostochnyy **59** 54 0N 96 0 E
Sayan, Zapadnyy **59** 52 30N 94 0 E
Sayasan **57** 42 56N 46 15 E
Saydā **64** 33 35N 35 25 E
Şayghān **65** 35 10N 67 55 E
Sayhut **63** 15 12N 51 10 E
Saynshand **75** 44 55N 110 11 E
Sayre, Okla., U.S.A. **117** 35 20N 99 40W
Sayre, Pa., U.S.A. **114** 42 0N 76 30W
Sayula **120** 19 50N 103 40W
Sayville **113** 40 45N 73 7W
Sazan **44** 40 30N 19 20 E
Sázava → **26** 49 53N 14 24 E
Sazin **69** 35 35N 73 30 E
Sazlika → **43** 41 59N 25 50 E
Sbeïtla **83** 35 12N 9 7 E
Scaër **18** 48 2N 3 42W
Scafell Pikes **12** 54 26N 3 14W
Scalea **41** 39 49N 15 47 E
Scalpay **14** 57 51N 6 40W
Scandia **108** 50 20N 112 0W
Scandiano **38** 44 36N 10 40 E
Scandinavia **9** 64 0N 12 0 E
Scansano **39** 42 40N 11 20 E
Scapa Flow **14** 58 52N 3 6W
Scarborough, Trin. **121** 11 11N 60 42W
Scarborough, U.K. **12** 54 17N 0 24W
Scarpe → **19** 50 31N 3 27 E
Šćedro **39** 43 6N 16 43 E
Scenic **116** 43 49N 102 32W
Schaal See **24** 53 40N 10 57 E
Schaffhausen □ **25** 47 42N 8 36 E
Schagen **16** 52 49N 4 48 E
Schärding **26** 48 27N 13 27 E
Scharhörn **24** 53 58N 8 24 E
Scharnitz **26** 47 23N 11 15 E
Scheessel **24** 53 10N 9 33 E
Schefferville **107** 54 48N 66 50W
Scheibbs **26** 48 1N 15 9 E
Schelde → **16** 51 15N 4 16 E
Schenectady **114** 42 50N 73 58W
Scherfede **24** 51 32N 9 2 E
Schesslitz **25** 49 59N 11 2 E
Scheveningen **16** 52 6N 4 16 E
Schiedam **16** 51 55N 4 25 E
Schiermonnikoog **16** 53 30N 6 15 E
Schifferstadt **25** 49 22N 8 23 E
Schiltigheim **19** 48 35N 7 45 E
Schio **39** 45 42N 11 21 E
Schirmeck **19** 48 29N 7 12 E
Schladming **26** 47 23N 13 41 E
Schlei → **24** 54 45N 9 52 E
Schleiden **24** 50 32N 6 26 E
Schleiz **24** 50 35N 11 49 E
Schleswig **24** 54 32N 9 34 E
Schleswig-Holstein □ **24** 54 10N 9 40 E
Schlüchtern **25** 50 20N 9 32 E
Schmalkalden **24** 50 43N 10 28 E
Schmölin **24** 50 54N 12 22 E
Schmölln **24** 53 15N 14 6 E
Schneeberg, Austria **26** 47 47N 15 48 E
Schneeberg, Ger. **24** 50 35N 12 39 E
Schofield **116** 44 54N 89 39W
Schönberg, Rostock, Ger. **24** 53 50N 10 55 E
Schönberg, Schleswig-Holstein, Ger. **24** 54 23N 10 20 E
Schönebeck **24** 52 2N 11 42 E
Schongau **25** 47 49N 10 54 E
Schöningen **24** 52 8N 10 57 E
Schortens **24** 53 37N 7 51 E
Schouten I. **99** 42 20 S 148 20 E
Schouten, Kepulauan **73** 1 0 S 136 0 E
Schouwen **16** 51 43N 3 45 E
Schramberg **25** 48 12N 8 24 E
Schrankogl **26** 47 3N 11 7 E
Schreiber **106** 48 45N 87 20W
Schrobenhausen **25** 48 33N 11 16 E
Schruns **26** 47 5N 9 56 E
Schuler **109** 50 20N 110 6W
Schumacher **106** 48 30N 81 16W
Schurz **118** 38 57N 118 48W
Schuyler **116** 41 30N 97 3W
Schuylkill Haven **113** 40 37N 76 11W
Schwabach **25** 49 19N 11 3 E
Schwäbisch Gmünd **25** 48 49N 9 48 E
Schwäbisch Hall **25** 49 7N 9 45 E
Schwäbische Alb **25** 48 30N 9 30 E
Schwabmünchen **25** 48 11N 10 45 E
Schwandorf **25** 49 20N 12 7 E
Schwarmstedt **24** 52 41N 9 37 E
Schwarzach → **26** 46 56N 12 35 E
Schwärze **24** 52 50N 13 49 E
Schwarzenberg **24** 50 31N 12 49 E
Schwarzwald **25** 48 0N 8 0 E
Schwaz **26** 47 20N 11 44 E
Schwedt **24** 53 4N 14 18 E
Schweinfurt **25** 50 3N 10 12 E
Schweizer Reneke **92** 27 11 S 25 18 E
Schwerin **24** 53 37N 11 22 E
Schwerin □ **24** 53 35N 11 20 E
Schweriner See **24** 53 45N 11 26 E
Schwetzingen **25** 49 22N 8 35 E
Schwyz **25** 47 2N 8 39 E
Schwyz □ **25** 47 2N 8 48 E
Sciacca **40** 37 30N 13 3 E
Scicli **41** 36 48N 14 41 E
Scie, La **107** 49 57N 55 36W
Scilla **41** 38 18N 15 44 E
Scilly, Isles of **13** 49 55N 6 15W
Ścinawa **28** 51 25N 16 26 E
Scione **44** 39 57N 23 36 E
Scioto → **114** 38 44N 83 0W
Scobey **116** 48 47N 105 30W
Scone, Austral. **99** 32 5 S 150 52 E
Scone, U.K. **14** 56 25N 3 26W
Scordia **41** 37 19N 14 50 E
Scoresbysund **4** 70 20N 23 0W
Scorno, Punta dello **40** 41 7N 8 23 E
Scotia, Calif., U.S.A. **118** 40 36N 124 4W
Scotia, N.Y., U.S.A. **113** 42 50N 73 58W
Scotia Sea **5** 56 5 S 56 0W
Scotland **116** 43 10N 97 45W
Scotland □ **13** 57 0N 4 0W
Scotland Neck **115** 36 6N 77 32W
Scott **5** 77 0 S 165 0 E
Scott, C. **5** 71 30 S 168 0 E
Scott City **116** 38 30N 100 52W
Scott Glacier **5** 66 15 S 100 5 E
Scott I. **5** 67 0 S 179 0 E
Scott Inlet **105** 71 0N 71 0W
Scott Is. **108** 50 48N 128 40W
Scott L. **109** 59 55N 106 18W
Scott Reef **96** 14 0 S 121 50 E
Scottburgh **93** 30 15 S 30 47 E
Scottdale **112** 40 8N 79 35W
Scottsbluff **116** 41 55N 103 35W
Scottsboro **115** 34 40N 86 0W
Scottsburg **114** 38 40N 85 46W
Scottsdale **97** 41 9 S 147 31 E
Scottsville, Ky., U.S.A. **115** 36 48N 86 10W
Scottsville, N.Y., U.S.A. **112** 43 2N 77 47W
Scottville, Austral. **98** 20 33 S 147 49 E
Scottville, U.S.A. **114** 43 57N 86 18W
Scranton **114** 41 22N 75 41W
Scugog, L. **112** 44 10N 78 55W
Scunthorpe **12** 53 35N 0 38W

* *Now part of Punjab □*

* *Renamed Faisalabad*

† *Renamed Zvishavane*

Shahsād, Namakzār-e Siliguri

Shahsād, Namakzār-e 65 30 20N 58 20 E
Shahsavār 65 36 45N 51 12 E
Shaibara 86 25 26N 36 47 E
Shaikhabad 66 34 2N 68 45 E
Shajapur 68 23 27N 76 21 E
Shakargarh 68 32 17N 75 10 E
Shakawe 92 18 28 S 21 49 E
Shaker Heights 112 41 29N 81 36W
Shakhty 57 47 40N 40 16 E
Shakhunya 55 57 40N 46 46 E
Shaki 85 8 41N 3 21 E
Shakopee 116 44 45N 93 30W
Shala, L. 87 7 30N 38 30 E
Shallow Lake 112 44 36N 81 5W
Sham, J. ash 65 23 10N 57 5 E
Shamâl Dârfûr □ 87 15 0N 25 0 E
Shamâl Kordofân □ 87 15 0N 30 0 E
Shamattawa 109 55 51N 92 5W
Shamattawa → 106 55 1N 85 23W
Shambe 87 7 8N 30 46 E
Shambu 87 9 32N 37 3 E
Shamgong Dzong 69 27 13N 90 35 E
Shamīl 65 27 30N 56 55 E
Shamkhor 57 40 50N 46 0 E
Shamli 68 29 32N 77 18 E
Shammar, Jabal 64 27 40N 41 0 E
Shamo, L. 87 5 45N 37 30 E
Shamokin 114 40 47N 76 33W
Shamrock 117 35 15N 100 15W
Shan □ 67 21 30N 98 30 E
Shanan → 87 8 0N 40 20 E
Shanchengzhen 76 42 20N 125 20 E
Shandong □ 76 36 0N 118 0 E
Shang Xian 77 33 50N 109 58 E
Shangalowe 91 10 50 S 26 30 E
Shangani 91 19 41 S 29 20 E
Shangani → 91 18 41 S 27 10 E
Shangbancheng 76 40 50N 118 1 E
Shangcheng 77 31 47N 115 26 E
Shangchuan Dao 77 21 40N 112 50 E
Shangdu 76 41 30N 113 30 E
Shanggao 77 28 17N 114 55 E
Shanghai 75 31 15N 121 26 E
Shangqiu 77 34 26N 115 36 E
Shangrao 75 28 25N 117 59 E
Shangshui 77 33 42N 114 35 E
Shangsi 77 22 8N 107 58 E
Shangyou 77 25 48N 114 32 E
Shangzhi 76 45 22N 127 56 E
Shani 85 10 14N 12 2 E
Shaniko 118 45 0N 120 50W
Shannon, Greenl. 4 75 10N 18 30W
Shannon, N.Z. 101 40 33 S 175 25 E
Shannon → 15 52 35N 9 30W
Shansi = Shanxi □ 76 37 0N 112 0 E
Shantar, Ostrov Bolshoy 59 55 9N 137 40 E
Shantou 75 23 18N 116 40 E
Shantung = Shandong □ 76 36 0N 118 0 E
Shanxi □ 76 37 0N 112 0 E
Shanyang 77 33 31N 109 55 E
Shaoguan 75 24 48N 113 35 E
Shaowu 75 27 22N 117 28 E
Shaoxing 75 30 0N 120 35 E
Shaoyang 75 27 14N 111 25 E
Shapinsay 14 59 2N 2 50W
Shaqrā', Si. Arab. 64 25 15N 45 16 E
Shaqrā', Yemen, S. 63 13 22N 45 44 E
Sharafa (Ogr) 87 11 59N 27 7 E
Sharavati → 70 14 20N 74 25 E
Sharbot Lake 113 44 46N 76 41W
Shark B. 96 25 55 S 113 32 E
Sharm el Sheikh 86 27 53N 34 15 E
Sharon, Mass., U.S.A. 113 42 5N 71 11W
Sharon, Pa., U.S.A. 114 41 18N 80 30W
Sharon, Plain of = Hasharon 62 32 12N 34 49 E
Sharon Springs 116 38 54N 101 45W
Sharp Pt. 98 10 58 S 142 43 E
Sharpe L. 109 54 5N 93 40W
Sharpsville 112 41 16N 80 28W
Shary 64 27 14N 43 29 E
Sharya 55 58 22N 45 20 E
Shasha 87 6 29N 35 59 E
Shashemene 87 7 13N 38 33 E
Shashi 75 30 25N 112 14 E
Shashi → 91 21 14 S 29 20 E
Shasta, Mt. 118 41 30N 122 12W
Shasta Res. 118 40 50N 122 15W
Shatsk 55 54 0N 41 45 E
Shattuck 117 36 17N 99 55W
Shatura 55 55 34N 39 31 E
Shaumyani 57 41 22N 41 45 E
Shaunavon 109 49 35N 108 25W
Shaw → 96 20 21 S 119 17 E
Shaw I. 98 20 30 S 149 2 E
Shawan 75 44 34N 85 50 E
Shawanaga 112 45 31N 80 17W
Shawano 114 44 45N 88 38W
Shawinigan 106 46 35N 72 50W
Shawnee 117 35 15N 97 0W
Shayib el Banat, Bebel 86 26 59N 33 29 E
Shchekino 55 54 1N 37 34 E
Shcherbakov = Rybinsk 55 58 5N 38 50 E
Shchigri 55 51 55N 36 58 E
Shchors 54 51 48N 31 56 E
Shchuchiosk 58 52 56N 70 12 E
She Xian 77 29 50N 118 25 E
Shebekino 55 50 28N 36 54 E
Shebele, Wabi → 87 2 0N 44 0 E
Sheboygan 114 43 46N 87 45W
Shechem 62 32 13N 35 21 E
Shediac 107 46 14N 64 32W
Sheelin, Lough 15 53 48N 7 20W
Sheep Haven 15 55 12N 7 55W
Sheerness 13 51 26N 0 47 E
Sheet Harbour 107 44 56N 62 31W
Shefar'am 62 32 48N 35 10 E
Sheffield, U.K. 12 53 23N 1 28W
Sheffield, Ala., U.S.A. 115 34 45N 87 42W
Sheffield, Mass., U.S.A. 113 42 6N 73 23W
Sheffield, Pa., U.S.A. 112 41 42N 79 3W
Sheffield, Tex., U.S.A. 117 30 42N 101 49W
Shegaon 68 20 48N 76 47 E
Sheho 109 51 35N 103 13W
Shehojele 87 10 40N 35 9 E
Sheikhpura 69 25 9N 85 53 E
Shek Hasan 87 12 5N 35 58 E
Shekhupura 68 31 42N 73 58 E
Sheki 57 41 10N 47 5 E
Sheksna → 55 59 0N 38 30 E
Shelburne, N.S., Can. 107 43 47N 65 20W
Shelburne, Ont., Can. 106 44 4N 80 15W
Shelburne, U.S.A. 113 44 23N 73 15W
Shelburne B. 97 11 50 S 142 50 E
Shelburne Falls 113 42 36N 72 45W
Shelby, Mich., U.S.A. 114 43 34N 86 27W
Shelby, Mont., U.S.A. 118 48 30N 111 52W
Shelby, N.C., U.S.A. 115 35 18N 81 34W
Shelby, Ohio, U.S.A. 112 40 52N 82 40W
Shelbyville, Ill., U.S.A. 116 39 25N 88 45W
Shelbyville, Ind., U.S.A. 114 39 30N 85 42W
Shelbyville, Tenn., U.S.A. 115 35 30N 86 25W
Sheldon 116 43 6N 95 40W
Sheldrake 107 50 20N 64 51W
Shelikhova, Zaliv 59 59 30N 157 0 E
Shell Creek Ra. 118 39 15N 114 30W
Shell Lake 109 53 19N 107 2W
Shellbrook 109 53 13N 106 24W
Shellharbour 97 34 31 S 150 51 E
Shelling Rocks 15 51 45N 10 35W
Shelon → 54 58 10N 30 30 E
Shelton, Conn., U.S.A. 113 41 18N 73 7W
Shelton, Wash., U.S.A. 118 47 15N 123 6W
Shemakha 57 40 38N 48 37 E
Shenandoah, Iowa, U.S.A. 116 40 50N 95 25W
Shenandoah, Pa., U.S.A. 114 40 49N 76 13W
Shenandoah, Va., U.S.A. 114 38 30N 78 38W
Shenandoah → 114 39 19N 77 44W
Shenchi 76 39 8N 112 10 E
Shencottah 70 8 59N 77 18 E
Shendam 85 8 49N 9 30 E
Shendî 87 16 46N 33 22 E
Shendurni 70 20 39N 75 36 E
Sheng Xian 77 29 35N 120 50 E
Shëngjergji 44 41 17N 20 10 E
Shëngjini 44 41 50N 19 35 E
Shenmëria 44 42 7N 20 13 E
Shenmu 76 38 50N 110 29 E
Shenqiucheng 77 33 24N 115 2 E
Shensi = Shaanxi □ 77 35 0N 109 0 E
Shenyang 76 41 48N 123 27 E
Shepetovka 54 50 10N 27 10 E
Shephelah = Hashefela 62 31 30N 34 43 E
Shepparton 97 36 23 S 145 26 E
Sheqi 77 33 12N 112 57 E
Sherada 87 7 18N 36 30 E
Sherborne 13 50 56N 2 31W
Sherbro I. 84 7 30N 12 40W
Sherbrooke 107 45 28N 71 57W
Sherda 83 20 7N 16 46 E
Shereik 86 18 44N 33 47 E
Sheridan, Ark., U.S.A. 117 34 20N 92 25W
Sheridan, Col., U.S.A. 116 39 44N 105 3W
Sheridan, Wyo., U.S.A. 118 44 50N 107 0W
Sherkot 68 29 22N 78 35 E
Sherman 117 33 40N 96 35W
Sherpur 69 25 0N 90 0 E
Sherridon 109 55 8N 101 5W
Sherwood, N.D., U.S.A. 116 48 59N 101 36W
Sherwood, Tex., U.S.A. 117 31 18N 100 45W
Sherwood Forest 12 53 5N 1 5W
Sheslay 108 58 17N 131 52W
Sheslay → 108 58 48N 132 5W
Shethanei L. 109 58 48N 97 50W
Shetland □ 14 60 30N 1 30W
Shetland Is. 14 60 30N 1 30W
Shevaroy Hills 70 11 58N 78 12 E
Shewa □ 87 9 33N 38 10 E
Shewa Gimira 87 7 4N 35 51 E
Sheyenne 116 47 52N 99 8W
Sheyenne → 116 47 5N 96 50W
Shibâm 63 16 0N 48 36 E
Shibîn El Kôm 86 30 31N 30 55 E
Shibîn el Qanâtir 86 30 19N 31 19 E
Shibogama L. 106 53 35N 88 15W
Shibushi 74 31 25N 131 8 E
Shidao 76 36 50N 122 25 E
Shiel, L. 14 56 48N 5 32W
Shiga □ 74 35 20N 136 0 E
Shigaib 81 15 5N 23 35 E
Shiguaigou 76 40 52N 110 15 E
Shihchiachuangi = Shijiazhuang 76 38 2N 114 28 E
Shijaku 44 41 21N 19 33 E
Shijiazhuang 76 38 2N 114 28 E
Shikarpur, India 68 28 17N 78 7 E
Shikarpur, Pak. 68 27 57N 68 39 E
Shikoku 74 33 30N 133 30 E
Shikoku □ 74 33 30N 133 30 E
Shikoku-Sanchi 74 33 30N 133 30 E
Shilabo 63 6 22N 44 32 E
Shilka 59 52 0N 115 55 E
Shilka → 59 53 20N 121 26 E
Shillelagh 15 52 46N 6 32W
Shillong 67 25 35N 91 53 E
Shilo 62 32 4N 35 18 E
Shilong 75 23 5N 113 52 E
Shilovo 55 54 25N 40 57 E
Shimabara 74 32 48N 130 20 E
Shimada 74 34 49N 138 10 E
Shimane □ 74 35 0N 132 30 E
Shimanovsk 59 52 15N 127 30 E
Shimizu 74 35 0N 138 30 E
Shimodate 74 36 20N 139 55 E
Shimoga 70 13 57N 75 32 E
Shimoni 90 4 38 S 39 20 E
Shimonoseki 74 33 58N 131 0 E
Shimpuru Rapids 92 17 45 S 19 55 E
Shimsha → 70 13 15N 77 10 E
Shimsk 54 58 15N 30 50 E
Shin, L. 14 58 7N 4 30W
Shin-Tone → 74 35 44N 140 51 E
Shinano → 74 36 50N 138 30 E
Shīndand 65 33 12N 62 8 E
Shingleton 106 46 25N 86 33W
Shingū 74 33 40N 135 55 E
Shinkafe 85 13 8N 6 29 E
Shinyanga 90 3 45 S 33 27 E
Shinyanga □ 90 3 50 S 34 0 E
Shio-no-Misaki 74 33 25N 135 45 E
Ship I. 117 30 16N 88 55W
Shipehenski Prokhod 43 42 45N 25 15 E
Shippegan 107 47 45N 64 45W
Shippensburg 114 40 4N 77 32W
Shiprock 119 36 51N 108 45W
Shiqian 77 27 32N 108 13 E
Shiqma, N. → 62 31 37N 34 30 E
Shiquan 77 33 5N 108 15 E
Shīr Kūh 65 31 39N 54 3 E
Shīrāz 65 29 42N 52 30 E
Shirbin 86 31 11N 31 32 E
Shire → 91 17 42 S 35 19 E
Shiretoko-Misaki 74 44 21N 145 20 E
Shiringushi 55 53 51N 42 46 E
Shiriya-Zaki 74 41 25N 141 30 E
Shirol 70 16 47N 74 41 E
Shirpur 68 21 21N 74 57 E
Shīrvān 65 37 30N 57 50 E
Shishmanova 43 42 58N 23 12 E
Shisur 63 17 30N 54 0 E
Shitai 77 30 12N 117 25 E
Shivali (Sirkali) 70 11 15N 79 41 E
Shivpuri 68 25 26N 77 42 E
Shivta 62 30 53N 34 40 E
Shiwei 76 51 19N 119 55 E
Shixing 77 24 46N 114 5 E
Shiyata 86 29 25N 25 7 E
Shizuishan 76 39 15N 106 50 E
Shizuoka 74 35 0N 138 24 E
Shizuoka □ 74 35 15N 138 40 E
Shklov 54 54 16N 30 15 E
Shkoder = Shkodra 44 42 6N 19 1 E
Shkodra 44 42 6N 19 20 E
Shkodra □ 44 42 25N 19 20 E
Shkumbini → 44 41 5N 19 50 E
Shmidt, O. 59 81 0N 91 0 E
Shoal Lake 109 50 30N 100 35W
Shoalhaven → 100 34 54 S 150 42 E
Shoeburyness 13 51 31N 0 49 E
Sholapur 70 17 43N 75 56 E
Shologontsy 59 66 13N 114 0 E
Shomera 62 33 4N 35 17 E
Shōmrōn 62 32 15N 35 13 E
Shongopovi 119 35 49N 110 37W
Shoranur 70 10 46N 76 19 E
Shorapur 70 16 31N 76 48 E
Shoshone 118 43 0N 114 27W
Shoshone L. 118 44 30N 110 40W
Shoshone Mts. 118 39 30N 117 30W
Shoshong 92 22 56 S 26 31 E
Shoshoni 118 43 13N 108 5W
Shostka 54 51 57N 33 32 E
Shouyang 76 37 54N 113 8 E
Show Low 119 34 16N 110 0W
Shpola 56 49 1N 31 30 E
Shreveport 117 32 30N 93 50W
Shrewsbury 12 52 42N 2 45W
Shrivardhan 70 18 4N 73 3 E
Shropshire □ 13 52 36N 2 45W
Shuangcheng 76 45 20N 126 15 E
Shuangliao 76 43 29N 123 30 E
Shuangyashan 75 46 28N 131 5 E
Shucheng 77 31 28N 116 57 E
Shu'eib, Wadi 62 31 54N 35 38 E
Shuguri Falls 91 8 33 S 37 22 E
Shujalpur 68 23 18N 76 46 E
Shulan 76 44 28N 127 0 E
Shule 75 39 25N 76 3 E
Shumagin Is. 104 55 0N 159 0W
Shumerlya 55 55 30N 46 25 E
Shumikha 58 55 10N 63 15 E
Shunchang 77 26 54N 117 48 E
Shunde 77 22 42N 113 14 E
Shungay 57 48 30N 46 45 E
Shungnak 104 66 55N 157 10W
Shuo Xian 76 39 20N 112 33 E
Shūr → 65 28 30N 55 0 E
Shurma 55 56 58N 50 21 E
Shūsf 65 31 50N 60 5 E
Shūshtar 64 32 0N 48 50 E
Shuswap L. 108 50 55N 119 3W
Shuwaykah 62 32 20N 35 1 E
Shuya 55 56 50N 41 28 E
Shwebo 67 22 30N 95 45 E
Shwegu 67 24 15N 96 26 E
Shweli → 67 23 45N 96 45 E
Shyok 69 34 15N 78 12 E
Shyok → 69 35 13N 75 53 E
Si Kiang = Xi Jiang → 75 22 5N 113 20 E
Si Racha 71 13 10N 100 48 E
Siah 64 22 0N 47 0 E
Siahan Range 66 27 30N 64 40 E
Siaksrinderapura 72 0 51N 102 0 E
Sialkot 68 32 32N 74 30 E
Siam = Thailand ■ 71 16 0N 102 0 E
Siam, G. of 71 11 30N 101 0 E
Sian = Xi'an 77 34 15N 109 0 E
Siantan, P. 72 3 10N 106 15 E
Sīāreh 65 28 5N 60 14 E
Siargao 73 9 52N 126 3 E
Siasi 73 5 34N 120 50 E
Siátista 44 40 15N 21 33 E
Siau 73 2 50N 125 25 E
Siauliai 54 55 56N 23 15 E
Siaya □ 90 0 0N 34 20 E
Siazan 57 41 3N 49 10 E
Sibâi, Gebel el 86 25 45N 34 10 E
Sibari 41 39 47N 16 27 E
Sibay 52 52 42N 58 39 E
Sibaya, L. 93 27 20 S 32 45 E
Šibenik 39 43 48N 15 54 E
Siberia 60 60 0N 100 0 E
Siberut 72 1 30 S 99 0 E
Sibi 68 29 30N 67 54 E
Sibil 73 4 59 S 140 35 E
Sibiti 88 3 38 S 13 19 E
Sibiu 46 45 45N 24 9 E
Sibiu □ 46 45 50N 24 15 E
Sibley, Iowa, U.S.A. 116 43 21N 95 43W
Sibley, La., U.S.A. 117 32 34N 93 16W
Sibolga 72 1 42N 98 45 E
Sibsagar 67 27 0N 94 36 E
Sibu 72 2 18N 111 49 E
Sibuco 73 7 20N 122 10 E
Sibuguey B. 73 7 50N 122 45 E
Sibutu 73 4 45N 119 30 E
Sibutu Passage 73 4 50N 120 0 E
Sibuyan 73 12 25N 122 40 E
Sibuyan Sea 73 12 30N 122 20 E
Sicamous 108 50 49N 119 0W
Siccus → 99 31 42 S 139 25 E
Sichuan □ 75 31 0N 104 0 E
Sicilia 41 37 30N 14 30 E
Sicilia, Canale di 40 37 25N 12 30 E
Sicilian Channel = Sicilia, Canale di 40 37 25N 12 30 E
Sicily = Sicilia 41 37 30N 14 30 E
Sicuani 126 14 21 S 71 10W
Siculiana 40 37 20N 13 23 E
Šid 42 45 8N 19 14 E
Sidamo □ 87 5 0N 37 50 E
Sidaouet 85 18 34N 8 3 E
Siddipet 70 18 0N 78 51 E
Sidéradougou 84 10 42N 4 12W
Siderno Marina 41 38 16N 16 17 E
Sídheros, Ákra 45 35 19N 26 19 E
Sidhirókastron 44 41 13N 23 24 E
Sidhpur 68 23 56N 72 25 E
Sîdi Abd el Rahmân 86 30 55N 29 44 E
Sîdi Barrâni 86 31 38N 25 58 E
Sidi-bel-Abbès 82 35 13N 0 39W
Sidi Bennour 82 32 40N 8 25W
Sidi Haneish 86 31 10N 27 35 E
Sidi Kacem 82 34 11N 5 49W
Sidi Moussa, O. → 82 26 58N 3 54 E
Sidi Omar 86 31 24N 24 57 E
Sidi Slimane 82 34 16N 5 56W
Sidi Smaïl 82 32 50N 8 31W
Sidlaw Hills 14 56 32N 3 10W
Sidley, Mt. 5 77 2 S 126 2W
Sidmouth 13 50 40N 3 13W
Sidmouth, C. 98 13 25 S 143 36 E
Sidney, Can. 108 48 39N 123 24W
Sidney, Mont., U.S.A. 116 47 42N 104 7W
Sidney, N.Y., U.S.A. 114 42 18N 75 20W
Sidney, Ohio, U.S.A. 114 40 18N 84 6W
Sidoarjo 73 7 30 S 112 46 E
Sidra, G. of = Khalīj Surt 35 31 40N 18 30 E
Siedlce 28 52 10N 22 20 E
Siedlce □ 28 52 0N 22 0 E
Sieg → 24 50 46N 7 7 E
Siegburg 24 50 48N 7 12 E
Siegen 24 50 52N 8 2 E
Siem Reap 71 13 20N 103 52 E
Siena 39 43 20N 11 20 E
Sieniawa 27 50 11N 22 38 E
Sieradź 28 51 37N 18 41 E
Sieraków 28 52 39N 16 2 E
Sierck-les-Bains 19 49 26N 6 20 E
Sierpc 28 52 55N 19 43 E
Sierra Blanca, N. Mex., U.S.A. 119 33 20N 105 54W
Sierra Blanca, Tex., U.S.A. 119 31 11N 105 17W
Sierra City 118 39 34N 120 42W
Sierra Colorada 128 40 35 S 67 50W
Sierra de Yeguas 31 37 7N 4 52W
Sierra Gorda 124 22 50 S 69 15W
Sierra Leone ■ 84 9 0N 12 0W
Sierra Mojada 120 27 19N 103 42W
Sierre 25 46 17N 7 31 E
Sif Fatima 83 31 6N 8 41 E
Sífnos 45 37 0N 24 45 E
Sifton 109 51 21N 100 8W
Sifton Pass 108 57 52N 126 15W
Sig 82 35 32N 0 12W
Sigdal 47 60 4N 9 38 E
Sigean 20 43 2N 2 58 E
Sighetul Marmatiei 46 47 57N 23 52 E
Sighişoara 46 46 12N 24 50 E
Sigli 72 5 25N 96 0 E
Siglufjörður 50 66 12N 18 55W
Sigma 73 11 29N 122 40 E
Sigmaringen 25 48 5N 9 13 E
Signakhi 57 41 40N 45 57 E
Signy I. 5 60 45 S 45 56W
Signy-l'Abbaye 19 49 40N 4 25 E
Sigsig 126 3 0 S 78 50W
Sigtuna 48 59 36N 17 44 E
Sigüenza 32 41 3N 2 40W
Siguiri 84 11 31N 9 10W
Sigulda 54 57 10N 24 55 E
Sigurd 119 38 49N 112 0W
Sihanoukville = Kompong Som 71 10 40N 103 30 E
Sihui 77 23 20N 112 40 E
Si'īr 62 31 35N 35 9 E
Siirt 64 37 57N 41 55 E
Sijarira Ra. 91 17 36 S 27 45 E
Sikar 68 27 33N 75 10 E
Sikasso 84 11 18N 5 35W
Sikeston 117 36 52N 89 35W
Sikhote Alin, Khrebet 59 46 0N 136 0 E
Sikiá. 44 40 2N 23 56 E
Síkinos 45 36 40N 25 8 E
Sikkani Chief → 108 57 47N 122 15W
Sikkim □ 69 27 50N 88 30 E
Siklós 27 45 50N 18 19 E
Sil → 30 42 27N 7 43W
Sila, La 41 39 15N 16 35 E
Silandro 38 46 38N 10 48 E
Silat az Zahr 62 32 19N 35 11 E
Silba 39 44 24N 14 41 E
Silchar 67 24 49N 92 48 E
Silcox 109 57 12N 94 10W
Siler City 115 35 44N 79 30W
Sileru → 70 17 49N 81 24 E
Silesia = Slask 22 51 0N 16 30 E
Silet 82 22 44N 4 37 E
Silgarhi Doti 69 29 15N 81 0 E
Silghat 67 26 35N 93 0 E
Silifke 64 36 22N 33 58 E
Siliguri 69 26 45N 88 25 E

Siling Co Sobótka

Siling Co 75 31 50N 89 20 E
Silíqua 40 39 20N 8 49 E
Silistra 43 44 6N 27 19 E
Siljan, L. 48 60 55N 14 45 E
Silkeborg 49 56 10N 9 32 E
Sillajhuay, Cordillera 126 19 46 S 68 40W
Sillé-le-Guillaume 18 48 10N 0 8W
Siloam Springs 117 36 15N 94 31W
Silogui 72 1 10 S 9 0 E
Silsbee 117 30 20N 94 8W
Silute 54 55 21N 21 33 E
Silva Porto = Bié 89 12 22 S 16 55 E
Silver City, Panama 120 9 19N 79 53W
Silver City, N. Mex., U.S.A. 119 32 50N 108 18W
Silver City, Nev., U.S.A. 118 39 15N 119 48W
Silver Cr. → 118 43 16N 119 13W
Silver Creek 114 42 33N 79 9W
Silver Lake 118 43 9N 121 4W
Silverton, Austral. 100 31 52 S 141 10 E
Silverton, Colo., U.S.A. 119 37 51N 107 45W
Silverton, Tex., U.S.A. 117 34 30N 101 16W
Silves 31 37 11N 8 26W
Silvi 39 42 32N 14 5 E
Silvies → 118 43 22N 118 48W
Silvretta Gruppe 25 46 50N 10 6 E
Silwa Bahari 86 24 45N 32 55 E
Silwād 62 31 59N 35 15 E
Silz 26 47 16N 10 56 E
Sim, C. 82 31 26N 9 51W
Simanggang 72 1 15N 111 32 E
Simard, L. 106 47 40N 78 40W
Sîmărtin 46 46 19N 25 58 E
Simba 90 2 10 S 37 36 E
Simbach 25 48 16N 13 3 E
Simbo 90 4 51 S 29 41 E
Simcoe 106 42 50N 80 20W
Simcoe, L. 106 44 25N 79 20W
Simenga 59 62 42N 108 25 E
Simeto → 41 37 25N 15 10 E
Simeulue 72 2 45N 95 45 E
Simferopol 56 44 55N 34 3 E
Sími 45 36 35N 27 50 E
Simikot 69 30 0N 81 50 E
Simitli 42 41 52N 23 7 E
Simla 68 31 2N 77 9 E
Şimleu-Silvaniei 46 47 17N 22 50 E
Simmern 25 49 59N 7 32 E
Simmie 109 49 56N 108 6W
Simojärvi 50 66 5N 27 3 E
Simojoki → 50 65 35N 25 1 E
Simonette → 108 55 9N 118 15W
Simonstown 92 34 14 S 18 26 E
Simontornya 27 46 45N 18 33 E
Simpang, Indon. 72 1 16 S 104 5 E
Simpang, Malay. 71 4 50N 100 40 E
Simplon Pass 25 46 15N 8 0 E
Simplon Tunnel 25 46 15N 8 7 E
Simpson Des. 97 25 0 S 137 0 E
Simrishamn 49 55 33N 14 22 E
Simunjan 72 1 25N 110 45 E
Simushir, Ostrov 59 46 50N 152 30 E
Sina → 70 17 30N 75 55 E
Sinabang 72 2 30N 96 24 E
Sinadogo 63 5 50N 47 0 E
Sinai = Es Sînâ' 86 29 0N 34 0 E
Sinai, Mt. = Mûsa, G. 86 28 32N 33 59 E
Sinaia 46 45 21N 25 38 E
Sinaloa 120 25 50N 108 20W
Sinaloa □ 120 25 0N 107 30W
Sinalunga 39 43 12N 11 43 E
Sinan 77 27 56N 108 13 E
Sînandrei 46 45 52N 21 13 E
Sināwan 83 31 0N 10 37 E
Sincelejo 126 9 18N 75 24W
Sinclair 118 41 47N 107 10W
Sinclair Mills 108 54 5N 121 40W
Sincorá, Serra do 127 13 30 S 41 0W
Sind 68 26 0N 68 30 E
Sind Sagar Doab 68 32 0N 71 30 E
Sindal 49 57 28N 10 10 E
Sindangan 73 8 10N 123 5 E
Sindangbarang 73 7 27 S 107 1 E
Sinde 91 17 28 S 25 51 E
Sinegorski 57 48 0N 40 52 E
Sinelnikovo 56 48 25N 35 30 E
Sines 31 37 56N 8 51W
Sines, Cabo de 31 37 58N 8 53W
Sineu 32 39 38N 3 1 E
Sinfra 84 6 35N 5 56W
Singa 87 13 10N 33 57 E
Singanallur 70 11 2N 77 1 E
Singaparna 73 7 23 S 108 4 E
Singapore ■ 71 1 17N 103 51 E
Singapore, Straits of 71 1 15N 104 0 E
Singaraja 72 8 6 S 115 10 E
Singen 25 47 45N 8 50 E
Singida 90 4 49 S 34 48 E
Singida □ 90 6 0 S 34 30 E
Singitikós Kólpos 44 40 6N 24 0 E
Singkaling Hkamti 67 26 0N 95 39 E
Singkawang 72 1 0N 108 57 E
Singkep 72 0 30 S 104 20 E
Singleton 97 32 33 S 151 0 E
Singleton, Mt. 96 29 27 S 117 15 E
Singö 48 60 12N 18 45 E
Singoli 68 25 0N 75 22 E
Siniátsikon, Óros 44 40 25N 21 35 E
Siniscóla 40 40 35N 9 40 E
Sinj 39 43 42N 16 39 E
Sinjai 73 5 7 S 120 20 E
Sinjajevina, Planina 42 42 57N 19 22 E
Sinjār 64 36 19N 41 52 E
Sinjil 62 32 3N 35 15 E
Sinkat 86 18 55N 36 49 E
Sinkiang Uighur = Xinjiang Uygur □ 75 42 0N 86 0 E
Sinnai 40 39 18N 9 13 E
Sinnar 70 19 48N 74 0 E
Sinni → 41 40 9N 16 42 E
Sinnicolau Maré 42 46 5N 20 39 E
Sinnuris 86 29 26N 30 31 E
Sinoe, L. 46 44 35N 28 50 E
Sinoia 91 17 20 S 30 8 E
Sinop 64 42 1N 35 11 E
Sinskoye 59 61 8N 126 48 E
Sint Maarten 121 18 0N 63 5W
Sint Niklaas 16 51 10N 4 9 E
Sint Truiden 16 50 48N 5 10 E
Sîntana 46 46 20N 21 30 E
Sintang 72 0 5N 111 35 E
Sinton 117 28 1N 97 30W
Sintra 31 38 47N 9 25W
Sinŭiju 76 40 5N 124 24 E
Sinyukha → 56 48 3N 30 51 E
Siocon 73 7 40N 122 10 E
Siófok 27 46 39 S 23 36 E
Sioma 92 16 25 S 23 28 E
Sion 25 46 14N 7 20 E
Sioux City 116 42 32N 96 25W
Sioux Falls 116 43 35N 96 40W
Sioux Lookout 106 50 10N 91 50W
Šipan 42 42 45N 17 52 E
Siping 76 43 8N 124 21 E
Sipiwesk L. 109 55 5N 97 35W
Sipora 72 2 18 S 99 40 E
Siquia → 121 12 10N 84 20W
Siquijor 73 9 12N 123 35 E
Sir Edward Pellew Group 97 15 40 S 137 10 E
Sira 70 13 41N 76 49 E
Siracusa 41 37 4N 15 17 E
Sirajganj 69 24 25N 89 47 E
Sirakoro 84 12 41N 9 14W
Sirasso 84 9 16N 6 6W
Siret 46 47 55N 26 5 E
Siret → 46 47 58N 26 5 E
Şiria 42 46 16N 21 38 E
Sirino, Monte 41 40 7N 15 50 E
Sirkali (Shivali) 70 11 15N 79 41 E
Sírna. 45 36 22N 26 42 E
Sirohi 68 24 52N 72 53 E
Široki Brijeg 42 43 21N 17 36 E
Sironj 68 24 5N 77 39 E
Síros 45 37 28N 24 57 E
Sirsa 68 29 33N 75 4 E
Sirsi 70 14 40N 74 49 E
Siruela 31 38 58N 5 3W
Sisak 39 45 30N 16 21 E
Sisaket 71 15 8N 104 23 E
Sisante 33 39 25N 2 12W
Sisargas, Islas 30 43 21N 8 50W
Sishen 92 27 47 S 22 59 E
Sishui 77 34 48N 113 15 E
Sisipuk L. 109 55 45N 101 50W
Sisophon 71 13 38N 102 59 E
Sisseton 116 45 43N 97 3W
Sissonne 19 49 34N 3 51 E
Sistema Central 30 40 40N 5 55W
Sistema Iberico 32 41 0N 2 10W
Sisteron 21 44 12N 5 57 E
Sisters 118 44 21N 121 32W
Sitamarhi 69 26 37N 85 30 E
Sitapur 69 27 38N 80 45 E
Siteki 93 26 32 S 31 58 E
Sitges 32 41 17N 1 47 E
Sithoniá 44 40 0N 23 45 E
Sitía 45 35 13N 26 6 E
Sitka 104 57 9N 135 20W
Sitoti 92 23 15 S 23 40 E
Sitra 86 28 40N 26 53 E
Sittang → 67 17 10N 96 58 E
Sittang Myit → 67 17 20N 96 45 E
Sittard 16 51 0N 5 52 E
Sittensen 24 53 17N 9 32 E
Sittona 87 14 25N 37 23 E
Situbondo 73 7 45 S 114 0 E
Sivaganga 70 9 50N 78 28 E
Sivagiri 70 9 16N 77 26 E
Sivakasi 70 9 24N 77 47 E
Sivana 68 28 37N 78 6 E
Sīvand 65 30 5N 52 55 E
Sivas 64 39 43N 36 58 E
Siverek 64 37 50N 39 19 E
Sivomaskinskiy 52 66 40N 62 35 E
Sivrihisar 64 39 30N 31 35 E
Sîwa 86 29 11N 25 31 E
Sîwa, El Wâhât es 86 29 10N 25 30 E
Siwalik Range 69 28 0N 83 0 E
Siwan 69 26 13N 84 21 E
Siyāl, Jazā'ir 86 22 49N 35 12 E
Sizewell 13 52 13N 1 38 E
Sjælland 49 55 30N 11 30 E
Sjællands Odde 49 56 0N 11 15 E
Själevad 48 63 18N 18 36 E
Sjarinska Banja 42 42 45N 21 38 E
Sjenica 42 43 16N 20 0 E
Sjoa 47 61 41N 9 33 E
Sjöbo 49 55 37N 13 45 E
Sjösa 49 58 47N 17 4 E
Skadarsko Jezero 42 42 10N 19 20 E
Skadovsk 56 46 17N 32 52 E
Skagafjörður 50 65 54N 19 35W
Skagastølstindane 47 61 28N 7 52 E
Skagen 49 57 43N 10 35 E
Skagern 48 59 0N 14 20 E
Skagerrak 49 57 30N 9 0 E
Skagway 104 59 23N 135 20W
Skaidi 50 70 26N 24 30 E
Skala Podolskaya 56 48 50N 26 15 E
Skalat 54 49 23N 25 55 E
Skalbmierz 28 50 20N 20 25 E
Skalica 27 48 50N 17 15 E
Skalni Dol = Kamenyak 43 43 24N 26 57 E
Skals 49 56 34N 9 24 E
Skanderborg 49 56 2N 9 55 E
Skånevik 47 59 43N 5 53 E
Skänninge 49 58 24N 15 5 E
Skanör 49 55 24N 12 50 E
Skantzoúra 45 39 5N 24 6 E
Skara 49 58 25N 13 30 E
Skaraborgs län □ 49 58 20N 13 30 E
Skardu 69 35 20N 75 44 E
Skarrild 49 55 58N 8 46 E
Skarszewy 28 54 4N 18 25 E
Skaryszew 28 51 19N 21 15 E
Skarzysko Kamienna 28 51 7N 20 52 E
Skattungbyn 48 61 10N 14 56 E
Skebokvarn 48 59 7N 16 45 E
Skeena → 108 54 9N 130 5W
Skeena Mts. 108 56 40N 128 30W
Skegness 12 53 9N 0 20 E
Skeldon 126 5 55N 57 20W
Skellefte älv → 50 64 45N 21 10 E
Skellefteå 50 64 45N 20 58 E
Skelleftehamn 50 64 47N 20 59 E
Skender Vakuf 42 44 29N 17 22 E
Skene 49 57 30N 12 37 E
Skerries, The 12 53 27N 4 40W
Skhíza 45 36 41N 21 40 E
Skhoinoúsa 45 36 53N 25 31 E
Skhwaner, Pegunungan 72 1 0 S 112 30 E
Ski 47 59 43N 10 52 E
Skiathos 45 39 12N 23 30 E
Skibbereen 15 51 33N 9 16W
Skiddaw 12 54 39N 3 9W
Skien 47 59 12N 9 35 E
Skierniewice 28 51 58N 20 10 E
Skierniewice □ 28 52 0N 20 10 E
Skikda 83 36 50N 6 58 E
Skillingaryd 49 57 27N 14 5 E
Skillinge 49 55 30N 14 16 E
Skillingmark 48 59 48N 12 1 E
Skinári, Ákra 45 37 56N 20 40 E
Skipton, Austral. 99 37 39 S 143 40 E
Skipton, U.K. 12 53 57N 2 1W
Skiropoúla 45 38 50N 24 21 E
Skíros 45 38 55N 24 34 E
Skivarp 49 55 26N 13 34 E
Skive 49 56 33N 9 2 E
Skjåk 47 61 52N 8 22 E
Skjálfandafljót → 50 65 59N 17 25W
Skjálfandi 50 66 5N 17 30W
Skjeberg 47 59 12N 11 12 E
Skjern 49 55 57N 8 30 E
Skoczów 27 49 49N 18 45 E
Skodje 47 62 30N 6 43 E
Škofja Loka 39 46 9N 14 19 E
Skoghall 48 59 20N 13 30 E
Skoki 28 52 40N 17 11 E
Skole 54 49 3N 23 30 E
Skópelos 45 39 9N 23 47 E
Skopin 55 53 55N 39 32 E
Skopje 42 42 1N 21 32 E
Skórcz 28 53 47N 18 30 E
Skottfoss 47 59 12N 9 30 E
Skovorodino 59 54 0N 125 0 E
Skowhegan 107 44 49N 69 40W
Skownan 109 51 58N 99 35W
Skradin 39 43 52N 15 53 E
Skreanäs 49 56 52N 12 35 E
Skrwa → 28 52 35N 19 32 E
Skull 15 51 32N 9 40W
Skultorp 49 58 24N 13 51 E
Skunk → 116 40 42N 91 7W
Skuodas 54 56 21N 21 45 E
Skurup 49 55 28N 13 30 E
Skutskär 49 60 37N 17 25 E
Skvira 56 49 44N 29 40 E
Skwierzyna 28 52 33N 15 30 E
Skye 14 57 15N 6 10W
Skykomish 118 47 43N 121 16W
Skyros = Skíros 45 38 52N 24 37 E
Slagelse 49 55 23N 11 19 E
Slamet, G. 72 7 16 S 109 8 E
Slaney → 15 52 52N 6 45W
Slangerup 49 55 50N 12 11 E
Slănic 46 45 14N 25 58 E
Slankamen 42 45 8N 20 15 E
Slano 42 42 48N 17 53 E
Slantsy 54 59 7N 28 5 E
Slany 26 50 13N 14 6 E
Slask 22 51 0N 16 30 E
Slate Is. 106 48 40N 87 0W
Slatina 46 44 28N 24 22 E
Slaton 117 33 27N 101 38W
Slave → 108 61 18N 113 39W
Slave Coast 85 6 0N 2 30 E
Slave Lake 108 55 17N 114 43W
Slave Pt. 108 61 11N 115 56W
Slavgorod 58 53 1N 78 37 E
Slavinja 42 43 9N 22 50 E
Slavkov (Austerlitz) 27 49 10N 16 52 E
Slavnoye 54 54 24N 29 15 E
Slavonska Požega 42 45 20N 17 40 E
Slavonski Brod 42 45 11N 18 0 E
Slavuta 54 50 15N 27 2 E
Slavyansk 56 48 55N 37 36 E
Slavyansk-na-Kubani 56 45 15N 38 11 E
Sława 28 51 52N 16 2 E
Sławno 28 54 20N 16 41 E
Sławoborze 28 53 55N 15 42 E
Sleaford 12 53 0N 0 22W
Sleat, Sd. of 14 57 5N 5 47W
Sleeper Is. 105 58 30N 81 0W
Sleepy Eye 116 44 15N 94 45W
Sleman 73 7 40 S 110 20 E
Slemon L. 108 63 13N 116 4W
Ślesin 28 52 22N 18 14 E
Slidell 117 30 20N 89 48W
Sliedrecht 16 51 50N 4 45 E
Slieve Aughty 15 53 4N 8 30W
Slieve Bloom 15 53 4N 7 40W
Slieve Donard 15 54 10N 5 57W
Slieve Gullion 15 54 8N 6 26W
Slieve Mish 15 52 12N 9 50W
Slievenamon 15 52 25N 7 37W
Sligo 15 54 17N 8 28W
Sligo □ 15 54 10N 8 35W
Sligo B. 15 54 20N 8 40W
Slite 51 57 42N 18 48 E
Sliven 43 42 42N 26 19 E
Slivnitsa 42 42 50N 23 0 E
Sljeme 39 45 57N 15 58 E
Sloansville 113 42 45N 74 22W
Slobodskoy 52 58 40N 50 6 E
Slobozia, Ialomiţa, Romania 46 44 34N 27 23 E
Slobozia, Valahia, Romania 46 44 30N 25 14 E
Slocan 108 49 48N 117 28W
Slochteren 16 53 12N 6 48 E
Slöinge 49 56 51N 12 42 E
Słomniki 28 50 16N 20 4 E
Slonim 54 53 4N 25 19 E
Slough 13 51 30N 0 35W
Slovakia = Slovensko 27 48 30N 19 0 E
Slovakian Ore Mts. = Slovenské Rudohorie 27 48 45N 20 0 E
Slovenia = Slovenija 39 45 58N 14 30 E
Slovenija □ 39 45 58N 14 30 E
Slovenj Gradec 39 46 31N 15 5 E
Slovenska Bistrica 39 46 24N 15 35 E
Slovenská Socialisticka Republika □ 27 48 30N 10 0 E
Slovenské Rudohorie 27 48 45N 20 0 E
Slovensko □ 27 48 30N 19 0 E
Słubice 28 52 22N 14 35 E
Sluch → 54 51 37N 26 38 E
Sluis 16 51 18N 3 23 E
Slunchev Bryag 43 42 40N 27 41 E
Slunj 39 45 6N 15 33 E
Słupca 28 52 15N 17 52 E
Słupia → 28 54 35N 16 51 E
Słupsk 28 54 30N 17 3 E
Słupsk □ 28 54 15N 17 30 E
Slurry 92 25 49 S 25 42 E
Slutsk 54 53 2N 27 31 E
Slyne Hd. 15 53 25N 10 10W
Slyudyanka 59 51 40N 103 40 E
Smålandsfarvandet 49 55 10N 11 20 E
Smalandsstenar 49 57 9N 13 24 E
Smalltree L. 109 61 0N 105 0W
Smallwood Reservoir 107 54 20N 63 10W
Smarje 39 46 15N 15 34 E
Smart Syndicate Dam 92 30 45 S 23 10 E
Smeaton 109 53 30N 104 49W
Smederevo 42 44 40N 20 57 E
Smederevska Palanka 42 44 22N 20 58 E
Smela 56 49 15N 31 58 E
Smethport 112 41 50N 78 28W
Smidovich 59 48 36N 133 49 E
Smigiel 28 52 1N 16 32 E
Smiley 109 51 38N 109 29W
Smilyan 43 41 29N 24 46 E
Smith 108 55 10N 114 0W
Smith → 108 59 34N 126 30W
Smith Arm 104 66 15N 123 0W
Smith Center 116 39 50N 98 50W
Smith Sund 4 78 30N 74 0W
Smithburne → 98 17 3 S 140 57 E
Smithers 108 54 45N 127 10W
Smithfield, Madag. 93 30 9 S 26 30 E
Smithfield, N.C., U.S.A. 115 35 31N 78 16W
Smithfield, Utah, U.S.A. 118 41 50N 111 50W
Smiths Falls 106 44 55N 76 0W
Smithton 99 40 53 S 145 6 E
Smithtown 99 30 58 S 152 48 E
Smithville, Can. 112 43 6N 79 33W
Smithville, U.S.A. 117 30 2N 97 12W
Smoky → 108 56 10N 117 21W
Smoky Falls 106 50 4N 82 10W
Smoky Hill → 116 39 3N 96 48W
Smoky Lake 108 54 10N 112 30W
Smøla 47 63 23N 8 3 E
Smolensk 54 54 45N 32 0 E
Smolikas, Óros 44 40 9N 20 58 E
Smolník 27 48 43N 20 44 E
Smolyan 43 41 36N 24 38 E
Smooth Rock Falls 106 49 17N 81 37W
Smoothstone L. 109 54 40N 106 50W
Smorgon 54 54 20N 26 24 E
Smulţi 46 45 57N 27 44 E
Smyadovo 43 43 2N 27 1 E
Smyrna = İzmir 64 38 25N 27 8 E
Snaefell 12 54 18N 4 26W
Snaefellsjökull 50 64 45N 23 46W
Snake → 118 46 12N 119 2W
Snake I. 99 38 47 S 146 33 E
Snake L. 109 55 32N 106 35W
Snake Ra. 118 39 0N 114 30W
Snake River 118 44 10N 110 42W
Snake River Plain 118 43 13N 113 0W
Snarum 47 60 1N 9 54 E
Snedsted 49 56 55N 8 32 E
Sneek 16 53 2N 5 40 E
Snejbjerg 49 56 8N 8 54 E
Sneznoye 57 48 0N 38 58 E
Snĕžka 26 50 41N 15 50 E
Snežnik 39 45 36N 14 35 E
Sniadowo 28 53 2N 22 0 E
Sniardwy, Jezioro 28 53 48N 21 50 E
Snigirevka 56 47 2N 32 49 E
Snina 27 49 0N 22 9 E
Snizort, L. 14 57 33N 6 28W
Snøhetta 47 62 19N 9 16 E
Snohomish 118 47 53N 122 6W
Snonuten 47 59 31N 6 50 E
Snow Hill 114 38 10N 75 21W
Snow Lake 109 54 52N 100 3W
Snowbird L. 109 60 45N 103 0W
Snowdon 12 53 4N 4 8W
Snowdrift 109 62 24N 110 44W
Snowdrift → 109 62 24N 110 44W
Snowflake 119 34 30N 110 4W
Snowshoe Pk. 118 48 13N 115 41W
Snowtown 99 33 46 S 138 14 E
Snowville 118 41 59N 112 47W
Snowy → 97 37 46 S 148 30 E
Snowy Mts. 99 36 30 S 148 20 E
Snyatyn 56 48 30N 25 50 E
Snyder, Okla., U.S.A. 117 34 40N 99 0W
Snyder, Tex., U.S.A. 117 32 45N 100 57W
Soahanina 93 18 42 S 44 13 E
Soalala 93 16 6 S 45 20 E
Soanierana-Ivongo 93 16 55 S 49 35 E
Soap Lake 118 47 23N 119 31W
Sobat, Nahr → 87 9 22N 31 33 E
Soběslav 26 49 16N 14 45 E
Sobhapur 68 22 47N 78 17 E
Sobinka 55 56 0N 40 0 E
Sobótka 28 50 54N 16 44 E

Sobrado Spragge

Sobrado 30 43 2N 8 2W
Sobral 127 3 50 S 40 20W
Sobreira Formosa 31 39 46N 7 51W
Soča → 39 46 20N 13 40 E
Sochaczew 28 52 15N 20 13 E
Soch'e = Shache 75 38 20N 77 10 E
Sochi 57 43 35N 39 40 E
Société, Is. de la 95 17 0 S 151 0W
Society Is. = Société, Is. de la 95 17 0 S 151 0W
Socompa, Portezuelo de 124 24 27 S 68 18W
Socorro, Colomb. 126 6 29N 73 16W
Socorro, U.S.A. 119 34 4N 106 54W
Socotra 63 12 30N 54 0 E
Socúellmos 33 39 16N 2 47W
Soda L. 119 35 7N 116 2W
Soda Plains 69 35 30N 79 0 E
Soda Springs 118 42 40N 111 40W
Söderfors 48 60 23N 17 25 E
Söderhamn 48 61 18N 17 10 E
Söderköping 48 58 31N 16 20 E
Södermanlands län □ 48 59 10N 16 30 E
Södertälje 48 59 12N 17 39 E
Sodiri 81 14 27N 29 0 E
Sodo 87 7 0N 37 41 E
Södra Vi 49 57 45N 15 45 E
Sodražica 39 45 45N 14 39 E
Sodus 112 43 13N 77 5W
Soekmekaar 93 23 30 S 29 55 E
Soest, Ger. 24 51 34N 8 7 E
Soest, Neth. 16 52 9N 5 19 E
Sofádhes 44 39 20N 22 4 E
Sofara 84 13 59N 4 9W
Sofia = Sofiya 43 42 45N 23 20 E
Sofia → 93 15 27 S 47 23 E
Sofievka 56 48 6N 33 55 E
Sofiiski 59 52 15N 133 59 E
Sofikón 45 37 47N 23 3 E
Sofiya 43 42 45N 23 20 E
Sogad 73 10 30N 125 0 E
Sogakofe 85 6 2N 0 39 E
Sogamoso 126 5 43N 72 56W
Sögel 24 52 50N 7 32 E
Sogn og Fjordane fylke □ 47 61 40N 6 0 E
Sognefjorden 47 61 10N 5 50 E
Sohâg 86 26 33N 31 43 E
Soignies 16 50 35N 4 5 E
Soira, Mt. 87 14 45N 39 30 E
Soissons 19 49 25N 3 19 E
Sōja 74 34 40N 133 45 E
Sojat 68 25 55N 73 45 E
Sok → 55 53 24N 50 8 E
Sokal 54 50 31N 24 15 E
Söke 45 37 48N 27 28 E
Sokelo 91 9 55 S 24 36 E
Sokhós 44 40 48N 23 22 E
Sokki, Oued In → 82 29 30N 3 42 E
Sokna 47 60 16N 9 50 E
Soknedal 47 62 57N 10 13 E
Soko Banja 42 43 40N 21 51 E
Sokodé 85 9 0N 1 11 E
Sokol 55 59 30N 40 5 E
Sokolac 42 43 56N 18 48 E
Sokółka 28 53 25N 23 30 E
Sokolo 84 14 53N 6 8W
Sokolov 26 50 12N 12 40 E
Sokołów Małpolski 27 50 12N 22 7 E
Sokołów Podlaski 28 52 25N 22 15 E
Sokoły 28 52 59N 22 42 E
Sokoto 85 13 2N 5 16 E
Sokoto □ 85 12 30N 5 0 E
Sokoto → 85 11 20N 4 10 E
Sol Iletsk 52 51 10N 55 0 E
Sola 47 58 53N 5 36 E
Sola → 27 50 4N 19 15 E
Solai 90 0 2N 36 12 E
Solana, La 33 38 59N 3 14W
Solano 73 16 31N 121 15 E
Solares 30 43 23N 3 43W
Solberga 49 57 45N 14 43 E
Solca 46 47 40N 25 50 E
Solec Kujawski 28 53 5N 18 14 E
Soledad, U.S.A. 119 36 27N 121 16W
Soledad, Venez. 126 8 10N 63 34W
Solent, The 13 50 45N 1 25W
Solenzara 21 41 53N 9 23 E
Solesmes 19 50 10N 3 30 E
Solfonn 47 60 2N 6 57 E
Soligalich 55 59 5N 42 10 E
Soligorsk 54 52 51N 27 27 E
Solikamsk 58 59 38N 56 50 E
Solila 93 21 25 S 46 37 E
Solimões → = Amazonas → 126 2 15 S 66 30W
Solingen 24 51 10N 7 4 E
Sollebrunn 49 58 8N 12 32 E
Sollefteå 48 63 12N 17 20 E
Sollentuna 48 59 26N 17 56 E
Sóller 32 39 46N 2 43 E
Solling 24 51 44N 9 36 E
Solna 48 59 22N 18 1 E
Solnechnogorsk 55 56 10N 36 57 E
Sologne 19 47 40N 2 0 E
Solok 72 0 45 S 100 40 E
Sololá 120 14 49N 91 10 E
Solomon Is. ■ 94 6 0 S 155 0 E
Solomon, N. Fork → 116 39 29N 98 26W
Solomon Sea 98 7 0 S 150 0 E
Solomon, S. Fork → 116 39 25N 99 12W
Solomon's Pools = Birak Sulaymān 62 31 42N 35 7 E
Solon 75 46 32N 121 10 E
Solon Springs 116 46 19N 91 47W
Solor 73 8 27 S 123 0 E
Solotcha 55 54 48N 39 53 E
Solothurn 25 47 13N 7 32 E
Solothurn □ 25 47 18N 7 40 E
Solsona 32 42 0N 1 31 E
Solt 27 46 45N 19 1 E
Solta 39 43 24N 16 15 E
Soltānābād 65 36 29N 58 5 E
Soltāniyeh 64 36 20N 48 55 E
Soltau 24 52 59N 9 50 E
Soltsy 54 58 10N 30 30 E
Solund 47 61 5N 4 50 E
Solunska Glava 42 41 44N 21 31 E
Solvay 114 43 5N 76 17W
Sölvesborg 49 56 5N 14 35 E
Solvychegodsk 52 61 21N 46 56 E
Solway Firth 12 54 45N 3 38W
Solwezi 91 12 11 S 26 21 E
Somali Rep. ■ 63 7 0N 47 0 E
Sombe Dzong 69 27 13N 89 8 E
Sombernon 19 47 20N 4 40 E
Sombor 42 45 46N 19 9 E
Sombra 112 42 43N 82 29W
Sombrerete 120 23 40N 103 40W
Sombrero 121 18 37N 63 30W
Somers 118 48 4N 114 18W
Somerset, Berm. 121 32 16N 64 55W
Somerset, Can. 109 49 25N 98 39W
Somerset, Colo., U.S.A. 119 38 55N 107 30W
Somerset, Ky., U.S.A. 114 37 5N 84 40W
Somerset, Mass., U.S.A. 113 41 45N 71 10W
Somerset, Pa., U.S.A. 112 40 1N 79 4W
Somerset □ 13 51 9N 3 0W
Somerset East 92 32 42 S 25 35 E
Somerset I. 104 73 30N 93 0W
Somerset West 92 34 8 S 18 50 E
Somersworth 113 43 15N 70 51W
Somerton 119 32 35N 114 47W
Somerville 113 40 34N 74 36W
Someş → 46 47 15N 23 45 E
Someşul Mare → 46 47 18N 24 30 E
Somma Lombardo 38 45 41N 8 42 E
Somma Vesuviana 41 40 52N 14 23 E
Sommariva 99 26 24 S 146 36 E
Sommatino 40 37 20N 14 0 E
Somme □ 19 50 0N 2 20 E
Somme, B. de la 18 50 14N 1 33 E
Sommen 49 58 12N 15 0 E
Sommen, L. 49 58 0N 15 15 E
Sommepy-Tahure 19 49 15N 4 31 E
Sömmerda 24 51 10N 11 8 E
Sommesous 19 48 44N 4 12 E
Sommières 21 43 47N 4 6 E
Somogy □ 27 46 19N 17 30 E
Somogyszob 27 46 18N 17 20 E
Sompolno 28 52 26N 18 30 E
Somport, Paso 32 42 48N 0 31W
Somport, Puerto de 32 42 48N 0 31W
Son, Norway 47 59 32N 10 42 E
Son, Spain 30 42 43N 8 58W
Son La 71 21 20N 103 50 E
Sonamukhi 69 23 18N 87 27 E
Soncino 38 45 24N 9 52 E
Sondags → 92 33 44 S 25 51 E
Sóndalo 38 46 20N 10 20 E
Sønder Omme 49 55 50N 8 54 E
Sønder Ternby 49 57 31N 9 58 E
Sønderborg 49 54 55N 9 49 E
Sonderjyllands Amtskommune □ 49 55 10N 9 10 E
Sondershausen 24 51 22N 10 50 E
Sóndrio 38 46 10N 9 53 E
Sone 91 17 23 S 34 55 E
Sonepat 68 29 0N 77 5 E
Sonepur 69 20 55N 83 50 E
Song Cau 71 13 27N 109 18 E
Song Xian 77 34 12N 112 8 E
Songea 91 10 40 S 35 40 E
Songea □ 91 10 30 S 36 0 E
Songeons 19 49 32N 1 50 E
Songhua Hu 76 43 35N 126 50 E
Songhua Jiang → 75 47 45N 132 30 E
Songjiang 77 31 1N 121 12 E
Songkhla 71 7 13N 100 37 E
Songling 76 48 2N 121 9 E
Songpan 75 32 40N 103 30 E
Songtao 77 28 11N 109 10 E
Songwe 90 3 20 S 26 16 E
Songwe → 91 9 44 S 33 58 E
Songzi 77 30 12N 111 45 E
Sonkovo 55 57 50N 37 5 E
Sonmiani 66 25 25N 66 40 E
Sonnino 40 41 25N 13 13 E
Sono → 127 9 58 S 48 11W
Sonora, Calif., U.S.A. 119 37 59N 120 27W
Sonora, Texas, U.S.A. 117 30 33N 100 37W
Sonora □ 120 29 0N 111 0W
Sonora → 120 28 50N 111 33W
Sonora P. 118 38 17N 119 35W
Sonsomate 120 13 43N 89 44W
Sonthofen 25 47 31N 10 16 E
Soo Junction 114 46 20N 85 14W
Soochow = Suzhou 75 31 19N 120 38 E
Sopi 73 2 34N 128 28 E
Sopo, Nahr → 87 8 40N 26 30 E
Sopot, Poland 28 54 27N 18 31 E
Sopot, Yugo. 42 44 29N 20 30 E
Sopotnica 42 41 23N 21 13 E
Sopron 27 47 45N 16 32 E
Sop's Arm 107 49 46N 56 56W
Sør-Rondane 5 72 0 S 25 0 E
Sør-Trøndelag fylke □ 47 63 0N 10 0 E
Sora 40 41 45N 13 36 E
Sorada 70 19 45N 84 26 E
Sorah 68 27 13N 68 56 E
Söråker 48 62 30N 17 32 E
Sorano 39 42 40N 11 42 E
Sorata 126 15 50 S 68 40W
Sorbas 33 37 6N 2 7W
Sorel 106 46 0N 73 10W
Sorento 99 38 22 S 144 47 E
Soreq, N. → 62 31 57N 34 43 E
Soresina 38 45 17N 9 51 E
Sorgono 40 40 01N 9 06 E
Sorgues 21 44 1N 4 53 E
Soria 32 41 43N 2 32W
Soria □ 32 41 46N 2 28W
Soriano 124 33 24 S 58 19W
Soriano nel Cimino 39 42 25N 12 14 E
Sorkh, Kuh-e 65 35 40N 58 30 E
Sorø 49 55 26N 11 32 E
Soro 84 10 9N 9 48W
Sorocaba 125 23 31 S 47 27W
Sorochinsk 52 52 26N 53 10 E
Soroki 56 48 8N 28 12 E
Soroksár 27 47 24N 19 9 E
Soron 68 27 55N 78 45 E
Sorong 73 0 55 S 131 15 E
Soroti 90 1 43N 33 35 E
Sørøya 50 70 40N 22 30 E
Sørøyane 47 62 25N 5 32 E
Sørøysundet 50 70 25N 23 0 E
Sorraia → 31 38 55N 8 53W
Sorrento 41 40 38N 14 23 E
Sorris Sorris 92 21 0 S 14 46 E
Sorsele 50 65 31N 17 30 E
Sorso 40 40 50N 8 34 E
Sorsogon 73 13 0N 124 0 E
Sortavala 52 61 42N 30 41 E
Sortino 41 37 9N 15 1 E
Sorvizhi 55 57 52N 48 32 E
Sos 32 42 30N 1 13W
Soscumica, L. 106 50 15N 77 27W
Sosna → 55 52 42N 38 55 E
Sosnogorsk 52 63 37N 53 51 E
Sosnovka, R.S.F.S.R., U.S.S.R. 55 53 13N 41 24 E
Sosnovka, R.S.F.S.R., U.S.S.R. 59 54 9N 109 35 E
Sosnowiec 28 50 20N 19 10 E
Sospel 21 43 52N 7 27 E
Šoštanj 39 46 23N 15 4 E
Sosva 52 59 10N 61 50 E
Soto la Marina → 120 23 40N 97 40W
Soto y Amío 30 42 46N 5 53W
Sotteville-lès-Rouen 18 49 24N 1 5 E
Sotuta 120 20 29N 89 43W
Souanké 88 2 10N 14 3 E
Soúdhas, Kólpos 45 35 25N 24 10 E
Souflion 44 41 12N 26 18 E
Souillac 20 44 53N 1 29 E
Souk-Ahras 83 36 23N 7 57 E
Souk el Arba du Rharb 82 34 43N 5 59W
Sŏul 76 37 31N 126 58 E
Soulac-sur-Mer 20 45 30N 1 7W
Soultz 19 48 57N 7 52 E
Soúnion, Ákra 45 37 37N 24 1 E
Sour el Ghozlane 83 36 10N 3 45 E
Sources, Mt. aux 93 28 45 S 28 50 E
Sourdeval 18 48 43N 0 55W
Soure, Brazil 127 0 35 S 48 30W
Soure, Port. 30 40 4N 8 38W
Souris, Man., Can. 109 49 40N 100 20W
Souris, P.E.I., Can. 107 46 21N 62 15W
Souris → 109 49 40N 99 34W
Soúrpi 45 39 6N 22 54 E
Sousa 127 6 45 S 38 10W
Sousel, Brazil 127 2 38 S 52 29W
Sousel, Port. 31 38 57N 7 40W
Souss, O. → 82 30 27N 9 31W
Sousse 83 35 50N 10 38 E
Soustons 20 43 45N 1 19W
Souterraine, La 20 46 15N 1 30 E
South Africa, Rep. of, ■ 89 32 0 S 17 0 E
South America 122 10 0 S 60 0W
South Atlantic Ocean 7 20 0 S 10 0W
South Aulatsivik I. 107 56 45N 61 30W
South Australia □ 96 32 0 S 139 0 E
South Baldy, Mt. 119 34 6N 107 27W
South Bend, Ind., U.S.A. 114 41 38N 86 20W
South Bend, Wash., U.S.A. 118 46 44N 123 52W
South Boston 115 36 42N 78 58W
South Branch 107 47 55N 59 2W
South Brook 107 49 26N 56 5W
South Buganda □ 90 0 15 S 31 30 E
South Carolina □ 115 33 45N 81 0W
South Charleston 114 38 20N 81 40W
South China Sea 71 10 0N 113 0 E
South Dakota □ 116 45 0N 100 0W
South Downs 13 50 53N 0 10W
South East C. 97 43 40 S 146 50 E
South-East Indian Rise 94 43 0 S 80 0 E
South Esk → 14 56 44N 3 3W
South Foreland 13 51 7N 1 23 E
South Fork → 118 47 54N 113 15W
South Gamboa 120 9 4N 79 40W
South Georgia 5 54 30 S 37 0W
South Glamorgan □ 13 51 30N 3 20W
South Grafton 99 29 41 S 152 57 E
South Haven 114 42 22N 86 20W
South Henik, L. 109 61 30N 97 30W
South Honshu Ridge 94 23 0N 143 0 E
South Horr 90 2 12N 36 56 E
South I., Kenya 90 2 35N 36 35 E
South I., N.Z. 101 44 0 S 170 0 E
South Invercargill 101 46 26 S 168 23 E
South Knife → 109 58 55N 94 37W
South Korea ■ 76 36 0N 128 0 E
South Loup → 116 41 4N 98 40W
South Mashonaland □ 91 18 0 S 31 30 E
South Milwaukee 114 42 50N 87 52W
South Molton 13 51 1N 3 50W
South Nahanni → 108 61 3N 123 21W
South Negril Pt. 121 18 14N 78 30W
South Orkney Is. 5 63 0 S 45 0W
South Pass 118 42 20N 108 58W
South Passage 96 26 07 S 113 09 E
South Pines 115 35 10N 79 25W
South Pittsburg 115 35 1N 85 42W
South Platte → 116 41 7N 100 42W
South Pole 5 90 0 S 0 0 E
South Porcupine 106 48 30N 81 12W
South River, Can. 106 45 52N 79 23W
South River, U.S.A. 113 40 27N 74 23W
South Ronaldsay 14 58 46N 2 58W
South Sandwich Is. 7 57 0 S 27 0W
South Saskatchewan → 109 53 15N 105 5W
South Seal → 109 58 48N 98 8W
South Sentinel I. 71 11 1N 92 16 E
South Shetland Is. 5 62 0 S 59 0W
South Shields 12 54 59N 1 26W
South Sioux City 116 42 30N 96 24W
South Taranaki Bight 101 39 40 S 174 5 E
South Thompson → 108 50 40N 120 20W
South Twin I. 106 53 7N 79 52W
South Tyne → 12 54 46N 2 25W
South Uist 14 57 20N 7 15W
South West Africa = Namibia ■ 92 22 0 S 18 9 E
South West C. 99 43 34 S 146 3 E
South Yemen ■ 63 15 0N 48 0 E
South Yorkshire □ 12 53 30N 1 20W
Southampton, Can. 106 44 30N 81 25W
Southampton, U.K. 13 50 54N 1 23W
Southampton, U.S.A. 114 40 54N 72 22W
Southampton I. 105 64 30N 84 0W
Southbridge, N.Z. 101 43 48 S 172 16 E
Southbridge, U.S.A. 113 42 4N 72 2W
Southeast Pacific Basin 95 16 30 S 92 0W
Southend 109 56 19N 103 22W
Southend-on-Sea 13 51 32N 0 42 E
Southern □, Malawi 91 15 0 S 35 0 E
Southern □, S. Leone 84 8 0N 12 30W
Southern □, Zambia 91 16 20 S 26 20 E
Southern Alps 101 43 41 S 170 11 E
Southern Cross 96 31 12 S 119 15 E
Southern Indian L. 109 57 10N 98 30W
Southern Ocean 5 62 0 S 60 0 E
Southern Uplands 14 55 30N 3 3W
Southington 113 41 37N 72 53W
Southold 113 41 4N 72 26W
Southport, Austral. 97 27 58 S 153 25 E
Southport, U.K. 12 53 38N 3 1W
Southport, U.S.A. 115 33 55N 78 0W
Southwestern Pacific Basin 94 42 0 S 170 0W
Southwold 13 52 19N 1 41 E
Soutpansberge 93 23 0 S 29 30 E
Souvigny 20 46 33N 3 10 E
Sovata 46 46 35N 25 3 E
Sovetsk, Lithuania, U.S.S.R. 54 55 6N 21 50 E
Sovetsk, R.S.F.S.R., U.S.S.R. 55 57 38N 48 53 E
Sovetskaya 57 49 1N 42 7 E
Sovetskaya Gavan 59 48 50N 140 0 E
Sovicille 39 43 16N 11 12 E
Sovra 42 42 44N 17 34 E
Sōya-Misaki 74 45 30N 142 0 E
Soyo 88 6 13 S 12 20 E
Sozh → 54 51 57N 30 48 E
Sozopol 43 42 23N 27 42 E
Spa 16 50 29N 5 53 E
Spain ■ 29 40 0N 5 0W
Spalding, Austral. 99 33 30 S 138 37 E
Spalding, U.K. 12 52 47N 0 9W
Spalding, U.S.A. 116 41 45N 98 27W
Spangereid 47 58 3N 7 9 E
Spangler 112 40 39N 78 48W
Spaniard's Bay 107 47 38N 53 20W
Spanish 106 46 12N 82 20W
Spanish Fork 118 40 10N 111 37W
Spanish Town 121 18 0N 76 57W
Sparks 118 39 30N 119 45W
Sparta, Ga., U.S.A. 115 33 18N 82 59W
Sparta, Wis., U.S.A. 116 43 55N 90 47W
Sparta = Spárti 45 37 5N 22 25 E
Spartanburg 115 35 0N 82 0W
Spartansburg 112 41 48N 79 43W
Spartel, C. 82 35 47N 5 56W
Spárti 45 37 5N 22 25 E
Spartivento, C., Calabria, Italy 41 37 56N 16 4 E
Spartivento, C., Sard., Italy 40 38 52N 8 50 E
Spas-Demensk 54 54 20N 34 0 E
Spas-Klepiki 55 55 10N 40 10 E
Spassk-Dalniy 59 44 40N 132 48 E
Spassk-Ryazanskiy 55 54 24N 40 25 E
Spátha, Akra 45 35 42N 23 43 E
Spatsizi → 108 57 42N 128 7W
Spearfish 116 44 32N 103 52W
Spearman 117 36 15N 101 10W
Speers 109 52 43N 107 34W
Speightstown 121 13 15N 59 39W
Speke Gulf 90 2 20 S 32 50 E
Spenard 104 61 11N 149 50W
Spence Bay 104 69 32N 93 32W
Spencer, Idaho, U.S.A. 118 44 18N 112 8W
Spencer, Iowa, U.S.A. 116 43 5N 95 19W
Spencer, N.Y., U.S.A. 113 42 14N 76 30W
Spencer, Nebr., U.S.A. 116 42 52N 98 43W
Spencer, W. Va., U.S.A. 114 38 47N 81 24W
Spencer B. 92 25 30 S 14 47 E
Spencer, C. 97 35 20 S 136 53 E
Spencer G. 97 34 0 S 137 20 E
Spencerville 113 44 51N 75 33W
Spences Bridge 108 50 25N 121 20W
Spenser Mts. 101 42 15 S 172 45 E
Sperkhiós → 45 38 57N 22 3 E
Sperrin Mts. 15 54 50N 7 0W
Spessart 25 50 10N 9 20 E
Spétsai 45 37 15N 23 10 E
Spey → 14 57 26N 3 25W
Speyer 25 49 19N 8 26 E
Speyer → 25 49 19N 8 27 E
Spézia, La 38 44 8N 9 50 E
Spezzano Albanese 41 39 41N 16 19 E
Spiekeroog 24 53 45N 7 42 E
Spielfeld 39 46 43N 15 38 E
Spiez 25 46 40N 7 40 E
Spili 45 35 13N 24 31 E
Spilimbergo 39 46 7N 12 53 E
Spinazzola 41 40 58N 16 5 E
Spind 47 58 6N 6 53 E
Spineni 46 44 43N 24 37 E
Spirit Lake 118 47 56N 116 56W
Spirit River 108 55 45N 118 50W
Spiritwood 109 53 24N 107 33W
Spišská Nová Ves 27 48 58N 20 34 E
Spišské Podhradie 27 49 0N 20 48 E
Spital 26 47 42N 14 18 E
Spithead 13 50 43N 1 5W
Spittal 26 46 48N 13 31 E
Spitzbergen = Svalbard 4 78 0N 17 0 E
Split 39 43 31N 16 26 E
Split L. 109 56 8N 96 15W
Splitski Kanal 39 43 31N 16 20 E
Splügenpass 25 46 30N 9 20 E
Spofford 117 29 10N 100 27W
Spokane 118 47 45N 117 25W
Spoleto 39 42 46N 12 47 E
Spooner 116 45 49N 91 51W
Sporádhes 45 39 0N 24 30 E
Sporyy Navolok, Mys 58 75 50N 68 40 E
Spragge 106 46 15N 82 40W

Sprague Suceava

Name	Page	Lat.	Long.
Sprague	**118**	47 18N	117 59W
Sprague River	**118**	42 28N	121 31W
Spratly, I.	**72**	8 20N	112 0 E
Spray	**118**	44 50N	119 46W
Spree →	**24**	52 32N	13 13 E
Spring City	**118**	39 31N	111 28W
Spring Mts.	**119**	36 20N	115 43W
Spring Valley, Minn., U.S.A.	**116**	43 40N	92 23W
Spring Valley, N.Y., U.S.A.	**113**	41 7N	74 4W
Springbok	**92**	29 42 S	17 54 E
Springburn	**101**	43 40 S	171 32 E
Springdale, Can.	**107**	49 30N	56 6W
Springdale, Ark., U.S.A.	**117**	36 10N	94 5W
Springdale, Wash., U.S.A.	**118**	48 1N	117 50W
Springe	**24**	52 12N	9 35 E
Springer	**117**	36 22N	104 36W
Springerville	**119**	34 10N	109 16W
Springfield, Can.	**112**	42 50N	80 56W
Springfield, N.Z.	**101**	43 19 S	171 56 E
Springfield, Colo., U.S.A.	**117**	37 26N	102 40W
Springfield, Ill., U.S.A.	**116**	39 48N	89 40W
Springfield, Mass., U.S.A.	**114**	42 8N	72 37W
Springfield, Mo., U.S.A.	**117**	37 15N	93 20W
Springfield, Ohio, U.S.A.	**114**	39 58N	83 48W
Springfield, Oreg., U.S.A.	**118**	44 2N	123 0W
Springfield, Tenn., U.S.A.	**115**	36 35N	86 55W
Springfield, Vt., U.S.A.	**113**	43 20N	72 30W
Springfontein	**92**	30 15 S	25 40 E
Springhill	**107**	45 40N	64 4W
Springhouse	**108**	51 56N	122 7W
Springhurst	**99**	36 10 S	146 31 E
Springs	**93**	26 13 S	28 25 E
Springsure	**97**	24 8 S	148 6 E
Springvale, Austral.	**98**	23 33 S	140 42 E
Springvale, U.S.A.	**113**	43 28N	70 48W
Springville, N.Y., U.S.A.	**114**	42 31N	78 41W
Springville, Utah, U.S.A.	**118**	40 14N	111 35W
Springwater	**109**	51 58N	108 23W
Spruce-Creek	**112**	40 36N	78 9W
Spur	**117**	33 28N	100 50W
Spurn Hd.	**12**	53 34N	0 8 E
Spuž	**42**	42 32N	19 10 E
Spuzzum	**108**	49 37N	121 23W
Squam L.	**113**	43 45N	71 32W
Squamish	**108**	49 45N	123 10W
Square Islands	**107**	52 47N	55 47W
Squillace, Golfo di	**41**	38 43N	16 35 E
Squinzano	**41**	40 27N	18 1 E
Sragen	**73**	7 28 S	110 59 E
Srbac	**42**	45 7N	17 30 E
Srbija □	**42**	43 30N	21 0 E
Srbobran	**42**	45 32N	19 48 E
Sre Umbell	**71**	11 8N	103 46 E
Srebrnica	**42**	44 10N	19 18 E
Sredinnyy Khrebet	**59**	57 0N	160 0 E
Središče	**39**	46 24N	16 17 E
Sredna Gora	**43**	42 40N	24 20 E
Sredne Tambovskoye	**59**	50 55N	137 45 E
Srednekolymsk	**59**	67 27N	153 40 E
Srednevilyuysk	**59**	63 50N	123 5 E
Sredni Rodopi	**43**	41 40N	24 45 E
Śrem	**28**	52 6N	17 2 E
Sremska Mitrovica	**42**	44 59N	19 33 E
Sremski Karlovci	**42**	45 12N	19 56 E
Sretensk	**59**	52 10N	117 40 E
Sri Lanka ■	**70**	7 30N	80 50 E
Sriharikota, I.	**70**	13 40N	80 20 E
Srikakulam	**70**	18 14N	83 58 E
Srinagar	**66**	34 5N	74 50 E
Sripur	**69**	24 14N	90 30 E
Srirangam	**70**	10 54N	78 42 E
Srirangapatnam	**70**	12 26N	76 43 E
Srivilliputtur	**70**	9 31N	77 40 E
Środa Śląska	**28**	51 10N	16 36 E
Środa Wielkopolski	**28**	52 15N	17 19 E
Srokowo	**28**	54 13N	21 31 E
Srpska Crnja	**42**	45 38N	20 44 E
Srpska Itabej	**42**	45 35N	20 44 E
Staaten →	**98**	16 24 S	141 17 E
Staberhuk	**24**	54 23N	11 18 E
Stade	**24**	53 35N	9 31 E
Staðarhólskirkja	**50**	65 23N	21 58W
Städjan	**48**	61 56N	12 52 E
Stadlandet	**47**	62 10N	5 10 E
Stadskanaal	**16**	53 4N	6 55 E
Stadthagen	**24**	52 20N	9 14 E
Stadtlohn	**24**	52 0N	6 52 E
Stadtroda	**24**	50 51N	11 44 E
Stafafell	**50**	64 25N	14 52W
Staffa	**14**	56 26N	6 21W
Stafford, U.K.	**12**	52 49N	2 9W
Stafford, U.S.A.	**117**	38 0N	98 35W
Stafford □	**12**	52 53N	2 10W
Stafford Springs	**113**	41 58N	72 20W
Stagnone	**40**	37 50N	12 28 E
Staines	**13**	51 26N	0 30W
Stainz	**26**	46 53N	15 17 E
Stalač	**42**	43 43N	21 28 E
Stalingrad = Volgograd	**57**	48 40N	44 25 E
Staliniri = Tskhinvali	**57**	42 14N	44 1 E
Stalino = Donetsk	**56**	48 0N	37 45 E
Stalinogorsk = Novomoskovsk	**55**	54 5N	38 15 E
Stalowa Wola	**28**	50 34N	22 3 E
Stalybridge	**12**	53 29N	2 4W
Stamford, Austral.	**98**	21 15 S	143 46 E
Stamford, U.K.	**13**	52 39N	0 29W
Stamford, Conn., U.S.A.	**114**	41 5N	73 30W
Stamford, Tex., U.S.A.	**117**	32 58N	99 50W
Stamps	**117**	33 22N	93 30W
Stanberry	**116**	40 12N	94 32W
Standerton	**93**	26 55 S	29 7 E
Standish	**114**	43 58N	83 57W
Stanford	**118**	47 11N	110 10W
Stange	**47**	60 43N	11 5 E
Stanger	**93**	29 27 S	31 14 E
Stanišić	**42**	45 56N	19 10 E
Stanislav = Ivano-Frankovsk	**54**	49 0N	24 40 E
Stanisławów	**28**	52 18N	21 33 E
Stanke Dimitrov	**42**	42 17N	23 9 E
Stanley, Austral.	**99**	40 46 S	145 19 E
Stanley, N.B., Can.	**107**	46 20N	66 44W
Stanley, Sask., Can.	**109**	55 24N	104 22W
Stanley, Falk. Is.	**128**	51 40 S	59 51W
Stanley, Idaho, U.S.A.	**118**	44 10N	114 59W
Stanley, N.D., U.S.A.	**116**	48 20N	102 23W
Stanley, N.Y., U.S.A.	**112**	42 48N	77 6W
Stanley, Wis., U.S.A.	**116**	44 57N	91 0W
Stanley Res.	**70**	11 50N	77 40 E
Stann Creek	**120**	17 0N	88 13W
Stanovoy Khrebet	**59**	55 0N	130 0 E
Stanthorpe	**97**	28 36 S	151 59 E
Stanton	**117**	32 8N	101 45W
Staples	**116**	46 21N	94 48W
Stapleton	**116**	41 30N	100 31W
Staporków	**28**	51 9N	20 31 E
Star City	**109**	52 50N	104 20W
Stara-minskaya	**57**	46 33N	39 0 E
Stara Moravica	**42**	45 50N	19 30 E
Stara Pazova	**42**	45 0N	20 10 E
Stara Planina	**43**	43 15N	23 0 E
Stara Zagora	**43**	42 26N	25 39 E
Starachowice	**28**	51 3N	21 2 E
Starashcherbinovskaya	**57**	46 40N	38 53 E
Staraya Russa	**54**	57 58N	31 23 E
Starbuck I.	**95**	5 37 S	155 55W
Stargard	**24**	53 29N	13 19 E
Stargard Szczeciński	**28**	53 20N	15 0 E
Stari Bar	**42**	42 7N	19 13 E
Stari Trg	**39**	45 29N	15 7 E
Staritsa	**54**	56 33N	35 0 E
Starke	**115**	30 0N	82 10W
Starkville, Colo., U.S.A.	**117**	37 10N	104 31W
Starkville, Miss., U.S.A.	**115**	33 26N	88 48W
Starnberg	**25**	48 0N	11 20 E
Starnberger See	**25**	47 55N	11 20 E
Starobelsk	**57**	49 16N	39 0 E
Starodub	**54**	52 30N	32 50 E
Starogard	**28**	53 59N	18 30 E
Starokonstantinov	**56**	49 48N	27 10 E
Starosielce	**28**	53 8N	23 5 E
Start Pt.	**13**	50 13N	3 38W
Stary Sącz	**27**	49 33N	20 35 E
Staryy Biryuzyak	**57**	44 46N	46 50 E
Staryy Chartoriysk	**54**	51 15N	25 54 E
Staryy Kheydzhan	**59**	60 0N	144 50 E
Staryy Krym	**56**	45 3N	35 8 E
Staryy Oskol	**55**	51 19N	37 55 E
Stassfurt	**24**	51 51N	11 34 E
Staszów	**28**	50 33N	21 10 E
State College	**114**	40 47N	77 49W
Staten I.	**113**	40 35N	74 10W
Staten, I. = Los Estados, I. de	**128**	54 40 S	64 30W
Statesboro	**115**	32 26N	81 46W
Statesville	**115**	35 48N	80 51W
Staunton, Ill., U.S.A.	**116**	39 0N	89 49W
Staunton, Va., U.S.A.	**114**	38 7N	79 4W
Stavanger	**47**	58 57N	5 40 E
Stavelot	**16**	50 23N	5 55 E
Staveren	**16**	52 53N	5 22 E
Stavern	**47**	59 0N	10 1 E
Stavre	**48**	62 51N	15 19 E
Stavropol	**57**	45 5N	42 0 E
Stavroúpolis	**44**	41 12N	24 45 E
Stawell	**97**	37 5 S	142 47 E
Stawell →	**98**	20 20 S	142 55 E
Stawiski	**28**	53 22N	22 9 E
Stawiszyn	**28**	51 56N	18 4 E
Stayner	**112**	44 25N	80 5W
Steamboat Springs	**118**	40 30N	106 50W
Stębark	**28**	53 30N	20 10 E
Stebleva	**44**	41 18N	20 33 E
Steele	**116**	46 56N	99 52W
Steelton	**114**	40 17N	76 50W
Steelville	**117**	37 57N	91 21W
Steen River	**108**	59 40N	117 12W
Steenvoorde	**19**	50 48N	2 33 E
Steenwijk	**16**	52 47N	6 7 E
Steep Pt.	**96**	26 08 S	113 8 E
Steep Rock	**109**	51 30N	98 48W
Ştefănesti	**46**	47 44N	27 15 E
Stefanie L. = Chew Bahir	**87**	4 40N	36 50 E
Stefansson Bay	**5**	67 20 S	59 8 E
Stege	**49**	55 0N	12 18 E
Steiermark □	**26**	47 26N	15 0 E
Steigerwald	**25**	49 45N	10 30 E
Steinbach	**109**	49 32N	96 40W
Steinfort	**16**	49 39N	5 55 E
Steinheim	**24**	51 50N	9 6 E
Steinhuder Meer	**24**	52 48N	9 20 E
Steinkjer	**50**	63 59N	11 31 E
Stellaland	**92**	26 45 S	24 50 E
Stellarton	**107**	45 32N	62 30W
Stellenbosch	**92**	33 58 S	18 50 E
Stemshaug	**47**	63 19N	8 44 E
Stendal	**24**	52 36N	11 50 E
Stensele	**50**	65 3N	17 8 E
Stenstorp	**49**	58 17N	13 45 E
Stepanakert	**53**	39 40N	46 25 E
Stephan	**116**	48 30N	96 53W
Stephens Creek	**99**	31 50 S	141 30 E
Stephens I.	**108**	54 10N	130 45W
Stephenville, Can.	**107**	48 31N	58 35W
Stephenville, U.S.A.	**117**	32 12N	98 12W
Stepnica	**28**	53 38N	14 36 E
Stepnoi = Elista	**57**	46 16N	44 14 E
Stepnyak	**58**	52 50N	70 50 E
Steppe	**60**	50 0N	50 0 E
Stereá Ellas □	**45**	38 50N	22 0 E
Sterkstroom	**92**	31 32 S	26 32 E
Sterling, Colo., U.S.A.	**116**	40 40N	103 15W
Sterling, Ill., U.S.A.	**116**	41 45N	89 45W
Sterling, Kans., U.S.A.	**116**	38 17N	98 13W
Sterling City	**117**	31 50N	100 59W
Sterling Run	**112**	41 25N	78 12W
Sterlitamak	**52**	53 40N	56 0 E
Sternberg	**24**	53 42N	11 48 E
Šternberk	**27**	49 45N	17 15 E
Stettin = Szczecin	**28**	53 27N	14 27 E
Stettiner Haff	**24**	53 50N	14 25 E
Stettler	**108**	52 19N	112 40W
Steubenville	**114**	40 21N	80 39W
Stevens Port	**116**	44 32N	89 34W
Stevenson L.	**109**	53 55N	96 0W
Stevns Klint	**49**	55 17N	12 28 E
Stewart, B.C., Can.	**108**	55 56N	129 57W
Stewart, N.W.T., Can.	**104**	63 19N	139 26W
Stewart, I.	**128**	54 50 S	71 15W
Stewart I.	**101**	46 58 S	167 54 E
Stewiacke	**107**	45 9N	63 22W
Steynsburg	**92**	31 15 S	25 49 E
Steyr	**26**	48 3N	14 25 E
Steyr →	**26**	48 17N	14 15 E
Steytlerville	**92**	33 17 S	24 19 E
Stia	**39**	43 48N	11 41 E
Stigler	**117**	35 19N	95 6W
Stigliano	**41**	40 24N	16 13 E
Stigsnæs	**49**	55 13N	11 18 E
Stigtomta	**49**	58 47N	16 48 E
Stikine →	**104**	56 40N	132 30W
Stilfontein	**92**	26 50 S	26 50 E
Stilís	**45**	38 55N	22 47 E
Stillwater, Minn., U.S.A.	**116**	45 3N	92 47W
Stillwater, N.Y., U.S.A.	**113**	42 55N	73 41W
Stillwater, Okla., U.S.A.	**117**	36 5N	97 3W
Stillwater Mts.	**118**	39 45N	118 6W
Stilwell	**117**	35 52N	94 36W
Stimfalías, L.	**45**	37 51N	22 27 E
Štip	**42**	41 42N	22 10 E
Stíra	**45**	38 9N	24 14 E
Stiring-Wendel	**19**	49 12N	6 57 E
Stirling, Austral.	**98**	17 12 S	141 35 E
Stirling, Can.	**108**	49 30N	112 30W
Stirling, U.K.	**14**	56 7N	3 57W
Stirling Ra.	**96**	34 23 S	118 0 E
Stittsville	**113**	45 15N	75 55W
Stockach	**25**	47 51N	9 01 E
Stockaryd	**49**	57 19N	14 36 E
Stockerau	**27**	48 24N	16 12 E
Stockett	**118**	47 23N	111 7W
Stockholm	**48**	59 20N	18 3 E
Stockholms län □	**48**	59 30N	18 20 E
Stockinbingal	**100**	34 30 S	147 53 E
Stockport	**12**	53 25N	2 11W
Stockton, Austral.	**100**	32 50 S	151 47 E
Stockton, Calif., U.S.A.	**119**	38 0N	121 20W
Stockton, Kans., U.S.A.	**116**	39 30N	99 20W
Stockton, Mo., U.S.A.	**117**	37 40N	93 48W
Stockton-on-Tees	**12**	54 34N	1 20W
Stockvik	**48**	62 17N	17 23 E
Stoczek Łukowski	**28**	51 58N	22 0 E
Stöde	**48**	62 28N	16 35 E
Stogovo	**42**	41 31N	20 38 E
Stoke-on-Trent	**12**	53 1N	2 11W
Stokes Bay	**106**	45 0N	81 28W
Stokes Pt.	**99**	40 10 S	143 56 E
Stokkseyri	**50**	63 50N	21 2W
Stokksnes	**50**	64 14N	14 58W
Stolac	**42**	43 8N	17 59 E
Stolberg	**24**	50 48N	6 13 E
Stolbovaya, R.S.F.S.R., U.S.S.R.	**55**	55 10N	37 32 E
Stolbovaya, R.S.F.S.R., U.S.S.R.	**59**	64 50N	153 50 E
Stolbovoy, Ostrov	**59**	56 44N	163 14 E
Stolbtsy	**54**	53 30N	26 43 E
Stolin	**54**	51 53N	26 50 E
Stolnici	**46**	44 31N	24 48 E
Ston	**42**	42 51N	17 43 E
Stonehaven	**14**	56 58N	2 11W
Stonehenge	**98**	24 22 S	143 17 E
Stonewall	**109**	50 10N	97 19W
Stonington I.	**5**	68 11 S	67 0W
Stony L., Man., Can.	**109**	58 51N	98 40W
Stony L., Ont., Can.	**112**	44 30N	78 0W
Stony Rapids	**109**	59 16N	105 50W
Stony Tunguska = Tunguska, Nizhnyaya →	**59**	65 48N	88 4 E
Stopnica	**28**	50 27N	20 57 E
Stora Gla	**48**	59 30N	12 30 E
Stora Karlsö	**49**	57 17N	17 59 E
Stora Lulevatten	**50**	67 10N	19 30 E
Stora Sjöfallet	**50**	67 29N	18 40 E
Storavan	**50**	65 45N	18 10 E
Stordal	**47**	63 28N	10 56 E
Store Bælt	**49**	55 20N	11 0 E
Store Creek	**99**	32 54 S	149 6 E
Store Heddinge	**49**	55 18N	12 23 E
Støren	**47**	63 3N	10 18 E
Storfjorden	**47**	62 25N	6 30 E
Storm B.	**97**	43 10 S	147 30 E
Storm Lake	**116**	42 35N	95 11W
Stormberg	**92**	31 16 S	26 17 E
Stormsrivier	**92**	33 59 S	23 52 E
Stornoway	**14**	58 12N	6 23W
Storozhinets	**56**	48 14N	25 45 E
Storsjö	**48**	62 49N	13 5 E
Storsjöen, Hedmark, Norway	**47**	60 20N	11 40 E
Storsjöen, Hedmark, Norway	**47**	61 30N	11 14 E
Storsjön, Gävleborg, Sweden	**48**	60 35N	16 45 E
Storsjön, Jämtland, Sweden	**48**	62 50N	13 8 E
Storstrøms Amt. □	**49**	54 50N	11 45 E
Storuman	**50**	65 5N	17 10 E
Storuman,sjö	**50**	65 13N	16 50 E
Storvik	**48**	60 35N	16 33 E
Stoughton	**109**	49 40N	103 0W
Stour →, Dorset, U.K.	**13**	50 48N	2 7W
Stour →, Here. & Worcs., U.K.	**13**	52 25N	2 13W
Stour →, Suffolk, U.K.	**13**	51 55N	1 5 E
Stour (Gt. Stour) →	**13**	51 15N	1 20 E
Stourbridge	**13**	52 28N	2 8W
Stout, L.	**109**	52 0N	94 40W
Stowmarket	**13**	52 11N	1 0 E
Strabane	**15**	54 50N	7 28W
Strabane □	**15**	54 45N	7 25W
Stracin	**42**	42 13N	22 2 E
Stradella	**38**	45 4N	9 20 E
Strahan	**97**	42 9 S	145 20 E
Strakonice	**26**	49 15N	13 53 E
Straldzha	**43**	42 35N	26 40 E
Stralsund	**24**	54 17N	13 5 E
Strand, Norway	**47**	61 17N	11 17 E
Strand, S. Afr.	**92**	34 9 S	18 48 E
Stranda	**47**	62 19N	6 58 E
Strandebarm	**47**	60 17N	6 0 E
Strandvik	**47**	60 9N	5 41 E
Strangford, L.	**15**	54 30N	5 37W
Strängnäs	**48**	59 23N	17 2 E
Stranraer	**14**	54 54N	5 0W
Strasbourg, Can.	**109**	51 4N	104 55W
Strasbourg, France	**19**	48 35N	7 42 E
Strasburg, Ger.	**24**	53 30N	13 44 E
Strasburg, U.S.A.	**116**	46 12N	100 9W
Stratford, Austral.	**100**	37 59 S	147 7 E
Stratford, Can.	**106**	43 23N	81 0W
Stratford, N.Z.	**101**	39 20 S	174 19 E
Stratford, Calif., U.S.A.	**119**	36 10N	119 49W
Stratford, Conn., U.S.A.	**113**	41 13N	73 8W
Stratford, Tex., U.S.A.	**117**	36 20N	102 3W
Stratford-on-Avon	**13**	52 12N	1 42W
Strath Spey	**14**	57 15N	3 40W
Strathalbyn	**99**	35 13 S	138 53 E
Strathclyde □	**14**	56 0N	4 50W
Strathcona Prov. Park	**108**	49 38N	125 40W
Strathmore, Austral.	**98**	17 50 S	142 35 E
Strathmore, Can.	**108**	51 5N	113 18W
Strathmore, U.K.	**14**	56 40N	3 4W
Strathnaver	**108**	53 20N	122 33W
Strathpeffer	**14**	57 35N	4 32W
Strathroy	**106**	42 58N	81 38W
Strathy Pt.	**14**	58 35N	4 0W
Stratton, U.K.	**12**	51 41N	1 45W
Stratton, U.S.A.	**116**	39 20N	102 36W
Straubing	**25**	48 53N	12 35 E
Straumnes	**50**	66 26N	23 8W
Strausberg	**24**	52 40N	13 52 E
Strawberry Res.	**118**	40 10N	111 7W
Strawn	**117**	32 36N	98 30W
Strážnice	**27**	48 54N	17 19 E
Streaky Bay	**96**	32 48 S	134 13 E
Streator	**116**	41 9N	88 52W
Středočeský □	**26**	49 55N	14 30 E
Středoslovenský □	**27**	48 30N	19 15 E
Streeter	**116**	46 39N	99 21W
Streetsville	**112**	43 35N	79 42W
Strehaia	**46**	44 37N	23 10 E
Strelcha	**43**	42 25N	24 19 E
Strelka	**59**	58 5N	93 3 E
Strésa	**38**	45 52N	8 28 E
Strezhevoy	**58**	60 42N	77 34 E
Stříbro	**26**	49 44N	13 0 E
Strickland →	**98**	7 35 S	141 36 E
Strimón →	**44**	40 46N	23 51 E
Strimonikós Kólpos	**44**	40 33N	24 0 E
Strofádhes	**45**	37 15N	21 0 E
Strombacka	**48**	61 58N	16 44 E
Strómboli	**41**	38 48N	15 12 E
Stromeferry	**14**	57 20N	5 33W
Stromness	**14**	58 58N	3 18W
Ströms vattudal	**50**	64 15N	14 55 E
Strömsnäsbruk	**49**	56 35N	13 45 E
Strömstad	**48**	58 55N	11 15 E
Strömsund	**50**	63 51N	15 33 E
Stróngoli	**41**	39 16N	17 2 E
Stronsay	**14**	59 8N	2 38W
Stronsburg	**116**	41 7N	97 36W
Stropkov	**27**	49 13N	21 39 E
Stroud	**13**	51 44N	2 12W
Stroud Road	**99**	32 18 S	151 57 E
Stroudsberg	**113**	40 59N	75 15W
Struer	**49**	56 30N	8 35 E
Struga	**42**	41 13N	20 44 E
Strugi Krasnyye	**54**	58 21N	29 1 E
Strumica	**42**	41 28N	22 41 E
Strumica →	**42**	41 20N	22 22 E
Struthers, Can.	**106**	48 41N	85 51W
Struthers, U.S.A.	**114**	41 6N	80 38W
Stryama	**43**	42 16N	24 54 E
Stryi	**54**	49 16N	23 48 E
Stryker	**108**	48 40N	114 44W
Stryków	**28**	51 55N	19 33 E
Strzegom	**28**	50 58N	16 20 E
Strzelce Krajeńskie	**28**	52 52N	15 33 E
Strzelce Opolskie	**28**	50 31N	18 18 E
Strzelecki Cr. →	**97**	29 37 S	139 59 E
Strzelin	**28**	50 46N	17 2 E
Strzelno	**28**	52 35N	18 9 E
Strzybnica	**28**	50 28N	18 48 E
Strzyzów	**27**	49 52N	21 47 E
Stuart, Fla., U.S.A.	**115**	27 11N	80 12W
Stuart, Nebr., U.S.A.	**116**	42 39N	99 8W
Stuart →	**108**	54 0N	123 35W
Stuart L.	**108**	54 30N	124 30W
Stuart Range	**96**	29 10 S	134 56 E
Stuart Town	**100**	32 44 S	149 4 E
Stubbekøbing	**49**	54 53N	12 9 E
Stuben	**26**	47 10N	10 8 E
Studen Kladenets, Yazovir	**43**	41 37N	25 30 E
Stugun	**48**	63 10N	15 40 E
Stühlingen	**25**	47 44N	8 26 E
Stull, L.	**109**	54 24N	92 34W
Stung Treng	**71**	13 31N	105 58 E
Stupart →	**109**	56 0N	93 25W
Stupino	**55**	54 57N	38 2 E
Sturgeon B.	**109**	52 0N	97 50W
Sturgeon Bay	**114**	44 52N	87 20W
Sturgeon Falls	**106**	46 25N	79 57W
Sturgeon L., Alta., Can.	**108**	55 6N	117 32W
Sturgeon L., Ont., Can.	**106**	50 0N	90 45W
Sturgeon L., Ont., Can.	**112**	44 28N	78 43W
Sturgis, Mich., U.S.A.	**114**	41 50N	85 25W
Sturgis, S.D., U.S.A.	**116**	44 25N	103 30W
Sturkö	**49**	56 5N	15 42 E
Štúrovo	**27**	47 48N	18 41 E
Sturt Cr. →	**96**	20 8 S	127 24 E
Stutterheim	**92**	32 33 S	27 28 E
Stuttgart, Ger.	**25**	48 46N	9 10 E
Stuttgart, U.S.A.	**117**	34 30N	91 33W
Stuyvesant	**113**	42 23N	73 45W
Stykkishólmur	**50**	65 2N	22 40W
Styr →	**54**	52 7N	26 35 E
Styria = Steiermark □	**26**	47 26N	15 0 E
Su Xian	**77**	33 41N	116 59 E
Suakin	**86**	19 8N	37 20 E
Suaqui	**120**	29 12N	109 41W
Subang	**73**	6 34 S	107 45 E
Subi	**72**	2 58N	108 50 E
Subiaco	**39**	41 56N	13 5 E
Subotica	**42**	46 6N	19 49 E
Success	**109**	50 28N	108 6W
Suceava	**46**	47 38N	26 16 E

Suceava Tabatinga, Serra da

Suceava □ **46** 47 37N 25 40 E
Suceava → **46** 47 38N 26 16 E
Sucha-Beskidzka **27** 49 44N 19 35 E
Suchan **28** 53 18N 15 18 E
Suchedniów **28** 51 3N 20 49 E
Suchitoto **120** 13 56N 89 0W
Suchou = Suzhou **75** 31 18N 120 36 E
Süchow = Xuzhou **77** 34 18N 117 10 E
Suchowola **28** 53 33N 23 3 E
Suck → **15** 53 17N 8 18W
Suckling, Mt. **98** 9 49 S 148 53 E
Sucre **126** 19 0 S 65 15W
Sućuraj **39** 43 10N 17 8 E
Sud-Ouest, Pte. du **107** 49 23N 63 36W
Sud, Pte. **107** 49 3N 62 14W
Suda → **55** 59 0N 37 40 E
Sudair **64** 26 0N 45 0 E
Sudak **56** 44 51N 34 57 E
Sudan **117** 34 4N 102 32W
Sudan ■ **81** 15 0N 30 0 E
Suday **55** 59 0N 43 0 E
Sudbury **106** 46 30N 81 0W
Sûdd **87** 8 20N 30 0 E
Süderbrarup **24** 54 38N 9 47 E
Süderlügum **24** 54 50N 8 55 E
Süderoog-Sand **24** 54 27N 8 30 E
Sudetan Mts. = Sudety **27** 50 20N 16 45 E
Sudety **27** 50 20N 16 45 E
Sudi **91** 10 11 S 39 57 E
Sudirman, Pegunungan **73** 4 30 S 137 0 E
Sudiţi **46** 44 35N 27 38 E
Sudogda **55** 55 55N 40 50 E
Sudr **86** 29 40N 32 42 E
Sudzha **54** 51 14N 35 17 E
Sueca **33** 39 12N 0 21W
Suedala **49** 55 30N 13 15 E
Sueur, Le **116** 44 25N 93 52W
Suez = El Suweis **86** 28 40N 33 0 E
Suez Canal = Suweis, Qanâl es **86** 31 0N 33 20 E
Sûf **62** 32 19N 35 49 E
Şufaynah **64** 23 6N 40 33 E
Suffield **109** 50 12N 111 10W
Suffolk **114** 36 47N 76 33W
Suffolk □ **13** 52 16N 1 0 E
Sufuk **65** 23 50N 51 50 E
Şugag **46** 45 47N 23 37 E
Sugar City **116** 38 18N 103 38W
Sugluk = Sagloue **105** 62 30N 74 15W
Suhaia, L. **46** 43 45N 25 15 E
Suhār **65** 24 20N 56 40 E
Suhbaatar **75** 50 17N 106 10 E
Suhl **24** 50 35N 10 40 E
Suhl □ **24** 50 37N 10 43 E
Sui Xian, Henan, China **77** 34 25N 115 2 E
Sui Xian, Henan, China **77** 31 42N 113 24 E
Suichang **77** 28 29N 119 15 E
Suichuan **77** 26 20N 114 32 E
Suide **76** 37 30N 110 12 E
Suifenhe **76** 44 25N 131 10 E
Suihua **75** 46 32N 126 55 E
Suining, Hunan, China **77** 26 35N 110 10 E
Suining, Sichuan, China **77** 30 26N 105 35 E
Suiping **77** 33 10N 113 59 E
Suippes **19** 49 8N 4 30 E
Suir → **15** 52 15N 7 10W
Suixi **77** 21 19N 110 18 E
Suizhong **76** 40 21N 120 20 E
Sujangarh **68** 27 42N 74 31 E
Sujica **42** 43 52N 17 11 E
Sukabumi **73** 6 56 S 106 50 E
Sukadana, Kalimantan, Indon. **72** 1 10 S 110 0 E
Sukadana, Sumatera, Indon. **72** 5 5 S 105 33 E
Sukaradja **72** 2 28 S 110 25 E
Sukarnapura = Jayapura **73** 2 37 S 140 38 E
Sukhindol **43** 43 11N 25 10 E
Sukhinichi **54** 54 8N 35 10 E
Sukhona → **52** 60 30N 45 0 E
Sukhumi **57** 43 0N 41 0 E
Sukkur **68** 27 42N 68 54 E
Sukkur Barrage **68** 27 40N 68 50 E
Sukma **70** 18 24N 81 45 E
Sukovo **42** 43 4N 22 37 E
Sukunka → **108** 55 45N 121 15W
Sula → **54** 49 40N 32 41 E
Sula, Kepulauan **73** 1 45 S 125 0 E
Sulaiman Range **68** 30 30N 69 50 E
Sulak → **57** 43 20N 47 34 E
Sulam Tsor **62** 33 4N 35 6 E
Sulawesi □ **73** 2 0 S 120 0 E
Sulechów **28** 52 5N 15 40 E
Sulęcin **28** 52 26N 15 10 E
Sulejów **28** 51 26N 19 53 E
Sulejówek **28** 52 13N 21 17 E
Sulima **84** 6 58N 11 32W
Sulina **46** 45 10N 29 40 E
Sulingen **24** 52 41N 8 47 E
Suliţa **46** 47 39N 26 59 E
Sulitälma **50** 67 17N 17 28 E
Sulitjelma **50** 67 9N 16 3 E
Sułkowice **27** 49 50N 19 49 E
Sullana **126** 4 52 S 80 39W
Sullivan, Ill., U.S.A. **116** 39 40N 88 40W
Sullivan, Ind., U.S.A. **114** 39 5N 87 26W
Sullivan, Mo., U.S.A. **116** 38 10N 91 10W
Sullivan Bay **108** 50 55N 126 50W
Sully-sur-Loire **19** 47 45N 2 20 E
Sulmierzyce **28** 51 37N 17 32 E
Sulmona **39** 42 3N 13 55 E
Sulphur, La., U.S.A. **117** 30 13N 93 22W
Sulphur, Okla., U.S.A. **117** 34 35N 97 0W
Sulphur Pt. **108** 60 56N 114 48W
Sulphur Springs **117** 33 5N 95 36W
Sulphur Springs, Cr. → **117** 32 12N 101 36W
Sultan **106** 47 36N 82 47W
Sultanpur **69** 26 18N 82 4 E
Sultsa **52** 63 27N 46 2 E
Sulu Arch. **73** 6 0N 121 0 E
Sulu Sea **73** 8 0N 120 0 E
Sululta **87** 9 10N 38 43 E
Suluq **83** 31 44N 20 14 E
Sulzbach **25** 49 18N 7 4 E
Sulzbach-Rosenberg **25** 49 30N 11 46 E
Sumalata **73** 1 0N 122 31 E
Sumampa **124** 29 25 S 63 29W
Sumatera □ **72** 0 40N 100 20 E
Sumatera Barat □ **72** 1 0 S 100 0 E
Sumatera Selatan □ **72** 3 30 S 104 0 E
Sumatera Utara □ **72** 2 0N 99 0 E
Sumatra **118** 46 38N 107 31W
Sumatra = Sumatera □ **72** 0 40N 100 20 E
Sumba **73** 9 45 S 119 35 E
Sumba, Selat **73** 9 0 S 118 40 E
Sumbawa **72** 8 26 S 117 30 E
Sumbawa Besar **72** 8 30 S 117 26 E
Sumbawanga □ **90** 8 0 S 31 30 E
Sumbing **73** 7 19 S 110 3 E
Sumburgh Hd. **14** 59 52N 1 17W
Sumedang **73** 6 49 S 107 56 E
Sümeg **27** 46 59N 17 20 E
Sumenep **73** 7 3 S 113 51 E
Sumgait **57** 40 34N 49 38 E
Summer L. **118** 42 50N 120 50W
Summerland **108** 49 32N 119 41W
Summerside **107** 46 24N 63 47W
Summerville, Ga., U.S.A. **115** 34 30N 85 20W
Summerville, S.C., U.S.A. **115** 33 2N 80 11W
Summit Lake **108** 54 20N 122 40W
Summit Pk. **119** 37 20N 106 48W
Sumner **116** 42 49N 92 7W
Šumperk **27** 49 59N 17 0 E
Sumter **115** 33 55N 80 22W
Sumy **54** 50 57N 34 50 E
Sunart, L. **14** 56 42N 5 43W
Sunburst **118** 48 56N 111 59W
Sunbury, Austral. **99** 37 35 S 144 44 E
Sunbury, U.S.A. **114** 40 50N 76 46W
Sunchales **124** 30 58 S 61 35W
Suncho Corral **124** 27 55 S 63 27W
Sunchon **77** 34 52N 127 31 E
Suncook **113** 43 8N 71 27W
Sunda Is. **94** 5 0 S 105 0 E
Sunda Kecil, Kepulauan **72** 7 30 S 117 0 E
Sunda, Selat **72** 6 20 S 105 30 E
Sundance **116** 44 27N 104 27W
Sundarbans, The **69** 22 0N 89 0 E
Sundargarh **69** 22 4N 84 5 E
Sundays = Sondags → **92** 33 44 S 25 51 E
Sundbyberg **48** 59 22N 17 58 E
Sunderland, Can. **112** 44 16N 79 4W
Sunderland, U.K. **12** 54 54N 1 22W
Sunderland, U.S.A. **113** 42 27N 72 36W
Sundre **108** 51 49N 114 38W
Sundridge **106** 45 45N 79 25W
Sunds **49** 56 13N 9 1 E
Sundsjö **48** 62 59N 15 9 E
Sundsvall **48** 62 23N 17 17 E
Sungaigerong **72** 2 59 S 104 52 E
Sungailiat **72** 1 51 S 106 8 E
Sungaipakning **72** 1 19N 102 0 E
Sungaipenuh **72** 2 1 S 101 20 E
Sungaitiram **72** 0 45 S 117 8 E
Sungari = Songhua Jiang → **76** 47 45N 132 30 E
Sungei Patani **71** 5 38N 100 29 E
Sungei Siput **71** 4 51N 101 6 E
Sungguminasa **73** 5 17 S 119 30 E
Sunghua Chiang = Songhua Jiang → **76** 47 45N 132 30 E
Sungikai **87** 12 20N 29 51 E
Sungtao Hu **77** 19 20N 109 35 E
Sungurlu **56** 40 12N 34 21 E
Sunja **39** 45 21N 16 35 E
Sunndalsøra **47** 62 40N 8 33 E
Sunne **48** 59 52N 13 5 E
Sunnfjord **47** 61 25N 5 18 E
Sunnyside, Utah, U.S.A. **118** 39 34N 110 24W
Sunnyside, Wash., U.S.A. **118** 46 24N 120 2W
Sunray **117** 36 1N 101 47W
Sunshine **100** 37 48 S 144 52 E
Suntar **59** 62 15N 117 30 E
Sunyani **84** 7 21N 2 22W
Suoyarvi **52** 62 12N 32 23 E
Supai **119** 36 14N 112 44W
Supaul **69** 26 10N 86 40 E
Superior, Ariz., U.S.A. **119** 33 19N 111 9W
Superior, Mont., U.S.A. **118** 47 15N 114 57W
Superior, Nebr., U.S.A. **116** 40 3N 98 2W
Superior, Wis., U.S.A. **116** 46 45N 92 5W
Superior, L. **111** 47 40N 87 0W
Supetar **39** 43 25N 16 32 E
Suphan Buri **71** 14 14N 100 10 E
Suphan Dağı **64** 38 54N 42 48 E
Supraśl **28** 53 13N 23 19 E
Suq al Jum'ah **83** 32 58N 13 12 E
Sūq ash Shūyukh **64** 30 53N 46 28 E
Suqian **77** 33 54N 118 8 E
Sūr, Leb. **62** 33 19N 35 16 E
Sūr, Oman **65** 22 34N 59 32 E
Sur, Pt. **119** 36 18N 121 54W
Sura → **55** 56 6N 46 0 E
Surabaja = Surabaya **73** 7 17 S 112 45 E
Surabaya **73** 7 17 S 112 45 E
Surahammar **48** 59 43N 16 13 E
Suraia **46** 45 40N 27 25 E
Surakarta **73** 7 35 S 110 48 E
Surakhany **57** 40 25N 50 1 E
Surandai **70** 8 58N 77 26 E
Šurany **27** 48 6N 18 10 E
Surat, Austral. **99** 27 10 S 149 6 E
Surat, India **68** 21 12N 72 55 E
Surat Thani **71** 9 6N 99 20 E
Suratgarh **68** 29 18N 73 55 E
Suraz **28** 52 57N 22 57 E
Surazh, Byelorussia, U.S.S.R. **54** 55 25N 30 44 E
Surazh, R.S.F.S.R., U.S.S.R. **54** 53 5N 32 27 E
Surduc **46** 47 15N 23 25 E
Surduc Pasul **46** 45 21N 23 23 E
Surdulica **42** 42 41N 22 11 E
Sûre → **16** 49 44N 6 31 E
Surendranagar **68** 22 45N 71 40 E
Surgères **20** 46 7N 0 47W
Surgut **58** 61 14N 73 20 E
Suri **69** 23 50N 87 34 E
Surianu **46** 45 33N 23 31 E
Suriapet **70** 17 10N 79 40 E
Şūrīf **62** 31 40N 35 4 E
Surigao **73** 9 47N 125 29 E
Surin **71** 14 50N 103 34 E
Surinam ■ **127** 4 0N 56 0W
Suriname → **127** 5 50N 55 15W
Surmene **57** 41 0N 40 1 E
Surovikino **57** 48 32N 42 55 E
Surprise L. **108** 59 40N 133 15W
Surrey □ **13** 51 16N 0 30W
Sursee **25** 47 11N 8 6 E
Sursk **55** 53 3N 45 40 E
Surt **83** 31 11N 16 39 E
Surt, Al Hammadah al **83** 30 0N 17 50 E
Surt, Khalīj **83** 31 40N 18 30 E
Surtsey **50** 63 20N 20 30W
Suruga-Wan **74** 34 45N 138 30 E
Susa **38** 45 8N 7 3 E
Susā → **49** 55 20N 11 42 E
Sušac **39** 42 46N 16 30 E
Susak **39** 44 30N 14 18 E
Süsangerd **64** 31 35N 48 6 E
Susanino **59** 52 50N 140 14 E
Susanville **118** 40 28N 120 40W
Sušice **26** 49 17N 13 30 E
Susquehanna → **114** 39 33N 76 5W
Susquehanna Depot **113** 41 55N 75 36W
Susques **124** 23 35 S 66 25W
Sussex, Can. **107** 45 45N 65 37W
Sussex, U.S.A. **113** 41 12N 74 38W
Sussex, E. □ **13** 51 0N 0 20 E
Sussex, W. □ **13** 51 0N 0 30W
Sustut → **108** 56 20N 127 30W
Susuman **59** 62 47N 148 10 E
Susunu **73** 3 20 S 133 25 E
Susz **28** 53 44N 19 20 E
Şuţeşti **46** 45 13N 27 27 E
Sutherland, S. Afr. **92** 32 33 S 20 40 E
Sutherland, U.S.A. **116** 41 12N 101 11W
Sutherland Falls **101** 44 48 S 167 46 E
Sutherland Pt. **97** 28 15 S 153 35 E
Sutherlin **118** 43 28N 123 16W
Sutivan **39** 43 23N 16 30 E
Sutlej → **68** 29 23N 71 3 E
Sutton, Can. **113** 45 6N 72 37W
Sutton, U.S.A. **116** 40 40N 97 50W
Sutton → **106** 55 15N 83 45W
Sutton-in-Ashfield **12** 53 7N 1 20W
Suttor → **98** 21 36 S 147 2 E
Suva **94** 18 6 S 178 30 E
Suva Gora **42** 41 45N 21 3 E
Suva Planina **42** 43 10N 22 5 E
Suva Reka **42** 42 21N 20 50 E
Suvo Rudište **42** 43 17N 20 49 E
Suvorov **55** 54 7N 36 30 E
Suvorov Is. = Suwarrow Is. **95** 13 15 S 163 30W
Suvorovo **43** 43 20N 27 35 E
Suwałki **28** 54 8N 22 59 E
Suwałki □ **28** 54 0N 22 30 E
Suwannee → **115** 29 18N 83 9W
Suwanose Jima **74** 29 26N 129 30 E
Suwarrow Is. **95** 15 0 S 163 0W
Suweis, Khalîg el **86** 28 40N 33 0 E
Suweis, Qanâl es **86** 31 0N 32 20 E
Suwŏn **76** 37 17N 127 1 E
Suzdal **55** 56 29N 40 26 E
Suze, La **18** 47 54N 0 2 E
Suzhou **75** 31 19N 120 38 E
Suzu-Misaki **74** 37 31N 137 21 E
Suzuka **74** 34 55N 136 36 E
Suzzara **38** 45 0N 10 45 E
Svalbard **4** 78 0N 17 0 E
Svalbarð **50** 66 12N 15 43W
Svalöv **49** 55 57N 13 8 E
Svanvik **50** 69 25N 30 3 E
Svappavaara **50** 67 40N 21 03 E
Svarstad **47** 59 27N 9 56 E
Svartisen **50** 66 40N 13 50 E
Svartvik **48** 62 19N 17 24 E
Svatovo **56** 49 35N 38 11 E
Svay Rieng **71** 11 9N 105 45 E
Sveio **47** 59 33N 5 23 E
Svendborg **49** 55 4N 10 35 E
Svene **47** 59 45N 9 31 E
Svenljunga **49** 57 29N 13 5 E
Svenstrup **49** 56 58N 9 50 E
Sverdlovsk, R.S.F.S.R., U.S.S.R. **52** 56 50N 60 30 E
Sverdlovsk, Ukraine S.S.R., U.S.S.R. **57** 48 5N 39 37 E
Sverdrup Is. **4** 79 0N 97 0W
Svetac **39** 43 3N 15 43 E
Sveti Ivan Zelina **39** 45 57N 16 16 E
Sveti Jurij **39** 46 14N 15 24 E
Sveti Lenart **39** 46 36N 15 48 E
Sveti Nikola, Prokhad **42** 43 27N 22 6 E
Sveti Nikole **42** 41 51N 21 56 E
Sveti Rok **39** 40 1N 9 6 E
Sveti Trojica **39** 46 37N 15 50 E
Svetlogorsk **54** 52 38N 29 46 E
Svetlograd **57** 45 25N 42 58 E
Svetlovodsk **54** 49 2N 33 13 E
Svetozarevo **42** 44 5N 21 15 E
Svidnik **27** 49 20N 21 37 E
Svilaja Pl. **39** 43 49N 16 31 E
Svilajnac **42** 44 15N 21 11 E
Svilengrad **43** 41 49N 26 12 E
Svir → **52** 60 30N 32 48 E
Svishtov **43** 43 36N 25 23 E
Svisloch **54** 53 3N 24 2 E
Svitava → **27** 49 30N 16 37 E
Svitavy **27** 49 47N 16 28 E
Svobodnyy **59** 51 20N 128 0 E
Svoge **43** 42 59N 23 23 E
Svolvær **50** 68 15N 14 34 E
Svratka → **27** 49 11N 16 38 E
Svrljig **42** 43 25N 22 6 E
Swabian Alps = Schäbischer Alb **25** 48 30N 9 30 E
Swain Reefs **97** 21 45 S 152 20 E
Swainsboro **115** 32 38N 82 22W
Swakopmund **92** 22 37 S 14 30 E
Swale → **12** 54 5N 1 20W
Swan → **96** 32 3 S 115 45 E
Swan Hill **97** 35 20 S 143 33 E
Swan Hills **108** 54 42N 115 24W
Swan Islands **121** 17 22N 83 57W
Swan L. **109** 52 30N 100 40W
Swan River **109** 52 10N 101 16W
Swanage **13** 50 36N 1 59W
Swansea, Austral. **99** 33 3 S 151 35 E
Swansea, U.K. **13** 51 37N 3 57W
Swartberge **92** 33 20 S 22 0 E
Swartruggens **92** 25 39 S 26 42 E
Swarzędz **28** 52 25N 17 4 E
Swastika **106** 48 7N 80 6W
Swatow = Shantou **76** 23 18N 116 40 E
Swaziland ■ **93** 26 30 S 31 30 E
Sweden ■ **50** 67 0N 15 0 E
Swedru **85** 5 32N 0 41W
Sweet Home **118** 44 26N 122 25W
Sweetwater **117** 32 30N 100 28W
Sweetwater → **118** 42 31N 107 2W
Swellendam **92** 34 1 S 20 26 E
Swider → **28** 52 6N 21 14 E
Świdnica **28** 50 50N 16 30 E
Świdnik **28** 51 13N 22 39 E
Świdwin **28** 53 47N 15 49 E
Świebodzice **28** 50 51N 16 20 E
Świebodzin **28** 52 15N 15 31 E
Świecie **28** 53 25N 18 30 E
Świętokrzyskie, Góry **28** 51 0N 20 30 E
Swift Current **109** 50 20N 107 45W
Swiftcurrent → **109** 50 38N 107 44W
Swilly, L. **15** 55 12N 7 35W
Swindle, I. **108** 52 30N 128 35W
Swindon **13** 51 33N 1 47W
Swinemünde = Świnoujście **28** 53 54N 14 16 E
Świnoujście **28** 53 54N 14 16 E
Switzerland ■ **25** 46 30N 8 0 E
Swords **15** 53 27N 6 15W
Syasstroy **54** 60 5N 32 15 E
Sychevka **54** 55 59N 34 16 E
Syców **28** 51 19N 17 40 E
Sydney, Austral. **97** 33 53 S 151 10 E
Sydney, Can. **107** 46 7N 60 7W
Sydney, U.S.A. **116** 41 12N 103 0W
Sydney Mines **107** 46 18N 60 15W
Sydprøven **4** 60 30N 45 35W
Sydra G. of = Surt, Khalīj **35** 31 40N 18 30 E
Syke **24** 52 55N 8 50 E
Syktyvkar **52** 61 45N 50 40 E
Sylacauga **115** 33 10N 86 15W
Sylarna **50** 63 2N 12 13 E
Sylhet **67** 24 54N 91 52 E
Sylt **24** 54 50N 8 20 E
Sylvan Lake **108** 52 20N 114 03W
Sylvania **115** 32 45N 81 37W
Sylvester **115** 31 31N 83 50W
Sym **58** 60 20N 88 18 E
Syracuse, Kans., U.S.A. **117** 38 0N 101 46W
Syracuse, N.Y., U.S.A. **114** 43 4N 76 11W
Syrdarya → **58** 46 3N 61 0 E
Syria ■ **64** 35 0N 38 0 E
Syriam **69** 16 44N 96 19 E
Syrian Desert **60** 31 0N 40 0 E
Syul'dzhyukyor **59** 63 14N 113 32 E
Syutkya **43** 41 50N 24 16 E
Syzran **55** 53 12N 48 30 E
Szabolcs-Szatmár □ **27** 48 2N 21 45 E
Szamocin **28** 53 2N 17 7 E
Szamos → **27** 48 7N 22 20 E
Szaraz → **27** 46 28N 20 44 E
Szarvas **27** 46 50N 20 38 E
Százhalombatta **27** 47 20N 18 58 E
Szczawnica **27** 49 26N 20 30 E
Szczebrzeszyn **28** 50 42N 22 59 E
Szczecin **28** 53 27N 14 27 E
Szczecin □ **28** 53 25N 14 32 E
Szczecinek **28** 53 43N 16 41 E
Szczekocimy **28** 50 38N 19 48 E
Szczucin **28** 50 18N 21 4 E
Szczuczyn **28** 53 36N 22 19 E
Szczytno **28** 53 33N 21 0 E
Szechwan = Sichuan □ **75** 31 0N 104 0 E
Szécsény **27** 48 7N 19 30 E
Szeged **27** 46 16N 20 10 E
Szeghalom **27** 47 1N 21 10 E
Székesfehérvár **27** 47 15N 18 25 E
Szekszárd **27** 46 22N 18 42 E
Szendrö **27** 48 24N 20 41 E
Szentendre **27** 47 39N 19 4 E
Szentes **27** 46 39N 20 21 E
Szentgotthárd **27** 46 58N 16 19 E
Szentlörinc **27** 46 3N 18 1 E
Szerencs **27** 48 10N 21 12 E
Szigetvár **27** 46 3N 17 46 E
Szikszó **27** 48 12N 20 56 E
Szkwa → **28** 53 11N 21 43 E
Szlichtyngowa **28** 51 42N 16 15 E
Szob **27** 47 48N 18 53 E
Szolnok **27** 47 10N 20 15 E
Szolnok □ **27** 47 15N 20 30 E
Szombathely **27** 47 14N 16 38 E
Szprotawa **28** 51 33N 15 35 E
Sztum **28** 53 55N 19 1 E
Sztutowo **28** 54 20N 19 15 E
Szubin **28** 53 1N 17 45 E
Szydłowiec **28** 51 15N 20 51 E
Szypliszki **28** 54 17N 23 2 E

T

Tabacal **124** 23 15 S 64 15W
Tabaco **73** 13 22N 123 44 E
Tabagné **84** 7 59N 3 4W
Ţābah **64** 26 55N 42 38 E
Tabar Is. **98** 2 50 S 152 0 E
Tabarca, Isla de **33** 38 17N 0 30W
Tabarka **83** 36 56N 8 46 E
Ţabas, Khorāsān, Iran **65** 33 35N 56 55 E
Ţabas, Khorāsān, Iran **65** 32 48N 60 12 E
Tabasará, Serranía de **121** 8 35N 81 40W
Tabasco □ **120** 17 45N 93 30W
Tabatinga, Serra da **127** 10 30 S 44 0W

Tabelbala, Kahal de — Tarp

Tabelbala, Kahal de 82 28 47N 2 0W
Tabelkaza 80 29 50N 0 55 E
Taber 108 49 47N 112 8W
Tabernas 33 37 4N 2 26W
Tabernes de Valldigna 33 39 5N 0 13W
Tablas 73 12 25N 122 2 E
Table B. 107 53 40N 56 25W
Table Mt. 92 34 0 S 18 22 E
Table Top, Mt. 98 23 24 S 147 11 E
Tábor 26 49 25N 14 39 E
Tabor 62 32 42N 35 24 E
Tabora 90 5 2 S 32 50 E
Tabora □ 90 5 0 S 33 0 E
Tabou 84 4 30N 7 20W
Tabrīz 64 38 7N 46 20 E
Tabuenca 32 41 42N 1 33W
Tabūk 64 28 23N 36 36 E
Tacheng 75 46 40N 82 58 E
Tach'ing Shan = Daqing Shan 76 40 40N 111 0 E
Tachov 26 49 47N 12 39 E
Tácina → 41 38 57N 16 55 E
Tacloban 73 11 15N 124 58 E
Tacna 126 18 0 S 70 20W
Tacoma 118 47 15N 122 30W
Tacuarembó 125 31 45 S 56 0W
Tademaït, Plateau du 82 28 30N 2 30 E
Tadent, O. → 83 22 25N 6 40 E
Tadjerdjeri, O. → 83 26 0N 8 0W
Tadjerouna 82 33 31N 2 3 E
Tadjettaret, O. → 83 21 20N 7 22 E
Tadjmout, Atlas, Alg. 82 33 52N 2 30 E
Tadjmout, Sahara, Alg. 82 25 37N 3 48 E
Tadjoura 87 11 50N 42 55 E
Tadjoura, Golfe de 87 11 50N 43 0 E
Tadmor 101 41 27 S 172 45 E
Tadoule, L. 109 58 36N 98 20W
Tadoussac 107 48 11N 69 42W
Tadzhik S.S.R. □ 58 35 30N 70 0 E
Taegu 76 35 50N 128 37 E
Taejŏn 76 36 20N 127 28 E
Tafalla 32 42 30N 1 41W
Tafar 87 6 52N 28 15 E
Ţafas 62 32 44N 36 5 E
Tafassasset, O. → 83 22 0N 9 57 E
Tafelbaai 92 33 35 S 18 25 E
Tafelney, C. 82 31 3N 9 51W
Tafermaar 73 6 47 S 134 10 E
Taffermit 82 29 37N 9 15W
Tafí Viejo 124 26 43 S 65 17W
Tafiré 84 9 4N 5 4W
Tafnidilt 82 28 47N 10 58W
Tafraoute 82 29 50N 8 58W
Taft, Phil. 73 11 57N 125 30 E
Taft, Calif., U.S.A. 119 35 9N 119 28W
Taft, Tex., U.S.A. 117 27 58N 97 23W
Taga Dzong 69 27 5N 89 55 E
Taganrog 57 47 12N 38 50 E
Taganrogskiy Zaliv 56 47 0N 38 30 E
Tagânt 84 18 20N 11 0W
Tagbilaran 73 9 39N 123 51 E
Tággia 38 43 52N 7 50 E
Taghrīfat 83 29 5N 17 26 E
Taghzout 82 33 30N 4 49W
Tagish 108 60 19N 134 16W
Tagish L. 104 60 10N 134 20W
Tagliacozzo 39 42 4N 13 13 E
Tagliamento → 39 45 38N 13 5 E
Táglio di Po 39 45 0N 12 12 E
Tagomago, I. de 33 39 2N 1 39 E
Taguatinga 127 12 16 S 42 26W
Tagula I. 98 11 30 S 153 30 E
Tagum (Hijo) 73 7 33N 125 53 E
Tagus = Tajo → 29 39 44N 5 50W
Tahakopa 101 46 30 S 169 23 E
Tahala 82 34 0N 4 28W
Tahan, Gunong 71 4 34N 102 17 E
Tahat 83 23 18N 5 33 E
Tāherī 65 27 43N 52 20 E
Tahiti 95 17 37 S 149 27W
Tahoe City 118 39 12N 120 9W
Tahoe, L. 118 39 0N 120 9W
Tahoua 85 14 57N 5 16 E
Tahta 86 26 44N 31 32 E
Tahulandang 73 2 27N 125 23 E
Tahuna 73 3 38N 125 30 E
Taï 84 5 55N 7 30W
Tai Hu 75 31 5N 120 10 E
Tai Shan 76 36 25N 117 20 E
Tai'an 76 36 12N 117 8 E
Taibei 75 25 4N 121 29 E
Taibus Qi 76 41 54N 115 22 E
T'aichung = Taizhong 75 24 10N 120 38 E
Taidong 75 22 43N 121 9 E
Taieri → 101 46 3 S 170 12 E
Taiga Madema 83 23 46N 15 25 E
Taigu 76 37 28N 112 30 E
Taihang Shan 76 36 0N 113 30 E
Taihape 101 39 41 S 175 48 E
Taihe 77 26 47N 114 52 E
Taihu 77 30 22N 116 20 E
Taijiang 77 26 39N 108 21 E
Taikang, Heilongjiang, China 76 46 50N 124 25 E
Taikang, Henan, China 77 34 5N 114 50 E
Taikkyi 69 17 20N 96 0 E
Tailai 76 46 23N 123 24 E
Tailem Bend 99 35 12 S 139 29 E
Tailfingen 25 48 15N 9 1 E
Taimyr = Taymyr 59 75 0N 100 0 E
Taimyr, Oz. 59 74 20N 102 0 E
Tain 14 57 49N 4 4W
Tainan 77 23 17N 120 18 E
Taínaron, Ákra 45 36 22N 22 27 E
Taining 77 26 54N 117 9 E
T'aipei = Taibei 75 25 4N 121 29 E
Taiping 71 4 51N 100 44 E
Taishan 77 22 14N 112 41 E
Taishun 77 27 30N 119 42 E
Taita □ 90 4 0 S 38 30 E
Taita Hills 90 3 25 S 38 15 E
Taitao, Pen. de 128 46 30 S 75 0W
Taivalkoski 50 65 33N 28 12 E
Taiwan ■ 75 24 0N 121 0 E
Taïyetos Óros 45 37 0N 22 23 E
Taiyib → 62 31 55N 35 17 E
Taiyiba 62 32 36N 35 27 E
Taiyuan 76 37 52N 112 33 E
Taizhong 77 24 12N 120 35 E
Taizhou 77 32 28N 119 55 E
Ta'izz 63 13 35N 44 2 E
Tajarḥī 83 24 21N 14 28 E
Tajo → 31 38 40N 9 24W
Tajumulco, Volcán de 120 15 2N 91 50W
Tājūrā 83 32 51N 13 21 E
Tak 71 16 52N 99 8 E
Takada 74 37 7N 138 15 E
Takaka 101 40 51 S 172 50 E
Takamatsu 74 34 20N 134 5 E
Takanabe 74 32 8N 131 30 E
Takaoka 74 36 47N 137 0 E
Takapuna 101 36 47 S 174 47 E
Takasaki 74 36 20N 139 0 E
Takatsuki 74 34 51N 135 37 E
Takaungu 90 3 38 S 39 52 E
Takayama 74 36 18N 137 11 E
Takefu 74 35 50N 136 10 E
Takengeun 72 4 45N 96 50 E
Takeo 71 10 59N 104 47 E
Tåkern 49 58 22N 14 45 E
Tākestān 64 36 0N 49 40 E
Takhar □ 65 36 40N 70 0 E
Takla L. 108 55 15N 125 45W
Takla Landing 108 55 30N 125 50W
Takla Makan 60 39 0N 83 0 E
Takla Makan = Taklimakan Shamo 75 38 0N 83 0 E
Taklimakan Shamo 75 38 0N 83 0 E
Taku → 108 58 30N 133 50W
Takua Pa 71 7 18N 9 59 E
Takum 85 7 18N 9 36 E
Tala 125 34 21 S 55 46W
Talagante 124 33 40 S 70 50W
Talaïnt 82 29 41N 9 40W
Talak 85 18 0N 5 0 E
Talamanca, Cordillera de 121 9 20N 83 20W
Talara 126 4 38 S 81 18 E
Talas 58 42 30N 72 13 E
Talasea 98 5 20 S 150 2 E
Talata Mafara 85 12 38N 6 4 E
Talaud, Kepulauan 73 4 30N 127 10 E
Talavera de la Reina 30 39 55N 4 46W
Talayan 73 6 52N 124 24 E
Talbert, Sillon de 18 48 53N 3 5W
Talbot, C. 96 13 48 S 126 43 E
Talbragar → 99 32 12 S 148 37 E
Talca 124 35 28 S 71 40W
Talca □ 124 35 20 S 71 46W
Talcahuano 124 36 40 S 73 10W
Talcher 69 21 0N 85 18 E
Talcho 85 14 44N 3 28 E
Taldy Kurgan 58 45 10N 78 45 E
Ţalesh, Kūhhā-ye 64 39 0N 48 30 E
Talfīt 62 32 5N 35 17 E
Talguharai 86 18 19N 35 56 E
Tali Post 87 5 55N 30 44 E
Taliabu 73 1 45 S 125 0 E
Talibon 73 10 9N 124 20 E
Talihina 117 34 45N 95 1W
Talikoti 70 16 29N 76 17 E
Taling Sung 71 15 5N 99 11 E
Taliwang 72 8 50 S 116 55 E
Talkeetna 104 62 20N 150 9W
Tall 62 33 0N 35 6 E
Tall 'Afar 64 36 22N 42 27 E
Tall 'Asūr 62 31 59N 35 17 E
Talla 86 28 5N 30 43 E
Talladega 115 33 28N 86 2W
Tallahassee 115 30 25N 84 15W
Tallangatta 99 36 15 S 147 19 E
Tallarook 99 37 5 S 145 6 E
Tällberg 48 60 51N 15 2 E
Tallering Pk. 96 28 6 S 115 37 E
Tallinn 54 59 22N 24 48 E
Tallulah 117 32 25N 91 12W
Ţallūzā 62 32 17N 35 18 E
Tălmaciu 46 45 38N 24 19 E
Talmest 82 31 48N 9 21W
Talmont 20 46 27N 1 37W
Talnoye 56 48 50N 30 44 E
Taloda 68 21 34N 74 11 E
Talodi 87 10 35N 30 22 E
Talovaya 55 51 6N 40 45 E
Talsi 54 57 10N 22 30 E
Talsinnt 82 32 33N 3 27W
Taltal 124 25 23 S 70 33W
Taltson → 108 61 24N 112 46W
Taltson L. 109 61 30N 110 15W
Talwood 99 28 29 S 149 29 E
Talyawalka Cr. → 99 32 28 S 142 22 E
Tama 116 41 56N 92 37W
Tamale 85 9 22N 0 50W
Taman 56 45 14N 36 41 E
Tamanar 82 31 1N 9 46W
Tamano 74 34 29N 133 59 E
Tamanrasset 83 22 50N 5 30 E
Tamanrasset, O. → 82 22 0N 2 0 E
Tamaqua 113 40 46N 75 58W
Tamar → 13 50 33N 4 15W
Tamarite de Litera 32 41 52N 0 25 E
Tamási 27 46 40N 18 18 E
Tamaské 85 14 49N 5 43 E
Tamaulipas □ 120 24 0N 99 0W
Tamaulipas, Sierra de 120 23 30N 98 20W
Tamazula 120 24 55N 106 58W
Tamba-Dabatou 84 11 50N 10 40W
Tambacounda 84 13 45N 13 40W
Tambelan, Kepulauan 72 1 0N 107 30 E
Tambo 98 24 54 S 146 14 E
Tambo de Mora 126 13 30 S 76 8W
Tambohorano 93 17 30 S 43 58 E
Tambora 72 8 12 S 118 5 E
Tambov 55 52 45N 41 28 E
Tambre → 30 42 49N 8 53W
Tambuku 73 7 8 S 113 40 E
Tamburâ 87 5 40N 27 25 E
Tâmchekket 84 17 25N 10 40W
Tamega → 30 41 5N 8 21W
Tamelelt 82 31 50N 7 32W
Tamenglong 67 25 0N 93 35 E
Tamerza 83 34 23N 7 58 E
Tamgak, Mts. 80 19 12N 8 35 E
Tamiahua, Laguna de 120 21 30N 97 30W
Tamil Nadu □ 70 11 0N 77 0 E
Tamluk 69 22 18N 87 58 E
Tammerfors = Tampere 51 61 30N 23 50 E
Tammisaari 51 60 0N 23 26 E
Ţammūn 62 32 18N 35 23 E
Tämnaren 48 60 10N 17 25 E
Tamo Abu, Pegunungan 72 3 10N 115 0 E
Tampa 115 27 57N 82 38W
Tampa B. 115 27 40N 82 40W
Tampere 51 61 30N 23 50 E
Tampico 120 22 20N 97 50W
Tampin 71 2 28N 102 13 E
Tamri 82 30 49N 9 50W
Tamrida = Hadibu 63 12 35N 54 2 E
Tamsagbulag 75 47 14N 117 21 E
Tamsalu 54 59 11N 26 8 E
Tamsweg 26 47 7N 13 49 E
Tamu 67 24 13N 94 12 E
Tamuja → 31 39 38N 6 29W
Tamworth, Austral. 97 31 7 S 150 58 E
Tamworth, U.K. 13 52 38N 1 41W
Tan-tan 82 28 29N 11 1W
Tana 50 70 26N 28 14 E
Tana →, Kenya 90 2 32 S 40 31 E
Tana →, Norway 50 70 30N 28 23 E
Tana, L. 87 13 5N 37 30 E
Tana River 90 2 0 S 39 30 E
Tanafjorden 50 70 45N 28 25 E
Tanagro → 41 40 35N 15 25 E
Tanahbala 72 0 30 S 98 30 E
Tanahgrogot 72 1 55 S 116 15 E
Tanahjampea 73 7 10 S 120 35 E
Tanahmasa 72 0 12 S 98 39 E
Tanahmerah 73 6 5 S 140 16 E
Tanakura 74 37 10N 140 20 E
Tanami Des. 96 18 50 S 132 0 E
Tanana 104 65 10N 152 15W
Tanana → 104 65 9N 151 55W
Tananarive = Antananarivo 93 18 55 S 47 35 E
Tanannt 82 31 54N 6 56W
Tánaro → 38 45 1N 8 47 E
Tanaunella 40 40 42N 9 45 E
Tancarville 18 49 29N 0 28 E
Tanchŏn 76 40 27N 128 54 E
Tanda, U.P., India 68 28 57N 78 56 E
Tanda, U.P., India 69 26 33N 82 35 E
Tanda, Ivory C. 84 7 48N 3 10W
Tandag 73 9 4N 126 9 E
Tandaia 91 9 25 S 34 15 E
Tăndărei 46 44 39N 27 40 E
Tandaué 92 16 58 S 18 5 E
Tandil 124 37 15 S 59 6W
Tandil, Sa. del 124 37 30 S 59 0W
Tandlianwala 68 31 3N 73 9 E
Tando Adam 68 25 45N 68 40 E
Tandou L. 99 32 40 S 142 5 E
Tandsbyn 48 63 0N 14 45 E
Tandur 70 19 11N 79 30 E
Tane-ga-Shima 74 30 30N 131 0 E
Taneatua 101 38 4 S 177 1 E
Tanen Tong Dan 67 16 30N 98 30 E
Tanew → 28 50 29N 22 16 E
Tanezrouft 82 23 9N 0 11 E
Tanga 88 5 5 S 39 2 E
Tanga □ 90 5 20 S 38 0 E
Tanga Is. 98 3 20 S 153 15 E
Tangail 69 24 15N 89 55 E
Tanganyika, L. 90 6 40 S 30 0 E
Tanger 82 35 50N 5 49W
Tangerang 73 6 12 S 106 39 E
Tangerhütte 24 52 26N 11 50 E
Tangermünde 24 52 32N 11 57 E
Tanggu 76 39 2N 117 40 E
Tanggula Shan 75 32 40N 92 10 E
Tanghe 77 32 47N 112 50 E
Tangier = Tanger 82 35 50N 5 49W
Tangkak 71 2 18N 102 34 E
Tangorin P.O. 98 21 47 S 144 12 E
Tangshan 76 39 38N 118 10 E
Tanguiéta 85 10 35N 1 21 E
Tanimbar, Kepulauan 73 7 30 S 131 30 E
Taninges 21 46 7N 6 36 E
Tanjay 73 9 30N 123 5 E
Tanjore = Thanjavur 70 10 48N 79 12 E
Tanjung 72 2 10 S 115 25 E
Tanjungbalai 72 2 55N 99 44 E
Tanjungbatu 72 2 23N 118 3 E
Tanjungkarang 72 5 20 S 105 10 E
Tanjungpandan 72 2 43 S 107 38 E
Tanjungpinang 72 1 5N 104 30 E
Tanjungpriok 73 6 8 S 106 55 E
Tanjungredeb 72 2 9N 117 29 E
Tanjungselor 72 2 55N 117 25 E
Tank 68 32 14N 70 25 E
Tänndalen 48 62 33N 12 18 E
Tannis Bugt 49 57 40N 10 15 E
Tannu-Ola 59 51 0N 94 0 E
Tano → 84 5 7N 2 56W
Tanout 85 14 50N 8 55 E
Tanta 86 30 45N 30 57 E
Tantoyuca 120 21 21N 98 10W
Tantung = Dandong 76 40 10N 124 20 E
Tantūra = Dor 62 32 37N 34 55 E
Tanuku 70 16 45N 81 44 E
Tanumshede 49 58 42N 11 20 E
Tanunda 99 34 30 S 139 0 E
Tanur 70 11 1N 75 52 E
Tanus 20 44 8N 2 19 E
Tanzania ■ 90 6 40 S 34 0 E
Tanzilla → 108 58 8N 130 43W
Tao'an 76 45 22N 122 40 E
Taormina 41 37 52N 15 16 E
Taos 119 36 28N 105 35W
Taoudenni 82 22 40N 3 55W
Taoudrart, Adrar 82 24 25N 2 24 E
Taounate 82 34 25N 4 41W
Taourirt, Alg. 82 26 37N 0 20 E
Taourirt, Moroc. 82 34 25N 2 53W
Taouz 82 30 53N 4 0W
Taoyuan, China 77 28 55N 111 16 E
Taoyuan, Taiwan 77 25 0N 121 13 E
Tapa 54 59 15N 25 50 E
Tapa Shan = Daba Shan 75 31 50N 109 20 E
Tapachula 120 14 54N 92 17W
Tapah 71 4 12N 101 15 E
Tapajós → 127 2 24 S 54 41W
Tapaktuan 72 3 15N 97 10 E
Tapanui 101 45 56 S 169 18 E
Tapauá → 126 5 40 S 64 21W
Tapeta 84 6 29N 8 52W
Tapia 30 43 34N 6 56W
Tápiószele 27 47 25N 19 55 E
Tapirapecó, Serra 126 1 10N 65 0W
Tapolca 27 46 53N 17 29 E
Tappahannock 114 37 56N 76 50W
Tapti → 68 21 8N 72 41 E
Tapuaenuku, Mt. 101 42 0 S 173 39 E
Tapul Group 73 5 35N 120 50 E
Taquara 125 29 36 S 50 46W
Taquari → 126 19 15 S 57 17W
Tar Island 108 57 03N 111 40W
Tara, Austral. 99 27 17 S 150 31 E
Tara, Can. 112 44 28N 81 9W
Tara, U.S.S.R. 58 56 55N 74 24 E
Tara, Zambia 91 16 58 S 26 45 E
Tara →, U.S.S.R. 58 56 42N 74 36 E
Tara →, Yugo. 42 43 21N 18 51 E
Tarabagatay, Khrebet 58 48 0N 83 0 E
Tarābulus, Leb. 64 34 31N 35 50 E
Tarābulus, Libya 83 32 49N 13 7 E
Tarahouahout 83 22 41N 5 59 E
Tarakan 72 3 20N 117 35 E
Tarakit, Mt. 90 2 2N 35 10 E
Taralga 99 34 26 S 149 52 E
Taranagar 68 28 43N 74 50 E
Taranaki □ 101 39 5 S 174 51 E
Tarancón 32 40 1N 3 1W
Taranga 68 23 56N 72 43 E
Taranga Hill 68 24 0N 72 40 E
Táranto 41 40 30N 17 11 E
Táranto, G. di 41 40 0N 17 15 E
Tarapacá 126 2 56 S 69 46W
Tarapacá □ 124 20 45 S 69 30W
Tarare 21 45 54N 4 26 E
Tararua Range 101 40 45 S 175 25 E
Tarascon, Ariège, France 20 42 50N 1 37 E
Tarascon, Bouches-du-Rhône, France 21 43 48N 4 39 E
Tarashcha 56 49 30N 30 31 E
Tarat 80 25 55N 9 3 E
Tarat, Bj. 83 26 13N 9 18 E
Tarauacá 126 8 6 S 70 48W
Tarauacá → 126 6 42 S 69 48W
Taravo → 21 41 42N 8 49 E
Tarawera 101 39 2 S 176 36 E
Tarawera L. 101 38 13 S 176 27 E
Tarazona 32 41 55N 1 43W
Tarazona de la Mancha 33 39 16N 1 55W
Tarbat Ness 14 57 52N 3 48W
Tarbert, Strathclyde, U.K. 14 55 55N 5 25W
Tarbert, W. Isles, U.K. 14 57 54N 6 49W
Tarbes 20 43 15N 0 3 E
Tarboro 115 35 55N 77 30W
Tarbrax 98 21 7 S 142 26 E
Tarbū 83 26 0N 15 5 E
Tarcento 39 46 12N 13 12 E
Tarcoola 96 30 44 S 134 36 E
Tarcoon 99 30 15 S 146 43 E
Tardets-Sorholus 20 43 8N 0 52W
Tardoire → 20 45 52N 0 14 E
Taree 97 31 50 S 152 30 E
Tarentaise 21 45 30N 6 35 E
Tarf, Ras 82 35 40N 5 11W
Tarf Shaqq al Abd 86 26 50N 36 6 E
Tarfa, Wadi el → 86 28 25N 30 50 E
Tarfaya 80 27 55N 12 55W
Targon 20 44 44N 0 16W
Targuist 82 34 59N 4 14W
Tărhăus 46 46 40N 26 8 E
Tărhăus, Munţii 46 46 39N 26 7 E
Tarhbalt 82 30 39N 5 20W
Tarhit 82 30 58N 2 0W
Tarhūnah 83 32 27N 13 36 E
Tarib, Wadi → 86 18 30N 43 23 E
Tarifa 31 36 1N 5 36W
Tarija 124 21 30 S 64 40W
Tarija □ 124 21 30 S 63 30W
Tariku → 73 2 55 S 138 26 E
Tarim He → 75 39 30N 88 30 E
Tarim Pendi 75 40 0N 84 0 E
Tarime □ 90 1 15 S 34 0 E
Taritatu → 73 2 54 S 138 27 E
Tarka → 92 32 10 S 26 0 E
Tarkastad 92 32 0 S 26 16 E
Tarkhankut, Mys 56 45 25N 32 30 E
Tarko Sale 58 64 55N 77 50 E
Tarkwa 84 5 20N 2 0W
Tarlac 73 15 29N 120 35 E
Tarm 49 55 56N 8 31 E
Tarma 126 11 25 S 75 45W
Tarn □ 20 43 49N 2 8 E
Tarn → 20 44 5N 1 6 E
Tarn-et-Garonne □ 20 44 8N 1 20 E
Tarna → 27 47 31N 19 59 E
Tårnby 49 55 37N 12 36 E
Tarnica 27 49 4N 22 44 E
Tarnobrzeg 28 50 35N 21 41 E
Tarnobrzeg □ 28 50 40N 22 0 E
Tarnogród 28 50 22N 22 45 E
Tarnów 27 50 3N 21 0 E
Tarnów □ 27 50 0N 21 0 E
Tarnowskie Góry 28 50 27N 18 54 E
Táro → 38 45 0N 10 15 E
Tarong 99 26 47 S 151 51 E
Taroom 97 25 36 S 149 48 E
Taroudannt 82 30 30N 8 52W
Tarp 24 54 40N 9 25 E

Tarpon Springs Thaon

Name	Page	Lat.	Long.
Tarpon Springs	**115**	28 8N	82 42W
Tarquinia	**39**	42 15N	11 45 E
Tarqūmiyah	**62**	31 35N	35 1 E
Tarragona	**32**	41 5N	1 17 E
Tarragona □	**32**	41 0N	1 0 E
Tarrasa	**32**	41 34N	2 1 E
Tárrega	**32**	41 39N	1 9 E
Tarrytown	**113**	41 5N	73 52W
Tarshiha = Me'ona	**62**	33 1N	35 15 E
Tarso Emissi	**83**	21 27N	18 36 E
Tarso Ourari	**83**	21 27N	17 27 E
Tarsus	**64**	36 58N	34 55 E
Tartagal	**124**	22 30 S	63 50W
Tartas	**20**	43 50N	0 49W
Tartna Point	**99**	32 54 S	142 24 E
Tartu	**54**	58 20N	26 44 E
Tarṭūs	**64**	34 55N	35 55 E
Tarussa	**55**	54 44N	37 10 E
Tarutao, Ko	**71**	6 33N	99 40 E
Tarutung	**72**	2 0N	98 54 E
Tarvisio	**39**	46 31N	13 35 E
Tarz Ulli	**83**	25 32N	10 8 E
Tasāwah	**83**	26 0N	13 30 E
Taschereau	**106**	48 40N	78 40W
Taseko →	**108**	52 4N	123 9W
Tasgaon	**70**	17 2N	74 39 E
Tash-Kumyr	**58**	41 40N	72 10 E
Ta'shan	**87**	16 31N	42 33 E
Tashauz	**58**	41 49N	59 58 E
Tashi Chho Dzong = Thimphu	**69**	27 31N	89 45 E
Tashkent	**58**	41 20N	69 10 E
Tashtagol	**58**	52 47N	87 53 E
Tasikmalaya	**73**	7 18 S	108 12 E
Tåsjön	**50**	64 15N	16 0 E
Taskan	**59**	62 59N	150 20 E
Taskopru	**56**	41 30N	34 15 E
Tasman B.	**101**	40 59 S	173 25 E
Tasman Mts.	**101**	41 3 S	172 25 E
Tasman Pen.	**97**	43 10 S	148 0 E
Tasman Sea	**94**	36 0 S	160 0 E
Tasmania □	**97**	42 0 S	146 30 E
Tăşnad	**46**	47 30N	22 33 E
Tassil Tin-Rerhoh	**82**	20 5N	3 55 E
Tassili n-Ajjer	**83**	25 47N	8 1 E
Tassili-Oua-n-Ahaggar	**83**	20 41N	5 30 E
Tasu Sd.	**108**	52 47N	132 2W
Tata, Hung.	**27**	47 37N	18 19 E
Tata, Moroc.	**82**	29 46N	7 56W
Tatabánya	**27**	47 32N	18 25 E
Tatahouine	**83**	32 57N	10 29 E
Tatar A.S.S.R. □	**52**	55 30N	51 30 E
Tatarbunary	**56**	45 50N	29 39 E
Tatarsk	**58**	55 14N	76 0 E
• Tatarskiy Proliv	**59**	54 0N	141 0 E
Tateyama	**74**	35 0N	139 50 E
Tathlina L.	**108**	60 33N	117 39W
Tathra	**99**	36 44 S	149 59 E
Tatinnai L.	**109**	60 55N	97 40W
Tatnam, C.	**109**	57 16N	91 0W
Tatra = Tatry	**27**	49 20N	20 0 E
Tatry	**27**	49 20N	20 0 E
Tatta	**68**	24 42N	67 55 E
Tatuī	**125**	23 25 S	47 53W
Tatum	**117**	33 16N	103 16W
Tat'ung = Datong	**76**	40 6N	113 12 E
Tatura	**100**	36 29 S	145 16 E
Tatvan	**64**	38 31N	42 15 E
Taubaté	**125**	23 0 S	45 36W
Tauberbischofsheim	**25**	49 37N	9 40 E
Taucha	**24**	51 22N	12 31 E
Tauern	**26**	47 15N	12 40 E
Tauern-tunnel	**26**	47 0N	13 12 E
Taufikia	**87**	9 24N	31 37 E
Taumarunui	**101**	38 53 S	175 15 E
Taumaturgo	**126**	8 54 S	72 51W
Taung	**92**	27 33 S	24 47 E
Taungdwingyi	**67**	20 1N	95 40 E
Taunggyi	**67**	20 50N	97 0 E
Taungup	**67**	18 51N	94 14 E
Taungup Pass	**67**	18 40N	94 45 E
Taunsa Barrage	**68**	30 42N	70 50 E
Taunton, U.K.	**13**	51 1N	3 7W
Taunton, U.S.A.	**114**	41 54N	71 6W
Taunus	**25**	50 15N	8 20 E
Taupo	**101**	38 41 S	176 7 E
Taupo, L.	**101**	38 46 S	175 55 E
Taurage	**54**	55 14N	22 16 E
Tauranga	**101**	37 42 S	176 11 E
Tauranga Harb.	**101**	37 30 S	176 5 E
Taurianova	**41**	38 22N	16 1 E
Taurus Mts. = Toros Dağlari	**64**	37 0N	35 0 E
Tauste	**32**	41 58N	1 18W
Tauz	**57**	41 0N	45 40 E
Tavda	**58**	58 7N	65 8 E
Tavda →	**58**	59 20N	63 28 E
Taverny	**19**	49 2N	2 13 E
Taveta	**90**	3 23 S	37 37 E
Taveuni	**101**	16 51 S	179 58W
Tavignano →	**21**	42 7N	9 33 E
Tavira	**31**	37 8N	7 40W
Tavistock, Can.	**112**	43 19N	80 50W
Tavistock, U.K.	**13**	50 33N	4 9W
Tavolara	**40**	40 55N	9 40 E
Távora →	**30**	41 8N	7 35W
Tavoy	**71**	14 2N	98 12 E
Taw →	**13**	17 37 S	177 55 E
Tawas City	**114**	44 16N	83 31W
Tawau	**72**	4 20N	117 55 E
Tawitawi	**73**	5 10N	120 0 E
Tāwurgha'	**83**	32 1N	15 2 E
Tay →	**14**	56 37N	3 38W
Tay, Firth of	**14**	56 25N	3 8W
Tay, L.	**14**	56 30N	4 10W
Tay Ninh	**71**	11 20N	106 5 E
Tayabamba	**126**	8 15 S	77 16W
Taylakovy	**58**	59 13N	74 0 E
Taylor, Can.	**108**	56 13N	120 40W
Taylor, Ariz., U.S.A.	**119**	34 28N	110 5W
Taylor, Nebr., U.S.A.	**116**	41 46N	99 23W
Taylor, Pa., U.S.A.	**113**	41 23N	75 43W
Taylor, Tex., U.S.A.	**117**	30 30N	97 30W
Taylor Mt.	**119**	35 16N	107 36W
Taylorville	**116**	39 32N	89 20W
Taymā'	**64**	27 35N	38 45 E
Taymyr, P-ov.	**59**	75 0N	100 0 E
Tayport	**14**	56 27N	2 52W
Ṭayr Zibnā	**62**	33 14N	35 23 E
Tayshet	**59**	55 58N	98 1 E
Tayside □	**14**	56 25N	3 30W
Taytay	**73**	10 45N	119 30 E
Taz →	**58**	67 32N	78 40 E
Taza	**82**	34 16N	4 6W
Tazenakht	**82**	30 35N	7 12W
Tazin →	**109**	60 26N	110 45W
Tazin L.	**109**	59 44N	108 42W
Tazoult	**83**	35 29N	6 11 E
Tazovskiy	**58**	67 30N	78 44 E
Tbilisi (Tiflis)	**57**	41 43N	44 50 E
Tchad (Chad) ■	**81**	12 30N	17 15 E
Tchad, L.	**81**	13 30N	14 30 E
Tch'ang-k'ing = Changqing	**75**	29 35N	106 35 E
Tchaourou	**85**	8 58N	2 40 E
Tch'eng-tou = Chengdu	**75**	30 38N	104 2 E
Tchentlo L.	**108**	55 15N	125 0W
Tchibanga	**88**	2 45 S	11 0 E
Tchin Tabaraden	**85**	15 58N	5 56 E
Tczew	**28**	54 8N	18 50 E
Te Anau, L.	**101**	45 15 S	167 45 E
Te Aroha	**101**	37 32 S	175 44 E
Te Awamutu	**101**	38 1 S	175 20 E
Te Kuiti	**101**	38 20 S	175 11 E
Te Puke	**101**	37 46 S	176 22 E
Te Waewae B.	**101**	46 13 S	167 33 E
Teaca	**46**	46 55N	24 30 E
Teague	**117**	31 40N	96 20W
Teano	**41**	41 15N	14 1 E
Teapa	**120**	18 35N	92 56W
Teba	**31**	36 59N	4 55W
Tebakang	**72**	1 6N	110 30 E
Teberda	**57**	43 30N	41 46 E
Tébessa	**83**	35 22N	8 8 E
Tebicuary →	**124**	26 36 S	58 16W
Tebingtinggi, Bengkulu, Indon.	**72**	3 38 S	103 9 E
Tebingtinggi, Sumatera Utara, Indon.	**72**	3 20N	99 9 E
Tébourba	**83**	36 49N	9 51 E
Téboursouk	**83**	36 29N	9 10 E
Tebulos	**57**	42 36N	45 17 E
Tech →	**20**	42 36N	3 3 E
Techiman	**84**	7 35N	1 58W
Techirghiol	**46**	44 4N	28 32 E
Tecuala	**120**	22 23N	105 27W
Tecuci	**46**	45 51N	27 27 E
Tecumseh	**114**	42 1N	83 59W
Tedzhen	**58**	37 23N	60 31 E
Tees →	**12**	54 36N	1 25W
Teesside	**12**	54 37N	1 13W
Teeswater	**112**	43 59N	81 17W
Tefé	**126**	3 25 S	64 50W
Tegal	**73**	6 52 S	109 8 E
Tegelen	**16**	51 20N	6 9 E
Tegernsee	**25**	47 43N	11 46 E
Teggiano	**41**	40 24N	15 32 E
Teghra	**69**	25 30N	85 34 E
Tegid, L.	**12**	52 53N	3 38W
Tegina	**85**	10 5N	6 11 E
Tegucigalpa	**121**	14 5N	87 14W
Tehachapi	**119**	35 11N	118 29W
Tehachapi Mts.	**119**	35 0N	118 40W
Tehamiyam	**86**	18 20N	36 32 E
Tehilla	**86**	17 42N	36 6 E
Téhini	**84**	9 39N	3 40W
Tehrān	**65**	35 44N	51 30 E
Tehrān □	**65**	35 0N	49 30 E
Tehuacán	**120**	18 30N	97 30W
Tehuantepec	**120**	16 21N	95 13W
Tehuantepec, Golfo de	**120**	15 50N	95 0W
Tehuantepec, Istmo de	**120**	17 0N	94 30W
Teich, Le	**20**	44 38N	0 59W
Teifi →	**13**	52 4N	4 14W
Teign →	**13**	50 41N	3 42W
Teignmouth	**13**	50 33N	3 30W
Teil, Le	**21**	44 33N	4 40 E
Teilleul, Le	**18**	48 32N	0 53W
Teiuş	**46**	46 12N	23 40 E
Teixeira Pinto	**84**	12 3N	16 0W
Tejo →	**31**	38 40N	9 24W
Tekamah	**116**	41 48N	96 22W
Tekapo, L.	**101**	43 53 S	170 33 E
Tekax	**120**	20 11N	89 18W
Tekeli	**58**	44 50N	79 0 E
Tekeze →	**87**	14 20N	35 50 E
Tekija	**42**	44 42N	22 26 E
Tekirdağ	**64**	40 58N	27 30 E
Tekkali	**70**	18 37N	84 15 E
Tekoa	**118**	47 19N	117 4W
Tekouiât, O. →	**82**	22 25N	2 35 E
Tel Adashim	**62**	32 30N	35 17 E
Tel Aviv-Yafo	**62**	32 4N	34 48 E
Tel Lakhish	**62**	31 34N	34 51 E
Tel Megiddo	**62**	32 35N	35 11 E
Tel Mond	**62**	32 15N	34 56 E
Tela	**120**	15 40N	87 28W
Télagh	**82**	34 51N	0 32W
Telanaipura = Jambi	**72**	1 38 S	103 37 E
Telavi	**57**	42 0N	45 30 E
Telciu	**46**	47 25N	24 24 E
Telegraph Cr.	**108**	58 0N	131 10W
Telekhany	**54**	52 30N	25 46 E
Telemark fylke □	**47**	59 25N	8 30 E
Telén	**124**	36 15 S	65 31W
Teleneshty	**46**	47 35N	28 24 E
Teleño	**30**	42 23N	6 22W
Teleorman □	**46**	44 0N	25 0 E
Teleorman →	**46**	44 15N	25 20 E
Teles Pires →	**126**	7 21 S	58 3W
Telescope Peak	**119**	36 6N	117 7W
Teletaye	**85**	16 31N	1 30 E
Telford	**12**	52 42N	2 31W
Telfs	**26**	47 19N	11 4 E
Telgte	**24**	51 59N	7 46 E
Télimélé	**84**	10 54N	13 2W
Telkwa	**108**	54 41N	127 5W
Tell City	**114**	38 0N	86 44W
Tellicherry	**70**	11 45N	75 30 E
Telluride	**119**	37 58N	107 48W
Telok Anson	**71**	4 3N	101 0 E
Telom →	**71**	4 20N	101 46 E
Telpos Iz	**52**	63 35N	57 30 E
Telsen	**128**	42 30 S	66 50W
Telšiai	**54**	55 59N	22 14 E
Teltow	**24**	52 24N	13 15 E
Telukbetung	**72**	5 29 S	105 17 E
Telukbutun	**72**	4 13N	108 12 E
Telukdalem	**72**	0 33N	97 50 E
Tema	**85**	5 41N	0 0 E
Temanggung	**73**	7 18 S	110 10 E
Temax	**120**	21 10N	88 50W
Tembe	**90**	0 16 S	28 14 E
Tembeling →	**71**	4 20N	102 23 E
Tembleque	**32**	39 41N	3 30W
Tembuland	**93**	31 35 S	28 0 E
Teme →	**13**	52 23N	2 15W
Temecula	**119**	33 26N	117 6W
Temerloh	**71**	3 27N	102 25 E
Temir	**58**	49 21N	57 3 E
Temirtau, Kazakh, U.S.S.R.	**58**	50 5N	72 56 E
Temirtau, R.S.F.S.R., U.S.S.R.	**58**	53 10N	87 30 E
Témiscaming	**106**	46 44N	79 5W
Temma	**99**	41 12 S	144 48 E
Temnikov	**55**	54 40N	43 11 E
Temo →	**40**	40 20N	8 30 E
Temora	**99**	34 30 S	147 30 E
Temosachic	**120**	28 58N	107 50W
Tempe	**119**	33 26N	111 59W
Tempino	**72**	1 42 S	103 30 E
Témpio Pausania	**40**	40 53N	9 6 E
Temple	**117**	31 5N	97 22W
Temple B.	**97**	12 15 S	143 3 E
Templemore	**15**	52 48N	7 50W
Templeton →	**98**	21 0 S	138 40 E
Templin	**24**	53 8N	13 31 E
Temryuk	**56**	45 15N	37 24 E
Temska →	**42**	43 17N	22 33 E
Temuco	**128**	38 45 S	72 40W
Temuka	**101**	44 14 S	171 17 E
Tenabo	**120**	20 2N	90 12W
Tenaha	**117**	31 57N	94 25W
Tenali	**70**	16 15N	80 35 E
Tenancingo	**120**	19 0N	99 33W
Tenango	**120**	19 7N	99 33W
Tenasserim	**71**	12 6N	99 3 E
Tenasserim □	**71**	14 0N	98 30 E
Tenay	**21**	45 55N	5 30 E
Tenby	**13**	51 40N	4 42W
Tendaho	**87**	11 48N	40 54 E
Tende	**21**	44 5N	7 35 E
Tende, Col de	**21**	44 9N	7 32 E
Tendelti	**87**	13 1N	31 55 E
Tendjedi, Adrar	**83**	23 41N	7 32 E
Tendrara	**82**	33 3N	1 58W
Teneida	**86**	25 30N	29 19 E
Ténéré	**85**	19 0N	10 30 E
Tenerife	**80**	28 15N	16 35W
Ténès	**82**	36 31N	1 14 E
Teng →	**71**	20 30N	98 10 E
Teng Xian, Guangxi Zhuangzu, China	**77**	23 21N	110 56 E
Teng Xian, Shandong, China	**77**	35 5N	117 10 E
Tengah □	**73**	2 0 S	122 0 E
Tengah Kepulauan	**72**	7 5 S	118 15 E
Tengchong	**75**	25 0N	98 28 E
Tenggara □	**73**	3 0 S	122 0 E
Tenggarong	**72**	0 24 S	116 58 E
Tengiz, Ozero	**58**	50 30N	69 0 E
Tenille	**115**	32 58N	82 50W
Tenkasi	**70**	8 55N	77 20 E
Tenke, Congo	**91**	11 22 S	26 40 E
Tenke, Zaïre	**91**	10 32 S	26 7 E
Tenkodogo	**85**	11 54N	0 19W
Tenna →	**39**	43 12N	13 47 E
Tennant Creek	**96**	19 30 S	134 15 E
Tennessee □	**111**	36 0N	86 30W
Tennessee →	**114**	34 30N	86 20W
Tennsift, Oued →	**82**	32 3N	9 28W
Tenom	**72**	5 4N	115 57 E
Tenosique	**120**	17 30N	91 24W
Tenryū-Gawa →	**74**	35 39N	137 48 E
Tent L.	**109**	62 25N	107 54W
Tenterfield	**97**	29 0 S	152 0 E
Teófilo Otoni	**127**	17 50 S	41 30W
Teotihuacán	**120**	19 44N	98 50W
Tepa	**73**	7 52 S	129 31 E
Tepalcatepec →	**120**	18 35N	101 59W
Tepelena	**44**	40 17N	20 2 E
Tepic	**120**	21 30N	104 54W
Teplice	**26**	50 40N	13 48 E
Tepoca, C.	**120**	30 20N	112 25W
Tequila	**120**	20 54N	103 47W
Ter →	**32**	42 0N	3 12 E
Ter Apel	**16**	52 53N	7 5 E
Téra	**85**	14 0N	0 45 E
Tera →	**30**	41 54N	5 44W
Téramo	**39**	42 40N	13 40 E
Terang	**99**	38 15 S	142 55 E
Terazit, Massif de	**83**	20 2N	8 30 E
Terceira	**8**	38 43N	27 13W
Tercero →	**124**	32 58 S	61 47W
Terdal	**70**	16 33N	75 3 E
Terebovlya	**54**	49 18N	25 44 E
Teregova	**46**	45 10N	22 16 E
Terek →, U.S.S.R.	**56**	43 55N	47 30 E
Terek →, U.S.S.R.	**57**	44 0N	47 30 E
Terembone Cr. →	**99**	30 25 S	148 50 E
Terengganu □	**71**	4 55N	103 0 E
Tereshka →	**55**	51 48N	46 26 E
Teresina	**127**	5 9 S	42 45W
Terespol	**28**	52 5N	23 37 E
Terewah L.	**99**	29 52 S	147 35 E
Terges →	**31**	37 49N	7 41W
Tergnier	**19**	49 40N	3 17 E
Terhazza	**82**	23 38N	5 22W
Terlizzi	**41**	41 8N	16 32 E
Terme	**56**	41 11N	37 0 E
Termez	**58**	37 15N	67 15 E
Términi Imerese	**40**	37 58N	13 42 E
Términos, Laguna de	**120**	18 35N	91 30W
Térmoli	**39**	42 0N	15 0 E
Ternate	**73**	0 45N	127 25 E
Terneuzen	**16**	51 20N	3 50 E
Terney	**59**	45 3N	136 37 E
Terni	**39**	42 34N	12 38 E
Ternitz	**26**	47 43N	16 2 E
Ternopol	**54**	49 30N	25 40 E
Terra Nova B.	**5**	74 50 S	164 40 E
Terrace	**108**	54 30N	128 35W
Terrace Bay	**106**	48 47N	87 5W
Terracina	**40**	41 17N	13 12 E
Terralba	**40**	39 42N	8 38 E
Terranuova Bracciolini	**39**	43 31N	11 35 E
Terrasini Favarotta	**40**	38 10N	13 4 E
Terrasson	**20**	45 7N	1 19 E
Terre Haute	**114**	39 28N	87 24W
Terrebonne B.	**117**	29 15N	90 28W
Terrecht	**82**	20 10N	0 10W
Terrell	**117**	32 44N	96 19W
Terrenceville	**107**	47 40N	54 44W
Terrick Terrick	**98**	24 44 S	145 5 E
Terry	**116**	46 47N	105 20W
Terschelling	**16**	53 25N	5 20 E
Terter →	**57**	40 35N	47 22 E
Teruel	**32**	40 22N	1 8W
Teruel □	**32**	40 48N	1 0W
Tervel	**43**	43 45N	27 28 E
Tervola	**50**	66 6N	24 49 E
Teryaweyna L.	**99**	32 18 S	143 22 E
Tešanj	**42**	44 38N	17 59 E
Teseney	**87**	15 5N	36 42 E
Tesha →	**55**	55 38N	42 9 E
Teshio-Gawa →	**74**	44 53N	141 45 E
Tešica	**42**	43 27N	21 45 E
Tesiyn Gol →	**75**	50 40N	93 20 E
Teslić	**42**	44 37N	17 54 E
Teslin	**104**	60 10N	132 43W
Teslin →	**108**	61 34N	134 35W
Teslin L.	**108**	60 15N	132 57W
Tessalit	**85**	20 12N	1 0 E
Tessaoua	**85**	13 47N	7 56 E
Tessin	**24**	54 2N	12 28 E
Tessit	**85**	15 13N	0 18 E
Test →	**13**	51 7N	1 30W
Testa del Gargano	**41**	41 50N	16 10 E
Teste, La	**20**	44 37N	1 8W
Tét	**27**	47 30N	17 33 E
Têt →	**20**	42 44N	3 2 E
Tetachuck L.	**108**	53 18N	125 55W
Tetas, Pta.	**124**	23 31 S	70 38W
Tete	**91**	16 13 S	33 33 E
Tete □	**91**	15 15 S	32 40 E
Teterev →	**54**	51 1N	30 5 E
Teterow	**24**	53 45N	12 34 E
Teteven	**43**	42 58N	24 17 E
Tethul →	**108**	60 35N	112 12W
Tetiyev	**56**	49 22N	29 38 E
Teton →	**118**	47 58N	111 0W
Tétouan	**82**	35 35N	5 21W
Tetovo	**42**	42 1N	21 2 E
Tetuán = Tétouan	**82**	35 30N	5 25W
Tetyushi	**55**	54 55N	48 49 E
Teuco →	**124**	25 35 S	60 11W
Teulada	**40**	38 59N	8 47 E
Teulon	**109**	50 23N	97 16W
Teun	**73**	6 59 S	129 8 E
Teutoburger Wald	**22**	52 5N	8 20 E
Tevere →	**39**	41 44N	12 14 E
Teverya	**62**	32 47N	35 32 E
Teviot →	**14**	55 21N	2 51W
Tewantin	**99**	26 27 S	153 3 E
Tewkesbury	**13**	51 59N	2 8W
Texada I.	**108**	49 40N	124 25W
Texarkana, Ark., U.S.A.	**117**	33 25N	94 0W
Texarkana, Tex., U.S.A.	**117**	33 25N	94 3W
Texas	**99**	28 49 S	151 9 E
Texas □	**117**	31 40N	98 30W
Texas City	**117**	29 20N	94 55W
Texel	**16**	53 5N	4 50 E
Texhoma	**117**	36 32N	101 47W
Texline	**117**	36 26N	103 0W
Texoma L.	**117**	34 0N	96 38W
Teykovo	**55**	56 55N	40 30 E
Teyvareh	**65**	33 30N	64 24 E
Teza →	**55**	56 32N	41 53 E
Teziutlán	**120**	19 50N	97 22W
Tezpur	**67**	26 40N	92 45 E
Tezzeron L.	**108**	54 43N	124 30W
Tha-anne →	**109**	60 31N	94 37W
Tha Nun	**71**	8 12N	98 17 E
Thaba Putsoa	**93**	29 45 S	28 0 E
Thabana Ntlenyana	**93**	29 30 S	29 16 E
Thabazimbi	**93**	24 40 S	27 21 E
Thabor, Mt.	**21**	45 7N	6 34 E
Thai Nguyen	**71**	21 35N	105 55 E
Thailand (Siam) ■	**71**	16 0N	102 0 E
Thakhek	**71**	17 25N	104 45 E
Thal	**66**	33 28N	70 33 E
Thal Desert	**68**	31 10N	71 30 E
Thala	**83**	35 35N	8 40 E
Thala La	**67**	28 25N	97 23 E
Thallon	**99**	28 39 S	148 49 E
Thalwil	**25**	47 17N	8 35 E
Thame →	**13**	51 35N	1 8W
Thames	**101**	37 7 S	175 34 E
Thames →, Can.	**106**	42 20N	82 25W
Thames →, U.K.	**13**	51 30N	0 35 E
Thames →, U.S.A.	**113**	41 18N	72 9W
Thamesford	**112**	43 4N	81 0W
Thamesville	**112**	42 33N	81 59W
Thāmit, W.	**83**	30 51N	16 14 E
Thana	**70**	19 12N	72 59 E
Thanesar	**68**	30 1N	76 52 E
Thanet, I. of	**13**	51 21N	1 20 E
Thang Binh	**71**	15 50N	108 20 E
Thangool	**98**	24 38 S	150 42 E
Thanh Hoa	**71**	19 48N	105 46 E
Thanjavur (Tanjore)	**70**	10 48N	79 12 E
Thanlwin Myit →	**67**	20 0N	98 0 E
Thann	**19**	47 48N	7 5 E
Thaon	**19**	48 15N	6 25 E

• *Renamed Sakhalinskiy Zaliv*

Thar Tocina

Thar (Great Indian) Desert 68 28 0N 72 0 E
Tharad 68 24 30N 71 44 E
Thargomindah 97 27 58 S 143 46 E
Tharrawaddy 67 17 38N 95 48 E
Thasopoúla 44 40 49N 24 45 E
Thásos, Greece 44 40 50N 24 42 E
Thásos, Greece 44 40 40N 24 40 E
Thatcher, Ariz., U.S.A. 119 32 54N 109 46W
Thatcher, Colo., U.S.A. 117 37 38N 104 6W
Thaton 67 16 55N 97 22 E
Thau, Étang de 20 43 23N 3 36 E
Thaungdut 67 24 30N 94 40 E
Thayer 117 36 34N 91 34W
Thayetmyo 67 19 20N 95 10 E
Thazi 67 21 0N 96 5 E
The Bight 121 24 19N 75 24W
The Dalles 118 45 40N 121 11W
The English Company's Is. 97 11 50 S 136 32 E
The Flatts 121 32 16N 64 45W
The Frome → 99 29 8 S 137 54 E
The Granites 96 20 35 S 130 21 E
The Grenadines, Is. 121 12 40N 61 20W
The Hague = 's-Gravenhage 16 52 7N 4 14 E
The Hamilton → 96 26 40 S 135 19 E
The Johnston Lakes 96 32 25 S 120 30 E
The Macumba → 97 27 52 S 137 12 E
The Pas 109 53 45N 101 15W
The Range 91 19 2 S 31 2 E
The Rock 99 35 15 S 147 2 E
The Salt Lake 99 30 6 S 142 8 E
The Warburton → 99 28 4 S 137 28 E
Thebes 86 25 40N 32 35 E
Thebes = Thívai 45 38 19N 23 19 E
Thedford, Can. 112 43 9N 81 51W
Thedford, U.S.A. 116 41 59N 100 31W
Theebine 99 25 57 S 152 34 E
Theil, Le 18 48 16N 0 42 E
Thekulthili L. 109 61 3N 110 0W
Thelon → 109 62 35N 104 3W
Thénezay 18 46 44N 0 2W
Thenia 83 36 44N 3 33 E
Thenon 20 45 9N 1 4 E
Theodore 97 24 55 S 150 3 E
Thérain → 19 49 15N 2 27 E
Theresa 113 44 13N 75 50W
Thermaïkos Kólpos 44 40 15N 22 45 E
Thermopolis 118 43 35N 108 10W
Thermopylae P. 45 38 48N 22 35 E
Thesprotía □ 44 39 27N 20 22 E
Thessalía □ 44 39 30N 22 0 E
Thessalon 106 46 20N 83 30W
Thessaloníki 44 40 38N 22 58 E
Thessaloníki □ 44 40 45N 23 0 E
Thessaly = Thessalía 44 39 30N 22 0 E
Thetford 13 52 25N 0 44 E
Thetford Mines 107 46 8N 71 18W
Theunissen 92 28 26 S 26 43 E
Thiámis → 44 39 15N 20 6 E
Thiberville 18 49 8N 0 27 E
Thibodaux 117 29 48N 90 49W
Thicket Portage 109 55 19N 97 42W
Thief River Falls 116 48 15N 96 48W
Thiel Mts. 5 85 15 S 91 0W
Thiene 39 45 42N 11 29 E
Thiérache 19 49 51N 3 45 E
Thiers 20 45 52N 3 33 E
Thies 84 14 50N 16 51W
Thiet 87 7 37N 28 49 E
Thika 90 1 1 S 37 5 E
Thikombia 101 15 44 S 179 55W
Thille-Boubacar 84 16 31N 15 5W
Thillot, Le 19 47 53N 6 46 E
Thimphu (Tashi Chho Dzong) 69 27 31N 89 45 E
Þingvallavatn 50 64 11N 21 9W
Thionville 19 49 20N 6 10 E
Thíra 45 36 23N 25 27 E
Thirasía 45 36 26N 25 21 E
Thirsk 12 54 15N 1 20W
Thistle I. 96 35 0 S 136 8 E
Thívai 45 38 19N 23 19 E
Thiviers 20 45 25N 0 54 E
Thizy 21 46 2N 4 18 E
Þjórsá → 50 63 47N 20 48W
Thlewiaza →, Man., Can. 109 59 43N 100 5W
Thlewiaza →, N.W.T., Can. 109 60 29N 94 40W
Thoa → 109 60 31N 109 47W
Thoissey 21 46 12N 4 48 E
Thomas, Okla., U.S.A. 117 35 48N 98 48W
Thomas, W. Va., U.S.A. 114 39 10N 79 30W
Thomas, L. 99 26 4 S 137 58 E
Thomaston 115 32 54N 84 20W
Thomasville, Ala., U.S.A. 115 31 55N 87 42W
Thomasville, Ga., U.S.A. 115 30 50N 84 0W
Thomasville, N.C., U.S.A. 115 35 55N 80 4W
Thompson 109 55 45N 97 52W
Thompson →, Can. 108 50 15N 121 24W
Thompson →, U.S.A. 116 39 46N 93 37W
Thompson Falls 118 47 37N 115 20W
Thompson Landing 109 62 56N 110 40W
Thompson Pk. 118 41 0N 123 3W
Thompsons 119 39 0N 109 50W
Thompsonville 113 42 0N 72 37W
Thomson → 97 25 11 S 142 53 E
Thomson's Falls = Nyahururu 90 0 2N 36 27 E
Thon Buri 71 13 43N 100 29 E
Thônes 21 45 54N 6 18 E
Thonon-les-Bains 21 46 22N 6 29 E
Thorez 57 48 4N 38 34 E
Þórisvatn 50 64 20N 18 55W
Þorlákshöfn 50 63 51N 21 22W
Thornaby on Tees 12 54 36N 1 19W
Thornbury 112 44 34N 80 26W
Thorne Glacier 5 87 30 S 150 0W
Thorold 112 43 7N 79 12W
Þórshöfn 50 66 12N 15 20W
Thouarcé 18 47 17N 0 30W
Thouars 18 46 58N 0 15W
Thrace = Thráki □ 44 41 10N 25 30 E
Thráki □ 44 41 9N 25 30 E
Thrakikón Pélagos 44 40 30N 25 0 E
Three Forks 118 45 55N 111 32W
Three Hills 108 51 43N 113 15W
Three Hummock I. 99 40 25 S 144 55 E
Three Lakes 116 45 48N 89 10W
Three Points, C. 84 4 42N 2 6W
Three Rivers 117 28 30N 98 10W
Three Sisters, Mt. 118 44 10N 121 46W
Throssell Ra. 96 22 3 S 121 43 E
Thrun Pass 26 47 20N 12 25 E
Thubun Lakes 109 61 30N 112 0W
Thuddungra 100 34 8 S 148 8 E
Thueyts 21 44 41N 4 9 E
Thuin 16 50 20N 4 17 E
Thuir 20 42 38N 2 45 E
Thule, Antarct. 5 59 27 S 27 19W
Thule, Greenl. 4 77 40N 69 0W
Thun 25 46 45N 7 38 E
Thunder B. 114 45 0N 83 20W
Thunder Bay 106 48 20N 89 15W
Thunersee 25 46 43N 7 39 E
Thung Song 71 8 10N 99 40 E
Thunkar 69 27 55N 91 0 E
Thur → 25 47 32N 9 10 E
Thurgau □ 25 47 34N 9 10 E
Thüringer Wald 24 50 35N 11 0 E
Thurles 15 52 40N 7 53W
Thurloo Downs 99 29 15 S 143 30 E
Thurn P. 25 47 20N 12 25 E
Thursday I. 97 10 30 S 142 3 E
Thurso, Can. 106 45 36N 75 15W
Thurso, U.K. 14 58 34N 3 31W
Thurston I. 5 72 0 S 100 0W
Thury-Harcourt 18 49 0N 0 30W
Thutade L. 108 57 0N 126 55W
Thyborøn 49 56 42N 8 12 E
Thylungra 99 26 4 S 143 28 E
Thyolo 91 16 7 S 35 5 E
Thysville = Mbanza Ngungu 88 5 12 S 14 53 E
Ti-n-Barraouene, O. → 85 18 40N 4 5 E
Ti-n-Medjerdam, O. → 82 25 45N 1 30 E
Ti-n-Tarabine, O. → 83 21 0N 7 25 E
Ti-n-Zaouatène 82 20 0N 2 55 E
Tia 99 31 10 S 150 34 E
Tian Shan 75 43 0N 84 0 E
Tiandu 77 18 18N 109 36 E
Tian'e 77 25 1N 107 9 E
Tianhe 77 24 48N 108 40 E
Tianjin 76 39 8N 117 10 E
Tiankoura 84 10 47N 3 17W
Tianshui 77 34 32N 105 40 E
Tianyang 77 23 42N 106 53 E
Tianzhen 76 40 24N 114 5 E
Tiaret 82 35 20N 1 21 E
Tiassalé 84 5 58N 4 57W
Tibagi 125 24 30 S 50 24W
Tibagi → 125 22 47 S 51 1W
Tibati 85 6 22N 12 30 E
Tiber = Tevere → 39 41 44N 12 14 E
Tiber Res. 118 48 20N 111 15W
Tiberias, L. = Kinneret, Yam 62 32 45N 35 35 E
Tibesti 83 21 0N 17 30 E
Tibet = Xizang □ 75 32 0N 88 0 E
Tibiri 85 13 34N 7 4 E
Ţibleş 46 47 32N 24 15 E
Tibnīn 62 33 12N 35 24 E
Tibooburra 97 29 26 S 142 1 E
Tibro 49 58 28N 14 10 E
Tiburón 120 29 0N 112 30W
Tichît 84 18 21N 9 29W
Ticho 87 7 50N 39 32 E
Ticino □ 25 46 20N 8 45 E
Ticino → 38 45 9N 9 14 E
Ticonderoga 114 43 50N 73 28W
Ticul 120 20 20N 89 31W
Tidaholm 49 58 12N 13 55 E
Tiddim 67 23 28N 93 45 E
Tideridjaouine, Adrar 82 23 0N 2 15 E
Tidikelt 82 26 58N 1 30 E
Tidjikja 84 18 29N 11 35W
Tidore 73 0 40N 127 25 E
Tiébissou 84 7 9N 5 10W
Tiéboro 83 21 20N 17 7 E
Tiel, Neth. 16 51 53N 5 26 E
Tiel, Senegal 84 14 55N 15 5W
Tieling 76 42 20N 123 55 E
Tielt 16 51 0N 3 20 E
Tien Shan = Tian Shan 65 42 0N 80 0 E
Tien-tsin = Tianjin 75 39 8N 117 10 E
T'ienching = Tianjin 76 39 8N 117 10 E
Tienen 16 50 48N 4 57 E
Tiénigbé 84 8 11N 5 43W
Tientsin = Tianjin 76 39 8N 117 10 E
Tierp 48 60 20N 17 30 E
Tierra Amarilla, Chile 124 27 28 S 70 18W
Tierra Amarilla, U.S.A. 119 36 42N 106 33W
Tierra de Barros 31 38 40N 6 30W
Tierra de Campos 30 42 10N 4 50W
Tierra del Fuego, I. Gr. de 128 54 0 S 69 0W
Tiétar → 30 39 50N 6 1W
Tieté → 125 20 40 S 51 35W
Tifarit 82 26 9N 10 33W
Tiffin 114 41 8N 83 10W
Tiflèt 82 33 54N 6 20W
Tiflis = Tbilisi 57 41 43N 44 50 E
Tifrah 62 31 19N 34 42 E
Tifton 115 31 28N 83 32W
Tifu 73 3 39 S 126 24 E
Tigil 59 57 49N 158 40 E
Tignish 107 46 58N 64 2W
Tigre □ 87 13 35N 39 15 E
Tigre → 126 4 30 S 74 10W
Tigris = Dijlah, Nahr → 64 31 0N 47 25 E
Tiguentourine 83 27 52N 9 8 E
Tigveni 46 45 10N 24 31 E
Tigyaing 67 23 45N 96 10 E
Tigzerte, O. → 82 28 10N 9 37W
Tîh, Gebel el 86 29 32N 33 26 E
Tihama 64 22 0N 39 0 E
Tihodaine, Dunes de 83 25 15N 7 15 E
Tijesno 39 43 48N 15 39 E
Tījī 83 32 0N 11 18 E
Tijuana 120 32 30N 117 10W
Tikal 120 17 13N 89 24W
Tikamgarh 68 24 44N 78 50 E
Tikhoretsk 57 45 56N 40 5 E
Tikhvin 54 59 35N 33 30 E
Tikkadouine, Adrar 82 24 28N 1 30 E
Tiko 85 4 4N 9 20 E
Tikrīt 64 34 35N 43 37 E
Tiksi 59 71 40N 128 45 E
Tilamuta 73 0 32N 122 23 E
Tilburg 16 51 31N 5 6 E
Tilbury, Can. 106 42 17N 82 23W
Tilbury, U.K. 13 51 27N 0 24 E
Tilcara 124 23 36 S 65 23W
Tilden, Nebr., U.S.A. 116 42 3N 97 45W
Tilden, Tex., U.S.A. 117 28 28N 98 33W
Tilemses 85 15 37N 4 44 E
Tilemsi, Vallée du 85 17 42N 0 15 E
Tilhar 69 28 0N 79 45 E
Tilia, O. → 82 27 32N 0 55 E
Tilichiki 59 60 27N 166 5 E
Tiligul → 56 47 4N 30 57 E
Tililane 82 27 49N 0 6W
Tílissos 45 35 2N 25 0 E
Till → 12 55 35N 2 3W
Tillabéri 85 14 28N 1 28 E
Tillamook 118 45 29N 123 55W
Tillberga 48 59 52N 16 39 E
Tillia 85 16 8N 4 47 E
Tillsonburg 106 42 53N 80 44W
Tilos 45 36 27N 27 27 E
Tilpa 99 30 57 S 144 24 E
Tilrhemt 82 33 9N 3 22 E
Tilsit = Sovetsk 54 55 6N 21 50 E
Tilt → 14 56 50N 3 50W
Tilton 113 43 25N 71 36W
Timagami L. 106 47 0N 80 10W
Timanskiy Kryazh 52 65 58N 50 5 E
Timaru 101 44 23 S 171 14 E
Timashevsk 57 45 35N 39 0 E
Timau, Italy 39 46 35N 13 0 E
Timau, Kenya 90 0 4N 37 15 E
Timbákion 45 35 4N 24 45 E
Timbedgha 84 16 17N 8 16W
Timber Lake 116 45 29N 101 6W
Timboon 99 38 30 S 142 58 E
Timbuktu = Tombouctou 84 16 50N 3 0W
Timdjaouine 82 21 37N 4 30 E
Timellouline 83 29 22N 8 55 E
Timétrine Montagnes 85 19 25N 1 0W
Timfi Óros 44 39 59N 20 45 E
Timfristós, Óros 45 38 57N 21 50 E
Timhadit 82 33 15N 5 4W
Tîmia 85 18 4N 8 40 E
Timimoun 82 29 14N 0 16 E
Timimoun, Sebkha de 82 28 50N 0 46 E
Timiş □ 42 45 40N 21 30 E
Timiş → 46 45 30N 21 0 E
Timişoara 42 45 43N 21 15 E
Timmins 106 48 28N 81 25W
Timok → 42 44 10N 22 40 E
Timon 127 5 8 S 42 52W
Timor 73 9 0 S 125 0 E
Timor □ 73 9 0 S 125 0 E
Timor Sea 97 10 0 S 127 0 E
Tin Alkoum 83 24 42N 10 17 E
Tin Gornai 85 16 38N 0 38W
Tin Gornaï → 85 20 30N 4 35 E
Tîna, Khalîg el 86 31 20N 32 42 E
Tinaca Pt. 73 5 30N 125 25 E
Tinafak, O. → 83 27 10N 7 0 E
Tinca 46 46 46N 21 58 E
Tinchebray 18 48 47N 0 45W
Tindivanam 70 12 15N 79 41 E
Tindouf 82 27 42N 8 10W
Tinee → 21 43 55N 7 11 E
Tineo 30 43 21N 6 27W
Tinerhir 82 31 29N 5 31W
Tinfouchi 82 28 52N 5 49W
Tinglev 49 54 57N 9 13 E
Tingo Maria 126 9 10 S 75 54W
Tingsryd 49 56 31N 15 0 E
Tinjoub 82 29 45N 5 40W
Tinnoset 47 59 55N 9 3 E
Tinnsjø 47 59 55N 8 54 E
Tinogasta 124 28 5 S 67 32W
Tínos 45 37 33N 25 8 E
Tiñoso, C. 33 37 32N 1 6W
Tintina 124 27 2 S 62 45W
Tintinara 99 35 48 S 140 2 E
Tinto → 31 37 12N 6 55W
Tioga 112 41 54N 77 9W
Tioman, Pulau 71 2 50N 104 10 E
Tione di Trento 38 46 3N 10 44 E
Tionesta 112 41 29N 79 28W
Tior 87 6 26N 31 11 E
Tioulilin 82 27 1N 0 2W
Tipongpani 67 27 20N 95 55 E
Tipperary 15 52 28N 8 10W
Tipperary □ 15 52 37N 7 55W
Tipton, U.K. 13 52 32N 2 4W
Tipton, Calif., U.S.A. 119 36 3N 119 19W
Tipton, Ind., U.S.A. 114 40 17N 86 0W
Tipton, Iowa, U.S.A. 116 41 45N 91 12W
Tiptonville 117 36 22N 89 30W
Tiptur 70 13 15N 76 26 E
Tirahart, O. 82 23 45N 3 10 E
Tirān 65 32 45N 51 8 E
Tirân 86 27 56N 34 45 E
Tirana 44 41 18N 19 49 E
Tirana-Durrësi □ 44 41 35N 20 0 E
Tirano 38 46 13N 10 11 E
Tiraspol 56 46 55N 29 35 E
Tirat Karmel 62 32 46N 34 58 E
Tirat Yehuda 62 32 1N 34 56 E
Tirat Zevi 62 32 26N 35 31 E
Tiratimine 82 25 56N 3 37 E
Tirdout 85 16 7N 1 5W
Tire 64 38 5N 27 50 E
Tirebolu 64 40 58N 38 45 E
Tiree 14 56 31N 6 55W
Tîrgovişte 46 44 55N 25 27 E
Tîrgu Frumos 46 47 12N 27 2 E
Tîrgu-Jiu 46 45 5N 23 19 E
Tîrgu Mureş 46 46 31N 24 38 E
Tîrgu Neamţ 46 47 12N 26 25 E
Tîrgu Ocna 46 46 16N 26 39 E
Tîrgu Secuiesc 46 46 0N 26 10 E
Tirich Mir 66 36 15N 71 55 E
Tiriola 41 38 57N 16 32 E
Tirna → 70 18 4N 76 57 E
Tîrnava Mare → 46 46 15N 24 30 E
Tîrnava Mică → 46 46 17N 24 30 E
Tîrnăveni 46 46 19N 24 13 E
Tírnavos 44 39 45N 22 18 E
Tîrnova 46 45 23N 22 1 E
Tirodi 69 21 40N 79 44 E
Tirol □ 26 47 3N 10 43 E
Tirschenreuth 25 49 51N 12 20 E
Tirso → 40 39 52N 8 33 E
Tirso, L. del 40 40 8N 8 56 E
Tiruchchirappalli 70 10 45N 78 45 E
Tiruchendur 70 8 30N 78 11 E
Tiruchengodu 70 11 23N 77 56 E
Tirumangalam 70 9 49N 77 58 E
Tirunelveli (Tinnevelly) 70 8 45N 77 45 E
Tirupati 70 13 39N 79 25 E
Tiruppattur 70 12 30N 78 30 E
Tiruppur 70 11 5N 77 22 E
Tiruturaipundi 70 10 32N 79 41 E
Tiruvadaimarudur 70 11 2N 79 27 E
Tiruvallar 70 13 9N 79 57 E
Tiruvannamalai 70 12 15N 79 5 E
Tiruvarur 70 10 46N 79 38 E
Tiruvatipuram 70 12 39N 79 33 E
Tiruvottiyur 70 13 10N 80 22 E
Tisa → 42 45 15N 20 17 E
Tisdale 109 52 50N 104 0W
Tishomingo 117 34 14N 96 38W
Tisjön 48 60 56N 13 0 E
Tisnaren 48 58 58N 15 56 E
Tišnov 27 49 21N 16 25 E
Tisovec 27 48 41N 19 56 E
Tissemsilt 82 35 35N 1 50 E
Tissint 82 29 57N 7 16W
Tissø 49 55 35N 11 18 E
Tista → 69 25 23N 89 43 E
Tisza → 27 46 8N 20 2 E
Tiszaföldvár 27 47 0N 20 14 E
Tiszafüred 27 47 38N 20 50 E
Tiszalök 27 48 0N 21 10 E
Tiszavasvári 27 47 58N 21 18 E
Tit, Ahaggar, Alg. 83 23 0N 5 10 E
Tit, Tademait, Alg. 82 27 0N 1 29 E
Tit-Ary 59 71 55N 127 2 E
Titaguas 32 39 53N 1 6W
Titel 42 45 10N 20 18 E
Titicaca, L. 126 15 30 S 69 30W
Titilagarh 70 20 15N 83 11 E
Titiwa 85 12 14N 12 53 E
Titograd 42 42 30N 19 19 E
Titov Veles 42 41 46N 21 47 E
Titova Korenica 39 44 45N 15 41 E
Titovo Užice 42 43 55N 19 50 E
Titule 90 3 15N 25 31 E
Titusville, Fla., U.S.A. 115 28 37N 80 49W
Titusville, Pa., U.S.A. 114 41 35N 79 39W
Tivaouane 84 14 56N 16 45W
Tivat 42 42 28N 18 43 E
Tiveden 49 58 50N 14 30 E
Tiverton 13 50 54N 3 30W
Tívoli 39 41 58N 12 45 E
Tiwī 65 22 45N 59 12 E
Tiyo 87 14 41N 40 15 E
Tizga 82 32 1N 5 9W
Ti'zi N'Isli 82 32 28N 5 47W
Tizi-Ouzou 83 36 42N 4 3 E
Tizimín 120 21 0N 88 1W
Tiznit 82 29 48N 9 45W
Tjeggelvas 50 66 37N 17 45 E
Tjirebon = Cirebon 73 6 45 S 108 32 E
Tjöme 47 59 8N 10 26 E
Tjörn 49 58 0N 11 35 E
Tkibuli 57 42 26N 43 0 E
Tkvarcheli 57 42 47N 41 42 E
Tlahualilo 120 26 20N 103 30W
Tlaxcala 120 19 20N 98 14W
Tlaxcala □ 120 19 30N 98 20W
Tlaxiaco 120 17 18N 97 40W
Tlell 108 53 34N 131 56W
Tlemcen 82 34 52N 1 21W
Tleta Sidi Bouguedra 82 32 16N 9 59W
Tlumach, U.S.S.R. 54 48 46N 25 0 E
Tlumach, U.S.S.R. 56 48 51N 25 0 E
Tłuszcz 28 52 25N 21 25 E
Tlyarata 57 42 9N 46 26 E
Tmassah 83 26 19N 15 51 E
Tnine d'Anglou 82 29 50N 9 50W
Toad → 108 59 25N 124 57W
Toala 73 1 30 S 121 40 E
Toamasina 93 18 10 S 49 25 E
Toamasina □ 93 18 0 S 49 0 E
Toay 124 36 43 S 64 38W
Toba 74 34 30N 136 51 E
Toba, Danau 72 2 40N 98 50 E
Toba Kakar 68 31 30N 69 0 E
Toba Tek Singh 68 30 55N 72 25 E
Tobago 121 11 10N 60 30W
Tobarra 33 38 37N 1 44W
Tobelo 73 1 45N 127 56 E
Tobermorey 98 22 12 S 137 51 E
Tobermory, Can. 106 45 12N 81 40W
Tobermory, U.K. 14 56 37N 6 4W
Tobin L. 109 53 35N 103 30W
Toboali 72 3 0 S 106 25 E
Tobol 58 52 40N 62 39 E
Toboli 73 0 38 S 120 5 E
Tobolsk 58 58 15N 68 10 E
Tobruk = Tubruq 81 32 7N 23 55 E
Tobyhanna 113 41 10N 75 25W
Tocantinópolis 127 6 20 S 47 25W
Tocantins → 127 1 45 S 49 10W
Toccoa 115 34 32N 83 17W
Toce → 38 45 56N 8 29 E
Tochigi 74 36 25N 139 45 E
Tochigi □ 74 36 45N 139 45 E
Tocina 31 37 37N 5 44W

Tocopilla Treuenbrietzen

Tocopilla 124 22 5S 70 10W
Tocumwal 99 35 51S 145 31E
Tocuyo → 126 11 3N 68 23W
Todeli 73 1 38S 124 34E
Todenyang 90 4 35N 35 56E
Todi 39 42 47N 12 24E
Todos os Santos, Baía de 127 12 48S 38 38W
Todos Santos 120 23 27N 110 13W
Todtnau 25 47 50N 7 56E
Toecé 85 11 50N 1 16W
Tofield 108 53 25N 112 40W
Tofino 108 49 11N 125 55W
Töfsingdalens nationalpark 48 62 15N 12 44E
Toftlund 49 55 11N 9 2E
Tofua 101 19 45S 175 05W
Togba 84 17 26N 10 12W
Togian, Kepulauan 73 0 20S 121 50E
Togliatti 55 53 32N 49 24E
Togo ■ 85 6 15N 1 35E
Togtoh 76 40 15N 111 10E
Toinya 87 6 17N 29 46E
Tojo 73 1 20S 121 15E
Tokaj 27 48 8N 21 27E
Tōkamachi 74 37 8N 138 43E
Tokanui 101 46 34S 168 56E
Tokar 81 18 27N 37 56E
Tokara Kaikyō 74 30 0N 130 0E
Tokarahi 101 44 56S 170 39E
Tokat 64 40 22N 36 35E
Tokelau Is. ■ 94 9 0S 171 45W
Tokmak 58 42 49N 75 15E
Toko Ra. 98 23 5S 138 20E
Tokong 71 5 27N 100 23E
Tokushima 74 34 4N 134 34E
Tokushima □ 74 34 15N 134 0E
Tokuyama 74 34 3N 131 50E
Tōkyō 74 35 45N 139 45E
Tōkyō □ 74 35 40N 139 30E
Tolbukhin 43 43 37N 27 49E
Toledo, Spain 30 39 50N 4 2W
Toledo, Ohio, U.S.A. 114 41 37N 83 33W
Toledo, Oreg., U.S.A. 118 44 40N 123 59W
Toledo, Wash., U.S.A. 118 46 29N 122 51W
Toledo, Montes de 31 39 33N 4 20W
Tolentino 39 43 12N 13 17E
Tolga, Alg. 83 34 40N 5 22E
Tolga, Norway 47 62 26N 11 1E
Toliara 93 23 21S 43 40E
Toliara □ 93 21 0S 45 0E
Tolima, Vol. 126 4 40N 75 19W
Tolitoli 73 1 5N 120 50E
Tolkmicko 28 54 19N 19 31E
Tollarp 49 55 55N 13 58E
Tolleson 119 33 29N 112 10W
Tolmachevo 54 58 56N 29 51E
Tolmezzo 39 46 23N 13 0E
Tolmin 39 46 11N 13 45E
Tolna 27 46 25N 18 48E
Tolna □ 27 46 30N 18 30E
Tolo 88 2 55S 18 34E
Tolo, Teluk 73 2 20S 122 10E
Tolochin 54 54 25N 29 42E
Tolosa 32 43 8N 2 5W
Tolox 31 36 41N 4 54W
Toluca 120 19 20N 99 40W
Tom Burke 93 23 5S 28 4E
Tom Price 96 22 40S 117 48E
Tomah 116 43 59N 90 30W
Tomahawk 116 45 28N 89 40W
Tomar 31 39 36N 8 25W
Tómaros Óros 44 39 29N 20 48E
Tomaszów Mazowiecki 28 51 30N 19 57E
Tombé 87 5 53N 31 40E
Tombigbee → 115 31 4N 87 58W
Tombouctou 84 16 50N 3 0W
Tombstone 119 31 40N 110 4W
Tomé 124 36 36S 72 57W
Tomelilla 49 55 33N 13 58E
Tomelloso 33 39 10N 3 2W
Tomingley 99 32 6S 148 16E
Tomini 73 0 30N 120 30E
Tomini, Teluk 73 0 10S 122 0E
Tominian 84 13 17N 4 35W
Tomiño 30 41 59N 8 46W
Tommot 59 59 4N 126 20E
Tomnavoulin 14 57 19N 3 18W
Toms River 113 39 59N 74 12W
Tomsk 58 56 30N 85 5E
Tomtabacken 49 57 30N 14 30E
Tonalá 120 16 8N 93 41W
Tonale, Passo del 38 46 15N 10 34E
Tonalea 119 36 17N 110 58W
Tonantins 126 2 45S 67 45W
Tonasket 118 48 45N 119 30W
Tonawanda 114 43 0N 78 54W
Tonbridge 13 51 12N 0 18E
Tondano 73 1 35N 124 54E
Tondela 30 40 31N 8 5W
Tønder 49 54 58N 8 50E
Tondi 70 9 45N 79 4E
Tondi Kiwindi 85 14 28N 2 02E
Tondibi 85 16 39N 0 14W
Tong Xian 76 39 55N 116 35E
Tonga ■ 101 19 50S 174 30W
Tonga Trench 94 18 0S 175 0W
Tongaat 93 29 33S 31 9E
Tongaland 93 27 0S 32 0E
Tongareva 95 9 0S 158 0W
Tongatapu 101 21 10S 174 0W
Tongcheng 77 31 4N 116 56E
Tongchuan 77 35 6N 109 3E
Tongdao 77 26 10N 109 42E
Tongeren 16 50 47N 5 28E
Tongguan 77 34 40N 110 25E
Tonghua 76 41 42N 125 58E
Tongio 99 37 14S 147 44E
Tongjiang, Heilongjiang, China 75 47 40N 132 27E
Tongjiang, Sichuan, China 77 31 58N 107 11E
Tongking = Tonkin, G. of 71 20 0N 108 0E
Tongliao 76 43 38N 122 18E
Tongling 77 30 55N 117 48E
Tonglu 77 29 45N 119 37E
Tongnan 77 30 9N 105 50E
Tongobory 93 23 32S 44 20E
Tongoy 124 30 16S 71 31W
Tongren 75 27 43N 109 11E
Tongres = Tongeren 16 50 47N 5 28E
Tongue 14 58 29N 4 25W
Tongue → 116 46 24N 105 52W
Tongyu 76 44 45N 123 4E
Tongzi 77 28 9N 106 49E
Tonj 87 7 20N 28 44E
Tonk 68 26 6N 75 54E
Tonkawa 117 36 44N 97 22W
Tonkin = Bac-Phan 71 22 0N 105 0E
Tonlé Sap 71 13 0N 104 0E
Tonnay-Charente 20 45 56N 0 55W
Tonneins 20 44 23N 0 19E
Tonnerre 19 47 51N 3 59E
Tönning 24 54 18N 8 57E
Tonopah 119 38 4N 117 12W
Tønsberg 47 59 19N 10 25E
Tonstad 47 58 40N 6 45E
Tonto Basin 119 33 56N 111 27W
Tooele 118 40 30N 112 20W
Toompine 99 27 15S 144 19E
Toonpan 98 19 28S 146 48E
Toora 99 38 39S 146 23E
Toora-Khem 59 52 28N 96 17E
Toowoomba 97 27 32S 151 56E
Top-ozero 52 65 35N 32 0E
Topalu 46 44 31N 28 3E
Topeka 116 39 3N 95 40W
Topki 58 55 20N 85 35E
Topl'a → 27 48 45N 21 45E
Topley 108 54 49N 126 18W
Toplica → 42 43 15N 21 49E
Toplița 46 46 55N 25 20E
Topocalma, Pta. 124 34 10S 72 2W
Topock 119 34 46N 114 29W
Topola 42 44 17N 20 41E
Topolčani 42 41 14N 21 56E
Topoľčany 27 48 35N 18 12E
Topoli 57 47 59N 51 38E
Topolnitsa → 43 42 11N 24 18E
Topolobampo 120 25 40N 109 4W
Topolovgrad 43 42 5N 26 20E
Topolvătu Mare 42 45 46N 21 41E
Toppenish 118 46 27N 120 16W
Topusko 39 45 18N 15 59E
Tor Bay 96 35 5S 117 50E
Torá 32 41 49N 1 25E
Tora Kit 87 11 2N 32 36E
Toraka Vestale 93 16 20S 43 58E
Torata 126 17 23S 70 1W
Torbat-e Ḩeydārīyeh 65 35 15N 59 12E
Torbat-e Jām 65 35 16N 60 35E
Torbay, Can. 107 47 40N 52 42W
Torbay, U.K. 13 50 26N 3 31W
Tørdal 47 59 10N 8 45E
Tordesillas 30 41 30N 5 0W
Tordoya 30 43 6N 8 36W
Töreboda 49 58 41N 14 7E
Torey 59 50 33N 104 50E
Torfajökull 50 63 54N 19 0W
Torgau 24 51 32N 13 0E
Torgelow 24 53 40N 13 59E
Torhout 16 51 5N 3 7E
Tori 87 7 53N 33 35E
Torigni-sur-Vire 18 49 3N 0 58W
Torija 32 40 44N 3 2W
Torin 120 27 33N 110 15W
Toriñana, C. 30 43 3N 9 17W
Torino 38 45 4N 7 40E
Torit 87 4 27N 32 31E
Torkovichi 54 58 51N 30 21E
Tormac 42 45 30N 21 30E
Tormentine 107 46 6N 63 46W
Tormes → 30 41 18N 6 29W
Tornado Mt. 108 49 55N 114 40W
Torne älv → 50 65 50N 24 12E
Torneträsk 50 68 24N 19 15E
Tornio 50 65 50N 24 12E
Tornionjoki → 50 65 50N 24 12E
Tornquist 124 38 8S 62 15W
Toro 30 41 35N 5 24W
Torö 49 58 48N 17 50E
Toro, Cerro del 124 29 10S 69 50W
Toro, Pta. 120 9 22N 79 57W
Törökszentmiklós 27 47 11N 20 27E
Toroníios Kólpos 44 40 5N 23 30E
Toronto, Austral. 99 33 0S 151 30E
Toronto, Can. 106 43 39N 79 20W
Toronto, U.S.A. 114 40 27N 80 36W
Toronto, L. 120 27 40N 105 30W
Toropets 54 56 30N 31 40E
Tororo 90 0 45N 34 12E
Toros Dağlari 64 37 0N 35 0E
Torpshammar 48 62 29N 16 20E
Torquay, Can. 109 49 9N 103 30W
Torquay, U.K. 13 50 27N 3 31W
Torquemada 30 42 2N 4 19W
Torralba de Calatrava 31 39 1N 3 44W
Torrão 31 38 16N 8 11W
Torre Annunziata 41 40 45N 14 26E
Tôrre de Moncorvo 30 41 12N 7 8W
Torre del Greco 41 40 47N 14 22E
Torre del Mar 31 36 44N 4 6W
Torre-Pacheco 33 37 44N 0 57W
Torre Pellice 38 44 49N 7 13E
Torreblanca 32 40 14N 0 12E
Torrecampo 31 38 29N 4 41W
Torrecilla en Cameros 32 42 15N 2 38W
Torredembarra 32 41 9N 1 24E
Torredonjimeno 31 37 46N 3 57W
Torrejoncillo 30 39 54N 6 28W
Torrelaguna 32 40 50N 3 38W
Torrelavega 30 43 20N 4 5W
Torremaggiore 41 41 42N 15 17E
Torremolinos 31 36 38N 4 30W
Torrens Cr. → 98 22 23S 145 9E
Torrens Creek 98 20 48S 145 3E
Torrens, L. 97 31 0S 137 50E
Torrente 33 39 27N 0 28W
Torrenueva 33 38 38N 3 22W
Torréon 120 25 33N 103 25W
Torreperogil 33 38 2N 3 17W
Torres 120 28 46N 110 47W
Torres Novas 31 39 27N 8 33W
Torres Strait 97 9 50S 142 20E
Torres Vedras 31 39 5N 9 15W
Torrevieja 33 37 59N 0 42W
Torrey 119 38 18N 111 25W
Torridge → 13 50 51N 4 10W
Torridon, L. 14 57 35N 5 50W
Torrijos 30 39 59N 4 18W
Torrington, Conn., U.S.A. 114 41 50N 73 9W
Torrington, Wyo., U.S.A. 116 42 5N 104 8W
Torroella de Montgri 32 42 2N 3 8E
Torrox 31 36 46N 3 57W
Torsås 49 56 24N 16 0E
Torsby 48 60 7N 13 0E
Torsö 49 58 48N 13 45E
Tortola 121 18 19N 65 0W
Tórtoles de Esgueva 30 41 49N 4 2W
Tortona 38 44 53N 8 54E
Tortoreto 39 42 50N 13 55E
Tortorici 41 38 2N 14 48E
Tortosa 32 40 49N 0 31E
Tortosa, C. 32 40 41N 0 52E
Tortosendo 30 40 15N 7 31W
Tortue, Î. de la 121 20 5N 72 57W
Tortuga, La 126 11 0N 65 22W
Ţorūd 65 35 25N 55 5E
Toruń 28 53 0N 18 39E
Toruń □ 28 53 20N 19 0E
Torup, Denmark 49 57 5N 9 5E
Torup, Sweden 49 56 57N 13 5E
Tory I. 15 55 17N 8 12W
Torysa → 27 48 39N 21 21E
Torzhok 54 57 5N 34 55E
Tosa-Wan 74 33 15N 133 30E
Toscana 38 43 30N 11 5E
Toscano, Arcipelago 38 42 30N 10 30E
Tosno 54 59 38N 30 46E
Tossa 32 41 43N 2 56E
Tostado 124 29 15S 61 50W
Tostedt 24 53 17N 9 42E
Tosya 64 41 1N 34 2E
Toszek 28 50 27N 18 32E
Totak 47 59 40N 7 45E
Totana 33 37 45N 1 30W
Toten 47 60 37N 10 53E
Toteng 92 20 22S 22 58E
Tôtes 18 49 41N 1 3E
Tótkomlós 27 46 24N 20 45E
Totma 55 60 0N 42 40E
Totnes 13 50 26N 3 41W
Totonicapán 120 14 58N 91 12W
Totten Glacier 5 66 45S 116 10E
Tottenham, Austral. 99 32 14S 147 21E
Tottenham, Can. 112 44 1N 79 49W
Tottori 74 35 30N 134 15E
Tottori □ 74 35 30N 134 12E
Touat 82 27 27N 0 30E
Touba 84 8 22N 7 40W
Toubkal, Djebel 82 31 0N 8 0W
Toucy 19 47 44N 3 15E
Tougan 84 13 11N 2 58W
Touggourt 83 33 10N 6 0E
Tougué 84 11 25N 11 50W
Toukmatine 83 24 49N 7 11E
Toul 19 48 40N 5 53E
Toulepleu 84 6 32N 8 24W
Toulon 21 43 10N 5 55E
Toulouse 20 43 37N 1 27E
Toummo 83 22 45N 14 8E
Toummo Dhoba 83 22 30N 14 31E
Toumodi 84 6 32N 5 4W
Tounassine, Hamada 82 28 48N 5 0W
Toungoo 67 19 0N 96 30E
Touques → 18 49 22N 0 8E
Touquet-Paris-Plage, Le 19 50 30N 1 36E
Tour-du-Pin, La 21 45 33N 5 27E
Touraine 18 47 20N 0 30E
Tourcoing 19 50 42N 3 10E
Tournai 16 50 35N 3 25E
Tournan-en-Brie 19 48 44N 2 46E
Tournay 20 43 13N 0 13E
Tournon 21 45 4N 4 50E
Tournon-St-Martin 18 46 45N 0 58E
Tournus 21 46 35N 4 54E
Tours 18 47 22N 0 40E
Touside, Pic 83 21 1N 16 29E
Touwsrivier 92 33 20S 20 0E
Tovarkovskiy 55 53 40N 38 14E
Tovdal 47 58 47N 8 10E
Tovdalselva → 47 58 15N 8 5E
Towamba 99 37 6S 149 43E
Towanda 114 41 46N 76 30W
Towang 67 27 37N 91 50E
Tower 116 47 49N 92 17W
Towerhill Cr. → 98 22 28S 144 35E
Towner 116 48 25N 100 26W
Townsend 118 46 25N 111 32W
Townshend, C. 97 22 18S 150 30E
Townshend I. 97 22 10S 150 31E
Townsville 97 19 15S 146 45E
Towson 114 39 26N 76 34W
Towyn 13 52 36N 4 5W
Toyah 117 31 20N 103 48W
Toyahvale 117 30 58N 103 45W
Toyama 74 36 40N 137 15E
Toyama □ 74 36 45N 137 30E
Toyama-Wan 74 37 0N 137 30E
Toyohashi 74 34 45N 137 25E
Toyokawa 74 34 48N 137 27E
Toyonaka 74 34 50N 135 28E
Toyooka 74 35 35N 134 48E
Toyota 74 35 3N 137 7E
Tozeur 83 33 56N 8 8E
Trabancos → 30 41 36N 5 15W
Traben Trarbach 25 49 57N 7 7E
Trabzon 64 41 0N 39 45E
Tracadie 107 47 30N 64 55W
Tracy, Calif., U.S.A. 119 37 46N 121 27W
Tracy, Minn., U.S.A. 116 44 12N 95 38W
Tradate 38 45 43N 8 54E
Trafalgar 100 38 14S 146 12E
Trafalgar, C. 31 36 10N 6 2W
Trăghân 83 26 0N 14 30E
Traian 46 45 2N 28 15E
Trail 108 49 5N 117 40W
Trainor L. 108 60 24N 120 17W
Tralee 15 52 16N 9 42W
Tralee B. 15 52 17N 9 55W
Tramore 15 52 10N 7 10W
Tran Ninh, Cao Nguyen 71 19 30N 103 10E
Tranås 49 58 3N 14 59E
Trancas 124 26 11S 65 20W
Tranche, La 20 46 20N 1 26W
Tranche-sur-Mer, La 18 46 20N 1 27W
Trancoso 30 40 49N 7 21W
Tranebjerg 49 55 51N 10 36E
Tranemo 49 57 30N 13 20E
Trang 71 7 33N 99 38E
Trangahy 93 19 7S 44 31E
Trangan 73 6 40S 134 20E
Trangie 99 32 4S 148 0E
Trångsviken 48 63 19N 14 0E
Trani 41 41 17N 16 24E
Tranoroa 93 24 42S 45 4E
Tranquebar 70 11 1N 79 54E
Tranqueras 125 31 13S 55 45W
Trans Nzoia □ 90 1 0N 35 0E
Transcona 109 49 55N 97 0W
Transilvania 46 46 19N 25 0E
Transkei □ 93 32 15S 28 15E
Transtrand 48 61 6N 13 20E
Transvaal □ 92 25 0S 29 0E
Transylvania = Transilvania 46 46 19N 25 0E
Transylvanian Alps 46 45 30N 25 0E
Trápani 40 38 1N 12 30E
Trapper Peak 118 45 56N 114 29W
Traralgon 97 38 12S 146 34E
Traryd 49 56 35N 13 45E
Trarza □ 84 17 30N 15 0W
Trasacco 39 41 58N 13 30E
Trăscău, Munţii 46 46 14N 23 14E
Trasimeno, L. 39 43 10N 12 5E
Trat 71 12 14N 102 33E
Traun 26 48 14N 14 15E
Traunsee 26 47 55N 13 50E
Traunstein 25 47 52N 12 40E
Tråvad 49 58 15N 13 5E
Traveller's L. 99 33 20S 142 0E
Travemünde 24 53 58N 10 52E
Travers, Mt. 101 42 1S 172 45E
Traverse City 114 44 45N 85 39W
Traverse Is. 5 57 0S 28 0W
Travnik 42 44 17N 17 39E
Trazo 30 43 0N 8 30W
Trbovlje 39 46 12N 15 5E
Trébbia → 38 45 4N 9 41E
Trebel → 24 53 55N 13 1E
Třebíč 26 49 14N 15 55E
Trebinje 42 42 44N 18 22E
Trebisacce 41 39 52N 16 32E
Trebišnica → 42 42 47N 18 8E
Trebišov 27 48 38N 21 41E
Trebižat → 42 43 15N 17 30E
Trebnje 39 45 54N 15 1E
Třeboň 26 48 59N 14 48E
Trebujena 31 36 52N 6 11W
Trecate 38 45 26N 8 42E
Tredegar 13 51 47N 3 16W
Tregaron 13 52 14N 3 56W
Trégastel-Plage 18 48 49N 3 31W
Tregnago 39 45 31N 11 10E
Tréguier 18 48 47N 3 16W
Trégune 18 47 51N 3 51W
Treherne 109 49 38N 98 42W
Tréia 39 43 20N 13 20E
Treignac 20 45 32N 1 48E
Treinta y Tres 125 33 16S 54 17W
Treis 25 50 9N 7 19E
Treklyano 42 42 33N 22 36E
Trekveld 92 30 35S 19 45E
Trelde Næs 49 55 38N 9 53E
Trelew 128 43 10S 65 20W
Trélissac 20 45 11N 0 47E
Trelleborg 49 55 20N 13 10E
Trélon 19 50 5N 4 6E
Tremblade, La 20 45 46N 1 8W
Tremiti 39 42 8N 15 30E
Tremonton 118 41 45N 112 10W
Tremp 32 42 10N 0 52E
Trenary 114 46 12N 86 59W
Trenche → 106 47 46N 72 53W
Trenčín 27 48 52N 18 4E
Trenggalek 73 8 5S 111 38E
Trenque Lauquen 124 36 5S 62 45W
Trent → 12 53 33N 0 44W
Trentino-Alto Adige □ 38 46 30N 11 0E
Trento 38 46 5N 11 8E
Trenton, Can. 106 44 10N 77 34W
Trenton, Mo., U.S.A. 116 40 5N 93 37W
Trenton, N.J., U.S.A. 114 40 15N 74 41W
Trenton, Nebr., U.S.A. 116 40 14N 101 4W
Trenton, Tenn., U.S.A. 117 35 58N 88 57W
Trepassey 107 46 43N 53 25W
Tréport, Le 18 50 3N 1 20E
Trepuzzi 41 40 26N 18 4E
Tres Arroyos 124 38 26S 60 20W
Três Corações 125 21 44S 45 15W
Três Lagoas 127 20 50S 51 43W
Tres Marías 120 21 25N 106 28W
Tres Montes, C. 128 46 50S 75 30W
Três Pontas 125 21 23S 45 29W
Tres Puentes 124 27 50S 70 15W
Tres Puntas, C. 128 47 0S 66 0W
Três Rios 125 22 6S 43 15W
Treska → 42 42 0N 21 20E
Treskavika Planina 42 43 40N 18 20E
Trespaderne 32 42 47N 3 24W
Trets 21 43 27N 5 41E
Treuchtlingen 25 48 58N 10 55E
Treuenbrietzen 24 52 6N 12 51E

Treviglio Tyldal

Treviglio 38 45 31N 9 35 E
Trevinca, Peña 30 42 15N 6 46W
Treviso 39 45 40N 12 15 E
Trévoux 21 45 57N 4 47 E
Treysa 24 50 55N 9 12 E
Trgovište 42 42 20N 22 10 E
Triabunna 99 42 30 S 147 55 E
Triánda 45 36 25N 28 10 E
Triaucourt-en-Argonne 19 48 59N 5 2 E
Tribsees 24 54 4N 12 46 E
Tribulation, C. 97 16 5 S 145 29 E
Tribune 116 38 30N 101 45W
Tricárico 41 40 37N 16 9 E
Tricase 41 39 56N 18 20 E
Trichinopoly = Tiruchchirappalli 70 10 45N 78 45 E
Trichur 70 10 30N 76 18 E
Trida 99 33 1 S 145 1 E
Trier 25 49 45N 6 37 E
Trieste 39 45 39N 13 45 E
Trieste, G. di 39 45 37N 13 40 E
Trieux → 18 48 50N 3 3W
Triggiano 41 41 4N 16 58 E
Triglav 39 46 21N 13 50 E
Trigno → 39 42 4N 14 48 E
Trigueros 31 37 24N 6 50W
Tríkeri 45 39 6N 23 5 E
Trikhonis, Límni 45 38 34N 21 30 E
Tríkkala 44 39 34N 21 47 E
Tríkkala □ 44 39 41N 21 30 E
Trikora, Puncak 73 4 15 S 138 45 E
Trilj 39 43 38N 16 42 E
Trillo 32 40 42N 2 35W
Trim 15 53 34N 6 48W
Trincomalee 70 8 38N 81 15 E
Trindade, I. 7 20 20 S 29 50W
Trinidad, Boliv. 126 14 46 S 64 50W
Trinidad, Colomb. 126 5 25N 71 40W
Trinidad, Cuba 121 21 48N 80 0W
Trinidad, Uruguay 124 33 30 S 56 50W
Trinidad, U.S.A. 117 37 15N 104 30W
Trinidad, W. Indies 121 10 30N 61 15W
Trinidad & Tobago ■ 121 10 30N 61 20W
Trinidad → 120 17 49N 95 9W
Trinidad, I. 128 39 10 S 62 0W
Trinitápoli 41 41 22N 16 5 E
Trinity, Can. 107 48 59N 53 55W
Trinity, U.S.A. 117 30 59N 95 25W
Trinity →, Calif., U.S.A. 118 41 11N 123 42W
Trinity →, Tex., U.S.A. 117 30 30N 95 0W
Trinity B., Austral. 97 16 30 S 146 0 E
Trinity B., Can. 107 48 20N 53 10W
Trinity Mts. 118 40 20N 118 50W
Trinkitat 81 18 45N 37 51 E
Trino 38 45 10N 8 18 E
Trion 115 34 35N 85 18W
Trionto C. 41 39 38N 16 47 E
Triora 38 44 0N 7 46 E
Tripoli = Tarābulus, Leb. 64 34 31N 35 50 E
Tripoli = Tarābulus, Libya 83 32 58N 13 12 E
Trípolis 45 37 31N 22 25 E
Tripp 116 43 16N 97 58W
Tripura □ 67 24 0N 92 0 E
Trischen 24 54 3N 8 32 E
Tristan da Cunha 7 37 6 S 12 20W
Trivandrum 70 8 41N 77 0 E
Trivento 41 41 48N 14 31 E
Trnava 27 48 23N 17 35 E
Trobriand Is. 98 8 30 S 151 0 E
Trochu 108 51 50N 113 13W
Trodely I. 106 52 15N 79 26W
Troezen 45 37 25N 23 15 E
Trogir 39 43 32N 16 15 E
Troglav 39 43 56N 16 36 E
Trøgstad 47 59 37N 11 16 E
Tróia 41 41 22N 15 19 E
Troilus, L. 106 50 50N 74 35W
Troina 41 37 47N 14 34 E
Trois Fourches, Cap des 82 35 26N 2 58W
Trois-Pistoles 107 48 5N 69 10W
Trois-Rivières 106 46 25N 72 34W
Troitsk 58 54 10N 61 35 E
Troitsko Pechorsk 52 62 40N 56 10 E
Trölladyngja 50 64 54N 17 16W
Trollhättan 49 58 17N 12 20 E
Trollheimen 47 62 46N 9 1 E
Troms fylke □ 50 68 56N 19 0 E
Tromsø 50 69 40N 18 56 E
Tronador 128 41 10 S 71 50W
Trondheim 47 63 36N 10 25 E
Trondheimsfjorden 47 63 35N 10 30 E
Trönninge 49 56 37N 12 51 E
Trönö 48 61 22N 16 54 E
Tronto → 39 42 54N 13 55 E
Troon 14 55 33N 4 40W
Tropea 41 38 40N 15 53 E
Tropic 119 37 36N 112 4W
Tropoja 44 42 23N 20 10 E
Trossachs, The 14 56 14N 4 24W
Trostan 15 55 4N 6 10W
Trostberg 25 48 2N 12 33 E
Trostyanets 54 50 33N 34 59 E
Trotternish 14 57 32N 6 15W
Troup 117 32 10N 95 3W
Trout → 108 61 19N 119 51W
Trout L., N.W.T., Can. 108 60 40N 121 40W
Trout L., Ont., Can. 109 51 20N 93 15W
Trout Lake 106 46 10N 85 2W
Trout River 107 49 29N 58 8W
Trouville 18 49 21N 0 5 E
Trowbridge 13 51 18N 2 12W
Troy, Turkey 44 39 57N 26 12 E
Troy, Turkey 64 39 55N 26 20 E
Troy, Ala., U.S.A. 115 31 50N 85 58W
Troy, Idaho, U.S.A. 118 46 44N 116 46W
Troy, Kans., U.S.A. 116 39 47N 95 2W
Troy, Mo., U.S.A. 116 38 56N 90 59W
Troy, Montana, U.S.A. 118 48 30N 115 58W
Troy, N.Y., U.S.A. 114 42 45N 73 39W
Troy, Ohio, U.S.A. 114 40 0N 84 10W
Troyan 43 42 57N 24 43 E
Troyes 19 48 19N 4 3 E
Trpanj 42 43 1N 17 15 E
Trstena 27 49 21N 19 37 E
Trstenik 42 43 36N 21 0 E
Trubchevsk 54 52 33N 33 47 E
Trucial States = United Arab Emirates ■ 65 24 0N 54 30 E
Truckee 118 39 20N 120 11W
Trujillo, Hond. 121 16 0N 86 0W
Trujillo, Peru 126 8 6 S 79 0W
Trujillo, Spain 31 39 28N 5 55W
Trujillo, U.S.A. 117 35 34N 104 44W
Trujillo, Venez. 126 9 22N 70 38W
Truk 94 7 25N 151 46 E
Trumann 117 35 42N 90 32W
Trumbull, Mt. 119 36 25N 113 8W
Trun 42 42 51N 22 38 E
Trun 18 48 50N 0 2 E
Trundle 99 32 53 S 147 35 E
Trung-Phan 72 16 0N 108 0 E
Truro, Can. 107 45 21N 63 14W
Truro, U.K. 13 50 17N 5 2W
Trustrup 49 56 20N 10 46 E
Truth or Consequences 119 33 9N 107 16W
Trutnov 26 50 37N 15 54 E
Truyère → 20 44 38N 2 34 E
Tryavna 43 42 54N 25 25 E
Tryon 115 35 15N 82 16W
Tryonville 112 41 42N 79 48W
Trzcianka 28 53 3N 16 25 E
Trzciel 28 52 23N 15 50 E
Trzcińsko Zdrój 28 52 58N 14 35 E
Trzebiatów 28 54 3N 15 18 E
Trzebiez 28 53 38N 14 31 E
Trzebinia-Siersza 27 50 11N 19 18 E
Trzebnica 28 51 20N 17 1 E
Trzemeszno 28 52 33N 17 48 E
Tržič 39 46 22N 14 18 E
Tsageri 57 42 39N 42 46 E
Tsamandás 44 39 46N 20 21 E
Tsaratanana 93 16 47 S 47 39 E
Tsaratanana, Mt. de 93 14 0 S 49 0 E
Tsarevo = Michurin 43 42 9N 27 51 E
Tsarichanka 56 48 55N 34 30 E
Tsaritsáni 44 39 53N 22 14 E
Tsau 92 20 8 S 22 22 E
Tsebrikovo 56 47 9N 30 10 E
Tselinograd 58 51 10N 71 30 E
Tsetserleg 75 47 36N 101 32 E
Tshabong 92 26 2 S 22 29 E
Tshane 92 24 5 S 21 54 E
Tshela 88 4 57 S 13 4 E
Tshesebe 93 21 51 S 27 32 E
Tshibeke 90 2 40 S 28 35 E
Tshibinda 90 2 23 S 28 43 E
Tshikapa 88 6 28 S 20 48 E
Tshilenge 90 6 17 S 23 48 E
Tshinsenda 91 12 20 S 28 0 E
Tshofa 90 5 13 S 25 16 E
Tshwane 92 22 24 S 22 1 E
Tsigara 92 20 22 S 25 54 E
Tsihombe 93 25 18 S 45 29 E
Tsimlyansk 57 47 40N 42 6 E
Tsimlyanskoye Vdkhr. 57 48 0N 43 0 E
Tsinan = Jinan 76 36 38N 117 1 E
Tsineng 92 27 05 S 23 05 E
Tsinga 44 41 23N 24 44 E
Tsinghai = Qinghai □ 75 36 0N 98 0 E
Tsingtao = Qingdao 76 36 5N 120 20 E
Tsinjomitondraka 93 15 40 S 47 8 E
Tsiroanomandidy 93 18 46 S 46 2 E
Tsivilsk 55 55 50N 47 25 E
Tsivory 93 24 4 S 46 5 E
Tskhinali 53 42 22N 43 52 E
Tskhinvali 57 42 14N 44 1 E
Tsna → 55 54 55N 41 58 E
Tsodilo Hill 92 18 49 S 21 43 E
Tsu 74 34 45N 136 25 E
Tsu L. 108 60 40N 111 52W
Tsuchiura 74 36 5N 140 15 E
Tsugaru-Kaikyō 74 41 35N 141 0 E
Tsumeb 92 19 9 S 17 44 E
Tsumis 92 23 39 S 17 29 E
Tsuruga 74 35 45N 136 2 E
Tsushima 74 34 20N 129 20 E
Tsvetkovo 56 49 8N 31 33 E
Tua → 30 41 13N 7 26W
Tual 73 5 38 S 132 44 E
Tuam 15 53 30N 8 50W
Tuamotu Arch. 95 17 0 S 144 0W
Tuamotu Ridge 95 20 0 S 138 0W
Tuao 73 17 55N 122 22 E
Tuapse 57 44 5N 39 10 E
Tuatapere 101 46 8 S 167 41 E
Tuba City 119 36 8N 111 18W
Tubac 119 31 37N 111 20W
Tuban 73 6 54 S 112 3 E
Tubarão 125 28 30 S 49 0W
Tūbās 62 32 20N 35 22 E
Tubau 72 3 10N 113 40 E
Tübingen 25 48 31N 9 4 E
Tubja, W. → 86 25 27N 38 45 E
Tubruq 81 32 7N 23 55 E
Tubuai Is. 95 25 0 S 150 0W
Tucacas 126 10 48N 68 19W
Tuchodi → 108 58 17N 123 42W
Tuchola 28 53 33N 17 52 E
Tuchów 27 49 54N 21 1 E
Tucker's Town 121 32 17N 64 43W
Tucson 119 32 14N 110 59W
Tucumán □ 124 26 48 S 66 2W
Tucumcari 117 35 12N 103 45W
Tucupita 126 9 2N 62 3W
Tucuruí 127 3 42 S 49 44W
Tuczno 28 53 13N 16 10 E
Tudela 32 42 4N 1 39W
Tudela de Duero 30 41 37N 4 39W
Tudmur 64 34 36N 38 15 E
Tudor, Lac 107 55 50N 65 25W
Tudora 46 47 31N 26 45 E
Tuella → 30 41 30N 7 12W
Tufi 98 9 8 S 149 19 E
Tuguegarao 73 17 35N 121 42 E
Tugur 59 53 44N 136 45 E
Tukangbesi, Kepulauan 73 6 0 S 124 0 E
Tukarak I. 106 56 15N 78 45W
Tūkh 86 30 21N 31 12 E
Tukobo 84 5 1N 2 47W
Tūkrah 83 32 30N 20 37 E
Tuktoyaktuk 104 69 27N 133 2W
Tukums 54 57 2N 23 10 E
Tukuyu 91 9 17 S 33 35 E
Tula, Hidalgo, Mexico 120 20 0N 99 20W
Tula, Tamaulipas, Mexico 120 23 0N 99 40W
Tula, Nigeria 85 9 51N 11 27 E
Tula, U.S.S.R. 55 54 13N 37 38 E
Tulak 65 33 55N 63 40 E
Tulancingo 120 20 5N 99 22W
Tulare 119 36 15N 119 26W
Tulare Lake 119 36 0N 119 53W
Tularosa 119 33 4N 106 1W
Tulbagh 92 33 16 S 19 6 E
Tulcán 126 0 48N 77 43W
Tulcea 46 45 13N 28 46 E
Tulcea □ 46 45 0N 29 0 E
Tulchin 56 48 41N 28 49 E
Tulemalu L. 109 62 58N 99 25W
Tulgheş 46 46 58N 25 45 E
Tuli, Indon. 73 1 24 S 122 26 E
Tuli, Zimb. 91 21 58 S 29 13 E
Ţūlkarm 62 32 19N 35 2 E
Tulla 117 34 35N 101 44W
Tullahoma 115 35 23N 86 12W
Tullamore, Austral. 99 32 39 S 147 36 E
Tullamore, Ireland 15 53 17N 7 30W
Tulle 20 45 16N 1 46 E
Tullibigeal 99 33 25 S 146 44 E
Tullins 21 45 18N 5 29 E
Tulln 26 48 20N 16 4 E
Tullow 15 52 48N 6 45W
Tullus 87 11 7N 24 31 E
Tully 98 17 56 S 145 55 E
Ţulmaythah 81 32 40N 20 55 E
Tulmur 98 22 40 S 142 20 E
Tulnici 46 45 51N 26 38 E
Tulovo 43 42 33N 25 32 E
Tulsa 117 36 10N 96 0W
Tulsequah 108 58 39N 133 35W
Tulu Milki 87 9 55N 38 20 E
Tulu Welel 87 8 56N 34 47 E
Tulua 126 4 6N 76 11W
Tulun 59 54 32N 100 35 E
Tulungagung 72 8 5 S 111 54 E
Tum 73 3 36 S 130 21 E
Tuma 55 55 10N 40 30 E
Tuma → 121 13 6N 84 35W
Tumaco 126 1 50N 78 45W
Tumatumari 126 5 20N 58 55W
Tumba 48 59 12N 17 48 E
Tumba, L. 88 0 50 S 18 0 E
Tumbarumba 99 35 44 S 148 0 E
Tumbaya 124 23 50 S 65 26W
Túmbes 126 3 37 S 80 27W
Tumbwe 91 11 25 S 27 15 E
Tumen 76 43 0N 129 50 E
Tumen Jiang → 76 42 20N 130 35 E
Tumeremo 126 7 18N 61 30W
Tumkur 70 13 18N 77 6 E
Tummel, L. 14 56 43N 3 55W
Tump 66 26 7N 62 16 E
Tumpat 71 6 11N 102 10 E
Tumsar 69 21 26N 79 45 E
Tumu 84 10 56N 1 56W
Tumucumaque, Serra 127 2 0N 55 0W
Tumut 97 35 16 S 148 13 E
Tumwater 118 47 0N 122 58W
Tunas de Zaza 121 21 39N 79 34W
Tunbridge Wells 13 51 7N 0 16 E
Tuncurry 99 32 17 S 152 29 E
Tunduru 91 11 8 S 37 25 E
Tunduru □ 91 11 5 S 37 22 E
Tundzha → 43 41 40N 26 35 E
Tune 47 59 16N 11 2 E
Tunga → 70 15 0N 75 50 E
Tunga Pass 67 29 0N 94 14 E
Tungabhadra → 70 15 57N 78 15 E
Tungabhadra Dam 70 15 0N 75 50 E
Tungaru 81 10 9N 30 52 E
Tungla 121 13 24N 84 21W
Tungnafellsjökull 50 64 45N 17 55W
Tungsten, Can. 108 61 57N 128 16W
Tungsten, U.S.A. 118 40 50N 118 10W
Tunguska, Nizhnyaya → 59 65 48N 88 4 E
Tunguska, Podkamennaya → 59 61 36N 90 18 E
Tuni 70 17 22N 82 36 E
Tunica 117 34 43N 90 23W
Tunis 83 36 50N 10 11 E
Tunis, Golfe de 83 37 0N 10 30 E
Tunisia ■ 83 33 30N 9 10 E
Tunja 126 5 33N 73 25W
Tunkhannock 113 41 32N 75 46W
Tunliu 76 36 13N 112 52 E
Tunnsjøen 50 64 45N 13 25 E
Tunungayualok I. 107 56 0N 61 0W
Tunuyán 124 33 35 S 69 0W
Tunuyán → 124 33 33 S 67 30W
Tunxi 75 29 42N 118 25 E
Tuolumne 119 37 59N 120 16W
Tuoy-Khaya 59 62 32N 111 25 E
Tupã 125 21 57 S 50 28W
Tupelo 115 34 15N 88 42W
Tupik, U.S.S.R. 54 55 42N 33 22 E
Tupik, U.S.S.R. 59 54 26N 119 57 E
Tupinambaranas 126 3 0 S 58 0W
Tupiza 124 21 30 S 65 40W
Tupižnica 42 43 43N 22 10 E
Tupper 108 55 32N 120 1W
Tupper L. 114 44 18N 74 30W
Tupungato, Cerro 124 33 15 S 69 50W
Tuquan 76 45 18N 121 38 E
Tuque, La 106 47 30N 72 50W
Túquerres 126 1 5N 77 37W
Tura, India 69 25 30N 90 16 E
Tura, U.S.S.R. 59 64 20N 100 17 E
Turaba, Wadi → 86 21 15N 41 32 E
Turabah 64 28 20N 43 15 E
Turaiyur 70 11 9N 78 38 E
Tūrān 65 35 39N 56 42 E
Turan 59 51 55N 95 0 E
Turayf 64 31 41N 38 39 E
Turbacz 27 49 30N 20 8 E
Turbe 42 44 15N 17 35 E
Turda 46 46 34N 23 47 E
Turégano 30 41 9N 4 1W
Turek 28 52 3N 18 30 E
Turfan = Turpan 75 43 58N 89 10 E
Turfan Depression = Turpan Hami 75 42 40N 89 25 E
Tŭrgovishte 43 43 17N 26 38 E
Turgutlu 64 38 30N 27 48 E
Turhal 56 40 24N 36 5 E
Turia → 33 39 27N 0 19W
Turiaçu 127 1 40 S 45 19W
Turiaçu → 127 1 36 S 45 19W
Turiec → 27 49 07N 18 55 E
Turin 108 49 47N 112 24W
Turin = Torino 38 45 3N 7 40 E
Turka 54 49 10N 23 2 E
Turkana □ 90 3 0N 35 30 E
Turkana, L. 90 3 30N 36 5 E
Turkestan 58 43 17N 68 16 E
Túrkeve 27 47 6N 20 44 E
Turkey ■ 64 39 0N 36 0 E
Turki 55 52 0N 43 15 E
Turkmen S.S.R. □ 58 39 0N 59 0 E
Turks Is. 121 21 20N 71 20W
Turks Island Passage 121 21 30N 71 30W
Turku 51 60 30N 22 19 E
Turkwe → 90 3 6N 36 6 E
Turlock 119 37 30N 120 55W
Turnagain → 108 59 12N 127 35W
Turnagain, C. 101 40 28 S 176 38 E
Turneffe Is. 120 17 20N 87 50W
Turner 118 48 52N 108 25W
Turner Valley 108 50 40N 114 17W
Turners Falls 113 42 36N 72 34W
Turnhout 16 51 19N 4 57 E
Türnitz 26 47 55N 15 29 E
Turnor L. 109 56 35N 108 35W
Turnov 26 50 34N 15 10 E
Tŭrnovo 43 43 5N 25 41 E
Turnovo 43 43 5N 25 41 E
Turnu Măgurele 46 43 46N 24 56 E
Turnu Rosu Pasul 46 45 33N 24 17 E
Turnu-Severin 46 44 39N 22 41 E
Turobin 28 50 50N 22 44 E
Turon 117 37 48N 98 27W
Turpan 75 43 58N 89 10 E
Turpan Hami 75 42 40N 89 25 E
Turrës, Kalaja e 44 41 10N 19 28 E
Turriff 14 57 32N 2 28W
Tursha 55 56 55N 47 36 E
Tursi 41 40 15N 16 27 E
Turtle Hd. I. 98 10 56 S 142 37 E
Turtle L., Can. 109 53 36N 108 38W
Turtle L., U.S.A. 116 45 22N 92 10W
Turtle Lake 116 47 30N 100 55W
Turtleford 109 53 23N 108 57W
Turukhansk 59 65 21N 88 5 E
Turun ja Porin lääni □ 51 60 27N 22 15 E
Turzovka 27 49 25N 18 35 E
Tuscaloosa 115 33 13N 87 31W
Tuscánia 39 42 25N 11 53 E
Tuscany = Toscana 38 43 28N 11 15 E
Tuscola, Ill., U.S.A. 114 39 48N 88 15W
Tuscola, Tex., U.S.A. 117 32 15N 99 48W
Tuscumbia 115 34 42N 87 42W
Tuskar Rock 15 52 12N 6 10W
Tuskegee 115 32 24N 85 39W
Tustna 47 63 10N 8 5 E
Tuszyn 28 51 36N 19 33 E
Tutayev 55 57 53N 39 32 E
Tuticorin 70 8 50N 78 12 E
Tutin 42 43 0N 20 20 E
Tutóia 127 2 45 S 42 20W
Tutong 72 4 47N 114 40 E
Tutova → 46 46 20N 27 30 E
Tutrakan 43 44 2N 26 40 E
Tutshi L. 108 59 56N 134 30W
Tuttle 116 47 9N 100 00W
Tuttlingen 25 47 59N 8 50 E
Tutuala 73 8 25 S 127 15 E
Tutuila 101 14 19 S 170 50W
Tuva A.S.S.R. □ 59 51 30N 95 0 E
Tuvalu ■ 94 8 0 S 178 0 E
Tuxpan 120 20 58N 97 23W
Tuxtla Gutiérrez 120 16 50N 93 10W
Tuy 30 42 3N 8 39W
Tuy Hoa 71 13 5N 109 10 E
Tuya L. 108 59 7N 130 35W
Tuyen Hoa 71 17 50N 106 10 E
Tuz Gölü 64 38 45N 33 30 E
Ţūz Khurmātū 64 34 56N 44 38 E
Tuzla 42 44 34N 18 41 E
Tuzlov → 57 47 28N 39 45 E
Tvååker 49 57 4N 12 25 E
Tvedestrand 47 58 38N 8 58 E
Tvŭrditsa 43 42 42N 25 53 E
Twardogóra 28 51 23N 17 28 E
Tweed 112 44 29N 77 19W
Tweed → 14 55 42N 2 10W
Tweedsmuir Prov. Park 108 53 0N 126 20W
Twentynine Palms 119 34 10N 116 4W
Twillingate 107 49 42N 54 45W
Twin Bridges 118 45 33N 112 23W
Twin Falls 118 42 30N 114 30W
Twin Valley 116 47 18N 96 15W
Twisp 118 48 21N 120 5W
Twistringen 24 52 48N 8 38 E
Two Harbors 116 47 1N 91 40W
Two Hills 108 53 43N 111 52W
Two Rivers 114 44 10N 87 31W
Twofold B. 97 37 8 S 149 59 E
Tychy 27 50 9N 18 59 E
Tyczyn 27 49 58N 22 2 E
Tydal 47 63 4N 11 34 E
Tykocin 28 53 13N 22 46 E
Tyldal 47 62 8N 10 48 E

Tyler Uvira

Tyler, Minn., U.S.A. 116 44 18N 96 8W
Tyler, Tex., U.S.A. 117 32 18N 95 18W
Týn nad Vltavou 26 49 13N 14 26 E
Tynda 59 55 10N 124 43 E
Tyne & Wear □ 12 54 55N 1 35W
Tyne → 12 54 58N 1 28W
Tynemouth 12 55 1N 1 27W
Tynset 47 62 17N 10 47 E
Tyre = Sūr 62 33 12N 35 11 E
Tyrifjorden 47 60 2N 10 8 E
Tyringe 49 56 9N 13 35 E
Tyristrand 47 60 5N 10 5 E
Tyrnyauz 57 43 21N 42 45 E
Tyrol = Tirol 26 47 3N 10 43 E
Tyrone 112 40 39N 78 10W
Tyrrell → 100 35 26 S 142 51 E
Tyrrell Arm 109 62 27N 97 30W
Tyrrell, L. 99 35 20 S 142 50 E
Tyrrell L. 109 63 7N 105 27W
Tyrrhenian Sea 34 40 0N 12 30 E
Tysfjorden 50 68 7N 16 25 E
Tysnes 47 60 1N 5 30 E
Tysnesøy 47 60 0N 5 35 E
Tyssedal 47 60 7N 6 35 E
Tystberga 49 58 51N 17 15 E
Tyub Karagan, M. 57 44 40N 50 19 E
Tyuleniy 57 44 28N 47 30 E
Tyulgan 52 52 22N 56 12 E
Tyumen 58 57 11N 65 29 E
Tywi → 13 51 48N 4 20W
Tzaneen 93 23 47 S 30 9 E
Tzermiadhes Neápolis 46 35 11N 25 29 E
Tzoumérka, Óros 44 39 30N 21 26 E
Tzukong = Zigong 75 29 15N 104 48 E

U

Uad Erni, O. → 82 26 45N 10 47W
Uanda 98 21 37 S 144 55 E
Uarsciek 63 2 28N 45 55 E
Uasin □ 90 0 30N 35 20 E
Uato-Udo 73 9 7 S 125 36 E
Uatumã → 126 2 26 S 57 37W
Uaupés 126 0 8 S 67 5W
Ub 42 44 28N 20 6 E
Ubá 125 21 8 S 43 0W
Ubaitaba 127 14 18 S 39 20W
Ubangi = Oubangi → 88 1 0N 17 50 E
Ubauro 68 28 15N 69 45 E
Ubaye → 21 44 28N 6 18 E
Ube 74 33 56N 131 15 E
Ubeda 33 38 3N 3 23W
Uberaba 127 19 50 S 47 55W
Uberlândia 127 19 0 S 48 20W
Überlingen 25 47 46N 9 10 E
Ubiaja 85 6 41N 6 22 E
Ubombo 93 27 31 S 32 4 E
Ubon Ratchathani 71 15 15N 104 50 E
Ubondo 90 0 55 S 25 42 E
Ubort → 54 52 6N 28 30 E
Ubrique 31 36 41N 5 27W
Ubundu 90 0 22 S 25 30 E
Ucayali → 126 4 30 S 73 30W
Uchi Lake 109 51 5N 92 35W
Uchiura-Wan 74 42 25N 140 40 E
Uchte 24 52 29N 8 52 E
Uchur → 59 58 48N 130 35 E
Ucluelet 108 48 57N 125 32W
Ucuriş 46 46 41N 21 58 E
Uda → 59 54 42N 135 14 E
Udaipur 68 24 36N 73 44 E
Udaipur Garhi 69 27 0N 86 35 E
Udamalpet 70 10 35N 77 15 E
Udbina 39 44 31N 15 47 E
Uddeholm 48 60 1N 13 38 E
Uddevalla 49 58 21N 11 55 E
Uddjaur 50 65 25N 21 15 E
Udgir 70 18 25N 77 5 E
Udi 85 6 23N 7 21 E
Údine 39 46 5N 13 10 E
Udipi 70 13 25N 74 42 E
Udmurt A.S.S.R. □ 52 57 30N 52 30 E
Udon Thani 71 17 29N 102 46 E
Udvoy Balkan 43 42 50N 26 50 E
Udzungwa Range 91 9 30 S 35 10 E
Ueckermünde 24 53 45N 14 1 E
Ueda 74 36 24N 138 16 E
Uedineniya, Os. 4 78 0N 85 0 E
Uelen 59 66 10N 170 0W
Uelzen 24 53 0N 10 33 E
Uere → 88 3 45N 24 45 E
Ufa 52 54 45N 55 55 E
Ufa → 52 54 40N 56 0 E
Uffenheim 25 49 32N 10 15 E
Ugalla → 90 5 8 S 30 42 E
Uganda ■ 90 2 0N 32 0 E
Ugento 41 39 55N 18 10 E
Ugep 85 5 53N 8 2 E
Ugie 93 31 10 S 28 13 E
Ugijar 33 36 58N 3 7W
Ugine 21 45 45N 6 25 E
Ugla 86 25 40N 37 42 E
Uglegorsk 59 49 5N 142 2 E
Uglich 55 57 33N 38 20 E
Ugljane 39 43 35N 16 46 E
Ugolyak 59 64 33N 120 30 E
Ugra → 54 54 30N 36 7 E
Ugûrchin 43 43 6N 24 26 E
Uh → 27 48 7N 21 25 E
Uherske Hradiště 27 49 4N 17 30 E
Uhersky Brod 27 49 1N 17 40 E
Úhlava → 26 49 45N 13 24 E
Uhrichsville 114 40 23N 81 22W
Uige 88 7 30 S 14 40 E
Uiju 76 40 15N 124 35 E
Uinta Mts. 118 40 45N 110 30W
Uitenhage 92 33 40 S 25 28 E
Uithuizen 16 53 24N 6 41 E
Újfehértó 27 47 49N 21 41 E
Ujhani 68 28 0N 79 6 E
Ujjain 68 23 9N 75 43 E
Újpest 27 47 32N 19 6 E
Újszász 27 47 19N 20 7 E
Ujung Pandang 73 5 10 S 119 20 E
Uka 59 57 50N 162 0 E
Ukara I. 90 1 50 S 33 0 E
Ukerewe □ 90 2 0 S 32 30 E
Ukerewe I. 90 2 0 S 33 0 E
Ukholovo 55 53 47N 40 30 E
Ukhrul 67 25 10N 94 25 E
Ukhta 52 63 55N 54 0 E
Ukiah 118 39 10N 123 9W
Ukmerge 54 55 15N 24 45 E
Ukrainian S.S.R. □ 56 49 0N 32 0 E
Ukwi 92 23 29 S 20 30 E
Ulaanbaatar 75 47 54N 106 52 E
Ulaangom 75 50 0N 92 10 E
Ulamba 91 9 3 S 23 38 E
Ulan Bator = Ulaanbaatar 75 47 54N 106 52 E
Ulan Ude 59 51 45N 107 40 E
Ulanga □ 91 8 40 S 36 50 E
Ulanów 28 50 30N 22 16 E
Ulaya, Morogoro, Tanz. 90 7 3 S 36 55 E
Ulaya, Tabora, Tanz. 90 4 25 S 33 30 E
Ulcinj 42 41 58N 19 10 E
Ulco 92 28 21 S 24 15 E
Ulefoss 47 59 17N 9 16 E
Ulëza 44 41 46N 19 57 E
Ulfborg 49 56 16N 8 20 E
Ulhasnagar 70 19 15N 73 10 E
Uljma 42 45 2N 21 10 E
Ulla → 30 42 39N [illegible] 44W
Ulladulla 99 35 21 S 150 29 E
Ullånger 48 62 58N 18 10 E
Ullapool 14 57 54N 5 10W
Ullared 49 57 8N 12 42 E
Ulldecona 32 40 36N 0 20 E
Ullswater 12 54 35N 2 52W
Ullung-do 76 37 30N 130 30 E
Ulm 25 48 23N 10 0 E
Ulmarra 99 29 37 S 153 4 E
Ulmeni 46 45 4N 26 40 E
Ulricehamn 49 57 46N 13 26 E
Ulsberg 47 62 45N 9 59 E
Ulsteinvik 47 62 21N 5 53 E
Ulster □ 15 54 35N 6 30W
Ulstrem 43 42 1N 26 27 E
Ulubaria 69 22 31N 88 4 E
Uluguru Mts. 90 7 15 S 37 40 E
Ulungur He 75 47 1N 87 24 E
Ulutau 58 48 39N 67 1 E
Ulverston 12 54 13N 3 7W
Ulverstone 97 41 11 S 146 11 E
Ulvik 47 60 35N 6 54 E
Ulya 59 59 10N 142 0 E
Ulyanovsk 55 54 20N 48 25 E
Ulyasutay (Javhlant) 75 47 56N 97 28 E
Ulysses 117 37 39N 101 25W
Umag 39 45 26N 13 31 E
Umala 126 17 25 S 68 5W
Uman 56 48 40N 30 12 E
Umarkhed 70 19 37N 77 46 E
Umatilla 118 45 58N 119 17W
Umba 52 66 50N 34 20 E
Umbertide 39 43 18N 12 20 E
Umboi I. 98 5 40 S 148 0 E
Umbrella Mts. 101 45 35 S 169 5 E
Umbria □ 39 42 53N 12 30 E
Ume älv → 50 63 45N 20 20 E
Umeå 50 63 45N 20 20 E
Umera 73 0 12 S 129 37 E
Umfuli → 91 17 30 S 29 23 E
Umgusa 91 19 29 S 27 52 E
Umka 42 44 40N 20 19 E
Umkomaas 93 30 13 S 30 48 E
Umm al Arānib 83 26 10N 14 43 E
Umm al Qaywayn 65 25 30N 55 35 E
Umm Arda 87 15 17N 32 31 E
Umm az Zamul 65 22 42N 55 18 E
Umm Bel 87 13 35N 28 0 E
Umm Dubban 87 15 23N 32 52 E
Umm el Fahm 62 32 31N 35 9 E
Umm Koweika 87 13 10N 32 16 E
Umm Lajj 64 25 0N 37 23 E
Umm Merwa 86 18 4N 32 30 E
Umm Qays 62 32 40N 35 41 E
Umm Rumah 86 25 50N 36 30 E
Umm Ruwaba 87 12 50N 31 20 E
Umm Sidr 87 14 29N 25 10 E
Ummanz 24 54 29N 13 9 E
Umnak 104 53 20N 168 20W
Umniati → 91 16 49 S 28 45 E
Umpang 71 16 3N 98 54 E
Umpqua → 118 43 42N 124 3W
Umrer 68 20 51N 79 18 E
Umreth 68 22 41N 73 4 E
Umshandige Dam 91 20 10 S 30 40 E
* Umtali 91 18 58 S 32 38 E
Umtata 93 31 36 S 28 49 E
Umuahia 85 5 33N 7 29 E
Umvukwe Ra. 91 16 45 S 30 45 E
Umvukwes 91 17 0 S 30 57 E
Umvuma 91 19 16 S 30 30 E
Umzimvubu 93 31 38 S 29 33 E
Umzingwane → 91 22 12 S 29 56 E
Umzinto 93 30 15 S 30 45 E
Una 68 20 46N 71 8 E
Una → 39 45 16N 16 55 E
Unac → 39 44 30N 16 9 E
Unadilla 113 42 20N 75 17W
Unalaska 104 53 40N 166 40W
Uncastillo 32 42 21N 1 8W
Uncía 126 18 25 S 66 40W
Uncompahgre Pk. 119 38 5N 107 32W
Unden 49 58 45N 14 25 E
Underbool 99 35 10 S 141 51 E
Undersaker 48 63 19N 13 21 E
Undersvik 48 61 36N 16 20 E
Undredal 47 60 57N 7 6 E
Unecha 54 52 50N 32 37 E
Ungarie 99 33 38 S 146 56 E
Ungava B. 105 59 30N 67 30W
Ungeny 56 47 11N 27 51 E
Unggi 76 42 16N 130 28 E
Ungwatiri 87 16 52N 36 10 E
Uni 55 56 44N 51 47 E
União da Vitória 125 26 13 S 51 5W
Uniejów 28 51 59N 18 46 E
Unije 39 44 40N 14 15 E
Unimak 104 55 0N 164 0W
Unimak Pass. 104 53 30N 165 15W
Union, Miss, U.S.A. 117 32 34N 89 14W
Union, Mo., U.S.A. 116 38 25N 91 0W
Union, S.C., U.S.A. 115 34 43N 81 39W
Union City, N.J., U.S.A. 113 40 47N 74 5W
Union City, Ohio, U.S.A. 114 40 11N 84 49W
Union City, Pa., U.S.A. 114 41 53N 79 50W
Union City, Tenn., U.S.A. 117 36 25N 89 0W
Union Gap 118 46 38N 120 29W
Unión, La, Chile 128 40 10 S 73 0W
Unión, La, El Sal. 120 13 20N 87 50W
Unión, La, Spain 33 37 38N 0 53W
Union, Mt. 119 34 34N 112 21W
Union of Soviet Socialist Republics ■ 59 60 0N 100 0 E
Union Springs 115 32 9N 85 44W
Uniondale 92 33 39 S 23 7 E
Uniontown 114 39 54N 79 45W
Unionville 116 40 29N 93 1W
Unirea 46 44 15N 27 35 E
United Arab Emirates ■ 65 23 50N 54 0 E
United Kingdom ■ 11 55 0N 3 0W
United States of America ■ 111 37 0N 96 0W
United States Trust Terr. of the Pacific Is. 94 10 0N 160 0 E
Unity 109 52 30N 109 5W
Universales, Mtes. 32 40 18N 1 33W
Unjha 68 23 46N 72 24 E
Unnao 69 26 35N 80 30 E
Uno, Ilha 84 11 15N 16 13W
Unst 14 60 50N 0 55W
Unstrut → 24 51 10N 11 48 E
Unuk → 108 56 5N 131 3W
Ünye 56 41 5N 37 15 E
Unzha 55 58 0N 44 0 E
Unzha → 55 57 30N 43 40 E
Upa → 27 50 35N 16 15 E
Upata 126 8 1N 62 24W
Upemba, L. 91 8 30 S 26 20 E
Upernavik 4 72 49N 56 20W
Upington 92 28 25 S 21 15 E
Upleta 68 21 46N 70 16 E
Upolu 101 13 58 S 172 0W
Upper Alkali Lake 118 41 47N 120 8W
Upper Arrow L. 108 50 30N 117 50W
Upper Austria = Oberösterreich 26 48 10N 14 0 E
Upper Foster L. 109 56 47N 105 20W
Upper Hutt 101 41 8 S 175 5 E
Upper Klamath L. 118 42 16N 121 55W
Upper L. Erne 15 54 14N 7 22W
Upper Lake 118 39 10N 122 55W
Upper Musquodoboit 107 45 10N 62 58W
Upper Red L. 116 48 0N 95 0W
Upper Sandusky 114 40 50N 83 17W
Upper Taimyr → 59 74 15N 99 48 E
Upper Volta ■ 84 12 0N 1 0W
Upphärad 49 58 9N 12 19 E
Uppsala 48 59 53N 17 38 E
Uppsala län □ 48 60 0N 17 30 E
Upstart, C. 98 19 41 S 147 45 E
Upton 116 44 8N 104 35W
Ur 64 30 55N 46 25 E
Uracara 126 2 20 S 57 50W
Urach 25 48 29N 9 25 E
Urad Qianqi 76 40 40N 108 30 E
Ural → 58 47 0N 51 48 E
Ural, Mt. 99 33 21 S 146 12 E
Ural Mts. = Uralskie Gory 52 60 0N 59 0 E
Uralla 99 30 37 S 151 29 E
Uralsk 52 51 20N 51 20 E
Uralskie Gory 52 60 0N 59 0 E
Urambo 90 5 4 S 32 0 E
Urambo □ 90 5 0 S 32 0 E
Urana 100 35 15 S 146 21 E
Urandangie 97 21 32 S 138 14 E
Uranium City 109 59 34N 108 37W
Uravakonda 70 14 57N 77 12 E
Urawa 74 35 50N 139 40 E
Uray 58 60 5N 65 15 E
Urbana, Ill., U.S.A. 114 40 7N 88 12W
Urbana, Ohio, U.S.A. 114 40 9N 83 44W
Urbana, La 126 7 8N 66 56W
Urbánia 39 43 40N 12 31 E
Urbel → 32 42 21N 3 40W
Urbino 39 43 43N 12 38 E
Urbión, Picos de 32 42 1N 2 52W
Urcos 126 13 40 S 71 38W
Urda, Spain 31 39 25N 3 43W
Urda, U.S.S.R. 57 48 52N 47 23 E
Urdinarrain 124 32 37 S 58 52W
Urdos 20 42 51N 0 35W
Urdzhar 58 47 5N 81 38 E
Ure → 12 54 20N 1 25W
Uren 55 57 35N 45 55 E
Urengoy 58 65 58N 28 25 E
Ures 120 29 30N 110 30W
Urfa 64 37 12N 38 50 E
Urfahr 26 48 19N 14 17 E
Urgench 58 41 40N 60 41 E
Uri □ 25 46 43N 8 35 E
Uribia 126 11 43N 72 16W
Urim 62 31 18N 34 32 E
Uriondo 124 21 41 S 64 41W
Urique → 120 26 29N 107 58W
Urk 16 52 39N 5 36 E
Urla 64 38 20N 26 47 E
Urlati 46 44 59N 26 15 E
Urmia = Rezā'īyeh 64 37 40N 45 0 E
Urmia, L. = Rezā'īyeh, Daryācheh-ye 64 37 30N 45 30 E
Uroševac 42 42 23N 21 10 E
Urshult 49 56 31N 14 50 E
Ursus 28 52 12N 20 53 E
Uruana 127 15 30 S 49 41W
Uruapan 120 19 30N 102 0W
Urubamba 126 13 20 S 72 10W
Urubamba → 126 10 43 S 73 48W
Uruçui 127 7 20 S 44 28W
Uruguai → 125 26 0 S 53 30W
Uruguaiana 124 29 50 S 57 0W
Uruguay ■ 124 32 30 S 56 30W
Uruguay → 124 34 12 S 58 18W
Urumchi = Ürümqi 75 43 45N 87 45 E
Ürümqi 75 43 45N 87 45 E
Urup → 57 46 0N 41 10 E
Urup, Os. 59 46 0N 151 0 E
Uryung-Khaya 59 72 48N 113 23 E
Uryupinsk 55 50 45N 41 58 E
Urzhum 55 57 10N 49 56 E
Urziceni 46 44 40N 26 42 E
Usa → 52 65 67N 56 55 E
Uşak 64 38 43N 29 28 E
Usakos 92 22 0 S 15 31 E
Ušće 42 43 30N 20 39 E
Usedom 24 53 50N 13 55 E
Usfan 86 21 58N 39 27 E
Ush-Tobe 58 45 16N 78 0 E
Ushakova, O. 4 82 0N 80 0 E
Ushant = Ouessant, Île d' 18 48 25N 5 5W
Ushashi 90 1 59 S 33 57 E
Ushat 87 7 59N 29 28 E
Ushuaia 128 54 50 S 68 23W
Ushumun 59 52 47N 126 32 E
Usk → 13 51 37N 2 56W
Uskedal 47 59 56N 5 53 E
Üsküdar 64 41 0N 29 5 E
Uslar 24 51 39N 9 39 E
Usman 55 52 5N 39 48 E
Usoke 90 5 7 S 32 19 E
Usolye Sibirskoye 59 52 48N 103 40 E
Usoro 85 5 33N 6 11 E
Uspallata, P. de 124 32 37 S 69 22W
Uspenskiy 58 48 41N 72 43 E
Ussel 20 45 32N 2 18 E
Ussuriysk 59 43 48N 131 59 E
Ust-Aldan = Batamay 59 63 30N 129 15 E
Ust Amginskoye = Khandyga 59 62 42N 135 0 E
Ust-Bolsheretsk 59 52 50N 156 15 E
Ust Buzulukskaya 55 50 8N 42 11 E
Ust chaun 59 68 47N 170 30 E
Ust-Donetskiy 57 47 35N 40 55 E
Ust'-Ilga 59 55 5N 104 55 E
Ust Ilimpeya = Yukti 59 63 20N 105 0 E
Ust-Ilimsk 59 58 3N 102 39 E
Ust Ishim 58 57 45N 71 10 E
Ust-Kamchatsk 59 56 10N 162 28 E
Ust-Kamenogorsk 58 50 0N 82 36 E
Ust-Karenga 59 54 25N 116 30 E
Ust Khayryuzova 59 57 15N 156 45 E
Ust-Kut 59 56 50N 105 42 E
Ust Kuyga 59 70 1N 135 43 E
Ust-Labinsk 57 45 15N 39 41 E
Ust Luga 54 59 35N 28 20 E
Ust Maya 59 60 30N 134 28 E
Ust-Mil 59 59 40N 133 11 E
Ust-Nera 59 64 35N 143 15 E
Ust-Nyukzha 59 56 34N 121 37 E
Ust Olenek 59 73 0N 119 48 E
Ust-Omchug 59 61 9N 149 38 E
Ust Port 58 69 40N 84 26 E
Ust Tsilma 52 65 25N 52 0 E
Ust-Tungir 59 55 25N 120 36 E
Ust Urt = Ustyurt, Plato 58 44 0N 55 0 E
Ust Usa 52 66 0N 56 30 E
Ust Vorkuta 58 67 24N 64 0 E
Ustaoset 47 60 30N 8 2 E
Ustaritz 20 43 24N 1 27W
Uste 55 59 35N 39 40 E
Ústí nad Labem 26 50 41N 14 3 E
Ústí nad Orlicí 27 49 58N 16 24 E
Ustica 40 38 42N 13 10 E
Ustka 28 54 35N 16 55 E
Ustroń 27 49 43N 18 48 E
Ustrzyki Dolne 27 49 27N 22 40 E
Ustye 59 57 46N 94 37 E
Ustyurt, Plato 58 44 0N 55 0 E
Ustyuzhna 55 58 50N 36 32 E
Usu 75 44 27N 84 40 E
Usuki 74 33 8N 131 49 E
Usulután 120 13 25N 88 28W
Usumacinta → 120 17 0N 91 0W
Usure 90 4 40 S 34 22 E
Uta 73 4 33 S 136 0 E
Utah □ 118 39 30N 111 30W
Utah, L. 118 40 10N 111 58W
Ute Cr. 117 35 21N 103 45W
Utena 54 55 27N 25 40 E
Ütersen 24 53 40N 9 40 E
Utete 90 8 0 S 38 45 E
Uthai Thani 71 15 22N 100 3 E
Utiariti 126 13 0 S 58 10W
Utica, N.Y., U.S.A. 114 43 5N 75 18W
Utica, Ohio, U.S.A. 112 40 13N 82 26W
Utiel 32 39 37N 1 11W
Utik L. 109 55 15N 96 0W
Utikuma L. 108 55 50N 115 30W
Utrecht, Neth. 16 52 5N 5 8 E
Utrecht, S. Afr. 93 27 38 S 30 20 E
Utrecht □ 16 52 6N 5 7 E
Utrera 31 37 12N 5 48W
Utsjoki 50 69 51N 26 59 E
Utsunomiya 74 36 30N 139 50 E
Uttar Pradesh □ 69 27 0N 80 0 E
Uttaradit 71 17 36N 100 5 E
Uttoxeter 12 52 53N 1 50W
Ütze 24 52 28N 10 11 E
Uusikaarlepyy 50 63 32N 22 31 E
Uusikaupunki 51 60 47N 21 25 E
Uva 52 56 59N 52 13 E
Uvac → 42 43 35N 19 40 E
Uvalde 117 29 15N 99 48W
Uvarovo 55 51 59N 42 14 E
Uvat 58 59 5N 68 49 E
Uvinza 90 5 5 S 30 24 E
Uvira 90 3 22 S 29 3 E

* Renamed Mutare

Uvs Nuur Verdigre

Uvs Nuur 75 50 20N 92 30 E
Uwajima 74 33 10N 132 35 E
Uweinat, Jebel 86 21 54N 24 58 E
Uxbridge 112 44 6N 79 7W
Uxin Qi 76 38 50N 109 5 E
Uxmal 120 20 22N 89 46W
Uyandi 59 69 19N 141 0 E
Uyo 85 5 1N 7 53 E
Uyuni 126 20 28 S 66 47W
Uzbek S.S.R. □ 58 41 30N 65 0 E
Uzen 53 43 27N 53 10 E
Uzen, Bol. → 55 50 0N 49 30 E
Uzen, Mal. → 55 50 0N 48 30 E
Uzerche 20 45 25N 1 34 E
Uzès 21 44 1N 4 26 E
Uzh → 54 51 15N 30 12 E
Uzhgorod 54 48 36N 22 18 E
Uzlovaya 55 54 0N 38 5 E
Uzunköprü 43 41 16N 26 43 E

V

Vaal → 92 29 4 S 23 38 E
Vaaldam 93 27 0 S 28 14 E
Vaalwater 93 24 15 S 28 8 E
Vaasa 50 63 6N 21 38 E
Vaasan lääni □ 50 63 2N 22 50 E
Vabre 20 43 42N 2 24 E
Vác 27 47 49N 19 10 E
Vacaria 125 28 31 S 50 52W
Vacaville 118 38 21N 122 0W
Vaccarès, Étang de 21 43 32N 4 34 E
Vach → 58 60 45N 76 45 E
Vache, Î.-à- 121 18 2N 73 35W
Väddö 48 59 55N 18 50 E
Vadnagar 68 23 47N 72 40 E
Vado Ligure 38 44 16N 8 26 E
Vadodara 68 22 20N 73 10 E
Vadsø 50 70 3N 29 50 E
Vadstena 49 58 28N 14 54 E
Vaduz 25 47 8N 9 31 E
Værøy 50 67 40N 12 40 E
Vagney 19 48 1N 6 43 E
Vagnhärad 48 58 57N 17 33 E
Vagos 30 40 33N 8 42W
Váh → 27 47 55N 18 0 E
Vahsel B. 5 75 0 S 35 0W
Vaigach 58 70 10N 59 0 E
Vaigai → 70 9 15N 79 10 E
Vaiges 18 48 2N 0 30W
Vaihingen 25 48 55N 8 58 E
Vaijapur 70 19 58N 74 45 E
Vaikam 70 9 45N 76 25 E
Vailly Aisne 19 49 25N 3 30 E
Vaippar → 70 9 0N 78 25 E
Vaison 21 44 14N 5 4 E
Vajpur 68 21 24N 73 17 E
Vakarel 43 42 35N 23 40 E
Vaksdal 47 60 29N 5 45 E
Vál 27 47 22N 18 40 E
Val-d'Ajol, Le 19 47 55N 6 30 E
Val-de-Marne □ 19 48 45N 2 28 E
Val-d'Oise □ 19 49 5N 2 10 E
Val d'Or 106 48 7N 77 47W
Val Marie 109 49 15N 107 45W
Valadares 30 41 5N 8 38W
Valahia 46 44 35N 25 0 E
Valais □ 25 46 12N 7 45 E
Valandovo 42 41 19N 22 34 E
Valašské Meziříčí 27 49 29N 17 59 E
Valáxa 45 38 50N 24 29 E
Vălcani 42 46 0N 20 26 E
Valcheta 128 40 40 S 66 8W
Valdagno 39 45 38N 11 18 E
Valdahon, Le 19 47 8N 6 20 E
Valday 54 57 58N 33 9 E
Valdayskaya Vozvyshennost 54 57 0N 33 30 E
Valdeazogues → 31 38 45N 4 55W
Valdemarsvik 49 58 14N 16 40 E
Valdepeñas, Ciudad Real, Spain 31 38 43N 3 25W
Valdepeñas, Jaén, Spain 31 37 33N 3 47W
Valderaduey → 30 41 31N 5 42W
Valderrobres 32 40 53N 0 9 E
Valdés, Pen. 128 42 30 S 63 45W
Valdez 104 61 14N 76 17W
Valdivia 128 39 50 S 73 14W
Valdobbiádene 39 45 53N 12 0 E
Valdosta 115 30 50N 83 20W
Valdoviño 30 43 36N 8 8W
Valdres 47 60 55N 9 28 E
Vale, U.S.A. 118 44 0N 117 15W
Vale, U.S.S.R. 57 41 30N 42 58 E
Valea lui Mihai 46 47 32N 22 11 E
Valença, Brazil 127 13 20 S 39 5W
Valença, Port. 30 42 1N 8 34W
Valença do Piauí 127 6 20 S 41 45W
Valençay 19 47 9N 1 34 E
Valence 21 44 57N 4 54 E
Valence-d'Agen 20 44 8N 0 54 E
Valencia, Spain 33 39 27N 0 23W
Valencia, Venez. 126 10 11N 68 0W
Valencia □ 33 39 20N 0 40W
Valencia, Albufera de 33 39 20N 0 27W
Valencia de Alcántara 31 39 25N 7 14W
Valencia de Don Juan 30 42 17N 5 31W
Valencia del Ventoso 31 38 15N 6 29W
Valencia, G. de 33 39 30N 0 20 E
Valenciennes 19 50 20N 3 34 E
Văleni 46 44 15N 24 45 E
Valensole 21 43 50N 5 59 E
Valentia Hr. 15 51 56N 10 17W
Valentia I. 15 51 54N 10 22W
Valentim, Sa. do 127 6 0 S 43 30W
Valentine, Nebr., U.S.A. 116 42 50N 100 35W
Valentine, Tex., U.S.A. 117 30 36N 104 28W
Valenza 38 45 2N 8 39 E
Våler 47 60 41N 11 50 E
Valera 126 9 19N 70 37W
Valga 54 57 44N 26 0 E
Valguarnera Caropepe 41 37 30N 14 22 E
Valier 118 48 25N 112 9W
Valinco, G. de 21 41 40N 8 52 E
Valjevo 42 44 18N 19 53 E
Valkenswaard 16 51 21N 5 29 E
Vall de Uxó 32 39 49N 0 15W
Valla 48 59 2N 16 20 E
Valladolid, Mexico 120 20 40N 88 11W
Valladolid, Spain 30 41 38N 4 43W
Valladolid □ 30 41 38N 4 43W
Vallata 41 41 3N 15 16 E
Valldemosa 32 39 43N 2 37 E
Valle 47 59 13N 7 33 E
Valle d'Aosta □ 38 45 45N 7 22 E
Valle de Arán 32 42 50N 0 55 E
Valle de Cabuérniga 30 43 14N 4 18W
Valle de la Pascua 126 9 13N 66 0W
Valle de Santiago 120 20 25N 101 15W
Valle Fértil, Sierra del 124 30 20 S 68 0W
Valle Hermoso 120 25 35N 97 40W
Vallecas 30 40 23N 3 41W
Vallejo 118 38 12N 122 15W
Vallenar 124 28 30 S 70 50W
Valleraugue 20 44 6N 3 39 E
Vallet 18 47 10N 1 15W
Valletta 36 35 54N 14 30 E
Valley City 116 46 57N 98 0W
Valley Falls 118 42 33N 120 16W
Valleyview 108 55 5N 117 17W
Valli di Comácchio 39 44 40N 12 15 E
Vallimanca, Arroyo 124 35 40 S 59 10W
Vallo della Lucánia 41 40 14N 15 16 E
Vallon 21 44 25N 4 23 E
Vallorbe 25 46 42N 6 20 E
Valls 32 41 18N 1 15 E
Vallsta 48 61 31N 16 22 E
Valmaseda 32 43 11N 3 12W
Valmiera 54 57 37N 25 29 E
Valmont 18 49 45N 0 30 E
Valmontone 40 41 48N 12 55 E
Valmy 19 49 5N 4 45 E
Valnera, Mte. 32 43 9N 3 40W
Valognes 18 49 30N 1 28W
Valona = Vlóra 44 40 32N 19 28 E
Valongo 30 41 8N 8 30W
Valpaços 30 41 36N 7 17W
Valparaíso, Chile 124 33 2 S 71 40W
Valparaíso, Mexico 120 22 50N 103 32W
Valparaiso 114 41 27N 87 2W
Valparaíso □ 124 33 2 S 71 40W
Valpovo 42 45 39N 18 25 E
Valréas 21 44 24N 5 0 E
Vals 25 46 39N 9 11 E
Vals → 92 27 23 S 26 30 E
Vals-les-Bains 21 44 42N 4 24 E
Vals, Tanjung 73 8 26 S 137 25 E
Valsbaai 92 34 15 S 18 40 E
Valskog 48 59 27N 15 57 E
Válta 44 40 3N 23 25 E
Valtellina 38 46 9N 9 55 E
Valuyki 55 50 10N 38 5 E
Valverde del Camino 31 37 35N 6 47W
Valverde del Fresno 30 40 15N 6 51W
Vama 46 47 34N 25 42 E
Vámos 45 35 24N 24 13 E
Vamsadhara → 70 18 21N 84 8 E
Van 64 38 30N 43 20 E
Van Alstyne 117 33 25N 96 36W
Van Bruyssel 107 47 56N 72 9W
Van Buren, Can. 107 47 10N 67 55W
Van Buren, Ark., U.S.A. 117 35 28N 94 18W
Van Buren, Me., U.S.A. 115 47 10N 68 1W
Van Buren, Mo., U.S.A. 117 37 0N 91 0W
Van der Kloof Dam 92 30 04 S 24 40 E
Van Diemen, C. 97 16 30 S 139 46 E
Van Diemen G. 96 11 45 S 132 0 E
Van Gölü 64 38 30N 43 0 E
Van Horn 117 31 3N 104 55W
Van Reenen P. 93 28 22 S 29 27 E
Van Rees, Pegunungan 73 2 35 S 138 15 E
Van Tassell 116 42 40N 104 3W
Van Tivu 70 8 51N 78 15 E
Van Wert 114 40 52N 84 31W
Vanavara 59 60 22N 102 16 E
Vancouver, Can. 108 49 15N 123 10W
Vancouver, U.S.A. 118 45 44N 122 41W
Vancouver I. 108 49 50N 126 0W
Vandalia, Ill., U.S.A. 116 38 57N 89 4W
Vandalia, Mo., U.S.A. 116 39 18N 91 30W
Vandeloos Bay 70 8 0N 81 45 E
Vanderbijlpark 93 26 42 S 27 54 E
Vandergrift 114 40 36N 79 33W
Vanderhoof 108 54 0N 124 0W
Vanderlin I. 97 15 44 S 137 2 E
Vandyke 98 24 10 S 147 51 E
Vänern 49 58 47N 13 30 E
Vänersborg 49 58 26N 12 19 E
Vang Vieng 71 18 58N 102 32 E
Vanga 90 4 35 S 39 12 E
Vangaindrano 93 23 21 S 47 36 E
Vanguard 109 49 55N 107 20W
Vanier 106 45 27N 75 40W
Vanimo 98 2 42 S 141 21 E
Vanivilasa Sagara 70 13 45N 76 30 E
Vaniyambadi 70 12 46N 78 44 E
Vankarem 59 67 51N 175 50 E
Vankleek Hill 106 45 32N 74 40W
Vanna 50 70 6N 19 50 E
Vännäs 50 63 58N 19 48 E
Vannes 18 47 40N 2 47W
Vanoise, Massif de la 21 45 25N 6 40 E
Vanrhynsdorp 92 31 36 S 18 44 E
Vanrook 98 16 57 S 141 57 E
Vans, Les 21 44 25N 4 7 E
Vansbro 48 60 32N 14 15 E
Vanse 47 58 6N 6 41 E
Vansittart B. 96 14 3 S 126 17 E
Vanthli 68 21 28N 70 25 E
Vanua Levu 101 16 33 S 179 15 E
Vanua Mbalavu 101 17 40 S 178 57W
Vanwyksvlei 92 30 18 S 21 49 E
Vanylven 47 62 5N 5 33 E
Vapnyarka 56 48 32N 28 45 E
Var □ 21 43 27N 6 18 E
Var → 21 43 39N 7 12 E
Vara 49 58 16N 12 55 E
Varada → 70 15 0N 75 40 E
Varades 18 47 25N 1 1W
Varaita → 38 44 49N 7 36 E
Varaldsøy 47 60 6N 5 59 E
Varallo 38 45 50N 8 13 E
Varanasi (Benares) 69 25 22N 83 0 E
Varangerfjorden 50 70 3N 29 25 E
Varaždin 39 46 20N 16 20 E
Varazze 38 44 21N 8 36 E
Varberg 49 57 6N 12 20 E
Vardar → 42 40 35N 22 50 E
Varde 49 55 38N 8 29 E
Varde Å 49 55 35N 8 19 E
Varel 24 53 23N 8 9 E
Varena 54 54 12N 24 30 E
Varennes-sur-Allier 20 46 19N 3 24 E
Vareš 42 44 12N 18 23 E
Varese 38 45 49N 8 50 E
Varese Lígure 38 44 22N 9 33 E
Vårgårda 49 58 2N 12 49 E
Varginha 125 21 33 S 45 25W
Vargön 49 58 22N 12 20 E
Varhaug 47 58 37N 5 41 E
Variadero 117 35 43N 104 17W
Varillas 124 24 0 S 70 10W
Väring 49 58 30N 14 0 E
Värmeln 48 59 35N 12 54 E
Värmlands län □ 48 60 0N 13 20 E
Varna 43 43 13N 27 56 E
Varna → 70 16 48N 74 32 E
Värnamo 49 57 10N 14 3 E
Varnsdorf 26 50 55N 14 35 E
Värö 49 57 16N 12 11 E
Vars 113 45 21N 75 21W
Varteig 47 59 23N 11 12 E
Varvarin 42 43 43N 21 20 E
Varzaneh 65 32 25N 52 40 E
Varzi 38 44 50N 9 12 E
Varzo 38 46 12N 8 15 E
Varzy 19 47 22N 3 20 E
Vas □ 27 47 10N 16 55 E
Vasa 50 63 6N 21 38 E
Vasa Barris → 127 11 10 S 37 10W
Vásárosnamény 27 48 9N 22 19 E
Vascão → 31 37 31N 7 31W
Vaşcău 46 46 28N 22 30 E
Vascongadas 32 42 50N 2 45W
Väse 48 59 23N 13 52 E
Vasht = Khāsh 65 28 14N 61 14 E
Vasilevichi 54 52 15N 29 50 E
Vasilikón 45 38 25N 23 40 E
Vasilkov 54 50 7N 30 15 E
Vaslui 46 46 38N 27 42 E
Vaslui □ 46 46 30N 27 45 E
Väsman 48 60 9N 15 5 E
Vassar, Can. 109 49 10N 95 55W
Vassar, U.S.A. 114 43 23N 83 33W
Västerås 49 59 37N 16 38 E
Västerbottens län □ 50 64 58N 18 0 E
Västernorrlands län □ 48 63 30N 17 30 E
Västervik 49 57 43N 16 43 E
Västmanlands län □ 48 59 45N 16 20 E
Vasto 39 42 8N 14 40 E
Vasvár 27 47 3N 16 47 E
Vatan 19 47 4N 1 50 E
Vathí, Itháki, Greece 45 38 18N 20 40 E
Vathí, Sámos, Greece 45 37 46N 27 1 E
Váthia 45 36 29N 22 29 E
Vatican City ■ 39 41 54N 12 27 E
Vaticano, C. 40 38 40N 15 48 E
Vatin 42 45 12N 21 20 E
Vatnajökull 50 64 30N 16 48W
Vatnås 47 59 58N 9 37 E
Vatne 47 62 33N 6 38 E
Vatneyri 50 65 35N 24 0W
Vatoa 101 19 50 S 178 13W
Vatoloha, Mt. 93 17 52 S 47 48 E
Vatomandry 93 19 20 S 48 59 E
Vatra-Dornei 46 47 22N 25 22 E
Vättern 49 58 25N 14 30 E
Vaucluse □ 21 44 3N 5 10 E
Vaucouleurs 19 48 37N 5 40 E
Vaud □ 25 46 35N 6 30 E
Vaughan 119 34 37N 105 12W
Vaughn 118 47 37N 111 36W
Vaupés → 126 0 2N 67 16W
Vauvert 21 43 42N 4 17 E
Vauxhall 108 50 5N 112 9W
Vava'u 101 18 36 S 174 0W
Vavincourt 19 48 49N 5 12 E
Vavoua 84 7 23N 6 29W
Vaxholm 48 59 25N 18 20 E
Växjö 49 56 52N 14 50 E
Vaygach, Ostrov 58 70 0N 60 0 E
Vazovgrad 43 42 39N 24 45 E
Vechta 24 52 47N 8 18 E
Vechte → 16 52 34N 6 6 E
Vecilla, La 30 42 51N 5 27W
Vecsés 27 47 26N 19 19 E
Vedaraniam 70 10 25N 79 50 E
Veddige 49 57 17N 12 20 E
Vedea → 46 44 0N 25 20 E
Vedia 124 34 30 S 61 31W
Vedra, I. del 33 38 52N 1 12 E
Veendam 16 53 5N 6 52 E
Veenendaal 16 52 2N 5 34 E
Vefsna → 50 65 48N 13 10 E
Vega, Norway 50 65 40N 11 55 E
Vega, U.S.A. 117 35 18N 102 26W
Vega, La 121 19 20N 70 30W
Vegadeo 30 43 27N 7 4W
Vegafjorden 50 65 37N 12 0 E
Vegesack 24 53 10N 8 38 E
Veggli 47 60 3N 9 9 E
Veghel 16 51 37N 5 32 E
Vegorritis, Límni 44 40 45N 21 45 E
Vegreville 108 53 30N 112 5W
Vegusdal 47 58 32N 8 10 E
Veii 39 42 0N 12 24 E
Vejen 49 55 30N 9 9 E
Vejer de la Frontera 31 36 15N 5 59W
Vejle 49 55 43N 9 30 E
Vejle Fjord 49 55 40N 9 50 E
Vela Luka 39 42 59N 16 44 E
Velanai I. 70 9 45N 79 45 E
Velarde 119 36 11N 106 1W
Velasco 117 29 0N 95 20W
Velasco, Sierra de. 124 29 20 S 67 10W
Velay, Mts. du 20 45 0N 3 40 E
Velddrif 92 32 42 S 18 11 E
Velebit Planina 39 44 50N 15 20 E
Velebitski Kanal 39 44 45N 14 55 E
Veleka → 43 42 4N 27 58 E
Velenje 39 46 23N 15 8 E
Velestínon 44 39 23N 22 43 E
Veleta, La 31 37 1N 3 22W
Vélez 126 6 1N 73 41W
Velež 42 43 19N 18 2 E
Vélez Blanco 33 37 41N 2 5W
Vélez Málaga 31 36 48N 4 5W
Vélez Rubio 33 37 41N 2 5W
Velhas → 127 17 13 S 44 49W
Velika 42 45 27N 17 40 E
Velika Gorica 39 45 44N 16 5 E
Velika Gradište 42 44 46N 21 29 E
Velika Kapela 39 45 10N 15 5 E
Velika Kladuša 39 45 11N 15 48 E
Velika Morava → 42 44 43N 21 3 E
Velika Plana 42 44 20N 21 1 E
Velikaya → 54 57 48N 28 20 E
Velikaya Lepetikha 56 47 2N 33 58 E
Veliké Kapušany 27 48 34N 22 5 E
Velike Lašče 39 45 49N 14 45 E
Veliki Backa Kanal 42 45 45N 19 15 E
Veliki Jastrebac 42 43 25N 21 30 E
Veliki Popović 42 44 8N 21 18 E
Veliki Ustyug 52 60 47N 46 20 E
Velikiye Luki 54 56 25N 30 32 E
Velikonda Range 70 14 45N 79 10 E
Velikoye, Oz. 55 55 15N 40 10 E
Velingrad 43 42 4N 23 58 E
Velino, Mte. 39 42 10N 13 20 E
Velizh 54 55 36N 31 11 E
Velké Karlovice 27 49 20N 18 17 E
Velke Meziřici 26 49 21N 16 1 E
Vel'ký ostrov Žitný 27 48 5N 17 20 E
Vellar → 70 11 30N 79 36 E
Velletri 40 41 43N 12 43 E
Vellinge 49 55 29N 13 0 E
Vellore 70 12 57N 79 10 E
Velsen-Noord 16 52 27N 4 40 E
Velsk 52 61 10N 42 5 E
Velten 24 52 40N 13 11 E
Velva 116 48 6N 100 56W
Velvendós 44 40 15N 22 6 E
Vembanad Lake 70 9 36N 76 15 E
Veme 47 60 14N 10 7 E
Ven 49 55 55N 12 45 E
Vena 49 57 31N 16 0 E
Venado 120 22 56N 101 10W
Venado Tuerto 124 33 50 S 62 0W
Venafro 41 41 28N 14 3 E
Venarey-les-Laumes 19 47 32N 4 26 E
Venaria 38 45 6N 7 39 E
Venčane 42 44 24N 20 28 E
Vence 21 43 43N 7 6 E
Vendas Novas 31 38 39N 8 27W
Vendée □ 18 46 50N 1 35W
Vendée → 18 46 20N 1 10W
Vendée, Collines de 18 46 35N 0 45W
Vendeuvre-sur-Barse 19 48 14N 4 28 E
Vendôme 18 47 47N 1 3 E
Vendrell 32 41 10N 1 30 E
Vendsyssel 49 57 22N 10 0 E
Véneta, Laguna 39 45 23N 12 25 E
Véneto □ 39 45 40N 12 0 E
Venev 55 54 22N 38 17 E
Venézia 39 45 27N 12 20 E
Venézia, Golfo di 39 45 20N 13 0 E
Venezuela ■ 126 8 0N 65 0W
Venezuela, Golfo de 126 11 30N 71 0W
Vengurla 70 15 53N 73 45 E
Vengurla Rocks 70 15 55N 73 22 E
Venice = Venézia 39 45 27N 12 20 E
Vénissieux 21 45 43N 4 53 E
Venkatagiri 70 14 0N 79 35 E
Venkatapuram 70 18 20N 80 30 E
Venlo 16 51 22N 6 11 E
Vennesla 47 58 15N 8 0 E
Venraij 16 51 31N 6 0 E
Venta de Cardeña 31 38 16N 4 20W
Venta de San Rafael 30 40 42N 4 12W
Ventana, Punta de la 120 24 4N 109 48W
Ventana, Sa. de la 124 38 0 S 62 30W
Ventersburg 92 28 7 S 27 9 E
Ventimíglia 38 43 50N 7 39 E
Ventnor 13 50 35N 1 12W
Ventotene 40 40 48N 13 25 E
Ventoux 21 44 10N 5 17 E
Ventspils 54 57 25N 21 32 E
Ventuarí → 126 3 58N 67 2W
Ventura 119 34 16N 119 18W
Vera, Argent. 124 29 30 S 60 20W
Vera, Spain 33 37 15N 1 51W
Veracruz 120 19 10N 96 10W
Veracruz □ 120 19 0N 96 15W
Veraval 68 20 53N 70 27 E
Verbánia 38 45 56N 8 43 E
Verbicaro 41 39 46N 15 54 E
Vercelli 38 45 19N 8 25 E
Verchovchevo 56 48 32N 34 10 E
Verdalsøra 50 63 48N 11 30 E
Verde →, Argent. 128 41 56 S 65 5W
Verde →, Chihuahua, Mexico 120 26 29N 107 58W
Verde →, Oaxaca, Mexico 120 15 59N 97 50W
Verde →, Veracruz, Mexico 120 21 10N 102 50W
Verde →, Parag. 124 23 9 S 57 37W
Verde, Cay 121 23 0N 75 5W
Verden 24 52 58N 9 18 E
Verdhikoúsa 44 39 47N 21 59 E
Verdigre 116 42 38N 98 0W

Verdon Visoko

Verdon → 21 43 43N 5 46 E
Verdon-sur-Mer, Le 20 45 33N 1 4W
Verdun 19 49 12N 5 24 E
Verdun-sur-le Doubs 19 46 54N 5 0 E
Vereeniging 93 26 38S 27 57 E
Vérendrye, Parc Prov. de la 106 47 20N 76 40W
Verga, C. 84 10 30N 14 10W
Vergara 32 43 9N 2 28W
Vergato 38 44 18N 11 8 E
Vergemont 98 23 33S 143 1 E
Vergemont Cr. → 98 24 16S 143 16 E
Vergennes 113 44 9N 73 15W
Vergt 20 45 2N 0 43 E
Verín 30 41 57N 7 27W
Veriña 30 43 32N 5 43W
Verkhnedvinsk 54 55 45N 27 58 E
Verkhnevilyuysk 59 63 27N 120 18 E
Verkhneye Kalinino 59 59 54N 108 8 E
Verkhniy Baskunchak 57 48 14N 46 44 E
Verkhovye 55 52 55N 37 15 E
Verkhoyansk 59 67 35N 133 25 E
Verkhoyanskiy Khrebet 59 66 0N 129 0 E
Verlo 109 50 19N 108 35W
Verma 47 62 21N 8 3 E
Vermenton 19 47 40N 3 42 E
Vermilion 109 53 20N 110 50W
Vermilion →, Alta., Can. 109 53 22N 110 51W
Vermilion →, Qué., Can. 106 47 38N 72 56W
Vermilion, B. 117 29 45N 91 55W
Vermilion Bay 109 49 51N 93 34W
Vermilion Chutes 108 58 22N 114 51W
Vermilion L. 116 47 53N 92 25W
Vermillion 116 42 50N 96 56W
Vermont □ 114 43 40N 72 50W
Vernal 118 40 28N 109 35W
Verner 106 46 25N 80 8W
Verneuil-sur-Avre 18 48 45N 0 55 E
Vernon, Can. 108 50 20N 119 15W
Vernon, France 18 49 5N 1 30 E
Vernon, U.S.A. 117 34 10N 99 20W
Vero Beach 115 27 39N 80 23W
Véroia 44 40 34N 22 12 E
Verolanuova 38 45 20N 10 5 E
Véroli 40 41 43N 13 24 E
Verona 38 45 27N 11 0 E
Veropol 59 65 15N 168 40 E
Versailles 19 48 48N 2 8 E
Vert, C. 84 14 45N 17 30W
Vertou 18 47 10N 1 28W
Vertus 19 48 54N 4 0 E
Verulam 93 29 38S 31 2 E
Verviers 16 50 37N 5 52 E
Vervins 19 49 50N 3 53 E
Verwood 109 49 30N 105 40W
Verzej 39 46 34N 16 13 E
Veselí nad Lužnicí 26 49 12N 14 43 E
Veseliye 43 42 18N 27 38 E
Veselovskoye Vdkhr. 57 47 0N 41 0 E
Veshenskaya 57 49 35N 41 44 E
Vesle → 19 49 23N 3 38 E
Vesoul 19 47 40N 6 11 E
Vessigebro 49 56 58N 12 40 E
Vest-Agder fylke □ 47 58 30N 7 15 E
Vestby 47 59 37N 10 45 E
Vestfjorden 50 67 55N 14 0 E
Vestfold fylke □ 47 59 15N 10 0 E
Vestmannaeyjar 50 63 27N 20 15W
Vestmarka 47 59 56N 11 59 E
Vestnes 47 62 39N 7 5 E
Vestone 38 45 43N 10 25 E
Vestsjællands Amtskommune □ 49 55 30N 11 20 E
Vestspitsbergen 4 78 40N 17 0 E
Vestvågøy 50 68 18N 13 50 E
Vesuvio 41 40 50N 14 22 E
Vesuvius, Mt. = Vesuvio 41 40 50N 14 22 E
Vesyegonsk 55 58 40N 37 16 E
Veszprém 27 47 8N 17 57 E
Veszprém □ 27 47 5N 17 55 E
Vésztő 27 46 55N 21 16 E
Vetapalem 70 15 47N 80 18 E
Vetlanda 49 57 24N 15 3 E
Vetluga 55 57 53N 45 45 E
Vetluzhskiy 55 57 17N 45 12 E
Vetovo 43 43 42N 26 16 E
Vetralia 39 42 20N 12 2 E
Vetren 43 42 15N 24 3 E
Vettore, Monte 39 42 49N 13 16 E
Veurne 16 51 5N 2 40 E
Vevey 25 46 28N 6 51 E
Vévi 44 40 47N 21 38 E
Veynes 21 44 32N 5 49 E
Veys 64 31 30N 49 0 E
Vézelise 19 48 30N 6 5 E
Vézère → 20 44 53N 0 53 E
Vezhen 43 42 50N 24 20 E
Viacha 126 16 39S 68 18W
Viadana 38 44 55N 10 30 E
Viana, Brazil 127 3 13S 45 0W
Viana, Spain 32 42 31N 2 22W
Viana del Bollo 30 42 11N 7 6W
Viana do Alentejo 31 38 17N 7 59W
Viana do Castelo 30 41 42N 8 50W
Vianna do Castelo □ 30 41 50N 8 30W
Vianópolis 127 16 40S 48 35W
Viar → 31 37 36N 5 50W
Viaréggio 38 43 52N 10 13 E
Viaur → 20 44 8N 1 58 E
Vibank 109 50 20N 103 56W
Vibo Valéntia 41 38 40N 16 5 E
Viborg 49 56 27N 9 23 E
Vibraye 18 48 3N 0 44 E
Vic-en-Bigorre 20 43 24N 0 3 E
Vic-Fézensac 20 43 47N 0 19 E
Vic-sur-Cère 20 44 59N 2 38 E
Vic-sur-Seille 19 48 45N 6 33 E
Vicenza 39 45 32N 11 31 E
Vich 32 41 58N 2 19 E
Vichuga 55 57 12N 41 55 E
Vichy 20 46 9N 3 26 E
Vicksburg, Mich., U.S.A. 114 42 10N 85 30W
Vicksburg, Miss., U.S.A. 117 32 22N 90 56W
Vico del Gargaro 41 41 54N 15 57 E
Vico, L. di 39 42 20N 12 10 E
Viçosa 127 9 28S 36 14W
Victor, Colo., U.S.A. 116 38 43N 105 7W
Victor, N.Y., U.S.A. 112 42 58N 77 24W
Victor Harbour 97 35 30S 138 37 E
Victoria, Argent. 124 32 40S 60 10W
Victoria, Camer. 88 4 1N 9 10 E
Victoria, Can. 108 48 30N 123 25W
Victoria, Chile 128 38 13S 72 20W
* Victoria, Guin. 84 10 50N 14 32W
Victoria, H. K. 75 22 16N 114 15 E
Victoria, Malay. 72 5 20N 115 14 E
Victoria, Kans., U.S.A. 116 38 52N 99 8W
Victoria, Tex., U.S.A. 117 28 50N 97 0W
Victoria □, Austral. 97 37 0S 144 0 E
Victoria □, Zimb. 91 21 0S 31 30 E
Victoria → 96 15 10S 129 40 E
Victoria Beach 109 50 40N 96 35W
Victoria de las Tunas 121 20 58N 76 59W
Victoria Falls 91 17 58S 25 52 E
Victoria, Grand L. 106 47 31N 77 30W
Victoria Harbour 106 44 45N 79 45W
Victoria I. 104 71 0N 111 0W
Victoria, L. 90 1 0S 33 0 E
Victoria Ld. 5 75 0S 160 0 E
Victoria, Mt. 98 8 55S 147 32 E
Victoria Nile → 90 2 14N 31 26 E
Victoria Res. 107 48 20N 57 27W
Victoria River Downs 96 16 25S 131 0 E
Victoria Taungdeik 67 21 15N 93 55 E
Victoria West 92 31 25S 23 4 E
Victoriaville 107 46 4N 71 56W
Victorica 124 36 20S 65 30W
Victorville 119 34 32N 117 18W
Vicuña 124 30 0S 70 50W
Vicuña Mackenna 124 33 53S 64 25W
Vidalia 115 32 13N 82 25W
Vidauban 21 43 25N 6 27 E
Vidigueira 31 38 12N 7 48W
Vidin 42 43 59N 22 50 E
Vidio, Cabo 30 43 35N 6 14W
Vidisha (Bhilsa) 68 23 28N 77 53 E
Vidöstern 49 57 5N 14 0 E
Vidra 46 45 56N 26 55 E
Viduša 42 42 55N 18 21 E
Vidzy 54 55 23N 26 37 E
Viechtach 25 49 5N 12 53 E
Viedma 128 40 50S 63 0W
Viedma, L. 128 49 30S 72 30W
Vieira 30 41 38N 8 8W
Viella 32 42 43N 0 44 E
Vien Pou Kha 71 20 45N 101 5 E
Vienenburg 24 51 57N 10 35 E
Vienna 117 37 29N 88 54W
Vienna = Wien 27 48 12N 16 22 E
Vienne 21 45 31N 4 53 E
Vienne □ 20 46 30N 0 42 E
Vienne → 18 47 13N 0 5 E
Vientiane 71 17 58N 102 36 E
Vientos, Paso de los 121 20 0N 74 0W
Viersen 24 51 15N 6 23 E
Vierwaldstättersee 25 47 0N 8 30 E
Vierzon 19 47 13N 2 5 E
Vieste 40 41 52N 16 14 E
Vietnam ■ 71 19 0N 106 0 E
Vieux-Boucau-les-Bains 20 43 48N 1 23W
Vif 21 45 5N 5 41 E
Vigan 73 17 35N 120 28 E
Vigan, Le 20 44 0N 3 36 E
Vigévano 38 45 18N 8 50 E
Vigia 127 0 50S 48 5W
Vignacourt 19 50 1N 2 15 E
Vignemale, Pic du 20 42 47N 0 10W
Vigneulles 19 48 59N 5 40 E
Vignola 38 44 29N 11 0 E
Vigo 30 42 12N 8 41W
Vigo, Ría de 30 42 15N 8 45W
Vihiers 18 47 10N 0 30W
Vijayadurg 70 16 30N 73 25 E
Vijayawada (Bezwada) 70 16 31N 80 39 E
Vikedal 47 59 30N 5 55 E
Viken 49 58 39N 14 20 E
Vikersund 47 59 58N 10 2 E
Viking 108 53 7N 111 50W
Vikna 50 64 55N 10 58 E
Vikramasingapuram 70 8 40N 76 47 E
Viksjö 48 62 45N 17 26 E
Vikulovo 58 56 50N 70 40 E
Vila Aiferes Chamusca 93 24 27S 33 0 E
Vila Caldas Xavier 91 14 28S 33 0 E
Vila Coutinho 91 14 37S 34 19 E
Vila da Maganja 91 17 18S 37 30 E
Vila de João Belo = Xai-Xai 93 25 6S 33 31 E
Vila de Junqueiro 91 15 25S 36 58 E
Vila de Manica 91 18 58S 32 59 E
Vila de Rei 31 39 41N 8 9W
Vila do Bispo 31 37 5N 8 53W
Vila do Chibuto 93 24 40S 33 33 E
Vila do Conde 30 41 21N 8 45W
Vila Fontes 91 17 51S 35 24 E
Vila Franca de Xira 31 38 57N 8 59W
Vila Gamito 91 14 12S 33 0 E
Vila Gomes da Costa 93 24 20S 33 37 E
Vila Luisa 93 25 45S 32 35 E
Vila Machado 91 19 15S 34 14 E
Vila Mouzinho 91 14 48S 34 25 E
Vila Nova de Foscôa 30 41 5N 7 9W
Vila Nova de Ourém 31 39 40N 8 35W
Vila Novo de Gaia 30 41 4N 8 40W
Vila Paiva de Andrada 91 18 44S 34 2 E
Vila Pouca de Aguiar 30 41 30N 7 38W
Vila Real 30 41 17N 7 48W
Vila Real de Santo António 31 37 10N 7 28W
Vila Vasco da Gama 91 14 54S 32 14 E
Vila Velha 125 20 20S 40 17W
Vila Veríssimo Sarmento 88 8 7S 20 38 E
Vila Viçosa 31 38 45N 7 27W
Vilaboa 30 42 21N 8 39W
Vilaine → 18 47 30N 2 27W
Vilanculos 93 22 1S 35 17 E
Vilar Formosa 30 40 38N 6 45W
Vilareal □ 30 41 36N 7 35W
Vilaseca-Salou 32 41 7N 1 9 E
Vîlcea □ 46 45 0N 24 10 E
Vileyka 54 54 30N 26 53 E
Vilhelmina 50 64 35N 16 39 E
Vilhena 126 12 40S 60 5W
Viliga 59 61 36N 156 56 E
Viliya → 54 55 54N 23 53 E
Viljandi 54 58 28N 25 30 E
Vilkovo 56 45 28N 29 32 E
Villa Abecia 124 21 0S 68 18W
Villa Ahumada 120 30 38N 106 30W
Villa Ana 124 28 28S 59 40W
Villa Ángela 124 27 34S 60 45W
Villa Bella 126 10 25S 65 22W
Villa Bens = Tarfaya 80 27 55N 12 55W
Villa Cañás 124 34 0S 61 35W
Villa Cisneros = Dakhla 80 23 50N 15 53W
Villa Colón 124 31 38S 68 20W
Villa Constitución 124 33 15S 60 20W
Villa de María 124 29 55S 63 43W
Villa Dolores 124 31 58S 65 15W
Villa Guillermina 124 28 15S 59 29W
Villa Hayes 124 25 0S 57 20W
Villa Iris 124 38 12S 63 12W
Villa María 124 32 20S 63 10W
Villa Mazán 124 28 40S 66 30W
Villa Minozzo 38 44 21N 10 30 E
Villa Montes 124 21 10S 63 30W
Villa Ocampo 124 28 30S 59 20W
Villa Ojo de Agua 124 29 30S 63 44W
Villa San Giovanni 41 38 13N 15 38 E
Villa San José 124 32 12S 58 15W
Villa San Martín 124 28 15S 64 9W
Villa Santina 39 46 25N 12 55 E
Villablino 30 42 57N 6 19W
Villacañas 32 39 38N 3 20W
Villacarlos 32 39 53N 4 17 E
Villacarriedo 32 43 14N 3 48W
Villacarrillo 33 38 7N 3 3W
Villacastín 30 40 46N 4 25W
Villach 26 46 37N 13 51 E
Villaciado 40 39 27N 8 45 E
Villada 30 42 15N 4 59W
Villadiego 30 42 31N 4 1W
Villadóssola 38 46 4N 8 16 E
Villafeliche 32 41 10N 1 30W
Villafranca 32 42 17N 1 46W
Villafranca de los Barros 31 38 35N 6 18W
Villafranca de los Caballeros 33 39 26N 3 21W
Villafranca del Bierzo 30 42 38N 6 50W
Villafranca del Cid 32 40 26N 0 16W
Villafranca del Panadés 32 41 21N 1 40 E
Villafranca di Verona 38 45 20N 10 51 E
Villagarcía de Arosa 30 42 34N 8 46W
Villagrán 120 24 29N 99 29W
Villaguay 124 32 0S 59 0W
Villaharta 31 38 9N 4 54W
Villahermosa, Mexico 120 18 0N 92 50W
Villahermosa, Spain 33 38 46N 2 52W
Villaines-la-Juhel 18 48 21N 0 20W
Villajoyosa 33 38 30N 0 12W
Villalba 30 43 26N 7 40W
Villalba de Guardo 30 42 42N 4 49W
Villalcampo, Pantano de 30 41 31N 6 0W
Villalón de Campos 30 42 5N 5 4W
Villalpando 30 41 51N 5 25W
Villaluenga 30 40 2N 3 54W
Villamanán 30 42 19N 5 35W
Villamartín 31 36 52N 5 38W
Villamayor 32 39 50N 2 59W
Villamblard 20 45 2N 0 32 E
Villanova Monteleone 40 40 30N 8 28 E
Villanueva 119 35 16N 105 23W
Villanueva de Castellón 33 39 5N 0 31W
Villanueva de Córdoba 31 38 20N 4 38W
Villanueva de la Fuente 33 38 42N 2 42W
Villanueva de la Serena 31 38 59N 5 50W
Villanueva de la Sierra 30 40 12N 6 24W
Villanueva de los Castillejos 31 37 30N 7 15W
Villanueva del Arzobispo 33 38 10N 3 0W
Villanueva del Duque 31 38 20N 5 0W
Villanueva del Fresno 31 38 23N 7 10W
Villanueva y Geltrú 32 41 13N 1 40 E
Villaodrid 30 43 20N 7 11W
Villaputzu 40 39 28N 9 33 E
Villar del Arzobispo 32 39 44N 0 50W
Villar del Rey 31 39 7N 6 50W
Villarcayo 32 42 56N 3 34W
Villard-Bonnet 21 45 14N 5 53 E
Villard-de-Lans 21 45 3N 5 33 E
Villarino de los Aires 30 41 18N 6 23W
Villarosa 41 37 36N 14 9 E
Villarramiel 30 42 2N 4 55W
Villarreal 32 39 55N 0 3W
Villarrica, Chile 128 39 15S 72 15W
Villarrica, Parag. 124 25 40S 56 30W
Villarrobledo 33 39 18N 2 36W
Villarroya de la Sierra 32 41 27N 1 46W
Villarrubia de los Ojos 33 39 14N 3 36W
Villars 21 46 0N 5 2 E
Villarta de San Juan 33 39 15N 3 25W
Villasayas 32 41 24N 2 39W
Villaseca de los Gamitos 30 41 2N 6 7W
Villastar 32 40 17N 1 9W
Villatobas 32 39 54N 3 20W
Villavicencio, Argent. 124 32 28S 69 0W
Villavicencio, Colomb. 126 4 9N 73 37W
Villaviciosa 30 43 32N 5 27W
Villazón 124 22 0S 65 35W
Ville-Marie 106 47 20N 79 30W
Ville Platte 117 30 45N 92 17W
Villedieu 18 48 50N 1 12W
Villefort 20 44 28N 3 56 E
Villefranche 19 47 19N 1 46 E
Villefranche-de-Lauragais 20 43 25N 1 44 E
Villefranche-de-Rouergue 20 44 21N 2 2 E
Villefranche-du-Périgord 20 44 38N 1 5 E
Villefranche-sur-Saône 21 45 59N 4 43 E
Villel 32 40 14N 1 12W
Villemaur 19 48 14N 3 40 E
Villemur-sur-Tarn 20 43 51N 1 31 E
Villena 33 38 39N 0 52W
Villenauxe 19 48 36N 3 30 E
Villenave 20 44 46N 0 33W
Villeneuve, France 19 48 42N 2 25 E
Villeneuve, Italy 38 45 40N 7 10 E
Villeneuve-l'Archevêque 19 48 14N 3 32 E
Villeneuve-lès-Avignon 21 43 57N 4 49 E
Villeneuve-sur-Allier 20 46 40N 3 13 E
Villeneuve-sur-Lot 20 44 24N 0 42 E
Villeréal 20 44 38N 0 45 E
Villers-Bocage 18 49 3N 0 40W
Villers-Bretonneux 19 49 50N 2 30 E
Villers-Cotterêts 19 49 15N 3 4 E
Villers-Outreaux 19 50 2N 3 18 E
Villers-sur-Mer 18 49 21N 0 2W
Villersexel 19 47 33N 6 26 E
Villerupt 19 49 28N 5 55 E
Villerville 18 49 26N 0 5 E
Villiers 93 27 2S 28 36 E
Villingen 25 48 4N 8 28 E
Villingen-Schwenningen 25 48 3N 8 29 E
Villisca 116 40 55N 94 59W
Villupuram 70 11 59N 79 31 E
Vilna 108 54 7N 111 55W
Vilnius 54 54 38N 25 19 E
Vils 26 47 33N 10 37 E
Vils → 25 48 38N 13 11 E
Vilsbiburg 25 48 27N 12 23 E
Vilshofen 25 48 38N 13 11 E
Vilskutskogo, Proliv 59 78 0N 103 0 E
Vilusi 42 42 44N 18 34 E
Vilvoorde 16 50 56N 4 26 E
Vilyuy → 59 64 24N 126 26 E
Vilyuysk 59 63 40N 121 35 E
Vimercate 38 45 38N 9 25 E
Vimiosa 30 41 35N 6 31W
Vimmerby 49 57 40N 15 55 E
Vimoutiers 18 48 57N 0 10 E
Vimperk 26 49 3N 13 46 E
Viña del Mar 124 33 0S 71 30W
Vinaroz 32 40 30N 0 27 E
Vincennes 114 38 42N 87 29W
Vinchina 124 28 45S 68 15W
Vindel älven → 50 63 55N 19 50 E
Vindeln 50 64 12N 19 43 E
Vinderup 49 56 29N 8 45 E
Vindhya Ra. 68 22 50N 77 0 E
Vineland 114 39 30N 75 0W
Vinga 42 46 0N 21 14 E
Vingnes 47 61 7N 10 26 E
Vinh 71 18 45N 105 38 E
Vinhais 30 41 50N 7 0W
Vinica, Hrvatska, Yugo. 39 46 20N 16 9 E
Vinica, Slovenija, Yugo. 39 45 28N 15 16 E
Vinita 117 36 40N 95 12W
Vinkovci 42 45 19N 18 48 E
Vinnitsa 56 49 15N 28 30 E
Vinson Massif 5 78 35S 85 25W
Vinstra 47 61 37N 9 44 E
Vinton, Iowa, U.S.A. 116 42 8N 92 1W
Vinton, La., U.S.A. 117 30 13N 93 35W
Vinţu de Jos 46 46 0N 23 30 E
Viöl 24 54 32N 9 12 E
Vipava 39 45 51N 13 58 E
Vipiteno 39 46 55N 11 25 E
Viqueque 73 8 52S 126 23 E
Vir 39 44 17N 15 3 E
Virac 73 13 30N 124 20 E
Virago Sd. 108 54 0N 132 30W
Virajpet 70 12 10N 75 50 E
Viramgam 68 23 5N 72 0 E
Viranşehir 64 37 13N 39 45 E
Virarajendrapet = Virajpet 70 12 10N 75 50 E
Viravanallur 70 8 40N 77 30 E
Virden 109 49 50N 100 56W
Vire 18 48 50N 0 53W
Vire → 18 49 20N 1 7W
Vírgenes, C. 128 52 19S 68 21W
Virgin →, Can. 109 57 2N 108 17W
Virgin →, U.S.A. 119 36 50N 114 10W
Virgin Gorda 121 18 30N 64 26W
Virgin Is. 121 18 40N 64 30W
Virginia, S. Afr. 92 28 8S 26 55 E
Virginia, U.S.A. 116 47 30N 92 32W
Virginia □ 114 37 45N 78 0W
Virginia Beach 114 36 54N 75 58W
Virginia City, Mont., U.S.A. 118 45 18N 111 58W
Virginia City, Nev., U.S.A. 118 39 19N 119 39W
Virginia Falls 108 61 38N 125 42W
Virginiatown 106 48 9N 79 36W
Virieu-le-Grand 21 45 51N 5 39 E
Virje 42 46 4N 16 59 E
Viroqua 116 43 33N 90 57W
Virovitica 42 45 51N 17 21 E
Virpazar 42 42 14N 19 6 E
Virserum 49 57 20N 15 35 E
Virton 16 49 35N 5 32 E
Virtsu 54 58 32N 23 33 E
Virudunagar 70 9 30N 78 0 E
Vis 39 43 0N 16 10 E
Vis Kanal 39 43 4N 16 5 E
Visalia 119 36 25N 119 18W
Visayan Sea 73 11 30N 123 30 E
Visby 49 57 37N 18 18 E
Viscount Melville Sd. 4 74 10N 108 0W
Visé 16 50 44N 5 41 E
Višegrad 42 43 47N 19 17 E
Viseu, Brazil 127 1 10S 46 5W
Viseu, Port. 30 40 40N 7 55W
Viseu □ 30 40 40N 7 55W
Vişeu de Sus 46 47 45N 24 25 E
Vishakhapatnam 70 17 45N 83 20 E
Vishnupur 69 23 8N 87 20 E
Visikoi I. 5 56 43S 27 15W
Visingsö 49 58 2N 14 20 E
Viskafors 49 57 37N 12 50 E
Vislanda 49 56 46N 14 30 E
Vislinskil Zaliv (Zalew Wislany) 28 54 20N 19 50 E
Visnagar 68 23 45N 72 32 E
Višnja Gora 39 45 58N 14 45 E
Viso del Marqués 33 38 32N 3 34W
Viso, Mte. 38 44 38N 7 5 E
Visoko 42 43 58N 18 10 E

* Renamed Limbe

Visp Wangdu

Visp 25 46 17N 7 52 E
Visselhövede 24 52 59N 9 36 E
Vistonikos, Ormos 44 41 0N 25 7 E
Vistula = Wisła → 28 54 22N 18 55 E
Vit → 43 43 30N 24 30 E
Vitanje 39 46 25N 15 18 E
Vitebsk 54 55 10N 30 15 E
Viterbo 39 42 25N 12 8 E
Viti Levu 101 17 30S 177 30 E
Vitiaz Str. 98 5 40S 147 10 E
Vitigudino 30 41 1N 6 26W
Vitim 59 59 28N 112 35 E
Vitim → 59 59 26N 112 34 E
Vitína 45 37 40N 22 10 E
Vitina 42 43 17N 17 29 E
Vitória 127 20 20S 40 22W
Vitoria 32 42 50N 2 41W
Vitória da Conquista 127 14 51S 40 51W
Vitória de São Antão 127 8 10S 35 20W
Vitré 18 48 8N 1 12W
Vitry-le-François 19 48 43N 4 33 E
Vitsi, Óros 44 40 40N 21 25 E
Vitteaux 19 47 24N 4 30 E
Vittel 19 48 12N 5 57 E
Vittória 41 36 58N 14 30 E
Vittório Véneto 39 45 59N 12 18 E
Vitu Is. 98 4 50S 149 25 E
Viver 32 39 55N 0 36W
Vivero 30 43 39N 7 38W
Viviers 21 44 30N 4 40 E
Vivonne 20 46 25N 0 15 E
Vizcaíno, Desierto de 120 27 40N 113 50W
Vizcaíno, Sierra 120 27 30N 114 0W
Vizcaya □ 32 43 15N 2 45W
Vizianagaram 70 18 6N 83 30 E
Vizille 21 45 5N 5 46 E
Viziňada 39 45 20N 13 46 E
Viziru 46 45 0N 27 43 E
Vizovice 27 49 12N 17 56 E
Vizzini 41 37 9N 14 43 E
Vjosa → 44 40 37N 19 42 E
Vlaardingen 16 51 55N 4 21 E
Vlădeasa 46 46 47N 22 50 E
Vladicin Han 42 42 42N 22 1 E
Vladimir 55 56 15N 40 30 E
Vladimir Volynskiy 54 50 50N 24 18 E
Vladimirci 42 44 36N 19 45 E
Vladimirovac 42 45 1N 20 53 E
Vladimirovka, R.S.F.S.R., U.S.S.R. 57 48 27N 46 10 E
Vladimirovka, R.S.F.S.R., U.S.S.R. 57 44 45N 44 41 E
Vladimirovo 43 43 32N 23 22 E
Vladislavovka 56 45 15N 35 15 E
Vladivostok 59 43 10N 131 53 E
Vlasenica 42 44 11N 18 59 E
Vlašić 42 44 19N 17 37 E
Vlašim 26 49 40N 14 53 E
Vlasinsko Jezero 42 42 44N 22 22 E
Vlasotinci 42 42 59N 22 7 E
Vlieland 16 53 16N 4 55 E
Vlissingen 16 51 26N 3 34 E
Vlóra 44 40 32N 19 28 E
Vlóra □ 44 40 12N 20 0 E
Vlorës, Gjiri i 44 40 29N 19 27 E
Vltava → 26 50 21N 14 30 E
Vobarno 38 45 38N 10 30 E
Voćin 42 45 37N 17 33 E
Vöcklabruck 26 48 1N 13 39 E
Vodice 39 43 47N 15 47 E
Vodňany 26 49 9N 14 11 E
Vodnjan 39 44 59N 13 52 E
Vogelkop = Doberai, Jazirah 73 1 25S 133 0 E
Vogelsberg 24 50 37N 9 15 E
Voghera 38 44 59N 9 1 E
Vohibinany 93 18 49S 49 4 E
Vohimarina 93 13 25S 50 0 E
Vohimena, Tanjon' i 93 25 36S 45 8 E
Vohipeno 93 22 22S 47 51 E
Voi 90 3 25S 38 32 E
Void 19 48 40N 5 36 E
Voineşti, Iaşi, Romania 46 47 5N 27 27 E
Voineşti, Prahova, Romania 46 45 5N 25 14 E
Voíotía □ 45 38 20N 23 0 E
Voiron 21 45 22N 5 35 E
Voisey B. 107 56 15N 61 50W
Voitsberg 26 47 3N 15 9 E
Voiviïs Límni 44 39 30N 22 45 E
Vojens 49 55 16N 9 18 E
Vojmsjön 50 64 55N 16 40 E
Vojnik 38 46 18N 15 19 E
Vojnió 39 45 19N 15 43 E
Vojvodina, Auton. Pokrajina □ 42 45 20N 20 0 E
Vokhma 55 59 0N 46 45 E
Vokhma → 55 56 20N 46 20 E
Vokhtoga 55 58 46N 41 8 E
Volary 26 48 54N 13 52 E
Volborg 116 45 50N 105 44W
Volcano Is. 94 25 0N 141 0 E
Volchansk 55 50 17N 36 58 E
Volchayevka 59 48 40N 134 30 E
Volchya → 56 48 0N 37 0 E
Volda 47 62 9N 6 5 E
Volga 55 57 58N 38 16 E
Volga → 57 48 30N 46 0 E
Volga Hts. = Privolzhskaya V. S. 53 51 0N 46 0 E
Volgodonsk 57 47 33N 42 5 E
Volgograd 57 48 40N 44 25 E
Volgogradskoye Vdkhr. 55 50 0N 45 20 E
Volgorechensk 55 57 28N 41 14 E
Volissós 45 38 29N 25 54 E
Volkach 25 49 52N 10 14 E
Völkermarkt 26 46 39N 14 39 E
Volkhov 54 59 55N 32 15 E
Volkhov → 54 60 8N 32 20 E
Völklingen 25 49 15N 6 50 E
Volkovysk 54 53 9N 24 30 E
Volksrust 93 27 24S 29 53 E
Vollenhove 16 52 40N 5 58 E
Vol'n'ansk 56 47 55N 35 29 E
Volnovakha 56 47 35N 37 30 E
Volochanka 59 71 0N 94 28 E
Volodarsk 55 56 12N 43 15 E
Vologda 55 59 10N 40 0 E
Volokolamsk 55 56 5N 35 57 E
Volokonovka 55 50 33N 37 52 E
Vólos 44 39 24N 22 59 E
Volosovo 54 59 27N 29 32 E
Volozhin 54 54 3N 26 30 E
Volsk 55 52 5N 47 22 E
Volta → 85 5 46N 0 41 E
Volta, L. 85 7 30N 0 15 E
Volta Redonda 125 22 31S 44 5W
Volterra 38 43 24N 10 50 E
Voltri 38 44 25N 8 43 E
Volturara Áppula 41 41 30N 15 2 E
Volturno → 41 41 1N 13 55 E
Volubilis 82 34 2N 5 33W
Volujak 42 43 53N 17 47 E
Vólvi, L. 44 40 40N 23 34 E
Volzhsk 55 55 57N 48 23 E
Volzhskiy 57 48 56N 44 46 E
Vondrozo 93 22 49S 47 20 E
Vónitsa 45 38 53N 20 58 E
Voorburg 16 52 5N 4 24 E
Vopnafjörður 50 65 45N 14 40W
Vorarlberg □ 26 47 20N 10 0 E
Vóras Óros 44 40 57N 21 45 E
Vorbasse 49 55 39N 9 6 E
Vorderrhein → 25 46 49N 9 25 E
Vordingborg 49 55 0N 11 54 E
Voreppe 21 45 18N 5 39 E
Voríai Sporádhes 45 39 15N 23 30 E
Vórios Evvoïkos Kólpos 45 38 45N 23 15 E
Vorkuta 52 67 48N 64 20 E
Vorma → 47 60 9N 11 27 E
Vorona → 55 51 22N 42 3 E
Voronezh, R.S.F.S.R., U.S.S.R. 55 51 40N 39 10 E
Voronezh, Ukraine, U.S.S.R. 54 51 47N 33 28 E
Voronezh → 55 51 56N 37 17 E
Vorontsovo-Aleksandrovskoye = Zelenokumsk 57 44 30N 44 1 E
Voroshilovgrad 57 48 38N 39 15 E
Vorovskoye 59 54 30N 155 50 E
Vorskla → 56 48 50N 34 10 E
Vöru 54 57 48N 26 54 E
Vorupør 49 56 58N 8 22 E
Vosges 19 48 20N 7 10 E
Vosges □ 19 48 12N 6 20 E
Voskopoja 44 40 40N 20 33 E
Voskresensk 55 55 19N 38 43 E
Voskresenskoye 55 56 51N 45 30 E
Voss 47 60 38N 6 26 E
Vostochnyy Sayan 59 54 0N 96 0 E
Vostok I. 95 10 5S 152 23W
Votice 26 49 38N 14 39 E
Votkinsk 52 57 0N 53 55 E
Votkinskoye Vdkhr. 52 57 30N 55 0 E
Vouga → 30 40 41N 8 40W
Vouillé 18 46 38N 0 10 E
Voulte-sur-Rhône, La 21 44 48N 4 46 E
Vouvray 18 47 25N 0 48 E
Voúxa, Ákra 45 35 37N 23 32 E
Vouzela 30 40 43N 8 7W
Vouziers 19 49 22N 4 40 E
Voves 19 48 15N 1 38 E
Voxna 48 61 20N 15 40 E
Vozhe Oz. 52 60 45N 39 0 E
Vozhgaly 55 58 9N 50 11 E
Voznesenka 59 56 40N 95 3 E
Voznesensk 56 47 35N 31 21 E
Voznesenye 52 61 0N 35 45 E
Vráble 27 48 15N 18 16 E
Vraćevšnica 42 44 2N 20 34 E
Vrådal 47 59 20N 8 25 E
Vraka 44 42 8N 19 28 E
Vrakhnéïka 45 38 10N 21 40 E
Vrancea □ 46 45 50N 26 45 E
Vrancei, Munţii 46 46 0N 26 30 E
Vrangelya, Ostrov 59 71 0N 180 0 E
Vranica 42 43 55N 17 50 E
Vranje 42 42 34N 21 54 E
Vranjska Banja 42 42 34N 22 1 E
Vranov 27 48 53N 21 40 E
Vransko 39 46 17N 14 58 E
Vratsa 43 43 13N 23 30 E
Vrbas 42 45 40N 19 40 E
Vrbas → 42 45 8N 17 29 E
Vrbnik 39 45 4N 14 40 E
Vrbovec 39 45 53N 16 28 E
Vrbovsko 39 45 24N 15 5 E
Vrchlabí 26 50 38N 15 37 E
Vrede 93 27 24S 29 6 E
Vredefort 92 27 0S 26 22 E
Vredenburg 92 32 51S 18 0 E
Vredendal 92 31 41S 18 35 E
Vrena 49 58 54N 16 41 E
Vrgorac 42 43 12N 17 20 E
Vrhnika 39 45 58N 14 15 E
Vriddhachalam 70 11 30N 79 20 E
Vrïdi 84 5 15N 4 3W
Vrindaban 68 27 37N 77 40 E
Vrnograč 39 45 10N 15 57 E
Vrondádhes 45 38 25N 26 7 E
Vrpolje 42 45 13N 18 24 E
Vršac 42 45 8N 21 18 E
Vrsacki Kanal 42 45 15N 21 0 E
Vryburg 92 26 55S 24 45 E
Vryheid 93 27 45S 30 47 E
Vsetín 27 49 20N 18 0 E
Vucha → 43 42 10N 24 26 E
Vučitrn 42 42 49N 20 59 E
Vught 16 51 38N 5 20 E
Vukovar 42 45 21N 18 59 E
Vulcan, Can. 108 50 25N 113 15W
Vulcan, Romania 46 45 23N 23 17 E
Vulcan, U.S.A. 114 45 46N 87 51W
Vulcano 41 38 25N 14 58 E
Vŭlchedruma 43 43 42N 23 27 E
Vulci 39 42 23N 11 37 E
Vulkaneshty 56 45 35N 28 30 E
Vunduzi → 91 18 56S 34 1 E
Vung Tau 71 10 21N 107 4 E
Vŭrbitsa 43 42 59N 26 40 E
Vurshets 43 43 15N 23 23 E
Vutcani 46 46 26N 27 59 E
Vuyyuru 70 16 28N 80 50 E
Vyara 68 21 8N 73 28 E
Vyasniki 55 56 10N 42 10 E
Vyatka → 52 56 30N 51 0 E
Vyatskiye Polyany 52 56 5N 51 0 E
Vyazemskiy 59 47 32N 134 45 E
Vyazma 54 55 10N 34 15 E
Vyborg 52 60 43N 28 47 E
Vychegda → 52 61 18N 46 36 E
Vychodné Beskydy 27 49 30N 22 0 E
Východočeský □ 26 50 20N 15 45 E
Východoslovenský □ 27 48 50N 21 0 E
Vyg-ozero 52 63 30N 34 0 E
Vyksa 55 55 19N 42 11 E
Vypin 70 10 10N 76 15 E
Vyrnwy, L. 12 52 48N 3 30W
Vyshniy Volochek 54 57 30N 34 30 E
Vyškov 27 49 17N 17 0 E
Vysoké Mýto 27 49 58N 10 10 E
Vysokovsk 55 56 22N 36 30 E
Vysotsk 54 51 43N 26 32 E
Vyšší Brod 26 48 37N 14 19 E
Vytegra 52 61 0N 36 27 E

W

W.A.C. Bennett Dam 108 56 2N 122 6W
Wa 84 10 7N 2 25W
Waal → 16 51 59N 4 30 E
Wabakimi L. 106 50 38N 89 45W
Wabana 107 47 40N 53 0W
Wabasca 108 55 57N 113 56W
Wabash 114 40 48N 85 46W
Wabash → 114 37 46N 88 2W
Wabeno 114 45 25N 88 40W
Wabi → 87 7 45N 40 50 E
Wabigoon L. 109 49 44N 92 44W
Wabowden 109 54 55N 98 38W
Wąbrzeźno 28 53 16N 18 57 E
Wabuk Pt. 106 55 20N 85 5W
Wabush 107 52 55N 66 52W
Wabuska 118 39 9N 119 13W
Wächtersbach 25 50 16N 9 18 E
Waco 117 31 33N 97 5W
Waconichi, L. 106 50 8N 74 0W
Wad Ban Naqa 87 16 32N 33 9 E
Wad Banda 87 13 10N 27 56 E
Wad el Haddad 87 13 50N 33 30 E
Wad en Nau 87 14 10N 33 34 E
Wad Hamid 87 16 30N 32 45 E
Wâd Medanî 87 14 28N 33 30 E
Waddān 83 29 9N 16 10 E
Waddān, Jabal 83 29 0N 16 15 E
Waddeneilanden 16 53 25N 5 10 E
Waddenzee 16 53 6N 5 10 E
Waddington 113 44 51N 75 12W
Waddington, Mt. 108 51 23N 125 15W
Waddy Pt. 99 24 58S 153 21 E
Wadena, Can. 109 51 57N 103 47W
Wadena, U.S.A. 116 46 25N 95 8W
Wädenswil 25 47 14N 8 40 E
Wadesboro 115 35 2N 80 2W
Wadhams 108 51 30N 127 30W
Wādī ash Shāţi' 83 27 30N 15 0 E
Wādī Banī Walīd 83 31 49N 14 0 E
Wadi Gemâl 86 24 35N 35 10 E
Wadi Halfa 86 21 53N 31 19 E
Wadi Masila 63 16 30N 49 0 E
Wadi Şabāḩ 64 23 50N 48 30 E
Wadlew 28 51 31N 19 23 E
Wadowice 27 49 52N 19 30 E
Wadsworth 118 39 38N 119 22W
Wafrah 64 28 33N 47 56 E
Wageningen 16 51 58N 5 40 E
Wager B. 105 65 26N 88 40W
Wager Bay 105 65 56N 90 49W
Wagga Wagga 97 35 7S 147 24 E
Waghete 73 4 10S 135 50 E
Wagin 96 33 17S 117 25 E
Wagon Mound 117 36 1N 104 44W
Wagoner 117 36 0N 95 20W
Wagrowiec 28 52 48N 17 11 E
Wahai 73 2 48S 129 35 E
Wahiawa 110 21 30N 158 2W
Wahoo 116 41 15N 96 35W
Wahpeton 116 46 20N 96 35W
Wai 70 17 56N 73 57 E
Waiau → 101 42 47S 173 22 E
Waiawe Ganga → 70 6 15N 81 0 E
Waibeem 73 0 30S 132 59 E
Waiblingen 25 48 49N 9 20 E
Waidhofen, Niederösterreich, Austria 26 48 49N 15 17 E
Waidhofen, Niederösterreich, Austria 26 47 57N 14 46 E
Waigeo 73 0 20S 130 40 E
Waihi 101 37 23S 175 52 E
Waihou → 101 37 15S 175 40 E
Waika 90 2 22S 25 42 E
Waikabubak 73 9 45S 119 25 E
Waikaremoana 101 38 42S 177 12 E
Waikari 101 42 58S 172 41 E
Waikato → 101 37 23S 174 43 E
Waikerie 99 34 9S 140 0 E
Waikokopu 101 39 3S 177 52 E
Waikouaiti 101 45 36S 170 41 E
Waimate 101 44 45S 171 3 E
Wainganga → 69 18 50N 79 55 E
Waingapu 73 9 35S 120 11 E
Wainwright, Can. 109 52 50N 110 50W
Wainwright, U.S.A. 104 70 39N 160 1W
Waiouru 101 39 28S 175 41 E
Waipara 101 43 3S 172 46 E
Waipawa 101 39 56S 176 38 E
Waipiro 101 38 2S 178 22 E
Waipu 101 35 59S 174 29 E
Waipukurau 101 40 1S 176 33 E
Wairakei 101 38 37S 176 6 E
Wairarapa, L. 101 41 14S 175 15 E
Wairoa 101 39 3S 177 25 E
Waitaki → 101 44 56S 171 7 E
Waitara 101 38 59S 174 15 E
Waitsburg 118 46 15N 118 0W
Waiuku 101 37 15S 174 45 E
Wajima 74 37 30N 137 0 E
Wajir 90 1 42N 40 5 E
Wajir □ 90 1 42N 40 20 E
Wakasa-Wan 74 35 40N 135 30 E
Wakatipu, L. 101 45 5S 168 33 E
Wakaw 109 52 39N 105 44W
Wakayama 74 34 15N 135 15 E
Wakayama-ken □ 74 33 50N 135 30 E
Wake Forest 115 35 58N 78 30W
Wake I. 94 19 18N 166 36 E
Wakefield, N.Z. 101 41 24S 173 5 E
Wakefield, U.K. 12 53 41N 1 31W
Wakefield, Mass., U.S.A. 113 42 30N 71 3W
Wakefield, Mich., U.S.A. 116 46 28N 89 53W
Wakema 67 16 30N 95 11 E
Wakkanai 74 45 28N 141 35 E
Wakkerstroom 93 27 24S 30 10 E
Wakool 99 35 28S 144 23 E
Wakool → 99 35 5S 143 33 E
Wakre 73 0 19S 131 5 E
Wakuach L. 107 55 34N 67 32W
Walamba 91 13 30S 28 42 E
Wałbrzych 28 50 45N 16 18 E
Walbury Hill 13 51 22N 1 28W
Walcha 99 30 55S 151 31 E
Walcheren 16 51 30N 3 35 E
Walcott 118 41 50N 106 55W
Wałcz 28 53 17N 16 27 E
Wald 25 47 17N 8 56 E
Waldbröl 24 50 52N 7 36 E
Waldeck 24 51 12N 9 4 E
Walden, Colo., U.S.A. 118 40 47N 106 20W
Walden, N.Y., U.S.A. 113 41 32N 74 13W
Waldport 118 44 30N 124 2W
Waldron, Can. 109 50 53N 102 35W
Waldron, U.S.A. 117 34 52N 94 4W
Waldshut 25 47 37N 8 12 E
Walembele 84 10 30N 1 58W
Wales □ 11 52 30N 3 30W
Walewale 85 10 21N 0 50W
Walgett 97 30 0S 148 5 E
Walgreen Coast 5 75 15S 105 0W
Walhalla, Austral. 99 37 56S 146 29 E
Walhalla, U.S.A. 109 48 55N 97 55W
Walker 116 47 4N 94 35W
Walker L., Man., Can. 109 54 42N 95 57W
Walker L., Qué., Can. 107 50 20N 67 11W
Walker L., U.S.A. 118 38 56N 118 46W
Walkerston 98 21 11S 149 8 E
Walkerton 112 44 10N 81 10W
Wall 116 44 0N 102 14W
Walla Walla 118 46 3N 118 25W
Wallabadah 98 17 57S 142 15 E
Wallace, Idaho, U.S.A. 118 47 30N 116 0W
Wallace, N.C., U.S.A. 115 34 44N 77 59W
Wallace, Nebr., U.S.A. 116 40 51N 101 12W
Wallaceburg 106 42 34N 82 23W
Wallachia = Valahia 46 44 35N 25 0 E
Wallal 99 26 32S 146 7 E
Wallaroo 97 33 56S 137 39 E
Wallasey 12 53 26N 3 2W
Walldürn 25 49 34N 9 23 E
Wallerawang 99 33 25S 150 4 E
Wallingford, U.K. 12 51 40N 1 15W
Wallingford, U.S.A. 113 41 27N 72 50W
Wallis Arch. 94 13 18S 176 10W
Wallowa 118 45 40N 117 35W
Wallowa, Mts. 118 45 20N 117 30W
Wallsend, Austral. 99 32 55S 151 40 E
Wallsend, U.K. 12 54 59N 1 30W
Wallula 118 46 3N 118 59W
Wallumbilla 99 26 33S 149 9 E
Walmer 92 33 57S 25 35 E
Walmsley, L. 109 63 25N 108 36W
Walney, Isle of 12 54 5N 3 15W
Walnut Ridge 117 36 7N 90 58W
Walsall 13 52 36N 1 59W
Walsenburg 117 37 42N 104 45W
Walsh 117 37 28N 102 15W
Walsh → 98 16 31S 143 42 E
Walsh P.O. 98 16 40S 144 0 E
Walsrode 24 52 51N 9 37 E
Waltair 70 17 44N 83 23 E
Walterboro 115 32 53N 80 40W
Walters 117 34 25N 98 20W
Waltershausen 24 50 53N 10 33 E
Waltham 113 42 22N 71 12W
Waltham Sta. 106 45 57N 76 57W
Waltman 118 43 8N 107 15W
Walton 113 42 12N 75 9W
Walvisbaai 92 23 0S 14 28 E
Wamba, Kenya 90 0 58N 37 19 E
Wamba, Zaîre 90 2 10N 27 57 E
Wamego 116 39 14N 96 22W
Wamena 73 4 4S 138 57 E
Wampsville 113 43 4N 75 42W
Wamsasi 73 3 27S 126 7 E
Wana 68 32 20N 69 32 E
Wanaaring 99 29 38S 144 9 E
Wanaka L. 101 44 33S 169 7 E
Wan'an 77 26 26N 114 49 E
Wanapiri 73 4 30S 135 59 E
Wanapitei L. 106 46 45N 80 40W
Wanbi 99 34 46S 140 17 E
Wanda Shan 76 46 0N 132 0 E
Wanderer 91 19 36S 30 1 E
Wandiwash 70 12 30N 79 30 E
Wandoan 97 26 5S 149 55 E
Wang Kai (Ghâbat el Arab) 87 9 3N 29 23 E
Wang Saphung 71 17 18N 101 46 E
Wanga 90 2 58N 29 12 E
Wangal 73 6 8S 134 9 E
Wanganella 99 35 6S 144 49 E
Wanganui 101 39 56S 175 3 E
Wangaratta 97 36 21S 146 19 E
Wangdu 76 38 40N 115 7 E

Wangerooge **Wetzlar**

Name	Page	Lat.	Long.
Wangerooge	24	53 47N	7 52 E
Wangi	90	1 58 S	40 58 E
Wangiwangi	73	5 22 S	123 37 E
Wangjiang	77	30 10N	116 42 E
Wangqing	76	43 12N	129 42 E
Wankaner	68	22 35N	71 0 E
* Wankie	91	18 18 S	26 30 E
* Wankie Nat. Park	92	19 0 S	26 30 E
Wanless	109	54 11N	101 21W
Wanning	77	18 48N	110 22 E
Wannon →	100	37 38 S	141 25 E
Wanquan	76	40 50N	114 40 E
Wanxian	75	30 42N	108 20 E
Wanyuan	77	32 4N	108 3 E
Wanzai	77	28 7N	114 30 E
Wapakoneta	114	40 35N	84 10W
Wapato	118	46 30N	120 25W
Wapawekka L.	109	54 55N	104 40W
Wappingers Falls	113	41 35N	73 56W
Wapsipinicon →	116	41 44N	90 19W
Waranga Res.	100	36 32 S	145 5 E
Warangal	70	17 58N	79 35 E
Waratah	99	41 30 S	145 30 E
Waratah B.	99	38 54 S	146 5 E
Warburg	24	51 29N	9 10 E
Warburton	99	37 47 S	145 42 E
Warburton →	97	28 4 S	137 28 E
Ward	101	41 49 S	174 11 E
Ward →	99	26 28 S	146 6 E
Ward Cove	108	55 25N	132 43W
Ward Hunt, C.	98	8 2 S	148 10 E
Wardak □	65	34 0N	68 0 E
Warden	93	27 50 S	29 0 E
Wardha	68	20 45N	78 39 E
Wardlow	108	50 56N	111 31W
Ware, Can.	108	57 26N	125 41W
Ware, U.S.A.	113	42 16N	72 15W
Wareham	113	41 45N	70 44W
Waren	24	53 30N	12 41 E
Warendorf	24	51 57N	8 0 E
Warialda	97	29 29 S	150 33 E
Wariap	73	1 30 S	134 5 E
Warka	28	51 47N	21 12 E
Warkopi	73	1 12 S	134 9 E
Warley	13	52 30N	2 0W
Warm Springs, Mont., U.S.A.	118	46 11N	112 48W
Warm Springs, Nev., U.S.A.	119	38 16N	116 32W
Warman	109	52 19N	106 30W
Warmbad, Namibia	92	28 25 S	18 42 E
Warmbad, S. Afr.	93	24 51 S	28 19 E
Warmeriville	19	49 20N	4 13 E
Warnambool Downs	98	22 48 S	142 52 E
Warnemünde	24	54 9N	12 5 E
Warner	108	49 17N	112 12W
Warner Range, Mts.	118	41 30 S	120 20W
Warner Robins	115	32 41N	83 36W
Warnow →	24	54 6N	12 9 E
Warora	70	20 14N	79 1 E
Warracknabeal	100	36 9 S	142 26 E
Warragul	99	38 10 S	145 58 E
Warrego →	97	30 24 S	145 21 E
Warrego Ra.	97	24 58 S	146 0 E
Warren, Austral.	99	31 42 S	147 51 E
Warren, Ark., U.S.A.	117	33 35N	92 3W
Warren, Minn., U.S.A.	116	48 12N	96 46W
Warren, Ohio, U.S.A.	114	41 18N	80 52W
Warren, Pa., U.S.A.	114	41 52N	79 10W
Warrenpoint	15	54 7N	6 15W
Warrensburg	116	38 45N	93 45W
Warrenton, S. Afr.	92	28 9 S	24 47 E
Warrenton, U.S.A.	118	46 11N	123 59W
Warrenville	99	25 48 S	147 22 E
Warri	85	5 30N	5 41 E
Warrina	96	28 12 S	135 50 E
Warrington, U.K.	12	53 25N	2 38W
Warrington, U.S.A.	115	30 22N	87 16W
Warrnambool	97	38 25 S	142 30 E
Warroad	116	48 54N	95 19W
Warsa	73	0 47 S	135 55 E
Warsaw, Ind., U.S.A.	114	41 14N	85 50W
Warsaw, N.Y., U.S.A.	112	42 46N	78 10W
Warsaw, Ohio, U.S.A.	112	40 20N	82 0W
Warsaw = Warszawa	28	52 13N	21 0 E
Warstein	24	51 26N	8 20 E
Warszawa	28	52 13N	21 0 E
Warszawa □	28	52 30N	21 0 E
Warta	28	51 43N	18 38 E
Warta →	28	52 35N	14 39 E
Waru	73	3 30 S	130 36 E
Warud	68	21 30N	78 16 E
Warwick, Austral.	97	28 10 S	152 1 E
Warwick, U.K.	13	52 17N	1 36W
Warwick, U.S.A.	114	41 43N	71 25W
Warwick □	13	52 20N	1 30W
Wasa	108	49 45N	115 50W
Wasaga Beach	112	44 31N	80 1W
Wasatch, Ra.	118	40 30N	111 15W
Wasbank	93	28 15 S	30 9 E
Wasco, Calif., U.S.A.	119	35 37N	119 16W
Wasco, Oreg., U.S.A.	118	45 36N	120 46W
Waseca	116	44 3N	93 31W
Wasekamio L.	109	56 45N	108 45W
Wash, The	12	52 58N	0 20 E
Washago	112	44 45N	79 20W
Washburn, N.D., U.S.A.	116	47 17N	101 0W
Washburn, Wis., U.S.A.	116	46 38N	90 55W
Washington, D.C., U.S.A.	114	38 52N	77 0W
Washington, Ga., U.S.A.	115	33 45N	82 45W
Washington, Ind., U.S.A.	114	38 40N	87 8W
Washington, Iowa, U.S.A.	116	41 20N	91 45W
Washington, Mo, U.S.A.	116	38 35N	91 1W
Washington, N.C., U.S.A.	115	35 35N	77 1W
Washington, N.J., U.S.A.	113	40 45N	74 59W
Washington, Pa., U.S.A.	114	40 10N	80 20W
Washington, Utah, U.S.A.	119	37 10N	113 30W
Washington □	118	47 45N	120 30W
† Washington I., Pac. Oc.	95	4 43N	160 25W
Washington I., U.S.A.	114	45 24N	86 54W
Washington Mt.	114	44 15N	71 18W
Wasian	73	1 47 S	133 19 E
Wasilków	28	53 12N	23 13 E
Wasior	73	2 43 S	134 30 E
Waskaiowaka, L.	109	56 33N	96 23W
Waskesiu Lake	109	53 55N	106 5W
Wasm	86	18 2N	41 32 E
Wassenaar	16	52 8N	4 24 E
Wasserburg	25	48 4N	12 15 E
Wasserkuppe	24	50 30N	9 56 E
Wassy	19	48 30N	4 58 E
Waswanipi	106	49 40N	76 29W
Waswanipi, L.	106	49 35N	76 40W
Watangpon	73	4 29 S	120 25 E
Water Park Pt.	98	22 56 S	150 47 E
Water Valley	117	34 9N	89 38W
Waterberg, Namibia	92	20 30 S	17 18 E
Waterberg, S. Afr.	93	24 14 S	28 0 E
Waterbury, Conn., U.S.A.	114	41 32N	73 0W
Waterbury, Vt., U.S.A.	113	44 22N	72 44W
Waterbury L.	109	58 10N	104 22W
Waterdown	112	43 20N	79 53W
Waterford, Can.	112	42 56N	80 17W
Waterford, Ireland	15	52 16N	7 8W
Waterford □	15	52 10N	7 40W
Waterford Harb.	15	52 10N	6 58W
Waterhen L., Man., Can.	109	52 10N	99 40W
Waterhen L., Sask., Can.	109	54 28N	108 25W
Waterloo, Belg.	16	50 43N	4 25 E
Waterloo, Ont., Can.	106	43 30N	80 32W
Waterloo, Qué., Can.	113	45 22N	72 32W
Waterloo, S. Leone	84	8 26N	13 8W
Waterloo, Ill., U.S.A.	116	38 22N	90 6W
Waterloo, Iowa, U.S.A.	116	42 27N	92 20W
Waterloo, N.Y., U.S.A.	112	42 54N	76 53W
Watersmeet	116	46 15N	89 12W
Waterton Lakes Nat. Park	108	49 5N	114 15W
Watertown, Conn., U.S.A.	113	41 36N	73 7W
Watertown, N.Y., U.S.A.	114	43 58N	75 57W
Watertown, S.D., U.S.A.	116	44 57N	97 5W
Watertown, Wis., U.S.A.	116	43 15N	88 45W
Waterval-Boven	93	25 40 S	30 18 E
Waterville, Can.	113	45 16N	71 54W
Waterville, Me., U.S.A.	107	44 35N	69 40W
Waterville, N.Y., U.S.A.	113	42 56N	75 23W
Waterville, Pa., U.S.A.	112	41 19N	77 21W
Waterville, Wash., U.S.A.	118	47 38N	120 1W
Watervliet	114	42 46N	73 43W
Wates	73	7 53 S	110 6 E
Watford, Can.	112	42 57N	81 53W
Watford, U.K.	13	51 38N	0 23W
Watford City	116	47 50N	103 23W
Wathaman →	109	57 16N	102 59W
Watkins Glen	114	42 25N	76 55W
Watling I. = San Salvador	121	24 0N	74 40W
Watonga	117	35 51N	98 24W
Watrous, Can.	109	51 40N	105 25W
Watrous, U.S.A.	117	35 50N	104 55W
Watsa	90	3 4N	29 30 E
Watseka	114	40 45N	87 45W
Watson	109	52 10N	104 30W
Watson Lake	104	60 6N	128 49W
Watsonville	119	36 55N	121 49W
Wattwil	25	47 18N	9 6 E
Watuata = Batuata	73	6 12 S	122 42 E
Watubela, Kepulauan	73	4 28 S	131 35 E
Wau	98	7 21 S	146 47 E
Waubamik	112	45 27N	80 1W
Waubay	116	45 22N	97 17W
Waubra	99	37 21 S	143 39 E
Wauchope	99	31 28 S	152 45 E
Wauchula	115	27 35N	81 50W
Waugh	109	49 40N	95 11W
Waukegan	114	42 22N	87 54W
Waukesha	114	43 0N	88 15W
Waukon	116	43 14N	91 33W
Wauneta	116	40 27N	101 25W
Waupaca	116	44 22N	89 8W
Waupun	116	43 38N	88 44W
Waurika	117	34 12N	98 0W
Wausau	116	44 57N	89 40W
Wautoma	116	44 3N	89 20W
Wauwatosa	114	43 6N	87 59W
Wave Hill	96	17 32 S	131 0 E
Waveney →	13	52 24N	1 20 E
Waverley	101	39 46 S	174 37 E
Waverly, Iowa, U.S.A.	116	42 40N	92 30W
Waverly, N.Y., U.S.A.	114	42 0N	76 33W
Wavre	16	50 43N	4 38 E
Wâw	87	7 45N	28 1 E
Waw al Kabir	81	25 20N	17 20 E
Wāw al Kabīr	83	25 20N	16 43 E
Wāw an Nāmūs	83	24 55N	17 46 E
Wawa, Can.	106	47 59N	84 47W
Wawa, Nigeria	85	9 54N	4 27 E
Wawa, Sudan	86	20 30N	30 22 E
Wawanesa	109	49 36N	99 40W
Wawoi →	98	7 48 S	143 16 E
Waxahachie	117	32 22N	96 53W
Waxweiler	25	50 6N	6 22 E
Wayabula Rau	73	2 29N	128 17 E
Wayatinah	99	42 19 S	146 27 E
Waycross	115	31 12N	82 25W
Wayi	87	5 8N	30 10 E
Wayne, Nebr., U.S.A.	116	42 16N	97 0W
Wayne, W. Va., U.S.A.	114	38 15N	82 27W
Waynesboro, Ga., U.S.A.	115	33 6N	82 1W
Waynesboro, Miss., U.S.A.	115	31 40N	88 39W
Waynesboro, Pa., U.S.A.	114	39 46N	77 32W
Waynesboro, Va., U.S.A.	114	38 4N	78 57W
Waynesburg	114	39 54N	80 12W
Waynesville	115	35 31N	83 0W
Waynoka	117	36 38N	98 53W
Wāzin	83	31 58N	10 40 E
Wazirabad	68	32 30N	74 8 E
Wda →	28	53 25N	18 29 E
We	72	5 51N	95 18 E
Weald, The	13	51 7N	0 9 E
Wear →	12	54 55N	1 22W
Weatherford, Okla., U.S.A.	117	35 30N	98 45W
Weatherford, Tex., U.S.A.	117	32 45N	97 48W
Weaverville	118	40 44N	122 56W
Webb City	117	37 9N	94 30W
Webster, Mass., U.S.A.	113	42 4N	71 54W
Webster, N.Y., U.S.A.	112	43 11N	77 27W
Webster, S.D., U.S.A.	116	45 24N	97 33W
Webster, Wis., U.S.A.	116	45 53N	92 25W
Webster City	116	42 30N	93 50W
Webster Green	116	38 38N	90 20W
Webster Springs	114	38 30N	80 25W
Weda	73	0 21N	127 50 E
Weda, Teluk	73	0 30N	127 50 E
Weddell I.	128	51 50 S	61 0W
Weddell Sea	5	72 30 S	40 0W
Wedderburn	99	36 26 S	143 33 E
Wedge I.	96	30 50 S	115 11 E
Wedgeport	107	43 44N	65 59W
Wedza	91	18 40 S	31 33 E
Wee Waa	99	30 11 S	149 26 E
Weed	118	41 29N	122 22W
Weedsport	113	43 3N	76 35W
Weedville	112	41 17N	78 28W
Weemelah	99	29 2 S	149 15 E
Weenen	93	28 48 S	30 7 E
Weener	24	53 10N	7 23 E
Weert	16	51 15N	5 43 E
Wegierska-Gorka	27	49 36N	19 7 E
Wegliniec	28	51 18N	15 10 E
Węgorzewo	28	54 13N	21 43 E
Węgrów	28	52 24N	22 0 E
Wei He →, Hebei, China	76	36 10N	115 45 E
Wei He →, Shaanxi, China	77	34 38N	110 15 E
Weida	24	50 47N	12 3 E
Weiden	25	49 40N	12 10 E
Weifang	76	36 44N	119 7 E
Weihai	76	37 30N	122 6 E
Weilburg	24	50 28N	8 17 E
Weilheim	25	47 50N	11 9 E
Weimar	24	51 0N	11 20 E
Weinan	77	34 31N	109 29 E
Weingarten	25	47 49N	9 39 E
Weinheim	25	49 33N	8 40 E
Weipa	97	12 40 S	141 50 E
Weir →, Austral.	99	28 20 S	149 50 E
Weir →, Can.	109	56 54N	93 21W
Weir River	109	56 49N	94 6W
Weirton	112	40 23N	80 35W
Weiser	118	44 10N	117 0W
Weishan	77	34 47N	117 5 E
Weissenburg	25	49 2N	10 58 E
Weissenfels	24	51 11N	12 0 E
Weisswasser	24	51 30N	14 36 E
Wĕitra	26	48 41N	14 54 E
Weiyuan	76	35 7N	104 10 E
Weiz	26	47 13N	15 39 E
Weizhou Dao	77	21 0N	109 5 E
Wejherowo	28	54 35N	18 12 E
Wekusko	109	54 30N	99 45W
Wekusko L.	109	54 40N	99 50W
Welby	109	50 33N	101 29W
Welch	114	37 29N	81 36W
Weldya	87	11 50N	39 34 E
Welega □	87	9 25N	34 20 E
Welkite	87	8 15N	37 42 E
Welkom	92	28 0 S	26 50 E
Welland	106	43 0N	79 15W
Welland →	12	52 43N	0 10W
Wellesley Is.	97	16 42 S	139 30 E
Wellin	16	50 5N	5 6 E
Wellingborough	13	52 18N	0 41W
Wellington, Austral.	97	32 35 S	148 59 E
Wellington, Can.	106	43 57N	77 20W
Wellington, N.Z.	101	41 19 S	174 46 E
Wellington, S. Afr.	92	33 38 S	18 57 E
Wellington, U.K.	13	50 58N	3 13W
Wellington, Col., U.S.A.	116	40 43N	105 0W
Wellington, Kans., U.S.A.	117	37 15N	97 25W
Wellington, Nev., U.S.A.	118	38 47N	119 28W
Wellington, Ohio, U.S.A.	112	41 9N	82 12W
Wellington, Tex., U.S.A.	117	34 55N	100 13W
Wellington □	101	40 8 S	175 36 E
Wellington, I.	128	49 30 S	75 0W
Wellington, L.	99	38 6 S	147 20 E
Wellington (Telford)	12	52 42N	2 31W
Wells, Norfolk, U.K.	12	52 57N	0 51 E
Wells, Somerset, U.K.	13	51 12N	2 39W
Wells, Me., U.S.A.	113	43 18N	70 35W
Wells, Minn., U.S.A.	116	43 44N	93 45W
Wells, Nev., U.S.A.	118	41 8N	115 0W
Wells Gray Prov. Park	108	52 30N	120 15W
Wells L.	96	26 44 S	123 15 E
Wells River	113	44 9N	72 4W
Wellsboro	114	41 45N	77 20W
Wellsburg	112	40 15N	80 36W
Wellsville, Mo., U.S.A.	116	39 4N	91 30W
Wellsville, N.Y., U.S.A.	114	42 9N	77 53W
Wellsville, Ohio, U.S.A.	114	40 36N	80 40W
Wellsville, Utah, U.S.A.	118	41 35N	111 59W
Wellton	119	32 39N	114 6W
Welmel, Wabi →	87	5 38N	40 47 E
Welna →	28	52 46N	17 32 E
Welo □	87	11 50N	39 48 E
Wels	26	48 9N	14 1 E
Welshpool	13	52 40N	3 9W
Welwyn	109	50 20N	101 30W
Wem	12	52 52N	2 45W
Wembere →	90	4 10 S	34 15 E
Wen Xian	77	32 43N	104 36 E
Wenatchee	118	47 30N	120 17W
Wenchang	77	19 38N	110 42 E
Wenchi	84	7 46N	2 8W
Wenchow = Wenzhou	75	28 0N	120 38 E
Wendell	118	42 50N	114 42W
Wendeng	76	37 15N	122 5 E
Wendesi	73	2 30 S	134 17 E
Wendo	87	6 40N	38 27 E
Wendover	118	40 49N	114 1W
Wengcheng	77	24 22N	113 50 E
Wenlock	98	13 6 S	142 58 E
Wenlock →	97	12 2 S	141 55 E
Wensu	75	41 15N	80 10 E
Wentworth	97	34 2 S	141 54 E
Wenut	73	3 11 S	133 19 E
Wenxi	77	35 20N	111 10 E
Wenzhou	75	28 0N	120 38 E
Weott	118	40 19N	123 56W
Wepener	92	29 42 S	27 3 E
Werda	92	25 24 S	23 15 E
Werdau	24	50 45N	12 20 E
Werder, Ethiopia	63	6 58N	45 1 E
Werder, Ger.	24	52 23N	12 56 E
Werdohl	24	51 15N	7 47 E
Wereilu	87	10 40N	39 28 E
Weri	73	3 10 S	132 38 E
Werne	24	51 38N	7 38 E
Werneck	25	49 59N	10 6 E
Wernigerode	24	51 49N	10 45 E
Werra →	24	51 26N	9 39 E
Werribee	99	37 54 S	144 40 E
Werrimull	99	34 25 S	141 38 E
Werris Creek	99	31 18 S	150 38 E
Wersar	73	1 30 S	131 55 E
Wertach →	25	48 24N	10 53 E
Wertheim	25	49 44N	9 32 E
Wertingen	25	48 33N	10 41 E
Wesel	24	51 39N	6 34 E
Weser →	24	53 33N	8 30 E
Wesiri	73	7 30 S	126 30 E
Wesleyville, Can.	107	49 8N	53 36W
Wesleyville, U.S.A.	112	42 9N	80 1W
Wessel Is.	97	11 10 S	136 45 E
Wesselburen	24	54 11N	8 53 E
Wessington	116	44 30N	98 40W
Wessington Springs	116	44 10N	98 35W
West	117	31 50N	97 5W
West B.	117	29 5N	89 27W
West Bend	114	43 25N	88 10W
West Bengal □	69	23 0N	88 0 E
West Branch	114	44 16N	84 13W
West Bromwich	13	52 32N	2 1W
West Chazy	113	44 49N	73 28W
West Chester	114	39 58N	75 36W
West Columbia	117	29 10N	95 38W
West Des Moines	116	41 30N	93 45W
West Falkland	128	51 40 S	60 0W
West Frankfurt	116	37 56N	89 0W
West Germany ■	24	52 0N	9 0 E
West Glamorgan □	13	51 40N	3 55W
West Hartford	113	41 45N	72 45W
West Haven	113	41 18N	72 57W
West Helena	117	34 30N	90 40W
West Ice Shelf	5	67 0 S	85 0 E
West Indies	121	15 0N	70 0W
West Looe	13	50 21N	4 29W
West Lorne	112	42 36N	81 36W
West Lunga →	91	13 6 S	24 39 E
West Magpie →	107	51 2N	64 42W
West Memphis	117	35 5N	90 11W
West Midlands □	13	52 30N	1 55W
West Monroe	117	32 32N	92 7W
West Moors	12	50 49N	1 50W
West Newton	112	40 14N	79 46W
West Nicholson	91	21 2 S	29 20 E
West Palm Beach	115	26 44N	80 3W
West Pittston	113	41 19N	75 49W
West Plains	117	36 45N	91 50W
West Point, Ga., U.S.A.	115	32 54N	85 10W
West Point, Miss., U.S.A.	115	33 36N	88 38W
West Point, Nebr., U.S.A.	116	41 50N	96 43W
West Point, Va., U.S.A.	114	37 35N	76 47W
West Pokot □	90	1 30N	35 15 E
West Road →	108	53 18N	122 53W
West Rutland	114	43 38N	73 0W
West Schelde → = Westerschelde	16	51 25N	3 25 E
West Siberian Plain	60	62 0N	75 0 E
West Sussex □	13	50 55N	0 30W
West-Terschelling	16	53 22N	5 13 E
West Virginia □	114	39 0N	81 0W
West-Vlaanderen □	16	51 0N	3 0 E
West Wyalong	100	33 56 S	147 10 E
West Yellowstone	118	44 47N	111 4W
West Yorkshire □	12	53 45N	1 40W
Westbrook, Maine, U.S.A.	115	43 40N	70 22W
Westbrook, Tex., U.S.A.	117	32 25N	101 0W
Westbury	99	41 30 S	146 51 E
Westby	116	48 52N	104 3W
Westerland	24	54 51N	8 20 E
Western □, Kenya	90	0 30N	34 30 E
Western □, Uganda	90	1 45N	31 30 E
Western □, Zambia	91	15 15 S	24 30 E
Western Australia □	96	25 0 S	118 0 E
Western Ghats	70	14 0N	75 0 E
Western Isles □	14	57 30N	7 10W
Western Samoa ■	101	14 0 S	172 0W
Westernport	114	39 30N	79 5W
Westerschelde →	16	51 25N	3 25 E
Westerstede	24	53 15N	7 55 E
Westerwald	24	50 39N	8 0 E
Westfield, Mass., U.S.A.	113	42 9N	72 49W
Westfield, N.Y., U.S.A.	112	42 20N	79 38W
Westfield, Pa., U.S.A.	112	41 54N	77 32W
Westhope	116	48 55N	101 0W
Westland □	101	43 33 S	169 59 E
Westland Bight	101	42 55 S	170 5 E
Westlock	108	54 9N	113 55W
Westmeath □	15	53 30N	7 30W
Westminster	114	39 34N	77 1W
Westmorland	119	33 2N	115 42W
Weston, Malay.	72	5 10N	115 35 E
Weston, Oreg., U.S.A.	118	45 50N	118 30W
Weston, W. Va., U.S.A.	114	39 3N	80 29W
Weston I.	106	52 33N	79 36W
Weston-super-Mare	13	51 20N	2 59W
Westport, Can.	113	44 40N	76 25W
Westport, Ireland	15	53 44N	9 31W
Westport, N.Z.	101	41 46 S	171 37 E
Westport, U.S.A.	118	46 48N	124 4W
Westray, Can.	109	53 36N	101 24W
Westray, U.K.	14	59 18N	3 0W
Westree	106	47 26N	81 34W
Westview	108	49 50N	124 31W
Westville, Ill., U.S.A.	114	40 3N	87 36W
Westville, Okla., U.S.A.	117	36 0N	94 33W
Westwood	118	40 26N	121 0W
Wetar	73	7 30 S	126 30 E
Wetaskiwin	108	52 55N	113 24W
Wethersfield	113	41 43N	72 40W
Wetteren	16	51 0N	3 53 E
Wetzlar	24	50 33N	8 30 E

* *Renamed Hwange*

† *Renamed Teraina*

Wewak Workington

Wewak 98 3 38S 143 41E
Wewaka 117 35 10N 96 35W
Wexford 15 52 20N 6 28W
Wexford □ 15 52 20N 6 25W
Wexford Harb. 15 52 20N 6 25W
Weyburn 109 49 40N 103 50W
Weyburn L. 108 63 0N 117 59W
Weyer 26 47 51N 14 40E
Weyib → 87 7 15N 40 15E
Weymouth, Can. 107 44 30N 66 1W
Weymouth, U.K. 13 50 36N 2 28W
Weymouth, U.S.A. 113 42 13N 70 53W
Weymouth, C. 97 12 37S 143 27E
Whakatane 101 37 57S 177 1E
Whale → 107 58 15N 67 40W
Whale Cove 104 62 11N 92 36W
Whales, B. of 5 78 0S 165 0W
Whalsay 14 60 22N 1 0W
Whangamomona 101 39 8S 174 44E
Whangarei 101 35 43S 174 21E
Whangarei Harbour 101 35 45S 174 28E
Wharfe → 12 53 55N 1 30W
Wharfedale 12 54 7N 2 4W
Wharton, N.J., U.S.A. 113 40 53N 74 36W
Wharton, Pa., U.S.A. 112 41 31N 78 1W
Wharton, Tex., U.S.A. 117 29 20N 96 6W
Wheatland 116 42 4N 104 58W
Wheatley 112 42 6N 82 27W
Wheaton 116 45 50N 96 29W
Wheeler, Oreg., U.S.A. 118 45 50N 123 57W
Wheeler, Tex., U.S.A. 117 35 29N 100 15W
Wheeler → 109 57 25N 105 30W
Wheeler Pk., N. Mex., U.S.A. 119 36 34N 105 25W
Wheeler Pk., Nev., U.S.A. 119 38 57N 114 15W
Wheeling 114 40 2N 80 41W
Whernside 12 54 14N 2 24W
Whidbey I. 108 48 15N 122 40W
Whidbey Is. 96 34 30S 135 3E
Whiskey Gap 108 49 0N 113 3W
Whiskey Jack L. 109 58 23N 101 55W
Whistler 115 30 50N 88 10W
Whitby, Can. 112 43 52N 78 56W
Whitby, U.K. 12 54 29N 0 37W
White →, Ark., U.S.A. 117 33 53N 91 3W
White →, Colo., U.S.A. 118 40 8N 109 41W
White →, Ind., U.S.A. 114 38 25N 87 44W
White →, S.D., U.S.A. 116 43 45N 99 30W
White B. 107 50 0N 56 35W
White Bear Res. 107 48 10N 57 5W
White Bird 118 45 46N 116 21W
White Butte 116 46 23N 103 19W
White City 116 38 50N 96 45W
White Cliffs 99 30 50S 143 10E
White Deer 117 35 30N 101 8W
White Hall 116 39 25N 90 27W
White Haven 113 41 3N 75 47W
White I. 101 37 30S 177 13E
White L., Can. 113 45 18N 76 31W
White L., U.S.A. 117 29 45N 92 30W
White Mts., Calif., U.S.A. 119 37 30N 118 15W
White Mts., N.H., U.S.A. 113 44 15N 71 15W
White Nile = Nîl el Abyad → 87 15 38N 32 31E
White Nile Dam 87 15 24N 32 30E
White Otter L. 106 49 5N 91 55W
White Pass 104 59 40N 135 3W
White Plains 113 41 2N 73 44W
White River, Can. 106 48 35N 85 20W
White River, S. Afr. 93 25 20S 31 00E
White River, U.S.A. 116 43 34N 100 45W
White River Junc. 113 43 38N 72 20W
White Russia = Byelorussian S.S.R. □ 54 53 30N 27 0E
White Sea = Beloye More 52 66 30N 38 0E
White Sulphur Springs, Mont., U.S.A. 118 46 35N 110 54W
White Sulphur Springs, W. Va., U.S.A. 114 37 50N 80 16W
White Volta (Volta Blanche) → 85 9 10N 1 15W
Whitecliffs 101 43 26S 171 55E
Whitecourt 108 54 10N 115 45W
Whiteface 117 33 35N 102 40W
Whitefield 113 44 23N 71 37W
Whitefish 118 48 25N 114 22W
Whitefish L. 109 62 41N 106 48W
Whitefish Pt. 114 46 45N 85 0W
Whitegull, L. 107 55 27N 64 17W
Whitehall, Mich., U.S.A. 114 43 21N 86 20W
Whitehall, Mont., U.S.A. 118 45 52N 112 4W
Whitehall, N.Y., U.S.A. 114 43 32N 73 28W
Whitehall, Wis., U.S.A. 116 44 20N 91 19W
Whitehaven 12 54 33N 3 35W
Whitehorse 104 60 43N 135 3W
Whitehorse, Vale of 13 51 37N 1 30W
Whiteman Ra. 98 5 55S 150 0E
Whitemark 99 40 7S 148 3E
Whitemouth 109 49 57N 95 58W
Whiteplains 84 6 28N 10 40W
Whitesail, L. 108 53 35N 127 45W
Whitesboro, N.Y., U.S.A. 113 43 8N 75 20W
Whitesboro, Tex., U.S.A. 117 33 40N 96 58W
Whiteshell Prov. Park 109 50 0N 95 40W
Whitetail 116 48 54N 105 15W
Whiteville 115 34 20N 78 40W
Whitewater 114 42 50N 88 45W
Whitewater Baldy, Mt. 119 33 20N 108 44W
Whitewater L. 106 50 50N 89 10W
Whitewood, Austral. 98 21 28S 143 30E
Whitewood, Can. 109 50 20N 102 20W
Whitfield 99 36 42S 146 24E
Whithorn 14 54 44N 4 25W
Whitianga 101 36 47S 175 41E
Whitman 113 42 4N 70 55W
Whitmire 115 34 33N 81 40W
Whitney 106 45 31N 78 14W
Whitney, Mt. 119 36 35N 118 14W
Whitney Pt. 113 42 19N 75 59W
Whitstable 13 51 21N 1 2E
Whitsunday I. 97 20 15S 149 4E
Whittier 104 60 46N 148 48W
Whittlesea 99 37 27S 145 9E
Whitwell 115 35 15N 85 30W
Wholdaia L. 109 60 43N 104 20W
Whyalla 97 33 2S 137 30E
Whyjonta 99 29 41S 142 28E
Wiarton 106 44 40N 81 10W
Wiawso 84 6 10N 2 25W
Wiazów 28 50 50N 17 10E
Wibaux 116 47 0N 104 13W
Wichita 117 37 40N 97 20W
Wichita Falls 117 33 57N 98 30W
Wick 14 58 26N 3 5W
Wickenburg 119 33 58N 112 45W
Wickett 117 31 37N 102 58W
Wickham, C. 99 39 35S 143 57E
Wickliffe 112 41 36N 81 29W
Wicklow 15 53 0N 6 2W
Wicklow □ 15 52 59N 6 25W
Wicklow Hd. 15 52 59N 6 3W
Wicklow Mts. 15 53 0N 6 30W
Widawa 28 51 27N 18 51E
Widawka 28 51 7N 19 36E
Widnes 12 53 22N 2 44W
Więcbork 28 53 21N 17 30E
Wiedenbrück 24 51 52N 8 15E
Wiek 24 54 37N 13 17E
Wielbark 28 53 24N 20 55E
Wielén 28 52 53N 16 9E
Wieliczka 27 50 0N 20 5E
Wieluń 28 51 15N 18 34E
Wien 27 48 12N 16 22E
Wiener Neustadt 27 47 49N 16 16E
Wieprz →, Koszalin, Poland 28 54 26N 16 35E
Wieprz →, Lublin, Poland 28 51 34N 21 49E
Wierden 16 52 22N 6 35E
Wieruszów 28 51 19N 18 9E
Wiesbaden 25 50 7N 8 17E
Wiesental 25 49 15N 8 30E
Wigan 12 53 33N 2 38W
Wiggins, Colo., U.S.A. 116 40 16N 104 3W
Wiggins, Miss., U.S.A. 117 30 53N 89 9W
Wight, I. of 13 50 40N 1 20W
Wigry, Jezioro 28 54 2N 23 8E
Wigtown 14 54 52N 4 27W
Wigtown B. 14 54 46N 4 15W
Wil 25 47 28N 9 3E
Wilamowice 27 49 55N 19 9E
Wilber 116 40 34N 96 59W
Wilberforce 112 45 2N 78 13W
Wilberforce, C. 97 11 54S 136 35E
Wilburton 117 34 55N 95 15W
Wilcannia 97 31 30S 143 26E
Wilcox 112 41 34N 78 43W
Wildbad 25 48 44N 8 32E
Wildeshausen 24 52 54N 8 25E
Wildon 26 46 52N 15 31E
Wildrose 116 48 36N 103 11W
Wildspitze 26 46 53N 10 53E
Wildwood 114 38 59N 74 46W
Wilga → 28 51 52N 21 18E
Wilhelm II Coast 5 68 0S 90 0E
Wilhelm Mt. 98 5 50S 145 1E
Wilhelm-Pieck-Stadt Guben 24 51 59N 14 48E
Wilhelmsburg, Austria 26 48 6N 15 36E
Wilhelmsburg, Ger. 24 53 28N 10 1E
Wilhelmshaven 24 53 30N 8 9E
Wilhelmstal 92 21 58S 16 21E
Wilkes Barre 114 41 15N 75 52W
Wilkes Land 5 69 0S 120 0E
Wilkes Sub-Glacial Basin 5 75 0S 130 0E
Wilkesboro 115 36 10N 81 9W
Wilkie 109 52 27N 108 42W
Wilkinsburg 112 40 26N 79 50W
Willamina 118 45 9N 123 32W
Willandra Billabong Creek → 99 33 22S 145 52E
Willapa, B. 118 46 44N 124 0W
Willard, N. Mex., U.S.A. 119 34 35N 106 1W
Willard, Utah, U.S.A. 118 41 28N 112 1W
Willcox 119 32 13N 109 53W
Willemstad 121 12 5N 69 0W
William → 109 59 8N 109 19W
Williams 119 35 16N 112 11W
Williams Lake 108 52 10N 122 10W
Williamsburg, Ky., U.S.A. 115 36 45N 84 10W
Williamsburg, Pa., U.S.A. 112 40 27N 78 14W
Williamsburg, Va., U.S.A. 114 37 17N 76 44W
Williamson, N.Y., U.S.A. 112 43 14N 77 15W
Williamson, W. Va., U.S.A. 114 37 46N 82 17W
Williamsport 114 41 18N 77 1W
Williamston 115 35 50N 77 5W
Williamstown, Austral. 99 37 51S 144 52E
Williamstown, Mass., U.S.A. 113 42 41N 73 12W
Williamstown, N.Y., U.S.A. 113 43 25N 75 54W
Williamsville 117 37 0N 90 33W
Willimantic 113 41 45N 72 12W
Williston, S. Afr. 92 31 20S 20 53E
Williston, Fla., U.S.A. 115 29 25N 82 28W
Williston, N.D., U.S.A. 116 48 10N 103 35W
Williston L. 108 56 0N 124 0W
Willits 118 39 28N 123 17W
Willmar 116 45 5N 95 0W
Willoughby 112 41 38N 81 26W
Willow Bunch 109 49 20N 105 35W
Willow L. 108 62 10N 119 8W
Willow Lake 116 44 40N 97 40W
Willow River 108 54 6N 122 28W
Willow Springs 117 37 0N 92 0W
Willowlake → 108 62 42N 123 8W
Willowmore 92 33 15S 23 30E
Willows, Austral. 98 23 39S 147 25E
Willows, U.S.A. 118 39 30N 122 10W
Wills Cr. → 98 22 43S 140 2E
Wills Pt. 117 32 42N 95 57W
Willunga 99 35 15S 138 30E
Wilmette 114 42 6N 87 44W
Wilmington, Austral. 99 32 39S 138 7E
Wilmington, Del., U.S.A. 114 39 45N 75 32W
Wilmington, Ill., U.S.A. 114 41 19N 88 10W
Wilmington, N.C., U.S.A. 115 34 14N 77 54W
Wilmington, Ohio, U.S.A. 114 39 27N 83 50W
Wilpena Cr. → 99 31 25S 139 29E
Wilsall 118 45 59N 110 40W
Wilson 115 35 44N 77 54W
Wilson → 99 27 38S 141 24E
Wilson, Mt. 119 37 55N 108 3W
Wilson's Promontory 97 38 55S 146 25E
Wilster 24 53 55N 9 23E
Wilton, U.K. 13 51 5N 1 52W
Wilton, U.S.A. 116 47 12N 100 47W
Wiltshire □ 13 51 20N 2 0W
Wiltz 16 49 57N 5 55E
Wiluna 96 26 36S 120 14E
Wimereux 19 50 45N 1 37E
Wimmera 97 36 30S 142 0E
Wimmera → 99 36 8S 141 56E
Winam G. 90 0 20S 34 15E
Winburg 92 28 30S 27 2E
Winchendon 113 42 40N 72 3W
Winchester, U.K. 13 51 4N 1 19W
Winchester, Conn., U.S.A. 113 41 53N 73 9W
Winchester, Idaho, U.S.A. 118 46 11N 116 32W
Winchester, Ind., U.S.A. 114 40 10N 84 56W
Winchester, Ky., U.S.A. 114 38 0N 84 8W
Winchester, Mass., U.S.A. 113 42 28N 71 10W
Winchester, N.H., U.S.A. 113 42 47N 72 22W
Winchester, Tenn., U.S.A. 115 35 11N 86 8W
Winchester, Va., U.S.A. 114 39 14N 78 8W
Wind → 118 43 8N 108 12W
Wind River Range 118 43 0N 109 30W
Windber 114 40 14N 78 50W
Windermere, L. 12 54 20N 2 57W
Windfall 108 54 12N 116 13W
Windflower L. 108 62 52N 118 30W
Windhoek 92 22 35S 17 4E
Windischgarsten 26 47 42N 14 21E
Windom 116 43 48N 95 3W
Windorah 97 25 24S 142 36E
Window Rock 119 35 47N 109 4W
Windrush → 13 51 48N 1 35W
Windsor, Austral. 99 33 37S 150 50E
Windsor, N.S., Can. 107 44 59N 64 5W
Windsor, Newf., Can. 107 48 57N 55 40W
Windsor, Ont., Can. 106 42 18N 83 0W
Windsor, U.K. 13 51 28N 0 36W
Windsor, Col., U.S.A. 116 40 33N 104 45W
Windsor, Conn., U.S.A. 113 41 50N 72 40W
Windsor, Mo., U.S.A. 116 38 32N 93 31W
Windsor, N.Y., U.S.A. 113 42 5N 75 37W
Windsor, Vt., U.S.A. 114 43 30N 72 25W
Windsorton 92 28 16S 24 44E
Windward Is., Atl. Oc. 121 13 0N 63 0W
Windward Is., Pac. Oc. 95 18 0S 149 0W
Windward Passage = Vientos, Paso de los 121 20 0N 74 0W
Windy L. 109 60 20N 100 2W
Winefred L. 109 55 30N 110 30W
Winejok 87 9 1N 27 30E
Winfield 117 37 15N 97 0W
Wingen 99 31 54S 150 54E
Wingham, Austral. 99 31 48S 152 22E
Wingham, Can. 106 43 55N 81 20W
Winifred 118 47 30N 109 28W
Winisk 106 55 20N 85 15W
Winisk → 106 55 17N 85 5W
Winisk L. 106 52 55N 87 22W
Wink 117 31 49N 103 9W
Winkler 109 49 10N 97 56W
Winklern 26 46 52N 12 52E
Winlock 118 46 29N 122 56W
Winneba 85 5 25N 0 36W
Winnebago 116 43 43N 94 8W
Winnebago L. 114 44 0N 88 20W
Winnemucca 118 41 0N 117 45W
Winnemucca, L. 118 40 25N 119 21W
Winner 116 43 23N 99 52W
Winnetka 114 42 8N 87 46W
Winnett 118 47 2N 108 21W
Winnfield 117 31 57N 92 38W
Winnibigoshish L. 116 47 25N 94 12W
Winnipeg 109 49 54N 97 9W
Winnipeg → 109 50 38N 96 19W
Winnipeg Beach 109 50 30N 96 58W
Winnipeg, L. 109 52 0N 97 0W
Winnipegosis 109 51 39N 99 55W
Winnipegosis L. 109 52 30N 100 0W
Winnipesaukee, L. 113 43 38N 71 21W
Winnsboro, La., U.S.A. 117 32 10N 91 41W
Winnsboro, S.C., U.S.A. 115 34 23N 81 5W
Winnsboro, Tex., U.S.A. 117 32 56N 95 15W
Winokapau, L. 107 53 15N 62 50W
Winona, Miss., U.S.A. 117 33 30N 89 42W
Winona, Wis., U.S.A. 116 44 2N 91 39W
Winooski 114 44 31N 73 11W
Winschoten 16 53 9N 7 3E
Winsen 24 53 21N 10 11E
Winslow 119 35 2N 110 41W
Winsted 113 41 55N 73 5W
Winston-Salem 115 36 7N 80 15W
Winter Garden 115 28 33N 81 35W
Winter Haven 115 28 0N 81 42W
Winter Park 115 28 34N 81 19W
Winterberg 24 51 12N 8 30E
Winters 117 31 58N 99 58W
Winterset 116 41 18N 94 0W
Wintersville 112 40 22N 80 38W
Winterswijk 16 51 58N 6 43E
Winterthur 25 47 30N 8 44E
Winthrop, Minn., U.S.A. 116 44 31N 94 25W
Winthrop, Wash., U.S.A. 118 48 27N 120 6W
Winton, Austral. 97 22 24S 143 3E
Winton, N.Z. 101 46 8S 168 20E
Winton, N.C., U.S.A. 115 36 25N 76 58W
Winton, Pa., U.S.A. 113 41 27N 75 33W
Wintzenheim 19 48 4N 7 17E
Wipper → 24 51 17N 11 10E
Wirral 12 53 25N 3 0W
Wisbech 12 52 39N 0 10E
Wisconsin □ 116 44 30N 90 0W
Wisconsin → 116 43 0N 91 15W
Wisconsin Dells 116 43 38N 89 45W
Wisconsin Rapids 116 44 25N 89 50W
Wisdom 118 45 37N 113 27W
Wishaw 14 55 46N 3 55W
Wishek 116 46 20N 99 35W
Wisła 27 49 38N 18 53E
Wisła → 28 54 22N 18 55E
Wisłok → 27 50 13N 22 32E
Wisłoka → 27 50 27N 21 23E
Wismar 24 53 53N 11 23E
Wisner 116 42 0N 96 46W
Wissant 19 50 52N 1 40E
Wissembourg 19 49 2N 7 57E
Wistoka → 27 49 50N 21 28E
Wisznice 28 51 48N 23 13E
Witbank 93 25 51S 29 14E
Witdraai 92 26 58S 20 48E
Witham → 12 53 3N 0 8W
Withernsea 12 53 43N 0 2E
Witkowo 28 52 26N 17 45E
Witney 13 51 47N 1 29W
Witnossob → 92 26 55S 20 37E
Wittdün 24 54 38N 8 23E
Witten 24 51 26N 7 19E
Wittenberg 24 51 51N 12 39E
Wittenberge 24 53 0N 11 44E
Wittenburg 24 53 30N 11 4E
Wittenoom 96 22 15S 118 20E
Wittingen 24 52 43N 10 43E
Wittlich 25 50 0N 6 54E
Wittmund 24 53 39N 7 45E
Wittow 24 54 37N 13 21E
Wittstock 24 53 10N 12 30E
Witzenhausen 24 51 20N 9 50E
Wkra → 28 52 27N 20 44E
Władysławowo 28 54 48N 18 25E
Wlen 28 51 0N 15 39E
Wlingi 73 8 5S 112 25E
Włocławe □ 28 52 50N 19 10E
Włocławek 28 52 40N 19 3E
Włodawa 28 51 33N 23 31E
Włoszczowa 28 50 50N 19 55E
Woburn 113 42 31N 71 7W
Wodonga 99 36 5S 146 50E
Wodzisław Śląski 27 50 1N 18 26E
Woerth 19 48 57N 7 45E
Woëvre, Plaine de la 19 49 15N 5 45E
Wokam 73 5 45S 134 28E
Woking 108 55 35N 118 50W
Wolbrom 28 50 24N 19 45E
Wołczyn 28 51 1N 18 3E
Woldegk 24 53 27N 13 35E
Wolf → 108 60 17N 132 33W
Wolf Creek 118 47 1N 112 2W
Wolf L. 108 60 24N 131 40W
Wolf Point 116 48 6N 105 40W
Wolfe I. 106 44 7N 76 20W
Wolfenbüttel 24 52 10N 10 33E
Wolfenden 108 52 0N 119 25W
Wolfsberg 26 46 50N 14 52E
Wolfsburg 24 52 27N 10 49E
Wolgast 24 54 3N 13 46E
Wolhusen 25 47 4N 8 4E
Wolin, Poland 28 53 50N 14 37E
Wolin, Poland 28 54 0N 14 40E
Wollaston, Islas 128 55 40S 67 30W
Wollaston L. 109 58 7N 103 10W
Wollaston Pen. 104 69 30N 115 0W
Wollondilly → 100 34 12S 150 18E
Wollongong 97 34 25S 150 54E
Wolmaransstad 92 27 12S 26 13E
Wolmirstedt 24 52 15N 11 35E
Wołomin 28 52 19N 21 15E
Wołów 28 51 20N 16 38E
Wolseley, Austral. 99 36 23S 140 54E
Wolseley, Can. 109 50 25N 103 15W
Wolseley, S. Afr. 92 33 26S 19 7E
Wolstenholme Fjord 4 76 0N 70 0W
Wolsztyn 28 52 8N 16 5E
Wolvega 16 52 52N 6 0E
Wolverhampton 13 52 35N 2 6W
Wondai 97 26 20S 151 49E
Wonder Gorge 91 14 40S 29 0E
Wongalarroo L. 99 31 32S 144 0E
Wŏnju 76 37 22N 127 58E
Wonosari 73 7 58S 110 36E
Wŏnsan 76 39 11N 127 27E
Wonthaggi 97 38 37S 145 37E
Woocalla 99 31 42S 137 12E
Wood Buffalo Nat. Park 108 59 0N 113 41W
Wood L. 109 55 17N 103 17W
Wood Lake 116 42 38N 100 14W
Woodbridge 112 43 47N 79 36W
Woodburn 99 29 6S 153 23E
Woodend 99 37 20S 144 33E
Woodland 118 38 40N 121 50W
Woodlark I. 98 9 10S 152 50E
Woodpecker 108 53 30N 122 40W
Woodridge 109 49 20N 96 9W
Woodroffe, Mt. 96 26 20S 131 45E
Woodruff, Ariz., U.S.A. 119 34 51N 110 1W
Woodruff, Utah, U.S.A. 118 41 30N 111 4W
Woods, L., Austral. 96 17 50S 133 30E
Woods, L., Can. 107 54 30N 65 13W
Woods, L. of the 109 49 15N 94 45W
Woodside 100 38 31S 146 52E
Woodstock, Austral. 98 19 35S 146 50E
Woodstock, N.B., Can. 107 46 11N 67 37W
Woodstock, Ont., Can. 106 43 10N 80 45W
Woodstock, U.K. 13 51 51N 1 20W
Woodstock, Ill., U.S.A. 116 42 17N 88 30W
Woodstock, Vt., U.S.A. 113 43 37N 72 31W
Woodsville 114 44 10N 72 0W
Woodville, N.Z. 101 40 20S 175 53E
Woodville, U.S.A. 117 30 45N 94 25W
Woodward 117 36 24N 99 28W
Woolamai, C. 99 38 30S 145 23E
Woombye 99 26 40S 152 55E
Woomera 97 31 30S 137 10E
Woonona 100 34 21S 150 54E
Woonsocket 114 42 0N 71 30W
Woonsockett 116 44 5N 98 15W
Wooramel → 96 25 47S 114 10E
Wooster 114 40 48N 81 55W
Worcester, S. Afr. 92 33 39S 19 27E
Worcester, U.K. 13 52 12N 2 12W
Worcester, Mass., U.S.A. 114 42 14N 71 49W
Worcester, N.Y., U.S.A. 113 42 35N 74 45W
Wörgl 26 47 29N 12 3E
Workington 12 54 39N 3 34W

Worksop Yining

Worksop 12 53 19N 1 9W
Workum 16 52 59N 5 26 E
Worland 118 44 0N 107 59W
Wormhoudt 19 50 52N 2 28 E
Worms 25 49 37N 8 21 E
Wörth 25 49 1N 12 24 E
Wortham 117 31 48N 96 27W
Wörther See 26 46 37N 14 10 E
Worthing 13 50 49N 0 21W
Worthington 116 43 35N 95 36W
Wosi 73 0 15 S 128 0 E
Wou-han = Wuhan 75 30 31N 114 18 E
Wour 83 21 14N 16 0 E
Wowoni 73 4 5 S 123 5 E
Wozniki 28 50 35N 19 4 E
Wrangell 104 56 30N 132 25W
Wrangell, I. 108 56 20N 132 10W
Wrangell Mts. 104 61 40N 143 30W
Wrath, C. 14 58 38N 5 0W
Wray 116 40 8N 102 18W
Wrekin, The 12 52 41N 2 35W
Wrens 115 33 13N 82 23W
Wrexham 12 53 5N 3 0W
Wriezen 24 52 43N 14 9 E
Wright, Can. 108 51 52N 121 40W
Wright, Phil. 73 11 42N 125 2 E
Wrightson, Mt. 119 31 43N 110 56W
Wrigley 104 63 16N 123 37W
Wrocław 28 51 5N 17 5 E
Wrocław □ 28 51 0N 17 0 E
Wronki 28 52 41N 16 21 E
Września 28 52 21N 17 36 E
Wschowa 28 51 48N 16 20 E
Wu Jiang → 75 29 40N 107 20 E
Wuchang 76 44 55N 127 5 E
Wuchuan 77 28 25N 108 3 E
Wuding He → 76 37 2N 110 23 E
Wugang 77 26 44N 110 35 E
Wugong Shan 77 27 30N 114 0 E
Wuhan 75 30 31N 114 18 E
Wuhsi = Wuxi 75 31 33N 120 18 E
Wuhu 75 31 22N 118 21 E
Wukari 85 7 51N 9 42 E
Wulehe 85 8 39N 0 0
Wuliaru 73 7 27 S 131 0 E
Wulumuchi = Ürümqi 75 43 45N 87 45 E
Wum 85 6 24N 10 2 E
Wuning 77 29 17N 115 5 E
Wunnummin L. 106 52 55N 89 10W
Wunsiedel 25 50 2N 12 0 E
Wunstorf 24 52 26N 9 29 E
Wuntho 67 23 55N 95 45 E
Wuping 77 25 5N 116 5 E
Wuppertal, Ger. 24 51 15N 7 8 E
Wuppertal, S. Afr. 92 32 13 S 19 12 E
Wuqing 76 39 23N 117 4 E
Wurung 98 19 13 S 140 38 E
Würzburg 25 49 46N 9 55 E
Wurzen 24 51 21N 12 45 E
Wushan 77 31 7N 109 54 E
Wustrow 24 54 4N 11 33 E
Wutach → 25 47 37N 8 15 E
Wutongqiao 75 29 22N 103 50 E
Wuwei, Anhui, China 77 31 18N 117 54 E
Wuwei, Gansu, China 75 37 57N 102 34 E
Wuxi, Jiangsu, China 75 31 33N 120 18 E
Wuxi, Sichuan, China 77 31 23N 109 35 E
Wuxing 77 30 51N 120 8 E
Wuyi, Hebei, China 76 37 46N 115 56 E
Wuyi, Zhejiang, China 77 28 52N 119 50 E
Wuyi Shan 75 27 0N 117 0 E
Wuying 76 47 53N 129 56 E
Wuyo 85 10 23N 11 50 E
Wuyuan 76 41 2N 108 20 E
Wuzhai 76 38 54N 111 48 E
Wuzhi Shan 75 18 45N 109 45 E
Wuzhong 76 38 2N 106 12 E
Wuzhou 75 23 30N 111 18 E
Wyaaba Cr. → 98 16 27 S 141 35 E
Wyalusing 113 41 40N 76 16W
Wyandotte 114 42 14N 83 13W
Wyandra 97 27 12 S 145 56 E
Wyangala Res. 100 33 54 S 149 0 E
Wyara, L. 99 28 42 S 144 14 E
Wycheproof 99 36 0 S 143 17 E
Wye → 13 51 36N 2 40W
Wyk 24 54 41N 8 33 E
Wymondham 13 52 45N 0 42W
Wymore 116 40 10N 96 40W
Wynberg 92 34 2 S 18 28 E
Wyndham, Austral. 96 15 33 S 128 3 E
Wyndham, N.Z. 101 46 20 S 168 51 E
Wyndmere 116 46 23N 97 7W
Wynne 117 35 15N 90 50W
Wynnum 99 27 27 S 153 9 E
Wynyard 109 51 45N 104 10W
Wyoming □ 110 42 48N 109 0W
Wyong 99 33 14 S 151 24 E
Wyrzysk 28 53 10N 17 17 E
Wysoka 28 53 13N 17 2 E
Wysokie 28 50 55N 22 40 E
Wysokie Mazowieckie 28 52 55N 22 30 E
Wyszków 28 52 36N 21 25 E
Wyszogród 28 52 23N 20 9 E
Wytheville 114 37 0N 81 3W

X

Xai-Xai 93 25 6 S 33 31 E
Xainza 75 30 58N 88 35 E
Xangongo 92 16 45 S 15 0 E
Xanten 24 51 40N 6 27 E
Xánthi 44 41 10N 24 58 E
Xánthi □ 44 41 10N 24 58 E
Xapuri 126 10 35 S 68 35W
Xau, L. 92 21 15 S 24 44 E
Xavantina 125 21 15 S 52 48W
Xenia 114 39 42N 83 57W
Xi Jiang → 75 22 5N 113 20 E
Xi Xian 76 36 41N 110 58 E
Xiachengzi 76 44 40N 130 18 E
Xiachuan Dao 77 21 40N 112 40 E
Xiaguan 75 25 32N 100 16 E
Xiajiang 77 27 30N 115 10 E
Xiamen 75 24 25N 118 4 E
Xi'an 77 34 15N 109 0 E
Xianfeng 77 29 40N 109 8 E
Xiang Jiang → 75 28 55N 112 50 E
Xiangfan 75 32 2N 112 8 E
Xiangning 76 35 58N 110 50 E
Xiangtan 75 27 51N 112 54 E
Xiangxiang 77 27 43N 112 28 E
Xiangyang 75 32 1N 112 8 E
Xiangyin 77 28 38N 112 54 E
Xiangzhou 77 23 58N 109 40 E
Xianju 77 28 51N 120 44 E
Xianyang 77 34 20N 108 40 E
Xiao Hinggan Ling 75 49 0N 127 0 E
Xiaogan 77 30 52N 113 55 E
Xiapu 75 26 54N 119 59 E
Xichang 75 27 51N 102 19 E
Xichuan 77 33 0N 111 30 E
Xieng Khouang 71 19 17N 103 25 E
Xifeng 77 27 7N 106 42 E
Xigazê 75 29 5N 88 45 E
Xihe 77 34 2N 105 20 E
Xiliao He → 76 43 32N 123 35 E
Xilin 77 24 30N 105 6 E
Xilókastron 45 38 4N 22 43 E
Xin Xian 76 38 22N 112 46 E
Xinavane 93 25 2 S 32 47 E
Xinbin 76 41 40N 125 2 E
Xincheng 77 24 5N 108 39 E
Xinfeng 77 25 27N 114 58 E
Xing'an 75 25 38N 110 40 E
Xingan 77 27 46N 115 20 E
Xingcheng 76 40 40N 120 45 E
Xingguo 77 26 21N 115 21 E
Xinghua 77 32 58N 119 48 E
Xinghua Wan 77 25 15N 119 20 E
Xingning 77 24 3N 115 42 E
Xingren 75 25 24N 105 11 E
Xingshan 77 31 15N 110 45 E
Xingtai 76 37 3N 114 32 E
Xingu → 127 1 30 S 51 53W
Xingyang 77 34 45N 112 52 E
Xinhua 77 27 42N 111 13 E
Xiniás, L. 45 39 2N 22 12 E
Xining 75 36 34N 101 40 E
Xinjiang 76 35 34N 111 11 E
Xinjiang Uygur Zizhiqu □ 75 42 0N 86 0 E
Xinjin 76 39 25N 121 58 E
Xinle 76 38 25N 114 40 E
Xinmin 76 41 59N 122 50 E
Xinning 77 26 28N 110 50 E
Xinxiang 77 35 18N 113 50 E
Xinyang 75 32 6N 114 3 E
Xinzheng 77 34 20N 113 45 E
Xinzhou 77 19 43N 109 17 E
Xinzhu 75 24 49N 120 57 E
Xiongyuecheng 76 40 12N 122 5 E
Xiping 77 33 22N 114 0 E
Xique-Xique 127 10 50 S 42 40W
Xiuyan 76 40 18N 123 11 E
Xixabangma Feng 67 28 20N 85 40 E
Xixiang 77 33 0N 107 44 E
Xizang □ 75 32 0N 88 0 E
Xuancheng 77 30 56N 118 43 E
Xuan'en 77 30 0N 109 30 E
Xuanhan 77 31 18N 107 38 E
Xuanhua 76 40 40N 115 2 E
Xuchang 77 34 2N 113 48 E
Xuguit Qi 76 49 17N 120 44 E
Xunke 76 49 35N 128 27 E
Xupu 77 27 53N 110 32 E
Xuwen 77 20 20N 110 10 E
Xuyong 77 28 10N 105 22 E
Xuzhou 77 34 18N 117 10 E

Y

Ya 'Bad 62 32 27N 35 10 E
Yaamba 98 23 8 S 150 22 E
Ya'an 75 29 58N 103 5 E
Yaapeet 99 35 45 S 142 3 E
Yabassi 85 4 30N 9 57 E
Yabelo 87 4 50N 38 8 E
Yablanitsa 43 43 2N 24 5 E
Yablonovy Khrebet 59 53 0N 114 0 E
Yabrīn 64 23 17N 48 58 E
Yacheng 77 18 22N 109 6 E
Yacuiba 124 22 0 S 63 43W
Yadgir 70 16 45N 77 5 E
Yadkin → 115 35 23N 80 3W
Yadrin 55 55 57N 46 12 E
Yagaba 85 10 14N 1 20W
Yagodnoye 59 62 33N 149 40 E
Yagoua 88 10 20N 15 13 E
Yagur 62 32 45N 35 4 E
Yahila 90 0 13N 24 28 E
Yahk 108 49 6N 116 10W
Yahuma 88 1 0N 23 10 E
Yajua 85 11 27N 12 49 E
Yakima 118 46 42N 120 30W
Yakima → 118 47 0N 120 30W
Yako 84 12 59N 2 15W
Yakoruda 43 42 1N 23 39 E
Yakut A.S.S.R. □ 59 62 0N 130 0 E
Yakutat 104 59 29N 139 44W
Yakutsk 59 62 5N 129 50 E
Yala 71 6 33N 101 18 E
Yalabusha → 117 33 30N 90 12W
Yalboroo 98 20 50 S 148 40 E
Yale 112 43 9N 82 47W
Yalgoo 96 28 16 S 116 39 E
Yalinga 88 6 33N 23 10 E
Yalkubul, Punta 120 21 32N 88 37W
Yalleroi 98 24 3 S 145 42 E
Yallourn 97 38 10 S 146 18 E
Yalong Jiang → 75 26 40N 101 55 E
Yalpukh, Oz. 46 45 30N 28 41 E
Yalta 56 44 30N 34 10 E
Yalu Chiang → 76 41 30N 126 30 E
Yalu He → 76 46 56N 123 30 E
Yalu Jiang → 76 40 0N 124 22 E
Yalutorovsk 58 56 41N 66 12 E
Yam Kinneret 62 32 45N 35 35 E
Yamagata 74 38 15N 140 15 E
Yamagata □ 74 38 30N 140 0 E
Yamaguchi 74 34 10N 131 32 E
Yamaguchi □ 74 34 20N 131 40 E
Yamal, Poluostrov 58 71 0N 70 0 E
Yamama 64 24 5N 47 30 E
Yamanashi □ 74 35 40N 138 40 E
Yamantau 52 54 20N 57 40 E
Yamantau, Gora 52 54 15N 58 6 E
Yamba 99 29 26 S 153 23 E
Yâmbiô 87 4 35N 28 16 E
Yambol 43 42 30N 26 36 E
Yamdena 73 7 45 S 131 20 E
Yamil 85 12 53N 8 4 E
Yamma-Yamma, L. 97 26 16 S 141 20 E
Yampa → 118 40 37N 108 59W
Yampi Sd. 96 16 8 S 123 38 E
Yampol 56 48 15N 28 15 E
Yamrat 85 10 11N 9 55 E
Yamrukchal 43 42 44N 24 52 E
Yamuna (Jumna) → 68 25 30N 81 53 E
Yamzho Yumco 75 28 48N 90 35 E
Yan 85 10 5N 12 11 E
Yan → 70 9 0N 81 10 E
Yana → 59 71 30N 136 0 E
Yanac 99 36 8 S 141 25 E
Yanai 74 33 58N 132 7 E
Yanam 70 16 47N 82 15 E
Yan'an 76 36 35N 109 26 E
Yanaul 52 56 25N 55 0 E
Yanbu 'al Baḩr 64 24 0N 38 5 E
Yancannia 99 30 12 S 142 35 E
Yanchang 76 36 43N 110 1 E
Yancheng, Henan, China 77 33 35N 114 0 E
Yancheng, Jiangsu, China 77 33 23N 120 8 E
Yanchi 76 37 48N 107 20 E
Yanchuan 76 36 51N 110 10 E
Yanco 100 34 38 S 146 27 E
Yandaran 98 24 43 S 152 6 E
Yanfolila 84 11 11N 8 9W
Yangambi 90 0 47N 24 20 E
Yangch'ü = Taiyuan 76 37 52N 112 33 E
Yangchun 75 22 11N 111 48 E
Yanggao 76 40 21N 113 55 E
Yangi-Yer 58 40 17N 68 48 E
Yangjiang 75 21 50N 110 59 E
Yangquan 76 37 58N 113 31 E
Yangshan 77 24 30N 112 40 E
Yangshuo 77 24 48N 110 29 E
Yangtze Kiang = Chang Jiang → 75 31 20N 121 52 E
Yangxin 77 29 50N 115 12 E
Yangzhou 77 32 21N 119 26 E
Yanhee Res. 71 17 30N 98 45 E
Yanji 76 42 59N 129 30 E
Yankton 116 42 55N 97 25W
Yanna 99 26 58 S 146 0 E
Yanonge 90 0 35N 24 38 E
Yanqi 75 42 5N 86 35 E
Yanqing 76 40 30N 115 58 E
Yanshan 77 28 15N 117 41 E
Yantabulla 99 29 21 S 145 0 E
Yantai 76 37 34N 121 22 E
Yanting 77 31 11N 105 24 E
Yantra → 43 43 40N 25 37 E
Yanzhou 76 35 35N 116 49 E
Yao 81 12 56N 17 33 E
Yaoundé 88 3 50N 11 35 E
Yap 94 9 31N 138 6 E
Yapen 73 1 50 S 136 0 E
Yapen, Selat 73 1 20 S 136 10 E
Yappar → 98 18 22 S 141 16 E
Yaqui → 120 27 37N 110 39W
Yar 55 58 14N 52 5 E
Yar-Sale 58 66 50N 70 50 E
Yaraka 97 24 53 S 144 3 E
Yarangüme 64 37 35N 29 8 E
Yaransk 55 57 22N 47 49 E
Yaratishky 54 54 3N 26 0 E
Yare → 13 52 36N 1 28 E
Yarensk 52 61 10N 49 8 E
Yarfa 86 24 40N 38 35 E
Yari → 126 0 20 S 72 20W
Yarkand = Shache 75 38 20N 77 10 E
Yarker 113 44 23N 76 46W
Yarkhun → 69 36 17N 72 30 E
Yarmouth 107 43 50N 66 7W
Yarmuk → 62 32 38N 35 34 E
Yarmūk → 62 32 42N 35 40 E
Yaroslavl 55 57 35N 39 55 E
Yarra → 100 37 50 S 144 53 E
Yarram 99 38 29 S 146 9 E
Yarraman 99 26 50 S 152 0 E
Yarranvale 99 26 50 S 145 20 E
Yarras 99 31 25 S 152 20 E
Yarrawonga 100 36 0 S 146 0 E
Yartsevo, R.S.F.S.R., U.S.S.R. 54 55 6N 32 43 E
Yartsevo, R.S.F.S.R., U.S.S.R. 59 60 20N 90 0 E
Yasawa Group 101 17 00 S 177 23 E
Yaselda → 54 52 7N 26 28 E
Yashi 85 12 23N 7 54 E
Yasinovataya 56 48 7N 37 57 E
Yasinski, L. 106 53 16N 77 35W
Yasothon 71 15 50N 104 10 E
Yass 97 34 49 S 148 54 E
Yas'ur 62 32 54N 35 10 E
Yatağn 45 37 20N 28 10 E
Yates Center 117 37 53N 95 45W
Yathkyed L. 109 62 40N 98 0W
Yatsushiro 74 32 30N 130 40 E
Yatta Plateau 90 2 0 S 38 0 E
Yaṭṭah 62 31 27N 35 6 E
Yauyos 126 12 19 S 75 50W
Yaval 68 21 10N 75 42 E
Yavari → 126 4 21 S 70 2W
Yavne 62 31 52N 34 45 E
Yavorov 54 49 55N 23 20 E
Yawatahama 74 33 27N 132 24 E
Yawri B. 84 8 22N 13 0W
Yazd (Yezd) 65 31 55N 54 27 E
Yazdān 65 33 30N 60 50 E
Yazoo → 117 32 35N 90 50W
Yazoo City 117 32 48N 90 28W
Ybbs 26 48 12N 15 4 E
Ye Xian 76 37 8N 119 57 E
Yebbi-Souma 83 21 7N 17 54 E
Yebyu 67 14 15N 98 13 E
Yecla 33 38 35N 1 5W
Yedintsy 56 48 9N 27 18 E
Yefremov 55 53 8N 38 3 E
Yegorlyk → 57 46 33N 41 40 E
Yegorlykskaya 57 46 35N 40 35 E
Yegoryevsk 55 55 27N 38 55 E
Yegros 124 26 20 S 56 25W
Yehuda, Midbar 62 31 35N 35 15 E
Yei 87 4 9N 30 40 E
Yei, Nahr → 87 6 15N 30 13 E
Yelabuga 52 55 45N 52 4 E
Yelan 55 50 55N 43 43 E
Yelan-Kolenovski 55 51 16N 41 4 E
Yelandur 70 12 6N 77 0 E
Yelanskoye 59 61 25N 128 0 E
Yelarbon 99 28 33 S 150 38 E
Yelatma 55 55 0N 41 45 E
Yelets 55 52 40N 38 30 E
Yélimané 84 15 9N 10 34W
Yell 14 60 35N 1 5W
Yell Sd. 14 60 33N 1 15W
Yellamanchilli (Elamanchili) 70 17 33N 82 50 E
Yellow Mt. 100 32 31 S 146 52 E
Yellow Sea 76 35 0N 123 0 E
Yellowhead P. 108 52 53N 118 25W
Yellowknife 108 62 27N 114 29W
Yellowknife → 104 62 31N 114 19W
Yellowstone → 116 47 58N 103 59W
Yellowstone L. 118 44 30N 110 20W
Yellowstone National Park 118 44 35N 110 0W
Yellowtail Res. 118 45 6N 108 8W
Yelnya 54 54 35N 33 15 E
Yelsk 54 51 50N 29 10 E
Yelvertoft 98 20 13 S 138 45 E
Yelwa 85 10 49N 4 41 E
Yemen ■ 63 15 0N 44 0 E
Yenakiyevo 56 48 15N 38 15 E
Yenangyaung 67 20 30N 95 0 E
Yenda 99 34 13 S 146 14 E
Yendéré 84 10 12N 4 59W
Yendi 85 9 29N 0 1W
Yenisaía 44 41 1N 24 57 E
Yenisey → 58 71 50N 82 40 E
Yeniseysk 59 58 27N 92 13 E
Yeniseyskiy Zaliv 58 72 20N 81 0 E
Yenne 21 45 43N 5 44 E
Yenotayevka 57 47 15N 47 0 E
Yenyuka 59 57 57N 121 15 E
Yeo, L. 96 28 0 S 124 30 E
Yeola 70 20 0N 74 30 E
Yeotmal 70 20 20N 78 15 E
Yeovil 13 50 57N 2 38W
Yepes 32 39 55N 3 39W
Yeppoon 97 23 5 S 150 47 E
Yeráki 45 37 0N 22 42 E
Yerbent 58 39 30N 58 50 E
Yerbogachen 59 61 16N 108 0 E
Yerevan 57 40 10N 44 31 E
Yerla → 70 16 50N 74 30 E
Yermak 58 52 2N 76 55 E
Yermakovo 59 52 25N 126 20 E
Yermo 119 34 58N 116 50W
Yerofey Pavlovich 59 54 0N 122 0 E
Yershov 55 51 22N 48 16 E
Yerushalayim 62 31 47N 35 10 E
Yerville 18 49 40N 0 53 E
Yes Tor 13 50 41N 3 59W
Yesnogorsk 55 54 32N 37 38 E
Yeso 117 34 29N 104 37W
Yessentuki 57 44 0N 42 53 E
Yessey 59 68 29N 102 10 E
Yeste 33 38 22N 2 19W
Yeu, I. d' 18 46 42N 2 20W
Yevlakh 57 40 39N 47 7 E
Yevpatoriya 56 45 15N 33 20 E
Yevstratovskiy 55 50 11N 39 45 E
Yeya → 57 46 40N 38 40 E
Yeysk 56 46 40N 38 12 E
Yhati 124 25 45 S 56 35W
Yhú 125 25 0 S 56 0W
Yi → 124 33 7 S 57 8W
Yi Xian 76 41 30N 121 22 E
Yialí 45 36 41N 27 11 E
Yi'allaq, G. 86 30 21N 33 31 E
Yiáltra 45 38 51N 22 59 E
Yianisádhes 45 35 20N 26 10 E
Yiannitsa 44 40 46N 22 24 E
Yibin 75 28 45N 104 32 E
Yichang 75 30 40N 111 20 E
Yicheng 76 35 42N 111 40 E
Yichuan 76 36 2N 110 10 E
Yichun, Heilongjiang, China 75 47 44N 128 52 E
Yichun, Jiangxi, China 77 27 48N 114 22 E
Yidhá 44 40 35N 22 53 E
Yidu 76 36 43N 118 28 E
Yihuang 77 27 30N 116 12 E
Yijun 76 35 28N 109 8 E
Yilan, China 76 46 19N 129 34 E
Yilan, Taiwan 75 24 51N 121 44 E
Yilehuli Shan 76 51 20N 124 20 E
Yimianpo 76 45 7N 128 2 E
Yinchuan 76 38 30N 106 15 E
Ying He → 77 32 30N 116 30 E
Ying Xian 76 39 32N 113 10 E
Yingcheng 77 30 56N 113 35 E
Yingde 77 24 10N 113 25 E
Yingkou 76 40 37N 122 18 E
Yingshan 77 30 41N 115 32 E
Yingshang 77 32 38N 116 12 E
Yingtan 75 28 12N 117 0 E
Yining 75 43 58N 81 10 E

Yinjiang Zikhron Ya'Aqov

Yinjiang 77 28 1N 108 21 E
Yinkanie 99 34 22 S 140 17 E
Yinnietharra 96 24 39 S 116 12 E
Yioúra, Greece 44 39 23N 24 10 E
Yioúra, Greece 45 37 32N 24 40 E
Yipinglang 75 25 10N 101 52 E
Yirga Alem 87 6 48N 38 22 E
Yirshi 76 47 18N 119 49 E
Yishan 75 24 28N 108 38 E
Yíthion 45 36 46N 22 34 E
Yitong 76 43 13N 125 20 E
Yitulihe 76 50 38N 121 34 E
Yixing 77 31 21N 119 48 E
Yiyang, Henan, China 77 34 27N 112 10 E
Yiyang, Hunan, China 75 28 35N 112 18 E
Yizhang 77 25 27N 112 57 E
Yizre'el 62 32 34N 35 19 E
Ylitornio 50 66 19N 23 39 E
Ylivieska 50 64 4N 24 28 E
Yngaren 49 58 50N 16 35 E
Ynykchanskiy 59 60 15N 137 35 E
Yoakum 117 29 20N 97 20W
Yog Pt. 73 14 6N 124 12 E
Yogan 85 6 23N 1 30 E
Yogyakarta 73 7 49 S 110 22 E
Yoho Nat. Park 108 51 25N 116 30W
Yojoa, L. de 120 14 53N 88 0W
Yokadouma 88 3 26N 15 6 E
Yokkaichi 74 35 0N 136 38 E
Yoko 85 5 32N 12 20 E
Yokohama 74 35 27N 139 28 E
Yokosuka 74 35 20N 139 40 E
Yola 85 9 10N 12 29 E
Yolaina, Cordillera de 121 11 30N 84 0W
Yonago 74 35 25N 133 19 E
Yong Peng 71 2 0N 103 3 E
Yong'an 77 25 59N 117 25 E
Yongchun 77 25 16N 118 20 E
Yongding 77 24 43N 116 45 E
Yongfeng 77 27 20N 115 22 E
Yongfu 77 24 59N 109 59 E
Yonghe 76 36 46N 110 38 E
Yongji 77 34 52N 110 28 E
Yongshun 77 29 2N 109 51 E
Yongxin 77 26 58N 114 15 E
Yongxing 77 26 9N 113 8 E
Yongxiu 77 29 2N 115 42 E
Yonibana 84 8 30N 12 19W
Yonkers 114 40 57N 73 51W
Yonne □ 19 47 50N 3 40 E
Yonne ⤳ 19 48 23N 2 58 E
Yoqne'am 62 32 40N 35 6 E
York, Austral. 96 31 52 S 116 47 E
York, U.K. 12 53 58N 1 7W
York, Ala., U.S.A. 115 32 30N 88 18W
York, Nebr., U.S.A. 116 40 55N 97 35W
York, Pa., U.S.A. 114 39 57N 76 43W
York, C. 97 10 42 S 142 31 E
York, Kap 4 75 55N 66 25W
York Sd. 96 14 50 S 125 5 E
Yorke Pen. 97 34 50 S 137 40 E
Yorkshire Wolds 12 54 0N 0 30W
Yorkton 109 51 11N 102 28W
Yorktown 117 29 0N 97 29W
Yosemite National Park 119 38 0N 119 30W
Yoshkar Ola 55 56 38N 47 55 E
Yŏsu 77 34 47N 127 45 E
Yotvata 62 29 55N 35 2 E
You Jiang ⤳ 75 23 22N 110 3 E
Youbou 108 48 53N 124 13W
Youghal 15 51 58N 7 51W
Youghal B. 15 51 55N 7 50W
Youkounkoun 84 12 35N 13 11W
Young, Austral. 97 34 19 S 148 18 E
Young, Can. 109 51 47N 105 45W
Young, Uruguay 124 32 44 S 57 36W
Young, U.S.A. 119 34 9N 110 56W
Younghusband Pen. 99 36 0 S 139 25 E
Youngstown, Can. 109 51 35N 111 10W
Youngstown, N.Y., U.S.A. 112 43 16N 79 2W
Youngstown, Ohio, U.S.A. 114 41 7N 80 41W
Youngsville 112 41 51N 79 21W
Youssoufia 82 32 16N 8 31W
Youyang 77 28 47N 108 42 E
Youyu 76 40 10N 112 20 E
Yozgat 64 39 51N 34 47 E
Ypané ⤳ 124 23 29 S 57 19W
Yport 18 49 45N 0 15 E
Ypres = Ieper 16 50 51N 2 53 E
Ypsilanti 114 42 18N 83 40W
Yreka 118 41 44N 122 40W
Ysleta 119 31 45N 106 24W
Yssingeaux 21 45 9N 4 8 E
Ystad 49 55 26N 13 50 E
Ythan ⤳ 14 57 26N 2 12W
Ytterhogdal 48 62 12N 14 56 E
Ytyk-Kel 59 62 30N 133 45 E
Yu Shan 75 23 30N 120 58 E
Yu Xian, Hebei, China 76 39 50N 114 35 E
Yu Xian, Henan, China 77 34 10N 113 28 E
Yuan Jiang ⤳ 75 28 55N 111 50 E
Yuanling 75 28 29N 110 22 E
Yuanyang 75 23 10N 102 43 E
Yuba City 118 39 12N 121 37W
Yucatán □ 120 21 30N 86 30W
Yucatán, Canal de 121 22 0N 86 30W
Yucca 119 34 56N 114 6W
Yucheng 76 36 55N 116 32 E
Yuci 76 37 42N 112 46 E
Yudino, R.S.F.S.R., U.S.S.R. 55 55 51N 48 55 E
Yudino, R.S.F.S.R., U.S.S.R. 58 55 10N 67 55 E
Yudu 77 25 59N 115 30 E
Yueqing 77 28 9N 120 59 E
Yueyang 77 29 21N 113 5 E
Yugan 77 28 43N 116 37 E
Yugoslavia ■ 37 44 0N 20 0 E
Yuhuan 77 28 9N 121 12 E
Yujiang 77 28 10N 116 43 E
Yukhnov 54 54 44N 35 15 E
Yukon Territory □ 104 63 0N 135 0W
Yukti 59 63 26N 105 42 E
Yule ⤳ 96 20 41 S 118 17 E
Yuli 85 9 44N 10 12 E
Yülin 77 18 10N 109 31 E
Yulin, Guangxi Zhuangzu, China 77 22 40N 110 8 E
Yulin, Shaanxi, China 76 38 20N 109 30 E
Yuma, Ariz., U.S.A. 119 32 45N 114 37W
Yuma, Colo., U.S.A. 116 40 10N 102 43W
Yuma, B. de 121 18 20N 68 35W
Yumbe 90 3 28N 31 15 E
Yumbi 90 1 12 S 26 15 E
Yumen 75 39 50N 97 30 E
Yun Xian 75 32 50N 110 46 E
Yungas 126 17 0 S 66 0W
Yungay 124 37 10 S 72 5W
Yunhe 77 28 8N 119 33 E
Yunlin 77 23 42N 120 30 E
Yunnan □ 75 25 0N 102 0 E
Yunquera de Henares 32 40 47N 3 11W
Yunta 99 32 34 S 139 36 E
Yunxiao 77 23 59N 117 18 E
Yur 59 59 52N 137 41 E
Yurgao 58 55 42N 84 51 E
Yuribei 58 71 8N 76 58 E
Yurimaguas 126 5 55 S 76 7W
Yurya 55 59 1N 49 13 E
Yuryev-Polskiy 55 56 30N 39 40 E
Yuryevets 55 57 25N 43 2 E
Yuscarán 121 13 58N 86 45W
Yushu, Jilin, China 76 44 43N 126 38 E
Yushu, Qinghai, China 75 33 5N 96 55 E
Yuyao 77 30 3N 121 10 E
Yuzha 55 56 34N 42 1 E
Yuzhno-Sakhalinsk 59 46 58N 142 45 E
Yvelines □ 19 48 40N 1 45 E
Yverdon 25 46 47N 6 39 E
Yvetot 18 49 37N 0 44 E

Z

Zaandam 16 52 26N 4 49 E
Zab, Monts du 83 34 55N 5 0 E
Žabalj 42 45 21N 20 5 E
Žabari 42 44 22N 21 15 E
Zabarjad 86 23 40N 36 12 E
Zabaykalskiy 59 49 40N 117 25 E
Zabid 63 14 0N 43 10 E
Ząbkowice Śląskie 28 50 35N 16 50 E
Žabljak 42 43 18N 19 7 E
Zabłudów 28 53 0N 23 19 E
Żabno 27 50 9N 20 53 E
Zābol 65 31 0N 61 32 E
Zābolī 65 27 10N 61 35 E
Zabré 85 11 12N 0 36W
Zabrze 28 50 18N 18 50 E
Zabul □ 65 32 0N 67 0 E
Zacapa 120 14 59N 89 31W
Zacatecas 120 22 49N 102 34W
Zacatecas □ 120 23 30N 103 0W
Zacatecoluca 120 13 29N 88 51W
Zacoalco 120 20 14N 103 33W
Zadar 39 44 8N 15 14 E
Zadawa 85 11 33N 10 19 E
Zadetkyi Kyun 72 10 0N 98 25 E
Zadonsk 55 52 25N 38 56 E
Zafora 45 36 5N 26 24 E
Zafra 31 38 26N 6 30W
Zafriya 62 31 59N 34 51 E
Żagań 28 51 39N 15 22 E
Zagazig 86 30 40N 31 30 E
Zaghouan 83 36 23N 10 10 E
Zaglivérion 44 40 36N 23 15 E
Zaglou 82 27 17N 0 3W
Zagnanado 85 7 18N 2 28 E
Zagorá 44 39 27N 23 6 E
Zagora 82 30 22N 5 51W
Zagórów 28 52 10N 17 54 E
Zagorsk 55 56 20N 38 10 E
Zagórz 27 49 30N 22 14 E
Zagreb 39 45 50N 16 0 E
Zāgros, Kudhā-ye 65 33 45N 47 0 E
Žagubica 42 44 15N 21 47 E
Zaguinaso 84 10 1N 6 14W
Zagyva ⤳ 27 47 5N 20 4 E
Zāhedān 65 29 30N 60 50 E
Zahirabad 70 17 43N 77 37 E
Zahlah 64 33 52N 35 50 E
Zahna 24 51 54N 12 47 E
Zahrez Chergui 82 35 0N 3 30 E
Zahrez Rharbi 82 34 50N 2 55 E
Zaïr 82 29 47N 5 51W
Zaïre ⤳ 88 6 4 S 12 24 E
Zaïre, Rep. of ■ 88 3 0 S 23 0 E
Zaječar 42 43 53N 22 18 E
Zakamensk 59 50 23N 103 17 E
Zakataly 57 41 38N 46 35 E
Zakavkazye 57 42 0N 44 0 E
Zākhū 64 37 10N 42 50 E
Zákinthos 45 37 47N 20 57 E
Zaklików 28 50 46N 22 7 E
Zakopane 27 49 18N 19 57 E
Zakroczym 28 52 26N 20 38 E
Zala □ 27 46 42N 16 50 E
Zala ⤳ 27 46 43N 17 16 E
Zalaegerszeg 27 46 53N 16 47 E
Zalakomár 27 46 33N 17 10 E
Zalalövö 27 46 51N 16 35 E
Zalamea de la Serena 31 38 40N 5 38W
Zalamea la Real 31 37 41N 6 38W
Zalău 46 47 12N 23 3 E
Zalazna 55 58 39N 52 31 E
Žalec 39 46 16N 15 10 E
Zaleshchiki 56 48 45N 25 45 E
Zalewo 28 53 50N 19 41 E
Zalingei 81 12 51N 23 29 E
Zalţan, Jabal 83 28 46N 19 45 E
Zambeke 90 2 8N 25 17 E
Zambeze ⤳ 91 18 55 S 36 4 E
Zambezi 89 13 30 S 23 15 E
Zambezi = Zambeze ⤳ 91 18 55 S 36 4 E
Zambezia □ 91 16 15 S 37 30 E
Zambia ■ 89 15 0 S 28 0 E
Zamboanga 73 6 59N 122 3 E
Zambrów 28 52 59N 22 14 E
Zametchino 55 53 30N 42 30 E
Zamora, Mexico 120 20 0N 102 21W
Zamora, Spain 30 41 30N 5 45W
Zamora □ 30 41 30N 5 46W
Zamość 28 50 43N 23 15 E
Zamość □ 28 50 40N 23 10 E
Zamzam, W. 83 31 0N 14 30 E
Zan 85 9 26N 0 17W
Zanaga 88 2 48 S 13 48 E
Záncara ⤳ 33 39 18N 3 18W
Zandvoort 16 52 22N 4 32 E
Zanesville 114 39 56N 82 2W
Zangue ⤳ 91 17 50 S 35 21 E
Zanjan 64 36 40N 48 35 E
Zannone 40 40 58N 13 2 E
Zante = Zákinthos 45 37 47N 20 54 E
Zanthus 96 31 2 S 123 34 E
Zanzibar 90 6 12 S 39 12 E
Zanzūr 83 32 55N 13 1 E
Zaouiet El-Kala = Bordj Omar Driss 83 28 4N 6 40 E
Zaouiet Reggane 82 26 32N 0 3 E
Zapadna Morava ⤳ 42 43 38N 21 30 E
Zapadnaya Dvina 54 56 15N 32 3 E
Zapadnaya Dvina ⤳ 54 57 4N 24 3 E
Západné Beskydy 27 49 30N 19 0 E
Zapadni Rodopi 43 41 50N 24 0 E
Zapadočeský □ 26 49 35N 13 0 E
Západoslovenský □ 27 48 30N 17 30 E
Zapala 128 39 0 S 70 5W
Zapaleri, Cerro 124 22 49 S 67 11W
Zapata 117 26 56N 99 17W
Zapatón ⤳ 31 39 0N 6 49W
Zapodnyy Sayan 59 52 30N 94 0 E
Zapolyarnyy 52 69 26N 30 51 E
Zaporozhye 56 47 50N 35 10 E
Zapponeta 41 41 27N 15 57 E
Zara 64 39 58N 37 43 E
Zaragoza, Coahuila, Mexico 120 28 30N 101 0W
Zaragoza, Nuevo León, Mexico 120 24 0N 99 46W
Zaragoza, Spain 32 41 39N 0 53W
Zaragoza □ 32 41 35N 1 0W
Zarand 65 30 46N 56 34 E
Zărandului, Munţii 46 46 14N 22 7 E
Zaranj 65 30 55N 61 55 E
Zarasai 54 55 40N 26 20 E
Zarate 124 34 7 S 59 0W
Zaraysk 55 54 48N 38 53 E
Zarembo I. 108 56 20N 132 50W
Zaria 85 11 0N 7 40 E
Zarisberge 92 24 30 S 16 15 E
Zárkon 44 39 38N 22 6 E
Żarów 28 50 56N 16 29 E
Zarqā' ⤳ 62 32 10N 35 37 E
Zaruma 126 3 40 S 79 38W
Żary 28 51 37N 15 10 E
Zarza de Alange 31 38 49N 6 13W
Zarza de Granadilla 30 40 14N 6 3W
Zarza, La 31 37 42N 6 51W
Zarzaîtine 83 28 15N 9 34 E
Zarzis 83 33 31N 11 2 E
Zas 30 43 4N 8 53W
Zashiversk 59 67 25N 142 40 E
Zaskar Mountains 69 33 15N 77 30 E
Zastron 92 30 18 S 27 7 E
Žatec 26 50 20N 13 32 E
Zator 27 49 59N 19 28 E
Zavala 42 42 50N 17 59 E
Zavarāh 65 33 29N 52 28 E
Zavetnoye 57 47 13N 43 50 E
Zavidovići 42 44 27N 18 13 E
Zavitinsk 59 50 10N 129 20 E
Zavodoski 5 56 0 S 27 45W
Zavolzhsk 55 57 30N 42 10 E
Zavolzhye 55 56 37N 43 26 E
Zawadzkie 28 50 37N 18 28 E
Zawichost 28 50 48N 21 51 E
Zawidów 28 51 1N 15 1 E
Zawiercie 28 50 30N 19 24 E
Zāwiyat al Bayḑā 81 32 30N 21 40 E
Zawyet Shammâs 86 31 30N 26 37 E
Zâwyet Um el Rakham 86 31 18N 27 1 E
Zâwyet Ungeîla 86 31 23N 26 42 E
Zāyandeh ⤳ 65 32 35N 52 0 E
Zayarsk 59 56 12N 102 55 E
Zaysan 58 47 28N 84 52 E
Zaysan, Oz. 58 48 0N 83 0 E
Zaytā 62 32 23N 35 2 E
Zāzamt, W. 83 30 29N 14 30 E
Zazir, O. ⤳ 83 22 0N 5 40 E
Zázrivá 27 49 16N 19 7 E
Zbarazh 54 49 43N 25 44 E
Zbąszyń 28 52 14N 15 56 E
Zbąszynek 28 52 16N 15 51 E
Zblewo 28 53 56N 18 19 E
Zdolbunov 54 50 30N 26 15 E
Ždrelo 42 44 16N 21 28 E
Zduńska Wola 28 51 37N 18 59 E
Zduny 28 51 39N 17 21 E
Zeballos 108 49 59N 126 50W
Zebediela 93 24 20 S 19 7 E
Zeebrugge 16 51 19N 3 12 E
Zeehan 97 41 52 S 145 25 E
Zeeland □ 16 51 30N 3 50 E
Ze'elim 62 31 13N 34 32 E
Zeerust 92 25 31 S 26 4 E
Zefat 62 32 58N 35 29 E
Zegdou 82 29 51N 4 45W
Zege 87 11 43N 37 18 E
Zégoua 84 10 32N 5 35W
Zehdenick 24 52 59N 13 20 E
Zeila 63 11 21N 43 30 E
Zeist 16 52 5N 5 15 E
Zeitz 24 51 3N 12 9 E
Żelechów 28 51 49N 21 54 E
Zelengora 42 43 22N 18 30 E
Zelenika 42 42 27N 18 37 E
Zelenodolsk 55 55 55N 48 30 E
Zelenogradsk 54 54 53N 20 29 E
Zelenokumsk 57 44 24N 43 53 E
Zelënyy 57 48 6N 50 45 E
Zeleznik 42 44 43N 20 23 E
Zell, Baden, Ger. 25 47 42N 7 50 E
Zell, Rhld-Pfz., Ger. 25 50 2N 7 11 E
Zell am See 26 47 19N 12 47 E
Zella Mehlis 24 50 40N 10 41 E
Zelów 28 51 28N 19 14 E
Zelzate 16 51 13N 3 47 E
Zembra, I. 83 37 5N 10 56 E
Zémio 90 5 2N 25 5 E
Zemlya Frantsa Iosifa 4 81 0N 55 0 E
Zemmora 82 35 44N 0 51 E
Zemoul, O. ⤳ 82 29 15N 7 0W
Zemun 42 44 51N 20 25 E
Zengbe 85 5 46N 13 4 E
Zenica 42 44 10N 17 57 E
Zenina 82 34 30N 2 37 E
Žepče 42 44 28N 18 2 E
Zeraf, Bahr ez ⤳ 87 9 42N 30 52 E
Zerbst 24 51 59N 12 8 E
Zerhamra 82 29 58N 2 30W
Żerków 28 52 4N 17 32 E
Zermatt 25 46 2N 7 46 E
Zernez 25 46 42N 10 7 E
Zernograd 57 46 52N 40 19 E
Zerqani 44 41 30N 20 20 E
Zestafoni 57 42 6N 43 0 E
Zetel 24 53 25N 7 57 E
Zeulenroda 24 50 39N 12 0 E
Zeven 24 53 17N 9 19 E
Zévio 38 45 23N 11 10 E
Zeya 59 53 48N 127 14 E
Zeya ⤳ 59 53 13N 127 35 E
Zêzere ⤳ 31 39 28N 8 20W
Zgierz 28 51 50N 19 27 E
Zgorzelec 28 51 10N 15 0 E
Zhabinka 54 52 13N 24 2 E
Zhailma 58 51 37N 61 33 E
Zhangguangcai Ling 76 45 0N 129 0 E
Zhanghua 75 24 6N 120 29 E
Zhangjiakou 76 40 48N 114 55 E
Zhangping 77 25 17N 117 23 E
Zhangpu 77 24 8N 117 35 E
Zhangwu 76 42 43N 123 52 E
Zhangye 75 38 50N 100 23 E
Zhangzhou 75 24 30N 117 35 E
Zhanhua 76 37 40N 118 8 E
Zhanjiang 75 21 15N 110 20 E
Zhanyi 75 25 38N 103 48 E
Zhanyu 76 44 30N 122 30 E
Zhao Xian 76 37 43N 114 45 E
Zhao'an 77 23 41N 117 10 E
Zhaoping 77 24 11N 110 48 E
Zhaoqing 77 23 0N 112 20 E
Zhaotong 75 27 20N 103 44 E
Zhaoyuan 76 37 20N 120 23 E
Zharkovskiy 54 55 56N 32 19 E
Zhashkov 56 49 15N 30 5 E
Zhdanov 56 47 5N 37 31 E
Zhecheng 77 34 7N 115 20 E
Zhejiang □ 75 29 0N 120 0 E
Zheleznodorozhny 52 62 35N 50 55 E
Zheleznogorsk 54 52 22N 35 23 E
Zheleznogorsk-Ilimskiy 59 56 34N 104 8 E
Zheltyye Vody 56 48 21N 33 31 E
Zhen'an 77 33 27N 109 9 E
Zhenfeng 77 25 22N 105 40 E
Zheng'an 77 28 32N 107 27 E
Zhengding 76 38 8N 114 32 E
Zhenghe 77 27 20N 118 50 E
Zhengyang 77 32 37N 114 22 E
Zhengyangguan 77 32 30N 116 29 E
Zhengzhou 77 34 45N 113 34 E
Zhenjiang 75 32 11N 119 26 E
Zhenlai 76 45 50N 123 5 E
Zhenning 77 26 4N 105 45 E
Zhenyuan, Gansu, China 76 35 35N 107 30 E
Zhenyuan, Guizhou, China 75 27 4N 108 21 E
Zherdevka 55 51 56N 41 29 E
Zhigansk 59 66 48N 123 27 E
Zhigulevsk 55 53 28N 49 30 E
Zhijiang 75 27 27N 109 42 E
Zhirnovsk 55 50 57N 44 49 E
Zhitomir 54 50 20N 28 40 E
Zhizdra 54 53 45N 34 40 E
Zhlobin 54 52 55N 30 0 E
Zhmerinka 56 49 2N 28 2 E
Zhodino 54 54 5N 28 17 E
Zhokhova, Ostrov 59 76 4N 152 40 E
Zhong Xian 77 30 21N 108 1 E
Zhongdian 75 27 48N 99 42 E
Zhongshan 77 22 26N 113 20 E
Zhongwei 76 37 30N 105 12 E
Zhongxiang 77 31 12N 112 34 E
Zhoushan Dao 77 28 5N 122 10 E
Zhouzhi 77 34 10N 108 12 E
Zhovtnevoye 56 46 54N 32 3 E
Zhuanghe 76 39 40N 123 0 E
Zhucheng 76 36 0N 119 27 E
Zhugqu 77 33 40N 104 30 E
Zhuji 77 29 40N 120 10 E
Zhukovka 54 53 35N 33 50 E
Zhumadian 75 32 59N 114 2 E
Zhuo Xian 76 39 28N 115 58 E
Zhupanovo 59 53 40N 159 52 E
Zhushan 77 32 15N 110 13 E
Zhuxi 77 32 25N 109 40 E
Zhuzhou 75 27 49N 113 12 E
Ziarat 68 30 25N 67 49 E
Zibo 76 36 47N 118 3 E
Zidarovo 43 42 20N 27 24 E
Ziębice 28 50 37N 17 2 E
Zielona Góra 28 51 57N 15 31 E
Zielona Góra □ 28 51 57N 15 30 E
Zierikzee 16 51 40N 3 55 E
Ziesar 24 52 16N 12 19 E
Zifta 86 30 43N 31 14 E
Zigey 81 14 43N 15 50 E
Zigong 75 29 15N 104 48 E
Zigui 75 31 0N 110 40 E
Ziguinchor 84 12 35N 16 20W
Zikhron Ya'Aqov 62 32 34N 34 56 E

Name	Page	Lat.	Long.
Zile	**64**	40 15N	35 52 E
Žilina	**27**	49 12N	18 42 E
Zillah	**83**	28 30N	17 33 E
Zillertaler Alpen	**26**	47 6N	11 45 E
Zima	**59**	54 0N	102 5 E
Zimane, Adrar in	**82**	22 10N	4 30 E
Zimapán	**120**	20 54N	99 20W
Zimba	**91**	17 20 S	26 11 E
Zimbabwe	**91**	20 16 S	30 54 E
Zimbabwe ■	**91**	20 0 S	30 0 E
Zimnicea	**46**	43 40N	25 22 E
Zimovniki	**57**	47 10N	42 25 E
Zinder	**85**	13 48N	9 0 E
Zinga	**91**	9 16 S	38 49 E
Zingst	**24**	54 24N	12 45 E
Ziniaré	**85**	12 35N	1 18W
Zinjibār	**63**	13 5N	45 23 E
Zinkgruvan	**49**	58 50N	15 6 E
Zinnowitz	**24**	54 5N	13 54 E
Zion Nat. Park	**119**	37 25N	112 50W
Zipaquirá	**126**	5 0N	74 0W
Zippori	**62**	32 45N	35 16 E
Zirc	**27**	47 17N	17 42 E
Žiri	**39**	46 5N	14 5 E
Žirje	**39**	43 39N	15 42 E
Zirko	**65**	25 0N	53 40 E
Zirl	**26**	47 17N	11 14 E
Zisterdorf	**27**	48 33N	16 45 E
Zitácuaro	**120**	19 28N	100 21W
Zitava →	**27**	48 14N	18 21 E
Žitište	**42**	45 30N	20 32 E
Zítsa	**44**	39 47N	20 40 E
Zittau	**24**	50 54N	14 47 E
Zitundo	**93**	26 48 S	32 47 E
Živinice	**42**	44 27N	18 36 E
Ziway, L.	**87**	8 0N	38 50 E
Zixi	**77**	27 45N	117 4 E
Ziyang	**77**	32 32N	108 31 E
Ziz, Oued →	**82**	31 40N	4 15W
Zizhong	**77**	29 48N	104 47 E
Zlarin	**39**	43 42N	15 49 E
Zlatar, Hrvatska, Yugo.	**39**	46 5N	16 3 E
Zlatar, Srbija, Yugo.	**42**	43 25N	19 47 E
Zlataritsa	**43**	43 2N	25 55 E
Zlatibor	**42**	43 45N	19 43 E
Zlatitsa	**43**	42 41N	24 7 E
Zlatna	**46**	46 8N	23 11 E
Zlatograd	**43**	41 22N	25 7 E
Zlatoust	**52**	55 10N	59 40 E
Zletovo	**42**	41 59N	22 17 E
Zlītan	**83**	32 32N	14 35 E
Złocieniec	**28**	53 30N	16 1 E
Złoczew	**28**	51 24N	18 35 E
Zlot	**42**	44 1N	22 0 E
Złotoryja	**28**	51 8N	15 55 E
Złotów	**28**	53 22N	17 2 E
Złoty Stok	**28**	50 27N	16 53 E
Zmeinogorsk	**58**	51 10N	82 13 E
Żmigród	**28**	51 28N	16 53 E
Zmiyev	**56**	49 39N	36 27 E
Znamenka	**56**	48 45N	32 30 E
Znamensk	**54**	54 37N	21 17 E
Żnin	**28**	52 51N	17 44 E
Znojmo	**26**	48 50N	16 2 E
Zoar	**92**	33 30 S	21 26 E
Zobia	**90**	3 0N	25 59 E
Zogno	**38**	45 49N	9 41 E
Zolochev	**54**	49 45N	24 51 E
Zolotonosha	**56**	49 39N	32 5 E
Zomba	**91**	15 22 S	35 19 E
Zongo	**88**	4 20N	18 35 E
Zonguldak	**56**	41 28N	31 50 E
Zorgo	**85**	12 15N	0 35W
Zorita	**31**	39 17N	5 39W
Zorleni	**46**	46 14N	27 44 E
Zornitsa	**43**	42 23N	26 58 E
Zorra Island	**120**	9 18N	79 52W
Zorritos	**126**	3 43 S	80 40W
Zory	**27**	50 3N	18 44 E
Zorzor	**84**	7 46N	9 28W
Zossen	**24**	52 13N	13 28 E
Zou Xiang	**77**	35 30N	116 58 E
Zouar	**83**	20 30N	16 32 E
Zouérate	**80**	22 44N	12 21W
Zousfana, O. →	**82**	31 28N	2 17W
Zoutkamp	**16**	53 20N	6 18 E
Zrenjanin	**42**	45 22N	20 23 E
Zuarungu	**85**	10 49N	0 46W
Zuba	**85**	9 11N	7 12 E
Zubair, Jazāir	**87**	15 0N	42 10 E
Zubia	**31**	37 8N	3 33W
Zubtsov	**54**	56 10N	34 34 E
Zuénoula	**84**	7 34N	6 3W
Zuera	**32**	41 51N	0 49W
Zuetina	**83**	30 58N	20 7 E
Zufar	**63**	17 40N	54 0 E
Zug	**25**	47 10N	8 31 E
Zugdidi	**57**	42 30N	41 55 E
Zugersee	**25**	47 7N	8 35 E
Zugspitze	**25**	47 25N	10 59 E
Zuid-Holland □	**16**	52 0N	4 35 E
Zuidhorn	**16**	53 15N	6 23 E
Zújar	**33**	37 34N	2 50W
Zújar →	**31**	39 1N	5 47W
Zújar, Pantano del	**31**	38 55N	5 35W
Zula	**87**	15 17N	39 40 E
Zulpich	**24**	50 41N	6 38 E
Zululand	**93**	43 19N	2 15 E
Zumaya	**32**	43 19N	2 15W
Zumbo	**91**	15 35 S	30 26 E
Zummo	**85**	9 51N	12 59 E
Zungeru	**85**	9 48N	6 8 E
Zunhua	**76**	40 18N	117 58 E
Zuni	**119**	35 7N	108 57W
Zunyi	**75**	27 42N	106 53 E
Županja	**42**	45 4N	18 43 E
Zuqar	**87**	14 0N	42 40 E
Žur	**42**	42 13N	20 34 E
Zürich	**25**	47 22N	8 32 E
Zürich □	**25**	47 26N	8 40 E
Zürichsee	**25**	47 18N	8 40 E
Zuromin	**28**	53 4N	19 51 E
Zuru	**85**	11 20N	5 11 E
Žut	**39**	43 52N	15 17 E
Zutphen	**16**	52 9N	6 12 E
Zuwārah	**83**	32 58N	12 1 E
Zuyevka	**55**	58 25N	51 10 E
Žužemberk	**39**	45 52N	14 56 E
Zvenigorodka	**56**	49 4N	30 56 E
Zverinogolovskoye	**58**	54 23N	64 40 E
Zvezdets	**43**	42 6N	27 26 E
Zvolen	**27**	48 33N	19 10 E
Zvonce	**42**	42 57N	22 34 E
Zvornik	**42**	44 26N	19 7 E
Zwedru (Tchien)	**84**	5 59N	8 15W
Zweibrücken	**25**	49 15N	7 20 E
Zwenkau	**24**	51 13N	12 19 E
Zwettl	**26**	48 35N	15 9 E
Zwickau	**24**	50 43N	12 30 E
Zwiesel	**25**	49 1N	13 14 E
Zwischenahn	**24**	53 12N	8 1 E
Zwoleń	**28**	51 21N	21 36 E
Zwolle, Neth.	**16**	52 31N	6 6 E
Zwolle, U.S.A.	**117**	31 38N	93 38W
Żychlin	**28**	52 15N	19 37 E
Zymoetz →	**108**	54 33N	128 31W
Żyrardów	**28**	52 3N	20 28 E
Zyrya	**57**	40 20N	50 15 E
Zyryanka	**59**	65 45N	150 51 E
Zyryanovsk	**58**	49 43N	84 20 E
Żywiec	**27**	49 42N	19 10 E

Recent Place Name Changes

The following place name changes have recently occurred.
The new names are on the maps but the former names are in the index.

India

Former name	*New name*
Ambarnath	Amarnath
Arrah	Ara
Aruppukottai	Aruppukkottai
Barrackpur	Barakpur
Berhampore	Baharampur
Bokharo Steel City	Bokaro
Budge Budge	Baj Baj
Burdwam	Barddhaman
Chapra	Chhapra
Cooch Behar	Koch Bihar
Dohad	Dahod
Dhulia	Dhule
English Bazar	Ingraj Bazar
Farrukhabad-cum-Fatehgarh	Fategarh
Ferozepore	Firozpur
Gadag-Batgeri	Gadag
Gudiyatam	Gudiyattam
Hardwar	Haridwar
Hooghly-Chinsura	Chunchura
Howrah	Haora
Hubli-Dharwar	Dharwad
Kadayanallur	Kadaiyanallur
Manaar, Gulf of	Mannar, Gulf of
Maunath Bhanjan	Mau
Mehsana	Mahesana
Midnapore	Medinipur
Monghyr	Munger
Morvi	Morbi
Nabadwip	Navadwip
Nander	Nanded
Palayancottai	Palayankottai
Purnea	Purnia
Rajnandgaon	Raj Nandgaon
Santipur	Shantipur
Serampore	Shrirampur
Siliguri	Shiliguri
Sonepat	Sonipat
South Suburban	Behala

Iran

Former name	*New name*
Bandar-e Pahlavi	Bandar-e Anzalī
Bandar-e Shāh	Bandar-e Torkeman
Bandar-e Shahpur	Bandar-e Khomeynī
Dezh Shāhpūr	Marīvan
Gach Sārān	Gachsāran
Herowābād	Khalkhāl
Kermānshāh	Qahremānshahr
Naft-e Shāh	Naftshahr
Rezā'īyeh	Orūmīyeh
Rezā'īyeh, Daryācheh-ye	Orūmīyeh, Daryācheh-ye
Shāhābād	Āshkhāneh
Shāhābād	Eslāmābād-e Gharb
Shāhī	Qā 'emshahr
Shahrezā	Qomsheh
Shāhrud	Emāmrūd
Shahsavār	Tonekābon
Solṭāniyeh	Sa'īdīyeh

Mozambique

Former name	*New name*
Augusto Cardosa	Metangula
Entre Rios	Malema
Malvérnia	Chicualacuala
Miranda	Macalogue
Olivença	Lupilichi
Vila Alferes Chamusca	Guijá
Vila Caldas Xavier	Muende
Vila Coutinho	Ulonguè
Vila Fontes	Caia
Vila de Junqueiro	Gurué
Vila Luísa	Marracuene
Vila Paiva de Andrada	Gorongoza

Zimbabwe

Former name	*New name*
Balla Balla	Mbalabala
Belingwe	Mberengwa
Chipinga	Chipinge
Dett	Dete
Enkeldoorn	Chivhu
Essexvale	Esigodini
Fort Victoria	Masvingo
Gwelo	Gweru
Hartley	Chegutu
Gatooma	Kadoma
Inyazura	Nyazura
Marandellas	Marondera
Mashaba	Mashava
Melsetter	Chimanimani
Mrewa	Murewa
Mtoko	Mutoko
Nuanetsi	Mwenezi
Que Que	Kwekwe
Salisbury	Harare
Selukwe	Shurugwi
Shabani	Zvishavane
Sinoia	Chinhoyi
Somabula	Somabhula
Tjolotjo	Tsholotsho
Umvuma	Mvuma
Umtali	Mutare.
Wankie	Hwange

Maps, Illustrations and Index printed in Great Britain by George Philip Printers Ltd., London